工商管理经典译丛·市场营销系列

MARKETING ENGINEERING
COMPUTER—ASSISTED MARKETING ANALYSIS AND PLANNING

营销工程与应用

[美] 加里·L·利连 (Gary L. Lilien)
阿温德·朗格斯瓦米 (Arvind Rangaswamy) 著
魏立原 成 栋 译 成 栋 审校

中国人民大学出版社

对本书的赞誉

今天，大多数企业都了解营销的基本概念，因此也就没有竞争优势可言。这本非常重要的著作无疑能为那些从概念营销转向营销工程的企业赢得竞争优势。

——菲利普·科特勒（Philip Kotler）
西北大学凯洛格管理学院

我对这本书的出版非常激动，营销学终于能展示自己科学的肌肉了，并且开始从基于意见的决策转向基于数据的决策。我认为这是一本非常重要的著作，为营销学开辟了一个新学科。

——菲利普·科特勒（Philip Kotler）
西北大学凯洛格管理学院

利连和朗格斯瓦米的教材和软件包给学生提供了一个方便地学习各种定量工具的极好机会。所有的软件都统一在 Excel 平台上运行，用户界面友好。这本教材和软件包既丰富了教学内容，又方便了课堂教学。

——乔尔·斯特克尔（Joel Steckel）
纽约大学商学院

《营销工程与应用》是一本极具创新的著作，它为营销决策引入了科学的方法。用户友好的软件工具和案例能让用户专注于决策过程和结果，不必操心那些复杂的数学模型。这本书把营销科学带进了 21 世纪。

——维杰伊·马哈简（Vijay Mahajan）
得克萨斯大学奥斯汀分校

利连和朗格斯瓦米的教材和软件包是一个实用的营销工具箱，学生可以用它学习基于信息的营销决策。

——詹姆斯·赫斯（James D. Hess）
伊利诺伊大学厄巴纳—香槟分校

1

我为利连和朗格斯瓦米的营销战略管理部分的软件提供了福特饭店的案例。采用营销工程案例使我在营销管理本科课堂的教学受益匪浅。

——伊丽莎白·威尔逊（Elizabeth J. Wilson）

波士顿大学华勒斯·E·凯伦管理学院

我为一家大型信息技术公司下属的年销售 4 000 万美元的部门提供咨询时成功地应用了营销工程的销售资源分配。

这个模型回答了两个重要的问题：从销售人员的角度来看市场有多大？销售资源配备不足的程度有多严重？模型发现市场能达到 1 亿美元，实现这个目标需要销售努力增加 50%。

最后，利润提高了 3 倍，这个结果让公司的总裁乐不可支。

——蒂姆·马塔诺维奇（Tim Matanovich）

Marketing Leadership 集团总裁

我们用营销工程软件为公司的本地业务绘制了知觉图，发现尚存在市场空白区，因此决定重新考虑在这个市场上的品牌推广活动。我们测试了新的品牌推广活动，发现效果比原来要好，于是决定执行新的品牌推广活动。

新的品牌推广活动结果使我们的品牌知名度提高了 46%。之后再次进行知觉图分析，发现我们已经进入了这个市场空白区。对此我们激动不已：如果没有营销工程的知觉图工具，我们根本就不知道这个市场空白区的存在。

——埃伦·卢茨（Ellen Lutz）

Exelon 电力公司企业营销部经理

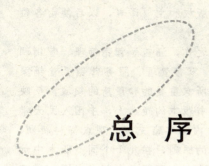

总 序

　　1984 年，在汪道涵先生的推荐下，由中国营销学界的先驱之一、已故上海财经大学著名营销学教授梅汝和先生亲自翻译了在国内外广为流传的美国西北大学营销学教授菲利普·科特勒的巨著《营销管理——分析、计划、执行和控制》。这本书的出版，为中国打开了与国际营销学界的沟通之门。此后，国内陆续引进出版的一些营销学理论专著和优秀教材，都为改革开放后中国营销学界和企业界在计划经济向市场经济转型的过程中，转变观念，适应市场和提高竞争力起到了十分巨大的影响作用。梅汝和教授一直十分关注国际营销学界的学术发展动向，终身致力于营销学理论的引进和研究，在推动中国营销学理论和实践的发展方面做出了不可磨灭的贡献。

　　市场营销学是一门诞生于西方的学科，它是在总结了西方企业（特别是美国企业）在成熟市场经济条件下经营思想和经营战略演变与发展的基础上产生和发展起来，经过营销学大师们的概括与提炼，已成为对所有企业具有普遍指导意义的重要理论。但随着信息技术飞速发展和经济全球化趋势的加快，自 20 世纪 90 年代以后，国际营销学界又提出了许多新的理论和方法，为世界各国的企业提供了适应新变化和新环境的有效指导。为此，成规模地系统引进国外营销学最新专著和优秀教材，提高我国营销管理教育和企业的营销管理水平，并逐步形成融国际营销学理论和中国实践特色为一体的系统化营销学本土教材，成为中国营销学界和出版界的一致共识。

　　1998 年春末，在国内首开管理学教材引进之先河的中国人民大学出版社闻洁女士，带着一批由国际著名出版商推荐的优秀教材专程赴上海，与我们共同商议切磋图书的论证、甄选和翻译事宜。为此，由我组织了上海营销学界的知名专家教授、企业界的朋友共同参与意见。大家都感到，组织翻译和出版一套能全面反映 20 世纪末期国际营销学界最新理论和实践研究成果的优秀教材，必定能对国内 MBA 和营销学专业师生，尤其对企业中高层主管和营销管理部门人员有很大的帮助。梅汝和先生指出："这些书都有不同凡响之处，它们代表了国际营销界的新观点，是有真货色的"。大家对作者的知名度和在每个领域中的贡献、本丛书的理论框架体系、图书的论证原则、译者的选择与任用、翻译的基调和风格，以及组织工作的程序等问题进行了讨论，并根据梅汝和先生的提议推举我为本丛书的主编，组织上海和北京等各地的专家学者共同进行翻译。会后，我们又专门登门拜访了梅老先生，请他出任丛书的顾问，并听取了他对编委会人员构成、图书甄选和翻译工作的意见及建议。闻洁女士以她一贯的高效率工作风格，与我很快确定了第一批图书的版权和主要译者，以后便由各位编委组织队伍开始了艰苦的翻译工作。

本丛书所选的书目，皆为国际营销学界著名教授的经典之作，涵盖了营销管理、营销调研、战略营销分析、战略品牌管理、销售管理、人员推销、零售管理、服务营销、营销渠道、组织间营销、广告沟通与促销管理、营销工程与应用等所有重要的和最新的领域，反映了20世纪90年代后期国际营销学界的最新研究成果。在图书版本的甄选上，中国人民大学出版社和丛书编委会坚持"作者权威性高、知识体系完整、内容丰富充实、观点资料新颖、语言通俗流畅、能同时兼顾管理教育和企业培训两个市场"的原则，在几十个同类版本中加以精选，有时为确定一本书的版本，要同时进行多个版本的论证；国际各大著名出版公司都提供了自己最好的版本以供甄选。因而可以说，本丛书入选的图书，都经过了国内外专家教授们精心的锤炼和长期教学实践的考验。在组织翻译和出版的过程中，中国人民大学出版社在译者甄选和书稿翻译质量及编校质量上严格把关，使本丛书的质量得到了有效地保证。

现在，多年过去了，当本丛书出版之际，我们不禁深深地怀念为本丛书出版起过决定性作用的长者。十分遗憾的是，梅汝和先生已经离开了我们，未能在有生之年看到这套丛书的出版，然而，他对这套丛书的出版，以及对中国营销学发展所做的巨大贡献，是令人永远难以忘怀的。我们谨将本丛书献给深受国内外营销界同行尊敬和爱戴的梅汝和先生；同时，我们也要对子承父业、在营销学论著引进和翻译工作中做出杰出贡献的梅清豪先生表示衷心的感谢。他不仅亲自参加了本丛书中《营销管理》（新千年版·第十版）、《营销调研》（第二版）、《销售管理》等书的翻译工作，而且在梅汝和先生病重期间，多次代表他父亲关心丛书的出版工作，使我们经常得到梅老先生的指点和帮助而受益匪浅。

我特别要感谢本丛书的各位编委们，他们在十分繁重的教学和社会实践活动中，挤时间高质量地完成了艰苦的书稿翻译组织和审校工作，相信他们为本丛书出版所付出的辛勤劳动，会得到国内营销学界同仁和企业界朋友们的认同。我还要代表编委会感谢三年来为本丛书的出版始终给予支持的中国人民大学出版社领导和兢兢业业工作的闻洁女士，如果没有他们的敬业精神和细致入微的努力，本丛书的出版可能还要推迟很长的时间。最后，我们要向为本丛书提供版权的培生教育集团（Pearson Education Group）、麦格劳·希尔出版公司（McGraw-Hill Companies Inc.）、汤普森学习集团（Thomson Learning）等各大国际著名出版公司，以及所有帮助、指导和关心过本丛书出版的管理学界专家教授和各界人士表示衷心的感谢。

愿本丛书能为中国的营销管理教育和企业竞争力的提高发挥应有的作用。

丛书编辑委员会主编　王方华

2004年5月

于上海交通大学安泰管理学院

译者前言

虽然已经是网络时代，但是许多营销人员所用的决策工具还是石器时代的，他们办公桌上的电脑仅仅是用来打字的，各个部门费力收集的有关市场、顾客和竞争者的海量数据对他们来说只不过是一大堆信息垃圾，他们还在"拍脑袋决策、拍胸脯保证、拍屁股走人"。造成这种现象的原因是：营销人员虽然已经理解市场营销的概念，但是没有受过应用分析技术、定量技术和计算机建模技术将概念转化成决策行动的训练，也没有支持他们解决营销决策问题的软件工具。为了提高营销人员在网络时代信息密集环境下营销决策的能力，需要一本专业教材，它应该涵盖营销的全部内容、实用（不要太多数学内容）、案例丰富，最好能够有教学软件供学生练习。

国内合适的教材不多，许多外版书也不是很理想：比如利连（G. Lilien）与科特勒（Kotler）的《营销模型》（*Marketing Models*）以及穆廷霍（L. Moutinho）等人的《营销管理中的定量分析》（*Quantitative Analysis in Marketing Management*）太过数学化了，教学效果不会太好；12卷本的《定量营销系列丛书》（*International Series in Quantitative Marketing*）只能供研究人员使用；费莱煦（K. Fletcher）的《营销管理与信息技术》（*Marketing Management and Information Technology*）对信息技术在营销管理中的应用讲得很精彩，但不符合营销决策教学的要求；穆廷霍等人的《计算机建模技术和专家系统在营销中的应用》（*Computer Modeling and Expert Systems in Marketing*）只能算是一篇详细的综述报告；拉姆（C. Lamb）等人的《营销战略案例：附 Excel 练习》（*Strategic Marketing Management Cases W/ Excel Windows*）、克拉克（D. Clarke）的《营销分析决策及案例：附电子报表练习》（*Marketing Analysis and Decision Making：Text and Cases With Spreadsheets*）和利连的《营销管理及分析练习：附 Lotus 1-2-3 练习》（*Marketing Management：Analytic Exercises With Lotus 1-2-3*）倒是不错，可惜内容太过陈旧，也不全面。

中国人民大学出版社的闻洁女士向我推荐了《营销工程与应用》这本教材，从亚马逊（Amazon）书店买来一看，确实非常理想。这本教材有几个重要的特点：

- 内容涵盖了营销管理的重要领域，包括市场细分、目标市场选择、市场定位、业务组合分析、市场测量和战略规划等营销战略问题以及产品设计、广告与沟通、销售队伍管理、渠道管理和价格与促销决策等营销战术问题。

- 决策工具丰富。大家都知道，营销决策工具的应用大致可以分为八个阶段。第一阶段始于 1960 年，是数学模型在营销中的应用，弗兰克（R. Frank）等人 1962 年出版的《营销分析的定量技术》（*Quantitative Techniques in Marketing Analysis*）对此阶段的成就有很好的总结。第二阶段是 1965 年兴起的营销信息系统，科特勒 1966 年的论文《设计企业的营销神经中心》（A Design for the Firm's Marketing Nerve Center）是这个阶段的代表作。第三阶段是 1970 年开始的决策演算，这是麻省理工学院的利特尔（John Little）教授提出的，代表性的系统有利特尔的 ADBUDG、洛迪斯（Lodish）的 CALLPLAN 和利特尔的 BRANDAID。第四阶段是计量经济模型阶段，始于 1975 年。第五阶段是从 1980 年开始的营销决策支持系统阶段，这个阶段将前四阶段的成果集成在决策支持系统之中，代表性的系统有斯林尼瓦桑（Srinivasan）的 STRATPORT、洛迪斯的零售店址选择系统、本书作者利连的 BEII 和温德（Wind）的 AHP 等。第六阶段是 1987 年前后开始的营销专家系统阶段，共出现了 60 个系统，其中有些只是实验性系统，但也有些在实践中得到成功应用，比如本书作者朗格斯瓦米的 INFER、DEC 公司的 XCON、朗格斯瓦米和温德的 ADCAD、洛迪斯的 PROMOTER、得克萨斯仪器公司的 ES^2、朗格斯瓦米和温德的 NEGOTEX、利连的 ADVISOR 以及利特尔的 COVERSTORY 等。第七阶段是 1991 年开始的神经网络应用阶段。第八阶段是 1997 年开始的数据采掘（包括 OLAP）阶段。本书的内容及所附软件光盘覆盖了前七个阶段的成就，这几乎是唯一一本内容如此全面的教材了。如果你还需要了解第八阶段的内容，可以参阅贝里（M. Berry）和林诺夫（G. Linoff）的《数据采掘技术在营销、销售和顾客支持中的应用》（*Data Mining Techniques：For Marketing，Sales，and Customer Support*）或拉德（O. Rud）的《数据采掘手册：营销、风险和客户关系管理的数据建模》（*Data Mining Cookbook：Modeling Data for Marketing，Risk and Customer Relationship Management*）。

- 案例丰富，本书提供了 ABB 电气公司、AT&T 公司、日产汽车公司、卜内门公司、万豪饭店、福德饭店、Syntex 制药公司、美洲航空公司、庄臣公司、蓝山咖啡、Massmart 商店、Zenith 电器公司、Conglomerate 公司、BookBinders 书友会等著名公司的实际案例供读者分析练习，以加深对知识的理解和掌握。

- 提供了多达 25 个实用软件的软件包，并有详尽的使用说明及联机帮助。这些供教学使用的软件同企业实际使用的软件的唯一差别是限制了数据处理能力，不然的话你可能得花费上万美元。这些软件对教学的作用正

6

如哈佛商学院出版社的网站上所说："这种交互式案例分析软件的意义在于：……每次使用都是一次案例分析……（而且它）和你的经营实践没有差别，只不过没有破产的风险罢了。"注意，这些软件都是真正的决策分析工具，在施乐公司、IBM公司、柯达公司、3M公司、英国石油公司（BP）、Exelon电力公司、联合利华公司和宾夕法尼亚电力公司中实际使用。不要把它同营销游戏软件混淆起来。有些营销游戏软件对教学还是有帮助的，比如STRAT*X公司的马克斯特拉斯（Markstrat）和梅森（Mason）等人开发的The Marketing Game!。但是，游戏毕竟是游戏，最大的作用不过是便于教师阐述复杂的概念并提高学生的兴趣，学生无法在游戏的瞬间将大量的数据转化成对市场的深刻认识和见解，也就是说，游戏对营销决策的帮助是很有限的。

- 内容可以灵活组织。我觉得可以对营销专业的学生专门开设"营销工程"课程，也可以在"营销管理"课程中加入营销工程的相关内容。另外在其他营销专业课里也可以加入营销工程的相关内容，比如在"营销战略"课中可选择ADCAD模型、基于选择的市场细分模型、聚类分析、GE业务组合分析和市场定位分析等模型，在"新产品开发与品牌管理"课中可选择ASSESSOR模型、Bass模型、聚类分析、联合分析、GE业务组合分析和市场定位分析等模型，在"市场调查"课中可选择聚类分析、联合分析、决策树分析、重力模型、多项式分对数模型、市场定位分析和促销费用分析等模型。

- 得到著名商学院的广泛采用。根据作者统计，采用本书作教材的院校有70多所（名单见附录），其中，2001年《金融时报》评出的全球百所顶尖商学院中，有30多所采用了本书作为教材。

总之，这是一本非常好的市场营销教材。可以用作为营销专业的本科生和研究生的教材，也可在MBA教学和企业培训中使用。由于译者水平所限，书中难免有翻译不当之处，欢迎读者批评指正，来信请致 cd@pubilc. bta. net. cn。

成　栋

2004 年 10 月

作者简介

加里·L·利连（Gary L. Lilien）教授，获哥伦比亚大学运筹学学士、硕士和博士学位。1968—1973 年就职于 Mobil Oil 的计算机与管理科学部；1973—1981 年任麻省理工学院斯隆管理学院营销与管理科学系教授；现任宾夕法尼亚州州立大学斯迈尔管理学院管理科学"杰出研究"教授、前管理科学系主任。主要研究领域包括营销工程、市场细分、新产品开发模型、企业产品的营销组合、企业营销谈判、企业采购流程建模、新产品扩散建模。出版著作 12 本，在国际核心期刊上发表 80 多篇学术论文。兼任《管理科学学报》营销领域编辑、《市场营销学报》编辑、《市场营销研究国际学报》编辑、《交叉学科学报》营销领域编辑、《营销科学学报》应用领域编辑。利连教授是国际企业市场研究协会（ISBM）的创始人之一；美国管理科学研究协会（IMS）会长；欧洲营销学院的美方协调人；运筹学与管理科学协会（INFORMS）、美国营销协会（AMA）、产品开发与管理协会（PDMA）和欧洲营销学院等协会会员；以及美国自然科学基金会决策与管理科学分会专家组成员。他还是比利时的 Liege 大学和 Ghent 大学阿斯顿大学的名誉博士。曾为联合信号公司（AlliedSignal）、氰胺公司（American Cyanamid）、AT&T 公司、杜邦公司、惠普公司、IBM 公司、PP&L 公司、Sprint 公司、3M 公司和施乐公司提供咨询。在营销工程领域的贡献包括 1986 年提出 BEII 模型和 1987 年提出 ADVISOR 模型。

阿温德·朗格斯瓦米（Arvind Rangaswamy）教授获印度理工学院机械学士、印度管理学院工商管理硕士和美国西北大学营销学博士学位。曾为宾夕法尼亚州州立大学沃顿管理学院教授、西北大学凯洛格管理学院教授；现是宾夕法尼亚州州立大学斯迈尔管理学院 Jonas H. Anchel 教授，宾夕法尼亚州州立大学电子商务研究所所长。他主要从事营销与信息技术交叉领域的研究，主要包括营销工程、网络营销和电子商务。出版著作 4 本，在国际核心期刊上发表 70 多篇学术论文。兼任《管理科学学报》、《市场营销学报》、《市场调查学报》、《信息系统学报》、《市场营销研究国际学报》、《零售学报》、《成组决策与谈判学报》、《决策支持系统学报》、《欧洲运筹学学报》、《交互式营销学报》、

《会计、财务与管理智能系统国际学报》、《产业营销学报》和《电子商务学报》的编辑。朗格斯瓦米教授是国际企业市场研究协会（ISBM）专家组成员、ISBM协会虚拟市场与营销信息系统分会会长、运筹学与管理科学协会（IN-FORMS）理事、美国营销协会（AMA）会员。曾为IBM公司、柯达公司、万豪集团、Peapod公司和施乐公司提供咨询。在营销工程领域的贡献包括1987年提出ADCAD模型、1989年提出NEGOTEX模型和1991年提出IN-FER模型。

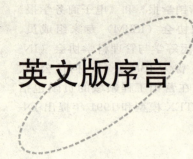

英文版序言

有很多因素正在促使营销经理工作的结构和内容发生根本性的改变。营销专业也在不断发展，它不再仅仅只是概念性的内容了。营销与工程设计类似，制定营销计划也需要收集数据、建立模型、进行分析并用计算机模拟。有些人把传统营销看做一门艺术，也有人将其视为一门科学，而新一代的营销则更像工程（即将艺术和科学结合起来解决特定问题）。本书的目的在于帮助和培训新一代的营销经理。

促使营销经理工作发生根本性改变的几个关键因素是：

1. 联网的高性能计算机无处不在：20 世纪 80 年代的营销经理主要用计算机完成文字处理和简单的电子报表分析等工作。现在的营销经理办公桌上计算机的性能同 20 世纪 80 年代初的超级计算机相差无几，这台计算机通过局域网连接其他计算机和公司的主机，并且通过广域网连接企业之外分布在世界各地的计算机和数据库。这意味着营销经理可以访问到最新的数据、报告和专家意见，而且能够以新的方式综合并处理这些信息以改进决策。今天，建立在信息基础上的决策是很多行业的必备之需。

2. 数据量的爆炸性增长：包装食品行业的品牌经理目前能接触的数据量比五年前增加了 1 000 倍，而且更新更及时，数据也更详细。数据库营销和直销的发展也导致了其他行业的数据爆炸。在数据呈指数增长的同时，人的大脑并没有发生同步的进化，无法处理和解释这么多数据。如果经理不能以比目前更有效的方式应用这些数据，更多的数据并不意味着更好的决策。

3. 营销的业务流程重组：世界各地企业所面对的顾客同以前不一样了，现在的顾客获得信息的能力得到极大提高，越来越注重价值。结果企业只得不断地审查所有业务流程的生产效率。为了降低成本并提高生产力，企业于是对营销职能、业务流程和活动进行重组，重新设计诸如市场细分、定位、新产品开发、市场测量和分析及顾客满意度管理等活动以适应信息时代的要求。

4. 扁平、精简的组织结构：在传统的组织结构下，企业只要训练出一支掌握计算机软硬件、网络和数据处理技术的专家队伍，就可以有效地应对上述趋势。但这种做法的负担企业无法承受。全球竞争迫使企业不得不用更少的员工完成更多的工作。现在的经理只好武装自己（没有支持人员）：办公桌上已经配备了计算机软硬件和数据，自己亲手来操作。

营销经理必须学会在快速变化的环境中履行职责并探索新的发展趋势。公司和商学院可以两种方式来帮助营销经理，第一种方式是提供概念性的传统训练，期待悟性高者能自己发现应付不断变化的环境的方法。这种常规方式总会获得某种程度的成功，受到激励而且很聪明的营销人员会找到从新资源中寻求价值的方法。这种方式类似向新手讲述高尔夫球的规则并发给他们自学手册，有些新手通过阅读、交流并观察老手而成为不错的球员，但有些人很难有提高，有些人甚至知难而退。缺少正规训练会限制提高。

期望自己成为优秀选手的人需要正规训练，尤其是早期的正规训练。因此帮助营销经理应对环境变化的另一种方式就是提供信息时代专门的训练。概念性的营销是必要的，有效利用功能强大的信息技术支持离不开营销的基础概念。但是，营销经理要充分利用新的资源需要的就不只是概念了。他们需要从概念性营销转向营销工程：在营销决策时使用计算机决策模型。本书利用概念、营销分析技术和软件来训练新一代的营销人员，帮助他们成为营销工程师。

学习目标

本书的对象是希望在信息密集环境中提高营销决策水平的商学院学生或营销经理。传统的营销书籍侧重营销的概念、经验或定性领域，而本书的目的则是训练营销工程师用分析技术、定量技术和计算机建模技术将概念转化成因地制宜的决策行动。

本书的具体目标是：

1. 帮助读者理解分析技术如何将数据和信息转化为深刻见解和决策，从而改进决策。
2. 教会读者以决策建模的方式看待营销现象和过程。
3. 让读者了解一些成功运用营销工程的案例。
4. 提供一个支持读者用营销工程解决营销决策问题的软件工具。

我们的教学理念包含两个基本原则：边做边学和最终用户建模。本书讲述的每个概念都有一个软件工具，并至少提供一个问题或案例供读者学习用软件工具来解决。在使用这些软件工具的过程中，读者会不断出错，不断尝试，这就是边做边学；读者将会学到这些软件工具能够做什么、不能够做什么。商学院的传统教育模式（授课和案例分析）对帮助学生决策、评估风险和解决问题是远远不够的，边做边学的方式则拓展了传统营销教育。有了基于模型的决策工具，你可以预先了解到决策效果，从而提高战略性的思维，使你对顾客的需求更加敏感并迫使你去了解竞争者的反应。

决策模型大到企业级的应用系统，小到由了解营销和营销工程基本概念的人就能迅速建立起来的模型。本书着重在最终用户建模。最终用户建模的特点是尽个人之精力和能力就可以实现。

好的最终用户建模的优点是为更复杂的模型提供快速原型模拟，并将最终用户培养成企业级决策应用系统的使用者。我们并不是要将读者训练成技术专家，而是希望帮助读者能够灵活使用技术简单但实用的决策模型，并且能够熟练使用专业模型。

本书结构

这本书的每章都包括两部分内容，第一部分内容为概念和理论阐述，其结构如下：

1. 第Ⅰ篇（第1章、第2章）：介绍并定义营销工程，阐述营销工程建模的基石：市场反应模型。

2. 第Ⅱ篇（第3章～第6章）：着重介绍市场细分、目标市场选择、市场定位、业务组合分析、市场测量和战略规划等营销战略问题。

3. 第Ⅲ篇（第7章～第10章）：阐述产品设计、广告和沟通、销售队伍管理、渠道管理以及价格与促销决策等营销战术问题。

4. 第Ⅳ篇（第11章）：总结、概括营销工程的要点，并介绍营销工程未来的趋势。

第二部分内容主要是本书所附软件包的学习指南（软件使用步骤），其结构同第一部分内容一致。

另外，使用本书做教材的教师可在填写教师反馈表后，由培生教育集团提供介绍营销工程软件及在下列公司应用的录像带：

- ABB 电气公司（使用基于选择的市场细分方法提高利润）；
- 万豪饭店（Marriott）（使用联合分析方法设计万豪公司旗下的万怡饭店）；
- ASSESSOR（在数百家公司使用 ASSESSOR 预测试市场模型）；
- AT&T 公司（用系统化的广告文案测试技术设计 AT&T 公司的"拜访成本"广告活动）；
- Syntex 制药公司（使用判断性反应模型以确定销售队伍规模并分配销售资源）；
- 美洲航空公司（用收益管理系统提高利润）。

教学指导

本书可用作 MBA 第一学期课程的教材。学生不需要有很强的定量背景，若有一定的定量和营销方面知识并且会使用 PC 机及相关软件（Windows）则更好。我们在经理培训和本科课堂也尝试用本书作教材，结果发现效果很好。

本书所附软件包中有多达 25 个软件，所以实际上本书的内容足够两学期的教学。不必要求学生掌握所有软件，我们的经验是学生在一学期的学习中可以很好地掌握 6～10 个软件。对短期课程或经理培训，可以只抽取本书的部分内容讲解。

本书所附软件包中的软件都是通用的（即并不局限于软件使用手册中的练习题），可布置一些大作业，让学生用软件来解决，加深学生的理解。

使用软件会提高学生解决营销问题的能力。根据我们的教学经验，应该尽量减少课题讲解的时间，把时间留给学生：让一两组学生讲述他们用软件对问题的分析，其余学生模仿持怀疑态度的管理人员对他们进行质询。这既符合边做边学的原则，又模拟了在实际工作中营销工程的应用。

课本知识固然重要，但更重要的是学生只有通过使用软件来解决问题才能掌握营销工程的概念。

致谢

本书由课本、软件＊、软件使用手册、联机帮助文件、练习题、案例和补充材料组成，是一个庞大的工程，没有众多人员和机构的支持是无法完成的。

我们衷心感谢赞助宾夕法尼亚州州立大学企业市场研究所（ISBM）的公司，他们的帮助使我们完成了本书的写作。艾迪生·维斯理（Addison Wesley）出版社〔先后同朗文（Longman）和西蒙·舒斯特（Simon & Schuster）合并，现为培生教育出版集团（Pearson Education）。——译者注〕的安·史密斯（Anne Smith）和迈克尔·罗奇（Michael Roche）以及纽约大学的乔尔·斯特克尔（Joel Steckel）的远见使我们的构想成为现实。

营销工程是建立在众多学者的研究成果之上。本书成书得益于西北大学的罗伯特·布拉特伯格（Robert Blattberg）、菲利普·科特勒（Philip Kotler）和安德里斯·佐尔特纳斯（Andris Zoltners），麻省理工学院的约翰·豪泽（John Hauser）、约翰·利特尔（John Little）和格伦·厄本（Glen Urban）、宾夕法尼亚州州立大学的保罗·格林（Paul Green）、伦纳德·洛迪斯（Leonard Lodish）和杰里·温德（Jerry Wind）、得克萨斯大学达拉斯分校的弗兰克·巴斯（Frank Bass）、斯坦福大学的西纽·斯林尼瓦桑（Seenu Srinivasan）、乔治梅森大学的罗伯特·巴泽尔（Robert Buzzell）、威斯康星大学密尔沃基分校的丹尼斯·金施（Dennis Gensch）和哈佛大学的阿尔文·西尔克（Alvin Silk）等人的探索性研究成果。

我们的同事也为本书的初稿和软件测试版提出了许多建设性意见，他们是：雷蒙德·伯克（Raymond Burke）、米歇尔·克劳森斯（Michel Claessens）、克里斯·杜比拉（Chris Dubelaar）、杰霍舒·伊莱思伯格（Jehoshua Eliashberg）、詹姆斯·赫斯（James Hess）、约翰·利特尔（John Little）和维杰伊·马哈简（Vijay Mahajan）。宾夕法尼亚州州立大学和澳大利亚管理学

＊ 本书软件培生教育集团未授权中国人民大学出版社出版，需要软件的读者请与培生教育集团联系，联系方式见书后所附教学支持说明。——编者注

13

院（由悉尼大学商学院和新南威尔士大学管理学院合并而成，《金融时报》2001年"全球最佳商学院"第42名、亚太地区第1名。——译者注）的数届MBA学生和经理培训班学员也提出了许多宝贵意见。

在软件编制时，我们主要负责设计和测试工作，没有参与太多编码工作。软件编码工作主要由菲利普·伯特兰（Philippe Bertrand）、路易斯·贾（Louis Jia）、安尼米斯·卡纳（Animesh Karna）、琼·弗朗哥斯·拉图尔（Jean-Francois Latour）、约翰·林（John Lin）、卡特琳·斯塔克（Katrin Starke）、安德鲁·纽克·斯托拉克（Andrew Nuke Stollak）、塞尔瓦·韦迪扬纳塞（Selva Vaidiyanathan）和吴嘉楠（Jianan Wu，音译）承担，他们花费大量精力，顺利完成了这个具有挑战性的工作。另外，范曼·库德派（Vaman Kudpi）提供了他在完成西北大学博士论文过程中所开发软件的源代码。这些人都是营销工程师协会的首批会员。

我们的很多学生（除了前面提到的）也给了我们无价的支持，他们是：莱克史密·安南德（Lakshmi Anand）、史蒂文·贝尔曼（Steven Bellman）、詹姆斯·迪特里奇（James Dietrich）、埃里克·霍夫曼（Eric Hoffman）、布鲁斯·塞米斯（Bruce Semisch）和英奇·范德文（Inge Van de Ven）。

卡特琳·斯塔克在企业市场研究所的一间小办公室里整日整夜地整理软件手册，我们很庆幸她当初没有要求按小时计酬。

本书编辑玛丽·海特（Mary Haight）从书中剔除了各种难懂的术语，把全书的叙述由被动语态改成主动语态，并审校了软件部分。

文字编辑安德鲁·施瓦茨（Andrew Schwartz）不仅整理了我们的手稿，还指出了数学公式和文字中的笔误，我们在此授予他营销工程名誉学位。

没有教学行政人员维基·施莱格尔（Vickie Schlegel）和菲奥纳·雷伊（Fiona Reay）的支持，我们也不可能完成此书。史蒂夫·达姆（Steve Dahm）完成了本书的插图工作。

最后，我们衷心感谢玛丽·威科夫（Mary Wyckoff）对全部工作的支持和管理，她耗费了大量精力，按时完成我们的各种要求，她任劳任怨的态度使我们受之有愧也感激不尽。

本书是集体合作的结晶，随着彼此的了解和相互取长补短，密切了大家的关系。我们现在终于知道，完成这个庞大的工程，不但值得付出而且乐在其中的原因了。

加里·L·利连
阿温德·朗格斯瓦米

目录

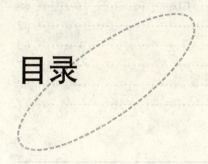

第Ⅱ篇　制定营销战略

第Ⅲ篇　制定营销活动计划

4

第Ⅳ篇 结论

第I篇

基础知识

第1章

导 论

在本章中，我们将：

- 界定营销工程的定义；
- 说明促使营销工程越来越重要的趋势；
- 说明营销工程如何辅助决策；
- 强调指出将营销工程方法运用于决策所带来的利益和挑战；
- 总结本书的思想和结构；
- 介绍本书为支持营销工程理念所附的软件。

营销工程：从思想模型到决策模型

营销和营销管理

营销在全世界采用市场经济的国家中是普遍存在的。很多人把营销与它最显著的特点（广告和零售）联系在一起，实际上广告和零售只代表了构成营销的各种职能和业务过程的一小部分。正规地讲，营销是一个社会过程和管理过程，借助于这一过程实现经济中的交换以满足个人和组织的需求和欲望。市场经济的核心是每天在达成交易的买卖双方之间发生的数以百万计的自愿交换。如果两方或多方走到一起，每一方都有能为对方提供某种价值的商品，这时就可以说发生了交换。我们每天都要从事某些交换，当你去食品店、预订机票、邮购商品、理发、在拍卖会投标或者寄出一份简历时，你都是在参与某个交换过程。

在现代经济中，买卖双方都要设法让交换对自己有利，并在市场上建立交换关系。营销管理使交换过程更加便利，我们可以把营销管理看做是使个人和组织主动实现理想交换的管理哲学及其相关的业务流程和业务活动。例如，我们来看一下营销管理是如何为 Conglomerate 公司同顾客之间开展交换提供便利的。Conglomerate 公司用各种营销知识和技术来决定把产品卖给谁（选择一个目标市场）、设计产品、确定价格、考虑竞争者定位同时确定自己的定位，并开发将产品交付顾客所需的支持服务和分销机制。公司的目标是实现回报最大化的同时通过交换为顾客提供价值。为加强选择和交换的效果，Conglomerate 公司必须让目标顾客认识自己的产品（通过广告、促销和人员推销），并保证在现有顾客和潜在顾客的眼中，公司的产品能提供比竞争者产品更大的价值。整个营销管理过程的基础是了解顾客重视什么，对 Conglomerate 公司及竞争者的产品了解多少，以及顾客如何收集信息和实现交换（如逛商店、电话订货或通过个人磋商）。

营销管理的核心是理解顾客和市场，并将这种理解转化为决策和行动，在市场上实现令人满意的交换。营销管理的出发点和终点都是顾客，但却是为营销者的目标服务的。

营销工程

营销经理必须不断对产品的特性、价格、分销方案、销售激励等做出决策。在制定这些决策时，营销经理通常要从这个复杂而不确定的世界中所存在的各种行动方案中进行抉择。与所有涉及人的决策一样，营销决策的制定要采用主观判断。制定系统决策的典型方法是开发一个反映决策的思想模型，使之与已知事实、直觉、推理和经验相结合。例如，在制定广告预算时，营销经理可使用以下方法：

依赖经验：营销经理常说"经验是最好的老师"。在自己的职业生涯中，他们曾尝试过不同的广告方案，头脑中已经有了一个在什么条件下采用什么规模的广告最合适的思想模型。在确定广告预算时，他们可以利用这个思想模型，或将同事们与咨询顾问的经验和智慧（思想模型）结合起来。

采用实践标准：成功的企业常把自己的决策整理成实践标准或经验法则。这些法则本质上就是组织的集体思想模型。一般而言，这些规则用比率的形式来表示（如"广告费占销售额的 5%"或"30% 的广告费要用在新产品上"）。营销经理利用实践标准可以将广告预算设定为当年预计销售额的固定百分比。

在很多情况下，这种思想模型只是满足了经理对决策的放心感，但思想模型很容易发生系统误差。没有人能否定经验的价值，但每个人的经验都不一样，而且没有什么客观方法能够从不同人的不同经验中选出最好的一个主观判断。经验也可能与责任混淆，例如销售经理会选择降低广告预算以提高人员推销方面的开支；而广告经理则更倾向于较高的广告预算。

实践标准的使用也会导致严重错误：这类标准从平均值上看可能确实不错，但它们忽视了决策背景的特性。试想一个新的竞争者凭着极具攻击性的广告方案进入市场，从而导致公司销售额的下降。这时采用占销售额固定比率的广告预算实际上就减少了广告预算，而合理的思想模型会建议增加广告预算以进行反击。实践标准不能提供因营销环境变化而需要合理决策所要求的灵活性。

另一种确定广告预算的方法是营销经理可以在电子报表软件上建立一个决策模型，计算市场对各种广告费用的可能反应，然后在制定决策前用这个模型研究不同费用带来的销售额和利润。

本书讲的是使用各种决策模型来制定营销决策。我们用**营销工程**（marketing engineering，ME）这个名词来表示这一方法。相应地，完全依靠思想模型的方法可以称为**概念性营销**（conceptual marketing）。营销工程并不能取代概念性营销；相反，营销工程是概念性营销的补充，这两种方法的结合将产生更大的威力。

为了举例说明营销工程方法及其潜在价值，我们先介绍一下以后的章节中要详细讲述的一些真实案例。本书的软件里有这些案例的简略数据。

ABB 电气公司：ABB 电气公司是发电设备的制造商和分销商，它想提高销售额和市场份额，但整个行业的需求预计会下降 50%。通过仔细分析和追踪顾客的偏好和行为，公司确定了该对哪些顾客集中开展营销，以及哪些产品特征对这部分顾客最为重要。公司经理使用称为**选择行为模型**的营销工程工具为其市场细分和定位决策提供支持。公司认为这种建模工具是其在衰退市场中赢得成功的主要因素之一。

万豪公司（Marriott）：万豪公司在市中心已找不到适于建造高档饭店的好位置。为了继续发展，公司管理层计划在市中心以外的地区建饭店，这样不仅可以吸引商务旅行者，而且还可以吸引周末休闲的游客。万豪公司使用名为**联合分析**（conjoint analysis）的营销工程工具为公司开发了极为成功的万怡饭店（Courtyard）。

美洲航空公司：美洲航空公司一直面临的问题是如何为各个航线上各种舱位定价以及如何决定每个航班上不同舱位的座位数。座位过多就得折价售出，售出座位数超过航班实际座位数或空位太多都会降低公司的收入。在竞争环境中实现收入最大化对公司的经营至关重要。美洲航空公司用名为**收益管理**（yield management）的营销工程工具确定出购买不同舱位的乘客人数组合。

Syntex 制药公司：Syntex 制药公司十分担心销售人员的销售能力，经理们不敢肯定销售队伍的规模是否适合公司的业务量，也不知道是否将销售资源合理分配给了最具盈利潜力的产品和细分市场。公司用名为"Syngen"的资源规模分配工具来评价销售人员的绩效，并制定出同长期发展计划一致的销售实施战略。

庄臣公司（Johnson's Wax）：庄臣公司和包装食品行业的很多公司都试图以最佳成本/效益方法来预测新产品成功的可能性，并希望以此决定如何有效地进行新产品的开发。这些公司以前主要靠试销的方法来取得新产品能否成功的粗略数据，但试销的费用太高而且会让竞争者得到新产品的情报。庄臣公司采用名为"ASSESSOR"的营销工程工具进行试销效果衡量和建模，不仅大大地降低了新产品测试活动的成本，而且没有影响决策的效果。

图1—1概要地介绍了决策所用的营销工程方法，即用计算机模型将有关营销环境的主观和客观数据转化为决策所需的信息并辅助决策实施。

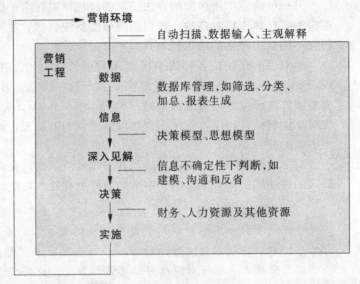

图1—1

用于制定决策的营销工程方法：用计算机模型将有关营销环境
的主观和客观数据转化为决策并辅助决策实施。

数据是决策中使用的事实、信念或观察结果。因此，表示各销售区上月销售额的数字就是数据，认为"可口可乐"这个品牌会让人好感或发现竞争者已将新产品引入到市场等信念和观察结果也都是数据。一种常见的错误观念是认为决策模型要求客观数据，实际并非如此。本书的几个模型说明，即使仅用信念（主观数据）作为模型的输入，营销工程方法依然有效。

信息指的是加总或分类后的数据。例如，各销售区平均销售额或标准差是信息，按销售额高低分类后得到的结果也是信息。

深入见解是指这些数据或信息的内在含义，它可以帮助经理更好地理解决策形势。例如，深入见解可提供合理的解释，说明为什么各销售区之间的销售额会有如此大的差异，或者说明为什么有些地区的销售额会持续低迷。信息是从数据中提炼出来的一笔财富；随着营销经理（用思想模型或决策模型）深入考虑数据和信息并同自己的知识结合起来，就获得深入见解。

决策是一种判断，认为某个深入见解是最合理解释，或倾向于采取某一特定行动。例如，决定日后向销售额低的地区投入更多的推销努力，这一决定就是一个决策。因此，决策是信息的目的。

实施是经理或组织采取的一系列行动，目的是将资源投入到决策的实际中实现。例如，组织的一项决策会要求在业绩较差的地区雇用并培训更多的销售人员。

营销工程包括图1—1中的所有元素，但我们将集中讨论如何将信息和见解转变为决策。本书中的几个案例强调了组织实施基于模型的决策时可能出现的重要问题。

在很多方面，计算机模型仅仅是经理们用来探索决策结果的工具。用计算机模型强化决策的想法并不是最近出现的。研究人员和实际工作人员早就开发出了很好的模型，协助在实际的营销环境下制定和实施决策（参见 Lilien，Kotler and Moorthy，1992；Little，1970；Rangaswamy，1993 和 Wierenga and Van Bruggen，1997）。但到目前为止，很多营销决策模型的知识仍停留在专业的学术期刊中，或需要大量的技术知识才能使用。结果，虽然这些模型有很大的潜在价值，但并没有在管理实践中发挥出应有的潜在价值。

近年来计算机软硬件的进步使得每个营销经理都可以使用这些模型。市场上现成的几百种决策辅助软件已经引起了营销人员的巨大兴趣。但与此同时，帮助营销经理学会使用现有营销模型的教学资料却很难找到。我们编写这本书的目的正在于此。

采用营销工程的原因

很多营销经理没有依赖计算机模型也取得了成功。基于深入见解和多年经验而形成的概念营销对制定良好的决策可能已经足够了。识别对公司最有吸引力的细分市场、在竞争性环境中确定产品的定位或预测顾客对某种营销方案的反应等工作都可以靠概念营销完成。但未来的营销经理掌握概念营销就够了吗？营销环境正在发生巨大的变化，你敢不敢仅靠概念营销来赌自己的未来？有些趋势正在从根本上改变营销经理的活动，比如：

联网的高性能计算机无所不在　与其他专业人士一样，营销经理在工作中对计算机的依赖越来越强。即使是小公司的经理也使用计算机。据 Dataquest（http：//www.dataquest.com）统计，全世界 1996 年计算机的交货量超过7 000万台，在未来几年中会以 20％的速度增长。很多营销部门现在的计算能力要比五年前整个公司还大。最近一位高级营销主管告诉我们："十年前我的部门是员工多、软件少，现在则是软件多、员工少。"这些计算机通过局域网（LAN）与其他计算机相联，有时候还通过互联网同世界各地的计算机相联。

很多经理目前主要用计算机进行文字处理和收发电子邮件，但有一些精通计算机的经理已经开始用计算机访问各种信息并进行综合和处理来改进决策。经理常用的分析工具是电子报表（如微软公司的 Excel），到 1996 年 6 月为止已有3 000多万台计算机安装了电子报表软件。随着这些工具越来越容易获得，使用范围越来越广，计算机辅助决策必将在公司里变得越来越重要。

数据量的爆炸性增长　用电子方式自动采集消费者的交易数据，结果得到了大量有关顾客偏好和行为的有用信息。例如，包装食品行业的品牌经理目前能接触的数据量比五年前增加了1 000倍，而且更新更及时，数据也更详细。直销的发展也导致了数据爆炸。在数据呈指数增长的同时，人的大脑并没有发生同步的进化，无法处理和解释这么多数据。经理需要像营销工程这样的新概念、新方法和新技术在数据密集的环境中制定决策。

公司正在进行营销业务流程重组　现在的企业信条是"组织结构扁平化、组建项目小组、外包和缩短周期"。在这种环境里，公司正在为迎接信息时代的到来而重新设计营销职能、业务流程和业务活动。在业务流程重组的公司中，传统的等级制所特有的集中决策让位于分散决策，这正是小企业的特征。

结果，营销经理越来越直接地处理市场信息，并用计算机完成从前要靠大量支持人员才能完成的工作。

这些变化迫使营销经理的工作从仅依靠概念技能转变为类似工程师的工作方式，即综合利用数据、模型、分析和计算机模拟来设计出有效的营销方案。正如 Marketing Tools 公司的总裁彼得·弗朗西斯（Peter Francese）所说："未来企业的营销人员不需要传统的营销教育，他们需要的是了解顾客，他们要掌握数据库（供应商数据库、人口统计数据库和地理数据库等）的分析方法。如果一个学生来应聘，我会给他一张磁盘并告诉他，'这是我的部分顾客，告诉我该怎么做'。没有正确答案：你要么因为无法创造更大的价值而失业，要么因为能为公司创造更多的收入而被雇佣。以后营销人员的聘用就是这么简单。现在美国各地的公司都开始用这种方法来测试中层经理的能力。"

营销工程正是符合这些趋势的方法，但它并不是应付复杂和不确定决策环境的万灵妙药。市场环境并不受企业控制，即使通过仔细观察也无法得出清晰和明确的理解；但市场也不是复杂到无法理解的地步，它处于这两个极端之间。营销工程可以让我们在明确定义的模型中洞察到营销现象的本质，并改进会影响到市场产出的决策。

营销决策模型

定义

就像骨骼是人体的构架一样，决策模型是营销工程的基础。我们首先定义普通的模型，然后详细阐述决策模型的具体含义。

模型是现实的程式化表现。模型比现实本身更易于进行特定目的的处理和探索。我们先来考察一下模型定义中的几个关键术语：

程式化：模型并没有表现出现实的全部，而仅仅侧重于现实的某些方面。模型是对现实世界各种现象和系统的简化描述或类比。例如，地图这个模型只包含地形中的某些地理特点，如主要道路、河流和城镇，而忽略了其他很多特点，如该地区的山地、峡谷、植被和建筑。

表现：模型只是一种方便的类比，与要捕捉的现实世界的实际特点之间只存在很少的相似性。例如，印刷出来的地图同所表示的实际地理区域在物理上几乎没有任何共同之处。大部分营销模型采用文字、图形或数学的表现方式。本书介绍的营销决策模型常表示成有一定逻辑关系的数学等式，同实际的顾客市场并没有明显的物理相似性（注意，模型也可以表示人工世界，如虚拟现实模拟）。

特定目的：人们建模时都有特定的目的。制图人员绘制地图的目的是帮助你找到从一个地点到另一个地点的路线，还能测算出不同地点之间的时间或距离，或计划一次长途旅行。绘制地图的目的并不是为解决财产纠纷或确定作物的播种时间。同样，建模人员设计营销决策模型也是为了突出一些方面而忽略其他方面。营销模型的目的可以是为理解或影响市场中某些特定行为（如重复购买公司的产品），可以是为改进同特定营销问题相关的规划和预测（如顾客对新的广告活动的反应），也可以是为方便在公司内部就某一问题进行沟通。

本书的主要内容是称为**交互决策模型**的特殊模型，这些计算机模型（即编成软件包的对现实世界的简化表示）可按经理面临的具体决策环境进行定制。这些模型提供了模拟学习环境，经理可用交互的方式研究各种不同行动的后果，避免了在现实世界采取同样行动所要求的费用、风险和不可挽回性。这类模型是思考工具，能帮助经理用主观数据和客观数据来支持决策。有时决策模型并不能直接得出决策，只是帮助经理测试和更新他们的市场行为思想模型，从而影响他们未来的决策。

决策模型的特点

本书讲述的决策模型都有对模型**目的**、**假设**、**变量**和**关系**的明确陈述。

每个决策模型都有一个明确的**目的**，即建立这个模型的原因，并划定了模型适用的范围。如本书第 8 章的 ADBUDG 模型的主要目的在于帮助经理确定适当的广告预算，本书第 3 章的聚类分析模型对识别有吸引力的细分市场十分有效。模型也可以有多个次要目的，如 ADBUDG 模型可用来模拟不同广告费用的销售效果，即可充当预测工具。

假设为模型提供了背景或构架。如用于评估产品广告预算的模型包括以下假设：

● 产品的销售额与广告相关；

● 如果广告增加，销售额会上升；

● 产品的销售额有一个最大限度，任何规模的广告都无法使销售额超过这个限度；

● 增加广告会降低顾客对产品价格的敏感度。

所有模型都包含一些明确或隐含的假设。与思想模型不同的是，决策模型要求把这些假设明确阐述出来。这种明确性同时也使得经理能更清楚地评估调整假设的后果，并为他们提供了同组织中其他人沟通和分享假设的方法。

变量是营销现象中那些不固定的因素。在一个营销系统中，很多事情都会发生变化：公司的销售额、顾客购买某种新产品的可能性、销售人员打电话与顾客联系的模式及竞争的激烈程度等。我们区分出了三种变量：**可控变量**（controllable variables）是公司可以控制的变量，如广告水平和新产品的特性。**不可控变量**（noncontrollable variables）是受市场其他参与者控制的因素，如供应商和竞争者。虽然公司能设法对不可控变量施加影响，但无法直接操纵它。**环境变量**（environmental variables）是不受市场的任何参与者控制的不可控变量，这些变量包括趋势（如人口老龄化）及要由各方行为决定的变量（如新条例或行业容量）。总的来说，可控变量、不可控变量和环境变量统称为**独立变量**（dependent）或**输入变量**（output variables）。与之相对应，非独立变量或输出变量是由独立变量决定其取值的变量。例如，在很多营销模型

9

中产品销售额要受广告费用和产品质量决定。虽然独立变量和非独立变量之间的区分并不总是很明确，但这种区分仍然很有用。

变量间的**关系**建立在营销理论和管理见解的基础之上，它能详细说明一个变量的变化是如何影响另一个变量的。例如假设**包装设计**的变化能提高销售现场**顾客的注意力**。大部分营销决策模型都用数学函数表示独立变量（如广告费用）对非独立变量（如销售额）的影响。在第2章中将详细讲述营销变量间各类关系的概念、要求、校准和解释。

文字模型、图形模型与数学模型

一种决策模型分类法是按模型的结构特征来划分，即分为文字模型、图形模型与数学模型。

文字模型（verbal model）是用词句来描述的。例如，拉维奇与斯坦纳（Lavidge and Steiner，1961）认为，广告是沿如下的链来推动消费者的精神状态：

知名—了解—喜爱—偏好—深信—购买

这个模型说明受到广告影响的变量及这种影响的顺序。这个模型还表明，广告的增加将带来知名度的提高，知名度的提高会促进消费者的了解，并最终导致购买的增加。但这个模型没有说明增加特定的广告会使这些变量增加多少。缺乏定量化是文字模型的根本缺陷，用它们进行决策时就更明显。而文字模型的优点是容易解释、直观、易于理解，在许多情况下能够满足眼前的目的。

几乎所有模型都始于文字模型，经过修正后才变成其他类型的模型。某些最重要的个体行为模型、社交行为模型和社会行为模型［如弗洛伊德（Freud）、马克思和达尔文（Darwin）的模型］都是文字模型。我们日常一直在用文字模型，甚至有时都意识不到。

举例

试着做这个练习。下次你为某事感到内疚时（回家太晚，配偶或父母感到不安并要你解释），在解释之前用文字模型先检验一下这种解释的效果："车胎瘪了"也许会得到同情，"和朋友喝酒而忘了时间"肯定会得到愤怒的反应。这个检验过程就是一个思维试验，用文字模型预测你的配偶或父母的反应。选择一种解释（假设你确实是在外面喝酒），要设法在得到同情（而不是责骂）和掩盖真相所付出的道德成本之间达到平衡。假如你得到了预料之中的反应，你的模型就得到了确认，你会对自己的思想模型更具信心；假如你得到的是意料之外的反应，你会修改或放弃这个文字模型。

图形模型（graphical model）是用图表或图片表示的模型。地图、组织结构图和流程图都是图形模型的例子。这些模型描述一种现象的本质，去除了非本质的东西，以便观察者能抓住整体并选择一些特定关系作进一步的研究。我们都知道"一图抵万言"的谚语，图形模型比文字模型的用词少得多，但在表现关系时图形模型却更为清楚。图1—2所示为纽约市全年的天气图，从中可以理解图形的表示能力和用词的简练。

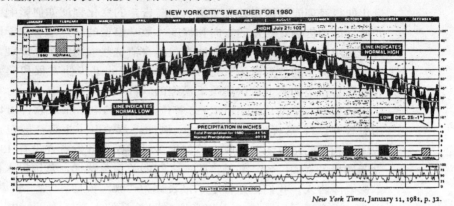

图 1—2 纽约市 1980 年的天气图

说明：这一图形模型极为简练地表现了大量信息。

资料来源：*New York Times*, January 11, 1981, p. 32

图形模型有助于阐明和识别一种现象中的关键问题，有助于就该现象进行沟通，并为分析提供指导。另外，图形模型在文字模型和更正规的数学模型之间架起了一座桥梁。

数学模型（mathematical model）以方程的形式详细说明模型中的关系。例如，广告费用与销售额之间的关系一般有两种重要的性质（参见第 2 章）：饱和性和回报递减性。饱和性表明当广告支出达到某个点后，继续增加广告并不能进一步提高销售额。回报递减性则表明继续增加单位广告投入会导致销售额的递减增长。这两种性质可用下面的方程来表示：

$$销售额 = a(1 - e^{-bx}) \tag{1.1}$$

其中，a 是该产品的市场潜量（即广告无限投入时能取得的最大销售额），e 表示指数，x 是打算投入的广告费用，b 是一个参数，表示销售额随广告费用水平的提高而逐渐接近市场潜量的速率。这个方程式也能用图 1—3 表示。

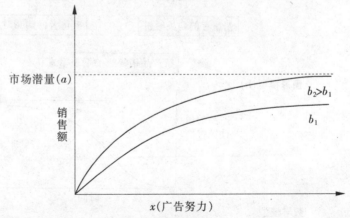

图 1—3 数学模型［销售额 $= a(1 - e^{-bx})$］图示

说明：它说明了广告努力和销售额之间的关系，这种函数具有饱和及回报递减两种性质。

11

在数学表达式中，变量间关系的性质和大小都必须明确表示出来。这种数量化使得经理能够探索独立变量（如广告）的变化程度如何影响模型中非独立变量（如销售额）变化的方向和程度。数学模型的缺点之一在于许多经理并不善于运用数学表达式，因为无法直观地看清这些模型的工作原理，他们把数学模型看作神秘的"黑匣子"。但计算机软硬件的进步使方程和模型结果的图示非常容易，正如本书所讲述决策模型的软件实现一样。

诸如 Excel 和 Lotus 1—2—3 等广泛应用的电子报表软件可以很容易地使用方程（1.1）这样的数学表达式。例如，营销电子报表一般包括预计的营销费用和相应的总收入和净收入。但很多时候模型开发者并没有在电子报表中建立营销投入（如广告）和销售收入之间的关系。这样，营销投入仅作为一种成本影响净收入。我们把这种电子报表称为"哑"模型。"哑"模型的意义不大，因为它没有揭示出营销投入和产出之间关系的本质。为了使电子报表更有意义，模型开发者必须明确定义目标和各个变量，并详细说明变量之间的关系。在这种"智能"模型内，形如（1.1）这样的方程将嵌入电子报表内。经理就能够看清广告对于销售额和年收入的影响，从而知道广告投入的增加或减少是否合理。我们在第 8 章中就用这种方法来制定广告费用决策。

这三类模型都有各自的优点和缺点。同样的营销现象可按照模型的目的及对营销现象的了解程度选用任何一种模型来表示。图 1—4 分别用文字模型、

文字模型

新产品的销售额开始时会随"创新者"的使用缓慢增长。创新者会影响"模仿者"，于是销售额开始快速增长。随着越来越多的人开始购买该产品，销售额会持续增长，但增长速度将逐渐放慢。

图形模型(a)

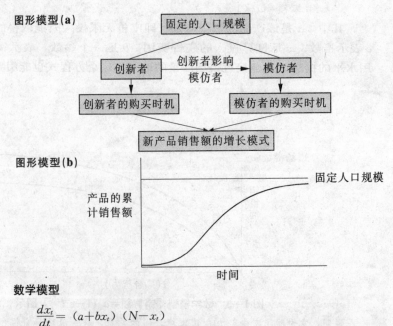

图形模型(b)

数学模型

$$\frac{dx_t}{dt} = (a+bx_t)(N-x_t)$$

其中，$x_t =$ 在时机 t 之前已购买过该产品的总人数；$N=$人口规模；a，$b=$要确定的常量。图形模型（b）中曲线的实际轨迹将取决于这两个常量的值。

新产品的销售情况可以用三种方式来表示：文字模型或描述；图形模型 (a) 表示哪些因素会影响销售额增长的模式；图形模型 （b）表示累计销售额的模式；数学模型则采用了微分方程的形式。

图形模型和数学模型描述一种新产品的销售情况。文字模型是确定更精确的图形模型和数学模型的出发点，图形表达细化了模型，正规的数学表达则增加了精确性。从文字模型到图形模型再到数学模型的次序其实也正是许多模型建立所经历的步骤。对于这种营销现象，数学模型能比图形模型和文字模型对新产品的未来销售做出更精确的数字预测（并不一定要更准确），而图形模型又比文字模型的预测更具体。

计算机技术能够使经理建立综合运用文字表达法、图形表达法和数学表达式的模型。例如用户界面可以基于文字模型，计算过程可采用数学模型，而结果则可以用图形来表示。

描述性决策模型和标准化决策模型

决策模型也可根据模型所涉及的管理问题的种类进行分类，分成描述性（或预测性）模型和标准化模型。本书对这两种决策模型均有涉及。

描述性（预测性）决策模型　描述性模型阐述的问题是："假如我做了 X，将会发生什么？"例如，经理对是否要引入一种新产品的决定可能取决于引入该产品会对整个产品线的潜在总销售量带来什么变化；继续搞"买二赠一"促销活动的决策要取决于该促销活动带来的利润增长。通过描述性模型，经理可通过"模拟"来评估营销活动的后果。例如，经理可用描述性模型计算采用不同方案后产品线的潜在销售量，同时考虑新产品的销售量对产品线中其他产品的竞争影响。

描述性模型适合：（1）通过识别形成因果关系链的具体变量和关系找到现象的解释（诊断方案），如新产品的销售量低是因产品设计差而导致的重复购买率低引起的；（2）将模型输入值延伸到建立模型时所用参数范围之外来预测模型可能的输出，如下个月的销售额会是多少？本书第 7 章的 ASSESSOR 模型是一个很好的描述性（预测性）营销模型，能帮助经理决定是否应将新产品引入市场。

标准化决策模型　标准化决策模型阐述的问题是："在给定条件下最好的行动方案是什么？"例如，经理想确定一家新商店的最佳位置或确定某种产品的最佳广告支出。标准化模型的作用是帮助经理探索不同场景下某一决策选择的价值，使他们能够回答上述问题。管理问题可建成约束优化问题的模型，其目标函数衡量某一决策选择对公司的价值，各种约束条件则限制了各种决策选择允许变化的范围。当经理只有很少的决策选择时，进行案例研究或用描述性模型来模拟就可能足够了。当经理面临很多选择时，则需要利用正规的数学方法来识别出最好的选择（参阅本书第 2 章的附录）。

有些公司已开始在营销中运用标准化决策模型来解决问题，如销售资源分配（参见本书第 9 章）、媒体规划、零售货架空间设计及店铺选址等。标准化模型也称**指令性模型**（prescriptive model），因为这类模型即使没有目标函数优化的要求也可从多种备选方案中指定有效的行动方案（如本书第 8 章中的 ADCAD 模型）。

13

混合模型既有描述性模型的特点，也有标准化模型的特点。如联合分析模型（参见本书第7章）用描述性模型来表示顾客样本的效用函数，用标准化模型识别能满足目标市场需求的最好的新产品。

使用决策模型的好处

营销工程的基本前提是建模过程能改进决策。建模过程可通过如下几种方式改进决策（如图1—5所示）：

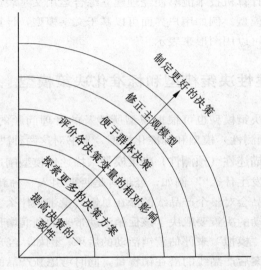

图1—5

经理使用决策模型能得到各种益处，并最终改进决策。

提高决策的一致性　模型的好处之一是能帮助经理制定更一致的决定。一致性对经理经常要做的决策是特别可取的。几项研究已经显示了一致性在改善预测时的巨大价值（见表1—1）。

表1—1　　　　　　　　　　三类模型同真实情况之间的相关性

这表明主观决策模型比思想模型强，而正规的客观模型的效果还要好得多。

专家要做出的判断类型	思想模型*	主观决策模型**	客观决策模型***
研究生的学术成绩	0.19	0.25	0.54
癌症病人的预计寿命	—0.01	0.13	0.35
股票价格的变化	0.23	0.29	0.80
用人格测试发现的精神疾病	0.28	0.31	0.46
心理学课程的得分和态度	0.48	0.56	0.62
从财务报表发现的经营问题	0.50	0.53	0.67
学生对教师教学效果的评价	0.35	0.56	0.91
人寿保险推销员的业绩	0.13	0.14	0.43

14

续前表

专家要做出的判断类型	思想模型*	主观决策模型**	客观决策模型***
罗夏（Rorschach）测试得到的智商分数	0.47	0.51	0.54
平均值（多项研究）	0.33	0.39	0.64

* 专家的直接预测结果。

** 主观决策模型：用专家过去的预测建立主观线性回归模型，从此模型得到的结果。

*** 客观决策模型：直接从数据中得到的线性模型。

资料来源：Russo and Schoemaker 1989，p.137.

表1—2列出了专家们预测工商管理硕士的学术水平常用的变量（即表1—1的第一行）。用一个简单线性模型对专家的直接结果进行处理后得到的结果比专家的直接结果好得多！这些变量同学生的实际水平之间的相关性从19%提高到了25%，精确性提高了。对这一提高的一种解释是，决策模型在处理新情况时提高了专家专业知识的一致性。

表1—2

用思想模型、主观决策模型和客观决策模型预测工商管理硕士学术水平所用的输入数据，参看表1—1的第一行。

申请人	申请文章	本科院校	本科专业	本科平均成绩	工作经验	GMAT语文（%）	GMAT数学（%）
1	差	最高	理工	2.50	10	98	60
2	好	高于平均	工商	3.82	0	70	80
3	一般	低于平均	其他	2.96	15	90	80
…		…	…	…		…	…
117	弱	最低	工商	3.10	100	98	99
118	强	高于平均	其他	3.44	60	68	67
119	好	最高	理工	2.16	58	5	25
120	强	一般	工商	3.98	12	30	58

资料来源：Russo and Schoemaker 1989，p.132。

表1—1的第三列充分说明了"客观"线性回归模型的精确性。在工商管理硕士的学术水平研究的例子中，回归模型所用的独立变量就是专家所考虑的相同因素，非独立变量是工商管理硕士的学术水平的实际结果。此预测使用了建立这个客观模型所用的数据样本，预测结果同真实结果的相关性为54%。表1—1还给出了多项研究的预测结果同真实结果之间的平均相关性。从中可以看出，主观决策模型的预测结果同真实结果的平均相关程度为39%，而思想模型只有33%。这方面研究的详细介绍可参看卡梅勒（Camerer，1981）、戈德堡（Goldberg，1970）以及拉索与休梅克（Russo and Schoemaker，1989）的成果。

总之，从这些结果可以看出：（1）根据实际数据建立的客观模型通常能做出最好的预测。但在许多情况下，我们并没有过去在相同情况下所作决策的精确性或结果性的数据。这时可以把决策者的思想模型整理成规范的决策模型。使用决策演算法的反应模型校准（参见本书第 2 章）就是将决策者的思想模型规范化的一种方法；（2）在这三种模型中，最不精确的是思想模型，然而，这三种模型同真实结果都呈正相关，而基于随机预测的模型同真实结果都呈零相关；（3）经理应把注意力集中在寻找对预测有用的变量上，同时用决策模型以一致的方式来使用这些变量。

探索更多的决策方案　在某些情况下，决策者可用的备选方案数量非常多，无法用思想模型来评估每种方案。例如，决定在各种产品和细分市场之间分配销售资源、选择哪种媒体开展广告或对不同档次的舱位和航线定价时，经理往往有几千种方案可供选择。他们可利用启发式决策法减少待评估的备选方案数量。启发式决策法有助于修正思想模型，加入更多的其他考虑因素，从而减少决策方案的数量。但对决策方案进行这种大规模修剪后得出的结论往往不如仔细考虑每种决策方案好。更好的选择是开发能辅助决策者探索多种备选方案的计算机决策模型。可供营销经理使用的计算机决策模型很多，而且实践表明它们确实能够改进决策。例如，企业使用若干种销售人员分配模型可在不额外投资的情况下将利润提高了 5％—10％（参见 Fudge and Lodish，1977；Rangaswamy，Sinha and Zoltners，1990）。

评价各变量的相对影响　有时可供选择的决策方案不多，但影响结果的变量却很多。例如，在试销某种新产品时，经理只有两种决策方案：放弃该产品或将它引入特定的市场。但许多变量会影响这一决策，如竞争者的反应、经销商的反应、消费者试用率、竞争者的促销、品牌价值及货架上的现货数量都会影响新产品的销售。决策模型能够为经理提供一个框架，使他们能全面探索各种备选方案，并理解每个变量对产品销售的影响。该模型也可作为一种诊断工具，帮助经理评估变量影响产品试销的相对重要性。类似 ASSESSOR 这样的模型（参见本书第 7 章）已成功地应用在试销中。厄本与卡茨（Urban and Katz，1983）的一份报告指出，使用 ASSESSOR 模型的收益与成本比率一般会达到 6∶1。

便于群体决策　构建模型可以将决策者头脑内的想法和关系呈现出来，从而为群体决策提供焦点和目标。明确的日程安排能为会议的顺利提供帮助，模型或建模的结果也能帮助决策群体仔细考虑决策方案并集中注意力。例如，资源分配的讨论可能演变成无聊的争吵，就像美国国会的预算之争一样。而如果整个决策群体都参与构建决策模型，群体讨论就会转向了解某人偏好某种资源分配方案的原因上，而不会把注意力放在那人所偏好方案的内容上。同样，假如群体的成员同意某种建模方法，他们就会认为模型得出的结果是公正的，并倾向于理性的决策方案，不会感情用事。

修正主观思想模型　营销经理对市场的运作方式有自己的思想模型。多年积累的经验和反复检验使他们形成了这些模型，这些思想模型对决策是非常有用的指导。但是在形成这些思想模型的过程中，他们并没有借鉴其他行业的管理者解决类似问题的经验，也没有利用涉及这些问题的学术研究成果。当他们开始使用决策模型时，他们就会不知不觉地修正自己的思想模型。正规的模型要求明确阐述出关键假设，正规模型的结构会要求经理用新的方式思考类似问题，从中得到的认识将会影响到经理未来的决策。新知识是运用模型的一种间接好处，但在很多情况下它却是最重要的好处。打个不太合适的比方：当你第一次用望远镜仰望天空时，你不但更清晰地看到原本熟悉的天体，而且还看到了更多的新天体，这就改变了你对宇宙的看法。

使用决策模型能带来所有这些好处。虽然经理在决策时能得到上述这些好处，但我们必须记住，仅仅靠决策模型并不能保证做出更好的决策或为公司带来更多的价值。

虽然模型能带来很多好处，但许多经理并不愿意使用模型。这种不情愿的原因部分是由于很多营销模型没有用简单易用的计算机软件来实现。有些经理即使熟悉模型，而且能够低成本地、方便地得到模型，并且模型能够很快提供结果，他们也不愿使用模型。其原因如下：

思想模型已经够好了：人类的进化使我们具备了能有效处理各种信息（特别是大自然中可见的信息）的大脑。但经理们错误地认为：因为思想模型在大多数时候做得已经很好了，所以在对复杂的、动态的市场行为进行决策时用思想模型就足够了。为弄懂这些，我们现在来看看图1—6的图形和表1—3的一份营销数据报告。人的大脑在看图片时，即使图片很模糊，它也能迅速找出其中的模式。而在看图表时，即使数据非常精确，大脑也无法一下看出众多数字中的模式。不信你仔细看看图1—6的图片，肯定能辨认出图中狗的品种；但很难从表1—3的数据中发现任何模式。

图1—6

可视信息：即使视觉信息非常粗略，你也能看出其中的大意。

资料来源：Morton Hunt，1982，p. 72.

17

表1—3

从这张营销报告能得到大量的数字信息，但很难看出其中的模式。总的来说，人从数字信息中寻找模式的能力远远小于从可视信息（如图1—6）中寻找模式的能力。

产品大类:冷冻正餐食品 数量用磅表示；数据截止1987年9月；仅包括0.5%或以上家庭购买的品牌；	数据只反映食品店的购买情况							特定交易的百分比						平均降价幅度（%）
	产品大类份额	产品类型份额（%）	购买家庭（%）	每次购买量	每位顾客的购买量	产品大类份额（%）	单价	贸易促销（%）	印刷广告（%）	店内陈列（%）	货架价格降低（%）	商店优惠券（%）	生产商优惠券（%）	
产品大类: 冷冻正餐食品	927.5+	100.0	26.7	1.5	2.3	100	2.80	26	12	5	23	0	8	21
产品类型: 冷冻正餐食品	100.0	100.0	26.7	1.5	2.3	100	2.80	26	12	5	23	0	8	21
全美美食公司 （All American Gourmet）	10.1	10.1	5.3	1.1	1.6	45	2.71	34	15	8	30	0	3	18
The Budget Gourmet	10.1	10.1	5.3	1.1	1.6	45	2.71	34	15	8	30	0	3	18
金宝汤公司 （Campbell Soup）	34.9	34.9	11.4	1.5	2.0	61	3.22	8	3	1	7	0	6	18
Le Menu Light Style	2.4	2.4	1.7	0.9	1.5	24	4.44	18	8	3	15	0	27	20
Swanson	17.4	17.4	6.3	1.3	2.0	48	2.58	9	4	1	9	0	8	18
Swanson Hungryman	8.0	8.0	2.8	1.7	1.6	43	2.68	3	0	0	3	0	3	13
Swanson Le Menu	6.5	6.5	3.1	1.1	1.5	36	5.05	6	1	0	6	0	10	15
康纳格拉公司 （Conagra）	38.7	38.7	13.6	1.5	1.8	59	2.32	39	19	7	36	0	7	22
Banquet	18.4	18.4	6.2	1.7	1.7	56	1.73	47	25	10	43	0	1	20
Banquet Manpleaser	2.2	2.2	0.9	1.8	1.6	38	1.75	29	12	9	24	0	1	13
Classic Lite	2.6	2.6	1.9	0.9	1.4	24	4.65	24	7	1	21	0	21	25
Dinner Classics	7.4	7.4	4.0	1.1	1.6	32	3.99	27	15	6	24	0	25	27
Morton	6.4	6.4	2.5	1.5	1.6	50	1.44	31	15	3	41	0	1	16
Patio	1.0	1.0	0.6	1.1	1.5	29	1.88	51	15	0	48	0	8	22
通用食品公司 （General Foods）	2.2	2.2	1.1	1.2	1.6	42	3.68	24	8	2	24	0	54	38
Birds Eye Fresh Creat.	2.2	2.2	1.1	1.2	1.6	42	3.68	24	8	2	24	0	54	38
雀巢公司 （Nestle）	1.9	1.9	1.3	1.1	1.3	26	4.68	26	10	5	16	0	35	23
Stouffer Dinner Supreme	1.8	1.8	1.2	1.1	1.3	26	4.69	27	10	6	16	0	36	23
O' Donnel-USEN	0.7	0.7	0.6	0.8	1.3	26	2.87	31	17	7	18	1	5	28
Taste O Sea	0.7	0.7	0.6	0.8	1.3	26	2.87	31	17	7	18	1	5	28
Aggregated Vendors	8.2	8.2	4.3	1.1	1.6	37	3.01	24	11	4	20	0	15	24
自营品牌	1.8	1.8	0.5	1.9	1.7	47	1.62	39	16	13	39	0	0	14

资料来源：The Marketing Fact Book, Information Resources, Inc., Chicago.

思想模型并非永远有效：尤其是当信息无法形成一个熟悉模式的时候。只有当新情形的模式同过去某种情形的模式类似时，人脑的模式匹配能力对决策才有用。霍克和施卡德（Hoch and Schkade，1996）在一次对预测的试验性研究中发现：思想模型在可预测的环境中的效果比在不可预测的环境中要好很多，因为在不可预测的环境中过分依赖熟悉的模式会得出错误的见解。

模型是不完整的：经理意识到模型是不完整的，因此认为不用判断来修改模型的结果，就不能去实施模型的结果，这种看法是正确的。那么如果要用直觉判断来调整模型的结果，为什么最初不主要依赖判断呢？前面的命题并不能得出后面的命题。正如霍格特（Hogarth，1987，p.199）指出的："夜间开车时打开车灯不一定能看得很清楚，但关掉车灯绝不可能更好。"或者像 W·爱德华·戴明（W. Edwards Deming）所说："所有模型都是错的，只不过有些有用罢了。"

决策模型和思想模型应该结合使用，这样每种模型都能发挥自己的作用，取长补短。思想模型能够考虑决策情形中比较特殊的方面，但过度强调把旧有模式套在新情况上；决策模型是一致和公正的，但却对特殊性考虑不足。布拉特伯格和霍克（Blattberg and Hoch，1990）在进行一项预测工作中发现：将决策模型产生的预测结果同思想模型的预测结果相结合能提高预测的准确性；给这两种预测结果各50%的权重能得到非常高的预测准确度。

看不到决策的机会成本：经理只能看到决策的后果，无法看到没做出的决策的后果。因此，经理自己无法判断出使用决策模型能否做出更好的决策。由于无法看到系统决策的价值，许多经理都只能继续做他们感觉上正确的事。在某些行业中（如共同基金），经理的业绩是与同等风险的有价证券基金经理的业绩对比得出，这时经理就能间接看到没有做出的决策的后果。所以共同基金行业是计算机决策模型最重要的使用者之一。

由于顾客交易数据可以自动获得，营销经理现在能在他们的决策和市场产出之间建立更牢固的关系。例如，在包装商品行业中，每周可以获得大量数据，其中包括对店内环境（例如特别陈列、价格折扣）的衡量结果和消费者购买某一大类产品各品牌的情况。有了这些数据，我们就可以跟踪相互竞争的各个品牌的表现以及它们所采用的促销战略。这种将管理决策与市场业绩相联系的能力已经大大促进了决策模型在这一行业中的应用。

模型需要精确性：模型要求明确阐述假设，详细规定数据来源。有些经理把这些具体性要求看作对自己权力的威胁和对自己地位的贬低，在等级制组织中的中层经理更是这样。中层经理在等级制组织中的传统作用是从一线收集信息并完成信息的结构化以便高层经理进行决策。随着信息管理的计算机化和分散化，中层经理必须更注重信息的决策结果。信息本身无法改善决策，只有决策者从信息中获取深入见解并利用这些见解作为行动依据时，对组织而言信息才转化成价值。

模型强调分析：管理人员要求操作。利特尔（1970）多年前就指出过这一点。过去，管理人员在需要进行分析时可以让公司的支持人员去完成，这样自己可以将精力放在所擅长的工作上。而在今天的扁平化组织中，没有多少企业还养着大批支持人员。

本书的思想与结构 ··

基本思想

本书是为想在信息时代的营销组织中发挥作用的商学院学生和经理而写的。我们希望将决策模型背后的概念与工具及在实际营销决策应用模型所需的技能传授给读者。这是一本高级教程，它要求你熟悉营销的基本概念，熟悉（不需要精通）经济数学（代数、统计和微积分）的基础知识。最重要的要求是有用系统、逻辑的方式解决问题的**意愿**（willingness）。

本书兼顾理论和实践，我们尽力使这两者相得益彰。学会使用这些决策模型的软件花不了多少时间，但你必须耐心、勤奋，才能真正学会和掌握建模方法的基本原理，这样才能在将来的决策环境中有效地使用这些模型。

本书有两个基本原则：边做边学和最终用户建模。

边做边学　我们相信学习营销工程的最好方法就是将自己置身于需要决策的环境中。我们并不注重模型的理论，而是要训练你在营销决策方面的实践经验。我们希望在进行这些决策时，你会提高这些能力：认识各种营销决策问题的能力、为决策而了解问题结构的能力、进行逻辑分析的能力、以非技术的方式向听众讲述建模结果的能力。

使用本书介绍的模型时，你一定要了解它们的充分性、优越性和局限性，知道如何修改这些模型使它们能应用于相关的领域。你只有在实际决策环境中努力回答这些问题才能真正学到东西。要想学会自行车，你必须上车练习。只学习机械原理或观察别人骑车是不可能学会骑车的。在实际工作中，边做边学往往要交高昂的学费，而且容易犯错误。本书和所附软件模拟了一个安全的、结构化的环境，在这个环境中可以探索和尝试各种不同的行动方案。

最终用户建模　营销中的决策模型既有由专家提出的复杂模型（如万豪公司的联合分析和美洲航空公司收益管理系统），也有由懂得营销和营销工程基础知识的人（最终用户）很快就能实现的模型。本书强调最终用户建模，这类模型具有以下特征（Powell，1996）：

- 建模过程由要解决某个业务问题的人提供并完成。他们往往不是技术分析人员，也不是建模专家。建模的目标是为更好地理解决策问题和可供选择的方案。
- 模型本身是数学，但建模工作不是数学。用户靠图形、电子报表和软件包拼凑成反映自己对业务问题理解的模型。
- 用户在一定的预算限制和时间限制下建模，模型具有解决工程问题的特征：尽量完美、尽可能节省成本和充分利用容易得到的资源。建模者尽可能利用各种容易得到的信息，加上一定的创造性就行了。模型本身可能不如由学者或专业的管理科学人员开发出的模型那么周全和科学。主观判断在为模型提供输入信息和解释模型的结果中发挥着很大的作用。
- 通常模型的作用是提供对问题的深入见解，指明方向，而不是规定具体的数字标准。与成熟的决策支持系统（如收益管理系统）相比，最终用户模型产生的结果只对模型所揭示的一般模式（如价格范围）有用，而这些结果本身并没有太大用处。

表1—4总结了最终用户模型和高级模型的差别。经理成功应用了最终用户模型，才会对在整个企业建立基于企业数据库的企业级决策支持系统感兴趣。

表1—4

营销决策模型的两个极端：最终用户模型和高级模型。营销工程方法对这两类模型都适用，但本书仅关注最终用户模型。

	最终用户模型	高级模型
问题规模	小到中	小到大
可用的时间（建模）	短	长
成本/收益	低到中	高
用户培训	中到高	低到中
建模的技能	低到中	高
问题重复的可能性	低	低或高*

* 对一次性分析（如万豪公司的联合分析）而言较低，对连续使用的模型（如美洲航空公司收益管理系统）而言较高。

资料来源：Stephen G. Powell，1996.

本书的目标与结构

本书的主要目标是让你亲身体验营销工程方法的价值。我们参与了许多决策模型的概念化和实施过程，也经历过模型在组织中发挥作用时遇到机遇、挑战与失败、兴奋与成功的各种时刻。很多时候我们都看到了模型为现代企业提供的巨大价值。我们想与你分享我们的见解和经验以及学术领域和其他行业人员的经验。

虽然你将会内行地使用各种模型，但我们的目标并不是让你成为一个分析师或建模专家。我们的主要目的是帮助你成为模型的聪明使用者和懂得利用他人所建模型的使用者，尤其希望本书使读者能识别出哪些环境适合使用营销工程方法，帮助读者了解建模工作和解释结果的重点，以便使决策过程顺利进行。具体而言，我们希望达到以下目的：

- 说明营销工程方法提高营销决策的方式和方法；
- 让读者了解成功的营销决策模型，并提供它们成功原因的实例；
- 提高读者分析性地理解并用公式表示营销过程与关系的技巧；
- 为读者提供应用决策模型的内行经验。

本书所选的模型在理论上是正确的，实践中也是有用的。学术研究证明了这些模型的合理性，而且已经在各行业中得到了广泛应用。所以，这些模型是健壮的，经得起实践的检验。

本书第2章的重点是建模方法。本书第3～6章集中阐述营销的战略性问题，包括市场细分、市场定位、业务组合分析及市场测量和战略规划。本书第7～10章将探讨营销的战术性问题，包括产品设计、广告预算确定、销售队伍部署、店铺选址和收益管理。最后，本书第11章总结了本书的要点并展望了营销工程的未来。每章中都有例子、案例和练习，用来说明该章的概念，并让你按部就班地熟悉模型的基本结构。

书里的许多模型都有数学描述。如果你的数学不好，可以跳过数学讲解，只用软件进行案例分析，并用数学来加深你的理解。

软件的设计标准

本书附了一个有很多软件工具的软件包①。书中阐述了软件中决策模型的概念性内容。软件能帮你了解如何将这些概念和模型应用在特定管理情景下的营销决策中。我们在设计软件时采用了一些标准，以确保软件能与本书的目标一致：

在 Windows 操作系统下运行：软件可在运行 Windows 3.X 及以上版本或 Windows NT 操作系统的 IBM 兼容机上使用，也就是说不能在 Apple/Macintosh 计算机上运行。我们建议在 486 以上、内存 16 MB 以上的计算机上安装本软件。在 386 机上软件运行会非常慢，内存小于 8MB 时程序运行也会很慢。

软件能在 Windows 95 和 Windows NT 操作系统下运行，但某些软件程序并不能充分利用这些 32 位操作系统的高级特性，你可以到网站上下载软件的更新版本。

需要 Microsoft Excel：除了 Windows 操作系统外，还应该有 Microsoft Excel 5.0c 及以上版本的电子报表软件。运行软件包中的电子报表模型必须要有 Excel，另外还要用 Excel 为其他模型输入数据，如聚类分析（第 3 章）和用多项式分对数模型进行促销分析（第 10 章）。

从统一菜单访问所有软件：本软件包的一个优点是从一个窗口就可运行所有程序。但这些程序的工作方式或菜单选项可能不完全一样，因为每个程序都是为解决某个特定问题而设计的，因此会有特殊的菜单选项。我们尽量设法让相似程序有类似的菜单结构，并尽量让程序的外观感觉一样。例如所有电子报表在各方面都相似，只是子菜单选项可能有所不同。

涉及营销决策的所有领域：我们将营销决策中有代表性的决策模型都包含到软件中。当然，由于个人的兴趣及未必能找到同本书目的一致的软件，不同的营销决策领域的软件会分布不均。

在局域网上运行：本书提供的软件只能在单机上运行，软件的网络版则可以在局域网上运行，但仅供采用此书的教师使用，而且需要专业人员安装，以便软件能满足特定的局域网的具体运行要求。

限制商业性使用：我们提供的所有软件工具都是教育版，内置了一些防止商业性使用的限制。软件的所有基本特征都没有改变，但增加了诸如数据规模限制及不能保存大文件等限制，以保证教育版不能执行商业应用。你可以用部分数据来评估企业级决策模型软件包对你面临的具体问题是否有帮助。

新开发出的软件需要不断改进。编写软件与写书不一样，即使很小的错误也会导致严重的后果。请访问我们的网站 http：//hepg. awl. com/lilien-ran-

---

gaswamy/mktgeng/，随时了解软件的最新版本和使用诀窍，并欢迎提出改进软件的建议。

软件简介

这里假定你很熟悉计算机、用过 IBM 兼容计算机、Windows 操作系统和 Microsoft Excel 软件。如果没用过这些硬件和软件，建议你先花点时间学习这方面的一些基本知识。

安装指导 营销工程软件包是在光盘上，可安装在运行 Windows 3. X 及以上版本或 Windows NT 操作系统的计算机上。

- 启动 Windows。如果 Windows 已在运行，要退出其他正在使用的程序。
- 把光盘插入光驱中。
- **运行光盘上的 install. exe 文件。**

安装非常简单。程序会提示你输入安装程序所需的信息。建议把程序安装在缺省目录 **c：\ mktgeng** 下。安装后如果想改变程序设置，请参看后面的定制指令。

安装完成后将出现营销工程的新图标，双击此图标启动程序 **mktgeng. exe**，如果程序安装正确，就会看到如图 1—7 所示的屏幕显示：

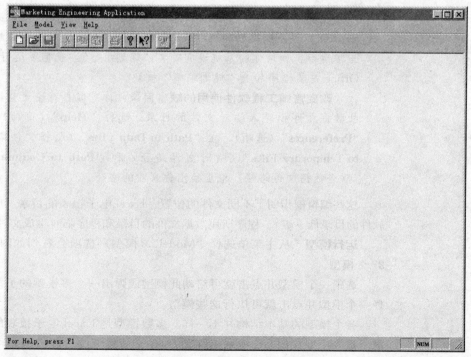

图 1—7

定制 软件安装完后需要调整设置参数，以确保程序能在你的计算机上顺利运行。

23

在 Excel 和营销工程软件之间建立自动链接：建立这个链接后，你就可以在同一个主菜单下启动所有的 Excel 模型，但有时你得手工建立这一连接。首先运行营销工程程序，从"**Help**"（帮助）菜单中选择"**Preferences**"（选项），出现如图 1—8 所示的对话框，在"Path to Microsoft excel. exe"（到 Microsoft excel. exe 的路径）框中输入 Excel 可执行文件（即 excel. exe）所在的位置（如 c:\\msoffice\\excel）。假若没有设置自动链接，就得分别启动营销工程软件和 Excel 软件。取消"Auto Start Excel"（自动启动 Excel）复选框的选择，程序就不再自动链接。

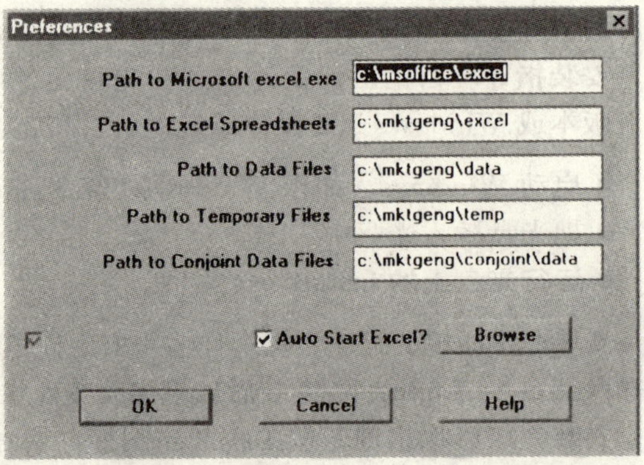

图 1—8

在 Excel 中安装"规划求解"模块：有几个营销工程应用程序（如 Syntex 资源分配模型和 ADBUDG 模型）要求安装"规划求解"模块才能正常运行。如果你的系统没有安装"规划求解"，就需要运行 Excel 或 MS Office 安装程序加上"规划求解"模块。

改变营销工程软件使用的缺省目录：你可以自行设置营销工程软件寻找数据文件和写入临时文件的目录。选择"**Help**"（帮助）菜单，选择"**Preferences**"（选项），在"**Path to Data Files**"（数据文件路径）、"**Path to Temporary Files**"（临时文件路径）和"**Path to Conjoint Data Files**"（联合数据文件路径）框里给出你喜欢的路径。

这些编辑框指明了不同文件的位置：Excel 电子报表的目录（应比营销工程软件的目录低一级）、程序所用数据文件的目录和程序临时生成文件的目录等。

运行模型　从主菜单选择"Model"（模型）选项会看到如图 1—9 所示的 27 个模型。

选中一个模型并点击就可启动此模型或弹出一个多模型的子菜单，从中选择一个模型并点击就可执行这些模型。

各个模型的基本结构并不一样。多数模型是 Excel 电子报表的形式：有些电子报表模型（如 GE 规划矩阵和 Syntex 销售资源分配模型）可接受用户提供的数据；有些电子报表模型（如 ADBUDG 广告预算模型和 ASSESSOR 试销模型）自带针对具体案例的内置数据，很难被修改以接受新的数据。本书还有几个非 Excel 模型，这些模型都能接受用户提供的新数据，它们大多数（除 ADCAD 和 AHP 外）能够同 Excel 链接并支持同 Excel 兼容的电子报表。图

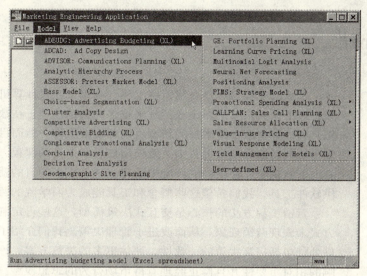

图 1—9

1—10 列出了本书提供的全部软件及每种软件相对应的案例或练习。

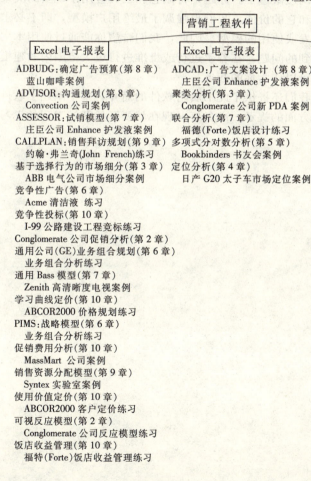

营销工程软件		
Excel 电子报表	**Excel 电子报表**	**软件商的非 Excel 模型**
ADBUDG：确定广告预算(第8章)	ADCAD：广告文案设计 (第8章)	层次分析法(第6章)
蓝山咖啡案例	庄臣公司 Enhance 护发液案例	詹妮意大利冰淇淋店案例
ADVISOR：沟通规划(第8章)	聚类分析(第3章)	决策树分析(第6章)
Convection 公司案例	Conglomerate 公司新 PDA 案例	卜内门美国公司项目选择
ASSESSOR：试销模型(第7章)	联合分析(第7章)	案例
庄臣公司 Enhance 护发液案例	福德(Forte)饭店设计练习	地理人口网点规划(第9章)
CALLPLAN：销售拜访规划(第9章)	多项式分对数分析(第5章)	J & J 家庭录像店案例
约翰·弗兰奇(John French)练习	Bookbinders 书友会案例	神经网络预测法(第5章)
基于选择行为的市场细分(第3章)	定位分析(第4章)	Bookbinders 书友会案例
ABB 电气公司市场细分案例	日产 G20 太子车市场定位案例	
竞争性广告(第6章)		
Acme 清洁液 练习		
竞争性投标(第10章)		
I-99 公路建设工程竞标练习		
Conglomerate 公司促销分析(第2章)		
通用公司(GE)业务组合规划(第6章)		
业务组合分析练习		
通用 Bass 模型(第7章)		
Zenith 高清晰度电视案例		
学习曲线定价(第10章)		
ABCOR2000 价格规划练习		
PIMS：战略模型(第6章)		
业务组合分析练习		
促销费用分析(第10章)		
MassMart 公司案例		
销售资源分配模型(第9章)		
Syntex 实验室案例		
使用价值定价(第10章)		
ABCOR2000 客户定价练习		
可视反应模型(第2章)		
Conglomerate 公司反应模型练习		
饭店收益管理(第10章)		
福特(Forte)饭店收益管理练习		

图 1—10

本章小结

　　本章的主要目标是介绍营销工程（利用交互式计算机决策模型辅助营销决策）这个方兴未艾的新领域。越来越多的营销经理正在数据、信息（概括的数据）和计算资源不断增加的新型决策环境中工作。然而目前没有几所商学院开设了培训营销经理掌握营销决策模型概念和工具的课程。我们相信，这些模型有助于营销经理在这样的环境中取得成功。本书的目的就是既阐述概念，又提供软件工具。我们希望这些概念和工具能成为商学院的营销新课程。

　　营销工程方法的核心是交互式决策模型，这些可定制的模型以计算机化的方式来表现营销现象，从而改进了管理决策。我们介绍了使用决策模型的许多好处，包括提高决策的一致性、评估更多的决策方案、评价不同变量对决策影响的相对重要性并且修正经理看待市场行为的思想模型。我们还总结了经理了解模型的潜在好处但仍拒绝使用决策模型的原因。

　　我们强调边做边学。你越是将概念和工具应用于现实的决策问题，就越懂得营销工程和它的价值。我们也强调了最终用户模型，即不必求助于技术专家而能直接开发或使用的模型。因此，我们希望你能通过使用本书提供的软件解决工作中遇到的问题，在着手进行或批准进行更大范围内的建模工作之前，这些软件至少可以作为你的起点。

　　最后，我们还提供了此书所附软件的简介，集中阐述了软件的设计标准和安装与使用方面的提示。准备好，现在就要开始营销工程的学习啦！

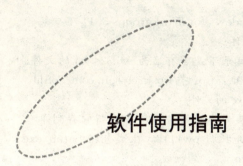

软件使用指南

营销工程软件介绍（1.0版）

安装营销工程软件

把营销工程软件安装到计算机硬盘上很简单，但您还是应该在安装之前通读安装说明。

A. 本软件存储在 CD-ROM 上。在安装之前要保证你的硬盘和操作系统符合要求。

最低配置：IBM 兼容 PC 机、运行 486 处理器（33MHz）、8MB RAM、55MB 可用硬盘空间和一个 CD-ROM 驱动器。一些应用程序（如 Excel 电子报表模型和 ADCAD）在此最低配置下无法可靠运行。

建议配置：IBM 兼容 PC 机、运行奔腾 I 或相似的处理器（60MHz 或更高）、16MB RAM、55MB 可用硬盘空间以及 4 倍速或以上的光驱。

操作系统：Windows 3.1 及以上、Windows for Workgroups 3.11 及以上、Windows NT。

Microsoft Excel：本软件包里部分软件需要 Microsoft Excel 5.0c 或以上版本的支持，如果你没有安装 Excel，还可以使用本软件包里不需要 Excel 的模型。

B. **安装软件**。

1. 启动 Windows；

2. 把营销工程软件光盘插入光驱；

3. 在 x:\ 驱动器中运行 install. exe，其中 x 是你的光驱名；

4. 按屏幕指示完成安装，建议把程序安装到缺省路径 c:\ mktgeng 上。

> **注意**：如果在 Windows 3.1 或 Windows for Workgroups 3.11 下安装营销工程软件，可能会需要再装载下列文件。
>
> 检查 windows 和 windows\\system 目录下是否有名为 win32s.ini 的文件。如果没有，就需要从微软公司的 ftp 网址：ftp：//ftp.microsoft.com/Softlib/MSLFILES 中下载并安装名为 pw1118.exe 的文件。
>
> pw1118.exe 是自解压文件，可扩展为多个文件，所以应将它存到单独的目录下（或存到一个临时目录下）。先执行 pw1118，生成包括 Setup.exe 在内的整套安装文件，再执行 setup.exe。

运行 Excel 软件所需的附加软件

对于大部分 Excel 应用，你都需要用"规划求解"工具。此外，"Promotional Spending Analysis"（促销费用分析）工作表要求用"分析工具库"。安装 Microsoft Excel 时，这些附加程序不在缺省配置之内。你可在 Excel 软件的"Tools"（工具）菜单中检查"Add-Ins"（加载宏）列表，看看是否已加载了这些附加程序。如果没有的话，则要用初始安装磁盘或光盘来运行 Excel（或 MS Office）的安装程序，选择相应的选项来加装这些附加程序。

安装后设置营销工程软件

设置"**Preferences**"（选项）：如果希望指定营销工程软件所用文件的位置，可进入"Help"（帮助）菜单，选择"Preferences"（选项），在图 1—11 所示的对话框中指定 excel.exe 的路径。

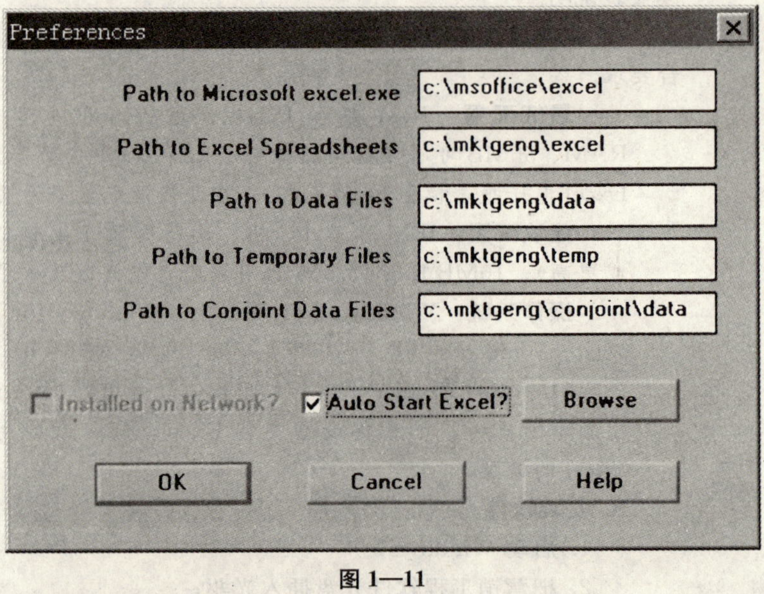

图 1—11

只有购买营销工程软件的网络版才可以在网络上使用这个软件。如果选定"Auto Start Excel"（自动启动 Excel），以后每次启动营销工程软件就会自动启动 Excel。如果取消这个选项，在需要启动 Excel 时可在"File"（文件）菜单中选择"Open Excel"（打开 Excel）。

打开应用程序：启动营销工程软件时，你会在屏幕上看到图 1—12 所示的画面：

图 1—12

在"Model"（模型）菜单中选择一个模型（参见图 1—13），例如"Positioning Analysis"（市场定位分析）。

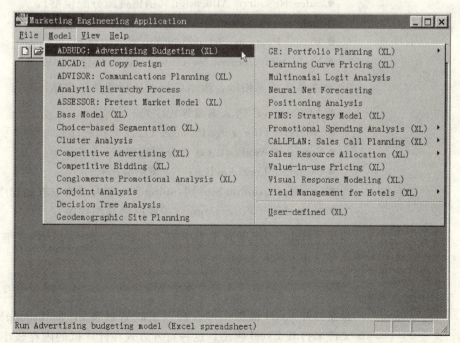

图 1—13

使用软件的提示

营销工程软件由三种不同类型的软件模块组成：

1. 在营销工程软件主菜单下直接运行的 Windows 程序：

   ● Cluster Analysis（聚类分析程序）；

   ● Multinomial Logit Analysis（多项式分对数分析程序）；

   ● Positioning Analysis（市场定位分析程序）。

2. 在 Excel 下加载运行的电子报表模型：

   ● ADBUDG（广告预算模型）；

   ● ADVISOR（沟通计划模型）；

   ● ASSESSOR（预测试市场模型）；

   ● Bass Model（巴斯模型）；

   ● Choice-based Segmentation（基于选择的市场细分模型）；

   ● Competitive Advertising（竞争广告模型）；

   ● Competitive Bidding（竞争性投标模型）；

   ● Conglomerate Promotional Analysis（Conglomerate 促销分析模型）；

   ● GE：Portfolio Planning（GE 业务组合规划模型）；

   ● Learning Curve Pricing（学习曲线定价模型）；

   ● PIMS（PIMS 战略模型）；

   ● Promotional Spending Analysis（促销费用分析模型）；

   ● CALLPLAN（销售拜访计划模型）；

   ● Sales Resource Allocation（销售资源分配模型）；

   ● Value-in-use Pricing（使用价值定价模型）；

   ● Visual Response Modeling（可视反应模型）；

   ● Yield Management for Hotels（饭店收益管理模型）。

3. 与主菜单关系松散，激活后就可执行的独立程序：

   ● ADCAD（广告文案设计程序）；

   ● Analytic Hierarchy Process（层次分析程序）；

   ● Conjoint Analysis（联合分析程序）；

   ● Decision Tree Analysis（决策树分析程序）；

   ● Geodemographic Site Planning（地理人口网点规划程序）；

   ● Neural Net Forecasting（神经网络预测程序）。

选择"Help"（帮助）菜单中的"Index"（索引）可以了解各个模型的相关信息和使用方法。

> **注意**：以下提示只适用于基于 Microsoft Excel 应用程序的软件模块。

直接打开 Excel 模型：可直接点击缺省目录 c：\\mktgeng\\excel 下的 *.xls 文件来打开 Excel 模型。这种打开方式在计算机的内存较小、难以装载营销工程软件时很有用。如果要把 Excel 文件移到一个新目录中，一定要同时把

modgen. ind 文件也移过去。

在营销工程软件的主窗口和 Excel 应用程序之间移动：要在营销工程软件主窗口和 Excel 应用程序之间来回移动时，可以用 Alt＋Tab 组合键；也可在"Model"（模型）菜单下点击"Back to Mktg. Eng."（返回营销工程软件）（参见图 1—14），就可从 Excel 应用程序返回到营销工程软件主窗口。

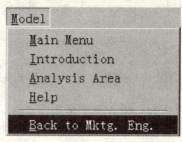

图 1—14

在 Excel 电子报表输入数据：在单元格中输入数据后，按回车键后才能保证数据已存入电子报表。

使用"规划求解"：有时 Excel 运行"规划求解"时无法收敛，这时要给"规划求解"重新提供初值，参见第 2 章的附录。

撤销对单元格的保护：如果你想改变保护的单元格或在运行"规划求解"时撤销对电子报表的保护，就要在"Tools"（工具）菜单下选择"Protection"（保护）子菜单，单击"Unprotect"（撤销保护）。

保存 Excel 文件：如果想保存正在编辑的 Excel 电子报表，可把它们保存在与其他 Excel 文件相同的目录下（缺省目录：c：\\mktgeng\\excel）。

注意：以下提示只适用于直接从主菜单运行的软件模块，包括聚类分析、多项式分对数分析和市场定位分析。

合并自己的数据集：为聚类分析、多项式分对数分析和市场定位分析建立新数据集有四种方法：

1. 装载包含恰当格式数据的 ASCII 文件：用标准的字处理程序可生成能被营销工程软件直接读取的文本文件，文件的格式如表 1—5 所示：

表 1—5

文件内容	含义	结构
Perceptual Mapping	绘制知觉图	第1行
3 4		第2行
5.6 6.0 4.6 3.6		第1部分
4.4 3.6 5.2 2.2		
2.9 6.4 2.7 2.6		
Sprint	斯普林特公司	第2部分

续前表

文件内容	含义	结构
MCI	原世通公司	
AT&T	美国电话电报公司	
Other	其他公司	
Value	价值	第3部分
Service	服务	
Special Programs	特别程序	

第1行：输入数据集标题；

第2行：输入数据的行数和列数；

第1部分：输入数据（用逗号或空格隔开）；

第2部分：输入列标题；

第3部分：输入行标题。

选择"**File**"（文件），然后选择"**Open**"（打开），营销工程软件会提示你输入文件名，这样就可以将此文件装载到营销工程软件中。

2. 从 Excel 中导入数据：先打开营销工程软件，从"**File**"（文件）菜单中选择"**New**"（新建），如图 1—15 所示。

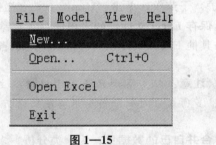

图 1—15

输入文件名并点击"**OK**"（确定）后，可看到如图 1—16 所示的屏幕：

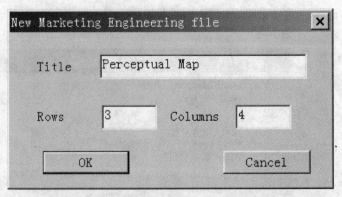

图 1—16

输入数据的标题和行、列数。然后在 Excel 中输入数据（只是数据，无标题），如图 1—17：

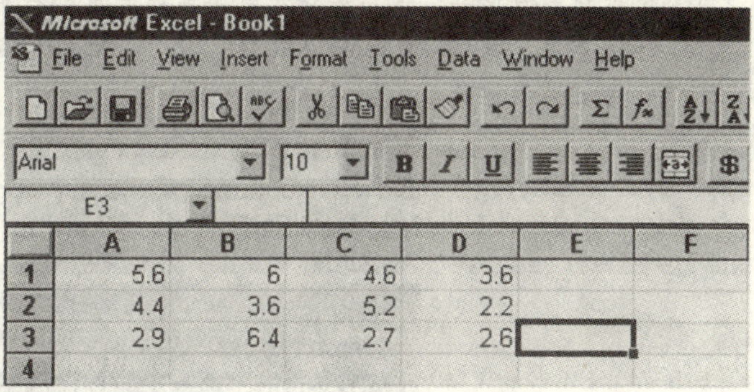

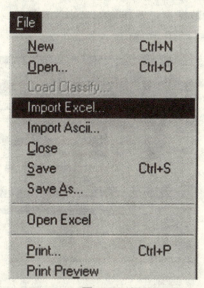

图 1—17

现在可以把数据从 Excel 导入营销工程软件中，导入方式有两种：

直接将数据复制/粘贴到营销工程软件中：在 Excel 中选择要导入到营销工程软件中的数据区域。在**"Edit"**（编辑）菜单中用**"Copy"**（复制）或**"Cut"**（剪切）把数据粘贴到 Windows 的剪贴板上，用 Alt＋Tab 组合键进入营销工程软件窗口，把光标放在空白电子报表的第一行第一列，把 Excel 中的数据粘贴到营销工程软件工作表中。如果不想使用缺省行标题和缺省列标题，可以选择营销工程软件中的**"Edit"**（编辑）菜单，然后选择**"Edit Row Labels"**（编辑行标题）和**"Edit Column Labels"**（编辑列标题），输入新名称。

以 Excel 文件的形式导入数据：把数据作为 Excel 工作表的形式保存下来。在营销工程软件的**"File"**（文件）菜单中选择**"Import Excel"**（导入 Excel 文件），如图 1—18，软件就会提示你输入文件名。

图 1—18

3. 从 ASCII 文件中导入数据：先打开营销工程软件，从**"File"**（文件）菜单中选择**"New"**（新建），软件会提示你输入数据标题和行、列数。文本文件（如前面的 3×4 数据集）只含数据，每行一条记录，用空格或制表键隔开，把光标放在电子表格的第一行第一列。再从**"File"**（文件）菜单上选择**"Import ASCII"**（导入 ASCII 文件），如图 1—19 所示，软件会提示你输入文件名：

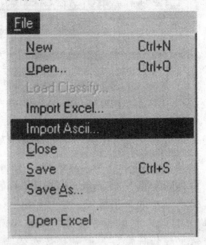

图 1—19

如果不想使用缺省标题，可在**"Edit"**（编辑）菜单中选择**"Edit Row Labels"**（编辑行标题）和**"Edit Column Labels"**（编辑列标题），直接把新名称输入到电子报表上。

4. 手工输入数据：在**"File"**（文件）菜单中选择**"New"**（新建），软件会提示你输入数据标题和行、列数，然后就可以从第一行第一列开始向空的电子报表中输入数据。

查看数据：把数据输入或导入营销工程软件中后，就可以查看数据的图示了，如图 1—20 所示：

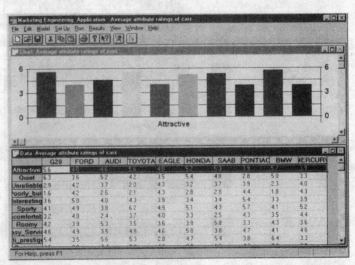

图 1—20

单击电子报表中的行标题或列标题，可以看到该行或该列数据的图形显示。也可以同时显示数据的任意子集，你只要把鼠标拖过要显示的单元格即可。在"Edit"（编辑）菜单上，用"Insert"（插入）或"Delete"（删除）来修改数据。

改变行或列的标题：在"Edit"（编辑）菜单中，使用"Edit Row Labels"（编辑行标题）和"Edit Column Labels"（编辑列标题）进行修改。

修改数据：你可以直接在电子报表上修改数据，再次运行模型时这些修改就会生效。如果要将这些修改保存下来，还要在"File"（文件）菜单中选择"Save"（保存）或"Save As"（另存为）来进行保存。

营销工程软件工具栏按钮的介绍：在营销工程软件的主窗口中会看到如图1—21所示的工具栏：

图 1—21

下面介绍工具栏上的每个按钮：

按钮	描述
	新建营销工程软件的数据工作表
	打开已有的营销工程软件数据工作表
	保存当前文件
	剪下所选内容，放到 Windows 的剪贴板上
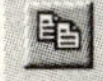	把所选的内容复制到剪贴板上
	把 Windows 剪贴板上的内容粘贴到指定的地方
	根据当前的打印设置来打印活动的数据工作表
	显示营销工程软件的版本和版权信息
	打开营销工程软件的主帮助文件
	运行指定的程序（如聚类分析、多项式分对数分析或市场定位分析）
	显示多项式分对数分析或市场定位分析的下一个图表

确定广告方案的练习[1]

你的老板为一家大公司策划了一个电视广告，一家广告代理公司设计出一个电视广告方案，在你的老板批准后就可以进行制作并播出了。

你们公司的广告预算分成制作费和播出费，老板想提高广告创意的预算，于是决定找几家广告代理公司，让每家广告代理公司分别设计出一套广告方案，以便从中选出一个最佳方案进行制作并播出，以有效促进销售。

评价一个广告方案的常规方法是让一组受众试看这段广告，询问他们对广告的意见。广告的效果和收视率对销售有很大影响。

老板想让你用营销工程的方法来确定寻找的广告代理公司的最佳数目。

分组练习

把营销工程软件小组成员集中起来，指定其中一个成员作为观察员，他在建模过程中不许发言。

小组需要提出一个能解决老板问题的模型，不必得出具体数字的答案，只需要提出解决这个问题的模型即可。

模型可以采用方程、文字、图表、流程图或曲线图等多种形式，但必须易于理解。

在教学时，可将全班分成若干小组，每个小组要在全班阐述自己的模型，由观察员报告本小组建模方法的可取之处。

练习的参考文献

O' Connor, Gina Colarelli; Willemain, Thomas R; and MacLachlan James, 1996, "The value of competition among agencies in developing ad campaigns: Revisiting Gross's Model", *Journal of Advertising*, Vol. 25, No. 1 (Spring), pp. 51—62.

Gross Irwin, 1972, "The creative aspects of advertising", *Sloan Management Review*, Vol. 14 (Fall), pp. 83—109.

【注释】

[1] 此练习由伦塞勒（Rensselaer）理工学院的托马斯·威利梅因（Thomas R. Willemain）教授提供。

营销工程的工具：市场反应模型

正如我们在第 1 章中所讨论的那样，决策模型是解决营销问题的营销工程方法的核心，决策模型的基础则是市场反应模型。

本章的目标是：

- 定义市场反应模型（即营销工程方法的关键组成）并分类。
- 详细介绍一些市场反应模型，包括：
  - 总体市场反应模型，重视整个市场的反应行为；
  - 个人反应模型，汇集起来就可以表示整个市场；
  - 其他的市场反应模型（共享经验模型、定性反应模型）。
- 确定校准和选择反应模型的标准。
- 介绍其他用来明确决策模型目标的方法。
- 概要介绍选择反应模型的标准。

本章内容所涉及的软件称为"可视反应建模工具"，它可以构建简单的反应模型，让你亲身体验一下建模工作。本章附录中讨论了 Excel 的规划求解工具及如何用它来确定反应函数的参数并确定最佳的营销策略。

选用反应模型的原因

营销系统意味着一系列的挑战：市场并不是简单的实验室，你无法像在实验室里那样仔细观察各种业务过程，并清晰、确切地理解它们。下面以一个营销努力可能带来的市场反应为例，举例说明可能会遇到的挑战：

举例

假设某个软饮料制造商设计了一场广告活动的方案，想了解这次广告活动的效果，以便决定广告上市的方式。此次广告活动会影响到顾客对品牌的了解程度、态度或偏好，直接影响本周内的销售量，或在未来对这些变量产生影响。现在我们只关注这次广告活动对当前销售的影响；广告的效果还可能受到目前其他软饮料制造商的广告活动、该品牌的价格、竞争品牌的价格及公司目前正在开展的促销活动的影响。在这些效果中，有些是可控的（如对零售商的贸易促销），有些则是不可控的，譬如消费者的购买价格（消费者购买价格由零售商决定，零售商可自行开展促销，也可以不把贸易折扣让渡给消费者）。公司这一广告活动对不同的消费者群有不同的吸引力，这些消费者群在全国各个不同市场上所占的比例都不同。广告之后，这种软饮料可在超市、大型零售商（如沃尔玛）、便利店（如7—11店）、自动贩卖机和快餐店等地方买到，每条渠道都可能产生不同水平或不同类型的销售反应。包装规格（12包整装、12盎司散装或64盎司散装）、包装类型（易拉罐或利乐包）等因素也会产生不同的销售反应。如果产品分成含糖型和无糖型会怎样？分成含咖啡因和无咖啡因又会怎样？如果制造商软饮料产品线很完整，希望确定各产品之间的协同作用（对公司其他品牌的促进）和相互竞争（同公司其他产品争夺市场），又如何呢？

我们原本可以使这个例子更加复杂（我们没说该公司的目标，也没提及是否要考虑非销售量目标，如树立品牌知名度或品牌偏好），没有这么做是因为我们要强调的营销决策是在难于分析或控制的环境中发生的。

由于营销问题的复杂性以及决策时所用的思想模型的局限，营销工程方法引起了经理越来越大的兴趣。营销工程方法要求明确以下内容：

输入： 指营销人员能控制的营销行为（如价格、广告、推销等营销组合）及不可控的变量，譬如市场规模、竞争环境等。

反应模型： 公司的输入与可衡量的产出之间的关系（顾客知名度、产品认知、销售量和利润）。

目标： 公司用来监控和评估那些行动（如开展促销后的销售水平，能回忆起广告内容的目标受众所占的比例）的尺度。

反应模型处于市场营销决策模型的框架内（见图2—1）。公司的营销行为（箭头1）和竞争者的行为（箭头2）及环境条件（箭头3）共同驱动市场做出反应，形成关键的产出（箭头4）。要对照公司的目标（箭头5）评价这些产出。公司可根据实施效果（箭头6）决定改进这些营销活动，这也就是决策——建模链。

营销工程方法使经理能在半结构化的决策条件下更系统地决策。没有营销工程，我们会听到："……某市的销售量比预测低2.3%〔目标：满足或超过预测值〕；我建议将那儿的促销费增加10%〔假设：提高促销费（输入）会使（短期）销售量提高2.3%以上，而且这样做能充分发挥成本的效益〕……"

有了营销工程，我们可以说："某市的销售量比预测低2.3%。将这一信息输入我们的数据库并重新校准了在这个城市的反应模型后，我们发现，促销费用增加12.2%将使本季度在该市的利润最大。"

尽管营销工程的反应模型有时也用一些规范化的文字模型，但通常都是数学模型。

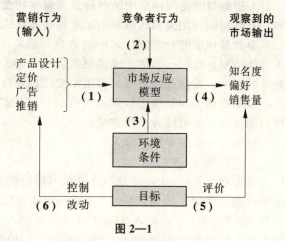

营销行为　　　　竞争者行为　　　观察到的
（输入）　　　　　　　　　　　　市场输出

产品设计　　　　　　　（2）
定价　　　　　　　市场反应　　　　知名度
广告　　（1）　　　模型　　（4）　偏好
推销　　　　　　　　　　　　　　销售量

　　　　　　　　　（3）

　　　　　　　　环境
　　　　　　　　条件

控制　　　　　　　　　　　　　评价
（6）改动　　　　目标　　　　（5）

图2—1

　　市场反应模型在营销决策模型的框架中将营销输入、竞争者行为和环境变量转变成可衡量的市场输出，即箭头6，决策——模型链。

反应模型的类型

　　对有榔头的人来说，整个世界就像一个钉子，但螺丝刀的出现却带来了无数新机会。营销模型与此相似。我们的目标之一是让你了解各种模型，包括概念性的（通过本书）和操作性的（通过所附软件）。

　　可以从很多角度对反应模型分类：

1. 按照营销变量的数目来分：是考虑广告同销售量之间的关系（单变量模型）还是要同时考虑广告和价格（双变量模型）？
2. 按照是否包含竞争来分：模型里是明确包括竞争者的行为和反应，还是将竞争简单看作环境的一部分？
3. 按照输入变量（如广告）与输出变量（非独立变量，如销售量）之间关系的本质来分：广告投入的每一元钱对销售量都有相同的影响（线性反应），还是广告投入超出一定范围会带来更大或更小的回报（S形反应）？
4. 按照决策环境的静态/动态来分：要分析一段时间内营销行动和市场反应的趋势，还是仅考虑某一时刻的市场状态？
5. 按照模型描述的是个体反应还是总体反应来分：要建立个体反应模型（用于直销或为特定的销售活动选择目标）还是整体反应（个体反应的总和）？
6. 按照所分析的需求的水平（销售量和市场份额）来分：要确定某一品牌的销售量，是直接分析品牌销售量（最普通的方法），还是分别分析市场份额和市场总需求（两者的乘积即销售量）？

　　本章首先研究最简单的模型——静态非竞争性环境中的单一营销工具的总体市场反应。接下来将逐步引入其他营销工具，并加入动态和竞争的因素。

　　在此之前，我们先了解一下要用的术语。

方程的目的是将模型中的**非独立变量**和**独立变量**（第1章已讲过）联系起来，有时我们会用**关系**或**数学**表示来称呼**方程式**或**方程组**。

参数是模型的数学表达式中的常量（通常用 a 和 b 表示）。为使模型能用于具体情形，我们必须估计或猜测参数的大小。这样就可以将现实生活提炼为抽象的模型。参数往往可以从营销角度进行解释（如市场潜力或价格弹性）。

校准是指为参数确定取值的过程。可采用统计方法（如估计），或采用某种判断过程，还可综合多种方法。

例如，一个简单的模型为：

$$Y = a + bX \tag{2.1}$$

在方程（2.1）中，X 是独立变量（即自变量，如广告投入），Y 是非独立变量（即因变量，如销售量），这是一个线性模型，a 和 b 是参数。注意，在方程（2.1）中，a 就是 X 等于 0（零广告投入）时的销售量（Y），也叫基销售水平。广告投入每增加 1 元钱，方程（2.1）的销售量就会提高 b 个单位。这里 b 是销售量/广告投入的反应模型的斜率。当我们确定出 a 和 b 正确取值分别为 23 000 和 4 时，就可以将这些数字代入方程（2.1），从而得到：

$$Y = 23\,000 + 4X \tag{2.2}$$

这时可以说，我们已经校准了该模型（给参数赋了值）（如图2—2）。

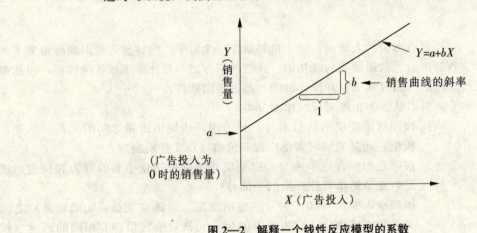

图2—2　解释一个线性反应模型的系数

几种简单的市场反应模型

本书的主要目的并不是介绍如何构建复杂、完整的市场反应模型。用简单、严格的分析方法解决营销问题要比只靠思想模型有用。但是，用复杂模型效果不一定更好，而且正是这种复杂性会阻碍人们对模型的理解和运用。我们最好从简单的工具开始，逐渐提高复杂度。

本节将介绍一些简单但广泛应用的市场反应模型的基本知识，这类反应模型是在不考虑竞争的情况下在一个非独立变量与一个独立变量之间建立联系。图2—2的线性模型是很常用的，但它同市场的实际行为差别很大。

桑德斯（Saunders，1987）总结了营销研究中谈到的各种简单现象，认为我们能够用各种模型工具来处理这些现象（见图 2—3）。在描述这八种现象时，我们用**输入**来指营销努力（X，即独立变量）的水平，用**输出**指代结果（Y，也即非独立变量）：

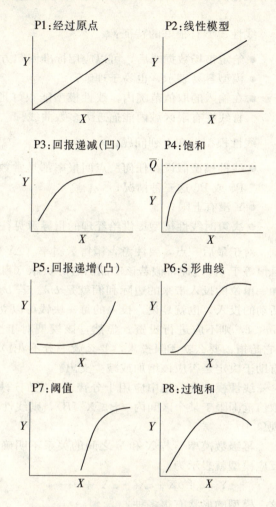

图 2—3 桑德斯反应模型现象的图示

P1：当输入为零时输出为零；

P2：输入和输出是线性关系；

P3：回报随输入的提高而降低（新增一单位的输入比以前增一单位的输入所带来的输出要少）；

P4：输出不能超出某一水平（饱和）；

P5：回报随输入的提高而递增（新增一单位输入比以前增一单位的输入所得的输出更多）；

P6：随着输入增加，回报先增加，而后减少（S形回报曲线）；

P7：在输入能产生输出之前，输入必须超过某一水平（阈值）；

P8：输入达到一定水平后，输出开始下降（过饱和点）。

为市场构建的模型表示哪些现象要取决于很多因素，包括观察到的市场状况（数据）、对市场的了解（判断或经验）及现有的有关市场反应的理论。下面概要介绍几种常见的模型形式，这些模型中都反映了这些市场现象。

线性模型 最简单同时也是使用最广的模型就是线性模型：

$$Y = a + bX \tag{2.3}$$

线性模型有很好的特征：

- 给定市场数据之后，可以应用标准回归方法估计参数的值；
- 模型容易表示，也易于理解；
- 在输入的取值范围内，线性模型能很好地近似表示很多更复杂的函数，直线在有限区域内能逼近大多数曲线。

线性模型存在下列问题：

- 线性模型假设在任何一点回报率都是常数，也就是说，它无法表示 P3、P5 或 P6 这三种情况；
- Y 没有上限；
- 决策时线性模型提供给经理的指导意见往往不合理。

对于最后一点，要注意，销售量斜率（$\Delta Y / \Delta X$）在任何一点都是恒定的，且恒等于 b。这样，假若该产品的边际贡献（目前假设为常量）为 m，则每增加一单位的投入带来的边际利润就是 bm。若 $bm > 1$，则应该无限增加对营销活动的投入，也就是说，投入的每一块钱可以立即带来高于一块钱的回报！若 $bm < 1$，则不应进行投资。显然，该模型对于全局性决策来说作用是有限的（它暗指：要么就无限投入，要么就一分不花！），但对于局部性决策，该模型有助于决定是否应该增加或减少支出。

线性模型在营销中应用十分普遍，它们适用于现象 P1 和 P2。假若 X 的取值范围限于某个区间内（$\underline{B} \leqslant X \leqslant \overline{B}$），则线性模型也能表示 P4 和 P7 这两种现象。

幂级数模型 若 X 和 Y 之间的关系不明确，则可以用幂级数模型，于是反应模型就表示为：

$$Y = a + bX + cX^2 + dX^3 + \cdots\cdots \tag{2.4}$$

这一模型的形状有很多种。

幂级数模型在数据取值范围内拟合得很好，但是在数据取值范围之外通常拟合得很差（变成无界限的）。如果能选择适当的参数值，幂级数模型可用来表现现象 P1、P2、P3、P5、P6 和 P8。

分数根模型 分数根模型的形式简单但很灵活：

$$Y = a + bX^c \quad (c \text{ 为预定值}) \tag{2.5}$$

其参数的不同组合可分别表示回报率递增、递减和恒定（当 $c = 1$ 时）等情况。当 $c = 1/2$ 时，称为平方根模型。当 $c = -1$ 时，称为倒数模型；这时，当 X 很大时，Y 趋近于 a。如果 $a = 0$，则参数 c 的经济学解释就是弹性（当营销努力 X 变化 1% 时，销售量 Y 变动的百分比）。当 X 表示价格时，c 通常为负数，对其他大多数营销变量 c 则是正值。根据所选参数值的不同，该模型可分别适用于 P1、P2、P3、P4 和 P5 等情况。

半对数模型 其函数形式为：

$$Y = a + b\ln X \tag{2.6}$$

半对数模型适用于在营销努力以固定比率不断提高导致销售出现恒定绝对提高的情况。它适用于 P3 和 P7，可用来表示市场对广告费用变动的反应，即知名度达到一定阈值后，再增加广告支出带来的回报递减。

指数模型 其函数形式为：

$$Y = ae^{bX} \tag{2.7}$$

其中 $X > 0$。

指数模型表示回报率递增的情况（对于 $b > 0$ 而言）；但经常也用作 $b < 0$ 条件下的价格反应函数来用（即回报随价格下降而递增），这里 Y 随 X 增大而逐渐趋近于 0。指数模型适用于 P5；当 b 为负数时，也适用于 P4（Y 趋近于 0，即下限）。

修正指数模型 修正指数模型的函数形式如下：

$$Y = a\,(1 - e^{-bX}) + c \tag{2.8}$$

修正指数模型在 $a + c$ 处达到上限或饱和水平，在 c 处达到下限，表示回报率递减。该模型可用于现象 P3 和 P4，可以用作推销努力的反应函数；当 $c = 0$ 时，也可用于现象 P1。

Logistic 模型 在营销中所用的各种 S 形模型中，Logistic 模型或许是最常见的。它的函数形式如下：

$$Y = \frac{a}{1 + e^{-(b + cX)}} + d \tag{2.9}$$

该模型在 $a + d$ 处达到饱和水平，回报先递增，随后递减，围绕 $d + a/2$ 对称。Logistic 模型适用于现象 P4 和 P6，此模型易于估计，应用广泛。

Gompertz 模型 Gompertz 模型是应用较少的 S 形函数：

$$Y = ab^X + d \tag{2.10}$$

其中 $a > 0$，$1 > b > 0$，$c < 1$。

Gompertz 曲线和 Logistic 曲线都有上限和下限；但 Gompertz 曲线中，$\log Y$ 的连续一阶差分的比率为常数，而 Logistic 曲线中，则是 $1/Y$ 的连续一阶差分的比率不变。该模型适用于现象 P1、P4 和 P6。Logistic 函数比 Gompertz 函数更易于估计，因此名气更大，应用也更广泛。

ADBUDG 模型 ADBUDG 模型由利特尔（1970）提出，其形式为：

$$Y = b + (a - b)\,\frac{X^c}{d + X^c} \tag{2.11}$$

对于 $c > 1$，该模型呈 S 形；而对于 $0 < c < 1$，则该模型为凹形。它的下限为 b，上限为 a。该模型适用于现象 P1、P3、P4 和 P6，它广泛应用于构建广告、推销努力的市场反应模型中。

即使有较好数学基础的读者也可能无法完全理解这些模型形式的用途、限制和灵活性。本书提供了一种被称为"可视反应建模"的软件工具让读者能够看到这些模型。该软件还能让读者开发出自己的模型。更重要的是，该工具能校准模型（或用统计方法，或用主观判断），当参数改变时，看到这些模型会在形状和行为上发生怎样的改变。使用"可视反应建模"软件有助于直观地了解这些抽象的数学方程。

模型的校准

校准指的是给模型参数赋予适当的值。以简单线性模型［方程（2.3）］为例，如果我们想采用这一模型，我们必须给 a 和 b 赋值。我们希望这些值较为准确，但是什么样的值才能称作"准确"呢？无数统计学和计量经济学文献都讨论过这个问题，但这里我们尽量简单直观地阐述它：

校准目标：a 和 b 的估计值应使关系式 $Y=a+bX$ 尽量逼近 Y 随 X 值变化时所形成的曲线（我们往往能从数据或直觉猜测出来）。

一般常用最小二乘回归法来校准模型。实际上，如果有很多 X 值（表示为 x_1、x_2 等）和 Y 的相应观察值（表示为 y_1、y_2 等），则 a 和 b 的回归估计值就是使各个观察到的 Y 值和模型提供的 Y "估计值"之间的平方差总和最小的值。例如，$a+bx_7$ 是 y_7 的估计值，我们希望 y_7 和 $a+bx_7$ 之间越接近越好。我们也许有 X 和 Y 的实际数据，也可以尽可能靠合理的主观判断得到 X 和 Y 的值（"若广告投入为现在的 10 倍，销售能提高到多大？若广告投入减少为现有的一半，又会怎样？"）。

如果用来校准模型的数据是实际的实验数据或市场数据，就称之为"客观校准"（或客观参数估计）。如果数据来自主观判断，则称为"主观校准"。

无论是主观校准还是客观校准，我们都需要了解模型能在多大程度上准确表示数据。R^2（或 R 方）是一个常用的指数。若 Y 的每个估计值都等于 Y 的实际值，那么 R^2 就达到最大值 1；若 Y 的估计值只能体现 Y 的平均值，那么 R^2 为 0。若 R^2 小于 0，那就是说，这个模型差到还不如将 Y 的平均值赋给每个 X 所对应的 Y 值。

R^2 的定义为：

$$R^2 = 1 - \frac{（Y\text{实际值与}Y\text{估计值之间方差和）}}{（Y\text{和}Y\text{平均值之间方差和）}}$$

举例

假设在各地区进行的广告实验结果如下：

表 1—4

营销决策模型的两个极端：最终用户模型和高级模型。营销工程方法对这两类模型都适用，但本书仅关注最终用户模型。

地区	年人均广告投入（美元）	年人均销售额（美元）
A	0	5
B	2	7
C	4	13
D	6	22
E	8	25
F	10	27
G	12	31
H	14	33

我们采用了 ADBUDG 函数 [方程（2.11）]，要根据这些数据来估计 AD-BUDG 函数中参数（a、b、c、d）的值，为了使 R^2 最大，我们得到：

$$\hat{a}=39.7，\hat{b}=4.6，\hat{c}=2.0，\hat{d}=43.4，其中 R^2=0.99。$$

图 2—4 为表明模型与数据的拟合结果。你可以用可视反应建模软件自己进行这个分析。

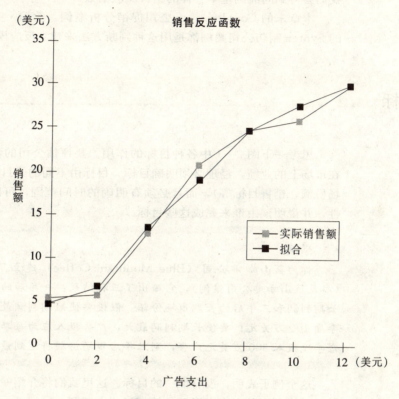

图 2—4　用 ADBUDG 函数进行校准的实例

其中 $R^2=0.99$。

很多情况下，经理没有相关的历史性数据可用来校准模型。若公司的广告支出一直占销售额的 4%，公司就没有广告支出变为占销售额的 8% 时销售额变化的客观数据。也许公司有一些历史数据，但由于市场状况的变化（如出现了新的竞争者，品牌—价格结构或顾客偏好等发生了变化），原有的数据已经不再适用。例如，个人计算机行业就不能用一年前的数据来预测未来的市场行为。

第 1 章已经讲过，用主观数据建立的正规模型也比直觉好。利特尔（1970）提出了名为"决策演算"的方法，可以用反应函数的形式规范表示管理者的判断，它实际上是要求经理在头脑中进行前述的市场试验。

问题 1：目前的广告投入和销售量各是多少？答：广告（以下用 A 表示）＝人均 8 美元；销售量 ＝人均 25 单位。

问题 2：若广告投入为 0，销售量是多少？（A ＝人均 0 美元。）

问题 3：若把当前广告预算削减 50%，销售量会是多少？ （A ＝人均 4 美元。）

问题 4：若把当前广告预算增加 50％，销售量会是多少？（A ＝人均 12 美元。）

问题 5：若无限增加广告投入，销售量会是多少？（A ＝人均∞美元。）

假设经理对问题 2～5 的回答分别为 3 单位、13 单位、31 单位和 40 单位，我们会得到同前例基本一样的销售反应函数。

本章末的 Conglomerate 公司促销分析案例、约翰·弗兰奇练习和第 9 章的 Syntex 制药公司案例都是用这种判断方法来建立反应模型的。

目标

思考一下图 2—1 中各种目标的作用。要评估公司的营销活动并改进公司在市场上的业绩，经理必须明确目标。目标由不同的子目标组成（如利润、市场份额、销售目标等），而且必须有明确的时间范围，可以应付未来的不确定性，并说明该由谁来完成这些目标。

举例

你为蓝山咖啡公司（Blue Mountain Coffee）建立了一个广告反应模型（参见蓝山咖啡公司案例），它给出了三种结果：一年后的短期利润、三年后的长期利润和三年后的长期市场份额。假设要使短期利润最大，广告投入应为每季度 100 万美元；要使长期利润最大，广告投入应为每季度 200 万美元；如果每季度投入 300 万美元广告，则三年后市场份额将达到最大。我们该怎么办？

这个例子表明，没有惟一的目标。这里我们将介绍一些设定目标时要考虑的关键问题，并在本书以后的篇幅里逐渐展开。

短期利润　最简单也是最常见的目标（同我们只关注静态环境中单一营销元素的做法一样）就是使短期利润最大化。在静态环境中只考虑单一营销元素的方程为：

$$利润 ＝（单价 － 单位可变成本）× 销售量 － 相关成本 \qquad (2.12a)$$
$$＝ 单位利润 × 数量 － 相关成本 \qquad (2.12b)$$

我们可用反应模型观察方程（2.12a）中的销售量怎样受营销行为的影响。若我们关注的是价格，那么（假设成本是固定的）当价格上升时，单位利润提高，销售量通常会下降。若我们关注广告，那么利润是固定的，销售量上升，但是成本也会上升。

相关成本通常由两部分组成：固定成本和可支配成本。可支配成本是同我们研究的营销活动相关的成本，任何时候都要考虑到这部分成本。固定成本包括应合理分配给营销活动的那些厂房成本和管理费用。固定成本的分配非常困难；它是会计人员的主要任务，经常使利润中心的经理一筹莫展。这里我们只关心两个与固定成本相关的问题：

固定成本是真的固定不变吗？假设使广告投入为原来的 3 倍，则不仅会导致销售增长 50％，还必须扩大工厂的规模。所以必须考虑到生产能力扩充带来的成本。通常固定成本只在一定范围内是固定的；也就是说，固定成本在一定需求水平内是固定的。在这一水平之外，这部分成本就会发生变化。和我们的反应模型一样，如果我们只关注这一范围内的固定成本，那么它就是固定不变的。

利润是否比固定成本大？若分配给营销活动的固定成本太高，绝对利润就是负的。在这种情况下，决策者就会考虑放弃该产品、不进入市场或者采取其他行动。

长期利润　若某一营销行为或某些营销行为要在一段时间后才能实现销售量，则可以在一段较长时间期限内考虑利润。要想观察利润在一段时间内的变化趋势，则应当采用利润的现值：

$$PV = Z_0 + Z_1 r + Z_2 r^2 + Z_3 r^3 + \cdots\cdots \tag{2.13}$$

其中，Z_i 是时期 i 的利润；$r = 1/(1+d)$，其中 d 为贴现率。贴现率 d 是一个至关重要的变量。d 趋近于 0，公司就比较注重长期利润；d 越大（如大于 0.25），公司就会更注重短期回报。在实际中，收入越稳定，公司使用的贴现率越低。

处理不确定性　经理很难确切知道营销活动的结果。

举例

Conglomerate 公司正在考虑两种行动方案：继续生产当前的激光指示笔，几乎可以肯定该产品明年的利润为 10 万美元；如果推出一种新产品，成功的话（概率为 50%）能带来 40 万美元的利润，不成功的话（概率为 50%）会造成 10 万美元的损失。公司该怎么做？

若公司资金雄厚，实力强大，一般来说，生产该新产品能产生 15 万美元（50%×40 万美元－50%×10 万美元）的利润，所以看起来这是一个好决策。但是若公司（像资本市场一样）更喜欢确定的回报，不喜欢不确定的回报，这就不一定是一个好决策。如果可能获利 31 万美元，也可能损失 10 万美元，平均获利 10.5 万美元，但损失 10 万美元的概率为 50%，那么值得冒这个险吗？

第 6 章将讨论决策树分析，这种分析方法更注重确定性，体现了风险规避的观念。现在我们先介绍两个有用并且紧密联系的概念：确定性货币价值和风险报酬。

以 Conglomerate 公司的风险投资为例。投资可能出现两种结果：一是以 50% 的概率获取 40 万美元盈利或以 50% 的概率遭受 10 万美元损失，二是以 100% 的确定性获取 12.5 万美元利润。假设该公司经理对这两种方案没有任何偏好。我们将此例中的 12.5 万美元称为风险投资的确定性货币价值。平均收益（15 万美元）和确定性货币价值（12.5 万美元）之间的差额称为风险报酬。

当行动结果还不确定时，Conglomerate 公司的经理可用正规的效用理论（Lilien, Kotler & Moorthy, 1992）或非正规的高折扣率或风险报酬组合将自己对风险的态度加入到对潜在活动的评价中。

多重目标　虽然利润是许多公司最重要的目标，但经理在确定行动路线时并不单纯考虑利润因素。经理可能会说，"我们想使该市场上的市场份额和利润同时达到最大"或"我们想在最短时间内将最好的产品推向市场"。这种话虽然听上去很吸引人，但在逻辑上却是错误的。例如，降价总能提高市场份额；但降到某一点后，尽管市场份额继续提高，利润却会下降。当价格低于成本时，即使市场份额仍在提高，利润却开始转变为负数。

若公司有两个或更多个可能会相互冲突的目标，决策者该怎样评价这些目标的重要性，并明确地排定各个目标的优先顺序呢？这个问题能够用一种称为"多标准决策"的复杂分析方法来解决。最简单也最常用的方法则是选择其中一个（最重要的）目标，把其他目标当作约束条件；管理者优化其中一个目标（如利润标准），同时把其他目标当作约束条件（如市场份额至少为14%）。

第二种方法称为**目标程序法**（goal programming），这种方法是为每个目标设定理想值，把理想业绩和实际业绩之间的差距当作损失，设法使损失最小化。**权衡分析法**（trade-off analysis，Keeney & Raiffa，1976）和层次分析法（参见本书第6章）是深入处理多目标问题和在各个目标之间进行权衡时使用的方法。拉格斯代尔（Ragsdale，1995）对在电子报表中实现多目标优化的方法进行了很好的讨论。蓝山咖啡公司案例的软件实现就是多标准方法。

无论使用简单正规的方法（如用单一目标加约束条件的方法）还是用在多目标之间进行权衡的复杂方法，你都不能忽略最重要的目标，而且还要对这类目标进行认真的评价。

明确了目标或目的，营销工程方法就可以支持决策了，建议对使目标（如利润、销售额或市场份额最大化）优化的独立变量（如广告投入、推销努力或促销费用）取值。

在寻找最佳营销政策（即独立变量的最佳取值）时，我们将经常使用优化过程。本书中基于 Excel 的软件在解决需要进行模型校准（为反应模型的参数寻找最优值）或模型优化（为独立变量寻找最优值）的问题时要用到名为"规划求解"的附加模块。本章的附录会介绍"规划求解"的工作原理。

营销组合多要素间的相互作用

介绍校准时，我们主要讲述了单一变量的市场反应模型。在我们考虑多个营销组合变量时，必须考虑到这些变量之间的相互作用。桑德斯（1987）指出，处理这种相互作用的方式通常有三种：（1）假设不存在相互作用；（2）假设它是乘数递增的；（3）假设它既是乘数递增的，又是加数递增的。例如，有两个营销组合变量 X_1 和 X_2，各自的反应函数分别为 $f(X_1)$ 和 $g(X_2)$，那么，

假设（1）可表示为：

$$Y = af(X_1) + bg(X_2) \qquad\qquad (2.14)$$

假设（2）可表示为：

$$Y = af(X_1)g(X_2) \qquad\qquad (2.15)$$

假设（3）可表示为：

$$Y = af(X_1) + bg(X_2) + cf(X_1)g(X_2) \qquad\qquad (2.16)$$

在实践涉及到多个营销组合要素时，我们可以采用两种模型形式：（全）

线性相互作用模型和乘法模型。全线性相互作用模型（双变量）的形式为：

$$Y = a + bX_1 + cX_2 + dX_1X_2 \tag{2.17}$$

注意，在这里，$\Delta Y / \Delta X_1 = b + dX_2$，因此，销售量对营销组合要素 X_1 的变化所做的反应要受到第二个变量 X_2 的影响。

乘法模型的形式为：

$$Y = aX_1^b X_2^c \tag{2.18}$$

在这里，$\Delta Y / \Delta X_1 = abX_1^{b-1} X_2^c$，因此，在任何一点，市场反应的变化要同时由两个独立变量的水平决定。注意，这里 b 和 c 分别是第一个营销组合变量和第二个营销组合变量的弹性，无论 X_1 和 X_2 为多大，b 和 c 都不变。

动态效应

市场对营销行为的反应往往并不是立即就能显现出来。广告活动结束时，它的效果却没有结束；这种效果（或这种效果的一部分）还会持续一段时间，但效力会越来越弱。例如在短期的价格促销期间，许多消费者购买的产品会高于他们的消费能力。这种营销行动使消费者在家里积攒大量存货，以后一个时期的销售速度就会放慢。另外，促销活动的影响也取决于过去的存货量（即还留了多少潜在的"积压存货"）。若顾客上周已贮存了 A 品牌的可乐，那么本周的新促销活动就不如一段时间以后再进行促销活动的效果好。

遗留效应（carryover effect）泛指当前营销投入对未来销售的影响（图2—5）。遗留效应有几类。一类称为**延迟响应效应**（delayed-response effect），发生在营销费用的支出时刻和产生效果的时刻之间。延迟响应在产业市场中特别明显。产业市场上的延迟，特别是固定资产设备可能会长达一年或一年以上。第二类遗留效应是**顾客维系效应**（customer-holdover effect），指营销活动吸引的新顾客在未来很长时期内仍是顾客，他们以后的购买行为在某种程度上应归功于以前花费的营销费用。在以后各个时期内都会保留一部分这类新顾客；这种现象的专业术语是**顾客维系率**（customer retention rate）和反义词**顾客流失率**（customer decay rate，也叫顾客磨损率或顾客侵蚀率）。

遗留效应的第三种形式是**滞后作用**（hysteresis），即销售上升与销售下降之间的不对称。例如，刚开始广告活动时，销售量会迅速上升，而在广告活动结束后，销售量保持不变或缓慢下降。

尝新效应（new trier effect）是指销售量在稳定之前会达到一个最高点，这在频繁购买的产品中是很常见的现象。对于这类产品，许多消费者都会尝试新的品牌，但只有少数人日后会成为常客。

当促销活动不仅吸引新顾客，而且鼓励现有顾客储存或提前购买时，就会产生**储备效应**（stocking effect）。储备效应往往会在促销过后的一段时间内导致销售出现低谷（见图2—5）。

营销中应用最普遍的动态模型（遗留效应模型）为：

$$Y_t = a_0 + a_1 X_t + \lambda Y_{t-1} \tag{2.19}$$

方程（2.19）表明，时期 t 的销售量（Y_t）是由三部分构成的：一个最小基数常量（a_0），当前活动的效应 $a_1 X_t$ 和遗留到本期的上期销售量（λ）。注意，因为 Y_{t-1} 依赖于 X_{t-1} 和 Y_{t-2}，而 Y_{t-2} 又依赖于 X_{t-2} 和 Y_{t-3}，依此类推，Y_t 在某种程度上要受到以前所有营销活动水平 X_{t-1}，X_{t-2}……X_0 的影响。方程（2.19）的形式很简单，这就为模型的校准提供了便利，经理可以直接猜测 λ 的取值，也可以用线性回归法进行估计。

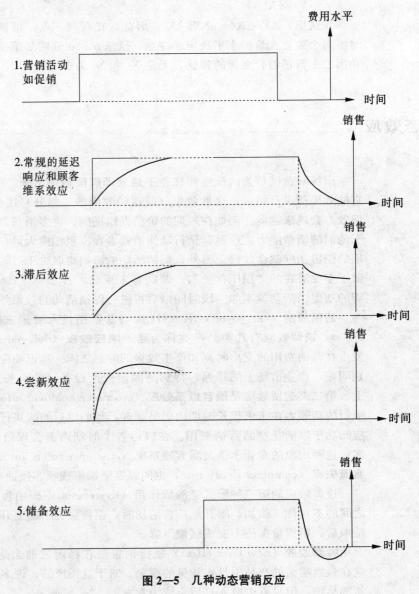

图 2—5　几种动态营销反应

资料来源：Saunders 1987, p. 33.

市场份额模型与竞争效应

到目前为止，我们一直都没有考虑竞争在模型中的效应，一直都假设产品销售量直接来自于营销活动。但如果可以明确地界定一个市场上可供选择的产品集合，我们就可以找出三类适用的模型：

- 品牌销售模型（Y）；
- 产品大类销售模型（V）；
- 市场份额模型（M）。

注意，这里按照定义，有：

$$Y = M \times V \tag{2.20}$$

方程（2.20）提醒我们，销售量（Y）是在整个市场销售量（V）中本公司所占的份额（M）所代表的销售量。所以，我们采取的行动会影响市场规模（V）、影响我们在市场上所占的份额（M），或同时影响这两个因素，最终影响到本公司的销售量。也可能我们的行动不会带来销售量的任何提高：第一种可能是这一行动根本毫无作用；第二种可能是它引起竞争者的反应，导致总产品大类销售量提高（V 提高），而我们却失掉了在该市场上的份额（M 下降）。方程（2.20）使我们能够区分这些不同效应。

产品大类销售量（V）模型综合应用了我们前面介绍过的分析模型，利用了时间序列数据或判断数据，并通过环境变量（如人口规模、人口增长速度、过去的销售水平）和各个营销变量的综合（总广告开支、平均价格等）解释需求。市场份额模型（M）与此不同。无论市场上竞争者采取了什么行动，在逻辑上每个公司的市场份额都必须介于 $0 \sim 100\%$ 之间（范围限定），并且各品牌市场份额之和必须等于 100%（总和限制）。

引力模型既能满足范围限制，又能满足总和限制。在模型中，某品牌的引力取决于其营销组合。一般而言，这类模型认为，"我们的市场份额 = 我们／（我们＋他们）"，其中"我们"指本企业品牌的引力，"我们＋他们"指市场上包括本企业品牌在内的所有品牌。

所以，引力模型的一般形式为：

$$M_i = \frac{A_i}{A_1 + A_2 + \cdots\cdots + A_n} \tag{2.21}$$

其中，A_i＝品牌 i 的引力，且 $A_i \geqslant 0$；M_i＝公司 i 的市场份额。

引力模型说明，品牌的市场份额等于品牌在总的营销努力中所占的份额（引力）。

实践中用来表示 A 的模型形式有很多，但最常用的有两种：线性交互模型和乘法模型。这两种模型都具有所谓"比例夺取"的特性，以下举例说明这一特性：

举例

假设 $A_1 = 10$，$A_2 = 5$，$A_3 = 5$。

在只有 A_1 和 A_2 的市场上，$m_1 \frac{10}{10+5} = 66\frac{2}{3}\%$，$m_2 = \frac{5}{10+5} = 33\frac{1}{3}\%$。

假设 A_3 进入了市场。此后，$\overline{m_1} = \frac{10}{10+5+5} = 50\%$，$\overline{m_2} = 25\%$，$\overline{m_3} = 25\%$。

注意，品牌 3 从其他两个品牌那里夺取了 25% 的市场份额，从品牌 1 那里夺取了 $16\frac{2}{3}\%$，从品牌 2 那里夺取了 $8\frac{1}{3}\%$，同这些品牌的市场份额是成比例的。但假设品牌 3 以攻击品牌 1 为目标，可以想象，它从品牌 1 那里夺取的市场份额将大于成比例的情况下所夺取的份额，对品牌 2 则正相反。

所以，在用简单市场份额模型时，一定要保证所有品牌都在为同一市场展开竞争。否则就必须采用这些基本模型的扩展形式，以体现品牌间的不同竞争水平（Cooper，1993）。

个体顾客的反应[1]

我们已经学习了在总体市场层次上的市场反应模型。市场是由个体顾客组成的。我们可以分析这些个人的反应行为，而后或加以直接运用（在细分市场层次上），或加总起来得出总体市场反应。

因为个人层次上的信息现在很容易得到，研究人员对个体顾客层次上的反应模型的兴趣也就越来越浓。条形码扫描仪顾客调查可以提供这类信息。这种调查方法是给在超市购买商品的顾客发放专用的卡片，记录该顾客的所有购物信息，条形码扫描仪采集到这些信息后，就可存储起来并跟踪顾客的行为。数据库营销活动也能采集个体层次上的购物信息。此外，还有一些其他信息来源。

有些总体市场反应模型关注品牌销售量，有些则关注市场份额，而个体层次上的模型则关注购买的概率。个体顾客层次上的购买概率相当于市场层次上的市场份额。实际上，将各个顾客的购买概率进行加总（按照不同个人在购买数量、购买频率等方面的差异给予适当权重），就可得到市场份额的估计值。所以毫不奇怪，常用的个体反应模型形式很像方程（2.21），即市场份额反应模型。在个体顾客层次上，分母代表顾客在实际购买之前愿意考虑的所有品牌。

最常用的表示个体选择行为的函数形式是多项式分对数模型。这种模型的简单形式为：

$$P_{i1} = \frac{e^{A_1}}{\sum_j e^{A_j}} \tag{2.22}$$

其中，$A_j = \sum_k w_k b_{ijk}$；b_{ijk}＝顾客 i 对产品 j 在属性 k（如产品质量）方面做出的评价，此处要考虑顾客 i 可能购买的所有品牌；w_k 表示属性 k 在促使顾客形成产品偏好方面的权重。 $\tag{2.23}$

方程（2.22）给出了顾客 i 选择品牌 1 的概率。同样可以得到顾客 i 选择其他品牌的概率方程。估计权重 w_k 的方法有很多，取决于我们是否有**购买可能性**（likelihood-of-purchase）或是否掌握近期实际购买活动的资料。这一权重称为"已知权重"，因为可通过对消费者过去行为（如品牌选择）的分析揭示出来，不必直接询问消费者。解释这些权重的方式类似于对回归系数的解释。

采用分对数模型形式（方程 2.22）有什么好处？简单地说，分对数的结构能够反映出实际选择行为中存在的微分敏感度。这是由分对数的性质决定的。它假设每个备选品牌的引力指标都是间距尺度。顾客选择某一品牌的概率就是对集合中所有品牌指数函数加总求和得到的指数。

方程（2.22）中的取幂保证了概率永远为正，因为任何实数的幂都永远是正数。取幂还保证了当所有衡量引力的指标都增加一个常数时，概率保持不变。这样，引力指标只需形成间距尺度。这个特点非常重要，因为大多数基于顾客的衡量结果都只能得出间距尺度。

分对数的一个重要优点在于它能生成一条 S 形曲线，能表示出引力和所选品牌之间的预期关系。如果把方程（2.22）当作 A_i 的函数，用图表示就会生成一条 S 形曲线，对于非常没有引力的品牌，它接近于 0，而对于很有引力的品牌则接近于 1。

在分对数模型的大多数应用中，都假设品牌引力是该品牌各个属性的函数。这个函数一般是线性函数，形式如方程（2.23）。这样，某一品牌在某一属性 b_{ilk} 方面的变化产生的边际效应就可以用很简单的形式表示。把 P_i 当作 b_{ilk} 的函数，并对它求导数：

$$\frac{dP_{il}}{db_{ilk}} = w_k P_{il}^* \ (1 - P_{il}^*) \tag{2.24}$$

其中，P_{il}^* 为在当前可供选择的品牌集合内选择品牌 i 的预期概率。因此，某个变量变动的临界值是选择该品牌的预期概率的函数。图 2—6 是方程（2.24）的图示。当选择该品牌的概率为 0.5 时，该营销努力的边际效应达到最大。但当选择该品牌的概率接近于 0 或 1 时，其边际效应接近于 0。可见，分对数模型具有很好的行为特性：它假设消费者对是否选择某一品牌犹豫不决时营销努力的增量效应会达到最大值。

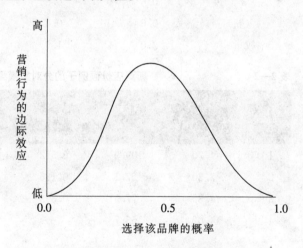

图 2—6 营销努力的边际效应依赖于品牌选择的概率

因此使用分对数模型的一个重要原因就是它能模拟我们期望看到的选择行为。另一种称为"概率单位模型"（Daganzo，1979）的选择模型也具有这种特性。实际上，除非是非常极端的概率，否则概率单位模型几乎与分对数模型完全一致，但概率单位模型很难估计。所以，分对数模型比概率单位模型更受欢迎，原因就在于它的计算机程序更容易运行。

分对数模型和概率单位模型都比线性概率模型效果好。线性模型只是简单地把 P_{il} 当作 b_{ilk} 线性组合的函数，以此来预测 P_{il} 的值。线性概率模型假设 b_{ilk} 的变化对 P_{il} 影响的概率是不变的。这同我们认为的外部因素对品牌选择的应有影响不一致，而且可能会导致预计概率小于 0 或大于 1。思考下例：

举例

假设企业对某地区内的购物者进行了一次调查，想了解他们的购物习惯并确定会受新商店吸引的购物者所占的比重。接受调查的人对三家现有商店和一家打算开设的商店（在概念陈述书上作了描述）进行排序，排序的依据包括：(1) 品种数量；(2) 质量；(3) 停车条件；(4) 物有所值（见表 2—1）。将购物者对现有商店的排序结果代入分对数模型，可以估计系数（w_k）：

$$A_j = w_1 b_{j1} + \cdots\cdots + w_k b_{jk} + \cdots\cdots + w_K b_{jK} \qquad (2.25)$$

其中，A_j = 商店 j 的吸引力；b_{jk} = 在维度 k 上商店 j 的排名，$k = 1$，$\cdots\cdots$，K；w_k = 维度 k 的权重。

表 2—1 中的数据来自于一组相似的顾客。表 2—2 给出了这几家老店在有新店和没有新店情况下的市场份额、新店的潜在份额和从这一组顾客中估计出的夺取份额。

表 2—1　　　　商店选择例子的排名和权重数据商店属性排名

商店	品种数量	质量	停车条件	物有所值
1	0.7	0.5	0.7	0.7
2	0.3	0.4	0.2	0.8
3	0.6	0.8	0.7	0.4
4（新）	0.6	0.4	0.8	0.5
权重	2.0	1.7	1.3	2.2

表 2—2　　　　　　　　新商店份额例子的分对数模型分析

商店	(a) $A_i = w_k b_{ik}$	(b) e^{A_i}	(c) 没有新店时的份额估计值	(d) 有新店时的份额估计值	(e) 夺取的份额 (c) — (d)
1	4.70	109.9	0.512	0.407	0.105
2	3.30	27.1	0.126	0.100	0.026
3	4.35	77.5	0.362	0.287	0.075
4	4.02	55.7	—	0.206	

多项式分对数模型的应用已经十分广泛，但它包含的几个假设限制了它的进一步应用。遭到批评最多的假设是"比例夺取"假设。在表 2—2 的（e）栏中，夺取份额同老店的市场份额是成比例的。换句话说，该模型假设所有顾客在选择过程中都会考虑到所有品牌，他们不事先进行任何筛选，也不删除某些品牌。这种事先筛选称为"考虑过程"。

研究人员提出了多种解决"比例夺取"问题的方法。其中一种是先验市场细分，研究人员将市场划分为若干个对不同品牌集合有不同考虑的小市场。另一种方法是将产品（而不是顾客）分成若干个彼此直接竞争的小组。如果我们认为选择过程是层层递进的，就可以假设消费者是在树形结构每一层次上的树枝之中进行选择（图 2—7）。消费者会先选择空气清新剂的外观，然后再选择品牌。这里采用的分对数模型形式称为"嵌套分对数"，先用方程（2.22）选择外观（树形结构的上层），在此结果上再用一个分对数模型来选择品牌（树形结构的最下层）。详细资料可参见罗伯茨和利连的成果（Roberts & Lilien，1993）。

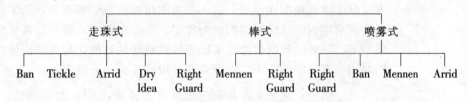

图 2—7　消费者购买空气清新剂的决策层次图

资料来源：Urban and Hauser 1980，p. 92.

各类顾客个人层次上的选择模型都很难进行估计。如果我们只衡量选择结果（是/否或 0/1 这样的反应），而不是市场份额，我们就无法运用基于回归的方法，因为基于回归的方法假设因变量都是连续的，因而只能使用其他方法，最常用的要数最大概率估计法。这些其他方法提供的输出可以像解释回归系数一样加以解释。

本书第 7 章的 ASSESSOR 模型、本书第 9 章的引力模型和本书第 10 章的促销费用分析模型都是分对数反应模型应用的例子。

经验模型与定性模型

此前我们讨论的一直都是定量的反应模型，这些模型构成了对市场进行正规分析的框架结构。现在我们将介绍两种其他类型的模型：经验模型和定性模型。在以后的章节中我们将更深入的讨论它们。

经验模型　如果没有关于市场反应的数据，那么将众多企业的经验汇总起来并从中找出反应行为的规律和原则将是非常有用的。汇总这类信息的方法很多，基准营销（将本企业的经营状况与公认的榜样进行对比）就是一个例子。

营销中有很多经验模型。我们要研究的两个是 PIMS 和 ADVISOR。PIMS 模型的思想是，将各个成功或不成功企业的经验信息汇集起来，可以加深认识并得出有用的指导原则，有助于制定成功的企业战略。ADVISOR 将决定产品广告和推销支出水平的因素同产品、市场和环境特点联系起来，为这些方面的支出水平提供可供借鉴的标准。这两种模型都能帮助企业了解市场会对什么样的营销行动做出某种反应，但它们都不包含因果分析。它们都以回归模型为基础，从若干企业实践中得出的回归权重可以用于新的情况，为行动制定指导原则。PIMS 在本书第 6 章讲解，ADVISOR 在本书第 8 章讲解。

定性反应模型　有时候决策需要对情况有定性的深入见解（如为广告活动制定新文案，文化背景不同的买卖双方之间进行协商）。专业人士的经验和学术机构提出的指导原则都会对此提供帮助。定性反应模型能帮助我们表达定性的知识和认识。

在物理学中，数学模型往往能对现象进行精练和准确的描述。$E=mc^2$ 这个等式把众多物理现象浓缩在四个符号里，称得上典范。但在营销中，解析函数往往只是提供了便利，却不一定能准确地表示现象。如果某个现象只用定性方式就能准确地描述出来，就不必再用精确的数学模型来表示了。例如，如果消费者对广告的反应可以归纳为肯定、中立和否定，就不必再采用精确的数学模型了。精确的数学模型要求经理提供确切的数值，却无法让他们确切表示他们对消费者反应的认识。以下是两个定性反应函数的例子：

例一： 竞争者对降价可能做出的反应：（1）立即跟进；（2）维持原价；（3）改变电视广告；（4）提高商业促销；（5）解雇品牌经理。这些方案无法在一个连续区间上用平滑的解析函数简明地表示出来。

例二： 一个零售商对商业促销的反应模型（McCann & Gallagher，1990）："零售商永远愿意接受减价促销活动，但他对待减价促销的反应依赖于对合作广告的投入。如果协议包括合作广告的预算，则零售商就会接受协议，并将所有折扣转移给消费者。如果折扣高于 30%，零售商会搭建专门的展台。否则，零售商不会改变商品零售价，也不做广告，不安排商品展示。"

可采用非数学表示形式来利用决策模型中的定性反应函数。也许使用最广的方法是基于规则的表示法。反应模型以若干规则的形式表示出来，这些规则是用连词"AND"（且）、"OR"（或）和"NOT"（非）等连接起来的陈述句，并用限定词"FOR ALL"（全部）和"THERE EXISTS"（存在）加以适当的说明。利用这些表示法，可将例二陈述为计算机表示形式的规则：

> 如果协议中包含合作广告预算，
> 则零售商会接受这项协议。

> 如果协议中包含合作广告预算，
> 则零售商会把所有折扣转移给消费者。

> 如果协议折扣高于 30%，
> 则零售商会搭建专门的展台。

> 如果 NOT（协议中包含合作广告预算）AND　NOT（折扣高于 30%），
> 则零售商会按常规价格出售商品。

> 如果 NOT（协议包含合作广告预算）AND　NOT（折扣高于 30%），
> 则零售商会做广告 ＝ 假。

> 如果 NOT（协议包含合作广告预算）AND　NOT（折扣高于 30%），
> 则零售商会进行商品展示＝假。

当反应模型所含的规则不止一条时，我们可以根据具体决策条件用人工智能技术（特别是逻辑推理）来得出结论。这样的规则集可以用来开发专家系统。第 8 章将介绍电视广告设计专家系统 ADCAD。

选择与评价营销反应模型

本章中介绍的模型各有利弊，没有绝对的优劣之分。每种模型都适用于某种情况，适用于某些用途。我们必须考虑模型的用途。有不少很有用的选择模型的标准，这里我们建议采用四种适用于反应模型的标准：

模型的说明
● 模型是否含有能表示决策状况的变量？
● 模型的变量在管理上是否可行？
● 模型是否能表示各变量的预期行为（如回报递减、遗留效应或阈值效应等）？
● 模型是否能表示变量之间的预期关系（如替代性和互补性）？

模型的校准
● 可否用管理者判断的数据或历史数据校准模型，或通过试验校准模型？

模型的有效性
● 模型要求数据的详细程度是否同现有数据的详细程度一致？
● 模型能否合理准确地再现当前的市场环境？
● 模型能否为使用者提供使用价值？
● 模型能否准确完整地表示所要研究的现象？

模型的可用性
● 模型是否容易使用（如是否简单，是否以易理解的方式表达结果，是否允许用户控制它的操作）？
● 模型的实现是否易于理解？
● 模型能否为管理者提供有意义的指导？

选择模型时，我们可用一个问题来概括这些标准："该模型是否适用于该情形？"也就是说，该模型是否有合适的形式，它能否校准，是否有效，是否有用？如果所有的回答都是"是"，那么该模型就是合适的。

本章小结

本章概要地介绍了市场反应模型这一营销工程的工具。我们还介绍了许多概念和相关的词汇。

本章定义了一些简单的、常用的反应模型，并对它们进行了分类和详细说明。其中还概括了模型的校准方法、最适合作模型目标的标准和选择模型的最佳方法。

但是，光靠读一本学自行车的书是学不会骑车的，读者必须骑车练习。我们强烈建议读者试用 Conglomerate 公司的促销分析练习和可视反应建模软件。前者可以用来练习进行判断性校准，你可以用 Excel 建模，并用 Excel 的规划求解工具为营销活动制定指导原则。可视反应建模练习是在 Conglomerate 公司的促销分析练习的基础上训练建立反应模型。

一定要学会营销工程这辆自行车，赶紧骑上车练习吧！

附录：Excel 软件的规划求解工具

电子报表软件是很好的查看数据和建模工具，因此我们把 Excel 电子报表软件用作本书许多营销模型的实现平台。另外，电子报表软件还提供了支持分析工作的工具，如图表工具。最重要的是，电子报表软件能够连接其他应用，从而极大地扩展了应用的范围。Excel 软件的规划求解功能（在使用营销工程软件前一定要先在 Excel 软件上安装规划求解功能）就是这种工具，在许多基于 Excel 的应用软件上都得到应用。

Excel 软件的规划求解程序可以在有或无约束条件的情况下求解线性或非线性规划问题，也就是说：

- 如果销售是广告开支的函数，规划求解程序就可以得出在何种广告开支水平下利润能够最大。规划求解程序可以优化营销组合。
- 如果要确定函数的参数以便此函数能很好地拟合数据，规划求解程序就可以得出能使实际数值与预测数值之间方差最小的参数值（通过最小二乘回归法进行模型校准）。
- 如果想确定哪种营销努力能满足销售目标，规划求解程序可以确定这个值（营销组合目标设定）。

这些问题（和一般性的优化问题）有三个要素：决策变量、约束和目标函数。

决策变量：即所要确定的营销组合变量的数学表示，如下面用变量 X_{it} 来表示"七月份（t）纽约（i）的促销费（X）"。

约束条件：所有的营销问题都存在约束条件：促销开支不可能小于 0（非负约束条件），某个时期销售拜访次数必须是非负且为整数（整数约束条件），促销预算可以设定为某个固定值（等于约束条件）或低于某个上限（不等于约束条件）。

目标：在第 2 章里讨论了目标。我们必须将目标设定成希望最大化（利润）、最小化（方差和）或等于目标值（如投资回报率）的单独标准。

我们可以将一个优化问题以数学方式描述如下：

决策变量：

求 $\{X_{it}\}$；$X_{it} \geqslant 0$，其中 $i = 1$，……，市场数量；$t = 1$，……，规划结

束期。

目标：

使 max（或 min）Z（$\{X_{it}\}$）。

约束条件：

满足 f_j $\{X_{it}\}$ $\geqslant b_j$（或 $\leqslant b_j$，或 $= b_j$）$j = 1$，……，约束数量。

举例

求 X（广告开支水平——决策变量） $\qquad$ (2A.1a)

使 $\text{Max} \$0.70 \times \left[5 + 30 \times \left(\dfrac{X^2}{15 + X^2} \right) - X \right]$ $\qquad$ (2A.1b)

（即利润乘以广告的销售反应再减去广告开支——目标）

满足 $X \geqslant 0$（广告开支不能为负——约束条件） $\qquad$ (2A.1c)

这个问题可以用规划求解程序很简单地设定，图 2—8 所示为电子报表软件中实现的模型：

D6	▼	=	=0.7*(5+30*(D4^2/(D4^2+15)))-D4			
	A	B	C	D	E	F	G
1							
2							
3							
4		Advertising Level(X)=		$7.25			
5							
6		Profit=		$12.59			
7							
8							
9							
10				Advertising	Profit		
11				$0.00	$3.50		
12				$0.25	$3.34		
13				$0.50	$3.34		
14				$0.75	$3.51		

图 1—8

从"Tools"（工具）菜单中选择"规划求解"，建立优化（如图 2—9）：

注意，在此结构中，我们设置目标单元格 D6（利润目标）等于最大值通过改变单元格 D4（广告开支）以满足约束条件：$\$D\$4 \neq 0$。

于是，运用规划求解程序求出广告的最优值（本例中是 $7.25）。可查看 Excel 用户指南或选择 Excel 的"Help"（帮助）菜单，了解使用"规划求解"程序建立优化问题的细节信息。

规划求解的工作原理

Excel 的规划求解程序（Frontline 系统公司开发的产品）用数值方法求解方程，使用连续变量（如广告开支）或整数变量（如每季度客户拜访次数）来优化线性和非线性函数。所用的方法属于迭代法，规划求解程序计算决策变量的细微变化对目标函数的影响；如果目标函数得以改进（在上面的例子中利润

59

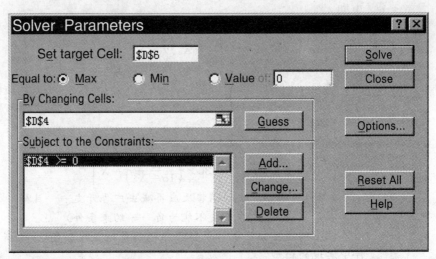

图 2—9

得以提高），规划求解程序就沿此方向移动决策变量；如果目标函数变差，规划求解程序就反方向移动决策变量；如果任何决策变量的增减都不能改进目标函数，规划求解程序就停止运算，报告一个局部解。

非线性及约束优化（特别是对整数变量）问题非常复杂，超出了本书的范围，详细内容可参看利连、科特勒和穆瑟的论述（Lilien, Kotler & Moorthy, 1992，附录 A），有关优化理论的详细综述可参看尼姆豪泽、坎恩和托德的论述（Nemhauser, Kan & Todd, 1989），拉格斯代尔的文章（1995）则是用电子报表软件进行分析和优化的很实用的介绍。下面只简单介绍一下你应该了解的非线性优化时会出现的几种情形：

1. 局部优化解：规划求解程序也许能找到一个峰值（本区域最高点），但可能存在一个更高的峰值。于是规划求解程序只得从局部的峰值下来，继续寻找。换句话说，规划求解程序需要从一个新的初值（"规划求解参数"对话框里"可变单元格"中的取值）出发寻找优化解。

举例

图 2—10 为在上例中优化后的广告开支函数的图形。假定从广告开支为零开始进行规划求解。注意，广告开支不能为负，在广告开支开始增加时利润先减少，因为这里的广告反应模型有阈值［方程（2A.1b）要从销售/利润反应函数中减去广告开支，如果前者为常数，则利润函数递减］。规划求解程序不能将广告开支减成负值（非负约束），也不能增加（从局部来看这会降低利润），因此在此处得到一个局部最大值。但是，如果从 1.0 或更大的值开始求解，规划求解程序就会找到正确的最优值 7.25 美元。

此例说明，当市场反应函数有阈值时，就需要尝试不同的初值以便得到全局的最优值。本书所附软件包里有些软件（如 Syngen）有内置的选项，可以在规划求解程序无法收敛或者只得出局部最优值时去尝试不同的初值。

2. 无解：假如我们设定两个约束条件：$X > 6$ 和 $X < 3$，显然这两个约束条件不会同时得到满足，规划求解程序不可能得出解。这个无解的例

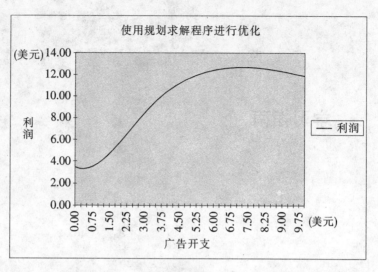

图 2—10

注：在广告开支接近零时利润在下降。

子很明显，但问题比较复杂时就不这么明显了。

3. **其他问题**：类似 Excel 的规划求解程序的非线性优化工具是必要的分析工具，但其功能和灵活性也带来了很多问题。用规划求解程序进行市场分析或者调整经营时可能会遇到的问题在 Excel 的使用手册里都详细讲述了。

有些问题是由于用户所输入的公式或设定规划求解参数导致的，有些问题则属于 Excel 或 Windows 软件本身的小缺陷。如果出现了你无法解决的问题，最好退出 Windows 或重新启动计算机。

学习指南

Conglomerate 公司的促销分析指导

　　CONGLOM 电子报表和相关练习的目的是帮助你熟悉如何在 Excel 中建立公式，教你使用 Excel 的"规划求解"功能，并介绍反应函数的概念。

　　在"Model"（模型）菜单中选择"Conglomerate Promotional Analysis"（Conglomerate 促销分析）就会看到"Introduction"（介绍）屏幕，如图2—11所示。

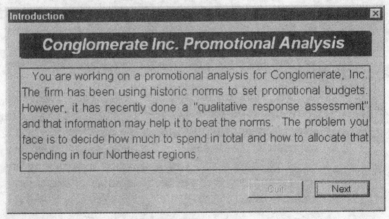

图 2—11

　　单击"Next"（下一步）会看到主电子报表，如图 2—12 所示：

　　在"gross-profit"（毛利润）和"net-profit"（净利润）单元格输入相应的数值，会出现如图 2—13 所示的屏幕显示：

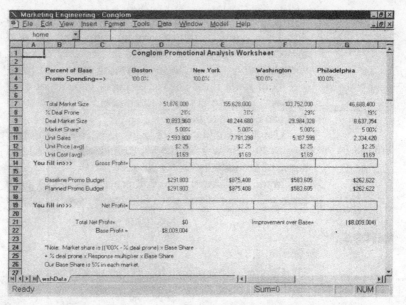

Row	A–C	D	E	F	G
1	Conglom Promotional Analysis Worksheet				
2					
3	Percent of Base	Boston	New York	Washington	Philadelphia
4	Promo Spending==>	100.0%	100.0%	100.0%	100.0%
5					
6					
7	Total Market Size	51,876,000	155,628,000	103,752,000	46,688,400
8	% Deal Prone	21%	31%	29%	19%
9	Deal Market Size	10,893,960	48,244,680	29,984,328	8,637,354
10	Market Share*	5.00%	5.00%	5.00%	5.00%
11	Unit Sales	2,593,800	7,781,398	5,187,599	2,334,420
12	Unit Price (avg)	$2.25	$2.25	$2.25	$2.25
13	Unit Cost (avg)	$1.69	$1.69	$1.69	$1.69
14	You fill in>>> Gross Profit=				
15					
16	Baseline Promo Budget	$291,803	$875,408	$583,605	$262,622
17	Planned Promo Budget	$291,803	$875,408	$583,605	$262,622
18					
19	You fill in>>> Net Profit=				
20					
21	Total Net Profit=	$0		Improvement over Base=	($8,009,004)
22	Base Profit =	$8,009,004			
23					
24	*Note: Market share is ((100% - % deal prone) x Base Share				
25	+ % deal prone x Response multiplier x Base Share				
26	Our Base Share is 5% in each market.				

图 2—12

Row	A–C	D	E	F	G
1	Conglom Promotional Analysis Worksheet				
2					
3	Percent of Base	Boston	New York	Washington	Philadelphia
4	Promo Spending==>	100.0%	100.0%	100.0%	100.0%
5					
6					
7	Total Market Size	51,876,000	155,628,000	103,752,000	46,688,400
8	% Deal Prone	21%	31%	29%	19%
9	Deal Market Size	10,893,960	48,244,680	29,984,328	8,637,354
10	Market Share*	5.00%	5.00%	5.00%	5.00%
11	Unit Sales	2,593,800	7,781,398	5,187,599	2,334,420
12	Unit Price (avg)	$2.25	$2.25	$2.25	$2.25
13	Unit Cost (avg)	$1.69	$1.69	$1.69	$1.69
14	You fill in>>> Gross Profit=	$1,452,528	$4,357,583	$2,905,056	$1,307,275
15					
16	Baseline Promo Budget	$291,803	$875,408	$583,605	$262,622
17	Planned Promo Budget	$291,803	$875,408	$583,605	$262,622
18					
19	You fill in>>> Net Profit=	$1,160,725	$3,482,175	$2,321,451	$1,044,653
20					
21	Total Net Profit=	$8,009,004		Improvement over Base=	$0
22	Base Profit =	$8,009,004			
23					
24	*Note: Market share is ((100% - % deal prone) x Base Share				
25	+ % deal prone x Response multiplier x Base Share				
26	Our Base Share is 5% in each market.				

图 2—13

注意：必须用自定的 Excel 公式填入“gross-profit”（毛利润）和“net-profit”（净利润）单元格。

然后确定“optimal”（最优）支出以使“Total Net Profit”（净利润合计，即单元格 D21）达到最大。在这四个地区的支出都必须大于或等于零。

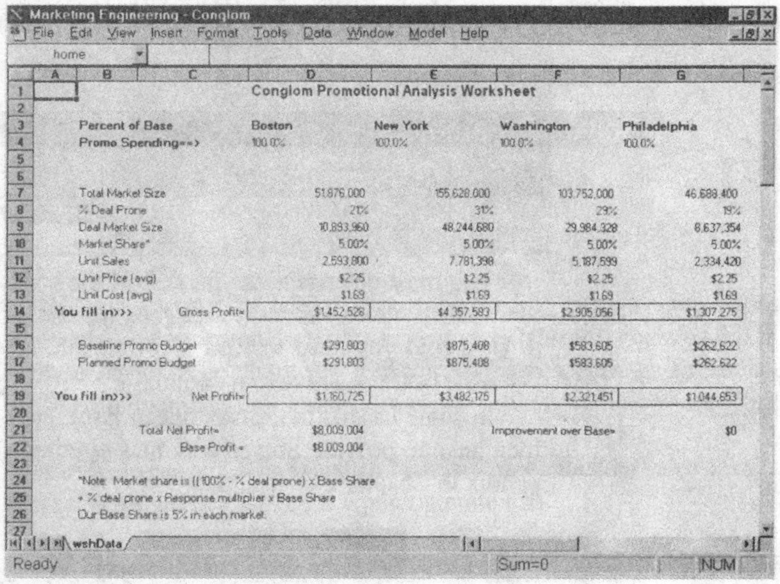

在“Tools”（工具）菜单中选择“Solver”（规划求解）来执行此任务（如图 2—14 所示）。

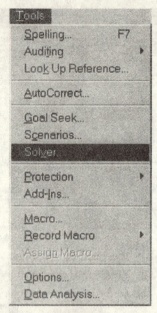

图 2—14

在单元格 D21（即想达到最大化的那个单元格）中输入数值，如图 2—15 所示。

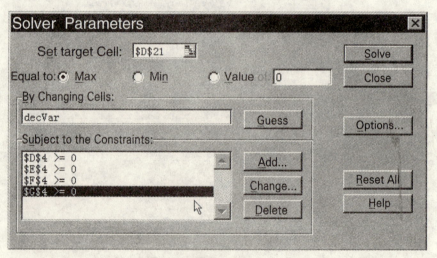

图 2—15

你必须确定要分配给每个地区的促销费的百分比（即决策变量是单元格 D4~G4）。还需要 "Add"（添加）约束条件，要求 D4~G4 的值都大于或等于零。然后点击 "Solve"（求解）来解这个方程组。

有时在 Excel 中运行 "Solver"（规划求解）可能无法收敛，这时就必须给 "Solver"（规划求解）重新提供初值，请参阅本章附录。

要进行其他选择，则可在 "Model"（模型）菜单中选择 "Main Menu"（主菜单），如图 2—16 所示。

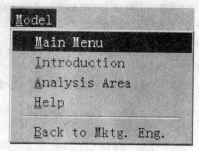

图 2—16

主菜单中提供如图 2—17 所示的选项:

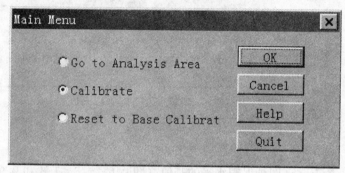

图 2—17

要想修改内置的反应函数,可以选择"Calibrate"(校准)对话框,如图 2—18 所示,从中选择一个地区,然后修改此地区的数据。

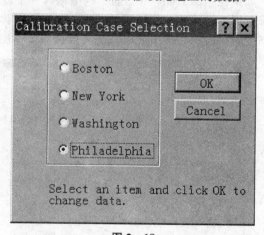

图 2—18

假如选择了"Philadelphia"(费城),就会看到费城地区促销反应函数的当前值,这些值是对应于基支出百分比的基反应的百分比,可用来估计 ADBUDG 函数的参数。

这时软件会要求你估计以下情况下 Conglomerate 公司能实现的销售额,如图 2—19 所示:

● 无促销预算;

● 当前促销预算的一半(0.5×262 622 美元);

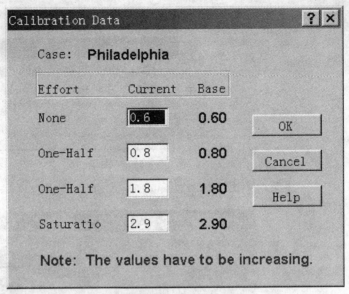

图 2—19

- 比当前促销预算高 50%（1.5×262 622 美元）；
- 无限制的促销预算。

这四种促销水平的基值（即 0.6、0.8、1.8 和 2.9）相对应的基销售额为 2 334 420 美元。因此，基值为 0.6 就意味着："如果将促销预算降到零，预期的销售额将是 2 334 420 美元的 60%。"

如果在"Current"（当前）栏中输入一个较小的值并单击"OK"（确定），就降低了费城地区对促销活动的敏感度。这时你会看到与以前的反应曲线不同的新促销反应曲线（由此也证实新数据起了作用）（见图 2—20）。

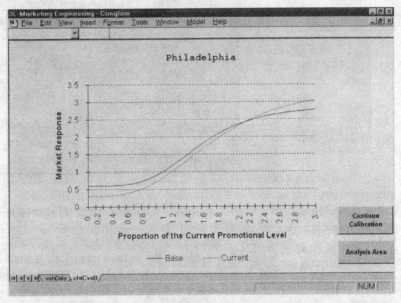

图 2—20

单击"Analysis Area"(分析区域)可对市场反应的不同假设进行分析。例如，改变单元格 D4 到 G4 的数值（当前支出或基支出的倍数），就会看到支出和分配的变化对净利润合计的影响。在"Model"（模型）菜单中选择"Main Menu"（主菜单），再选择"Reset to Base Calibration"（恢复基校准），就可恢复成原先的基校准。

Conglomerate 公司的促销分析

生产无糖早餐麦片的 UBC 公司是 Conglomerate 公司历史最悠久的分公司，它同 Kellogg 公司和通用面粉公司的竞争非常激烈。以前 UBC 公司在制定它所销售的六个品牌产品的年度促销预算时一直是靠经验。

UBC 公司现在开始利用促销反应模型来确定促销费用及其分配。它先采用了一个原型的电子报表，目的是鼓励大家讨论在其中四个市场上开展促销的合适费用，并让品牌经理熟悉营销工程的概念及其软件工具。品牌经理现在刚开始学习用 Excel 的"规划求解"来建立反应模型并优化。

为了得到对原型的反馈，UBC 公司有意提供了不完整的软件，请作为品牌经理的你用 Excel 公式填入电子报表中遗留的单元格（毛利润和净利润）。

此外，品牌管理小组要进行一次主观判断校准的练习，作为建立促销反应模型的依据。公司要求小组讨论如果促销费用为 0，公司各品牌的销售反应会发生什么变化，如果促销费用为基促销费用的一半又如何呢？如果是一倍半会怎样呢？促销费用不加限制时又会怎样呢？

营销工程软件根据品牌经理对这四个问题的回答构造了一个反应模型，描述促销费用同销售额之间的联系。

这次研讨会的目的是：

- 让你熟悉如何在 Excel 里建立公式；
- 介绍 Excel 的"规划求解"工具的功能；
- 介绍反应函数和主观判断校准的概念；
- 为东北地区的这四个市场确定促销预算并进行敏感度分析；
- 为完整的、具有操作性的决策支持工具提供反馈。

注意：在运行"规划求解"时需要改变的单元格是 D4 到 G4，它们都是基促销费的百分比，程序会自动更新单元格 D17 到 G17 中的实际费用。

在分析时要考虑以下几个场景：

场景 1：无约束时的最优预算和分配。

场景 2：在基促销费用时的最优预算分配。

场景 3：促销费用在所有市场上成比例提高或降低时的最优预算分配（提示：将 G4、E4、F4 设置成等于 D4，在优化运算中只需改变 D4）。

场景 4：与场景 1 相同的最优预算和分配，但设定的费城饱和促销费用反应要低于基校准中的饱和促销费用反应（如将当前的 2.9 设为

2.0）。（这样作是因为一位咨询顾问认为费城对促销的反应并不如品牌小组最初猜想的那么敏感。）

在运行完这些场景后，要给营销工程软件的设计人员提出些建议来改进这个工具。并回答下面的问题：在这个工具里还需要考虑品牌级的应用与企业级的应用、市场反应的变化、竞争、营销组合的其他要素、模型验证等中间的哪些因素才能保证它的广泛应用？

可视反应建模指导

"Modeler"（建模工具）是一个 Excel 电子报表，用来分析有一个独立变量的市场反应模型的结果。它有两种分析方式：预测方式（即把时间当作独立变量）和反应方式（把要研究的营销组合要素当作独立变量）。

这个程序允许：

- 从通用反应模型库中选择一种模型；
- 建立一个由用户定义的模型（最多有四个参数）；
- 估计模型参数；
- 建立利润函数，研究模型的利润意义（仅适用于反应方式）；
- 研究反应模型参数（如弹性）和利润参数（如生产成本）的变化对市场反应的影响。

这部分指导分为三部分：第一部分介绍如何建立市场反应模型并用数据对其进行校准；第二部分介绍建立一个由用户定义的函数并用数据对其进行校准；第三部分主要内容是预测模型。

内置模型的反应曲线

从"Model"（模型）菜单中选择"Visual Response Modeling"（可视反应建模），就可看到"Introduction"（介绍）屏幕显示，如图 2—21 所示。

在"Introduction"（介绍）对话框中选择"Response Analysis"（反应分析），单击"Next"（下一步）进入"Main Menu"（主菜单），如图 2—22 所示。

从"Main Menu"（主菜单）中选择反应函数的形式，需要的话还可选择利润函数的形式。例如，从下拉式菜单中点击内置的 ADBUDG 反应函数，并从"Profit Function"（利润函数）下拉式菜单中选择"Marketing Effort"（营销努力）来检验广告支出的效果。

单击"OK"（确定）即出现"Data Maintenance"（数据维护）表单。图 2—23 所示的屏幕示例显示了一个营销努力（X）和销售水平（Y）的数据序列，数据由你来提供。

如果在没有选择"Best-Fit Estimates"（最优拟合估计值）之前点击了"Analysis"（分析），就会看到"No Best-Fit"（无最优拟合）的警告，如图

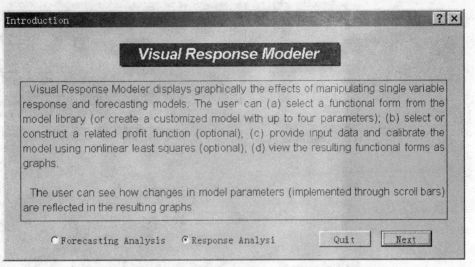

图 2—21

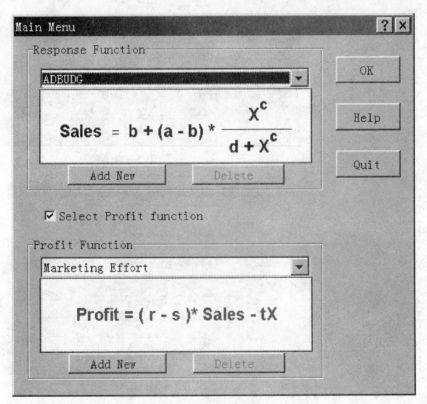

图 2—22

2—24 所示。校准函数需要花时间，但这却是求最优拟合估计值的好方法。

运行 "Best-Fit Estimates"（最优拟合估计值）后会出现 "Curve Fitting"（曲线拟合）对话框，你可输入对系数的约束条件或给出在系数估计中要用的初始估计值。在图 2—25 中我们输入了 ADBUDG 系数的初始估计值。

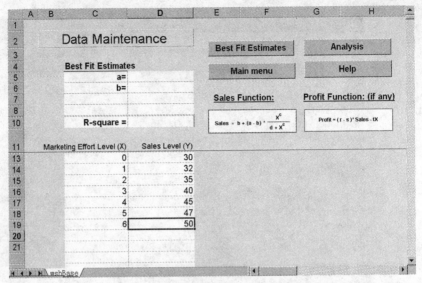

图 2—23

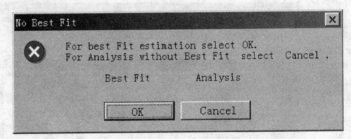

图 2—24

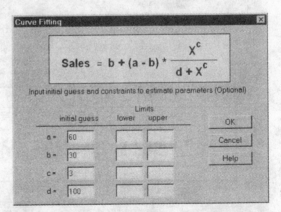

图 2—25

　　注意：为得到最优拟合估计值，模型要用 Excel 的规划求解程序来尽可能地降低误差目标函数的平方值。由于这种运算要用非线性最小二乘法进行估计，因此最后可能收敛到一个局部解（非最优解）或者根本不收敛。然而，如果给出参数系数的合理初始估计值（并且有时加了约束条件，如 c＞1），这个算法就很可能收敛并得出一个较好的解。本章附录讲解了什么样的参数值是合理的。

程序会在一个新的工作表上显示出估计的结果，如图 2—26 所示。如果程序不收敛，单击"Retry"（重试）回到"Curve Fitting"（曲线拟合）对话框，或单击"Discard"（放弃）重新开始。如果参数估计值有意义并且能很好拟合（如得到了较高的 R^2 值），则保留并单击"OK"（确定）。

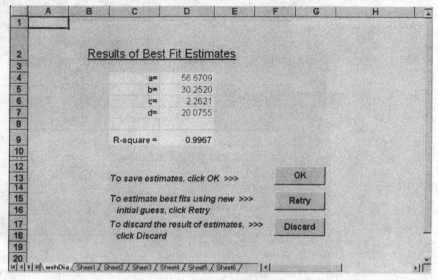

图 2—26

"Data Maintenance"（数据维护）表（参见图 2—27）显示了计算出的估计值。

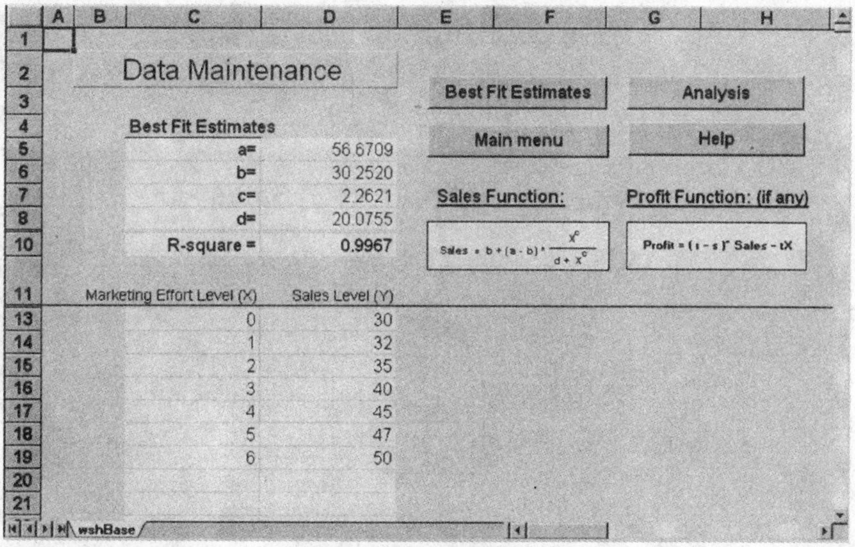

图 2—27

完成了数据维护后，单击"Analysis"（分析）。

这时会出现"Response Function Parameter Setup"（反应函数参数设置）对话框，如图 2—28 所示。为每个参数指定一个"跟踪"范围。这就使你能直观地研究在增减初始参数值时反应曲线会如何变化。注意，参数值可围绕初值在—5～+5 的范围内变化。程序会列出以前确定的最优拟合估计值，为你确定绘图范围提供一些指导意见。

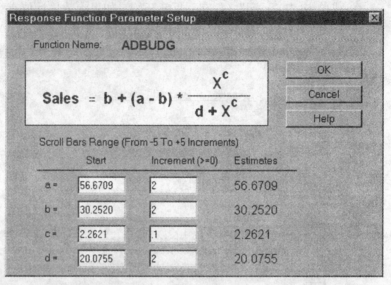

图 2—28

单击"OK"（确定）。如果你以前在"Main Menu"（主菜单）中选择了利润选项，这时就会出现"Profit Function Parameter Setup"（利润函数参数设置）对话框，如图 2—29 所示。在下例中变化幅度已设为 0，从而固定了利润函数的参数值。

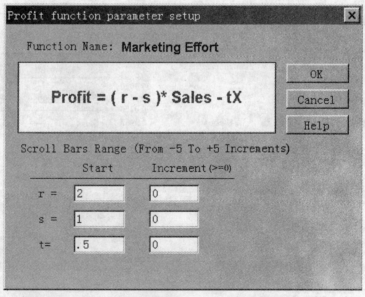

图 2—29

注意，利润函数的参数含义为：

r = 单位价格；

s = 单位成本；

$t =$ 营销组合变量的单位成本。

接下来，沿分类轴（X 轴）确定绘图范围（如图 2—30 所示）。为帮助你确定一个合适的范围，程序会告诉你可显示数据点的数目。你可以选择是在较宽的范围内还是较窄的范围内绘图。

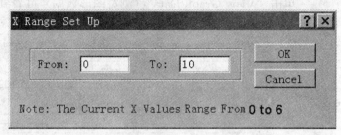

图 2—30

现在你可以用图形来研究这些函数。绘制出的第一条曲线反映了按照前面提供的参数所得出的当前初值（如图 2—31 所示）。选择"Show Profit"（显示利润）就可以把利润函数也绘在图内。选择相应的复选框就可看到输入数据或最优拟合曲线。

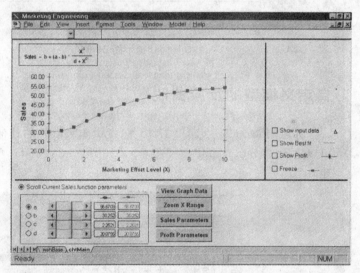

图 2—31

选择"Scroll Current Sales Function Parameters"（卷滚当前销售函数参数）可控制同反应曲线系数值相连的滚动条。你可以移动滑动条来改变各个参数值，并观察参数值变化对曲线的影响。还可以尝试在原始数据上进行图形参数校准。

如果对曲线满意，可在"Freeze"（固定）复选框上打勾，程序就会保存当前的参数值作为参照。继续改变参数值，新的曲线会与参照曲线脱开。你可以最多得到四条曲线，即当前曲线、最优拟合曲线、固定曲线和利润曲线，它们会同时绘制并显示在屏幕上。

选择"Scroll Profit Function Parameters"（卷滚利润函数参数）可控制与利润函数系数值相连的滚动条。你可以研究参数的变化对利润率的影响，如成本降低时利润会发生的变化。

要想修改可跟踪的参数设置（如跟踪范围），单击"Sales Parameter"（销售参数）或"Profit Parameter"（利润参数）。想确定更细致的范围以便重点观察一个更小的区域，可单击"Zoom X Range"（放大 X 轴范围）。

单击"View Graph Data"（浏览图形数据）可看到图形后面的数据，如图 2—32 所示：

	A	B	C	D	
1					
2		*Current Graph Data*		Back	
3					
4					
5		*Marketing Effort Level (X)*	*Current Estimated Sales (Y)*	*Profit*	
6		0.00	30.252		
7		0.71	30.853		
8		1.43	32.905		
9		2.14	36.020		
10		2.86	39.465		
11		3.57	42.670		
12		4.29	45.380		
13		5.00	47.557		
14		5.71	49.267		
15		6.43	50.601		
16		7.14	51.643		
17		7.86	52.463		
18		8.57	53.114		
19		9.29	53.835		
20		10.00	54.057		
21					
22					

wshBase wshGraph

图 2—32

自定义模型的反应曲线

你可用 Modeler（建模工具）已提供函数以外的其他函数来建立模型。你可以进入"Main Menu"（主菜单），如图 2—33 所示，单击"Add New"（新建）。

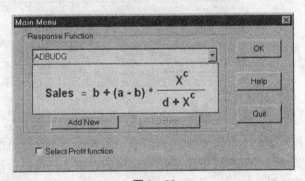

图 2—33

你可指定最多四个参数的函数。用 Excel 方式输入公式（公式以"="开头）。用 X 做独立变量，用 a、b、c 和 d（以字母顺序）做参数，如图 2—34 所示。

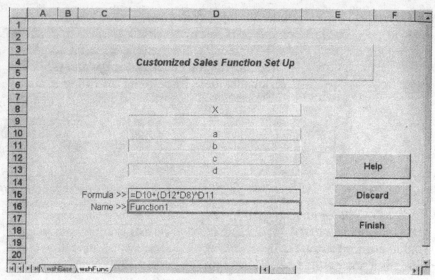

图 2—34

点击"Finish"（完成）就会显示出自定义的公式，如图 2—35 所示。

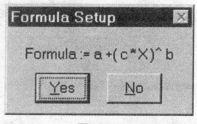

图 2—35

如果想保存公式，可单击"Yes"（是）。现在可以返回，用新公式重新分析以前的数据，如图 2—36 所示。

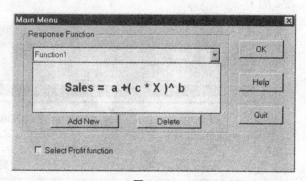

图 2—36

预测分析

"Modeler"（建模工具）还可用作预测工具。在"Model"（模型）菜单中点击"Introduction"（介绍）。在"Introduction"（介绍）对话框中，选择"Forecas-

75

ting Analysis"（预测分析），单击"Next"（下一步），如图 2—37 所示。

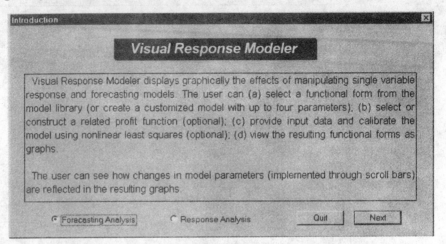

图 2—37

屏幕会显示一条消息，警告以前在反应方式里得到的全部数据都将丢失。如图 2—38 所示。

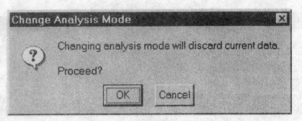

图 2—38

单击"OK"（确定）后即可看到"Main Menu"（主菜单）。和以前一样，你可以从内置的模型库中选择一个函数或自己定义模型。例如选择 Bass 模型（参见图 2—39）。

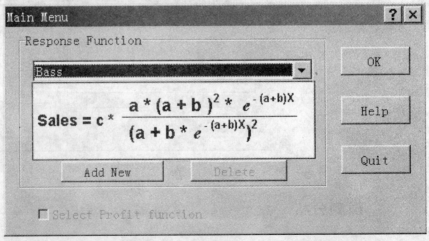

图 2—39

单击"OK"（确定）。在"Data Maintenance"（数据维护）表上单击"Analysis"（分析），可以看到 "Response Function Parameter Setup"（反应函数参数设置）对话框，如图 2—40。输入参数系数、变动范围及沿分类轴（X轴）绘图的范围（参见图 2—41）。

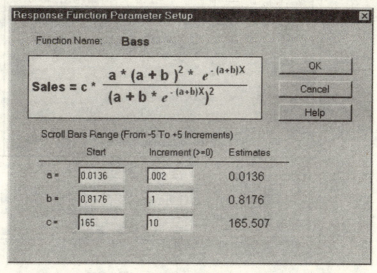

图 2—40

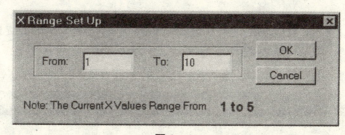

图 2—41

程序随后会绘制出一个图形，如图 2—42 所示，你现在可进行同反应函数的例子中相似的分析。由于 X 轴表示时间，现在就无法进行利润分析了。

Conglomerate 公司反应模型练习

作为促销资源分配练习的一部分（见 Conglomerate 公司促销分析），UBC公司品牌经理需要构造一个反应模型。反应模型可把一个能由管理者控制的变量（在本案例中是促销费用）和重要的产出（在本案例中是销售额）联系起来，这样就可以找出促销费用和销售额之间的关系。可以通过类似下面的公式将它们与利润联系起来：

利润＝销售量×（单位价格－单位成本）－促销费用

营销工程软件提供的可视反应建模程序可用来建立和研究反应模型及相关的利润函数。

77

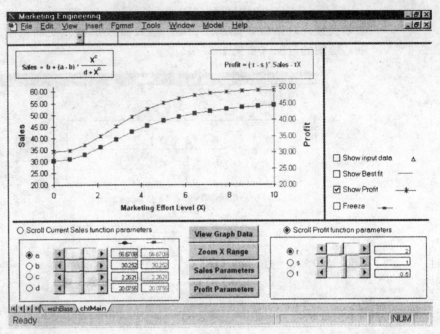

图 2—42

我们现在研究 Conglomerate 公司在纽约地区的促销费用反应。输入如下信息（见表 2—3）：

表 2—3

促销费用（百万美元）	销售（百万件）
0.00	6.3
0.44	6.7
0.87	8.0
1.31	9.3
5.00（非常大的数额）	11.8

注：价格＝2.25 美元；

送货成本＝1.69 美元（含生产、运输和分摊的管理费用）。

练习

1. 用 Modeler（建模工具）估计反应函数的参数，并建立相关的利润函数。选择 ADBUDG 模型并使用上述形式的利润函数［你要在 "Data Maintenance"（数据维护）之后输入并校准模型］。

　　a）分析相关函数（研究围绕参数估计值微小变动的结果）和利润函数中参数的上下变动。

　　b）模型建议最优促销费用水平如何（是否同 Conglomerate 公司促销

分析练习中的最优促销费用一样)?

c）如果发生下列情况，最优的促销费用会发生什么变动？

- 市场在 1 380 万件时达到饱和（不是上面的 1 180 万件）。
- 后勤的改进使货物运到纽约的成本由每件 1.69 美元降到每件 1.39 美元。

2. 评论可视反应建模软件在辅助研究和建立市场对营销努力的反应模型方面具有的优点和缺陷。

【注释】

[1] 本节内容摘自休伯（Huber，1993）的论文。

第**II**篇
制定营销战略

第3章

市场细分与选择目标市场

市场细分是指将市场分成具有类似需求的消费者组，并制定符合其需求的营销计划，这个过程对营销的成功非常重要，成功的公司都是根据市场细分的结果来开展业务的。

选择目标市场是指从市场中选择可为之服务的一个或几个细分市场的过程。本章中我们将讨论：

- 市场细分：将顾客分成不同的顾客组，同组中的顾客对产品的评价类似，不同组的评价则差别很大。
- 界定一个市场：在某一用途上可以彼此替代的一组产品。
- 细分市场调查：设计细分市场调查并收集相关数据的过程，其目的是为市场细分战略提供支持。
- 市场细分方法：利用细分市场调查收集到的数据对市场进行细分并描述细分市场特征的模型和步骤。
- 基于行为的市场细分：一种市场细分方法，它不是直接衡量顾客价值，而是根据顾客购买行为来推测顾客价值。

本章涉及的两种重要软件，是进行聚类分析与判别分析的软件和基于选择的市场细分软件。

市场细分过程

市场细分的定义

市场是异质的。顾客在价值观、需求、愿望、限制、信仰和意图等方面都有各自的特点。产品之间相互竞争，目的是满足这些顾客的需求和愿望。通过

83

细分市场，企业能更好地了解顾客，并有效地选择其营销努力的目标。通过市场细分，企业可以作到既不是对所有顾客都采用相同的营销计划，也不必为每个顾客制定专门的营销计划而导致过高的成本。

以下三个定义对理解市场细分的概念是非常关键的：

细分市场是一群会对产品或服务做出相似反应的顾客或潜在顾客，也就是说，他们期望从产品或服务中得到相同的利益或者解决问题的相同方法，或者会对企业的营销沟通做出相似的反应。

市场细分就是将对产品或服务的评价相差很大的所有顾客划分为不同的组，同组内的顾客对产品或服务的评价相差不大，而在各组之间差异却非常大。

目标市场是公司所选的、为之提供有效服务并从中获取利润的市场。

企业要想成功地进行市场细分，必须满足三个基本条件。第一个也是最必要的因素就是顾客的需求和欲望存在差异。在这种环境中，顾客会积极寻求能更好满足其需求和欲望的产品或服务，并愿意为这样的产品或服务支付较高价格。第二，虽然顾客各不相同，但能将他们聚合成特定的群体，同群体外的顾客相比，这些群体内部成员的需求更为接近。第三，虽然为一个细分市场中的顾客提供服务的成本可能会高于为普通顾客提供服务的成本，但这一成本一定不高于顾客愿意支付的价格。在顾客需求各不相同或为不同类型顾客提供服务的成本存在显著差异的情况下，不进行市场细分的企业就会给它的竞争者提供进入市场的机会。

一种极端的情况是公司把每个顾客都当作一个细分市场：一个细分市场里只有一个顾客。大多数公司目前的业务流程和生产流程在为如此小的细分市场服务时成本都太高，因此必须在为一个细分市场服务的成本同顾客从企业产品中得到的价值之间寻求平衡。也就是说，适合特定顾客需求的产品要能比满足普通顾客需求的产品提供更大的顾客效用，正因为它能提供这种额外的顾客效用，所以制造商会对这种定制的产品索取更高的价格，同时也加大了其他竞争者定制能够更好满足细分市场需求的产品的难度，从而减轻竞争压力。

市场细分的理论与实践

企业往往采用细分市场调查来了解各个细分市场对营销战略（价格变化、新产品、促销计划等）的不同反应，并为计划推出的产品或服务选择和界定目标市场。细分市场调查要解决的管理问题一般是：

- 新产品的哪些概念能激发起被调查者的最大兴趣，各个被调查者群（如产品的大量使用者和轻量使用者、使用者和非使用者）对这些概念的评价有什么不同？
- 就新产品的目标市场而言，潜在的大量使用者和轻量使用者在人口统计特征和社会经济特征、态度以及产品使用特点上有哪些差别？
- 新产品的市场能否根据顾客的价格敏感度（或顾客想从产品中寻求的其他利益）进行细分？对价格敏感的各个细分市场在产品概念评价、态度、产品使用、人口统计特征和其他背景特征方面有什么特点（Wind，1987，p.318）？

这些问题与市场细分的基本理论关系不大，市场细分的基本理论关注的是顾客特征、对潜在产品的不同反应以及制定最优营销战略相互之间的关系。我们要尽量弥补理论与现实问题之间的差距。

要回答前面提出的管理问题，我们开发了一个市场细分模型。模型确认出的细分市场应该满足三个条件：同质性/异质性、经济性和可接近性。**同质性**（hornogeneity）是衡量细分市场中的潜在顾客对某一营销变量做出的反应的相似程度，以及潜在顾客和其他顾客群的差异程度。遗憾的是，没有一种市场细分是完美的；不同细分市场中的顾客经常在对营销变量的反应方面表现出很大的重叠性。**经济性**（parsimony）是衡量市场细分使每个潜在顾客成为一个独立目标市场的程度。要使调查结果在管理上有意义，就必须找出一些（通常为 3 到 8 个）具有相当规模的顾客群。最后，**可接近性**（accessibility）是指营销者利用各细分市场的可观察特点（描述性变量）接触到细分市场的程度。

市场细分模型要求有一个非独立变量（通常称为市场细分依据）和若干独立变量（市场或细分描述性变量）。市场细分依据变量要说明顾客产生不同反应的原因（为什么会对产品有不同评价，即顾客的需求和欲望是什么），市场细分描述性变量（如年龄、收入、媒体的使用情况）则能帮助营销者为不同的细分市场提供不同的产品或服务。在管理实践中，二者之间的区别是依进行市场细分调查的原因而定的。我们可以用回归法或判别分析等分析性方法决定描述细分市场成员的描述性变量。分析人员可采用由此得出的模型来预测某一潜在顾客是否属于某个特定的细分市场。

如果管理者感兴趣的是购买的可能性，我们就可以用相应的细分市场变量（描述性变量）来描述由市场细分标准（市场细分依据）区分出的细分人群。例如，要调查顾客对太阳能热水器的反应，就可以把顾客居住区的光照或气候作为细分描述性变量（图 3—1a），而潜在购买者的教育程度就是一个不相关的描述性变量（图 3—1b）。

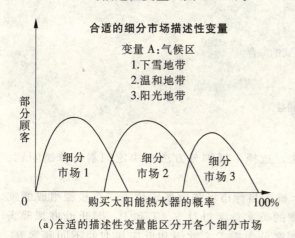

(a)合适的描述性变量能区分开各个细分市场

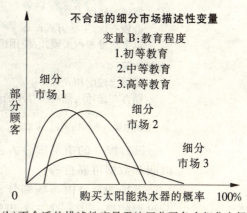

(b)不合适的描述性变量无法区分开各个细分市场

图 3—1　细分市场描述性变量

在管理实践中，市场细分方法要么只关注对顾客的描述，要么只关注已观察到的或可能表现出来的顾客价值或行动，也有少数方法将两者结合了起来。许多文章都吹捧一种方法胜于另一种。这些论断大多数值得商榷，因为没有一种方法能确定两个在需求和行为等方面都存在差异的顾客到底有多相似。到底哪种方法最合适取决于要解决管理问题的类型、市场细分方法的成本以及可用的信息等因素，进行市场细分调查的原因也是一个决定因素。温德（1978）认为对不同类型的营销问题应当采用不同方法，但没有考虑到这一点（见表 3—1）。

表 3—1
　最合适的市场细分依据取决于市场细分的目的，没有惟一的、最佳的市场细分方法。

一般性地了解市场：
　　顾客所寻求的利益（产业市场上用的标准是购买决策）；
　　产品购买模式和产品使用模式；
　　需求；
　　品牌忠诚模式和品牌转换模式；
　　上述变量的综合。

市场定位调查：
　　产品用途；
　　产品偏好；
　　所寻求的利益；
　　上述变量的综合。

新产品概念和新产品导入：
　　对新概念的反应（购买意图、对目前品牌的偏好等）；
　　所寻求的利益。

定价决策：
　　价格敏感度；
　　交易倾向；
　　不同购买模式/使用模式的价格敏感度。

广告决策：
　　所寻求的利益；
　　媒体的使用；
　　心理特征/生活方式；
　　以上变量和购买模式/使用模式的综合。

分销决策：
　　店铺忠诚度和光顾；
　　顾客在选择店铺时所寻求的利益。

　资料来源：Wind 1978，p. 320.

没有惟一的市场细分方法，选择市场细分方法的决定因素有营销问题、时间和数据可靠性等。

市场细分是由市场细分、确定目标市场和市场定位等三个步骤组成的细分过程的第一步，这三个步骤的英文首字母是 S、T 和 P，因此也将其称为 STP 方法。市场细分就是将顾客分为需求、欲望和反应相似的不同顾客群。选择目标市场就是决定公司该为哪个顾客群服务以及怎样服务。市场定位就是公司的产品如何同市场上其他产品展开竞争。本章阐述前两步，下一章将介绍市场定位。

STP 方法

市场细分包括两个阶段：

第一阶段：用需求变量（如顾客需求、欲望、寻求的利益、希望解决的问题和使用情况）进行市场细分。

第二阶段：描述第一阶段确定出的细分市场，这里所用的变量应当能帮助公司理解怎样为这些顾客提供服务（如购买模式、地理位置、着装尺寸、购买力和价格敏感度等）、如何与这些顾客交谈（如媒体偏好和使用、态度、活动、兴趣和意见）以及购买者转换成本（因改变产品或供应商而引起的相关费用）。

选择目标市场也包括两个阶段：

第三阶段：采用各细分市场需求概率（如细分市场的增长率）、为各细分市场提供服务的成本（如分销成本）、公司生产顾客所需产品或服务的成本（如生产成本和产品差异化成本）及公司核心竞争力与目标市场机会之间的匹配程度等变量来定量评价每个细分市场的吸引力。

第四阶段：根据细分市场的利润潜力以及各细分市场同公司战略的匹配程度来选择一个或多个目标细分市场。

市场定位是最后一个阶段：

第五阶段：为公司的产品和服务确定定位原则，使这些产品和服务能吸引目标顾客并增强公司的良好企业形象。

下面将详细阐述前四个阶段（市场细分和选择目标市场），然后在第 4 章阐述第五阶段——市场定位。

市场细分（第一阶段）

在众多的市场细分方法中，比较好的方法是根据顾客需求以及他们使用产品的情形进行细分。从这个角度进行细分的方法有两种。第一种方法是根据一些易于分辨的顾客特征进行细分，看看最终得出的各个顾客群是否有不同需求。例如，大都市里的人和小城镇上的人相比是否有不同的娱乐需求？此外，还可以根据顾客需求对顾客进行细分，然后找出一些能够区分需求不同的各顾客群的差异性特点。例如，经常出入娱乐节目实况转播现场的顾客对价格敏感吗？第二种方法称为便利细分或后向细分，即按企业为顾客提供的便利程度来细分市场。面向产业市场的企业常采用便利细分或后向细分的方法。这种市场细分方法是后向的市场细分方法。

企业进行市场细分时应该尽可能超前行动。应该先了解顾客在需要、欲望和偏好方面的不同，然后决定是否能够设计出适当的产品和战略，在满足顾客不同需求的同时创造利润。我们建议采用如下的"五步法"：

第 1 步是简要、明确地阐述市场细分在企业战略中的地位。市场细分能怎样帮企业建立竞争优势？企业还会采取哪些其他行动来实现企业目标？例如，企业开发新产品的能力或建立新业务流程的能力是影响企业细分市场方式的两大战略因素。企业在经验曲线上所处的位置决定了它是否具有成本优势，这是另一个该考虑的因素。没有考虑企业的整体战略意图和核心竞争力之前，不宜进行市场细分。

第2步是选择一组市场细分变量。这些变量应该基于潜在顾客需求或愿望，且能反映出顾客之间的差别。要做到这一点，企业需要了解哪些因素会驱动顾客对企业的产品和服务产生需求。直销中常用的人口地理细分法关注目标消费者的地理位置、收入、性别、婚姻状况和其他类似特征。在很多消费者市场上，市场细分变量反映的是顾客在知觉维度上的差别（参阅第4章），往往关注人口地理特征和社会经济特征。在产业市场上，顾客寻求的利益同购买决策者个人的心理特征和社会经济特征关系不大，更多依赖于产品的最终用途和产品所能带来的利润（参阅第10章的使用价值概念）。最后，所选的市场细分变量应该能使顾客群呈现出组内同质性和组间异质性的特点。

第3步是选择将单个顾客汇聚成同质顾客群或细分市场的数学方法和统计方法；这就意味着一个隐含的战略性决策：顾客细分市场是离散的（每个顾客仅包含在一个细分市场中）、重叠的（一个顾客可包含在两个或两个以上顾客群中）或是模糊的（每个顾客在每个细分市场中都有部分成员资格）。将每个顾客分配给一个细分市场当然最容易理解和实现，但是可能会损失信息。重叠市场细分或模糊市场细分直观上更吸引人，更符合现实情况，在理论上也更加精确。然而，在模糊环境下制定市场细分战略要复杂得多，因为企业需要将相同产品在不同且相互重叠的细分市场上确定不同定位。

在第4步和第5步，企业必须做出两个关键性决策：**第4步**是根据市场细分变量确定最多需要建立多少个细分市场；**第5步**就是从这些细分市场中确定出哪些细分市场要作为目标市场。目前没有现成的理论能告诉我们细分市场的最佳数目是多少；所以与其说这是科学，倒不如说是门艺术。

企业往往用统计标准和管理者判断来确定目标市场的数目。通行的做法是将（潜在）市场分成两组，再分成三组或四组，一直分到达到企业决定考虑的细分市场的最大数。企业可用多种管理标准和统计标准来审查这些细分市场的结构，去除从统计角度和管理角度来看不合适的细分市场。这一过程肯定会引起冲突。中层经理和销售人员会将注意力集中到许多小的细分市场，而高层经理则倾向于把市场看做由少量更大的细分市场组成（见图3—2）。

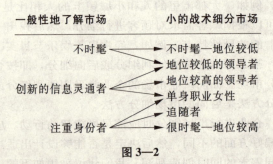

图3—2

解决企业不同层次管理者对澳大利亚女装市场进行市场细分中的冲突。高层管理者通常重视大的战略细分市场，而中层管理者更关心较狭小的细分市场。

例题

道林和米奇利（Dowling & Midgley，1988）发现，可以用两种市场结构来反映澳大利亚女装市场的需求。将市场分为三个细分市场适于制定大的战略决策，而将市场分为六个细分市场则更适合制定战术性营销决策。小的战术性细分市场与大的战略性细分市场是相关的（图 3—2）。这六个战术性细分市场可按不时髦到非常时髦来排列，将它们汇聚起来得到三个更大的战略性细分市场，仍然可以按不时髦到非常时髦来排列。有了这两种粗结构的市场细分和细结构的市场细分，高层管理者可制定宏观的战略，而中层经理和销售人员可以也必须在小市场上实现这种战略。惟一复杂的是小的细分市场同大的细分市场之间不是一对一的关系。例如，在图 3—2 中创新的信息灵通者包括地位较高的领导者，但同另外两个细分市场在战术层上有重叠（地位较低的领导者和单身职业女性）。市场细分战略必须考虑这种重叠关系，以便经理能决定怎样实施该战略（如使用哪种分销渠道或传递什么样的广告信息）。

罗伯逊和巴里什（Robertson & Barich，1992）发现，在产业市场中在战略层次上可将顾客分为三类：初次潜在顾客、新手和老手。初次潜在顾客是市场的新顾客，他们刚开始评价卖主。新手已经购买过产品，但对产品的用途和适用性仍然不太确定。老手不仅已经购买和使用过产品，而且对产品已很熟知（见表 3—2）。虽然罗伯逊和巴里什的方法有局限性，但它代表了市场细分的一种基本形式，即以顾客的知识需求为细分依据，这种需求与各个市场的特质无关。按照他们的观点，产业市场通常表现为基于知识的细分市场。

表 3—2

初次潜在顾客	新手	老手
主题：	主题：	主题：
"关照我"。	"帮我用好它"。	"给我讲讲技术"。
寻求的利益：	寻求的利益：	寻求的利益：
对我业务的了解；	容易读懂的手册；	与现有系统的兼容性；
诚实的销售代表；	技术支持热线；	定制；
有经验的厂家；	高水平的培训；	跟踪厂家的业务记录；
善于沟通的销售代表。	了解产品和服务的销售代表。	销售支持和技术帮助。
次要问题：	次要问题：	次要问题：
销售代表对产品和服务的了解。	诚实的销售代表；	善于沟通的销售代表；
	对我业务的了解。	培训；
		试用；
		容易读懂的手册。

注：罗伯逊和巴里什对产业市场的三类细分以及各细分市场所注重的利益。
资料来源：Robertson and Barich 1992.

描述各个细分市场（第二阶段）

把一个市场分为若干细分市场后，必须描述这些细分市场。所选的描述不同细分市场的变量应强调每个细分市场的利润潜力（价格敏感度和市场规模）以及企业该如何为这些细分市场提供服务。为此，可以使用两类变量：能概括广义市场特征的变量和能深入了解所选的一个或多个作为目标市场的细分市场的变量。

消费者市场和产业市场可用大体相似的变量来描述各种细分市场（见表3—3）。这些变量可归纳出这些细分市场的特征，从中发现实际的和潜在的顾客，了解他们的购买动机以及该怎样同他们沟通。

表 3—3
常见的市场细分依据变量和描述性变量列表，注意消费者市场变量和产业市场变量之间的区别。

	消费者市场	产业市场
市场细分依据变量	需求、欲望、利益、问题的解决方案、使用情形、使用率	需求、欲望、利益、问题的解决方案、使用情形、使用率、规模＊、行业＊
描述性变量		
● 人口统计特征/企业特征	年龄、收入、婚姻状况、家庭类型和规模、性别、社会阶层等	行业、规模、地点、当前供应商、技术利用状况等
● 心理特点	生活方式、价值观和个性特征	决策者的个性特征
● 行为	使用场合、使用量、使用的互补品和替代品、品牌忠诚度等	使用场合、使用量、使用的互补品和替代品、品牌忠诚度、订单规模、应用等
● 决策过程	个人决策或集体（家庭）决策、低参与度购买或高参与度购买、对产品大类的态度和了解、价格敏感度等	购买过程的规范化、决策群的规模和特点、外部咨询顾问的使用、采购标准、集权制（分权制）采购、价格敏感度、转换成本、预算周期等
● 媒体模式	使用水平、所用媒体的类型、使用次数	使用水平、所用媒体的类型、使用次数、参加贸易展览会的情况、对销售人员的接受等

注：＊是"宏观市场细分"（即第一阶段细分）的依据变量。

这些变量可按照各种方式组合来描述细分市场（见表3—3）。在确定战略时，应选择有助于完成下列任务的变量：

- 衡量细分市场的规模和购买力。
- 确定有效地同这些细分市场接触并为之提供服务的程度。
- 制定有效的市场活动来吸引顾客。

使用适当的话，这种方法通常都能清楚地识别出细分市场。

评价各细分市场的吸引力（第三阶段）

在下一阶段要选择一个或多个目标市场。我们建议采用 3 类共 9 个衡量标准来评价细分市场的吸引力（见表 3—4）。第 I 类因素（标准 1 和标准 2）关注细分市场的规模及其增长潜力。规模较大、增长较快的细分市场看起来很吸引人，但究竟何种市场规模和增长潜力最适合企业则取决于企业的资源和能力。

表 3—4

标准	举例
I. 规模和增长：	
1. 规模	● 市场潜力、目前的市场渗透程度；
2. 增长	● 过去的增长对技术变化的预测。
II. 结构性特点：	
3. 竞争	● 进入壁垒、退出壁垒、竞争者的地位和报复的能力；
4. 细分市场饱和	● 市场的空白；
5. 保护性	● 产品受专利的保护、进入壁垒；
6. 环境风险	● 经济变化、政治变化和技术变化。
III. 产品与市场的匹配：	
7. 匹配程度	● 与企业的优势和形象相吻合；
8. 与其他细分市场的关系	● 协同作用、成本互动、形象转移以及产品线的内部竞争；
9. 利润水平	● 进入成本和利润水平、投资收益率。

注：评估细分市场的吸引力时所使用的标准：采用适合你的行业与企业的标准。

第 II 类因素关注细分市场的结构特征，包括 4 个标准（标准 3、标准 4、标准 5 和标准 6）：竞争、细分市场饱和、保护性和环境风险。波特（Porter，1980）提出了一套竞争性因素（标准 3），包括进入壁垒、退出壁垒、新进入者的威胁、替代品的压力、顾客谈判能力和供应商谈判能力，这些因素在评价细分市场的竞争对抗中得到了广泛应用。企业还应评估市场中现有的竞争者是否已经服务于所有明显的细分市场还是在市场中留有空隙。

第 III 类因素即产品与市场匹配程度，包括标准 7、标准 8 和标准 9。企业至少要考虑以下过滤标准：第一，为某个细分市场提供的服务是否符合企业的优势和理想的企业形象？第二，企业能否从为该细分市场的服务中获得协同效应？第三，公司能支付进入该细分市场的成本吗？它的产品和服务的价格能否取得满意的利润和投资收益率？许多公司追求高投资收益率的细分市场，但由于这些细分市场同企业的现有能力不相符，从而使企业遭受了挫折。这种战略称为"多元化陷阱"。

选择目标市场（第四阶段）

制定了评估细分市场吸引力的标准之后，公司就要开始选择要为之提供服务的细分市场了。企业有五种基本选择（Kotler，1997，p. 284）：

● 集中在单一的细分市场；
● 选择若干细分市场，为之提供专业服务；

- 为一个特定细分市场提供多种产品；
- 向许多细分市场提供一种产品；
- 覆盖整个市场。

公司该选择哪种方案呢？资源有限的小公司不可能服务整个市场。大企业具有为整个市场提供服务的能力，但也应该做出战略性选择。企业往往采用简单方法，例如选择吸引力排名最高的细分市场。有时管理者使用如图3—3所示的矩阵来评估企业面临的机会。对非常有吸引力并且非常符合公司竞争力的细分市场（如细分市场E），或对非常缺少吸引力并且非常不符合公司能力的细分市场（如细分市场A），管理者都能做出明确的决策：为细分市场E提供服务，舍弃细分市场A。他们要做的是为吸引力一般、与企业能力的匹配程度也一般的细分市场（细分市场B、细分市场C和细分市场D）制定战略决策，即要在市场的吸引力与企业核心能力及优势之间折中。

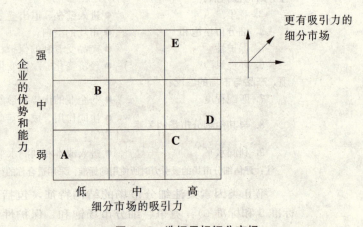

图3—3　选择目标细分市场

用细分市场吸引力和企业能力这两个指标来划分从A到E的5个细分市场。注意，细分市场的吸引力沿右上方增加。

这种分析是通用电气公司首先提出的，依靠的是一种非常常见的业务组合矩阵形式。

如果企业只以最具吸引力的一个细分市场为目标市场时，就会集中所有资源为这一顾客群服务。这种集中使公司能理解并满足该细分市场的需求。然而，把所有资源集中在一个细分市场是要付出代价的，企业所冒的风险很高：因为它把所有鸡蛋都放在一个篮子里了。

举例

麦当劳起先只关注午餐和晚餐吃汉堡包的顾客。但怎样才能使现有业务增长呢？麦当劳于是将目标对准早餐吃快餐的人，将营业时间提前并在菜单中增加了蛋香松糕等食品；它接着把目标市场扩展到除汉堡顾客外的其他口味的人群，在菜单中加入了麦香鸡；还在许多地方试销过各种比萨饼，试销结果各不相同。选择多个目标市场能带来很多好处，但是为新市场提供服务也会提高成本，而且对传统的汉堡顾客的吸引力可能下降，所以麦当劳公司一直设法在利弊之间寻求平衡。

Lotus 公司的 Lotus1-2-3 的目标市场是电子报表用户，它的市场份额被微软公司的 Excel 产品夺去了，尤其是微软公司将 Excel 作为在 Windows 操作系统下运行的 Microsoft Office 套装软件的组成进行捆绑销售后情况更加严重。由于电子报表的细分市场非常狭窄，Lotus 公司无法抵御 Office 套装软件的竞争。于是 Lotus 公司开发出 Lotus Notes 和其他产品来满足同电子报表相关的需求，在更大的细分市场上抵御竞争。

为降低选择单一细分市场可能带来的风险，企业可能会选择两个或更多的细分市场。企业可以分两步来分析这些细分市场的选择过程。第一步，哪些细分市场符合吸引力标准？第二步，这些可接受的细分市场中，在给定的风险承受力下，哪些细分市场在风险和回报之间取得了最佳平衡？

单一细分市场战略的一种变形是市场专业化。企业选择一个特定细分市场，并为其提供各种产品和服务以满足其需求。例如，杜邦公司和英国卜内门公司（ICI）的炸药分公司都选择了露天煤矿和地下煤矿作为目标市场，为这些市场提供各种各样的炸药（如湿成孔炸药、干成孔炸药、爆破控制系统）。

市场专业化战略的一种变形是产品线专业化。企业销售一种产品或有限的几种产品来满足所有顾客的需求。例如，波音公司制造飞机，柯达公司生产胶卷，英特尔公司生产计算机芯片，以及米高梅（MGM）公司制作电影等等。当你想到某类产品（如可乐或汽车租赁）时，脑海中往往会出现某个产品专家［可口可乐公司或百事可乐公司，赫兹（Hertz）租车公司或艾维斯（Aris）租车公司］。

像 IBM 这样的公司选择为整个市场提供产品。同时为各类顾客提供服务的成本会很高，因为大多数公司都会根据细分市场的不同来调整所提供的产品：可以改变产品的实体特征，也可以改变非产品属性（如价格、包装、保修、分销和产品形象广告）。在大多数情况下，公司会对产品属性和非产品属性综合调整。然而，如果公司能达到很大的规模经济，就可以只改变品牌名称、包装、广告和价格。

与以普通顾客为目标市场的单一产品相比，以不同细分市场为目标市场的差异化产品通常能带来更高的销售量。然而，差异化营销总会提高经营成本（如产品修改成本、生产成本、管理成本、存货成本和促销费用）。

下面的例子将说明 STP 方法能成功地用于任何市场。

芬克和菲利普斯（Funk & Phillips，1990）用 STP 方法研究了鸡蛋的消费市场。他们根据个人的态度变量划分出四个细分市场：

不感兴趣的消费者；

偶尔食用鸡蛋者；

关心健康的消费者；

狂热的食用者。

他们用下列变量来描述用户的特征：

信仰；

态度；

生活方式；

健康/营养意识；

媒体习惯；

消费习惯；

人口统计特征。

　　他们建议选择其中三个细分市场（除不感兴趣的消费者外）作为目标市场（见表 3—5）。

表 3—5

战略	偶然食用者	注重健康的消费者	狂热的食用者
市场定位	既方便又有益	理想的天然食品 对家人有益	多种吃法的传统食品 非常方便 对家人有益
广告视觉形象	非正式的背景	健康的人物或环境	大家庭的背景 大餐，宴请客人
广告听觉效果	节奏轻松，气氛松弛	清新的背景音乐 非常自然	语气肯定强调益处及多种吃法
促销	结账时提示，鸡蛋展示，蛋奶专卖店	在菜谱和传单上客观介绍鸡蛋的营养价值和健康特性	直接提醒购买鸡蛋

研究确定了鸡蛋的四个细分市场，其中三个可作为目标细分市场。本表概要介绍了每个目标市场上可采用的市场定位和营销战略。

资料来源：Funk and Phillips 1990.

界定市场

　　我们一直在使用**市场**这个词，但还没有对它进行定义。在对市场进行细分之前，我们必须首先界定该市场。虽然人们对市场这个词的使用经常很随意，但描述市场的传统方法一直是统称和实体属性并用。例如，我们会用"汽车市场"这个统称和汽车的大小（如微型车、小型车、中型车或标准车）这个实体属性共同界定市场。这种传统方法的思想是：实际竞争或可感知竞争更多发生在市场内部而不是市场之间。这种从消费者角度看待市场的方式对界定市场是非常有效的。

　　科特勒（1997）对产品市场的定义是："一个市场由具有共同需求或欲望的所有潜在顾客组成，这些顾客愿意并能够参与交换以满足其愿望或需要。"

　　按照这种定义，实体产品本身并不能界定市场；同样的实体产品可能会在不同市场上开展竞争，不同的实体产品也会在同一市场上竞争。例如，实体特征相同的汽车可能会卖给一个消费者或一个出租车公司（车队）；车队经理的需求和购买行为同个人消费者的需求和购买行为是完全不一样的。个人计算机和打字机虽然实体特征非常不同，却都能提供"文字处理解决方案"（参阅下例），因此会在同一市场上展开竞争。

举例

下面以 20 世纪 80 年代的一个经典案例来说明界定文字处理设备市场的两种方法。在表 3—6 中将市场定义为解决文字处理需求的电动打字机或电动机械设备。公司 A 的市场份额在提高，但在这个市场中的销售量及市场的整个销量都在下降。

表 3—6　　　　　　　　　（假想的）电动打字机出厂数据

	出厂（台）					
	1980	1981	1982	1983	1984	1985
A（我们）	403 027	495 192	548 905	550 351	541 388	515 000
B	369 916	388 520	349 396	323 005	342 197	297 000
其他	367 057	324 010	343 885	370 374	202 495	129 070
总计	1 140 000	1 207 722	1 242 186	1 243 730	1 086 080	941 070
	市场份额（%）					
	1980	1981	1982	1983	1984	1985
A（我们）	35.4	41.0	44.2	44.2	49.8	54.7
B	32.4	32.2	28.1	26.0	31.5	31.6
其他	32.2	26.8	27.7	29.8	18.6	13.7

如果公司 A 将自己界定为打字机厂商，就会发现自己在一个衰退市场上的市场份额不断增加，销售量却在减少。

如果将市场扩大，加入电子解决方案（见表 3—7），就会得到不同的结果：公司 A 处在一个不断增长的市场中，它的市场份额和销售量一起在下降。

表 3—7　　　　　　　　　文字处理设备的出厂数据

	出厂（台）					
	1980	1981	1982	1983	1984	1985
A（我们）	403 027	495 192	548 905	550 351	541 387	515 000
B	369 916	388 520	349 396	323 005	342 197	297 000
其他	367 057	324 010	343 885	370 374	202 495	129 070
电子文字处理设备	60 040	112 220	209 800	392 352	733 699	1 372 016
总计	1 200 040	1 319 942	1 451 986	1 636 082	1 819 778	2 313 086
	市场份额（%）					
	1980	1981	1982	1983	1984	1985
A（我们）	33.6	37.5	38.7	33.6	29.8	22.3
B	30.8	29.4	24.1	19.7	18.8	12.8
其他	30.6	24.5	23.7	22.6	11.1	5.6
电子文字处理设备	5.0	8.5	14.4	24.0	40.3	59.3

公司 A 在文字处理设备这个快速成长的市场上的市场份额正在下降。

我们怎样才能知道哪种市场定义是正确的呢？公司的战略导向决定公司应采用的市场定义，而公司所采用的市场定义又决定了公司对营销活动（如榨取

利润、投资新技术或舍弃这个市场）的选择。

戴、肖克尔和斯里瓦斯特夫（Day，Shocker & Srivastava，1979）根据基于行为数据还是判断数据对产品市场识别方法进行了分类，如表 3—8 所示为这种划分的结果。

表 3—8

购买或使用行为法	顾客知觉或判断法
需求交叉弹性	决策顺序分析
行为相似性	知觉图
品牌转换	技术替代分析
	顾客对可替代性的判断

界定产品市场的分析方法以顾客行为或顾客知觉为依据。
资料来源：Day，Shocker，and Srivastava 1979，p. 11.

经济学家认为**需求交叉弹性**（cross-elasticity of demand）是一切标准的标准。如果产品 i 的价格上升，导致产品 j 的需求上升，就说 i 和 j 是处于同一市场上。不管其逻辑如何，这种方法是有局限性的，原因在于：（1）它假设公司对其他公司的价格变化没有反应；（2）它是静态的，无法适应该产品所在市场的构成变化；（3）在相对稳定的市场上，由于数据变化很小，因此交叉弹性很难进行估计（多数交叉弹性研究都需要进行某种形式的回归分析，利用诸如 Excel 的回归工具等方法）。

我们还可以按照使用**行为的相似性**（similarities in use behavior）（即顾客购买的商品）来界定市场。科克斯和弗茨（Cocks & Virts，1975）讨论了成分不同但临床价值相似药品的可替代性问题，他们跟踪调查了 3 000 名内科医生，采集到该类药品的需求数据以及医生在处方中开出的药名资料。关于消费行为的详细数据越来越多，这种方法也就会日益普及（诸如本书所提供的聚类分析等工具可根据使用行为对市场进行细分）。

也可以通过**品牌转换**（brand switching）行为来发现细分市场。由品牌转换比例矩阵可区划出若干竞争性市场，在同一市场上不同品牌之间的转换率很高，而在不同市场之间品牌的转换率很低。这种方法适用于相对稳定的、重复购买率高的市场，比如软饮料市场（表 3—9）。

所有通过行为数据来界定市场的方法都只注重了顾客过去的行为，忽视了顾客可能采取什么行为。例如，商品缺货就会妨碍原本应该发生的商品替代。因此调查人员一定要在构成实验条件的环境中收集数据，仅仅使用行为数据会有失偏颇。要补充行为数据的不足，就需要利用消费者知觉和判断。

分析消费者的**决策顺序**（decision-seguence）时，研究人员要仔细斟酌对消费者决策过程的描述（Bettman，1971）。研究人员如果问潜在顾客"你在挑选黄油时，是先看形状（条状、筒装等）、原料（玉米油、红花油）还是先选品牌？"被调查者不习惯进行这样的反思，他们的回答可能不符合实际。

知觉图（perceptual mapping）是在几何空间里表示顾客对产品的看法（参阅第 4 章）。图中位置接近的品牌构成一个市场，它们之间是替代关系。这种方法十分灵活，在市场界定调查中一直广泛应用。

表 3—9

| | | 当前购买 | | | | | | 单位：% |
		可口可乐	健怡可口可乐	百事可乐	健怡百事可乐	雪碧	健怡雪碧	总计
上次购买	可口可乐	53	9	27	4	5	2	100
	健怡可口可乐	12	61	4	15	2	5	100
	百事可乐	24	3	58	9	5	1	100
	健怡百事可乐	4	14	11	63	2	6	100
	雪碧	21	2	17	3	52	6	100
	健怡雪碧	2	15	2	12	7	61	100

按照品牌转换行为进行细分：品牌转换矩阵区分出可乐/非可乐细分市场和健怡/非健怡细分市场：即转换率最高的是可口可乐转到百事可乐；百事可乐转到可口可乐；健怡可口可乐转到健怡百事可乐和可口可乐；健怡百事可乐转到健怡可口可乐和百事可乐；雪碧转到可口可乐/百事可乐；健怡雪碧转到健怡可口可乐/健怡百事可乐。

确定产品（尤其是工业品）竞争方式的另一种方法是研究其技术替代性。一种原材料被另一种原材料取代（如用玻璃取代聚乙烯制作瓶子）的速度可表明它在每种使用场合中的相对效用。相对效用可用来估计某些情况下相互竞争的产品或技术之间的替代性。

了解消费者对替代性的判断有很多种方法，如直接询问顾客或其他更有效的方法。戴·肖克尔和斯里瓦斯特夫（1979）对这些方法给予了批判性的评论。

界定市场的方法很多，在选择方法时必须考虑管理者的需求及数据收集的成本和难度。目前还无法解决的问题是缺少识别市场界限的有效标准（Day，Shocker & Srivastava，1979），必须将主观判断与本章讲到的方法结合使用。

市场细分调查：调查设计与数据收集

细分市场的方法很多，企业内部和外部的数据源也很多，这里主要讲述以一手数据的收集为基础的正规细分调查。

这类调查一般分四步：

1. 确定测量工具（如调查问卷）：想要收集什么信息，应该如何收集？

2. 选择样本：要调查谁？（调查对象是谁？在什么地方？在什么样的家庭或组织中？）

3. 调查对象的选择和汇总：怎样从家庭或组织的不同成员那里了解他们的不同反应，并用这些信息预测这个家庭或组织未来的行为？

4. 分析数据和市场细分：可用哪些统计方法对（潜在）顾客进行细分并描述其行为，以便更好地满足他们的需求？

这些问题在市场调查教材中都有详细讲解；我们这里只简要提及一些重要问题并阐述要点。注意，如果使用的是二手数据，就已经绕过了第 1 步和第 2

步，但还需要第 3 步和第 4 步。

确定测量工具

市场细分调查中的测量工具通常要能够收集到以下几类信息：

- **人口统计特征方面的描述性数据**：对消费者来说，包括年龄、收入、婚姻状况和教育程度；对产业市场来说，包括行业分类、规模（员工数量和销售量）和岗位责任。
- **心理特征**：如对于消费者市场和服务市场来说包括活动、兴趣和生活方式。
- **需求**：包括历史购买或消费以及预期未来购买。
- **需要**：可以是明确表达出来的需要，也可以是联合分析（见本书第 7 章）或使用价值分析（见本书第 10 章）推导出来的需要。
- **态度**：如对产品、供应商、购买风险的态度，或者对采用过程的一般态度。
- **媒体和分销渠道的使用**：如所用媒体的类型和数量及通常购买产品和服务的地点。

在市场细分调查中收集的数据通常会构建一个数据矩阵：矩阵中的列对应于所衡量的各个变量，每一行则是每个调查对象的答复。表 3—10 是一个节选的数据矩阵，这是对组织使用 PC 机情况的调查。即使调查没有把数据组织成这种形式，但这仍然不失为一种研究市场细分数据的好方法。

收集数据和构建数据矩阵时，应考虑解决以下问题：

问题 1：调查对象是什么人？同一家庭或组织中接受调查的对象不同，得到的答案也相差很远。例如，丈夫、妻子和孩子对理想的假期有不同的观点；设计工程师和采购员对采购标准的看法也不同。

问题 2：所收集的是什么样的数据？名义数据（如"是"或"否"）和行业分类数据都很难同从评级尺度得到的数据进行比较。

问题 3：测量尺度是否一致？如果尺度不同（在从 1～7 的尺度上表示同意/不同意、在从 1～10 000 的尺度上表示需求），就需要进行某种形式的数据标准化。

问题 4：变量是否相关？往往几个变量测量的是同一事物的不同方面。例如，如果"服务质量"和"及时送达"对航班乘客意味着同一件事，就应该将顾客对这些变量的回答及权重合并，以避免重复计算。

问题 5：怎样处理非正常值？有些非正常值是错误数据，有些则是由于特殊情况造成的，应当舍弃。但有些非正常值却代表了正在形成的新细分市场。

选择样本

对于任何市场调查，分析人员都必须确定要调查的人群（总体）并确定从总体中找出部分有代表性的样本的方法（取样框架）。例如，样本总体可以是

表 3—10

公司	职务	人口统计变量			需求									态度			总计零件价值								
		行业代码	PC机数	员工数	办公用	局域网	颜色	内存要求	速度要求	硬盘要求	宽带上网	外设	预算(美元)	技术领先	集中决策	随意决策	价格 $1 000	$1 500	$2 000	内存 640K	2MB	任务 4	8	12	16
#1	设计工程师	361	6	8	3	4	5	6	6	6	1	3	5 000	4	4	6	0.6	0.4	0.2	0.1	0.9	0.2	0.3	0.4	0.6
	采购员	361	6	8	3	4	4	4	6	5	1	2	2 500	3	5	4	0.9	0.8	0.6	0.2	0.9	0.4	0.5	0.5	0.6
#2	设计工程师	363	4	5	3	4	6	5	5	5	2	4	5 500	7	6	5	0.3	0.3	0.3	0.1	0.8	0.3	0.5	0.8	0.9
	采购员	363	4	5	3	4	4	3	5	4	1	1	3 000	5	6	6	0.8	0.7	0.5	0.3	0.7	0.2	0.4	0.7	0.8
#3	设计工程师	871	75	82	2	5	5	6	6	6	2	3	6 500	6	6	5	0.6	0.6	0.4	0.3	0.7	0.3	0.4	0.7	0.8
	采购员	871	75	82	2	4	4	4	5	5	2	3	4 000	4	7	7	0.8	0.7	0.5	0.3	0.6	0.4	0.5	0.5	0.7
#4	设计工程师	871	52	57	2	5	5	6	6	6	3	3	4 500	6	5	6	0.4	0.3	0.2	0.3	0.7	0.1	0.6	0.8	0.9
	采购员	871	52	57	2	5	3	4	4	4	1	2	2 500	4	5	5	0.9	0.7	0.5	0.3	0.7	0.4	0.7	0.8	0.7
#5		602	90	100	6	4	2	3	3	5	7	2	2 500	6	6	6	0.5	0.7	0.3	0.4	0.6	0.4	0.5	0.6	0.7
#6		621	8	9	5	3	7	5	5	7	2	2	3 200	7	7	7	0.7	0.6	0.4	0.3	0.7	0.1	0.5	0.6	0.7
#7		731	61	68	4	4	7	7	7	7	5	5	5 500	7	7	7	0.7	0.5	0.4	0.1	0.7	0.3	0.5	0.6	0.8
#8		733	4	5	3	5	7	7	7	7	6	6	3 250	7	6	2	0.4	0.8	0.6	0.2	0.9	0.2	0.5	0.8	0.9
#9		731	3	3	4	5	7	7	7	7	2	6	5 700	6	6	2	0.5	0.4	0.1	0.1	0.9	0.1	0.7	0.7	0.9
#10		653	7	8	6	7	3	1	1	4	2	1	2 500	6	3	3	0.8	0.5	0.5	0.3	0.7	0.5	0.4	0.4	0.4
#11		654	54	60	6	6	2	2	2	5	2	2	2 000	2	2	7	0.8	0.7	0.5	0.5	0.5	0.4	0.6	0.7	0.8
#12		672	18	20	5	6	1	2	2	7	3	2	2 750	2	2	3	0.9	0.7	0.4	0.4	0.7	0.5	0.5	0.5	0.5
#13		811	225	250	7	6	2	2	2	4	4	1	2 200	1	3	4	0.7	0.6	0.5	0.2	0.8	0.6	0.5	0.4	0.3
#14		451	32	36	6	7	2	1	1	5	1	1	2 400	2	2	5	0.8	0.4	0.3	0.5	0.6	0.4	0.5	0.5	0.4
#15		801	3	3	1	6	4	1	1	4	2	2	1 999	1	2	2	0.7	0.4	0.4	0.5	0.6	0.2	0.4	0.5	0.5
平均值		661.73	42.80	47.60	4.73	5.07	3.67	3.87	3.87	5.07	2.73	2.87	3 700	4.47	4.40	4.53	0.62	0.50	0.37	0.38	0.74	0.31	0.49	0.60	0.67
标准差		163.33	58.41	64.74	1.83	1.16	2.41	2.26	2.26	1.03	1.91	1.68	1 572	2.26	2.06	1.77	0.17	0.16	0.13	0.14	0.12	0.16	0.10	0.15	0.21

99

美国所有公司，样本框架可选用邓百氏公司（D&B）名录上的公司，样本则是从邓百氏公司名录上选出来进行实际调查的公司。对探索性调查或小样本调查而言，便利样本法或主观判断法非常适宜。

对定量调查，分析人员通常要使用某种概率样本，如：

- **简单随机抽样**：样本框架中的每个样本被抽出作样本的机会都相等。
- **分组抽样**：以组为单位（如一条街道上的所有住户）进行抽样，每个组被抽出作样本的机会都相等。
- **分层抽样**：取样框架分为若干层，这些层内部相对同质，但各层之间存在差异。每层内部用简单随机抽样生成样本。

我们建议尽可能使用分层抽样，从"重要"的层（如大量使用者、潜在的品牌转换者、大企业或具有特定人口统计特征的目标细分市场）里抽取较大的样本。

调查对象的选择与汇总

人们在家里为家庭进行购买时（如度假、娱乐等）要考虑多方的偏好。在组织中，很多不同观点的人会参与采购决策，这些人包括采购员（关心价格、服务和及时送货）、使用者（关心产品的具体特征）、审计员（负责管理和维护与供应商的关系）和财务人员（关心购买决策对财务的影响，可能为节省别的开支而愿意付较高的初始成本）。图3—4表明，表3—10中的采购员对产品特征的要求没有设计工程师（可能是使用者）那么高。

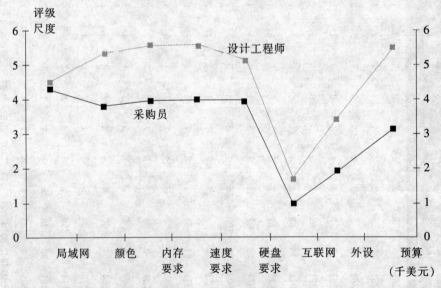

图3—4　工程师和采购员对PC机需求的评估

数据来自表3—10。此图说明设计工程师关心产品特征，采购员重视压缩预算。

选择样本时，必须考虑两个重要问题：

- 每个单位里要调查多少人？

● 如果每个单位里的调查对象不止一人，应该怎样将这些答复汇总起来？

我们从常识就可以知道，如果家庭或组织中的每个成员都有同样的需求，这时只需要一个人接受调查。但威尔逊、利连和威尔逊（Wilson，Lilien & Wilson，1991）发现，如果公司以前没有购买该产品的经验而且这项采购对公司很重要时，只听取一个调查对象的答复会形成误导的结论。如果同一群体中各人的需求不同，就必须要研究对决策最有影响力的两三人，并把他们的回答汇总起来，尽量使汇总结果要求参与决策的各方所做出的妥协最少。

举例

在一次对工业空调设备市场的调查中，乔弗雷和利连（Choffray and Lilien，1978）发现有几类人经常参与这项决策。他们开发了一种叫决策矩阵的工具来评价这些人参与决策的概率（见表3—11）。

表3—11 工业空调设备调查的决策矩阵

决策阶段	决策参与者				
	1. 评价空调需求，具体指定对系统的要求（％）	2. 批准空调的预算（％）	3. 确定可选方案，准备标书（％）	4. 评价设备和制造商（％）*	5. 选择设备和制造商（％）
公司内部人员					
● 生产和维护工程师	5	0	10	25	10
● 工厂经理	20	20	10	15	20
● 财务主管或会计	0	30	5	10	5
● 采购人员	0	0	40	10	5
● 高层管理人员	10	50	0	0	40
公司外部人员					
● HVAC/工程公司	20	0	20	25	10
● 建筑师和承包商	25	0	15	15	10
● 空调制造商	20	0	0	0	0
总计	100	100	100	100	100

采购过程的不同阶段，公司内部和外部人员［取暖、通风和空调（HVAC）工程师］都会影响采购决策。

* 在决策的第四阶段一般要对所有能满足公司需求的空调系统进行评价，而在决策的第五阶段只对保留下来的2～3个空调系统进行最后选择。

公司外部的 HVAC（取暖、通风和空调）顾问、建筑师与承包商以及空调制造商会影响决策（注意这一结果扩大了样本总体和取样框架的定义）。

在宏观市场细分阶段，按行业类型和地理位置对市场进行细分。再按组织中的决策结构（如决策矩阵所示）进行微观市场细分，将具有同样决策矩阵的公司归在一起。有趣的是，调查发现不同岗位的员工在态度和偏好上的差异要大于不同公司之间的差异。公司 A 的采购员更像公司 B 的采购员，而不怎么像公司 A 的设计工程师。

调查还发现存在四类主要的微观细分市场（见表3—12），这里只讨论由高层管理人员和 HVAC 顾问组成的细分市场4。

表 3—12

潜在市场中微观细分市场的规模	细分市场 1 12%	细分市场 2 31%	细分市场 3 32%	细分市场 4 25%
设备选择决策中主要参与者 （参与频率）	工厂经理 （1.00）	生产工程师 （0.94）	生产工程师 （0.97）	高层管理人员 （0.85）
	HVAC 顾问 （0.38）	工厂经理 （0.70）	HVAC 顾问 （0.60）	HVAC 顾问 （0.67）

工业空调设备调查中主要的微观细分市场，这些决策者在设备选择决策中最有影响力（1.00＝最大影响力）。

高层管理人员和 HVAC 顾问对选择标准几乎持完全相反的意见（见表 3—13）。高层管理人员重视现代化水平高、节能和运行成本低，而 HVAC 顾问认为这些问题都不重要。这次调查的结果表明，在制定这一细分市场的营销战略时，营销者应该把重点放在采购决策各方能够达成的妥协方案上。

表 3—13　　　　　　　　　　　　每类决策参与者重视的问题

	较重要	不重要
生产工程师	运行成本 节能 可靠	初始成本 现场检验 零部件的可替代性
工厂经理	复杂程度 运行成本 在非生产区域的使用 现代化的形象 断电保护	初始成本 复杂程度 零部件的可替代性
高层管理人员	现代化的形象 节能 运行成本 燃料配给保护	厂内噪音 可靠
HVAC 顾问	过去的经验 安装便利 模块化 可靠	现代化的形象 节能 运行成本

HVAC 顾问和高层管理人员之间存在明显的矛盾。

市场细分方法

掌握了测量样本成员的工具后，应该将得出的数据组合成正确的数据矩阵。接下来就该进行市场细分的分析了，它由数据筛选、划分细分市场和解释结果三步组成。

用因子分析筛选数据

在许多市场细分调查中，调查者都收集了大量关于态度和需求的数据。如果许多数据测量的都是相似或相关的内容，由于有些数据被看得过于重要，而其他数据则被低估，所以接下来的分析很可能导致错误的结论。分析人员还应放弃调查中不相关的变量（即那些无法将顾客区分开的变量）。研究表明，哪怕只包含一对无关变量，都有可能使数据无法体现细分市场的结构（Milligan & Cooper, 1987）。

在因子分析中，我们可用几种方法将一堆数据缩减为较少的数据。具体地说，就是要分析大量变量（态度、对问卷的回答）之间的相互关系，然后用常用的基本维度（因子）表示这些变量。这些方法对构建知觉图和进行市场定位研究非常重要，所以在第 4 章及其附录中作详细研究。

用聚类分析划分细分市场：相关关系衡量指标

为形成细分市场或顾客群，必须：

- 界定衡量所有个体（个人、家庭、决策单位等）之间相似性（或不相似性，如距离）的衡量尺度。
- 寻找一种方法，能将每个个体分配给顾客群。

图 3—5 举例来说明这个问题：要形成图中的三个顾客群，就必须知道每对调查对象或调查对象群之间的距离。虽然此图仅包含两个维度，但实际上是处于多维空间中：维数等于在数据筛选的步骤中所保留的因子数。

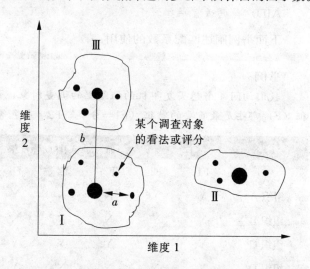

图 3—5　该图说明在聚类分析中测量距离的方法

图中有三个组（Ⅰ、Ⅱ和Ⅲ）；距离"b"是组Ⅰ的中心到组Ⅱ中心之间的距离，"a"是组Ⅰ的中心到该组中一个调查对象间的距离。

最常用的个体分组方法就是聚类分析法。聚类分析技术可在很多错综复杂的数据中发现内在的结构（分组），在市场细分分析中使用的数据矩阵就是聚类分析的一个例子。我们以纸牌为例来解释这个概念。每张牌在三个维度（变量）上同其他牌存在差别：花色、颜色和大小。如果要将一盒纸牌分成两组，可分成红、黑两组，或分成数字和图形两组。将一盒纸牌分组时凭直觉就能完成，但将大量个体分组就非常复杂了，特别是这些个体在许多维度上都存在差异时。

为了说明这种复杂性，再举个例子。如果要将 25 个个体（或调查对象）分成两组，要求每组中至少有一个个体，这时就会有 $2^{24}-1$（$=16\ 777\ 215$）种分法；要将 25 个个体分成 5 组，分法将会多达 2 436 684 974 110 751（2.44×10^{15}）种。显然，我们需要系统、可行的分组方法，聚类分析就可以解决这个问题（生物学家称之为数字分类法，计算机科学家称之为非监督模式识别法，地理学家则称之为区域化法，图论学者称之为分区法，人类学家称之为系列化法，市场营销者称之为市场细分）。在进行聚类分析前，必须先选择变量，并在所有成对个体之间建立衡量相关关系的指标。

选择变量：对有些变量所有调查对象都会给出相似的值，这些变量不是区别调查对象的好依据。另外，有些变量虽然能明确将调查对象区分开，但这些变量却与当前问题无关，会产生错误的结果。选中的变量最好多于一个，这样增加或删除任何一个变量都不会对结果产生太明显的影响。

界定衡量个体之间相似性的尺度：大多数聚类分析都要求界定衡量每对调查对象相似性的尺度。相似性尺度可按可用数据的类型分为两类：间距数据可使用距离等尺度，而名义数据（如男/女）就要用匹配等尺度。如果是混合的数据类型，其他市场细分方法（如自动交互探测法，即AID）会更适宜一些。

下面举例阐述匹配系数的使用：

举例

我们询问 4 个想买复印机的组织里的调查对象，请他们指出复印机的 8 个特征（F）哪些是最重要的特征（F1＝分类，F2＝颜色等），得出的结果如下：

必要特征（是/否）							
F1	F2	F3	F4	F5	F6	F7	F8
组织 A							
Y	Y	N	N	Y	Y	Y	Y
组织 B							
N	Y	N	N	N	Y	N	Y
组织 C							
Y	N	Y	Y	Y	N	N	N
组织 D							
Y	N	N	N	Y	Y	Y	Y

注：Y＝是，N＝否。

我们可以把各组织在这 8 个特征上的相似性尺度（相似性系数）界定为：

相似性系数 ＝ 匹配数 / 总匹配数（＝8）

最后得出的相关数据如表 3—14 所示。

表 3—14　　　　　　　　　由"必要特征"数据得到的相似性/相关数据

组织		A	B	C	D
组	D	1			
织	C	6/8	1		
	B	2/8	0/8	1	
	A	7/8	5/8	3/8	1

公司 A 和 B 在对 8 种特征的要求上有 6 种是匹配的（Y—Y 或 N—N）。

研究者可用类似方式确定其他类型的匹配系数，这些匹配系数的惟一区别就是看待肯定和否定之间差别的方式不同。例如，假设我们仅计算肯定匹配（Y—Y）的数目，则仍然存在八种可能的匹配，但组织 A 和 B 的匹配特征只有 4 种（4/8）而不是表 3—14 中的六种（6/8）。

间距尺度可分为两类：相似性尺度或非相似性尺度，其中最常用的相似性尺度是相关系数，最常见的非相似性尺度是几何距离。

两种常用距离尺度的定义如下：

● 几何距离 $= \sqrt{(x_{1i}-x_{1j})^2 + \cdots\cdots + (x_{ni}-x_{nj})^2}$　　　　　(3.1)

其中，i 和 j 代表一对观察值，$x_{ki} =$ 第 k 个变量的 i 观察值，且 1 到 n 为变量。

● 绝对距离（城市 — 街区度量制）$= |x_{1i}-x_{1j}| + \cdots\cdots + |x_{ni}-x_{nj}|$

(3.2)

其中，‖ 表示绝对距离。

如果间距尺度无法比较，那么所有距离尺度都不能用。下例说明了这个问题。

举例

考虑有下列特征的 3 个人。

	收入（千美元）	年龄（岁）
A	34	27
B	23	34
C	55	38

直接计算这两个特征之间的几何距离，得到：$d_{AB} = 13.0$，$d_{AC} = 23.7$，$d_{BC} = 32$。

然而，若年龄以月而不是以年计算，得到：$d_{AB} = 84.7$，$d_{AC} = 133.6$，$d_{BC} = 57$。

换句话说，以月为单位时，B 和 C 离得最近；以年为单位时，他们离得最远！

为了避免这种问题，许多用户在计算距离之前，要先把数据进行标准化（除以标准方差）。这使他们在计算方程（3.1）中的距离时以相同的权值处理所有变量。但在某些情况下无法进行数据标准化。例如，若市场细分使用的是联合分析（第 7 章）等方法得到的需求数据，那么所有变量的值已经是用同一尺度来衡量了。

一种常用的相关性衡量指标是相关系数，计算方法如下：

X_1，……，X_n＝组织 x 中的数据，

Y_1，……，Y_n＝组织 y 中的数据，

$x_i＝X_i－\overline{X}$，$y_i＝Y_i－\overline{Y}$（与平均值 $\overline{X}$ 和 $\overline{Y}$ 的差）；

$$则\ r_{xy}=\frac{x_1 y_1+……+x_n y_n}{\sqrt{(x_1^2+x_2^2+……+x_n^2)\ (y_1^2+y_2^2+……+y_n^2)}} \tag{3.3}$$

警告：相关系数在公式中已包含了标准化过程，但这样也消除了比例效应。如果某人在所有项目上都给了高分（如在 1～7 的尺度中评分为 7），另外两个人一个也全部给了高分，而另一个人则给分很低（在 1～7 的尺度中都为 1），这样第一个人就会同后两个人实现完全相关（$r=1$）！因此，虽然相关系数在市场细分调查中得到了广泛应用，但还是应该仔细检查研究的结果。

如果已经有间距尺度数据，你要先对数据进行标准化（减去平均数，再除以其标准差），再使用几何距离指标。

聚类方法

在每对个体之间建立相关矩阵后，你就可以进行分组了。分组方法可分为两类：

- 分层法：逐行聚合或分解数据。
- 分割法：将数据分割成预定数量的组，然后重新分配或交换数据以提高有效性。

本书所附的软件包为每种类型提供了一种方法，即沃德分层法（Ward，1963）和 K 分割法。

分层法（hierarchical methods）得出的结果被称为树状图。分层法又可分成两类：附聚（聚合）法和分解（分裂）法。

附聚法（agglomeratire methods）通常遵循下列程序：

1. 开始时要把每个个体归成自己一组。

2. 按照选定的距离指标，将最近的两个个体合为一组。

3. 将次接近的两个对象（个体或组）合为一组，既可以将两个对象结成一组，也可以将一个个体添加到现成的组中。

4. 重复执行第 3 步，直到所有个体都分进某个组中。

按照组联结的方式不同可将附聚法分成三类：

单一联结聚类法（single linkage clustering）（也称最近相邻法）认为组间的距离是两组中两个距离最近的个体间的距离。

完全联结聚类法（complete linkage clustering，也称最远相邻法）认为组间的距离是两组中距离最远的个体间的距离，这样，这两组形成的新组中所有个体间距离都小于某个最远的距离（见图 3—6）。

106

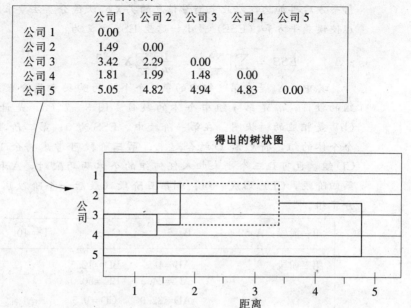

距离矩阵

	公司1	公司2	公司3	公司4	公司5
公司1	0.00				
公司2	1.49	0.00			
公司3	3.42	2.29	0.00		
公司4	1.81	1.99	1.48	0.00	
公司5	5.05	4.82	4.94	4.83	0.00

得出的树状图

图 3—6

距离矩阵生成的单一联结聚类法树状图（实线）和完全联结聚类法树状图（虚线）。由公司1和公司2形成的组或细分市场同由公司3和公司4形成的细分市场可联结起来，用完全联结聚类法的联结水平（3.42）要高于用单一联结聚类法的联结水平（1.81）。在这两种情况下，公司5都与其他公司不太一样，属于"局外人"。分成两组的解为：A＝5，B＝{1, 2, 3, 4}；分成三组的解则为：A＝5，B＝（1, 2），C＝（3, 4）。

平均联结聚类法（average linkage clustering）认为两组间的距离是两组中所有各对个体间的平均距离。

沃德分层法（Ward's method，即软件包中提供的方法）是根据任两组联结的误差平方和的变化进行分组（参阅下例）。

举例

此例取材自迪龙和戈德茨坦的成果（Dillon & Goldstein, 1984）。下面是对5个顾客的购买意图这一特征进行衡量的结果，所用的尺度在1～15之间。

顾客	购买意图
A	2
B	5
C	9
D	10
E	15

根据沃德分层法，在分组时要尽量减少在个体聚成组的过程中发生的信息

107

丢失。衡量信息丢失的方法是将每个观察值减去该组的平均值，所求得的差进行平方后再加总，以此来衡量信息的丢失。沃德分层法要求对这些组所赋的值应使误差平方和（ESS）最小，这里 ESS 定义为：

$$ESS = \sum_{j=1}^{k} \left[\sum_{i=1}^{n_j} X_{ij}^2 - \frac{1}{n_j} \left(\sum_{i=1}^{n_j} X_{ij} \right)^2 \right] \tag{3.4}$$

其中，X_{ij} 是在第 j 组中的第 i 个个体的购买意愿分数；k 是每个阶段中组的数目；n_j 是第 j 组中个体的数目。图 3—7（a）是计算过程，图 3—7（b）是相应的树状图。在第一阶段中，ESS 为 0；第二阶段要考虑所有含两个个体的组，将 C 和 D 结合起来；第三阶段可考虑将余下的三个个体加到 CD 组，也可让三个尚未归入任何组的个体两两配对，A 和 B 归为一组；在第四阶段，CDE 形成一组；到第五阶段（最后一个阶段），所有五个个体都分了组。

| 第一阶段：A＝2 | B＝5 | C＝9 | D＝10 | E＝15 |

第二阶段：
AB＝4.5   BD＝12.5
AC＝24.5   BE＝50.0
AD＝32.0   CD＝0.5
AE＝84.5   CE＝18.0
BC＝8.0   DE＝12.5

第三阶段：CDA＝38.0   CDB＝14   CDE＝20.66   AB＝5.0

AE＝85.0   BE＝50.5
第四阶段：   ABCD＝41.0   ABE＝93.17   CDE＝25.18

第五阶段：   ABCDE＝98.8

图 3—7（a）   沃德分层法的 ESS 计算结果

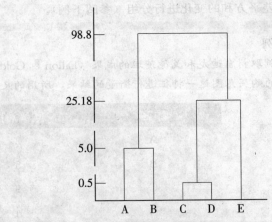

图 3—7（b）   沃德分层法的树状图

资料来源：Dillon & Goldstein 1984，p.174.

分割法则是逐步分割一组调查对象样本。常用的一种方法是**自动交互探测法**（AID）。分类数据和比例数据都能使用这种方法。这种方法的原理是：为每类独立变量确定非独立变量（如品牌使用量）的分组方法，并审查每个独立变量的所有二分分组方案。假设有专业岗位、文秘、蓝领及其他四类岗位，这个非独立变量的所有二分分组方案包括蓝领工作与其他三类岗位以及蓝领加专业岗位与其他两类岗位等等。

　　然后使未被解释的方差降低的幅度最大，将每个独立变量拆分成两个互不重叠的次组，并选择使第 i 组（将被拆分的组）的居间平方和（BSS）最大的拆分方案。

　　接下来，将产生了最大房间平方和的变量的样本拆开，由此形成的新组可进一步拆分。拆分的结果是树状图的形式，每个树枝都不断分支，直到满足以下三条停止原则之一时才停止拆分：（1）组变得非常小，无法继续拆分；（2）组内各个个体非常相似，没必要进一步拆分；（3）进一步拆分不大可能显著降低房间平方和。

举例

　　阿赛尔和罗斯科（Assael & Roscoe, 1976）为 AT&T 公司做了一次市场细分研究，想区分经常打长途电话和很少打长途电话的用户。表 3—15 是进行自动交互探测法分析的结果，图 3—8 是树状图和中间的拆分过程。

表 3—15　　　　　　　　　　　　**长途电话市场 AID 分析的最终结果**

细分市场特征	平均长话费（美元）	占样本的比例（%）	各细分市场所占长话费的比例（%）
1. 收入 15 000 美元及以上者	11.10	15.4	29.0
2. 收入低于 15 000 美元，拥有一部或多部电话，根据教育水平和职业所确定的社会经济地位较高者	7.56	15.6	20.1
3. 同特征 2，但社会经济地位中下者	5.16	18.6	16.2
4. 收入低于 15 000 美元，有一部电话，家里有未成年子女	7.38	5.1	6.4
5. 同特征 4，但没有未成年子女	3.69	45.3	28.3

资料来源：Assael & Roscoe 1976, p. 70.

　　这一分析表明，可依据人口统计特征和电话机特征对长途电话市场进行细分。表 3—15 表明，使用量最集中的细分市场是收入高于 15 000 美元的用户，他们的长途电话费占样本总体的 29%，而人数只占整个样本的 15.4%。另外，使用量最集中和最不集中的细分市场在电话费上的比例为 3 : 1。

　　从营销战略来说，这项研究表明，收入就可用作建立常打长途电话者细分市场的标准。研究还发现一个使用量相对较大的细分市场，即收入低但社会经济地位高且有一部或多部分机的用户（见图 3—8）。

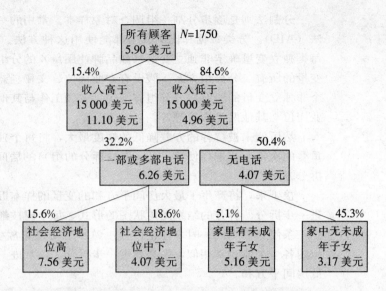

图 3—8　按 1972 年月均长话费细分长途电话市场所得到的 AID 树

资料来源：Assael & Roscoe 1976，p. 70.

分割法与分层法不同，前者不要求将一个个体永久地分到一个组中，也就是说，只要重新分配这个个体能改进某些标准，就可以重新进行分配。这些方法并不是要形成一个树形结构，而是先找出组的中心，再将最接近每组中心的个体分配给这个组。

最常用的分割法是 **K 分组法**（K-means clustering），该方法步骤如下：

1. 从两个起点开始，将每个个体分给组中心离它最近的组。

2. 每次重新分配一个个体，以减少组内和的可变性，直到这两个组的标准（组内和的平方和）到最小为止。

3. 对三四个乃至更多的组重复第 1 步和第 2 步。

4. 完成第 3 步后，回到第 1 步，并选择不同的起点重复这一过程，直到该过程收敛，即组内和的平方和达到最小值。

虽然确定起点的方法很多，但软件包中的沃德分层法能产生出比较好的起点。

要使用的组数（K）往往要靠管理者的判断来决定，但是某些指数也能帮你确定组的合适数目。分层法可把距离当作标准，如图 3—6 的树状图结果。用分割法时可考查组内方差与组间方差的比，使用能够使该比率趋于稳定的组数。无论在哪种情况下，都要先设法显著改进你的标准，接下来再进行小的改进，这样的过程就说明继续改进分组不会带来更大的好处，这时的结果就可以满意了。

解释市场细分调查结果

按前面的方法完成市场细分后，就必须解释这些结果，并将结果与管理行动结合起来。你可根据市场细分分析的结果进行目标市场和市场定位决策。从技术上讲，必须解决的问题是要保留多少个组、分组是否合理、是否根本无法分组以及该如何描述这些组的特征。

应保留多少个组 这个问题没有统一的统计学答案。应该研究聚类分析的结果，根据进行聚类分析要达到的管理目的来确定组的数目。

分组是否合理 从特定个体样本中得到的组能在多大程度上代表该取样框架？目前还没有统计方法或数学方法能用来判断组的好坏，你需要根据问题的背景对结果做出判断。此外还要考虑：每组中的基变量均值在直观上是否合理？是否能给每个组起一个有意义的名字（例如技术内行或喜欢迁移的成年人）？

是否根本无法分组 不要忽视这种可能性。如果只有几个基变量能区分各个个体，那么就很可能在市场上不存在能明确区分开的细分市场。

在描述细分市场时，可以非正规地简要描述细分市场的特征，也可以采用诸如判别分析之类的方法正规描述。如果要概括组的特征，就要根据两类变量来描述这些组：一类变量是基变量，即用来分组的变量；另一类是描述变量，即分组时没有使用但可用来识别细分市场并选择目标市场的变量。一般而言，要在组的特征中说明每组的基变量和描述变量的平均值。

图 3—9 是用图 3—4 的数据绘制的折线图，这里只研究设计工程师的答卷。设计工程师这个细分市场要参与购买 PC 机，他们对速度、颜色、硬盘和外设的需求较高，对价格不敏感（基变量）。另一个细分市场（企业）更关心办公应用、局域网和互联网能力，对价格相当敏感。

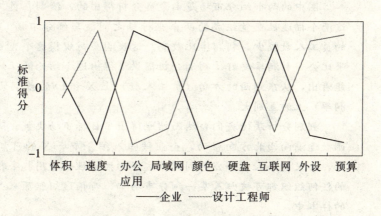

图 3—9 根据图 3—4 数据得到的两个细分市场的特征概括

图 3—4 中对其他描述性变量的特征概括表明，"设计工程师"细分市场主要是小公司的设计工程师。

采用**判别分析法**（discriming analysis）是要寻找能将细分市场（组）以最佳方式区分开的变量的线性组合；用概括细分市场特征的方法，分组时一次只能区分一个个体。另外，在用判别分析法时，要寻找能使组间方差（而不是组内方差）达到最大值的描述性变量。

举例
图 3—10 是对互联网访问需求的市场细分调查结果，其中一个细分市场

111

（X）的需求较高，另一个细分市场（O）的需求较低。

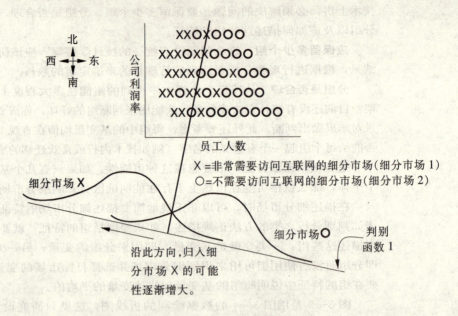

图3—10 双组判别分析举例
员工人数可以很好地区分各个细分市场，公司利润率则无法进行区分。

图中的两个细分市场是由聚类分析得出的，绘制在员工人数和公司利润率这两个描述性变量组成的两个坐标轴之间。与细分市场O相比，细分市场X的员工人数较少，利润率比较高。这说明公司规模这个变量区分细分市场的效果比公司利润率要好。判别分析提供了得出这个结论的正规方法，但从该图也能看出，从东到西的方向（员工人数）上X和O的差别比从南到北方向（利润率）上的差别大。

判别分析法使我们自然而然地得出了目标市场决策。随着图3—10中判别函数逐渐向西北方向移动，企业被归入细分市场X的可能性越来越大。实际上，如果员工人数和公司利润率这样的描述性变量用起来很容易，那么市场上的任何组织都可被归入某一细分市场中，哪怕该组织原来并不在市场细分研究的样本中。

怎样确定判别分析的结果是否正确呢？我们的提议如下：

要确定判别分析的预测有效性（判别函数在总体上对各个个体属于某个细分市场的预测分析是否准确），先要建立一个分类矩阵，在其中表示出样本中的个体实际归于哪个组以及按预测该个体归于哪个组（计算该个体与各组质量中心在判别函数方向上的距离，再把该个体分给质量中心离它最近的组，由此预测该个体的归组情况）。命中率是正确归组的个体所占的比例。命中率越高，在寻找各组之间某些描述性变量方面的差异上判别函数的有效性就越高（在本书所附的软件包中，要先确定判别函数，再用同样的样本计算命中率）。

每个判别函数的统计显著性表明该判别函数能否在统计上显著区分不同组中的个体（注意：如果有 n 个组和 m 个描述性变量，判别函数的个数不多于

$n-1$ 和 m）。

　　每个判别函数的可解释方差可衡量判别函数的运算显著性。有时，尤其当样本比较大时，具有统计显著性的判别函数实际上只能解释个体方差中的一小部分。如果判别函数只能解释不到 10％ 的方差，则这个判别函数无法进行很好的判别，不予考虑。

　　变量与判别函数间的相关也称为结构相关和判别载量。如果变量与具有统计显著性和运算显著性的判别函数高度相关，那么该变量就是一个重要的描述性变量，能够区分各个组。相关系数的平方可衡量变量对判别函数的相对贡献。为了便于读者理解软件的计算结果，我们按每个判别函数内相关系数的绝对值来排列变量与判别函数的相关系数，把最重要的变量放在最前面。如果某个变量的相关系数很小，就说明该变量要么无法对各个组加以区分，要么它与其他变量相关，因此掩盖了自己的效应。

　　可以用相关描述性变量来概括细分市场的特征。判别分析提供了概括特征所需的有用信息。首先应该研究与最重要的判别函数高度相关（如绝对相关系数大于 0.6）的描述性变量的平均值。如果这些平均值差异足够大，而且具有管理上的意义，就可以把这些变量作为在所选目标细分市场制定营销活动计划的依据。然后再研究与次重要判别函数相关的描述性变量的平均值。以此类推，对每个判别函数重复这一过程。

基于行为的市场细分

　　前面介绍的方法都假设有一套可用来找出细分市场的基变量。如果市场细分调查的目的只是找出最可能进行购买的个人或群体，那么研究人员往往会使用：（1）交叉列表法；（2）回归分析；（3）选择模型。这三种方法的目的都是在描述性变量和衡量（易受营销活动影响的）购买意图的指标之间建立联系。根据佩珀斯和罗杰斯（Peppers & Rogers, 1993）的观点，一个行业最好顾客同普通顾客的消费比在零售业是 16：1，航空业是 12：1，旅馆饭店业是 5：1。

交叉分类分析

　　交叉分类也叫列联表分析，是指将数据按两个或三个维度进行分类。尽管很多更精巧的技术不断出现，交叉分类法仍是一种广为使用的市场细分技术。如果分类变量有两到三个，就不宜使用交叉分类法。另外，如果细分采用的基变量是连续变量，为进行交叉分类而选择的断点就会掩盖一些重要的关系。如果变量间存在着显著的相互作用，交叉造表法也不适用（注意：Excel 提供的交叉列表功能可用来执行交叉分类分析）。

举例

　　在偏好尺度上表示产品使用量，以 50％ 作为偏好程度高低的分界点，这样的交叉分类基本没有预测能力（图 3—11（a））。如果将同一样本分别在

50％和90％点处分开，就能揭示出一种重要的关系（表3—16b）。

图3—11（a）

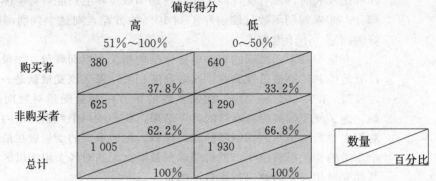

偏好得分

	高 51％～100％	低 0～50％
购买者	380 / 37.8％	640 / 33.2％
非购买者	625 / 62.2％	1 290 / 66.8％
总计	1 005 / 100％	1 930 / 100％

数量 / 百分比

在这个交叉分类中对偏好分数以50％为分界点进行划分，偏好分数高表明与购买行为之间有微弱联系（37.8％与33.2％）。

图3—11（b）

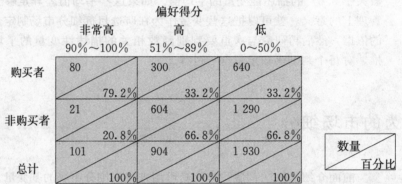

偏好得分

	非常高 90％～100％	高 51％～89％	低 0～50％
购买者	80 / 79.2％	300 / 33.2％	640 / 33.2％
非购买者	21 / 20.8％	604 / 66.8％	1 290 / 66.8％
总计	101 / 100％	904 / 100％	1 930 / 100％

数量 / 百分比

将图3—11（a）中的"高"再分为"非常高"和"高"两类，揭示出在偏好"非常高"和购买之间有很强的联系。

回归分析

基于多元回归的方法克服了交叉分类法的许多问题。在一般的多元回归研究中，非独立变量通常是消费量，独立变量是假定会随消费量一起变化的社会经济变量和人口统计变量。Excel的"分析工具库"里有方便易用的回归软件包。

举例

麦卡恩（McCann，1974）采用回归分析确定不同细分市场的反应率差异（广告敏感度、价格敏感度和促销敏感度）。他研究了7 500个消费者在四年中购买29种日常消费品的购买行为。

他发现使用率、家庭收入、主妇年龄、地区人口、家庭规模和就业状况等描述性变量在解释市场反应差异时是很显著的。他用这些信息得出"市场细分系数"（相对规模、需求水平和各细分市场反应率的乘积），并用这些系数确定市场吸引力的等级，以便确定目标市场。

基于选择行为的市场细分

基于选择行为的市场细分法目前应用越来越广，尤其是在直销（也称为数据库营销）中。基于选择的市场细分法要在个体的层次上进行分析，将个体的购买可能性（或对营销活动的反应）同公司数据库中的变量（如地理人口统计变量、过去购买相似产品的行为和态度或心理特征等）联系起来。个人选择模型（如在第 2 章中介绍的分对数模型）能在这些变量同选择的可能性之间建立关联。

对于新产品，直销者要从一个大型数据库中选择样本并将产品信息发送出去。于是企业就可观察谁购买（购买了多少）该产品，并用这一信息来估计反应函数的参数：

$$购买概率 = f（地理人口统计变量、过去购买行为、心理特征等） \quad (3.5a)$$

$$购买概率 = \frac{1}{1 + \exp(b_0 + \sum b_i x_i)} \quad (3.5b)$$

其中，b_i＝第 i 个基变量、地理人口统计变量、过去购买行为等的权重；x_i＝第 i 个变量的值。

公司于是将数据库中的数据代入方程（3.5）右边的变量，得到预计购买概率。方程（3.5b）称为二元分对数模型，它与方程（2.22）有密切联系。

然后公司可用这一购买概率信息计算期望顾客利润率。它只对方程（3.6）中的期望顾客利润率高于送达该细分市场所需成本的那些细分市场开展营销活动。

$$期望（总）顾客利润率 = 购买概率 \times 购买时可能购买量$$
$$\times （此顾客）边际利润 \quad (3.6)$$

举例

表 3—16 是公司完成前面讨论的建立选择行为模型后得出的直销数据库。建立选择模型为该数据库的 A 栏提供了购买概率数据。那么问题就变成公司要定位于哪种顾客呢？

表 3—16 数据库营销中基于选择行为的市场细分举例

顾客	A 购买概率（%）	B 平均购买量（美元）	C 利润率	D 顾客利润率 = A×B×C（美元）
1	30	31.00	0.70	6.51
2	2	143.00	0.60	1.72
3	10	54.00	0.67	3.62
4	5	88.00	0.62	2.73
5	60	20.00	0.58	6.96
6	22	60.00	0.47	6.20
7	11	77.00	0.38	3.22
8	13	39.00	0.66	3.35
9	1	184.00	0.56	1.03
10	4	72.00	0.65	1.87

平均预期利润＝3.72 美元

将 D 栏与送达该顾客的成本进行对比，并选择期望利润率超过送达所需成本的细分市场作为目标市场。

假设送达其中一个顾客的总成本是 3.50 美元。公司该怎样做？常用的方法有几种。第一种方法是，若公司注重平均预期利润，它会把所有 10 个细分市场都当作目标市场，这样只会获取较低的利润 [10×（3.72—3.50）＝2.20 美元]。

第二种方法是将顾客1、顾客3、顾客5 和顾客6 当作目标顾客，获得的利润为 6.51＋3.62＋6.96＋6.20－（4×3.50）＝9.29 美元。

注意，通过建立基于选择行为的模型来选择目标顾客，公司能将利润率提高 400％以上。

最后一种方法是，采用基于平均购买量的传统的市场细分方法。这样，公司可以选择平均购买量最大的 3 个顾客（顾客2、顾客4 和顾客9）作为目标市场，结果损失 5.02 美元！

在实践中，公司可对细分市场进行分析，决定应将哪些细分市场选为目标市场。但是，现在越来越多的公司开始在顾客层次上进行分析，按照预期顾客利润率递减的顺序对顾客数据库进行排序（见表 3—16 的 D 列）。公司可将顾客利润率超过某一阈值（某一利润率指标）的顾客或属于顾客数据库中利润率最高的顾客作为目标顾客。

基于选择行为的市场细分方法有很多应用方式。下面的例子就是一种创造性应用此方法创造了巨大利润的实例。

举例：ABB 电气公司——尝到市场细分的甜头

ABB 电气公司威斯康星分公司成立的第三年，行业面临销售额下降 50％的状况。公司主要是向北美的电力公用事业公司销售中档的电源变压器、电流断路器、开关设备和继电器等。这是一个被通用电气公司、西屋公司和爱迪生公司主导的行业，ABB 电气公司得想方设法从这些强大的竞争者手里赢得顾客，否则就无法生存。

1974 年，ABB 公司聘请了一位咨询顾问丹尼斯·詹什（Dennis Gensch）帮自己重新认识并深入了解顾客。詹什进行了顾客调查，并采用顾客选择模型来理解 ABB 公司顾客的偏好和决策过程，然后帮助 ABB 公司采用基于选择行为的市场细分法对市场进行细分，为其设计新产品，制定相应的服务计划，以便更好地满足目标顾客的需求。

ABB 公司成功的关键是它对顾客有了深刻的了解，知道怎样对市场进行细分和为自己的产品和服务选择目标市场。首先，詹什和 ABB 公司找出了顾客选择供应商时考虑的 8 到 10 个属性；然后用这些特征来预测顾客的选择行为，并按照顾客对这些特征的不同看法划分了细分市场。

具体地说，詹什估计出每个顾客选择市场上各个品牌的概率 [用方程（2.22）的分对数模型]，然后测试这些选择概率中的显著差异，用这些偏差将顾客分为四个细分市场：

1. **ABB 公司忠诚顾客**：选择 ABB 公司的概率比选择其他竞争者的概率高得多。

2. **竞争性顾客**：选择 ABB 公司的概率最高，但同选择次优品牌概率之间不存在统计上的显著差异。

3. **可转换顾客**：倾向 ABB 公司的竞争者，ABB 公司对他们是第二位的选择，并且两者的差距在统计上并不显著。

4. **竞争者忠诚顾客**：选择 ABB 公司的某个竞争者，偏好程度在统计上十分显著。

ABB 公司选择竞争性顾客和可转换顾客作为目标市场，在其他细分市场维持以前的营销努力。结果，在一年之后对三个销售地区进行的试验中，采纳了咨询顾问建议的两个销售地区的销售额分别提高了 18% 和 12%，而沿用旧方法的第三个地区销售额则下降了 10%。同一年里行业总销售额下降了 15%（Gensch，Aversa & Moore，1990）。表 3—17（a）和 3—17（b）所示为输入数据的类型以及从选择模型中得到的输出数据。本书所附软件包中 ABB 电气公司细分市场案例使用的就是这些数据。

表 3—17（a）　　　　　**ABB 公司基于选择的市场细分数据**

					顾客态度和选择行为数据							
品牌	顾客编号	购买（美元）	所在地区	选择行为	价格	节能	维修	保修	备用零件	易于安装	解决问题	质量
A	1	761	1	0	6	6	7	6	6	5	7	5
B				1	6	6	6	7	9	9	7	5
C				0	6	5	7	5	3	4	7	6
D				0	5	5	6	7	8	2	6	5
A	2	627	1	0	3	4	5	4	4	5	6	4
B				0	3	6	4	7	3	5	5	5
C				0	4	5	5	5	7	6	5	4
D				1	4	5	6	5	4	5	5	6
A	3	643	2	1	6	6	7	7	6	7	7	6
B				0	5	6	7	7	5	7	6	5
C				0	5	6	7	5	5	8	6	5
D				0	6	5	5	4	2	8	6	5
A	4	562	3	0	6	6	5	5	4	5	5	5
B				0	5	6	6	5	4	6	7	5
C				0	4	5	5	4	6	7	6	3
D				1	4	6	6	7	7	8	7	5

顾客 1 每年的购买额为 76.1 万美元，属第 1 区，上次购买了品牌 B，给 A、B、C、D 四个品牌价格水平的打分分别为 6、6、6、5（7 分制）等等。

表 3—17（b）

顾客	年购买额（万美元）	地区	选择	A（BB）购买概率	公司 B 购买概率	公司 C 购买概率	公司 D 购买概率	类型
1	76.1	1	B	13.9%	83.8%	2.3%	0.0%	竞争者忠诚顾客
2	62.5	1	D	0.0%	0.0%	2.2%	97.8%	竞争者忠诚顾客
3	64.3	2	A	54.3%	45.7%	0.0%	0.0%	竞争性顾客
4	56.2	3	D	39.4%	49.2%	0.0%	11.4%	可转换顾客

选择行为模型的输出：提供了每个顾客的购买概率和"可转换率"指标。ABB 选择了可转换顾客和竞争性顾客作为目标市场。

其他可建立选择行为模型和进行基于选择行为的市场细分的工具还有很多，包括判别分析等（Roberts & Lilien，1993）。

本章小结

在市场细分的过程中，我们将市场分为不同的顾客子集，其中每个子集（甚至可以小到只有一个顾客）对广告和产品都有不同反应，也就是说，他们有不同的需求。如果公司能够认识到这些差异并能够进行衡量，公司的营销机会就将随之增加。市场细分作为一种理论能帮你理解并解释这些差别；它作为一种战略（本书的重点）则能帮你利用这些差异。STP 方法是一种重要的市场细分方法。

市场细分要求企业先界定市场。我们认为，界定市场的依据应当是顾客的共同需求，而不是产品的相似性。要想正确对市场进行细分，必须先确定细分研究的目的，确定样本，收集相关数据，分析数据并解释结果。用来进行市场细分的技术有很多，包括聚类分析、判别分析、交叉分类分析、AID 法、回归分析和选择模型。

企业完成市场细分分析并选择了一个或多个细分市场作为目标市场后，就必须实施市场细分方案。这其中要完成两项相关的任务：

1. 为每个目标细分市场制定具体的营销活动计划：确定适合该细分市场的产品性能、价格、分销渠道和广告信息。

2. 识别当前顾客或潜在顾客，并确定他们所属的细分市场。如果描述潜在顾客时所用的描述性变量与选择目标市场时使用的变量相同，那么就可用判别函数预测潜在顾客属于哪个细分市场。

完成这两个步骤后，企业就能确定当前顾客或潜在顾客属于哪个目标细分市场，并针对该顾客开展适当的营销活动。

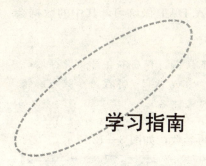

学习指南

聚类分析指导 ------------------------------------

聚类分析是一个进行市场细分研究的高级软件工具，使用者可用最能区分不同目标市场上顾客的特性来为目标市场开发市场营销活动计划。

本程序提供了两种聚类分析方法：沃德分层法和 K 分割法，另外还提供了供数据预处理的因子分析程序以及识别尽量区分不同顾客群的变量的判别分析程序。

运行"Cluster Analysis"（聚类分析）时，要求提供一个以行变量表示顾客、以列变量反映顾客偏好和需要（作为市场细分依据的变量）的数据文件。如果选择了其中的判别分析选项，要求再提供一个行数（指顾客）相同而列数（反映细分市场的描述性变量）可以不同的数据文件。需求数据和描述性变量数据要求是两个独立文件，因为细分标准和市场定位标准可以是不相同的，并且实际上也常常是不同的。

下面举例演示程序的使用方法，以 Conglomerate 公司的新 PDA 为例。练习的主要内容是对一种新型 PDA 进行基于需求的市场细分，并寻找一种选择目标细分市场的方法。这一练习所用的数据存储在两个文件中：

● PDA. DAT 里是有关样本顾客的需求信息。

● PDA_DIS. DAT 则是人口统计和其他与为 PDA 产品制定定位计划有关的变量信息。

从"Model"（模型）菜单上选择"Cluster Analysis"（聚类分析），程序

会提示选择存放输入信息的文件。用文件 PDA. DAT 做练习，其中的数据会加载到程序中。

> **注意**：如果为评价其他解决方案而改动了数据，程序不会自动保存你所做的修改。可到 "File"（文件）菜单中单击 "Save As"（另存为）就可以保存对数据的修改（必要的话可以换一个不同的文件名）。

到 "Set Up"（设置）菜单选择分析所需的参数，如图 3—12 所示。

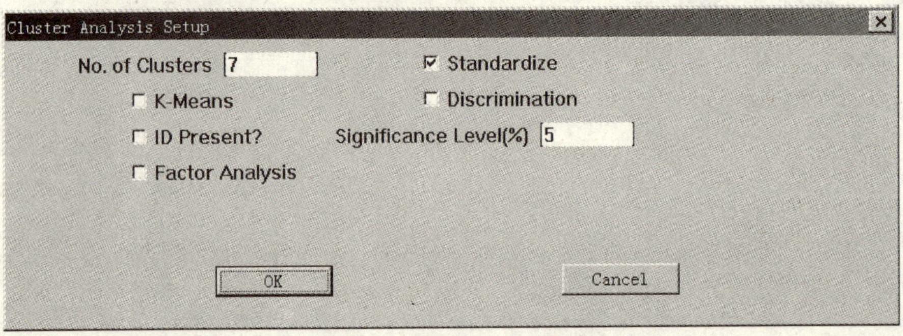

图 3—12

在 "No. of Clusters"（聚类数）中选择分析要使用的聚类（细分市场）个数，范围是 2～9 之间。如果选择了 "Standardize"（标准化），所有的变量值在分析前都会被标准化为平均数 0 和方差 1。如果变量值是在不同的测量尺度下测定的，则选择这一选项是比较好的，正如本例中的价格变量。选择 "Discrimination"（判别）就可使用 PDA ＿ DIS. DAT 中的人口统计变量最大限度地区分所得到的细分市场（程序会在必要时提示输入 PDA ＿ DIS. DAT 文件名）。使用 "ID Present"（显示 ID）可给数据中的顾客加标签，这对为不同市场制定不同营销活动计划很有用。

> **注意**："ID Present"（显示 ID）选择在教学版中不能使用。

本程序在缺省时是采用沃德分层法中的最小方差分级聚类分析法。如果选择 "K-Means"，就可以采用 K 分割法。在本例中，分层聚类的结果为 K 分割法提供了初始配置。在选择完运行的选项后，单击 "OK"（确定）。

如果选择 "Factor Analysis"（因子分析），程序会对输入数据进行预处理，以确定一系列因子（见第 4 章附录），随后在聚类分析的过程中使用这些因子。因子分析在找出基本因子之前要对变量进行标准化。但最后得到的因子得分（接下来要在因子分析中使用的）却是不能标准化的。我们建议在聚类分析中使用非标准化的因子得分。这样就不应该在 "Set Up"（设置）对话框里选择 "Standardize"（标准化）了。

接着，在 "Run"（运行）菜单选择 "Run Model"（运行模型）。如果选择了 "Factor Analysis"（因子分析），你就会看到如图 3—13 的对话框，要求你选择打算在聚类分析中保留的因子个数（你可以不采用软件推荐的因子个数）。

运行程序后，分析结果的窗口会弹出来。要想看得更清楚，可以最大化窗

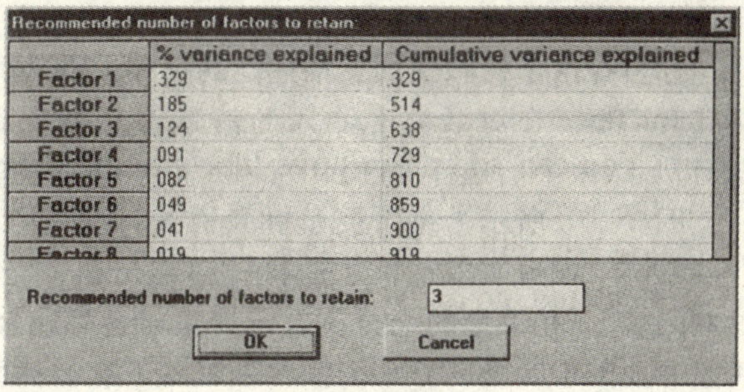

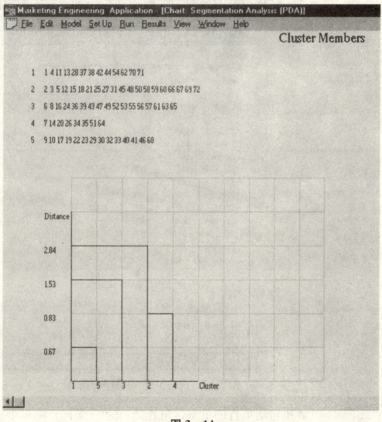

图 3—13

口。图 3—14 的屏幕显示了五个细分市场的成员。

图 3—14

向下拖动卷滚条会看到显示聚类间距的树状图。如果要取消树状图中的刻度线，可以到"View"（视图）菜单下选择"View Options"（视图选项），取消"Grid"（刻度线）选项（只有未选择 K 分割法时才会显示树状图）。

在本例中，顾客群 1 和顾客群 5 的距离最近，只有 0.67 单位；顾客群 2 和顾客群 4 之间相隔 0.83 个单位，顾客群 1 和顾客群 3 相隔 1.53 个单位。如果想确定一个包括四个顾客群的解决方案，那么离得最近的两个顾客群（1 和 5）将合并成一个。利用这个树状图选择适当的聚类个数（一种确定聚类个数的方法是将这些顾客群平均分开再寻找这种分类法的解）。你可以指定一个包含较少顾客群的解，然后合并比较接近的顾客群。

你可在这个树状图加上描述性的标签。点击屏幕的任何地方都会出现一个标签对话框。在对话框中输入的信息将会插入到选定的位置上。在"Edit"（编辑）菜单中，选择"Delete Labels"（删除标签）即可清除所输入的标签。

图 3—15 所示为每个变量和具有统计显著性的函数间的相关性〔只有在"Set Up"（设置）对话框中选择"Discrimination"（判别），屏幕才会显示出这些内容〕。相关性的绝对值表示变量对各类顾客群区分的程度。本例中"是否是专业人士"是区分某个顾客是否属于顾客群的重要描述性变量。"专业人士"变量和判别函数（函数 1）高度相关，这个判别函数能解释研究中答卷者偏差的 41.4%。

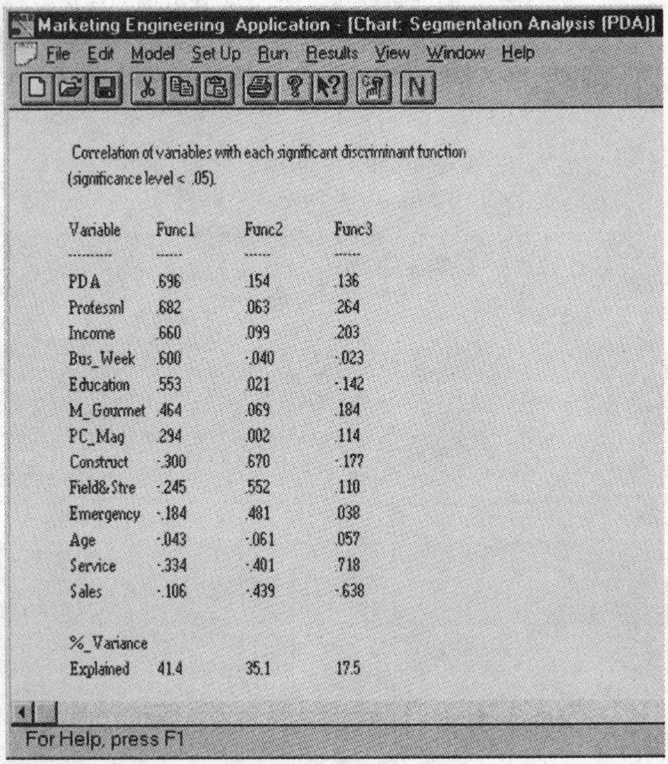

图 3—15

要想将结果打印出来，可在"File"（文件）菜单中选择"Print"（打印）。要把这些结果剪切和粘贴到另一个应用程序（如 Word）中，可到"Edit"（编辑）菜单中选择"Cut"（剪切）或"Copy"（复制），然后粘贴到其他应用程序中。

到"Results"（结果）菜单选择"View Diagnostics"（查看诊断结果），可以看到很多相关诊断结果（每个细分市场中各变量的平均值、命中率等）。

如果选择"Factor Analysis"（因子分析），第一组诊断结果就是图 3—16 中的表，其中显示了每个因子所解释的方差及因子得分矩阵。

因子分析的诊断结果

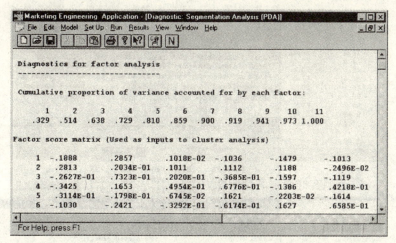

图 3—16

聚类分析的诊断结果

如果在"Set Up"（设置）对话框中没有选择"K-Means"（K 分割法），就会出现为分层聚类（沃德分层法）准备的数据，见图 3—17。

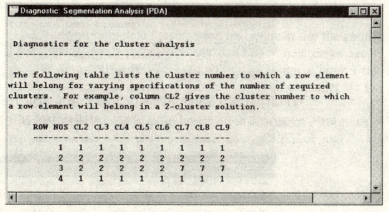

图 3—17

图 3—17 列出了不同数量的顾客群某行要素（情况）所属的顾客群编号。例如，只要指定的聚类个数少于 7 个，第 3 行就属于顾客群 2。如果指定的聚类个数多于 7 个，这个应答者就应分配给顾客群 7。

如果在"Set Up"（设置）框中选择了"K-Means"（K 分割法），你会看到图 3—18 中显示的表，它给出了一个行要素属于某顾客群的概率。这一概率与应答者的特征和聚类中点之间距离成反比。

图 3—18 总结了判别分析的预测有效性。总命中率是指所有个体中被判别函数正确分配给其所属顾客群的人所占的比例。这一矩阵表明了判别函数就各

123

```
Marketing Engineering Application - [Diagnostic: Segmentation Analysis (PDA)]
 File  Edit  Model  Set Up  Run  Results  View  Window  Help

 The following table lists the probabilities of each row element
belonging to each of the clusters for the 5-cluster solution
you specified.  The probabilities are based on the inverse of the
distance between an element and each cluster.


    ROW   CL1    CL2    CL3    CL4    CL5
    ---   ----   ----   ----   ----   ----
     1   .665   .076   .067   .053   .138
     2   .070   .624   .076   .137   .094
     3   .328   .181   .146   .120   .225
     4   .547   .083   .109   .053   .209
     5   .155   .244   .155   .129   .317
     6   .090   .103   .574   .063   .169
     7   .056   .162   .068   .643   .070

 For Help, press F1
```

图 3—18

个顾客群而言的预测能力。

```
Marketing Engineering Application - [Diagnostic: Segmentation Analysis (PDA)]
 File  Edit  Model  Set Up  Run  Results  View  Window  Help

Actual                         Predicted cluster
Cluster       # of cases    CL1    CL2    CL3    CL4    CL5

CL1              13           6      1      1      2      3
                            46.2%   7.7%   7.7%  15.4%  23.1%

CL2              20           2     11      0      2      5
                            10.0%  55.0%    .0%  10.0%  25.0%

CL3              17           2      0     13      1      1
                            11.8%    .0%  76.5%   5.9%   5.9%

CL4               8           0      0      0      8      0
                              .0%    .0%    .0% 100.0%    .0%

CL5              14           4      3      0      1      6
                            28.6%  21.4%    .0%   7.1%  42.9%

Hit rate: Percent of total cases correctly classified: 61.11

 For Help, press F1
```

图 3—19

　　还可以看到各个顾客群中需求变量的平均值和每个描述性变量的平均值〔如图 3—20，需要在"Set Up"（设置）对话框中选择"Discrimination"（判别）〕。

```
Marketing Engineering Application - [Diagnostic: Segmentation Analysis (PDA)]
 File  Edit  Model  Set Up  Run  Results  View  Window  Help

Means for each variable in each cluster:

Variable     Overall      CL1      CL2      CL3       CL4      CL5
---------    -------    ------   ------   ------    ------   ------
Innovator     3.63       1.77     3.60     5.82      3.25     2.93
Use_Pager     3.46       2.15     4.70     3.65      4.88     1.86
Use_Phone     3.72       4.69     2.30     4.53      2.25     4.71
Use_Schdl     3.89       3.77     3.00     5.35      2.25     4.43
Inf_Passiv    3.56       1.62     3.85     2.65      5.63     4.86
Inf_Active    4.01       2.38     3.95     4.53      5.13     4.36
Remote_Loc    4.50       4.54     4.80     3.88      5.00     4.50
Wireless      2.90       1.46     5.10     1.65      5.25     1.29
Share_Inf     3.40       3.38     3.10     2.47      5.75     3.64
Monthly       20.3      12.7     31.0     10.9      40.6     11.8
Invoice       993.      527.     755.    .159E+04  .191E+04  521.

 For Help, press F1
```

图 3—20

　　选定了一个聚类解后，你也许想要给这些顾客群命名以便识别和生成报表。

选择最能描述这些顾客群特征的名字，在"Edit"（编辑）菜单上点击"Edit Cluster Labels"（编辑聚类标签），在图3—21的对话框里填写适当的名称。

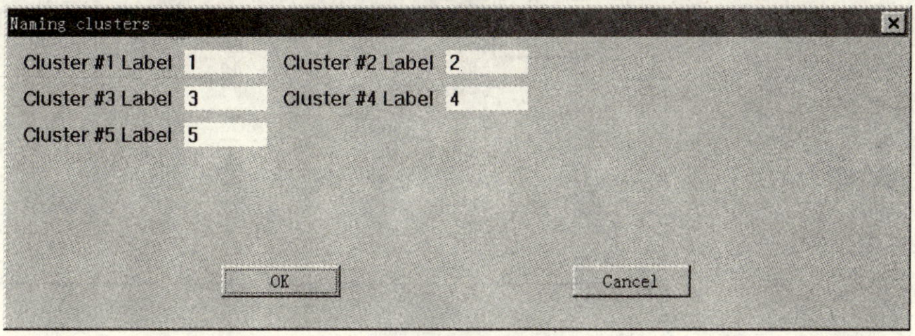

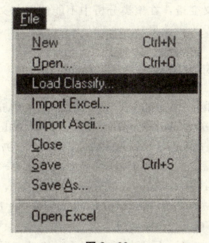

图3—21

完成了聚类分析后，可以用判别函数的分析结果为任何数量的新顾客归类。根据较小的研究样本将更大的顾客数据分配给各选定目标市场，这种能力加强了市场细分研究的可实现性。首先，加载存放人口统计数据的文件。在本软件包里，可加载 PDA_DIS.DAT 来分类练习。在"File"（文件）菜单下单击"Load Classify"（加载分类），如图3—22。

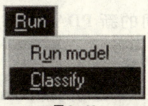

图3—22

然后在"Run"（运行）菜单下单击"Classify"（分类），如图3—23所示。

图3—23

于是屏幕会在电子报表上显示分类分析结果，如图3—24所示，表示新顾客属于哪个细分市场。这里顾客1分配给了顾客群（聚类）1，顾客3分配给了顾客群2。

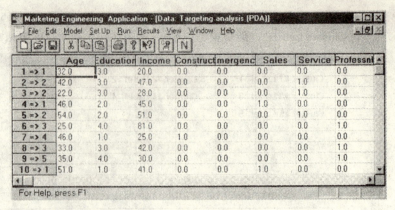

图 3—24

软件教学版的限制

变量最大数目：15；

观察值最大数目：200；

聚类最大数目：9；

名义变量：在聚类分析中不能使用名义变量，但判别分析中可以使用名义变量（设为哑变量）。

练习的参考文献

Dillon，William R. and Goldstein，Matthew 1984，*Multivariate Analysis：Methods and Applications*，John Wiley & Sons，New York.

Hartigan，J. A. and Wong，M. A. 1979，"K-Means Algorithm"，*Applied Statistics*，Vol. 28，No. 1，pp. 100 – 108.

Moriarty，Rowland T. and Reibstein，David J. 1982，*Benefit Segmentation：An Industrial Application*，Report No. 82 – 110，Marketing Science Institute，Cambridge，MA.

Murtagh，F. 1985，*Multidimensional Clustering Algorithms*，（CompStat Lectures 4）．Physica-Verlag. Würzburg/Wien.

Conglomerate 公司的新 PDA 案例

Conglomerate 公司的新 PDA（1995）

Conglomerate 公司蜂窝电话分公司和一家 PC 机制造公司合作，联合开发、生产、销售一种新型 PDA，它将个人数字助理（PDA）和智能蜂窝电话集成起来，能传输和接收数据和声音（不像 PDA 只能接收处理数据），公司暂时将其定名为 ConneCtor。

ConneCtor 重量轻，外形像便携电话，上有一个背光式液晶显示触摸屏。它的开放式操作系统能执行标准蜂窝电话的功能以及一些个人信息管理（PIM）功能，如日历、计算器和通讯录等；还可以收发传真、语音信息和电子邮件。用户可用四种方式输入数据：

- 使用屏幕键盘输入；
- 使用数字键盘输入；
- 使用光笔在屏幕上书写；
- 通过话筒用语音输入（带语音识别软件）。

语音识别是一种基于神经网络的技术，经过培训后能识别特定用户的语音模式。另外，ConneCtor 还能通过无线网同其他 PDA 连接。

简而言之，Conglomerate 这种手持设备的特性是：

- PDA 之间的即时联系；
- 蜂窝电话、寻呼机、传真和电子邮件；
- 日历、计算器、日程表和通讯录；
- 适用于定制应用程序的开放式系统；
- 无纸记事本；
- 语音识别。

Conglomerate 公司现在需要识别 PDA 的细分市场，选择适当的目标市场并在选定的目标市场中确定 ConneCtor 的定位。

PDA 市场的背景

1993 年 8 月，苹果公司推出了"牛顿"（Newton）PDA。苹果公司预想 PDA 能为消费者广泛接受，但实际情况并不理想，当年仅卖出了80 000台 PDA。到 1995 年这个市场开始快速增长，主要是在专业应用（如内科医生日程表）、个人信息管理（PIM）、移动通讯和互联网接入等四个领域得到应用。

尽管有这四类主要应用，PDA 的主要目标市场还是移动办公人员，这一群体约 2 500 万美国人，其中 500 万人经常带着笔记本电脑出差，许多人都有蜂窝电话，需要经常收发大量信息，普通的 PDA 不能满足他们的需要。

调查

Conglomerate 公司聘请了一家市场调查公司对各种职业的从业人员进行调查，调查问卷里有一条筛选性的问题，询问应答者以前或将来是否考虑用 PDA，对给予肯定答复的人进行进一步的分析。

问卷

问卷询问应答者两类数据：一类是市场细分的依据变量或需求变量；另一类是在判别分析中描述顾客群或选择目标顾客群的变量。

确定市场细分依据变量的问题

X1：在我的领域出现了新技术，我会是首批采用者：（1＝极不同意……7＝非常同意）

你使用下列物品的频度：（1＝从来不用……7＝经常使用）

X2：a）寻呼机？

X3：b）电话或语音邮件？

X4：c）日程安排或联系管理工具，即记事本或类似设备？

X5：别人给你发送对时间要求很高的信息（如工作日程安排）的频率有多大：（1＝从来没有……7＝每天都有）

X6：当你不在办公室时，向别人发送对时间要求很高的信息的频率如何：（1＝从来不……7＝每天）

X7：你有多少时间是在办公地点之外：（1＝0％……7＝70％以上）

X8：无线通讯对你有多重要：（1＝一点也不重要 ……7＝非常重要）

X9：不在办公地点时与同事迅速分享信息有多重要：（1＝一点也不重要……7＝非常重要）

你愿意为具有以下功能的 PDA 付多少钱：PDA 间的即时通信、蜂窝电话和寻呼机、传真和电子邮件、日历、日程表、计算器、通讯录、可定制应用程序的开放式系统、无纸记事本和语音识别？

X10：a）每月（对你所用的所有服务）？

X11：b）有上述所有功能的 PDA 的零售价？

确定判别分析变量的问题

Z1：年龄

Z2：教育程度：（1＝高中，2＝大专，3＝大学，4＝研究生及以上）

Z3：收入

所在行业或职业的类型：（0＝否，1＝是）

Z4：建筑

Z5：紧急服务业（消防、警察、救护等）

Z6：销售（保险、制药等）

Z7：维修和服务

Z8：专业人士（如律师、咨询师等）

Z9：你有 PDA 吗？

媒体消费情况（是否为某杂志的读者）：（0＝否，1＝是）

Z10：《商业周刊》（*Businessweek*）

Z11：《计算机杂志》（*PC Magazine*）

Z12：《山清水秀》（*Field & Stream*）

Z13：《现代美食家》（*Modern Gourmet*）

练习

1. 只进行聚类分析［不选择"Discrimination"（判别）］，确定当前市场中细分市场的个数。考虑细分市场间的距离和细分市场的特征。

2. 识别和简要描述（命名）你所选择的聚类。根据 ConneCtor 的产品性能，在营销活动中你会选择哪个细分市场作为目标市场？

3. 回到"Set Up"（设置），选择"Discrimination"（判别），再进行一次分析。你如何接触在第 2 题所选的目标市场？

4. 这个分析如何帮助你为 ConneCtor 确定细分市场？

5. 你还会进行哪些数据分析来为 ConneCtor 制定营销活动方案？

基于选择行为的市场细分学习指南

此软件是为 ABB 电气公司细分市场案例而设计的，ABB 电气公司用它来进行基于选择行为的市场细分。

在"Model"（模型）菜单上，选择"Choice-based Segmentation"（基于选择行为的市场细分），就会看到如图 3—25 所示的"Introduction"（介绍）屏幕。

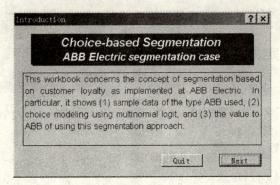

图 3—25

点击"Next"（下一步）即出现"Main Menu"（主菜单），如图 3—26
所示。

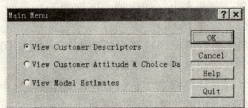

图 3—26

在"Main Menu"（主菜单）上选择"View Customer Descriptors"（查看
顾客描述性变量），单击"OK"（确定），于是出现有 88 个顾客描述性数据的
主工作表，如图 3—27 所示：

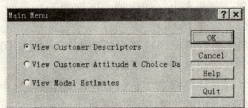

图 3—27

如果想用 Excel 的排序功能对这些数据排序，可先点击"Sort Data"（数
据排序）按钮取消对电子报表的保护。数据排序对完成本练习的第 1 题有所
帮助。

然后在"Model"（模型）菜单下选择"Main Menu"（主菜单），再选
择"View Customer Attitude and Choice Data"（查看顾客态度和选择行为数
据），如图 3—28 所示，就会看到这 88 个顾客对各供应商的评分表（见图

3—29）。

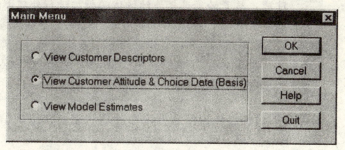

图 3—28

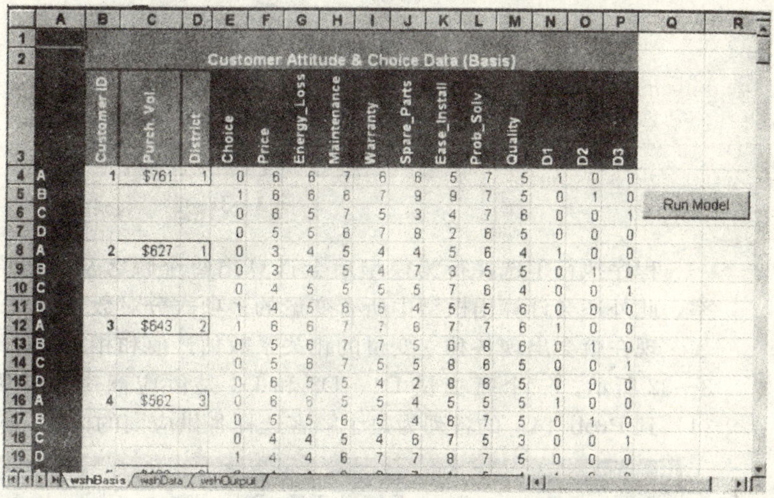

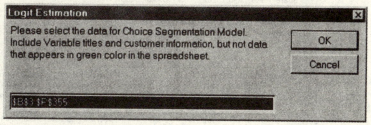

图 3—29

点击"Run Model"（运行模型）按钮从选定的数据中得出选择行为模型的估计值，这时出现一个对话框提示你给定选择行为模型的数据范围，如图 3—30 所示。"Choice"（选择行为）的列内包含数值 0 或 1，"1"意味着顾客选择了相应的供应商（A、B、C 或 D）。

图 3—30

在选择数据范围时，要同时选中"Customer ID"（顾客编号）、"Purchase Volume"（购买量）、"District"（地区）和"Choice"（选择行为）等列及各列的标题栏。

这时可能会弹出信息框说明处理状态，在出现信息框时，如图 3—31 所示，单击"OK（确定）"继续。

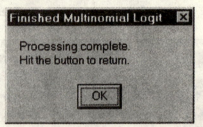

图 3—31

程序执行了选择行为模型后会计算出每个顾客从各供应商那里购买的概率，此外还会计算出模型中所有变量的多项式分对数（MNL）系数。

现在就会出现各独立变量的相关系数估计值和相应统计结果的表格，如图 3—32 所示。三个哑变量 D1、D2 和 D3 是供应商声誉的影响。此外，Prob {1} 到 Prob {4} 的各列为每个顾客选择各供应商的概率。

	A	B	C	D	E	F	G	H	I
				MNL Estimation Result					
2		Coefficient	Standard E	t stat					p-value (2-tailed)
3	Price	2.180582	0.586579	3.71746					0.00038
4	Energy_Loss	2.65561	0.673706	3.94179					0.00018
5	Maintenance	0.593692	0.437028	1.35847					0.17828
6	Warranty	1.140702	0.330995	3.44629					0.00092
7	Spare_Parts	-0.13262	0.21757	-0.60955					0.54395
8	Ease_Install	0.520023	0.172875	3.00808					0.00355
9	Prob_Solv	2.032181	0.549676	3.69705					0.00041
10	Quality	2.639413	0.687749	3.83775					0.00025
11	D1	-0.123791	0.678549	-0.18244					0.85572
12	D2	-0.671218	0.71941	-0.93301					0.35373
13	D3	-0.687235	0.715046	-0.96111					0.33951
14	CustomerID	Purchase V	District	Choice	Prob[1]	Prob[2]	Prob[3]	Prob[4]	
15	1	761	1	B	15.30%	82.27%	2.42%	0.01%	
16	2	627	1	D	0.00%	0.00%	2.61%	97.39%	
17	3	643	2	A	74.70%	25.29%	0.01%	0.00%	
18	4	562	3	D	48.79%	39.73%	0.00%	11.48%	
19	5	469	3	C	1.97%	0.01%	98.02%	0.00%	
20	6	233	1	B	0.01%	96.85%	3.09%	0.04%	
21	7	664	3	D	40.47%	7.69%	0.08%	51.76%	

图 3—32

单击"Paste Data"（粘贴数据），把所有顾客的估计购买概率转到描述性变量报表中，如图 3—33 所示。

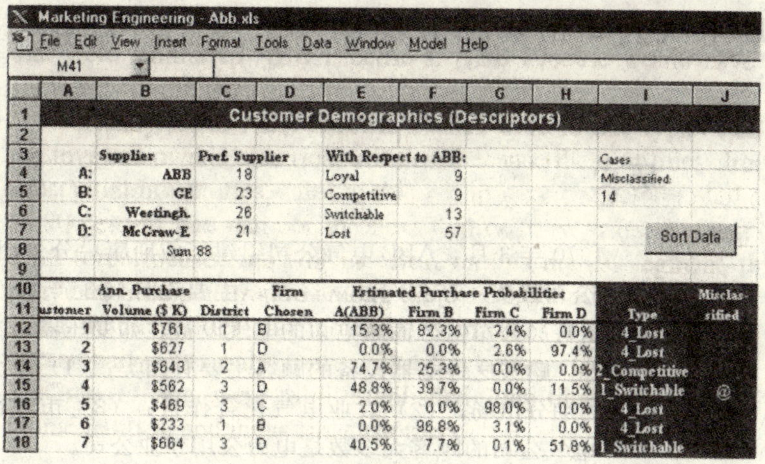

	A	B	C	D	E	F	G	H	I	J
1	Customer Demographics (Descriptors)									
2										
3		Supplier	Pref. Supplier		With Respect to ABB:				Cases	
4	A:	ABB	18		Loyal	9			Misclassified:	
5	B:	GE	23		Competitive	9			14	
6	C:	Westingh.	26		Switchable	13				
7	D:	McGraw-E.	21		Lost	57				
8		Sum	88							
9										

	A	B	C	D	E	F	G	H	I	J
10		Ann. Purchase		Firm	Estimated Purchase Probabilities					Misclas-
11	ustomer	Volume ($ K)	District	Chosen	A(ABB)	Firm B	Firm C	Firm D	Type	sified
12	1	$761	1	B	15.3%	82.3%	2.4%	0.0%	4_Lost	
13	2	$627	1	D	0.0%	0.0%	2.6%	97.4%	4_Lost	
14	3	$643	2	A	74.7%	25.3%	0.0%	0.0%	2_Competitive	
15	4	$562	3	D	48.8%	39.7%	0.0%	11.5%	1_Switchable	@
16	5	$469	3	C	2.0%	0.0%	98.0%	0.0%	4_Lost	
17	6	$233	1	B	0.0%	96.8%	3.1%	0.0%	4_Lost	
18	7	$664	3	D	40.5%	7.7%	0.1%	51.8%	1_Switchable	

图 3—33

"Type"（类型）列指明各顾客按忠诚度所归属的细分市场，"Misclassified"（错误分类）列表示上次购买时顾客是否从非最高选择概率的供应商那里进行了购买。

我们可以把顾客归入四种细分市场（ABB 电气公司忠诚顾客、竞争性、竞争者忠诚顾客和转换型）：

ABB 公司忠诚顾客：指 ABB 电气公司当前的顾客（即上次购买时选择了 ABB 电气公司），且选择 ABB 电气公司的概率大于 0.80。

竞争性顾客：指 ABB 电气公司的现有顾客，但选择 ABB 公司的概率小于 0.80。

竞争者忠诚顾客：（1）不是 ABB 电气公司的现有顾客；（2）从 ABB 电气公司的某个竞争者购买的概率大于 0.80，或从 ABB 电气公司购买的概率小于 0.15。

可转换顾客：不属于上面任何一种顾客。

詹什教授用模型计算出各类顾客的购买概率，并检验了其统计显著性（Gensch，1987）。

按某些标准检索数据库找出 ABB 电气公司应选择的目标市场顾客，确定适当的营销战略，用这一信息为 ABB 电气公司制定市场细分和选择目标市场的战略。

参考文献

Gensch，Dennis H. 1987，"A two-stage disaggregate attribute choice model"，*Marketing Science*，6 (Summer)，pp. 223—239.

Gensch，Dennis H. 1990，"A choice-modeling market information system that enabled ABB Electric to expand its market share"，*Interfaces*，Vol. 20，No. 1 (January-February)，pp. 6—25.

ABB 电气公司市场细分案例[1]

历史

1970 年 3 月，ABB 电气公司组建了威斯康星分公司，由 ABB 瑞典公司和 RTE 公司投资。新公司独立经营，主要设计和生产系列中型变压器并在北美地区销售。公司生产输送电力的电气设备，如变压器、断路器、开关设备和继电器等。购买这种电器设备的顾客主要有四类：（1）电力公用事业公司，这是最大的细分市场；（2）农业电气化合作社；（3）市政部门；（4）工业公司。ABB 电气公司的顾客大多数是电力公用事业公司。

1974 年状况

ABB 电气公司经营三年后达到了盈亏平衡点，这时面临着一个严重的问题。1974 年它的市场份额为 6％左右，同年整个行业的总销售额比 1973 年下降了 50％；ABB 电气公司在这个由大竞争者（如通用电气公司、西屋电气公司和麦格劳·爱迪生公司等）控制的产业只是一个小角色。

ABB 电气公司还面临着一些其他问题。销售人员仍靠传统方式来推销，推销重点不突出，推销员各自独立行动，从事任何自认为有助于迅速达成交易的事。董事会的想法是推动产品标准化和降低成本，他们认为要想和大公司竞争并提高当前的获利能力，ABB 电气公司必须有成本优势。董事会认为，ABB 电气公司的竞争产品同 ABB 电气公司的产品相似，且产品质量都很高，所以赢得成本优势就尤其重要。ABB 电气公司必须找到一种差异化的方法。

实际上，ABB 电气公司的销售收入几乎都来自于同一类顾客，即电力公用事业公司。由于这些公司已有很多存货，因此这个市场的销售额在未来两到三年每年会下降 80％。ABB 电气公司的销售人员把力量都集中在这个市场上，而在 3 000 多家农业电气化合作社和 10 万家市政局和工业公司的市场上渗透率很低。这几个市场只偶尔购买 ABB 电气公司的产品，而通用电气公司、西屋电气公司、麦格劳·爱迪生公司等则是这部分客户的长期供应商。

ABB 电气公司的新战略

ABB 电气公司的调查表明，进入 20 世纪 80 年代后电气设备市场将依然萧条，这将会迫使销售价格下降。ABB 电气公司的总裁丹尼尔·埃尔温（Daniel Elwing）认为在这种环境下增长的惟一办法就是提高市场份额，这意味着 ABB 电气公司必须从对手那里夺取一部分顾客。

为实现新的营销策略，ABB 电气公司决定建立营销信息系统支持决策。他们请一家市场调查公司收集顾客需求的信息以填进营销信息系统的数据库里。ABB 电气公司认为，公司要比竞争者更深入地理解潜在顾客的各种问题和需求，这些信息将有助于市场细分，促使公司成长为顾客导向的公司。公司请一位咨询顾问丹尼斯·詹什来建立市场细分模型，向员工讲述用正规模型实施市场细分战略的价值。

建立营销信息系统

ABB 电气公司请一家调查公司设计一份调查问卷（如图 3—34 所示），了解哪些属性对顾客和潜在顾客最重要。在问卷试调查中，让顾客按重要性对 21 种产品/服务属性排序（如维护要求、价格和保修等），然后再就每个属性用好与坏的尺度对本行业的主要供应商评分。

调查问卷范例

供应商绩效评分
列出你目前或下次购买变电站设备时会考虑的供应商：

对每个供应商，就下列特性对它们进行评价：

价格	差	好
供应商 A		_____
供应商 B		_____
供应商 C		_____
供应商 D		_____

图 3—34

公司用因子分析技术（见本书第 3 章）分析顾客的答复，确定了影响购买电气设备最重要同时也相对独立的 9 个因素。它向电力公用事业公司、农业电气化合作社、市政部门和工业公司的 7 000 个主要决策者邮寄了修改后的问卷。答卷者按 9 个指定因素评价了他们所知道的供应商，还对供应商做了总体评分，指出自己上次是从哪个供应商那里购买某类特定产品。公司收回 40% 的有效问卷，在对答卷者的后续电话调查中没有发现显著的因未答卷而造成的系统偏差。这样，调查得到的数据就构成营销信息系统数据库的核心。

数据分析表明，在考虑购买电气设备时，下列属性对顾客是最重要的：

- 价格；
- 节能；
- 产品质量；
- 备用的零部件；
- 推销人员解决问题的技能；
- 维修；
- 易安装；
- 保修。

詹什教授认为，在选择供应商时不同细分市场的顾客对这些属性重要性的看法也不一样，部分原因是因为他们对技术的精通程度不同，部分原因是因为销售人员打电话的方式和促销方式不同。营销部门分析了数据后，决定以类型、规模和地理位置等方式区分这些公司。

选择行为建模

除顾客陈述的重要属性外，詹什教授建议公司根据顾客实际选择供应商的行为来确定最重要的因素，他认为顾客所说的重要因素未必就是实际选择供应商时的重要因素。因此，他建议在多项式分对数分析的基础上建立选择行为模型，然后按顾客选择特定供应商的概率（每个顾客的概率总和为1）建立市场细分方案：

ABB 公司忠诚顾客：顾客从 ABB 电气公司购买的概率明显高于紧随其后的竞争者。

竞争性顾客：顾客从 ABB 电气公司购买的概率略高于紧随其后的竞争者，但不是明显高于选其他对手的概率。

可转换顾客：顾客从 ABB 电气公司购买的概率略低于其他供应商，但从竞争者处购买的概率并不明显高于 ABB 电气公司。

竞争者忠诚顾客：顾客从 ABB 电气公司购买的概率显著低于其他供应商，这些顾客非常有可能从竞争者那里购买。

ABB 电气公司采用了这个细分市场方案，把销售努力集中到竞争性顾客和可转换顾客的细分市场上，并以此为依据制定了新的营销活动计划。销售人员花更多的时间给这些市场中的潜在顾客打电话，并为之专门定制了宣传册。最重要的是，公司持续更新营销信息系统数据库，并将这种确定目标市场的方法变成了整个公司的制度。

后记（1988 年的情况）

ABB 电气公司出乎意料地巩固了自己的地位，到 1988 年市场份额达到40%。随着市场份额的提高，利润率也随之提高。整个市场仍然萧条，并且据预测在未来市场仍会疲软，但是 ABB 电气公司已经能和竞争对手抗衡了。

练习

假如你是 ABB 电气公司的地区销售经理，现在要编制一个以你所负责的地区里 20% 的公司为对象的营销预算。

1. 目前知道顾客的分布情况（地区 1、地区 2 和地区 3），也知道每个目标顾客的销售潜力，用这些信息来确定营销计划的目标公司并确定目标顾客的类型。

2. 现在收集到你所在地区 88 个公司的数据，系在价格、节能、维修、保修、备用零部件、易于安装、销售人员解决问题的能力和产品质量等 8 个特征上对 ABB 电气公司和其他三个竞争对手的评价，要求你采用选择模型法以消费者忠诚度为标准对顾客和目标顾客进行市场细分，并回答：

- 此市场中哪些变量是影响顾客选择的关键因素？
- 经过分析，你打算将营销努力放在哪些公司上？

3. 假设把营销努力集中在 ABB 电气公司的忠诚顾客和竞争者的忠诚顾客上不会增加收益，而关注竞争性顾客与可转换顾客则能够赢得 50% 的公司，那么用选择模型分配营销资源会使销售效率提高多少？

4. 对 ABB 电气公司的细分市场营销计划，你还有什么建议？

5. 评价这种建模方法的用途和限制。

【注释】

[1] 此案例由卡特琳·斯塔克和阿文德·朗格斯万瓦米（Katrin Starke and Arvind Rangaswamy）提供，案例中的数据进行了粉饰。

市场定位

本章的主要内容是：

● 强调市场定位的重要性；

● 阐述在新产品开发、产品定位及市场结构分析中如何运用市场定位分析方法；

● 讨论公司定位和产品定位的技巧。

产品差异化与市场定位

定义

当你想到安全型轿车时，首先跳入脑海的可能是"沃尔沃"（Volvo）；当你夜里需要感冒药时，或许马上就会想到"夜安"（Nyquil）；想买健康的冷冻食品，你可能会选择"康选"（Healthy Choice）。这些产品都在顾客心目中有一个明确的定位。它们在顾客认为重要的一两个维度上同市场上的其他产品存在差异。只有那些经过深思熟虑、在设计商品时让产品具有某些特征并与目标顾客就此特征进行沟通的企业才能在顾客心中形成这样的市场定位。传达产品定位通常要借助于商品广告。最著名的广告词之一是艾维斯租车公司的"我们位居第二，所以我们更加努力"。赖斯和特罗特（Reis & Trout, 1981）编纂了很多实例，表明公司的市场定位战略是如何促成了企业的长期成功。

差异化（differentiation）就是要让产品与其主要竞争对手之间在一个或几个重要维度上创造有形或无形的差异。**定位**（positioning）则是指公司制定并实施的一整套战略，目的是保证这些差异能在顾客心目中形成明确、重要的定位。肯德基家乡鸡通过独特的调味品搭配、烹炸器具及制作流程而使炸鸡独具

138

风味。它在沟通活动中强调鸡肉"味道好得让人舔指头",从而将产品的特色晓之于众。

用知觉图进行市场定位

为了给产品定位,企业在设计和开发产品时,不仅要使目标顾客对产品特色留下深刻印象,而且还要让顾客给予比竞争对手更高的评价。以下是三种较为常见的定位方法:

独特的产品:"市场上惟一具有这种属性的产品或服务",如宝丽来(Polaroid)就是惟一提供快照胶片的厂商。

不同的产品:"在此特点上比竞争商品好两倍",如李斯特林(Listerine)漱口液可比其他品牌的产品杀菌力更强。

相似的产品: "低价提供与竞争对手性能无二的产品",如迈斯特(Meisterbrau)啤酒的味道同百威(Budweiser)啤酒不相上下,但价格却低得多。

为了在产品日益丰富的市场中成功地定位产品,营销经理必须了解目标顾客更重视同类产品的哪些维度,以及顾客在比较了竞争对手的类似产品后得出什么样的看法。换而言之,他们首先必须了解顾客对市场的竞争结构的认识:顾客(现有顾客或潜在顾客)如何评价我们的产品?顾客认为哪些产品是我们的竞争对手?哪些产品属性和企业属性造成了这些差异?

经理一旦回答出上述问题后,就可以评价自己的产品或服务在市场上定位得好还是不好,因而也就能找出营销计划中可使自己的产品或服务同竞争产品相区别的决定性因素:我们怎样做才能使目标顾客认为我们所提供的产品或服务与众不同?根据顾客知觉,哪些目标细分市场最具吸引力?我们该如何定位新产品才不会与我们现有的产品冲突?什么样的产品名称最容易让目标顾客联想到他们喜欢的产品属性呢?

经理可以采用许多直觉方法认识其产品市场的竞争结构。本章讲述的知觉图法是描述市场竞争结构的正规方法,为产品的差异化决策和定位决策提供了便利。在讨论这种绘图模型之前,先看一个知觉图的例子,体会一下它如何为管理决策提供便利。

知觉图(perceptual map)是一种空间表示法,它将各种竞争产品表示在一张平面图中。知觉图的特点是:(1)每对替代品间的距离表示这对产品间的"可感知相似度",即在顾客心目中这两种产品之间是多么相似或多么不同;(2)图中向量(用带箭头的直线表示)在平面图中既表示大小也表示方向,向量通常用来在知觉图中对属性进行几何表示;(3)图中的坐标轴是一组特殊向量,用以表示顾客最可能在哪些基本维度上区分不同的产品。正交轴(成直角的两条直线)表示知觉图的两个维度,也可以使用非正交轴。无论正交轴还是非正交轴,都可以在保持相对角度不变的同时转动。例如,用横轴和竖轴来代表知觉图的两个维度,这两个轴可以转动,一个轴可转成西南—东北向,另一个轴则转成东南—西北向。

举例

为更好地理解前述观点，可考虑图 4—1 中的知觉图，此图概括了一组顾客对啤酒市场的评价（Moore & Pessemier, 1993）。图中百威啤酒和美乐啤酒（Miller）之间的可感知距离（差异）同康胜啤酒（Coors）和米狮龙啤酒（Michelob）之间的距离相等。此外，贝克啤酒（Beck's）和喜力啤酒（Heineken）是这些品牌中距离最接近的一对。图中从原点越向东北方向推移，各种啤酒在男士中的受欢迎程度也越来越高。百威啤酒是男士最欢迎的啤酒品牌（贝克啤酒与它旗鼓相当），而老密尔沃基（Old Milwaukee）淡啤酒则是最不受男士欢迎的品牌。百威啤酒的位置是距东北方向上最远的。为了更清楚地说明这一点，可以自百威所在点向"在男士中受欢迎"的向量作垂直线段；从老密尔沃基淡啤酒所在点向该向量西南方向的反向延长线上作垂直线段，就会发现它是最不受男士欢迎的啤酒品牌。顾客对其他各属性的知觉都可用同样的方式加以解释。此外还要注意，横轴（朝东）最接近"奢侈"、"适于出外就餐饮用"和"适于特殊场合"等属性。横轴在朝西的方向上表示"节约开支"和"物美价廉"等属性。因此横轴（东西向）就表示"节约—奢侈"这一基本维度，顾客会在这一维度上对不同品牌的啤酒加以区分。这张知觉图抓住了界定啤酒市场的竞争结构时的很多重要因素。从图中还可以得到一些其他结论：

- 米狮龙啤酒位于"浓烈"啤酒及"淡味"啤酒之间，在两类市场上都面临竞争。
- 老密尔沃基淡啤酒几乎没有直接的竞争者（在其位置附近没有其他品牌），表明新啤酒还有定位于这一象限内的潜在机会（前提是这里有足够大的顾客群）。要想定位在这一象限内，啤酒应该是淡味的，并且能够为精打细算的顾客接受。
- 某种啤酒是否受女性欢迎与是否受男士欢迎毫不相干（这两个属性向量相互垂直）。因而，尽管贝克和百威在男士中的受欢迎度不相上下，但对女士而言，贝克却比百威受欢迎的多。

不管图 4—1 提供的这些信息具有什么样的潜在价值，这幅知觉图除了一些"受男士欢迎"之类的泛泛之词外，并没有说明哪些品牌位置对顾客最具吸引力。譬如，该图并未表明顾客会更喜欢浓烈的高档啤酒还是淡味的低档啤酒。如果企业没有这样的深刻认识，就有可能投资与顾客偏好相反的差异化产品。这种无效差异化战略的一个典型例子是新加坡的威信史丹福（Westin Stamford）饭店，它的广告声称自己是世界上最高的宾馆，而这一特色对任何顾客来讲都毫无意义（Kotler, 1991）。为找准有意义的维度来实现差异化，应该将顾客偏好信息加入知觉图中。稍后我们会阐述"共同空间法"，将顾客知觉和偏好绘在同一图中。

知觉图使经理能够概括产品市场结构的重要元素，并直观地表现出来，从而为决策工作提供了便利。这种图能够概要表示大量信息，帮助经理从战略上思考产品定位问题。例如，节约—奢侈与淡味—浓烈这两个基本维度综合考虑了啤酒间有差异的几个属性。经理从这两个基本维度而不是某个具体的产品特

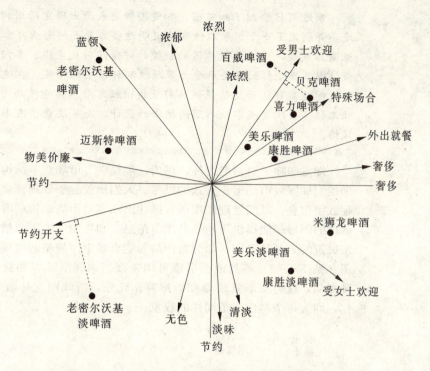

图4—1 啤酒市场的知觉图

百威啤酒是最受男士欢迎的啤酒，老密尔沃基淡啤酒是最不受男士欢迎的品牌。
该图概括了顾客在两个维度、13个属性上对啤酒的评价，这两个维度分别是：（1）节
约—奢侈；（2）浓烈—淡味。

资料来源：Moore & Pessemier 1993, p. 145.

性上来考虑啤酒市场的竞争对手，这样就可以找到战略重点，并在产品定位决
策中体现这个重点。用基本维度来概括信息的过程与人们平常简化认知任务的
过程极为相似。我们常用"睿智"或"狂妄"之类的词来评价一个人，把他们
做过的各种事当作得出这些评价的依据，我们还常说某位政治候选人"保守"
或"激进"，这其中综合体现了他们对各种问题（如堕胎、经济政策、对外援
助和军事）的立场。我们观察他人的行动，但要推断出"聪明"、"傲慢"或
"自由主义"等基本特征。同样，我们可以衡量顾客对市场上的各种产品的评
价，从中推断出顾客做出这些评价的基本维度。

举例

两家汽车制造商想知道顾客觉得汽车的哪些外观特点最吸引人。他们让目
标顾客根据一系列描述汽车外观特征吸引力的属性评价自己的汽车（选自
Grapentine, 1995）。

制造商A在研究时没有采用能表明汽车各种外观特征之间的关联及其对
顾客吸引力的影响的知觉图。它只研究了汽车的每种属性对吸引力的直接影
响，结果发现：（1）自己的汽车在汽车散热器的护栅设计上得分相对较低；
（2）这种特征与汽车的整体吸引力高度相关。于是制造商A要求工程师重新
设计汽车散热器的护栅以提高自己汽车的吸引力。

制造商B绘制了知觉图，知觉图概要表示出研究所用的各种属性的基础维度，并制定了一个框架以便明确说明这些维度如何影响可感知车辆吸引力。制造商B发现，对汽车散热器的护栅的评价同对反光镜、车顶斜度和挡风玻璃的设计以及保险杠的撞击承受力等属性的评价密切相关。在这个分析结果的指导下，制造商B认为这些属性共同反映出顾客对车辆空气动力学的看法。它没有让工程师去改变汽车散热器的护栅的设计，而是改变了汽车的空气动力学设计风格。

知觉图除了概括能力外，还为经理提供了市场竞争结构的图形化展示，帮助他们加深对市场运作方式的思考。人们比较善于处理视觉信息，不太擅长处理数字信息。虽然经理能用语言描述出顾客对市场结构的看法，但从数据中提炼出的图形却能提供更精炼的细节信息。知觉图中的细节信息对在新环境中制定决策的人尤其有用，如为新产品制定市场定位战略的时候。如条形图和折线图（见图4—2）等其他图形也可用来概括地展示顾客知觉，但如果有了三四种产品，这类图形就很难加以解释。此外，折线图意味着对所有属性一视同仁，即为每个属性赋予同样的权重。

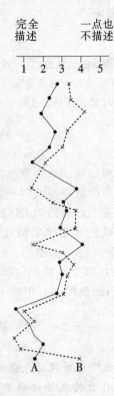

完全   一点也
描述   不描述

1 2 3 4 5

1. 公司为我的车提供了全面的保险；
2. 公司不会因年龄、事故记录或健康问题而取消保险单；
3. 友好、周到；
4. 公正地解决索赔；
5. 效率低下，难以相处；
6. 对要买的险种和险额能提供良好的建议；
7. 企业太大，无法关照每个顾客；
8. 能明确解释问题；
9. 保险费比较低；
10. 各地分公司都有能解决疑难问题的工作人员；
11. 会因年龄而提高保险费；
12. 解决索赔要花很长时间；
13. 非常专业/非常现代；
14. 能够为我所在的地区服务；
15. 迅捷、可靠的服务，易于获取；
16. 社区的"好邻居"；
17. 提供完整的保险险种；
18. 广为人知的知名公司；
19. 非常富有进取精神，成长迅速；
20. 能提供如何避免事故发生等建议。

A   B

图4—2　用折线图分析市场定位的例子

顾客在20个属性上对保险公司A和主要竞争者B进行的评价。

资料来源：Wind 1982, p. 82.

142

知觉图的应用

知觉图的价值基础在于：知觉就是事实；也就是说，顾客知觉在一定程度上决定了顾客的行为。知觉图的一种主要应用是帮助经理了解一组竞争产品的市场结构。知觉图上的任一点都是若干观念和看法的综合结果，所以知觉图说明企业应修改产品的哪些属性才能改进产品的定位。例如，图4—1中的知觉图就可帮助管理者找出应该改变的产品属性：要么把米狮龙啤酒定位为淡味的奢侈啤酒，要么定位为浓烈的奢侈啤酒，而不是处于一个中间的地位。经理先假设实际特性的变化会对顾客知觉产生什么影响，由此可试探性地预测出其他几种可能的市场定位会带来什么样的销售额或市场份额。格林（Green，1975）认为在这时要谨慎，他指出，知觉图的主要用途应该是提供诊断性的信息，而不是对销售额做出具体的预测。

除了在一般定位决策中的应用，知觉图在营销的其他具体领域也非常有用：

1. **新产品决策**：知觉图可用来支持新产品决策（Dolan，1993）。知觉图在新产品开发中的发现机会阶段尤其有用，可以发现市场中的空隙并为新产品开发指明重点。在概念测试阶段也可用知觉图来评价新产品概念在现有其他产品的环境中能有多大发展潜力，并找出可能喜欢该产品的细分市场。通用汽车公司采用了这种知觉图（见图4—3）来评价别克瑞塔车（Buick Reatta），不仅评

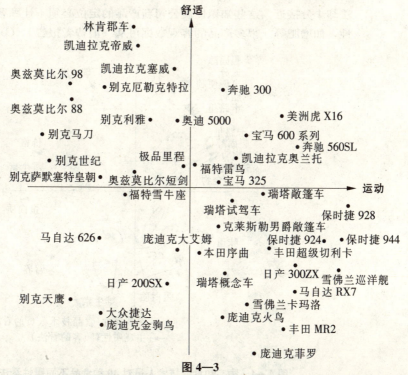

图4—3

这幅知觉图表明顾客认为瑞塔概念车同别克其他车型不一样，试驾后觉得瑞塔车的舒适程度要比概念车还要高。

资料来源：Urban & Star 1991, p. 280.

143

价了瑞塔概念车，而且还在试驾驶后又进行评价（Urban & Star，1991）。结果让通用汽车公司的管理者感到放心，瑞塔与别克系列的其他车型相比具有与众不同的高档车形象（实践证明，在这个市场空隙里没有足够的市场潜力。别克瑞塔只销售出几千辆，后来通用汽车公司降价销售了库存车）。

我们还可用知觉图根据预定标准为新产品选择名称。例如，本书在写作阶段时，我们对候选的书名，让美国一些商学院的教师用沉闷、复杂、前沿、虚张声势、有用和独特等进行评价。这些教师在阅读了本书概述并试用了软件后回答了一份问卷。另一种获取命名产品所需数据的方法是询问潜在顾客在听到某个名称后联想到的所有事物，然后把提及每个属性的次数作为绘制知觉图的数据。

2. **验证经理对竞争结构和定位的看法**：营销经理对顾客和非顾客看待不同品牌的方式有自己的观点，这些观点同各个细分市场看待不同品牌的实际情况或许会有出入。知觉图可帮助经理了解自己的看法同顾客的看法是否一致、存在什么差异、为什么会存在差异。例如，一位经理提到知觉图的作用时说：

> 从知觉图研究中得出的某些事实使我们震惊。我们一直只注重产品的实际特点，以此作为获得竞争优势的基础。但我们发现市场对服务更感兴趣（Siemer，1989）。

温德（Wind，1982，P.90）对比了顾客对食品的看法和食品技术人员的"客观"看法（见图4—4）。这项研究从12个属性上对40个不同品牌和新产品概念进行了评价。结果表明，双方对成分、碳水化合物、蛋白质和维生素等属性的看法毫无共同之处。但是，对卡路里、糖、脂肪、胆固醇和烹调便利等属性的看法却十分接近。这些知识促使公司新产品的定位必须不让顾客高估某些不好的属性，如增肥等。很多产品的客观数据可从《消费者报告》（*Consumer Reports*）和

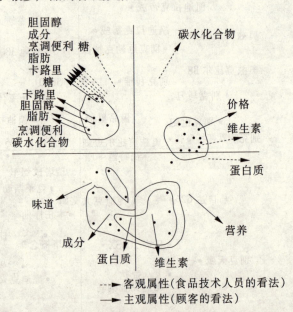

图4—4 顾客和食品技术人员对40种食品不同属性看法的知觉图

对味道、成分和营养的看法截然不同，图中每个点代表一种产品。

资料来源：Wind 1982, p.90.

《PC 杂志》（*PC Magazine*）等得到，有时这些杂志还会提供这些客观数据的知觉图。如图 4—5 就总结了调制解调器几种品牌的价格性能比。

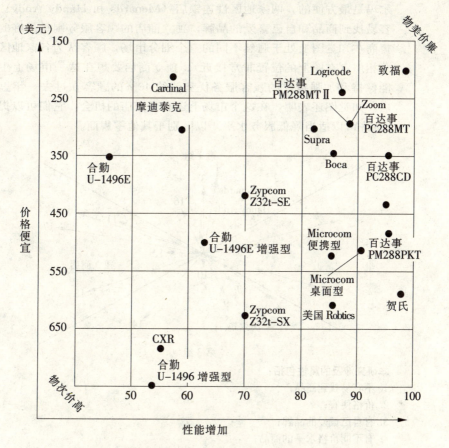

图4—5 调制解调器在"性能—价格"知觉图上的市场定位

资料来源：PC Magazine, September 13, 1994, p. 282.

3. **识别竞争者**：很多企业都希望自己的产品同竞争产品有差别。但在某些竞争非常激烈的市场上，市场空隙或市场机会都很少，很难找到明确的位置。这时，不妨根据对竞争者弱点的了解，选择其中几个竞争者作为目标。知觉图能够表现出哪些属性同紧密替代品相关，这些替代品的哪些差异化点最不可能影响到顾客的偏好（Wyner & Owen, 1994）。这样，知觉图就可以帮助管理人员深入了解若干竞争产品之间顾客未注意到的差异（即公司或竞争者还没有成功地将这些差异沟通给顾客），还可使他们了解顾客注意到但不在意的产品差异（即不会显著影响顾客偏好的产品差异化，如咖啡因含量两倍于其他可乐的 Jolt 可乐）。

4. **形象或声望研究**：形象是目标群体对企业的看法。形象或声望研究的目的是了解目标群体如何看待公司，并设计出与公司战略目标一致的形象。知觉图则是研究这类研究的结果的好工具。

图 4—6 的知觉图对比了芝加哥家居用品细分市场上的地区性连锁店、折扣连锁店和五金店等各类零售商（Johnson, 1994）。美国各地独立的家居用品零售店都受到沃尔玛等折扣店和劳氏公司（Lowe's）、家居货栈（Home Depot）等超级购物中心的巨大压力，于是进行了这项研究。知觉图是依据顾客在18种属性上对各种零售商的评价而绘制的。从知觉图可以看出，顾客认为沃尔玛是最方便的，两家地区性连锁店（Menards 和 Handy Andy）的问题是不容易找到商品和自己喜爱的品牌，独立商店的顾客服务则是最好的。这三类零售商在知觉图上处于迥然不同的三个细分市场，顾客认为各家地区性连锁店十分相似（在图上的位置非常接近）。独立商店要想在这一市场上生存下去，只能保持和加强自己的顾客服务优势。约 40％的顾客在过去一年里去过独立商店。知觉图还表明，在这个市场上还有新商店的机会，它们可以提供低价商品（也许可以适当降低服务水平）以区别于其他零售商。

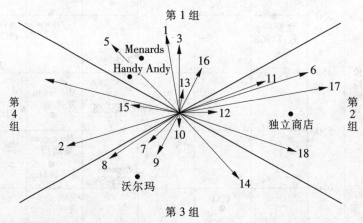

本研究涉及的属性包括：

1. 不容易找到商品；
2. 价格便宜；
3. 有自己偏爱的品牌；
4. 有不同价格水平的商品；
5. 有独特商品；
6. 提供协助和信息；
7. 店堂布置有亲切感；
8. 营业时间便利；
9. 结账速度快；
10. 商品部容易找到；
11. 可以定做；
12. 位置方便；
13. 商品不缺货；
14. 顾客服务优秀；
15. 特价品突出陈列；
16. 提供安装服务；
17. 提供特殊服务；
18. 员工人手充足。

图 4—6　用知觉图对芝加哥家居用品零售商进行的形象调查

顾客认为沃尔玛最方便，独立商店能提供很好的顾客服务，而地区性连锁店的商品品种合理。

资料来源：Johnson 1994, p. 57.

知觉图绘图技术

　　心理学家提出的知觉图技术原本是为衡量人们从不同维度看待各种事物的方式，营销人员采用这种多维标度法（MDS）则是为了在几何空间里表示顾客对一组实体（品牌、几何形状、百货店和总统候选人等）的看法。

　　顾客行为要受到知觉和偏好的双重影响。就算两种商品在实际外观上毫无二致，顾客也会认为它们不一样。例如，丰田花冠（Corolla）和杰傲（Chevy Prizm）两种车型在外观上几乎完全一样，但顾客认为花冠比杰傲高级。有时即使两种产品不一样，顾客却可能无法察觉其中的差别。例如，在味道盲测中，大多数顾客都无法区分不同品牌的啤酒或可乐；顾客也无法鉴别不同品牌的葡萄酒，而这些酒的价格却可能相差好几倍（当然专家能分出来）。

　　多维标度法依输入数据（如相似性数据、知觉数据或偏好数据）和数据处理方式的不同而不同（见图4—7和表4—1）。我们下面详细介绍三种主要方法：（1）由基于属性的数据得出的知觉图；（2）由基于相似性的数据得出的知觉图；（3）由顾客知觉及其偏好组成的共同空间图。库珀（Cooper，1983）和格林、卡蒙恩与史密斯（Green，Carmone & Smith，1989）的论文详细讨论了这些方法。

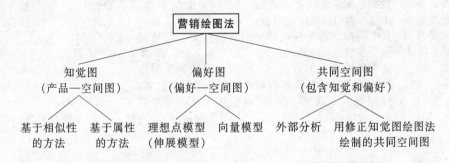

图4—7　营销的绘图法可分为三类：知觉图、偏好图和共同空间图。

表4—1

几种主要的知觉建模和偏好建模方法、输入、输出及实现这些方法的计算机应用程序。

模型	输入	输出	计算机程序	注解
基于相似性绘制的知觉图	数据矩阵（或子矩阵）包含各产品间可感知相似性或其他距离衡量结果（如相关）。数据可来自个人，也可是目标市场多个顾客数据的平均值。	表示各种产品位置的空间图。	KYST MDSCAL INDSCAL	市场结构主要由无形属性（如形象、审美观、气味或味道）决定时尤其适用。

模型	输入	输出	计算机程序	注解
基于属性绘制的知觉图	数据矩阵包含按预定属性对产品排名的结果。数据可来自个人,也可是目标市场多个顾客数据的平均值。	表明各种产品位置和属性向量的空间图。	因子分析(MDPREF)判别分析	市场结构主要由有形属性(如产品的外观、性能和服务特点)决定时尤其适用。
理想点法(伸展模型)绘制的偏好图	数据矩阵包含各顾客对一组产品的偏好或推断得出的顾客偏好。偏好可用等级表达(非度量伸展模型),也可用评分表达(度量伸展模型)。	表明各产品的位置和各顾客理想点的空间图。理想点是指某一顾客界定产品空间时最偏爱的基本维度,每个顾客的理想点都不同。	KYST GENFOLD ALSCAL	适合细分市场偏好不是单调函数而是呈倒置 U 形曲线的产品。如对咖啡品牌的偏好会随咖啡味道与理想咖啡味道相比"更浓"或"更淡"而下降。
向量法绘制的偏好图	数据矩阵包含各顾客对一组产品的偏好或推断得出的顾客偏好。偏好用评分来表达。	表明各产品位置及同各顾客相关的向量的空间图。	MDPREF	适合细分市场偏好随基本属性单调变化的产品。如竞争由质量、价值或反应速度等决定,偏好就可能单调递增。
外部分析绘制的共同空间图	数据矩阵包含各顾客对一组产品的偏好或推断得出的顾客偏好,并有知觉图上各产品位置的数据。	表明各产品位置、属性方向和各顾客理想点或偏好的空间图。	PREFMAP-3 GENFOLD	这些系统非常完善,有多种处理选项。
修正知觉图法绘制的简单共同空间图	数据矩阵包含:(1)类似于基于相似性法中的数据,其中一种产品是各顾客的假设理想点;(2)类似于基于属性法中的数据。其中一种产品是各顾客的假设理想点,或就"偏好"属性对所有产品打分。	对(1)中的数据,空间图提供了各产品的位置,包括理想产品。对(2)中的数据,空间图提供了各产品的位置,包括理想产品和各属性的向量。	MDSCAL KYST INDSCAL MDPREF	这些方法容易实现,而且能提供深刻的见解。

基于属性的方法

经理可用基于属性的方法从顾客对产品(即竞争性替代品)的评价数据中沿预定的维度推出知觉图。这种方法主要包括四个步骤:

第 1 步:确定一组产品及评价产品的属性。要分析的属性由研究目的决定。对战略定位研究而言,应选择范围较广的竞争性替代品和产品属性。如可选择某产品类别中的各种产品(如金融服务业中的共同基金、股票和债券等)或产品形态中的各种产品(如汽车工业中的小型车、微型车和中型汽车等)。对战术性定位研究而言,可选择竞争关系比较紧密的各种产品(如不同品牌的洗发香波或不同香味的洗发香波),所选的产品属性应有操作性(如颜色和每加仑里程),而且所选的各种产品在这些属性上应有所不同。科特勒(1991)总结出了常用的属性,你在选择研究要用的属性时可从这些属性开始(见表 4—2)。

表 4—2　　　　　　　用基于属性的知觉图方法进行定位分析所需的各种属性

特性：产品基本功能之外的补充特点（如汽车的立体声音响）。

性能：产品的最主要特点能够达到的水平。

耐用性：衡量产品预期寿命。

可靠性：衡量产品在某一时间内故障或报废的可能性。

服务能力：衡量维修故障或报废产品的难度。

风格：指顾客对产品外观和触觉的感觉。

产品形象：指一些能传达产品情感方面的属性，这些属性能影响顾客的情感和理智，一般包括与产品或公司相关的声望、产品使用者生活方式等。

递送：指产品或服务递送给顾客的过程的各个方面，包括递送过程的速度、准确和精心。

安装：指在预定位置上对产品实际使用前必须完成的各种活动。

培训和咨询：指公司培训顾客使用和维护产品并尽可能在使用中发挥产品的最大价值。

维修和维护：公司所提供的防止产品故障并当产品达不到预期性能时进行维修服务的便利性和质量。

其他服务：包括保修、贷款及能增加顾客购买产品或使用产品的价值的其他服务。

服务形象：指会影响整体服务认知的属性，包括服务人员的称职、友好和礼貌及顾客能得到个性化的关照。

可感知质量：指产品能满足顾客对产品/服务应有的质量期望的程度，它与上面提到的特性、性能、可靠性、耐用性等其他属性密切相关（Garvin, 1987）。

资料来源：Kotler 1991.

第 2 步：获取知觉数据。绘制知觉图的数据通常来自对预定目标市场的顾客样本进行的问卷调查。应先将数据组织成一个矩阵，表示出顾客在每个属性上对每种替代品的感觉。顾客可以一次在一个属性上给所有产品打分或排名次，也可以一次对一个产品的所有属性打分或排名次。例如，航空公司在许多知觉属性方面都不一样，如方便性、准时性、舒适性及整体服务等。表 4—3 的数据矩阵反映了一位乘客对所选属性的评价数据，等级为自 1 至 9。

表 4—3

	美洲航空公司	联合航空公司	美国航空公司	大陆航空公司	西南航空公司
方便	5	8	3	3	8
准时	6	5	5	4	8
整体服务	8	7	5	4	6
舒适	6	6	4	4	3

注：航空公司属性数据：1＝最差，9＝最好。

知觉图绘图方法的一个重要假设是提供研究所用数据的所有顾客都对这些产品有基本相同的看法。因此，必须从同质的顾客样本中获取数据。如果顾客来自几个不同的细分市场，最好先用聚类分析（第 3 章）等方法将其分成几个细分市场，求出每个细分市场答复的平均值，就可生成每个市场的"平均"数据矩阵，最后再为每个细分市场绘制出一幅知觉图。

第 3 步：选择一种知觉图绘图方法。在定位研究中，往往会得到顾客在十多个属性上对各产品的评价，但这些属性往往并不都是关于顾客产品知觉的独特信息。常见的情况是，某些属性同时表示同样的基本属性（也称为因子、轴

149

或维度）。所以，可感知整体服务和舒适可能是表现更基本的维度（可感知质量）的属性。

知觉图绘图技术提供了从顾客对属性的知觉的数据矩阵中提取基本属性的方法。采用基于属性的数据来绘制知觉图的方法有很多，豪泽和科佩尔曼（Hauser & Koppelman，1979）推荐因子分析法。我们下面介绍因子分析法的步骤。本书所附软件中采用的是 MDPREF 模型，内含用因子分析推导出知觉图的方法（Carroll，1972；Green & Wind，1973）。

因子分析法概述 因子分析法系统地寻找变量（这里指属性）间基本模式和相互关系，基于的是若干不同事物（品牌、产品类别或其他对象）在若干属性上的值的数据矩阵。它使我们能从数据中确定这些属性是否可通过分组或压缩来减少属性数目，同时又不牺牲数据矩阵所包含的信息。因子分析在细分研究前对数据进行预处理时也非常有用，本章附录中将作介绍。

令 X 为一个 m 行 n 列的矩阵，列标题为各种属性，行标题为各个产品，矩阵中的数据包含某一顾客样本对这些产品在这些不同属性上的平均分。注意，X 是前面部分介绍过的用于绘制知觉图的数据矩阵的转置矩阵。令 X_s 表示标准化的矩阵，其中对 X 矩阵的列进行了标准化（对矩阵列进行标准化是将各数值减去此属性所有值的平均数，再除以这些值的标准差。标准化可以消除衡量尺度的影响，保证所有变量在分析中能得到平等对待。也就是说，无论收入是按美元还是用比索计算，都不会影响分析结果）。我们把 X_s 的各列表示为 x_1，x_2，……，x_n。

在进行因子分析的主元素方法（营销中最常用的方法）中，我们把原始属性表示成一些共同因子的线性组合，并把每个因子表示为属性的线性组合，其中第 j 个因子可以表示为：

$$F_j = a_{j1}x_1 + a_{j2}x_2 + \cdots\cdots + a_{jn}x_n \qquad (4.1)$$

其中各个 a 是推导出来的权重，必须能使各个 F_j 达到最优。判断是否达到最优的标准是第一个因子应尽可能捕捉 X_s 中的信息；第二个因子应与第一个因子正交，并尽可能捕捉 X_s 中余下的信息；第三个因子应同时与第一和第二个因子正交，并包含 X_s 中没有在第一、第二个因子中考虑到的信息。以此类推。

原始数据的每个值还可用各因子的线性组合来逼近：

$$x_{kj} \approx z_{k1}f_{1j} + z_{k2}f_{2j} + \cdots\cdots + z_{kr}f_{rj} \qquad (4.2)$$

其中 z_{kl} 和 f_{ij} 也是因子分析的输出结果。

用矩阵表示方程（4.1）和方程（4.2）所表示的关系，就可以把这种关系看得更清楚（见图 4—8）。在图 4—8 中，z 称为（标准化的）因子得分，f 是因子载荷。从而，Z_s 就是标准化的因子得分矩阵，F 则是因子载荷矩阵，各列用 F_j 表示，代表属性与因子间的相关矩阵（注意，图 4—8 中的因子乘属性矩阵实际就是矩阵 F 的转置矩阵）。如果 $r = n$，即因子数等于属性数，就无需进行数据简化。这时，方程（4.2）就变成了精确方程（即图 4—8 的约等号可用等号替换），表示标准化的数据值（x_{kj}）可精确地从衍生因子中推导回去。这时，我们能做的就是把原来的 n 个属性重新定义为 n 个不同因子，每个因子都是所有属性的线性函数。但在知觉图方法中，我们要找尽可能保留原来数据矩阵中信息的 r 个因子（r 一般等于 2 或 3）。方差（数值与平均值的离差）是衡量属性的信息内容的指标。方差越大，信息内容越多。一旦将这些属性进行了标准化，每个属性就包含一个单位的方差（所有值都相等的属性除外，这种属性的信息内容等于 0）。如果分析属性有 n 个，需要解释的总方差（信息内容）等于 n。

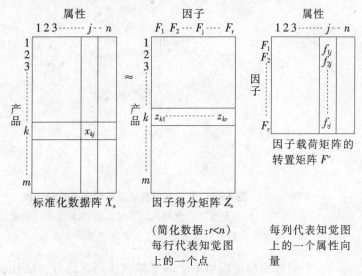

图 4—8 基于属性的知觉图法的图示

模型将标准化的原始矩阵 X_s 分解为两个矩阵：

(1) 标准化的因子得分矩阵 Z_s。

(2) 因子载荷矩阵 F；r 是因子的数目（知觉图的维数），一般把 r 设为 2 或 3。

因子分析法的输出结果如图 4—9 所示。这次对笔记本计算机的调查中涉及两个属性：优雅和别致。采用这种方法，首先发现这些点沿某个因子的离差最大（即这些点投射到这一因子上时，该因子的方差最大）。本例中各种笔记本计算机沿因子 1 表现的方差要大于因子 2 方向上的方差。如果因子 1 的方差等于 1.7，仅这一个因子就可以解释这两个属性信息内容的 85%（＝（1.7/2.0）×100），这意味着"优雅"和"别致"是相关的，而且可能指的是同一个基本维度"设计"。采用这种方法还可发现另一个与因子 1 正交（垂直）的因子，它能在最大程度上解释残余方差。本例中残余因子会解释 15% 的方差；这两个因子共同解释了所有方差。如果有 n 个属性，则不断重复这一过程，直到提取出解释原始数据的方差所需的全部因子（最多 n 个），这些因子彼此之间都是正交关系。

第 4 步：解释因子分析的输出结果。因子分析的一个重要目标是解释原始属性的基本因子。解释这一环节的关键是因子载荷矩阵 F。观察载荷的模式应该能识别出这些因子。绝对值高（相关性的绝对值高）的载荷使解释很为容易。在知觉图中因子载荷矩阵用属性向量表示，其中任意属性和某个因子之间的相关性等于属性向量和相应因子之间夹角的余弦。

这些因子可在保持角度不变的前提下旋转（即用正交矩阵变换矩阵 F，同时对 Z_s 也做同样的变换）以便于解释，这样，各属性与变换（这种变换称为"方差极大旋转"）后的因子间的余弦值或者非常大，或者非常小。结果，其中

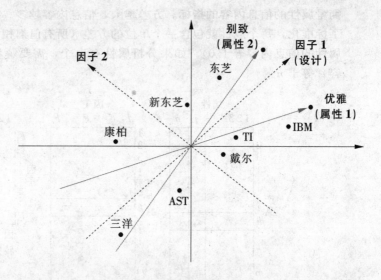

图4—9 笔记本电脑的双属性因子分析示例

"别致"和"优雅"彼此相关，都可以用基本因子（维度）"设计"来表示。这个例子用一维知觉图就可捕捉各种笔记本电脑之间的方差。

一些属性趋向于沿着每个因子紧密排列。这种方法让各属性趋向于某个因子，我们就可更好地识别出与变换过的因子密切相关的属性。虽然旋转改变了每个因子解释的方差，但并没有影响保留因子解释的总方差。为便于解释，我们可在知觉图上规定属性向量的长度，此长度与保留因子所解释该属性的方差成比例。图4—10是因子分析得出的知觉图，其中每个属性向量长度都与知觉图解释的该属性方差成比例。

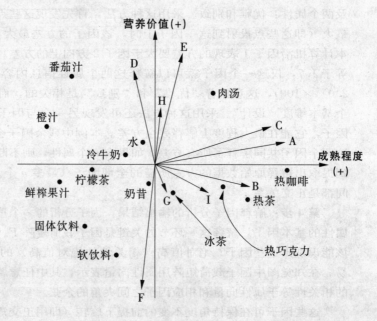

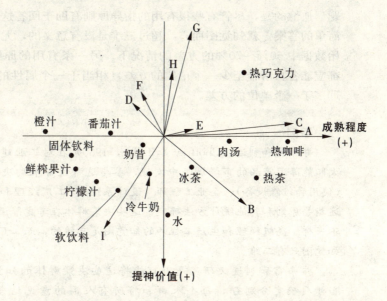

因子	属性
1. 成熟程度 (27%)[a]	A. 热;
	B. 成人饮用;
	C. 放松;
2. 营养 (26%)	D. 有益健康;
	E. 与食品同时饮用 (相对于单独饮用);
	F. 甜;
3. 提神 (24%)	G. 成分;
	H. 提供能量;
	I. 解渴。

[a]该因子解释的方差的百分比。

图 4—10 饮料基于属性的三维知觉图示例

其中每一属性向量长度与该图解释的方差成比例。这三维分别是：目标顾客群的成熟度；提神效果；营养价值。

资料来源：Aaker & Day 1990, p. 574.

由一个因子解释的方差：每个因子都会解释数据总方差中的一部分，如下所示：

$$由因子\ i\ 所解释的方差 = f_{i1}^2 + f_{i2}^2 + \cdots\cdots + f_{in}^2 \qquad (4.3)$$

由某一因子解释的方差的比例等于由该因子解释的方差除以数据总方差 n。在图 4—10 中，由横轴（因子 1）解释的方差比例为 0.27，由纵轴（因子 2）解释的方差比例为 0.26，由这两个轴共同解释的协方差为 0.53。如果保留了全部 n 个因子，这些比率之和就为 1。

由保留因子解释的某一属性的方差的比例：因子分析的一个优良解能够解释与每个原始属性相关的绝大部分方差，如下所示：

$$属性\ j\ 中得到解释的方差比例 = f_{1j}^2 + f_{2j}^2 + \cdots\cdots + f_{rj}^2 \qquad (4.4)$$

保留因子的个数：如果某一属性的方差很难用保留因子解释，那么该属性就是独特的属性，需要找出其他因子才能解释它。这时可以考虑采用维度更多的图，如从二维增加到三维。这就提出了在因子分析中应当保留多少因子的问题。遗憾的是，尽管有些很有用的指导原则有助于回答这个问题，但没有一个简单的答案。就知觉图而言，超过三维是没有意义的，尤其是三维图能解释原始数据中 60%～70% 的方差的情况下。另一条有用的原则是，每个保留因子都应能各自解释至少一个单位的方差（相当于一个属性的方差），通常应解释远多于一个单位的方差。

举例

乔弗雷和利连（Choffray & Lilien，1980）在对工业建筑用传统降温产品和太阳能降温产品的市场调查中发现，参与这种设备采购决策的人有生产工程师（使用和维修设备）、企业工程师（设计系统）、工厂经理和高级经理。他们用前述指导原则和其他统计方法确定，这些决策群体在考虑降温设备时使用的维数都不一样。高级经理和生产工程师的知觉图是三维的，而工厂经理和企业工程师的知觉图只有二维。

乔弗雷和利连又研究是否可能将这些决策群体的知觉结合起来（这就相当于要确定分别分析每个人群和将所有人群的意见结合起来进行分析时图 4—8 中的数据矩阵是否保持不变）。答案是否定的，即使用相同维数表示各群体的知觉时也不一样。表 4—4 总结了工厂经理和企业工程师的定性分析结果。工厂经理把运行成本、系统在非生产区域的使用和系统的断电保护作为第一个维度（因子）；企业工程师的第一个维度则是系统的初始成本、天气敏感程度和复杂程度。

这个例子没有充分认识到必须保证为知觉图提供数据的应答者能构成一个同质群体的重要性。我们应该事先做一些细分工作，因为这些群体在知觉维度的数目和构成上都存在差异。

表 4—4

		因子 1	因子 2
工厂经理	（＋）节能	（－）现场检验
	（＋）低成本	（－）可靠
	（＋）燃料配给保护	（＋）未经过全面测试
	（＋）非生产区域的使用	**（－）零部件的可替代性**
	（＋）减少污染	（－）天气敏感程度
	（＋）先进的方案	
	（＋）现代化的形象	
	（＋）断电保护	
企业工程师	（＋）未经过全面测试	（－）减少污染
	（－）系统成本	（＋）燃料配给保护
	（－）现场检验	（＋）节能
	（－）可靠	（＋）现代化的形象
	（＋）天气敏感程度	
	（＋）复杂程度	

注：上面列出的因子的载荷大于 0.5，并按重要程度降序排列；黑体字的项目对相应群体很重要，但对其他群体并不重要；每个因子左边的符号表示属性与因子之间的相关性：为正（负）号表示因子与属性是正（负）相关。

资料来源：Choffray & Lilien 1980，p. 125.

各种产品在知觉图中的位置：因子分析输出的一个重要结果是因子得分矩阵，此矩阵给出了每种产品在每一因子上的位置。如果我们只保留两个因子，第一种产品在二维知觉图中的位置就由因子载荷矩阵第一行中的前两个元素决定，第二种产品的位置由因子载荷矩阵第二行的前两个元素决定，以此类推。

总之，各种基于属性的方法提供了一套强大的知觉图绘制工具。如果所研究的产品在顾客易理解和评价的有形属性上存在差异时，这些工具尤其有用。同基于相似性的方法相比，基于属性的方法能更清楚地识别出基本维度。基于属性的方法还有一个优点，即使应答者评价的产品很少，也可以画出知觉图。

基于相似性的方法

基于相似性的方法的基础是产品之间可感知的相似性（或相异性）可用心理感觉来表现。用这种绘图方法绘出的空间图，图中任两个产品间的几何距离与顾客认为的这对产品间的相似性密切对应。绘制这种图形的技术有多种，这些技术在对输入数据性质的假设和将相似性转为图中距离的算法上有些差别。最常见的技术是，应答者若认为任两种产品 C 和 D 间的相似程度不如 A 和 C 间的相似程度，那么 C 和 D 在图上的距离要尽可能远。一般说来，实现基于相似性的方法分五个步骤：

第 1 步：找出所要研究的产品。这些产品通常是彼此竞争的。具体选择哪些产品要视研究目的而定。对战略性定位研究，最好选择较宽范围内的竞争性产品。对战术性定位研究，则可以选择最直接竞争者的产品。由于我们研究的是顾客的认知，因此不论哪种情况都应该选择顾客熟悉的产品；或应该在征求顾客对产品的看法前先提供一些资料，让顾客熟悉这些产品。

第 2 步：建立一个相似性（也叫接近度）矩阵，表明各对产品间的相似性。生成基于相似性的知觉图所需的输入数据是个对称矩阵，其中含有目标细分市场对产品间相似性（或相异性）的看法。这一矩阵对称的原因是因为我们假设 A 和 B 之间的相似性（心理距离）与 B 和 A 之间的相似性相等。如表 4—5 所示的这个相似性矩阵中，我们用从 1 到 9 的尺度来衡量相似性，1 表示"极为相似"，9 表示"极不相似"。

表 4—5　　　　　　　　　　**这个矩阵比较四种牙膏之间的相似性**

	家护三色牙膏	高露洁	佳洁士	格利姆
家护三色牙膏（Aqua Fresh）	1			
高露洁（Colgate）	2	1		
佳洁士（Crest）	4	4	1	
格利姆（Gleem）	7	6	5	1

1 表示极为相似，9 表示极不相似。

获取输入数据的另一种方法是让顾客直接排列每对产品间的相似性，从最相似的一对依次排到最不相似的一对，1 表示最相似。可以从相似性矩阵中分别得出每个顾客的知觉图，但通常要计算平均相似性数据，即将多个顾客的答复进行平均（注意：研究的这组顾客必须有相近的看法）。只有合理假设该目标细分市场中的所有顾客都用相同的基本维度对比各种备选产品，用这种方法

155

求各顾客答复的平均值才是一种可接受的逼近方法。

第3步：绘制知觉图。我们可用表4—1中的一种计算机程序来生成知觉图。计算机绘图程序将表示产品 i 和 j 之间相似性的输入数据（δ_{ij}）转变为图上的几何距离（d_{ij}）。这是分析过程的重要一步，这里要把各种产品间的"心理距离"转变为几何空间里的距离，以便用更强大的分析方法来解释几何空间里的图。图4—11所示的基于相似性的知觉图表明顾客认为皓清牙膏（Close-up）与牙科卫士（Dentagard）之间的距离是高露洁与家护三色牙膏之间距离的三倍（即前两者的相异程度是后两者的三倍）。对下一步骤（估计各种定位战略对市场份额或销售额的相对影响）而言，能够量化判断结果是非常重要的。

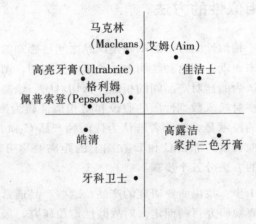

图4—11　牙膏的基于相似性的知觉图

表明高亮牙膏和佩普索登是市场上最接近的替代品，家护三色牙膏和皓清、艾姆和牙科卫士是最不可能相互替代的产品。

资料来源：Malhotra 1993, p. 703.

总的来说，要想满足所有约束（如顾客认为 A 和 B 之间最相似，A 和 F 间最不相似，即在绘出的图上，A 应与 B 最接近，与 F 最远），知觉图必须有 $n-1$ 个维度，其中 n 是要评价产品的个数。但超过三维的知觉图对管理几乎没有什么价值，所以要在可解释性与服从约束条件之间寻找均衡点。解决这一冲突的理想方式是绘制一幅二维或三维的知觉图，直观地概括市场结构。

第4步：确定知觉图的维数。确定维数涉及到（弱）单调性的概念，即产品相似性的排名应与知觉图上的距离排名相同（或相近）。单调性的要求是，如果 $\delta_{ij} \geqslant \delta_{kl}$，那么 $d_{ij} \geqslant d_{kl}$，其中 i、j、k 和 l 是要评价的产品，δ 是相似性，d 是知觉图上的距离。如果绘出的图是 $n-1$ 维，单调性约束总能得到满足。维度越少，就越不能满足单调性约束，得出的知觉图就有缺陷。我们用"压力"一词衡量偏离单调性的程度。压力值为 0 意味着完全单调，类似回归中的 $1-R^2$。小于 0.05 的压力值属于良好，压力值大于 0.20 则基本没有意义。计算机程序输出结果一般包括知觉图的压力值，这些程序计算压力值常用的公式为：

$$压力 = \sqrt{\frac{\sum_{i<j}(d_{ij}-\hat{d}_{ij})^2}{\sum_{i<j}(d_{ij}-\bar{d})^2}} \tag{4.5}$$

其中，d_{ij} = 几何空间图中 i 和 j 两种产品间的距离；$\bar{d}$ = 所有 d_{ij} 的平均值；

$\hat{d}_{ij}$ 尽可能接近 d_{ij} ，同时也是 δ_{ij} 的单调函数。

在确定维数时，要在单调性和维数间求得平衡。常用的方法是从一维开始，逐渐增加维数，直到压力值不会随维度增加而大幅度降低为止。

前述方法用"非度量分析"来解释相似性数据的排名顺序。其他基于度量分析的方法要么解释相似性数据中的绝对数值的大小，要么解释绝对数值的差异。

第 5 步：解释知觉图的维度。计算机程序会按我们所选的维度在知觉图上输出一些表示各种产品的点和一些表示维度的轴，现在我们必须对这些轴加以解释。一种简单的解释方法是寻找处在各维度极端位置上的产品点，并设法确定这些产品间的差异化特性。我们还可改变原点或旋转轴以便于解释。通常我们会需要参与研究的人提供额外的知觉数据，以帮助我们解释知觉图（例如，如果研究也包括对产品属性的衡量结果，就可将知觉图上的位置与属性数据联系起来）。

总之，对体现产品间差异的具体属性（如不同的香味）难以明确的产品类别来说，基于相似性的方法尤其有用。知觉图可以帮助公司发现市场上新产品的机会和竞争结构（如最贴近的竞争品牌）。但是基于相似性的方法无法提供一种解释基本维度的明确机制，这类方法往往要求至少 8 种产品，否则算法无法生成可靠的知觉图。

共同空间图

概述

知觉图的一个主要局限是没有指明图中哪些区域（位置）是目标顾客所喜欢的，哪些是他们不喜欢的。换而言之，该图没有加入顾客偏好或顾客选择的信息。我们需要采用**共同空间绘图法**（joint-space mapping method），将有关偏好和感觉的信息纳入同一张图中。

偏好与感觉完全不同：顾客也许认为沃尔沃是最安全的车，对它的偏好却可能很低。此外，偏好不像感觉那样，它不会随某种属性的增强而单调递增或单调递减。在某些情况下（如软饮料的甜度），每位顾客都有一个关于某一属性的理想值，高于或低于这一点都会导致消费者偏好的降低。有时消费者则会表现出对某种属性（如电视机的质量）的增强表现出偏好，或偏好某一属性（如修车的等待时间）的减小。图 4—12 举例表示了这些不同类型的偏好。倒置的 U 型偏好图称为理想点（伸展）模型。有线性偏好函数的偏好图称为向量模型（第三种偏好模型是局部价值模型，它考虑了任意分段线型函数，这种函数既逼近于理想点模型，也逼近于向量偏好函数。在第 7 章阐述的联合分析允许使用局部价值函数）。

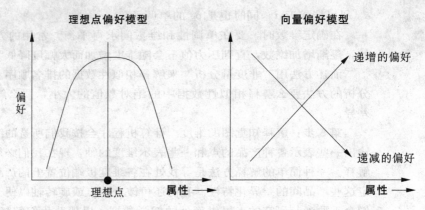

图 4—12　各类偏好函数

理想点模型有一个位于中间位置的"最佳水平"，如甜度；而向量模型则是
单调的，如等候时间、可靠性等。

简单共同空间图

将偏好信息并入知觉图的最简便方法是在基于属性的绘图模型中顾客所评
价的各种产品中加入一个假设的理想品牌。对每位应答者而言，理想品牌应具
有他最偏爱的属性组合。假定目标顾客群中的顾客都有类似的感觉和偏好，则
可以运用基于相似性的方法或基于属性的方法找出这个"典型"的理想品牌的
位置。此时该理想品牌就变成该顾客评价的又一种产品。在最后得到的知觉图
中，顾客偏好离理想点（理想品牌所在的位置）近的位置，不喜欢离理想点较
远的区域。图 4—13（a）采用的是这种方法，可以看出，产品 A 距离理想点
的距离是 B 到该点距离的一半，因而消费者对 A 的偏好程度是对 B 的偏好程
度的两倍。

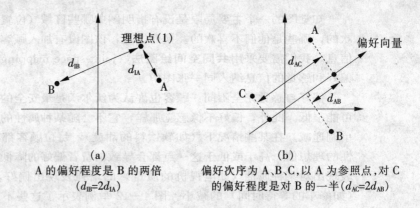

（a）
A 的偏好程度是 B 的两倍
（$d_{IB}=2d_{IA}$）

（b）
偏好次序为 A、B、C，以 A 为参照点，对 C
的偏好程度是对 B 的一半（$d_{AC}=2d_{AB}$）

图 4—13　简单共同空间图的解释

在理想点图中，距离直接表示偏好：离理想点越远，顾客的偏好越低。在向量图
中，产品位置映射到一个偏好向量上［图（b）中的虚线］，它们之间的距离要沿偏好
向量来衡量。

将偏好信息加入基于属性的模型的另一种方法是增加一个偏好属性，顾客

根据各种产品在该属性上的表现打分，表明他们对这些产品的偏好。我们对这些偏好评分进行加总和平均时，可以其平均评分作为一行加到输入数据矩阵中，用来表示偏好属性。用这种修正过的数据绘出的知觉图就有一种显示偏好递增方向的偏好向量。离此向量越远的产品，顾客对其偏好越强。假定产品 A 是该偏好向量上最远的一个点，若 B 到 A 的距离是 C 到 A 距离的一半，则消费者对 B 的偏好度就是对 C 偏好度的两倍［见图 4—13（b）］。

如图 4—14 所示，为用这种方法对笔记本电脑的评价。偏好向量表明，顾客偏好随屏幕质量和可感知价值的提高而增强，但随电池使用寿命的下降而减弱。这个二维图解释了偏好属性 80％以上的方差。但如果可解释的方差所占比例很低（如小于 50％），即使该图仍可用于解释知觉维度，用它解释偏好也是不恰当的。当偏好向量的方差解释比例很低时，从分析中剔除某些属性，看看能否生成更易解释的共同空间图。

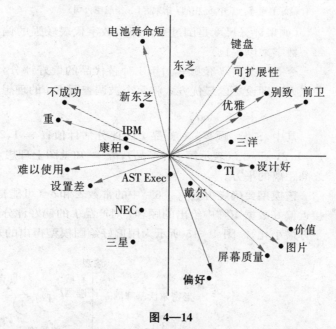

图 4—14

在这个简单共同空间图中，偏好递增的方向用"偏好"属性来表示。对笔记本电脑的总体偏好随屏幕质量、价值和电池寿命长而增强，不受可扩展性、键盘和使用方便等属性的影响。

用 PREFMAP3 模型进行外部分析

概述　PREFMAP3 绘图模型假设对一组产品有相同知觉的顾客对这些产品的偏好有很大差异。该模型将某顾客群中每个被调查对象的偏好叠加到同一知觉图中，此知觉图是用基于相似性或基于属性的方法从这组顾客中推导出来的。

PREFMAP3 方法的第一步是给出不同产品位置的知觉图，接着为每个被调查顾客引入一个理想点或一个偏好向量，同时确保所输入的产品偏好评分（或排名）与最终的共同空间图上各产品间的偏好关系尽可能对应。注意，研究中涉及的每位被调查者都有自己的理想点或偏好向量。

PREFMAP3 模型介绍　该模型的输入数据是一个 $N \times m$ 阶的偏好矩阵，该矩阵由 N 位目标顾客对 m 种产品的偏好评分构成，如表 4—6 所示。这里我们用 1～9 表示五位乘客对五家航空公司的偏好评分，其中 1 表示的偏好度最强，而 9 表示最弱。

表 4—6

	航空公司				
	美洲航空公司	联合航空公司	美国航空公司	大陆航空公司	西南航空公司
乘客 1	1	7	2	5	8
乘客 2	7	7	4	2	1
乘客 3	4	6	6	6	7
乘客 4	3	1	8	6	2
乘客 5	2	2	3	7	8

偏好值矩阵，其中 S_{ij} 中的 i 指乘客，j 指航空公司。

（如果评分尺度是倒过来，即大数字代表较强的偏好，应将数据矩阵中的每一数字乘以 -1。）

令 S_{ij} 表示第 i 位顾客对第 j 种替代品的偏好评分，PREFMAP3 模型的理想点方法即设法以最优方式将每个被调查顾客 i 的理想点安排在知觉图上。令

$$\hat{S}_{ij} = b + ad_{ij}^2 \tag{4.6}$$

其中，$\hat{S}_{ij}$ = 顾客 i 对产品 j 的评分估计值；$i = 1, 2, \cdots\cdots, I$（表示顾客号），$j = 1, 2, \cdots\cdots, J$（表示第 j 种产品）；d_{ij} = 知觉图上理想点 i 到产品 j 的固定位置之间距离的平方。

该模型要确定方程（4.6）中的常数 a 和 b（可能是负值），以使 $\hat{S}_{ij}$ 尽可能接近偏好数据矩阵中给出的顾客 i 对产品 j 的偏好评分 S_{ij}（即，使空间距离的平方最小化）。图 4—15 所示为用偏好绘图模型得出的知觉图。

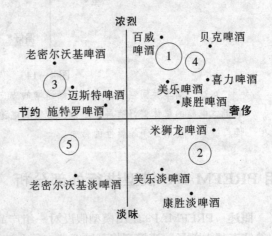

图 4—15　外部分析得出的共同空间图

圆圈是顾客的理想点群，圆圈大小表明该位置上顾客细分市场的相对规模。

资料来源：Moore & Pessemier 1993，p. 146.

如果采用 PREFMAP3 模型的向量方法，则要用以下公式计算评分估计

值，找到每位被调查顾客的偏好向量（即偏好的递增方向）：

$$\hat{S}_{ij} = a_i \sum_{k=1}^{r} x_{ik} y_{jk} + b_i \tag{4.7}$$

其中，a_i = 偏好向量的斜率；b_i = 偏好向量的截距；y_{jk} = 由知觉图所决定的产品 j 在维度 k 上的坐标位置；x_{ik} = 偏好向量在维度 k 上的坐标；r = 知觉图的维数。

给定 r 和 y_{jk}（对所有的 j 和 k）后，该模型要确定 a_i、b_i 和 x_{ik}，使 $\hat{S}_{ij}$ 尽可能接近偏好数据矩阵给出的顾客 i 对产品 j 的偏好评分 S_{ij}（即，使空间距离的平方最小化）。为作图方便，我们要重新确定计算得出的偏好向量的位置，即平行移动计算得出的偏好向量，使其能通过原点。方程（4.7）中的乘积项 $x_{ik} y_{jk}$ 保证：对所有产品的给定位置（y_{jk}；$j = 1$，$2 \cdots \cdots$，J；$k = 1 \cdots \cdots r$）来说，图中偏好向量的方向能在最大程度上解释被调查顾客 i 对所有产品 j 的评分 S_{ij}。

在 PREFMAP3 模型中还有几种选项，如可用偏好来排序数据，或允许给不同距离以不同权重，以便每一维度都能有不同的重要性。该模型还可在一幅图中同时用理想点模型和向量模型，对理想点模型能最好解释其原始偏好评分的顾客使用理想点模型，对其他顾客则使用向量模型（对这些顾客而言，向量模型可最大程度上解释其偏好）。有关这些问题的深入讨论超出了本书范围，详细解释请参阅卡罗尔（Carroll，1972）、格林与温德（1973）和穆尔曼、海泽与卡罗尔（Meulman，Heiser & Carroll，1986）的论文。本书所附软件用的是 PREFMAP3 模型的向量模型方法（Meulman，Heiser & Carroll，1986）。

解释 PREFMAP3 模型的结果 PREFMAP3 模型的一个优点是可以在图中直观看到不同的顾客细分市场。如图 4—15 中，最大的顾客群（理想点群）在标号为 1 的圆圈内，这些顾客最喜欢百威啤酒（即他们的理想点最接近百威啤酒），其次是美乐啤酒，以此类推。第二大顾客群是标号为 2 的圆圈，他们最偏爱康胜淡啤酒和米狮龙啤酒。该模型还显示出，任何群体都不喜欢施特罗啤酒（Stroh's），只有某些顾客群（如顾客群 5 和顾客群 3）买不到首选品牌时才有可能会选择它。在解释向量模型时，应按图 4—1 的建议，将每种产品映射到偏好向量上。

这种偏好图不仅能直观地区分顾客群，而且也能计算出图上任何位置的任何产品的预计市场份额。进行这种计算要求先将偏好数据转换成为市场份额指数。可用两种选择法则（参阅第 7 章）：首选和偏好份额。首选法则假定每位顾客仅购买最偏爱产品（即最接近理想点的产品或在偏好向量上距离最远的产品）；偏好份额法则假定每位顾客都依照各种产品的可测量偏好值所占比例（相对于模型包含的所有产品的偏好值总和）购买产品。首选法则适用于非经常购买品（如汽车），而偏好份额法则适用于经常购买品（如洗发香波或软饮料）。本书所附软件能自动完成这些计算，这样我们就可以分析图中其他产品位置都保持不变时重新对某种产品定位所能达到的市场份额。

对某些数据集而言，方程（4.6）中的参数 a 对某些顾客而言或许是负值。这些顾客有"反理想点"，即某种产品越靠近理想点，其受偏爱程度越低。反理想点会给模型的解释上带来困难。这也是我们仅在本书所附软件中采用向量模型的原因。反理想点会使偏好图无法解释一部分顾客的偏好信息。在检查该图所解释的每位顾客偏好的方差所占比例时就可以发现这个缺点。如果有"反理想点"的顾客很多，那么应该在增加外部派生的知觉图的维数后重新进行分析。

在知觉图中加入价格因素

在知觉图中有多种表示价格的方法（Urban & Star，1991）。在基于属性的方法中，我们可将价格作为顾客评价产品的又一属性。我们还可在绘图时将目标价格作为一个附加属性。

另一个截然不同的方法是沿图中每个维度用每个产品的坐标除以其价格。这种方法可以与本章讲到的所有方法结合使用。图 4—16 是一组漱口液产品在包含与不含价格的两种情况下绘制成的图。当每种产品的坐标除以价格后，基本维度就变为"每美元坐标"。如果不进行这种转换，就很难理解为什么洁诺牙膏（Signal）会在市场中生存下去。其他品牌在两个维度都比它强［见图 4—16 （a）］：顾客认为李施德林的味道好，而且治疗口臭的功效与洁诺相同。但用价格转换坐标后［见图 4—16 （b）］，洁诺牙膏经过价格调整后的位置表明这是一种颇具吸引力的产品，没有任何产品能在两个维度上同时比它强。

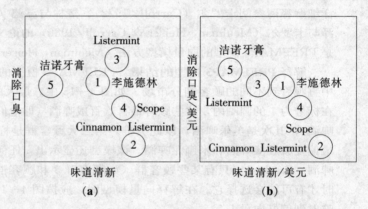

图 4—16 没有用价格修正过的知觉图 （a）和修正过的知觉图 （b）

如果不考虑价格，与其他品牌相比，洁诺牙膏在两种属性上都没有优势。

资料来源：Urban and Star 1991，pp. 138–139.

本章小结

本章讲述了绘制知觉图和偏好图的各种方法，这些图可以帮助我们确定产品或服务在顾客心目中的定位。尽管我们所举的实例中多数是消费品，但这些方法也可用在技术性产品和工业用品及以企业市场为目标市场的服务上。

这些绘图技术使经理能对市场面临的竞争结构有更深刻的认识。他们根据这种认识可以确定产品或服务的市场定位，从目标顾客那里获得令人满意的回报。尽管这些技术非常有用，但也必须认清它们的局限性，这样我们就可以把它们用于最适合的地方。

- 知觉图绘图方法只部分解释了顾客知觉和偏好。这些方法只能加深我们对研究中涉及到的产品和属性的认识，也就是说，它们只在已有的框架内对定位起支持作用。在基于相似性的方法中，研究中选取的产品集合会限制作为定位依据的基本维度集合。在基于属性的方法中，所选取的属性集合会限制考虑新的定位方案时的维度。因而这些方法也许会限制经理的思维，妨碍经理沿着新属性制定市场定位战略。我们应该牢记，绘图技术仅仅是用一种有助于决策的方法来表示顾客的知觉和偏好，并不能告诉我们为什么消费者会形成这些感觉或偏好。
- 某些技术上的限制（如基于属性的方法中数据规模的限制，基于相似性的方法中对产品最少数目的要求，共同空间图方法产生的退化图等等）使这些方法在应用中多少有些缺陷。
- 没有一种"概率模型"能为我们在选择最适用图形（就这里的几种绘图方法而言）时提供统计学上的指导，因而我们很难从统计学角度估计出根据某一顾客样本的数据绘制出来的图是否代表目标人群的总体特征。图形的合理性既不能说明图形的有效性（真理），也不能证明图形的可靠性（当我们使用来自另一顾客样本的数据时能否得到相似的图形）。一些新的绘图技术，如 PROSCAL（MacKay & Zinnes, 1996），都加入误差模型，并在解释图形时提供了统计上的指导。但这些模型至今尚未得到广泛使用。

尽管存在上述种种局限，知觉图和偏好图仍然能在两个方面提供有益的帮助：（1）帮助经理从顾客的角度看待市场的竞争结构；（2）帮助经理就市场结构形成原因及如何充分利用这种市场结构等问题进行交流。这些图形对战略性决策尤其有用，尤其是用绘图技术重新审视企业的竞争性定位时更是如此。

最后，即使在得不到顾客数据的情况下知觉图也是有用的。管理者的主观数据往往也能提供有用的见解。例如，在开发某种新产品时，每人都可以根据自己对新产品如何与现有竞争产品一争高下的看法绘制出自己的知觉图。这些知觉图会引发很好的讨论，帮助经理为新产品制定定位战略。

附录：使用因子分析对市场细分数据进行预处理

市场细分研究通常依赖于对个体在许多属性（变量）上进行测量的结果（观察值）。但是，正如在第 3 章提到的一样，有些相关变量可能会掩盖真正的细分市场结构。为解决这一问题，我们可以在聚类分析之前用因子分析对市场细分数据进行预处理。预处理的目的是将数据从含有大量相关变量减少成为数不多的基本因子，同时保证精简过的数据能够保留原始数据中的绝大多数信息。这些因子不仅能简练地表示原始数据，而且用它们进行聚类分析时还能得出更可靠的细分市场。

用于细分市场研究的因子分析的形式与本章中介绍过的形式略有不同。令 X 为一个 $m \times n$ 阶数据矩阵，其中含有 m 个被调查顾客对 n 种变量的需求数据（或态度数据）。和前面一样，输入数据要经过标准化，且令 X_s 代表标准化的数据矩阵。但这里我们用的是未经标准化的因子得分。我们用 P 表示该矩阵，以便与图 4—8 中以 Z_s 表示的标准化因子得分矩阵区别。因此，我们需要另外一组变量将这些因子分析结果与我们在方程（4.1）和方程（4.2）中得到的结果区分开来：

$$P_j = u_{j1}x_1 + u_{j2}x_2 + \cdots\cdots + u_{jn}x_n \qquad (4A.1)$$

$$x_{kj} \approx P_{k1}u_{1j} + P_{k2}u_{2j} + \cdots\cdots + P_{kr}u_{rj} \qquad (4A.2)$$

其中，$x_i =$ 标准化矩阵 X_s 中的第 i 列；$x_{ki} =$ 该矩阵中第 k 行、第 i 列的元素；$P_j =$ 因子得分矩阵中的第 j 列，表示每个被调查顾客对因子 j 的评分；$P = [P_1, P_2, \cdots\cdots, P_r]$，它有 r 个保留因子的因子得分矩阵；$u =$ 描述原始变量与因子间关系的"因子载荷"。

如前所述，我们要寻找 r 个因子来代表原始数据，其中 r 小于初始变量数 n。如果我们选取的 r 小于 n 的 1/3，并且其中的保留因子能解释数据方差的 2/3 以上，那么就可以认为数据的预处理是成功的。但如果对样本数据的预处理掩盖了真正的聚类结构，就会有失掉重要信息的危险。因而，在对数据进行预处理和不进行预处理两种前提下，分别用因子分析运行该模型，看看哪种方法的结果更好，这是一种很安全的办法。为提高因子的可解释性，我们可将初始的因子解正交旋转（方差极大法旋转），这样就使每个初始变量都与很少的几个因子紧密相关，最好只和一个因子相关。有关这一话题的详细讨论不属于本书的范围。

接下来我们可用有 r 个因子的因子得分矩阵作为输入变量，用聚类分析识别各个细分市场。由于这一阶段使用的是未经标准化的因子得分，所以我们可以在聚类分析中确定是否要将因子得分标准化，这是本书所附的聚类分析软件中的一个选项。

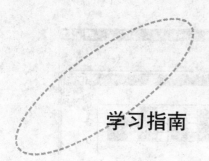

学习指南

定位分析指导

市场定位分析就是绘制知觉图和偏好图，以直观表示顾客对相互竞争的产品与服务的看法及顾客对这些产品与服务的偏好。绘图技术对制定市场定位战略十分有益。绘制知觉图的软件以 MDPREF 模型为基础，用因子分析法得出基于属性的图。绘制偏好图的软件生成的是 PREFMAP3 的一个外部向量模型版。

下面以日产公司 G20 款的无限（Infiniti）车为例说明在开发定位战略时如何使用知觉图。

从"Model"（模型）菜单中选择"Positioning Analysis"（定位分析），系统会提示你选择一个数据文件，如图 4—17 所示，本例中选择 G20. DAT 文件。如果要输入自己的数据集，数据文件的列要求是产品（或其他要评价的项目），行是对产品属性的评价。

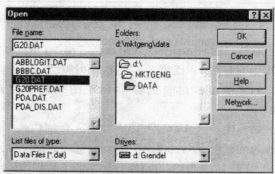

图 4—17

文件加载后会出现如图 4—18 所示的窗口：

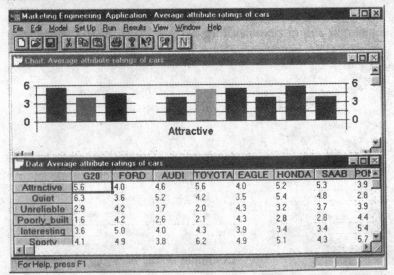

图 4—18

注意：如果为评价不同的解决方案而修改数据，系统不会自动保存修改过的数据。若想保存，可在“File”（文件）菜单下单击“Save As”（另存为）。

在“Setup”（设置）菜单下单击“Setup”（设置）选择运行参数（如图 4—19 所示）。

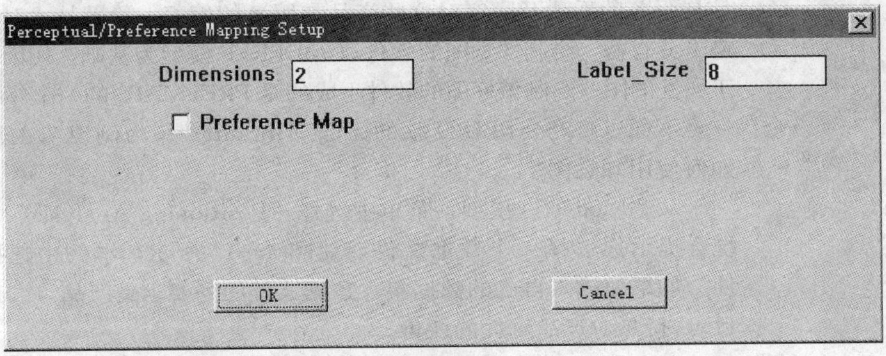

图 4—19

维数：输入 2 或 3。如果选择三维图，系统将生成三个二维图（维度 1 和维度 2、维度 2 和维度 3、维度 1 和维度 3）。

标签长度：过长的标签会使图表显得混乱，可限定在 1—10 个字符之间。

知觉图：这是缺省选项，其输入数据依赖于顾客对产品属性的平均知觉。本练习的数据在 G20. DAT 中。此选项只能绘制出知觉图，没有知觉和偏好的共同空间图，但把平均偏好分加在输入数据矩阵中也能得到一个简单的共同空间图。

偏好图：若有一个单独文件存放了每个顾客对选定产品的偏好信息，就可以选择偏好图选项。本练习的偏好数据存在 G20PREF. DAT 文件中。选择此选项后，系统会提示输入文件名。

在"Run"（运行）菜单下单击"Run Model"（运行模型）运行程序，如图 4—20 所示。

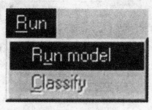

图 4—20

程序运行后会出现如图 4—21 所示的屏幕：

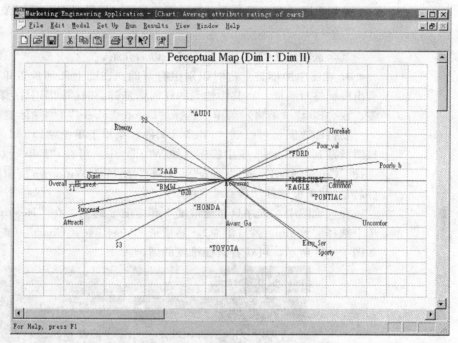

图 4—21

图中属性向量的长度与属性的方差成正比。

在"View"（视图）菜单下有定制显示的命令，包括：

1. 放大和缩小：用 Zoom 命令可放大或缩小显示图中任何部分。单击"Zoom In"（放大）命令，然后把光标放在图上任何位置，再单击鼠标。要想缩小，在"View"（视图）菜单下单击"Zoom Out"（缩小）。

2. 定制显示方式：在"View"（视图）菜单下单击"View Options"（视图选项）定制显示方式，如图 4—22 所示。

- 显示或取消网格。
- 显示或取消属性向量。
- 只显示方差大于特定值的属性，取值范围在 0（缺省）到 1.0 之间。

167

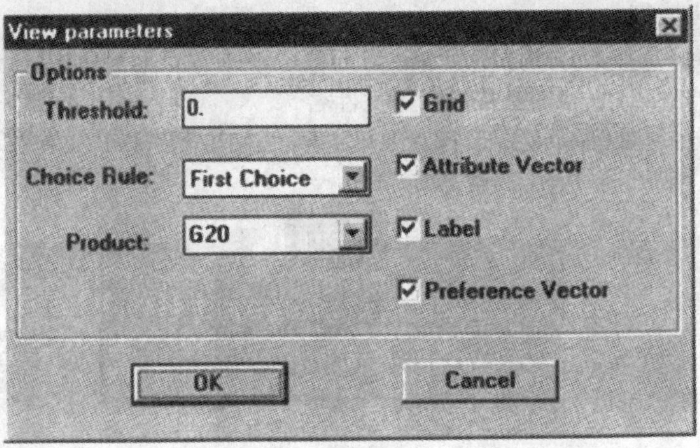

图 4—22

● 如果同时取消属性向量和标签的显示，系统就只显示对象（本例中是汽车）。

其余选项用于偏好图，我们将在以后介绍。

3. 在图中加标签：这对识别很有帮助。在图上任何位置单击鼠标，屏幕会出现标签对话框，在其中输入的任何信息都会被插到图中。要清除输入的标签，在"Edit"（编辑）菜单下选择"Delete Labels"（删除标签）。

要打印该图，可以到"File"（文件）菜单下单击"Print"（打印）。要把该图剪贴到 Windows 应用程序（如 Word）中，可在"Edit"（编辑）菜单中选择"Cut"（剪切）或"Copy"（复制），然后在 Windows 应用程序的"Edit"（编辑）菜单里选择"Paste"（粘贴）。

在三维图中，程序只显示维度 1 和维度 2 的图。在"Results"（结果）菜单上选择"Summary"（汇总），然后选"View Next Chart"（查看下张表格），如图 4—23 所示，可观看其他维度的图。

图 4—23

偏好图

在"Setup"（设置）菜单下选择"Preference Map"（偏好图），如图 4—24 所示，图中将用黑粗线显示各消费者的偏好向量。向量长度与消费者偏好的方差成正比。本软件的新版本将支持理想点模型，理想点以黑点来表示。

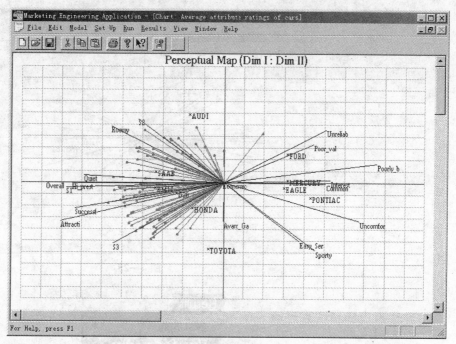

图 4—24

定制显示和分析选项：同知觉图一样，可用"View"（视图）菜单下的选项定制显示方式。这时有些选项是绘制知觉图时没有的新选项。在"View"（视图）菜单下选择"View Options"（视图选项），你可以使用以下选项：

- 显示或取消偏好向量；
- 对某种产品，可进一步研究它在图上不同位置时的市场份额；
- 可指定计算市场份额的规则：首选规则假定每个顾客只选择最偏好的产品；偏好份额规则假定顾客选择某商品的概率同它在模型中所有商品的总偏好中所占份额成正比（参阅第 7 章）。

> **注意**：偏好份额模型假定顾客对最不喜欢产品的偏好为 0。

要计算图上任一点市场份额指数，可将光标移到该点，单击鼠标右键。该点就会出现许多交叉细线，市场份额数据也会在屏幕下方显示出来，如图 4—25 所示。最好把计算出来的市场份额看作是相对吸引力，而不是市场份额的绝对量。

> **注意**：在计算市场份额时，我们假设所选产品的位置转到十字线处的新位置（图中仍在原位置显示产品以便对比），而其他产品的位置都保持不变。

要查看其他诊断性信息，可在"Results"（结果）菜单下选择"View Diagnostics"（查看诊断结果），如图 4—26 所示。这时屏幕上会出现对评估图形的统计充分性有用的信息，如图 4—27 所示。可在"File"（文件）菜单下选择"Print"（打印），将这些信息打印出来。也可用剪贴功能将这些信息复制到一个 Windows 应用程序（如 Word）中，以便进一步编辑。

169

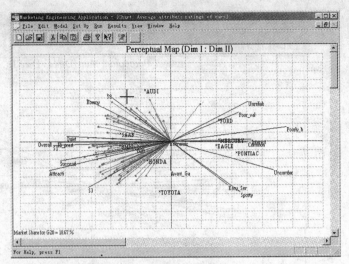

图 4—25

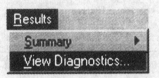

图 4—26

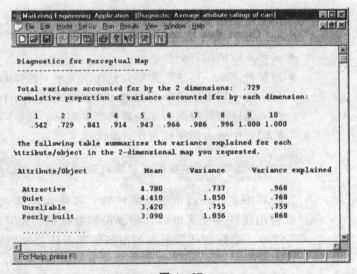

图 4—27

　　如果在"Set Up"（设置）菜单选择了"Preference Map"（偏好图），这时将会看到图 4—28 所显示的诊断信息：

练习的参考文献

Green，Paul E. and Wind，Yoram 1973，*Multiattribute Decisions in Marketing：A Measurement Approach*，The Dryden Press，Hinsdale，Illinois.

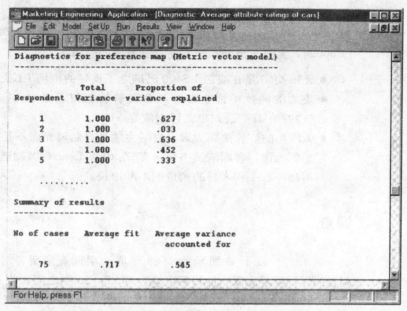

图 4—28

Green，Paul E.；Carmone，Frank J.，Jr.；and Smith，Scott M. 1989，*Multidimensional Scaling：Concepts and Application*，Allyn and Bacon，Boston，Massachusetts.

Muelman，Jacqueline；Heiser，Wilhelm；and Carroll，J. Douglas 1986，*PREFMAP _ 3 User's Guide*，Bell Laboratories，Murray Hill，New Jersey 07974.

日产 G20 款无限汽车的市场定位案例

G20 简介

1990 年 4 月，日产公司的无限 G20 计划上市，为现有的无限系列车增添第三种车型。G20 采用四缸发动机，拥有 140 马力的功率，属于普通跑车。但市场的最初反应令人失望，管理者想知道如何通过重新确定目标市场和市场定位来提高业绩。

背景

1986 年本田公司的极品（Acura）系列车上市，三年后丰田公司和日产公司开始进攻由美国车和德国车统治的美国豪华车市场。

1989 年 11 月，日产公司推出了新型豪华车无限系列车，包括 40 000 美元的 Q45（主导车）和 20 000 美元的 M30。但日产还是晚了一步，1989 年 8 月，丰田公司的凌志（Lexus）系列车就上市了，包括 40 000 美元的 LS400 和普通跑车 LS250。

1990 年 1 月至 9 月的销售数据显示，凌志车比无限车多售出 50 000～15 000辆，无限车出师不利主要有三方面的原因：

- 无限 Q45 是在凌志 LS400 已确立了良好的市场地位后才上市的。
- 凌志的两款车都非常好，而汽车杂志和顾客对无限 M30 的评价不高（1992 年日产公司也曾计划放弃 M30）。
- 无限车的广告离题太远，它的主题是自然风光而不是轿车本身，因此遭受到批评，喜剧演员杰伊·莱诺（Jay Leno）讽刺道："无限车根本卖不动，石头和木材的销量倒不断增长。"

调查

表 4—7～表 4—9 所示为 1989 年底一项调查消费者对 G20 看法的结果。调查抽样框架是无限车的目标受众，即 25～35 岁之间、收入在 50 000 美元～100 000 美元之间的人（在这次调查时，凌志 LS250 的名气还不大，所以未考虑）。日产公司把目标受众分为三个细分市场，并从 Claritas 公司数据库里检索到这些细分市场的人口统计信息和区分细分市场的心理信息。

表 4—7　　　　　　　　　　　认知和偏好平均得分结果

（1—9 尺度，文件 G20. DAT）

	无限 G20	福特 雷鸟	奥迪 90	丰田 Supra	飞鹰 Talon	本田 序曲	绅宝 900	庞迪克 火鸟	宝马 318i	水星 Capri
引人注目	5.6	4.0	4.6	5.6	4.0	5.2	5.3	3.9	5.7	3.9
噪音小	6.3	3.6	5.2	4.2	3.5	5.4	4.8	2.8	5.0	3.3
不安全	2.9	4.2	3.7	2.0	4.3	3.2	3.7	3.9	2.3	4.0
落后	1.6	4.2	2.6	2.1	4.3	2.8	2.8	4.4	1.8	4.3
兴趣	3.6	5.0	4.0	4.3	3.9	3.4	3.4	5.4	3.3	3.9
动感	4.1	4.9	3.8	6.2	4.9	5.1	4.3	5.7	4.1	5.2
不舒适	2.4	4.0	2.4	3.7	4.0	3.3	2.8	4.3	3.5	4.4
宽敞	5.6	3.9	5.3	3.5	3.6	3.9	5.1	3.3	4.3	3.6
服务方便	4.6	4.9	3.5	4.9	4.6	5.0	4.7	4.1	4.1	4.6
声望高	5.4	3.5	5.6	5.3	2.7	4.7	5.7	3.8	6.1	3.3
大众	3.5	3.5	3.4	2.9	4.3	3.9	1.9	4.1	2.8	3.9
经济	3.6	3.7	3.6	3.2	4.5	5.0	4.3	3.1	4.3	4.6
成功	5.3	4.2	5.0	5.5	3.7	5.6	5.3	4.4	5.9	3.9
前卫	4.3	3.6	3.6	4.9	4.4	3.9	4.7	4.1	3.7	4.5
物非所值	3.4	4.0	2.6	2.8	3.2	2.6	2.9	4.3	3.3	3.8
总偏好	6.3	3.9	6.0	5.5	4.0	6.5	6.8	3.0	6.7	4.0
细分市场 1	4.3	2.1	6.0	6.1	3.3	7.3	7.5	1.2	8.3	1.7
细分市场 2	5.9	6.0	7.7	3.5	3.1	5.5	5.4	2.5	5.4	5.8
细分市场 3	8.6	2.1	3.4	8.1	5.8	8.3	8.4	5.3	7.3	3.4

表 4—8　　　　　　　　　　　顾客偏好的详细数据

（文件 G20PREF. DAT）

	G20	福特	奥迪	丰田	飞鹰	本田	绅宝	庞迪克	宝马	水星
1	4.0	7.0	8.0	3.0	4.0	5.0	5.0	1.0	4.0	5.0
2	4.0	8.0	6.0	5.0	8.0	7.0	3.0	1.0	5.0	2.0
3	8.0	5.0	9.0	4.0	1.0	7.0	7.0	2.0	4.0	4.0
4	7.0	1.0	8.0	1.0	4.0	6.0	5.0	5.0	7.0	3.0
5	9.0	8.0	8.0	3.0	5.0	4.0	3.0	2.0	8.0	6.0
6	5.0	6.0	5.0	5.0	2.0	4.0	8.0	4.0	4.0	7.0
7	3.0	9.0	7.0	4.0	4.0	3.0	6.0	4.0	3.0	6.0
8	4.0	7.0	9.0	3.0	1.0	7.0	9.0	3.0	6.0	6.0
9	8.0	6.0	6.0	4.0	5.0	5.0	1.0	2.0	8.0	7.0
10	6.0	4.0	6.0	3.0	2.0	8.0	7.0	3.0	1.0	8.0
11	8.0	6.0	8.0	4.0	6.0	8.0	7.0	1.0	2.0	7.0
12	8.0	5.0	6.0	6.0	2.0	3.0	8.0	1.0	6.0	6.0
13	4.0	2.0	9.0	4.0	1.0	5.0	5.0	4.0	8.0	5.0
14	5.0	5.0	8.0	5.0	6.0	4.0	6.0	1.0	3.0	7.0
15	6.0	5.0	9.0	1.0	3.0	6.0	8.0	3.0	6.0	3.0
16	6.0	3.0	9.0	2.0	7.0	8.0	6.0	3.0	3.0	5.0
17	8.0	5.0	8.0	1.0	1.0	8.0	9.0	2.0	5.0	4.0
18	5.0	9.0	7.0	5.0	2.0	4.0	7.0	5.0	6.0	1.0
19	6.0	7.0	9.0	6.0	2.0	6.0	3.0	5.0	4.0	5.0
20	6.0	9.0	8.0	2.0	3.0	8.0	6.0	1.0	7.0	5.0
21	7.0	7.0	9.0	4.0	1.0	3.0	4.0	1.0	4.0	3.0
22	6.0	9.0	6.0	2.0	3.0	4.0	6.0	1.0	6.0	3.0
23	5.0	4.0	8.0	4.0	1.0	4.0	1.0	1.0	8.0	5.0
24	7.0	4.0	8.0	3.0	2.0	3.0	4.0	6.0	9.0	5.0
25	3.0	9.0	7.0	3.0	1.0	7.0	2.0	1.0	5.0	7.0
26	8.0	2.0	1.0	9.0	4.0	8.0	8.0	5.0	6.0	4.0
27	9.0	6.0	5.0	8.0	4.0	8.0	7.0	7.0	5.0	1.0
28	9.0	1.0	2.0	8.0	6.0	8.0	5.0	6.0	8.0	3.0
29	9.0	2.0	4.0	8.0	7.0	8.0	9.0	8.0	5.0	6.0
30	9.0	3.0	4.0	8.0	7.0	6.0	6.0	4.0	5.0	1.0
31	8.0	3.0	2.0	9.0	5.0	8.0	9.0	5.0	7.0	5.0
32	5.0	1.0	2.0	7.0	9.0	9.0	9.0	7.0	8.0	6.0
33	9.0	1.0	4.0	9.0	6.0	9.0	9.0	5.0	9.0	2.0
34	8.0	2.0	6.0	8.0	7.0	8.0	8.0	8.0	9.0	5.0
35	9.0	1.0	7.0	9.0	5.0	7.0	6.0	6.0	4.0	1.0

续前表

	G20	福特	奥迪	丰田	飞鹰	本田	绅宝	庞迪克	宝马	水星
36	8.0	1.0	4.0	9.0	6.0	8.0	8.0	3.0	7.0	4.0
37	9.0	2.0	3.0	9.0	5.0	8.0	9.0	7.0	9.0	6.0
38	8.0	2.0	3.0	6.0	5.0	9.0	9.0	3.0	9.0	6.0
39	9.0	2.0	4.0	9.0	7.0	8.0	7.0	7.0	9.0	1.0
40	8.0	3.0	2.0	7.0	5.0	8.0	9.0	5.0	6.0	1.0
41	9.0	3.0	4.0	8.0	8.0	9.0	6.0	2.0	9.0	6.0
42	8.0	3.0	2.0	8.0	6.0	8.0	8.0	4.0	7.0	2.0
43	9.0	2.0	1.0	8.0	6.0	7.0	9.0	5.0	9.0	5.0
44	9.0	2.0	3.0	9.0	7.0	8.0	9.0	7.0	5.0	4.0
45	9.0	2.0	3.0	7.0	6.0	9.0	9.0	7.0	5.0	2.0
46	8.0	1.0	2.0	9.0	5.0	8.0	9.0	4.0	9.0	4.0
47	9.0	2.0	3.0	9.0	6.0	9.0	9.0	6.0	8.0	1.0
48	9.0	3.0	6.0	8.0	2.0	8.0	9.0	4.0	8.0	4.0
49	9.0	1.0	2.0	9.0	6.0	8.0	9.0	4.0	7.0	1.0
50	9.0	3.0	6.0	9.0	6.0	9.0	8.0	8.0	7.0	5.0
51	9.0	3.0	5.0	7.0	2.0	8.0	8.0	6.0	8.0	1.0
52	9.0	5.0	4.0	7.0	1.0	2.0	5.0	1.0	9.0	3.0
53	7.0	4.0	4.0	3.0	4.0	9.0	8.0	2.0	5.0	4.0
54	7.0	2.0	6.0	5.0	3.0	7.0	6.0	4.0	8.0	6.0
55	5.0	2.0	3.0	5.0	5.0	8.0	9.0	1.0	9.0	1.0
56	4.0	5.0	6.0	5.0	4.0	9.0	8.0	4.0	6.0	4.0
57	7.0	1.0	7.0	8.0	7.0	7.0	7.0	2.0	6.0	5.0
58	5.0	3.0	3.0	7.0	2.0	7.0	7.0	2.0	9.0	6.0
59	4.0	4.0	5.0	8.0	2.0	6.0	6.0	6.0	6.0	1.0
60	8.0	4.0	9.0	4.0	5.0	5.0	5.0	2.0	7.0	4.0
61	8.0	4.0	5.0	4.0	3.0	6.0	8.0	3.0	7.0	4.0
62	7.0	5.0	7.0	7.0	6.0	6.0	6.0	5.0	7.0	3.0
63	8.0	2.0	2.0	4.0	5.0	8.0	8.0	1.0	9.0	2.0
64	5.0	6.0	4.0	7.0	4.0	4.0	5.0	1.0	8.0	1.0
65	7.0	4.0	4.0	6.0	5.0	3.0	6.0	1.0	6.0	4.0
66	8.0	2.0	9.0	3.0	5.0	7.0	8.0	4.0	6.0	2.0
67	2.0	5.0	8.0	7.0	6.0	3.0	8.0	2.0	9.0	6.0
68	6.0	1.0	3.0	5.0	2.0	9.0	7.0	2.0	6.0	5.0
69	6.0	3.0	8.0	8.0	5.0	8.0	6.0	3.0	3.0	1.0
70	7.0	2.0	8.0	8.0	3.0	9.0	7.0	4.0	4.0	5.0
71	7.0	1.0	7.0	7.0	8.0	8.0	9.0	1.0	9.0	1.0
72	6.0	5.0	5.0	5.0	4.0	6.0	9.0	4.0	8.0	2.0
73	7.0	5.0	4.0	4.0	2.0	6.0	8.0	5.0	9.0	5.0
74	8.0	5.0	6.0	6.0	6.0	7.0	7.0	4.0	7.0	4.0
75	7.0	3.0	6.0	8.0	4.0	7.0	7.0	5.0	5.0	3.0

表 4—9　　　　　　　　　　　　　　细分市场的数据

	细分市场 1：西部单身雅皮士	细分市场类型 细分市场 2：经济状况好转、经常迁移的家庭	细分市场 3：美国寻梦者
市场规模（％）	25	45	30
教育状况	大学	大学或大专	大学或大专
主要职业	职业人士	白领	白领
年龄段（岁）	25～35	25～35	25～35
种族	白种	白种	混合（亚裔、白种）
家庭平均收入（美元）	81 000	68 000	59 000
每户人口数	1.42	3.8	2.4
已婚率（％）	32	95	65
晚上看电视（％）	27	9	17
白天看电视（％）	3	45	5
阅读计算机杂志（％）	39	6	10
阅读商业杂志（％）	58	23	27
阅读娱乐杂志（％）	3	14	30
阅读育儿杂志（％）	1	17	2
租录像带（％）	43	85	38
有运通卡（％）	48	45	75
有投资基金（％）	24	18	47
钓鱼（％）	2	30	3
航海、潜水或冲浪（％）	49	2	20

练习

1. 描述所绘知觉图的两个维度含义。根据知觉图分析顾客对 G20 及其竞争产品看法的差别。

2. 日产公司宣称无限 G20 是德国味的日本车，车价只有 18 000 美元，而与之相当的宝马 318i 价格为 22 000 美元。从答卷者的感觉和偏好来看，这个说法靠得住吗？

3. 知觉图中哪些属性对三个细分市场的偏好影响最大？日产无限车应以哪个细分市场为目标市场？如何重新定位使之适应所选的目标市场？简单陈述你将对目标市场采用的市场营销计划。

4. 为了进一步评估无限车的细分市场和市场定位，你建议日产公司还应进行什么研究？

5. 评价应用软件的优缺点。

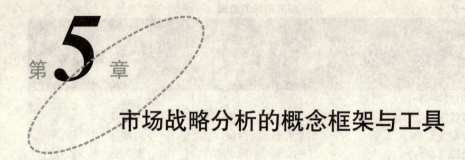

第**5**章

市场战略分析的概念框架与工具

本章和下一章将详细介绍对不同市场或产品实施长期营销活动时要使用的一些概念和工具，本章主要包括以下几个方面：

- 营销战略决策的制定，即公司制定营销方案的过程和步骤。
- 市场需求和趋势分析，即公司用来评价当前和今后市场规模的方法和工具。
- 产品生命周期，即市场的长期演变过程。
- 成本变化，即成本如何随生产规模和生产经验的变化而变化。

这些概念和工具的具体应用将在下一章讨论。这里我们只讨论一些概念性的基础知识。

营销战略决策的制定

在一个有多家分公司并且每家分公司都有若干产品线的庞大企业里，营销在各个层次上都发挥着重要作用。在总部，营销为高层管理人员提供对公司远景和需求的预测，有助于他们确定公司任务、机遇、发展战略及产品组合；各分公司经理把企业战略作为制定分公司战略的背景；负责某种产品或某一市场的经理则依据总部和分公司的政策和各种约束来拟定自己的营销战略。

大多数公司都有自己的经营理念和目标，公司按照经营理念和目标来制定企业战略和相应的市场营销战略。

企业的经营理念（corporate mission）是公司对自身业务活动范围的说明。例如，施乐公司（Xerox）的经营理念中就明确公司是否要生产复印机、是否要致力于为顾客提高生产力以及是否提供自动化办公系统。为使经营理念更具操作性，公司必须把它量化成一套可测量的目标。一般说来，这些目标应涉及到公司的所有部门：其中财务目标应强调公司的盈利性，会计目标应注重成本，营销目标应集中于销售量和创造性，工程目标则应强调效率。公司应当准确表述这些目标，并使之易于理解，这样目标才能成为行动指南。

以下是一些目标的例子：

- 未来五年销售额平均增长 15%（营销）；
- 未来三年内将税后投资收益率提高 8%（财务）；
- 未来三年内使生产成本和每单位产出的管理费用每年下降 3%（会计/生产）；
- 未来三年内使产品退货率下降 20%（工程/生产）；
- 未来两年内使顾客满意度提高 30%（营销、服务、生产和作业）。

从这些例子里可以看出，实现这些目标需要公司各个部门的紧密协作。

在**公司战略**（corporate strategy）中，公司要阐述为实现这些目标和保证长期的优势而需要展开的活动。公司往往在战略中说明要向哪些市场或细分市场提供哪些采用什么技术的产品。在系统阐述战略时，公司应明确为实现增长而应把哪些顾客当作目标顾客、研发的水平和重点以及从长期来应如何使用资源来实现公司目标。公司的战略应包括产品创新、目标市场、人力资源、研发和企业形象等方面的细节。例如，IBM 公司决定为企业用户和家庭用户提供个人计算机，麦当劳公司则致力于加强其卓越的连锁餐馆的企业形象。

营销目标（marking objectires）要服从于公司战略。公司在陈述营销目标时往往会涉及在未来某段时期内期望达到的市场份额、销售额或利润。最后，公司要制定营销战略以详细说明如何实现它的营销目标。本章和下一章的重点是在制定这些营销战略时会对公司产生影响的关键因素。

温德和罗伯逊（1983）提出了一个公司在制定战略时应考虑的营销要素的框架（图 5—1），它主要由三个部分组成：

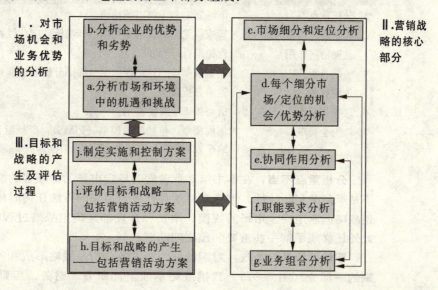

图 5—1　营销导向的战略产生和评价方法

资料来源：Wind & Robertson 1983, p. 16.

第Ⅰ部分：对市场机会和业务优势的分析：

    a. 分析市场和环境中的机遇和挑战；

    b. 分析业务优势和劣势。

第Ⅱ部分：营销战略的核心部分：

    c. 市场细分和市场定位分析（确定细分市场及其所寻求的利益）；

    d. 市场机会分析（联系细分市场所寻求的利益和公司的优劣势）；

    e. 协同作用分析（各种产品、细分市场和营销组合各要素之间在广告、分销、生产等方面的积极协同作用和消极协同作用）；

    f. 职能要求分析（详细说明各细分市场要求哪些产品、服务和支持，以及公司在满足这些要求方面的能力如何）；

    g. 业务组合分析，是这一分析过程的核心（对现有业务和新业务的战略过程进行综合分析）。

第Ⅲ部分：目标和战略的产生及评估过程：

    h. 目标和战略的产生；

    i. 目标和战略的评估；

    j. 营销方案的执行、监督和控制。

温德和罗伯逊认为这个框架能帮助公司克服营销分析中的 7 个主要局限性（见表 5—1），采用基于模型的分析方法可以消除这些局限性。

表 5—1　　常规营销战略的局限性及可用来消除这些局限性的市场战略模型

常规营销战略的局限性	营销工程解决方案
1. 分析重点不当	市场界定和了解市场结构。
2. 职能部门各自为政	集成，尤其是成本变化模型（规模效应和经验效应）。
3. 忽视协同作用	营销组合/产品线方法。
4. 短期分析	动态模型，尤其是产品生命周期分析模型。
5. 忽视竞争	竞争分析模型。
6. 忽视相互作用	适当的市场界定模型。
7. 缺少全局观	集成模型，包括经验模型（PIMS）、产品组合模型和指令性资源分配模型。

分析重点不当：在本书第 3 章曾阐明界定市场的是顾客的需求和价值，而不是产品的实际特性。该章介绍的各种界定市场的方法任何时候都可应用在营销战略的制定中。市场的规模、增长和开发都是确定战略过程时所需的输入。此外还必须了解一些重要的预测问题。

职能部门各自为政：对职能部门要求的分析是战略形成和评价过程不可或缺的一部分（图 5—1）。营销战略本质上同研发、财务、后勤和生产密不可分。本章将从成本的角度讨论各职能部门集成的问题。在第 7 章将介绍新产品的开发方法，第 9 章里将介绍后勤方面的一些问题，如公司地理位置分析。

忽视协同作用：第 2 章简要介绍了反应模型如何将多种营销组合要素的影响融合在一个模型里。

短期分析：大多数的短期经营分析忽略了动态作用。本书多处都强调了市场的动态特点，特别是第8章的ADBUDG模型和第7章的巴斯（Bass）扩散模型。本章将研究影响产品生命周期的因素。

忽视竞争：在饱和市场状态下，企业只有牺牲其他公司的利益才能取得销售的增长。因此，要制定完善的营销战略就必须强调竞争，在第2、6和10章里都介绍了一些考虑竞争影响的模型。

忽视相互作用：许多市场战略研究的主要缺点都是忽略了产品和各目标市场之间的相互作用。第3章讨论了如何合理地界定市场，这种方法可以弥补这一问题：在界定得很好的市场里，竞争是在某个市场内部发生的，但不同市场之间仍有少量的竞争。

缺少全局观点：第6章中描述的一些模型涉及了战略性营销的全局观，特别是经验模型（如PIMS）和产品组合模型（如GE/McKinsey）。

图5—1中的营销战略各组成部分已成为企业确定目标市场规模和增长情况的依据之一。下面我们将讨论市场需求和趋势分析的要点。

市场需求与趋势分析 *

界定市场对建立任何一个基于市场的模型来说都是至关重要的。营销战略着眼于长期发展，它取决于对市场的界定及市场的演变和动态变化。本节的主要内容是评估市场需求并分析现有产品的未来趋势，第7章将介绍对新产品需求的估计。

要进行市场预测，首先要确定该市场所处的等级。这里我们区分出五个市场等级（当然也可以进行更粗或更细的分类），并以百威啤酒来举例说明这些市场等级。

潜在市场（potential market）是指所有对某种产品或服务表现出兴趣的顾客群；可以用调查法来确定其规模。

有效市场（available market）是指对某种产品或服务不仅感兴趣且有足够的收入能获得该商品的顾客群。我们可根据潜在市场与人口统计数字和分布情况来界定有效市场。

合格有效市场（qualified available market）是指有效市场中有资格购买的顾客群。如对于啤酒来说，有资格购买的人就只是有效市场中21岁以上的合法饮酒者。

可服务市场（the served or target market）或目标市场是公司决定追求的那部分合格有效市场。百威啤酒可以决定把美国东南部和中西部地区作为其目标市场。

可渗透市场（the penetrated market）是指已经买了这种商品或服务的顾客群体。仍以啤酒为例，渗透市场是目标市场上购买各种啤酒品牌的所有购

＊ 本节引用了Venkatesh Shanker的部分成果。

买者。

企业要规划和控制业务运营，就要预测本企业或整个行业市场销量的变化过程。随着市场的波动和波动的加剧，预测已成为营销管理中越来越重要的组成部分。如果企业不进行任何形式的销售预测，它在制定战略性营销决策时就找不到合适的起点。

预测再重要，也不过就是一些估计结果。有些公司的预测可能做得比其他公司好些，但没有一家公司能提出一种完美的预测方法。许多公司都开始同时采用多种相互独立的方法（见表5—2），以期综合成一种可靠的预测方法。

常用的预测技术有判断法、市场和产品分析法、时间序列分析和因果分析法（见表5—2）。

表 5—2 ·   **市场预测方法分类**

判断法	市场和产品分析法	时间序列法	因果分析法
销售人员意见综合法	购买者意图法	单纯预测法	回归分析
经理意见评审团法	试销	移动平均法	计量经济学模型
德尔菲法		指数平滑法	投入产出分析
		Box-Jenkins 法	MARMA
		分解法	神经网络

判断法

判断法主要包括三种：销售人员意见综合法、经理意见评审团法和德尔菲法及其相关法：

销售人员意见综合法 许多经理往往会寻求销售人员的帮助，将他们对未来销售的意见综合起来。但是一般不会不经调整就直接使用销售人员的估计结果。销售人员是有偏见的市场观察者，要么会做出悲观估计（如果销售定额与自己的估计值息息相关），要么会做出乐观估计（如果想要扩大自己的客户群），要么会受近期销售上的挫折或成功的影响而从一个极端走向另一个极端。

如果这些偏见得到纠正，销售人员往往比其他任何群体都有对市场更丰富、更深刻的认识，尤其是产品的技术性比较强且技术经常变动时，销售人员的见解格外有用。此外，销售代表参与到预测过程中，会对完成从销售预测得出的销售定额更有信心，有助于完成定额。

经理意见评审团法 这种判断方法把各个关键利益方的观点综合起来，期望得到的预测值能强于由个人进行的估计。这些利益方可以是公司经理，也可以包括经销商、分销商、供应商、营销顾问和职业协会等。

这种方法的主要问题在于：（1）过分重视他们的观点；（2）必须占用经理的时间；（3）需要决定如何给各种不同的估计结果分配权数以便得到一个一致的意见。大通计量经济所（Chase Econometrics）、数据资源公司（Data Resources）和沃顿计量经济所（Wharton Econometrics）等二手信息来源都能提供专家意见的数据。阿姆斯特朗（Armstrong，1985）对如何解决这些问题提供了一些很有用的指导意见。

德尔斐法及相关方法 许多公司在收集各种意见后都用德尔斐法进行预测，

特别是进行中、长期预测。德尔斐法是 20 世纪 50 年代兰德公司（RAND）提出的，它的三个关键特征是：（1）匿名回答，即调查主持人用正规的方法获取不署名的观点和评估；（2）互动和受控反馈，即主持人采用多回合形式，一个回合的预测结果在受控下反馈给下一个回合，以此来促进成员之间互动；（3）统计化的集体回答，即在最后回合把各人意见综合成总体意见。这些特征有效地消除了占主导地位的个人、无关意见和集体压力对讨论产生的不良影响。

多项试验都表明德尔斐法确实是一种行之有效的好方法（Jolson & Rossow, 1971；Martino, 1983）。拉雷切和蒙哥马利（Larréché & Montgomery, 1977）用德尔斐法确定出营销经理采用一些知名的营销模型的可能性。随着 Lotus Notes 等支持德尔斐法的群件产品的普及，德尔斐法的应用也越来越普遍。兰德公司最初提出德尔斐法是想预测俄罗斯在核战争中会袭击哪些城市，这个问题只能采取主观预测。

举例

密歇根大学的交通自动化研究所用德尔菲法，让 300 名汽车行业的经理预测未来十年电动汽车的销售。结果十分惊人：这些经理一致看好混合动力（电动加燃油）的汽车。如果这一估计成为事实，2003 年的公路上将跑着 15 万辆混合动力的汽车（Thomas & Keebler, 1994）。

市场与产品分析法

购买者意图法　营销预测是一门艺术和科学，要预测购买者在既定条件下会有何种行为。由此可看出，最有效的信息来源正是购买者自己。在理想的状态下，公司可抽取一个概率样本，询问每个购买者在特定条件下未来某一时期内会购买多少该产品。公司还要让购买者估计在其预测总购买量中用来购买不同企业商品的比例各有多大，或至少说明哪些因素会影响他们对供应商的选择。有了这些信息，公司就有了预测其销售量的基础。

遗憾的是，在实际中这种预测方法存在着一些局限性，其中比较重要的是：（1）顾客表达出来的购买意图与实际购买行为不符；（2）未答复偏差（在只有很少几家购买者的产业市场上更明显）。因此这种方法的价值取决于购买者能多大程度上系统阐述自己的购买意图并最终把意图付诸实施。黑利与凯斯（Haley & Case, 1979）和莫里森（Morrison, 1979）的论文详细讨论了顾客表达出来的意图与实际行为之间的差异。

消费品和工业品购买者意图的二手信息源都可以找到。其中两种索引提供了耐用消费品购买情况，里面有消费者当前和未来财务状况及其对经济的预期：密歇根大学调查研究中心的"消费者情绪测量指标"和辛德林格公司（Sindlinger）的"消费者信心测量指标"。对工业品说，美国商业部、意见调查公司（Opinion Research）和麦格劳·希尔（McGraw Hill）公布的调查结果最可靠，与实际结果的偏差大多不超过 10％。

试销　购买者、销售人员和其他专家的意见的用处取决于获得这些意见的成本、能否容易得到及其可靠性。如果购买者很少对购买做计划，或在实施购买意图时反复无常，或者专家又偏偏不是很善于猜测，公司就需要进行试销来直接了解可能的购买行为。与购买者意图预测不同，基于试销的预测方法不是以"人们说"为预测的依据，而是以**"人们做"**作为预测依据。试销尤其适用于预测新产品的销量或现有产品采用新渠道或进入新地区的销量。公司想对购买者可能的反应行为进行短期预测时，小规模的试销往往是一种比较好的方法（我们将在第 7 章中详细阐述这种方法）。

时间序列法

许多公司通过对过去的数据［过去数据按时间顺序排列称为**时间序列**（time series）］进行统计分析得出预测结果，以此作为对调查法、意见法和试销法的补充。这种方法的逻辑是，过去的数据里含有某种会延伸到未来的因果关系，这一关系可通过定量分析来发现。这样，预测工作实际上就转化为对过去数据的认真研究，同时假设同样的关系会保持到未来。

时间序列分析和预测方法有很多，它们的区别主要在于如何将过去的观察结果与预测值相联系。

单纯预测法　最简单的时间序列预测法就是把最近一次观察值当作预测值，即给最近一个观察值分配的权数为 1，而给其他所有观察值的权数都为 0。还有些简单时间序列法是通过调整季节波动对这一方法进行修正。这些方法主要用于作为比较各种预测结果的依据。

比这种方法稍微复杂一点的还有以下两种方法：

- **自由预测法**：直接观察时间序列数据绘制的图。这种方法的优点在于能迅速得出预测值，成本很低，并易于理解。但这种方法准确率低，尤其是对非线性序列，不同的人很可能会得出完全不同的预测结果。
- **半平均法**：分析人员把时间序列分成两半，并计算每一部分的平均值，然后在两个平均点之间连一条直线，预测值可用这条直线得出。这种方法的优缺点与自由预测法相同。

平滑法　平滑法认为，在要预测的变量值中存在某种模式，过去的观察值里能体现这一模式，但也含有随机波动，或称噪音。分析人员用平滑法通过消除噪音，设法让模式显现出来。

在短期预测中减少随机影响的一种办法就是取若干过去观察值的平均数。计算这种平均值的方法之一是**移动平均法**（moving-average）。它给过去的 N 个观察值都赋予 $1/n$ 的权数，这里的 N 是个常数，由分析人员指定。N 越大，对预测值的平滑效果就越强。如果一年 12 个月的数据都能找到，那么移动平均法就可将下一时期预测为过去一年总和的 1/12。如果有新数据可用，就要用最新的数据取代最旧的数据，这就是说平均数是"移动"的。通常移动平均法用于只提前一期进行预测。对于数据模式的变化，移动平均法无法很容易地做出相应改变。

一般，对简单的移动平均，令：$S_t =$ 第 t 期的预测值；$X_t =$ 第 t 期的实际值；$N =$ 移动平均中使用的数值个数。

于是，移动平均法计算的预测值可表示为：

$$S_{t+1} = \frac{1}{N}\sum_{i=t-N+1}^{t} X_i = \frac{X_t - X_{t-N}}{N} + S_t \qquad (5.1)$$

这个等式中新预测值 S_{t+1} 是前一个移动平均预测值 S_t 的函数。此外，如果 X_t 符合变量 X 的基本模式中的某种变化（如阶跃变化），移动平均法就很难解释这种变化。还要注意的是，N 越大，$(X_t - X_{t-N})/N$ 越小，平滑效果就越明显。

这种方法的好处在于生成预测值的时间很短，成本很低，不需要很多技术知识。它的缺点是准确度低，并且在计算预测值时对观察值个数 N 的选择是很武断的。此外，简单移动平均法在处理复杂的数据模式（比如趋势模式、季节性模式和周期模式）时效果不好。

另一种方法**二次移动平均法**（double moving average）要先计算一系列一次移动平均法，并在此基础上计算第二次移动平均的结果。

一次或二次移动平均法都能找出数据中的趋势，但都滞后于实际时间序列数据。此外，二次移动平均值往往低于简单移动平均值。因此，预测时可采用介于一次移动平均和二次移动平均之间的差，并把这个差值加到一次移动平均数上。这种预测方法称为**趋势调整的二次移动平均法**。

指数平滑法（exponential smoothing）与移动平均法十分相似，不同之处在于，它分配给过去各实际值的权重不是相同的，而是呈指数下降趋势，这样近期观察值的权数比早期观察值大。平滑系数是由分析人员决定的。多数情况下，分析者尝试性地从两三个不同的试用系数里选择一个平滑系数值。指数平滑法和移动平均法一样，当数据模式会发生根本性变化时就表现出局限性来。这些方法包括许多种具体方法，其中一些要对趋势和季节做出调整。本质上，大多数方法都要在采用指数平滑法之前调整数据。

按照前面的表示法，这一方法可表示为：

$$S_{t+1} = \alpha X_t + (1-\alpha) S_t \qquad (5.2)$$

其中，α 介于 0～1 之间，其数值由分析者凭经验确定。α 值较大，表示对过去的预测值和过去的数据（包括在 S_t 里）的权数较小，反之亦反。

二次指数平滑法（double exponential smoothing）与二次移动平均法很相似，而且很容易适应数据模式的变化（如阶跃变化）。

平滑法的依据是可通过计算过去观察值的加权和得出预测结果。在简单移动平均中，每个权重都是 $1/N$。对指数平滑法，分析人员则必须先假设递减的权数。**自适应筛选**（adaptive filering）是又一种确定恰当的权重的方法，它是一个重复进行的过程，能确定使预测误差最小的权数。

特别地，到目前为止所有简要介绍过的方法都是基于通过计算过去观察值的加权和来得出预测结果：

$$S_{t+1} = \sum_{i=t-N+1}^{t} W_i X_i \qquad (5.3)$$

其中，S_{t+1} = 第 $t+1$ 期的预测值；W_i = 分配给第 i 期观察值的权重；X_i = 第 i 期的实际值；N = 用来计算 S_{t+1} 的观察值个数（所需的权重的个数）。

自适应筛选目的是要确定一组最好的权重。判断权数好坏的一般标准是这些权重能使预测误差最小。

Box-Jenkins 法（即 ARMA 法）是一种处理预测问题的方法。它是最笼统的短期预测法，也是目前现有方法中最强大的方法之一。使用这种方法，分析人员几乎可以从任何数据模式中得出充分的模型。但这一方法非常复杂，不具备一定专业知识就无法使用。

博克斯和詹金斯（Box & Jenkins）提出，描述各类静止过程（在一个恒定的平均水平下保持均衡状态的过程）的模型可以分为三类：（1）自回归（AR）；（2）移动平均（MA）；（3）自回归与移动平均混合（ARMA）。

如果时间序列不断随时间上下波动，我们可以通过取差来消除这一趋势。

$$\Delta Y_t = Y_t - Y_{t-1} \tag{5.4}$$

然后再为 ΔY_t 建立 ARMA 模型。最初的序列 Y_t 可以通过在 Y_0 上累加 ΔY_t 得到。如果这一趋势是非线性的，那么就要求进行多次逐次差分（d）才能产生一个稳态的 ARMA 序列（回忆一下，如果对 $Y=X^2$ 求两次微分，即求 d^2Y/dX^2，结果会得到一个常数 2。这里的差分运算是相似的，并且结果也相同）。同样，最初的序列可以通过相加 d 次而重新获得。这种序列就被称作完整的 ARMA 序列，用 ARMA（p，d，q）表示。其中，p 指 AR 部分的顺序（所用的时期数），q 是 MA 部分的顺序，d 是用来产生稳态的差分水平。ARMA 模型的多元扩展型被称为多元 ARMA，即 MARMA。这些模型将时间序列预测法与解释性变量和因果模型综合起来了（Hanssens，Parsons & Schultz，1990）。使用 ARMA 和 MARMA 方法比使用我们介绍的其他方法需要更多的专业技术知识和经验。

举例

由表 5—3 可以看出这些预测方法在美国国家经济研究局提供的数据上的表现。如果用平均绝对百分比误差（MAPE）作为衡量模型预测能力的指标，Box-Jenkins 法的表现最好，但单纯预测法在六种方法中排在第三名，也就是说，复杂的方法并非总是优于简单的方法（注：Excel 的"分析工具库"里提供了移动平均法和指数平滑法）。

表 5—3　　　　　　　　　　　六种预测法的预测准确性比较表

年份	第一季度	第二季度	第三季度	第四季度
1969	11 445	11 573	11 516	11 990
1970	11 704	11 050	11 069	10 705
1971	10 729	10 931	11 832	12 172
1972	12 472	12 840	12 865	13 491
1973	14 324	14 684	14 689	15 473
1974	16 483	16 634	17 245	17 177
1975	16 230	16 562	17 614	18 318
1976	19 148	19 730	19 184	19 424
1977	20 774	21 184	21 052	22 121

（a）机加工金属产品的数据。

1978	(1) 实际数据	(2) 单纯预测法	(3) 对前四个季度的 移动平均值	(4) 趋势调整的 移动平均	指数平滑法		(7) Box-Jenkins 法
					(5) p=0.90	(6) p=0.50	
第 1 季度	22 433	22 121	21 283	22 666	22 014	21 397	23 168
第 2 季度	23 792	22 433	21 698	23 219	22 391	21 915	23 509
第 3 季度	23 980	23 792	22 350	23 772	23 652	22 853	24 133
第 4 季度	25 840	23 980	23 082	24 325	23 947	23 416	25 141
MAPE＊	3.78	3.78	7.85	2.53	4.10	6.65	1.95

（b）提供了 6 种方法的预测准确性数据。

MAPE ＝平均绝对百分比误差 ＝ $\frac{1}{n}\sum$ （｜实际值－预测值｜/实际值）×100。

资料来源：National Bureau of Economic Research Series MDCSMS。

分解法 目前为止所讲的各种预测方法的基础都是：可以通过平滑过去的数据（求平均数）来去掉时间序列中的噪音，使数据中的模式显现出来。平滑能减少噪音，因此可以预测出一直延伸到未来的数据模式，并用这个模式得出预测值。这些方法虽然没有区分基本模式的各个组成部分，但在许多情况下可以将模式分解为许多表示各自时间序列的子模式。进行这样的分解就可以提高预测的准确度，以便更好地理解时间序列数据。

分解法假设所有的序列都是由数据模式和误差共同构成的，它的目标是要将序列中的模式分解成趋势、周期性和季节性：

$$X_t = f\ (I,\ T_t,\ C_t,\ E_t) \tag{5.5}$$

其中，X_t＝第 t 期的时间序列值；I_t＝第 t 期的季节性；T_t＝第 t 期的趋势；C_t＝第 t 期的周期性；E_t＝第 t 期的误差或随机误差。

方程（5.5）的准确函数形式取决于所用的分解法。最常见的方程形式是乘法模型：

$$X_t = I_t \times T_t \times C_t \times E_t \tag{5.6}$$

加法模型也是经常用到的一种形式。

虽然分解法有许多具体的方法，但几乎都遵循相同的基本步骤：

1. 对序列 X_t 计算 N 个时期的移动平均数，其中，N 是季节性的期数（如对每月数据，N＝12）。这一计算平均值的过程可消除受季节性影响的数据波动；由于随机误差没有系统模式，所以这一过程也同时消除了随机性。

2. 将 N 期移动平均的结果与原始数据分割开，以求得趋势和周期性。如采用乘法模型，可用原始时间序列数值除以平滑后的时间序列，剩下的就是季节性和误差：

$$\frac{X_1}{T_t + C_t}\ （＝移 动 平 均 值）＝I_t \times E_t \tag{5.7}$$

3. 将各季节的数据点在整个时间序列总时期数上进行平均，从而发现季节性因素。

4. 明确趋势的表示形式（线性方程、二次方程还是指数方程），并计算每期的 T_t 值。可通过回归分析法或趋势调整的移动平均法来完成。

5. 利用计算结果，从趋势与周期性的和中分离出周期性来（即移动平均）。

6. 从原始数据序列里分离出季节性、趋势和周期性后，就得出剩下的随

机误差 Et。

分解法应用很广泛，且已在数千个时间序列上得到实际应用和检验。虽然没有完善的统计学依据，但它充分利用人的直觉并按预测者的习惯进行调整，这同源自理论的 Box-Jenkins 法刚好相反。分解法适合进行短期或中期预测，主要适用于宏观经济时间序列。

因果分析法

我们前面描述过的模型都假设不知道影响需求的因素，而且未来的结果与过去非常相似。基于这些原因，这些时间序列法适合进行短期或中期的推测（通常不超过一年）。

有一种方法适合在市场条件不稳定时进行预测，这就是将需求表示成对需求有影响的因素的函数。这样的预测结果可能与时间无关，所以非常适合长期预测。此外，建立一个解释性模型或建立一个因果模型有利于我们更好地理解市场。

回归模型和计量经济学模型一般都能详细描述需求及其影响因素之间关系的结构。

举例

产业市场上的公司往往用公开出版的数据预测有很大潜力的行业（用标准行业代码表示）的产品需求。这类分析常用员工人数代替顾客规模。

Machinco 公司生产高技术的零部件，目前有 17 家客户。在表 5—4 中列出了每家客户的员工人数和它们从 Machinco 公司购买零件的金额。

表 5—4　　　　Machinco 公司的客户、员工人数和当前的销售水平

客户号	员工人数	销售额（千美元）
1	110	9.8
2	141	21.2
3	204	14.7
4	377	22.8
5	395	48.1
6	502	42.3
7	612	27.8
8	618	40.7
9	707	59.8
10	721	44.5
11	736	77.1
12	856	59.2
13	902	52.3

续前表

客户号	员工人数	销售额（千美元）*
14	926	77.1
15	1 045	74.6
16	1 105	81.8
17	1 250	69.7
总计		823.5

这些是预测需求的回归模型的输入数据。

＊销售额与员工人数的回归计算得到：销售额 ＝ 8.52 ＋ 0.061 × 员工人数，$R^2=0.77$。

资料来源：Lilien & Kotler 1983, p.342.

如果我们把员工数作为潜在销售额的粗略预测因素，就可以用线性方程在销售额和员工人数间建立关系：

$$销售额 ＝ a_0 ＋ a_1 （员工人数）\tag{5.8}$$

通过线性回归，我们求得：$a_0 ＝ 8.52$，$a_1 ＝ 0.061$。美国统计局制造行业的报告说，Machinco 公司产品的潜在客户共有员工 12.6 万人。根据这一信息和方程（5.8），我们可以得出：

$$（潜在）销售额 ＝ 8.52 ＋ （0.061 × 126\ 000） ＝ 7\ 695 （千美元）\tag{5.9}$$

这个数值近乎是 Machinco 公司目前销售额（82.3 万美元）的 10 倍，这表明 Machinco 公司还可以从其他潜在客户身上大幅度提高销售额。

假设该公司有两个潜在客户。公司 A 有 1 600 名员工，B 有 500 名。公司 A 的潜在销售额大约是 10.6 万美元 [8.52 ＋ （0.061×1 600）]。同样可以得出，公司 B 的潜在销售额是 3.9 万美元（注：Excel 的"分析工具库"里附带有回归分析工具）。

投入产出分析法（input-output analysis）在 20 世纪 60～70 年代的使用范围比今天更广，它认为经济是一个相互联系的系统。投入产出法的基本原则是质量守恒定律：每样产品都得有去处，而且最终产品需求提高会导致中间产品（工业品）的需求也将相应提高。

在复杂和多样化的经济系统中，直接消费者的销售额通常只是行业产出量的一部分。行业产出的其余部分是中间产品，购买者购买中间产品后，再投入到其他生产工序中去。最终需求指的是行业总产出中出售给国内消费者或政府、出口到外国或成为存货的产出，不包括出售给其他行业的那部分。在一国投入产出表中，最终需求的总额叫国民生产总值（GNP）。

这样，我们就可以建立一系列方程：

$$行业产出 ＝ 售给中间用户的销售额 ＋ 最终需求\tag{5.10}$$

举例

由方程（5.10）构成的方程组叫交换矩阵，其中每个方程代表一个行业。下面我们以只含有农业、制造业和消费者的简单经济系统为例解释交换矩阵（见表 5—5）。

表 5—5 投入产出分析法的交换矩阵示例

| 投入 | 产出 | | | 总产出 |
| | 生产部门 | | 最终需求（消费者） | |
	农业	制造业		
农业	50	40	110	200 袋面粉
制造业	28	12	60	100 条肥皂
消费者	160	360	80	600 小时

　　农业部门生产 200 袋面粉，工业部门生产 100 条肥皂，消费者提供 600 小时的劳动量。表 5—5 表明了部门间的交换。例如，农业部门生产了 200 袋面粉，但在生产过程中消耗了 50 袋，运送给肥皂制造商 40 袋，消费者则拿走了其余的 110 袋。制造部门生产了 100 条肥皂，其中 28 条运送给了农业部门，自己用了 12 条，消费者得到了余下的 60 条。

　　每一列代表该部门的投入结构。要生产 200 袋面粉，农场主需要消费 50 袋面粉，使用 28 条肥皂，耗用 160 个小时的劳动量。制造商要生产 100 条肥皂，得消费 40 袋面粉，使用自己生产的 12 条肥皂，耗用 360 小时的劳动量。而消费者将自己提供 600 小时的劳动换得的收入用于购买 110 袋面粉、60 条肥皂和 80 小时的直接服务劳动。

　　投入产出表必须包括更多的条目才有用。在实际应用中，为方便起见，部门间的交换量常用通用计量单位（美元）来表示。

　　现在，如果我们把部门 i 的产出看做被部门 j 吸收部分的总产出，就可以得到部门 i 的产品投入到部门 j 的投入参数。用数学表达式表示为：

$$a_{ij} = \frac{x_{ij}}{X_j} \tag{5.11}$$

　　其中，a_{ij} = 从部门 i 到部门 j 的投入参数；x_{ij} = 部门 i 销售给部门 j 的销售额；X_j = 部门 j 的总销售额。

　　一个经济体系中所有各部门的投入参数按交换矩阵的顺序排列，就是经济体系的结构矩阵。表 5—6 给出了我们所举的三个部门的经济体系的结构矩阵，这里我们设一袋面粉价值为 2 美元，一条肥皂价值为 5 美元，一小时劳动价值为 1 美元。

表 5—6 投入产出分析法的结构矩阵

| 投入来自 | 投给 | | |
	农业	制造业	消费者
农业	0.25	0.16	0.37
制造业	0.35	0.12	0.50
消费者	0.40	0.72	0.13
	1.00	1.00	1.00

　　在解释这个图表时，我们注意到投入参数衡量的是一个部门要投入多少才能使另一个部门生产出 1 美元的产出。例如，制造业的每 1 美元产出需要农业投入 0.16 美元，制造业自己投入 0.12 美元，消费者（劳动力）投入 0.72 美元。

188

实际上，投入产出预测法提供的是对行业增长率的估计值、对这一增长能做出贡献的市场的估计以及对该行业取得该增长率所需的投入的估计值。然而，每家公司都不是在单一领域里从事生产，它们必须对投入产出分析法进行修正。进行投入产出分析修正的一种方法是把该公司的产品插入各种表格中，作为其中的一行。然后，公司就可以估计出销售给投入产出研究中规定的各个部门的销售额，并且还可计算出这些行业每产生1美元产出各需要多少投入。公司可适当调整行系数。公司可以把自己作为一列插入矩阵中，新的矩阵结构可以用来生成对单个公司或单个产品的预测值。公司也可以扩展投入产出矩阵，其方法是详细地分析它的目标市场，并把这些细分市场当作前例中经济体系里的各个部门插到表里去。要完成如上的分析工作，可能需要收集专门的数据。

人工神经网络方法　很多情况下，某位营销经理也许会说："我可以告诉你在预测销售时我会考虑哪些因素，但我却无法确切告诉你这些因素之间到底有什么关系。"在这种情况下，人工神经网络法就可以帮助经理建立和运用模型。

人工神经网络是一种特殊的模型，它将投入（如广告支出）和产出（如销售额）联系起来，可以说，它能模拟人脑的组织结构。这个网络由一系列相互联系的简单处理节点（神经元）组成，表示出投入和产出之间的复杂关系。人工神经网络的基本思想是一些试图了解大脑的信息处理机制并试图用计算机来表示这些处理机制的研究人员提出的。

常用的一种人工神经网络是一个多层**前馈式**（feedforward）网络（见图5—2）。这个网络包括三层，每一层都有一些神经元。分析人员将数据输入到输入层的神经元，输入层处理这些数据并把结果输入到中间层的各个神经元中去，中间层的神经元接着处理这些数据，最终把转换后的数据作为处理结果从输出层输出。神经网络的输出结果是来自输出神经元的复杂模式信号。这个网络之所以叫做**前馈式**网络，是因为数据只能沿着从输入层到输出层这一方向运动。

网络中隐藏的中间层上的每个节点（也叫神经元、处理单元或感知器）只完成一项简单的计算任务，即按下面公式把它接收到的所有输入信号加总起来，得出一个单一信号值 Z：

$$Z = \sum_i w_i x_i \tag{5.12}$$

其中，$w_i =$ 根据节点与其第 i 个输入源之间的联系而确定的权重，$-\infty \leqslant w_i \leqslant \infty$；$x_i =$ 该节点从其第 i 个来源获得的数据值（信号）。

每个节点还要将 Z 转换成输出信号（Y），如果输入值是实数，Y 可以是任何实数值（$-\infty \leqslant Y \leqslant \infty$）。但可用几种激活函数来限制节点输出值的取值范围。例如，可为节点定义一个阈值 T，Y 就可以按下面的规则转变为一个二进制数值（0 或 1）：

$$Y = 1，如果 Z \geqslant T，否则 Y = 0 \tag{5.13}$$

我们把能产生二进制输出值的节点称为硬限幅器。Z 的其他转换形式在神经网络中也很常用。还有一种常用形式是 S 形激活函数，用这种函数转换后的

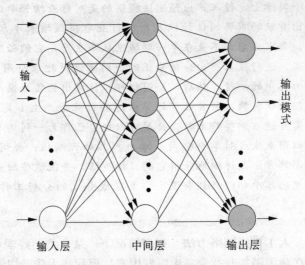

图 5—2　三层前馈式网络

来自输入层的信息被中间层的节点转换为某种内部表示法，然后又被输出层的节点转换为输出模式。

Y 值介于 0 到 1 之间：

$$Y = f(Z-T) = \frac{1}{1+e^{-(Z-T)}} \tag{5.14}$$

Z 值大于阈值的硬限幅器节点（即 $Z > T$）称为"活跃"节点，其值等于 1（在图 5—2 中用灰色节点表示）。与每个输入模式相对应，网络的最终输出结果是输出节点的活跃情况，有的是活跃节点，有的则不是。这样，神经网络就把一种输入模式转变成了相关的输出模式。节点进行的计算在图 5—3 中有详细说明。

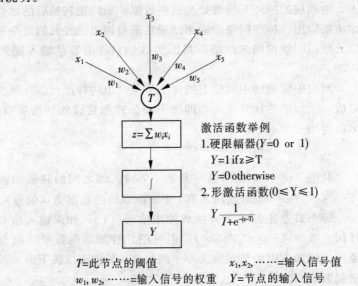

图 5—3

神经网络中间层和输出层的节点用这里所示的处理机制将输入转换为输出。

190

要确保神经网络能从一组特定的输入值得出正确的输出结果，就必须"训练"神经网络去增强（即调节权重 w_i 和阈值 T）得出正确输出的信号，弱化错误和无效的信号。开始可先随机选择权重，接着由神经网络的计算机表示法更新这些权重的值，有时也会改变阈值，其方法是尽量减小从案例结果的正确性反馈（通常是由模型开发者指定）计算出来的误差值；这样网络就"学会"如何用输入数据得出正确的结果了。神经网络继续这个"学习过程"，并在处理新的输入数据时（即用神经网络进行预测时）运用这些经验。一种常用的更新权重的方法叫后向传播法，这种方法将产生在输出层的误差当作可归于中间层各神经元的误差向后传播回神经网络中去。

在理论上，如果神经网络的输入层和输出层之间有足够多的中间神经元，就可以设计出一个带 S 形激活函数的多层前馈式神经网络［如方程（5.14）］来尽可能准确地表示任何函数关系。但这并不意味着可以把任何神经网络训练得能正确表示样本中的关系。目前还没有什么方法能确定需要多少节点和层次才能最恰当地表示一个未知的反应函数。

与多元线性回归方程相比，在表述投入和产出关系上，神经网络具有以下两个优势：

1. 模型使用者不用事先详细说明模型的结构。刚才所描述的那种多层神经网络是通用的非线性估计模型，可以体现投入、产出之间多种复杂的非线性关系。

2. 当数据不完备或缺失时，人工神经网络比多元线性回归方程能更好地拟合，预测结果也更接近实际。因为人工神经网络使用冗余的节点间连接，所以不像回归方程对这类数据问题那么敏感。

当然，人工神经网络方法也有自身的劣势：即使是经过"训练"的神经网络也是一个黑箱，很难解释网络中采用的权重是什么涵义。如果用人工神经网络的目标是预测而不是对预测结果进行详细解释，那么神经网络还是有用的。人工神经网络的预测效果取决于神经网络的层数、学习参数的强度（慢速习得还是快速习得）以及模型是否过度拟合（即模型是否包含太多的机遇变异）。过度拟合的问题就好像回归分析有过多的解释性变量——模型可以与数据完美地拟合，但模型可能不太适合预测。在本书所附的软件中，部分数据用来"训练"人工神经网络模型，其余数据则用来证实预测，以降低过度拟合的可能。

人工神经网络在营销中还是很新的方法，还没有人就其使用写出精确的指导书，但正如下面案例所表明的，这种方法已经取得了多次成功。

举例

第一商业银行（First Commerce）是一家资产很大的银行，它用神经网络根据数据库中顾客的过去行为来确定自己直销活动的目标顾客。该公司宣称，神经网络已帮它把顾客对直销活动的响应率提高了四到八倍，具体的提高量依细分市场的不同而不同。第一商业银行进行了一次试验，对人工神经网络方法与传统的顾客概况描述法（即用模型找出有适当特征的顾客）进行了比较。这家银行向它的顾客发出了 2.5 万封信函，这些客户的名字都是人工神经网络选出来的，没有进行信用审核。同时银行也向用传统方法选出来的 10 万名客户发出了信函，并且进行了信用审核。结果，大规模的寄信活动带来的汽车贷款比小规模寄信活动多50笔，但小规模寄信活动带来的各类贷款比大规模寄信活动多100笔。

希尔、奥康纳和雷默斯（Hill、O'Connor & Remus，1996）作了一项综合研究，用1 000多组数据比较了人工神经网络方法和传统的时间序列分析方法。他们在报告中说，在平均预测准确性和预测误差的方差上，人工神经网络方法比其他方法的效果都好。他们认为人工神经网络法的这种优秀表现主要是由于人工神经网络可以更好地处理大多数数据中的"不连续性"问题。

到底选择哪种方法

钟表多的人永远也不知道确切的时间，对预测来说也是一样。我们已经介绍了很多方法，也许你很想知道到底哪一种方法最好。阿姆斯特朗（1985）给了一些基本原则（见图5—4）。

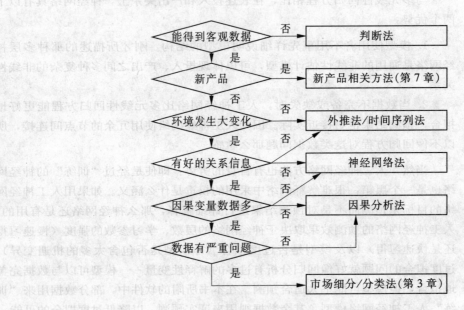

图5—4 选择适当的预测方法的决策建议

资料来源：Armstrong 1985.

- 如果没有或不可能获得客观数据，就应该用判断法。
- 如果是新产品，就应该用第7章中介绍的方法。
- 如果环境尚未发生变化，就应当用外推法或者时间序列法。
- 如果没有各因素相互关系方面的数据，就应该选择时间序列法或人工神经网络法。
- 如果有许多因果变量的数据，就应当用因果分析法（也可以用人工神经网络法）。
- 如果有前述的所有数据，但数据不能很好地表现各个细分市场显现出关系的差异，就应当用交叉分类法和市场细分法（即第3章的方法）。尤尔基威茨（Yurkiewicz，1996）的论文详细讨论了现有的各种预测软件。

本章介绍的方法不适合新产品的预测。原因在于：首先，新产品没有很长时间的销售历史，因此无法使用基于时间序列的预测方法。此外，新产品销售的结构远远不如现有产品稳定。新产品预测一个重要的目标是预测产品销售稳定后最终的市场份额或业绩如何。

营销人员手头的信息会因产品类别的不同而不同，其中也许包括固定样本日记数据、试销评估、产品使用率、相对渗透率、首次购买率和重复购买率等。用于预测新产品销售的方法多种多样，而且依据不同的行为假设和不同的数据来源可以采用不同方法；我们将在第 7 章深入探讨这些方法。

产品生命周期

大多数动态商业规划模型都基于产品生命周期这一重要观念。由于产品的销售状况和盈利能力会随着时间改变，因此企业必须定期修正产品战略。企业可依据产品生命周期理论识别产品及其市场所处的阶段，并制定相应的战略。

生命周期理论有很多来源。生物学中生命形式包括出生、成长、成熟和死亡。许多王朝（如罗马帝国）也有诞生、繁盛、衰退直到灭亡的周期。各种产品的生命周期长度不同：有些商品（如盐、花生酱、葡萄酒）的生命周期很长，而差异化的产品（如加利福尼亚葡萄酒冷却器和万圣节面具）的生命周期则很短。影响产品生命周期长度及形式的因素包括需求和欲望的变化、带来产品相近替代品的技术变化及新产品为市场接纳的速度等。

生命周期观念的重要性不在于它表明所有产品都有这么一个生命周期，也不在于生命周期有这样一些具体的特定阶段，而在于企业可用产品生命周期理论来预测产品的销售会发生怎样的演变，这样企业就可以开发影响这些产品销售的战略。例如，企业在导入期应该将较多的资源投入到广告上，以增进顾客对新产品的了解；企业在成熟期则应当考虑到竞争对手的产品，将资源投入于产品的差异化和定位中去。

在大多数关于产品生命周期的讨论中，通常把典型产品的销售历史描绘成如下的 S 形销售曲线（见图 5—5）。这个曲线一般分成四个阶段，分别是导入期、成长期、成熟期和衰退期。**导入期**（introduttion）里因为产品刚导入市场，因此是一个缓慢增长的时期。图 5—5 中的利润曲线表明，因为导入期产品导入的支出很大，所以这一阶段的利润很低，甚至是负利润。在**成长期**（growth），市场迅速接受了产品，从而大大提高了利润。在**成熟期**（maturity），销售的增长逐渐放慢，因为产品已经被绝大多数潜在购买者接受，利润在这个阶段达到最高；由于要维持产品在竞争中的地位，营销支出不断提高，因此利润开始下降。在**衰退期**（decline），销售额呈现快速下滑趋势，而且利润也降为零。

我们可以这样理解这一现象。先假定存在某种需求或欲望（如计算能力），而且有一种产品（如计算器）可以满足这种需求。图 5—6（a）表明不同技术如何相继替代（在整个需求周期中出现一个技术周期序列）。图 5—6（b）对

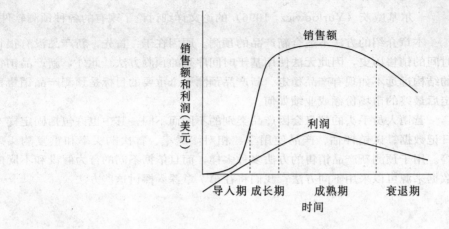

图 5—5 销售和利润周期中的典型阶段

利润通常滞后于销售的增长。

这个过程讲解的更加细致了，它表明在一个技术周期内前后出现的各种产品形式是如何相继替代的。图 5—6（c）则以计算机内存的实际数据为例说明这种替代效果。

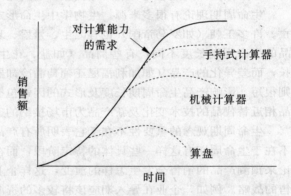

图 5—6（a） 对计算能力的需求可以用相继替代的技术不断得到满足

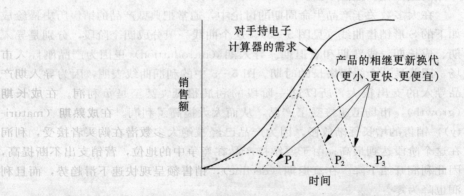

图 5—6（b） 对某类产品的需求受各代产品（产品形式）的相继替代的推动

194

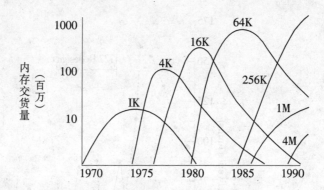

图 5—6（c）　计算机内存的技术生命周期

峰值越来越高，周期越来越短（在市场上不断重复的模式）。

资料来源：Urban & Star 1991, p. 96.

经验数据表明，并非所有产品都存在产品生命周期。林克和斯旺（Rink & Swan，1979）总结了前人的研究提出了 12 种产品生命周期模式。例如，考克斯（Cox，1967）研究了 754 种药品的产品生命周期，发现最典型的生命周期模式是循环—再循环模式（见图 5—7）。他解释说，销售额出现第二次高峰是因为在衰退期进行了产品促销。巴泽尔（Buzzell，1966）提出了一种扇贝形的生命周期模式（见图 5—7），即由于发现了产品新的特点、新的用途和新的市场而出现的生命周期序列。图 5—8 所示为波音 727 和波音 747 飞机的循环—再循环的生命周期模式，飞机设计的修正使该产品再次焕发出了青春。

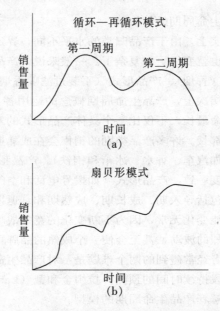

图 5—7　两个非正常的产品生命周期模式

表现出增长过程中出现增速放慢或衰退后的二次增长。

哈勒尔与泰勒（Harrell & Taylor，1981）以及托雷利与伯内特（Thorelli & Burnett，1981）都发现，产品增长率只是产品生命周期的一个方面；市场创新、市场集中、竞争结构、经济周期、供应约束和替代品销售等因素都会影

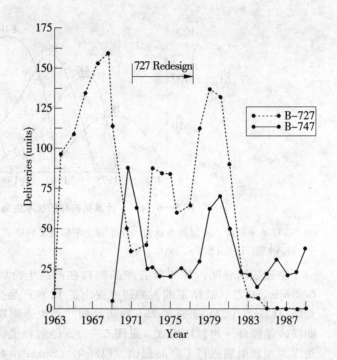

图5—8 波音727和747的生命周期

表明727在1971年重新设计后再次出现销售高峰，747的情况也与之类似。

资料来源：Boeing Commercial Airplane Group 1988，p. 7.

响产品生命周期的结构。

　　事实上，由于产品归类的水平不同，界定新产品也很困难，生命周期研究的结果也就变得更加复杂了。一般来说，产品归类可以在三个水平上进行：产品类别（香烟）、产品形式（平装过滤嘴香烟）和品牌（菲利普·莫里斯）。在这三种层次上，产品生命周期概念的运用各不相同。在产品类别这一层次上，产品生命最长，不仅比某个具体产品形式的寿命长，而且肯定比绝大多数品牌的生命都长。许多产品类别的销售会在成熟期无限延长，因为它们与人口高度相关（如汽车、香水、冰箱和钢铁）。产品形式的生命周期和标准的产品生命周期高度一致。产品形式（如拨号电话和空气清新剂）要经历一个正常的生命周期，包括导入期、成长期、成熟期和衰退期。在品牌层次，某一品牌的销售历史可能变化无常，因为不断变化的竞争战略和战术会使产品的销售额和利润发生剧烈的波动，甚至会使一个成熟的品牌再次出现快速增长的势头。生命周期研究者经常碰到的两个难题是：对产品生命周期各阶段间过渡期的预测及对每一阶段持续时间的预测。拉姆金和戴（Lambkin & Day，1989）建立了一个描述和解释产品生命周期的模型。

　　尽管据称这些方法已经取得了一些成功，但是这些模型通常都要依赖生命周期中一个阶段的数据来预测下一阶段的起止和持续时间。由于很难做出准确的长期预测，因此我们对生命周期各阶段的长短和顺序还很不了解（Day，1981）。由于人们普遍认为产品生命周期越来越短，因此对产品生命周期各阶段之间过渡期和各阶段持续时间的预测就变得更加困难了。

那么我们如何利用这个理论？一个比较现实的观点是：产品生命周期分析只是整个营销机会分析中的重要要素之一。产品生命周期只是在充当一个分类工具，可以告诉分析人员在什么情况下市场可能会出现增长。在市场增长的过程中，竞争者更容易进入市场，在某些细分市场上，会出现能促进产品发展的新机会。随着产品生命周期的延续，产品的价格弹性和广告弹性也会相应变化，因此，虽然关于产品生命周期的定义和衡量标准的争论仍在继续，但产品生命周期理论显然对确定什么是适当的营销战略十分重要（Thietart & Vivas，1984）。我们将在第 7 章中描述几种建立产品生命周期规划模型的工具，这些工具在产品生命周期的导入期和成长期尤其有用。

成本的动态变化：规模效应与经验效应

另一种影响营销战略的现象是成本的动态变化。"利润对营销战略的影响"（PIMS）项目（第 6 章）引起广泛争论的一个研究结果就是：市场份额是决定企业盈利能力的首要因素。PIMS 研究结果表明：一般来说，竞争者间市场份额相差 10％，就意味着它们的税前投资回报率相差 5％。企业获利能力得到提高的原因之一是就是有较大市场份额的公司成本较低，部分原因是**规模经济**（economies of scale，即大公司在建立和运转时，其单位生产成本较低），部分原因在于**经验效应**（experience effect，即公司生产和销售产品的经验增加一倍，产品的成本就能降低 10％～30％）。

研究者很早就注意到，随着经验的积累，而不是仅仅依靠提高产生产规模，制造成本似乎确实会下降，但直到最近他们才用定量方法仔细研究了这种现象（Yelle，1979）。最初人们相信，生产成本中只有劳动力那部分成本才会随着生产数量的累积而下降。在 20 世纪 20 年代，美国赖特—帕特森（Wright-Patterson）空军基地注意到，组装一家飞机所需的时间会随组装的飞机总数的增加而减少。产量的增加与劳动力成本之间的这种关系称为**学习曲线**（learning carve）。

到 20 世纪 60 年代，越来越多的证据表明经验效应现象存在。波士顿咨询集团（BCG，1970）指出，产品生产的累积量每增长一倍，总增值成本（销售成本、管理成本等）都会下降一个固定比例。总成本和累积产量之间的关系称为**经验曲线**（experience curve）。

学习曲线或经验曲线的最简单形式是对数线性模型：

$$C_q = C_n \left(\frac{q}{n} \right)^{-b} \tag{5.15}$$

其中，q = 到目前为止的累计产量；n = 较早时期的累计产量；C_n = 生产第 n 单位产品的成本（按固定美元计算）；C_q = 生产第 q 单位产品的成本（按固定美元计算）；b = 学习常数。

实际上，经验曲线各有各的学习速度。假定经验量每增加一倍，单位成本都下降为原来的 80％，这里的 80％即是所谓的学习速度。学习速度和学习常数的关系是：

$$r = 2^{-b} \times 100 \tag{5.16}$$

$$b = \frac{\ln 100 - \ln r}{\ln 2} \tag{5.17}$$

其中，r = 学习速度（百分数）；b = 学习常数。

表 5—7 表明，在不同的学习速度和经验水平下，成本随着经验的增加而下降。

表 5—7 不同水平的学习和生产经验带来的成本降低

旧经验（n）与新经验（q）之比	学习速度（r）					
	70%	75%	80%	85%	90%	95%
1.1	5	4	3	2	1	1
1.25	11	9	7	5	4	2
1.5	19	15	12	9	6	3
1.75	25	21	16	12	8	4
2.0	30	25	20	15	10	5
2.5	38	32	26	19	13	7
3.0	43	37	30	23	15	8
4.0	51	44	36	28	19	10
6.0	60	52	44	34	24	12
8.0	66	58	49	39	27	14
16.0	76	68	59	48	34	19

资料来源：Abell & Hammond 1979, p. 109.

艾伯茨（Alberts，1989）认为：在绝大多数情况下，成本下降的原因都是创新和规模经济的联合作用。具体来说，因创新而实现成本下降的主要原因包括：

1. 操作者创新：指工人提出用现有技术如何更有效地采购、生产和分销商品。

2. 管理者创新：指管理人员提出用现有技术改进企业运营活动。

3. 流程创新：指采用新技术进行采购、安排订单履行和产品配送，以提高效率。

因规模而实现成本下降的主要原因包括：

1. 减少过剩生产能力：会降低每单位产量的固定成本比率。

2. 规模决定的替代：指规模更大的组装、采购和产品配送系统能提高每单位产量的效益/成本比。

3. 采购力量提高：指采购量提高后可带来更有利的交易条件，并降低单价。

图 5—9 简要表示了艾伯茨（1989）对经验效应假设的基本观点。他认为重复和经验的增加都不会带来流程创新，流程创新要靠对研发的投资，而这种投资不一定与产量或经验有关。根据艾伯茨的观点，经验本身并不能带来成本的下降，但可以提供成本下降的机会。由于生产作业规模扩大，使很多经验效

应（如工作专业化）成为可能，因此它们就成了规模效应的一部分。企业可运用规模效应绕开经验不足的阻碍（像日本钢铁企业的做法），但经验的增加和经营规模的扩大实际上是同时发生的。显然，流程创新不会无缘无故发生，它们来自于以降低这类成本为目的的研发活动。

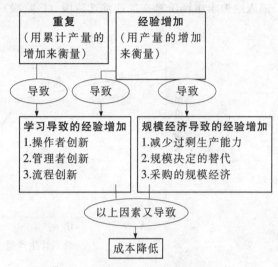

图5—9　生产成本下降的传统观点

成本的下降不仅来自于学习，也来自于规模经济。

资料来源：Alberts 1989, p.40.

虽然经验效应理论非常简单，但要在模型中应用还需要一定的技巧。使用时必须：（1）调整价格、消除通货膨胀的影响；（2）考虑经验量（而不是时间）与成本的关系；（3）分别考虑成本的各个构成要素，因为不同因素都有不同的学习速度；（4）由于两个或两个以上产品会分享同一项资源，或同一项活动能使它们都受益，所以要考虑共享经验，并修正模型；（5）调整不同竞争者之间的经验比率（如公司 A 作为一个市场后入者可以从 B 公司的经验中受益，可利用 B 公司所不能利用的共享经验，可获得与 B 公司不同比例的附加值）；（6）选择方程（5.15）中的恰当的 n 值和 C_n 值作为起点；（7）在一个合理的较长时间框架内恰当地衡量成本；（8）恰当地定义分析的基本单位（企业可能会在一个小市场中有很大份额，但同一个在大市场中有较小份额的公司相比，前者的经验量可能较少！）；（9）把流程创新效应看做专门预算带来的效果。

埃布尔与哈蒙德（Abell & Hammond，1979）、波士顿咨询集团（1970）、哈克斯与马耶勒夫（Hax & Majluf，1982）、戴（1986）、戴与蒙哥马利（1983）以及艾伯茨（1989）等人的论文都讨论了在确定和使用经验曲线时要考虑到的各种因素。

对许多行业来说，经验曲线的概念都有战略上的重要性。在稳定的行业中，利润通常是成本的一个固定百分比，利用经验曲线可以进行成本、价格和利润的预测。

如图 5—10 中所示的经验曲线会经常出现。在 A 阶段，成本高于价格，这在起步阶段中很常见。在 B 阶段，市场领导者为进入市场的高成本的生产者撑起一把价格伞，牺牲未来的市场份额以换取当前的利润。在 C 阶段（即筛选阶段），一家生产商率先开始以快于成本下降的速度降低价格，原因可能是生产水平过剩。在 D 阶段，当利润回到正常水平并再次和行业成本保持平行时，行业开始出现稳定状态。该图表明了以市场为主导的战略的重要性（和风险）。虽然充当市场领导者并以低成本运营是公司梦寐以求的事，但企业其实可以咄咄逼人地追求市场份额来加速筛选阶段（C 阶段）的到来。

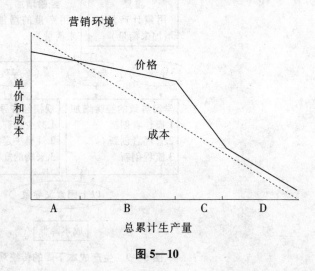

图 5—10

典型的价格—成本关系：在 A、B 和 C 三个阶段中成本下降的速度比价格快，最后在 D 阶段稳定为一般商品。

资料来源：The Boston Consulting Group, Inc. 1970，p. 21.

在第 10 章中将讨论用经验曲线来建立一个最优垄断定价策略，要使用称为"学习曲线定价法"的软件。企业要对因经验曲线而导致的成本下降做出反应，在掌握充分信息的条件下制定战略性决策，就要求了解市场增长率、竞争成本及竞争者可能做出的反应。当你能仔细用模型模拟并预测经验曲线的下降时，就可以在业务规划中使用这种模型和曲线了。

本章小结

本章介绍了营销战略的概念框架，企业必须在这一框架之下制定各种营销决策。我们强调所有这些决策之间的相互联系，尤其强调职能部门之间的相互作用和营销组合要素之间的协同作用。

要制定营销战略，必须恰当地界定市场，并估计和预测这个市场的需求。本章归纳了预测现有产品销售额的最常见的和最新的方法。

市场的结构和变化促使营销人员提出了另外两个重要的规划概念：产品生命周期和成本的动态变化。产品生命周期使我们难以采用传统的时间序列预测法和计量经济学预测法，而产品成本的动态变化（经验曲线效应）则影响了营销战略和营销规划。

我们将在后面各章尤其是第 6 章应用这些概念和工具。

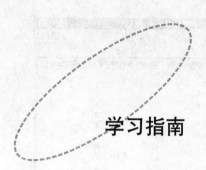

学习指南

多项式分对数分析指导

多项式分对数分析法是一种从一组备选方案（如一组品牌）中找出最能影响顾客选择的变量的通用方法。例如，顾客从五种汽车中选择，要研究的变量可能是价格、性能及经销商的各种优惠条件。本软件实现的是非嵌套的多项式分对数模型。

本软件要求输入的数据符合特定的格式。第一列是选择行为变量，对每个备选方案赋值 1 或 0（买或不买）；其余各列则对应于各独立变量，每个独立变量占一列。如果存在哑变量，哑变量也占一列。行表示"个案"，每个个案（如顾客）由两个或多个行组成，每行对应一个方案，本行第一列表明该顾客是否选择了这个方案（非独立变量），本行其他列表示模型中独立变量的数据值。另外，每个个案可包含多个观察值（如若干次购买的购买情况）。当每个个案的观察值不止一个时，必须按一定顺序组织观察值集合。如果有 N 个方案、M 个个案且各个案有 P 个观察值，数据的总行数就是 M×N×P。

> **注意**：各个案只能选择一个方案，即只有一个值为 1 的选择。

下面介绍数据分析的组织方式：

1. 若有两个以上备选方案，则应按如下方式组织输入数据。"Choice"（选择行为）变量列表示在某次购买时某个顾客（个案）是否选择了某个特定方案，其余列则列出了每个个案在每一备选方案的独立变量数值。图 5—11 以 ABBLOGIT.DAT 文件的数据为例说明这种数据组织方法。

2. 若有两个备选方案，则组织数据时要注意"二元分对数"模型的特殊情况。每个顾客（个案）有两个备选方案，其中一个选择行为变量的值为 0，另一个为 1。其余各列是解释顾客选择行为的独立变量。在二元分对数分析中，一个选择行为变量要用作参照，此处为方便起见，将独立变量的第二个选择行为变量（即参照值）设为零。图 5—12 以文件 BBBC.DAT 中的数据为例

201

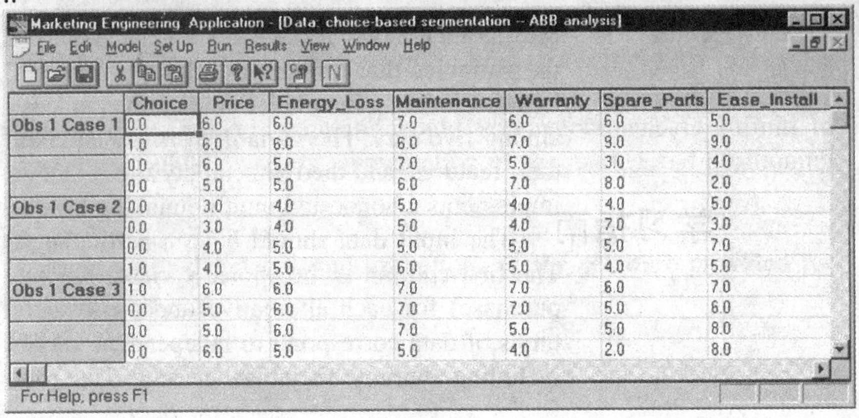

	Choice	Price	Energy_Loss	Maintenance	Warranty	Spare_Parts	Ease_Install
Obs 1 Case 1	0.0	6.0	6.0	7.0	6.0	6.0	5.0
	1.0	6.0	6.0	6.0	7.0	9.0	9.0
	0.0	6.0	5.0	7.0	5.0	3.0	4.0
	0.0	5.0	5.0	6.0	7.0	8.0	2.0
Obs 1 Case 2	0.0	3.0	4.0	5.0	4.0	4.0	5.0
	0.0	3.0	4.0	5.0	4.0	7.0	3.0
	0.0	4.0	5.0	5.0	5.0	5.0	7.0
	1.0	4.0	5.0	6.0	5.0	4.0	5.0
Obs 1 Case 3	1.0	6.0	6.0	7.0	7.0	6.0	7.0
	0.0	5.0	6.0	7.0	7.0	5.0	6.0
	0.0	5.0	6.0	7.0	5.0	5.0	8.0
	0.0	6.0	5.0	5.0	4.0	2.0	8.0

图 5—11

说明这种数据组织的方法。

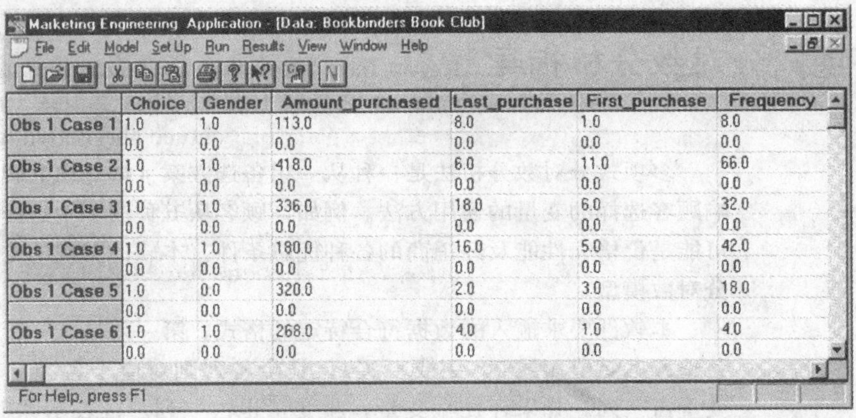

	Choice	Gender	Amount_purchased	Last_purchase	First_purchase	Frequency
Obs 1 Case 1	1.0	1.0	113.0	8.0	1.0	8.0
	0.0	0.0	0.0	0.0	0.0	0.0
Obs 1 Case 2	1.0	1.0	418.0	6.0	11.0	66.0
	0.0	0.0	0.0	0.0	0.0	0.0
Obs 1 Case 3	1.0	1.0	336.0	18.0	6.0	32.0
	0.0	0.0	0.0	0.0	0.0	0.0
Obs 1 Case 4	1.0	1.0	180.0	16.0	5.0	42.0
	0.0	0.0	0.0	0.0	0.0	0.0
Obs 1 Case 5	1.0	0.0	320.0	2.0	3.0	18.0
	0.0	0.0	0.0	0.0	0.0	0.0
Obs 1 Case 6	1.0	1.0	268.0	4.0	1.0	4.0
	0.0	0.0	0.0	0.0	0.0	0.0

图 5—12

注意：如果你要对数据进行变动来评价各种备选解决方案，程序不会自动保存对数据的修改。你可以到“File”（文件）菜单中，选择“Save As”（另存为）保存数据（用不同的文件名）。

下面举例说明在 BookBinders 书友会练习中如何使用二元分对数分析。从“Model”（模型）菜单中选择“Multinomial Logit Analysis”（多项式分对数分析），程序会提示你输入一个数据库文件名。本例中的文件是 BBBC. DAT。然后你就会看到如图 5—13 所示的屏幕（填入所示数字）：

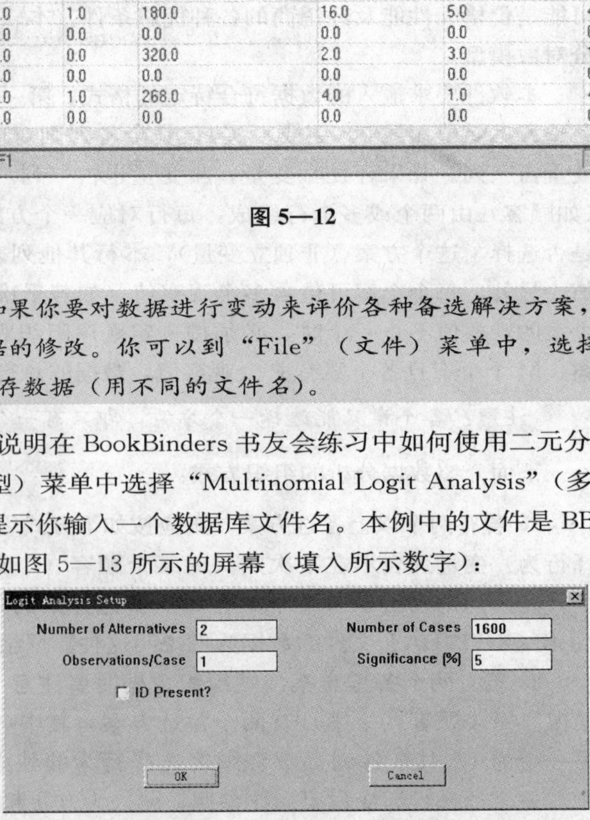

图 5—13

备选方案数目：最多 9 个；

个案数目：输入要分析的个案数目；

观察值/个案：确定每个个案的观察值数目，缺省为 1；

显著性：指定统计测试的显著性水平，程序将根据这个数字从分析中找出具有统计显著性的系数。

ID 显示：指是否给每个顾客指定了一个专门的名称。这个选项在教学版中无效。

单击"OK"（确定）。要运行程序，可到"Run"（运行）"菜单下选择"Run Model"（运行模型）。程序运行后，结果摘要会在一系列屏幕上显示出来，如图 5—14 所示。单击"Back"（前屏）和"Next"（后屏）按钮可在屏幕之间来回移动。单击"Print"（打印）可打印出屏幕上的内容。

Estimated Parameters: -- Logit Model

	Coefficient	Standard Error	T-statistic
Gender	-0.9471	0.1271	-7.4511
Amount_p	0.0011	0.0006	1.7283
Last_pur	-0.0898	0.0143	-6.2699
First_pu	0.5919	0.0930	6.3647
Frequenc	-0.0090	0.0124	-0.7318
P_Child	-0.8210	0.1168	-7.0268
P_Youth	-0.6520	0.1438	-4.5357
P_Cook	-0.9322	0.1196	-7.7970
P_DIY	-0.9160	0.1438	-6.3718
P_Art	0.6834	0.1277	5.3532
baseline	0.0000	NA	NA

图 5—14

看完各摘要表后，会出现各备选方案的系数、弹性和份额预测的图示，如图 5—15 所示：

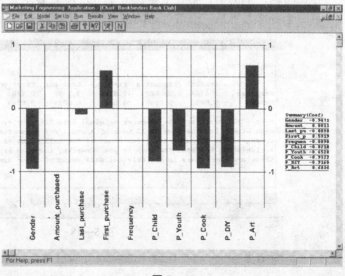

图 5—15

在"Results"（结果）菜单下选择"Summary"（摘要），再选择"View Next Chart"（查看下个表格），如图 5—16 所示，就会出现各备选方案的市场份额预测值的图示：

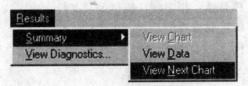

图 5—16

在"Results"（结果）菜单下选择"View Diagnostics"（查看诊断结果），就可以看到与结果有关的其他统计信息。诊断信息分为 8 个部分：

诊断结果 1　第一组诊断结果只显示出数据集的大小，如图 5—17 所示。警告信息表明预测是基于估计样本而不是独立的预测样本提出的。这是软件教学版中惟一能使用的选项。下条信息则指明模型所处理数据的行数（记录数）。

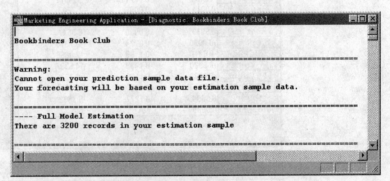

图 5—17

诊断结果 2　接下来是每个变量对各备选方案的平均值摘要表，如图 5—18 所示。如果有哑变量，你可以用这些变量的平均值来检查数据设置中是否存在问题。本例中，第一个备选方案（反应）表示是否有人会对邮寄有反应，第二个备选方案是一个可省略的哑变量（所有均值都为零）。

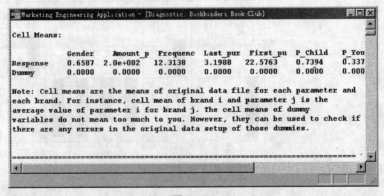

图 5—18

诊断结果 3　分对数模型中的参数可通过称为"极大似然"的统计方法来

204

估计。这种方法是要找到特定模型的概率分布的参数，使数据样本观察值能成为此模型的概率分布最可能的样本。样本的概率由似然函数规定（保守地说，是对数似然函数）。如果满足以下任意一个条件，则迭代极大似然过程就可以停止：（1）似然函数无法进一步改进；（2）参数估计值不再变化；（3）搜索梯度不再变化。

估计历史总结了每次迭代过程，如图 5—19 所示。

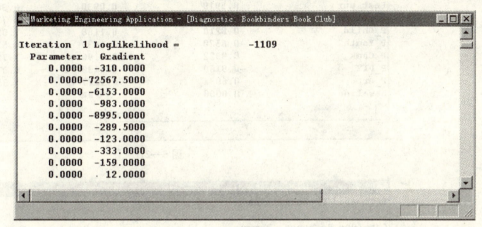

图 5—19

诊断结果 4 图 5—20 和图 5—21 是有关参数估计和估计值的方差—协方差矩阵的信息，它有助于识别在统计上显著不同于 0 的参数。显著的变量能影响每个备选方案的选择概率，而非显著变量则不能很好地解释顾客的选择行为。

注意：这些都是渐近值，只有当样本很大时，这些值才可能是有效的。

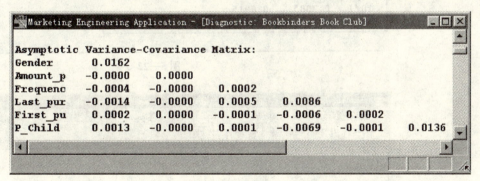

图 5—20

诊断结果 5 图 5—22 的这组诊断结果指出各个案（如顾客）选择每个备选方案的概率和命中率。命中率是预测的选择行为（各个案都分配到购买概率最大的备选方案上）与实际的选择行为相同的个案所占的百分比。

诊断结果 6 命中率越高，说明模型的预测能力就越强（见图 5—23）。如果估计样本和预测样本界限不很清（软件教学版就属这种情况），命中率就只是衡量拟合优度而不是预测能力的指标。

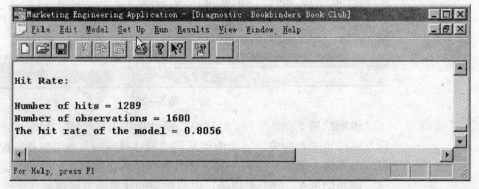

```
Marketing Engineering Application - [Diagnostic: Bookbinders Book Club]

Estimated Parameters:

Variable     Parameter Estimate     Standard Error     T-statistic

Gender               -0.9471              0.1271          -7.4511
Amount_p              0.0011              0.0006           1.7283
Frequenc             -0.0898              0.0143          -6.2699
Last_pur              0.5919              0.0930           6.3647
First_pu             -0.0090              0.0124          -0.7318
P_Child              -0.8210              0.1168          -7.0268
P_Youth              -0.6520              0.1438          -4.5357
P_Cook               -0.9322              0.1196          -7.7970
P_DIY                -0.9160              0.1438          -6.3718
P_Art                 0.6834              0.1277           5.3532
baseline              0.0000                  NA              NA
```

图 5—21

```
Marketing Engineering Application - [Diagnostic: Bookbinders Book Club]

Estimated Probabilities:

Case/Obs Response  Dummy

   1/1    0.1581   0.8419
   2/1    0.7327   0.2673
   3/1    0.2588   0.7412
   4/1    0.1856   0.8144
   5/1    0.9037   0.0963
   6/1    0.3885   0.6115
   7/1    0.6508   0.3492
   8/1    0.3876   0.6124
   9/1    0.6403   0.3597
  10/1    0.3085   0.6915
```

图 5—22

```
Marketing Engineering Application - [Diagnostic: Bookbinders Book Club]
 File  Edit  Model  Set Up  Run  Results  View  Window  Help



Hit Rate:

Number of hits = 1289
Number of observations = 1600
The hit rate of the model = 0.8056



For Help, press F1
```

图 5—23

此外，计算出的概率可用于推导每个备选方案的选择份额估计值（见图
5—24 所示）。如果使用其他预测样本，则要用这个样本计算选择份额，而不

是在估计样本的基础上计算。软件的教学版没有这一选项）。

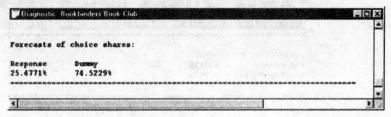

图 5—24

诊断结果 7　图 5—25 这部分诊断结果提供了每个变量对选择份额影响的弹性。这些弹性都是"弧"弹性（不是"点"弹性）。对每个独立变量，弹性矩阵指的是：第（i，j）位置的元素表明该变量在第 i 备选方案变动 1％时会引起选择第 j 个方案概率变化的百分比。例如，在下列矩阵中，表示购买额的元素（1，1）和（1，2）分别是 0.1241 和 −0.0424。这意味着，如果把某顾客的购买量提高 1％，对促销有反应的顾客份额将提高 0.1241％，对促销没反应的顾客份额将减少 0.0424％（这里弹性的大小反映出数据库中只有 1/4 顾客对邮寄做出了反应）。

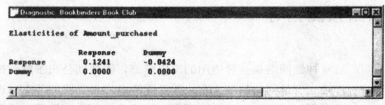

图 5—25

诊断结果 8　最后提供一些统计数字（如图 5—26 所示）帮你评估"全参数模型"和以下模型相比较的优缺点：（1）给各备选方案都分配相同概率的直观模型（即所有参数都等于 0）；（2）常数模型（即除常数外的所有参数都为 0）。得出的 χ 方分布类似于一个指定自由度（DF）的 χ 分布。

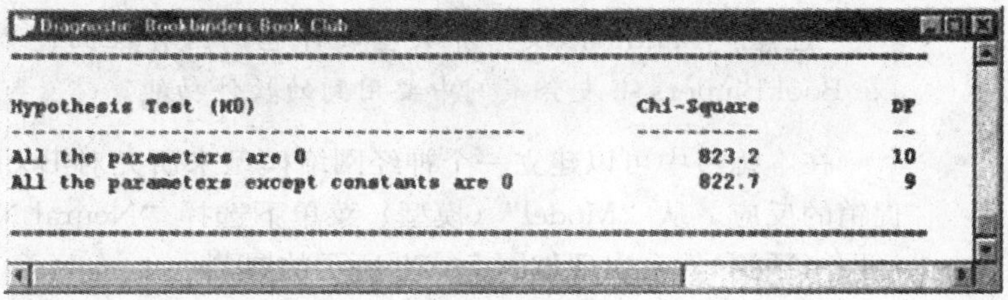

图 5—26

我们还可计算拟合优度指数，如图 5—27 所示，从其他方面说明模型的性能：

ρ^2 和回归分析中的 R^2 相似，衡量全参数模型比常数模型的优越性有多大。ρ^2 也是一个拟合优度指标，类似于回归分析中"调整 R^2"，用于修正全参数模型中的参数数目。

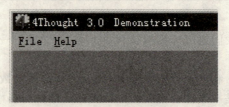

```
Marketing Engineering Application - [Diagnostic Bookbinders Book Club]
 File  Edit  Model  Set Up  Run  Results  View  Window  Help

Goodness-Of-Fit index:
Rho-Square      = 0.3711
Rho-Bar-Square  = 0.3621
```

图 5—27

软件教学版的限制

观察值数目：3 000；

变量数：20；

备选方案数：8；

各个案观察值数目：10。

神经网络预测指导

神经网络是一种通用的反应模型，能帮助公司了解营销系统中独立变量和非独立变量间的复杂关系。神经网络由许多互联的节点（神经元）构成，每个节点都以特定的方式影响变量之间的总体关系。神经网络模型和回归分析不一样，它不要求使用者事先确定独立变量和非独立变量之间关系的性质。

本软件包中的神经网络软件是由 Cognos 公司提供的 4Thought 软件，是由两个隐藏层和一个 S 形激活函数构成的前馈网络，利用误差后向传播来拟合模型，它可以在固定样本上连续测试模型，从而最大可能地降低过度拟合的可能。

注意：4Thought 是一个大型软件包，内有联机帮助文件。这里仅介绍在 BookBinders 书友会案例中要用到的软件功能。

在本练习中可以建立一个神经网络模型来研究对 Bookbinders 书友会邮寄促销的反应。从"Model"（模型）菜单下选择"Neural Net Forecasting"（神经网络预测），会出现如图 5—28 所示的屏幕：

```
4Thought 3.0 Demonstration
File  Help
```

图 5—28

在"File"（文件）菜单下选择"Open"（打开），再选 BBBCNN.4TH 文件，之后就会看到列有本练习各变量的电子报表，如图 5—29 所示。前 400 个

观察值是对邮寄做出了反应的顾客［"Choice"（选择行为）＝1］，其余的
1 200个观察值是没有反应的顾客（选择行为 ＝ 0）。本文件中还包括另外
2 300个观察值，你可以用它们进行验证和预测。

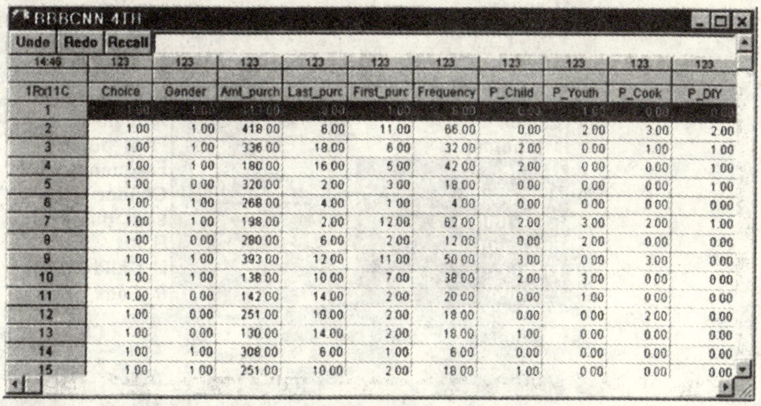

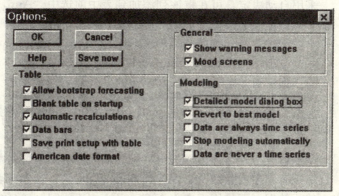

图 5—29

先在"Options"（选项）菜单下选择"Options..."（选项……）并选择
适当的设置，如图 5—30 所示。注意，要选择"Detailed model dialog box"
（详细模型对话框）。如果你不熟悉这个软件时，可以从"Options"（选项）菜
单中选择"Simple menus"（简单菜单），直到熟悉后为止。

图 5—30

接下来要指定分析中要用的模型。从"Specify"（详细说明）菜单中选择
"Model"（模型），会出现如图 5—31 所示的屏幕：

定义模型

指定非独立变量 首先选择一个非独立变量（本例中是选择行为）作为
"Model output"（模型输出）。非独立变量可以是表中任何数值型的列。如果
想一次就建立含多个列的模型且都使用相同的输入值，可选择"Multiple
models"（多模型）并选择想在模型中使用的列。如果想就某列数据的对数建
模（不是原始数据），就要在将该列添加到输入列表前先选中"Log"（对数）。
4Thought 可以自动决定列中的数据分布情况是否适合对原始数据取对数，如

209

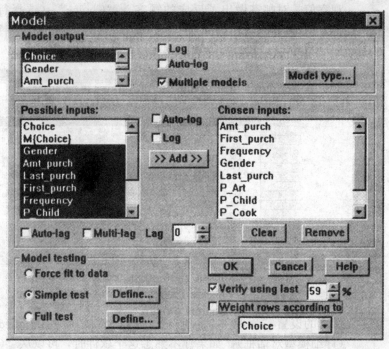

图 5—31

采用自动决定，可在将该列添加到表中前选中"Auto-log"（自动取对数）。

指定模型类型 单击"Model type"（模型类型）就可指定要用的神经网络模型的类型。如果对神经网络模型不是很熟悉，最好保留"Chosen by 4Thought"（由 4Thought 选择）选项。

指定独立变量 下面可定义独立变量（可能的输入数据）。可点击"Add"（增加）按钮增加变量，也可单击"Remove"（删除）按钮删去变量，或点击"Clear"（清除）按钮清空输入列表。要选择多个列，可按住 Ctrl 键再选择变量。

如果所选列变量不是数值型变量并且没有分类，"Categories"（类别）对话框就会打开，你可在其中指明各输入数据是否取对数或自动决定取对数。如果是时间序列数据，可以选择推迟一个输入。这意味着可以不用输入列所对应的行数据，而是用表中 X 行前（下）或后（上）的数据。还可以选择"Auto-lag"（自动延期）选项，让系统指定一个合理的滞后期。在这种情况下，系统会不断尝试不同的滞后期，以衡量数据和滞后数据之间的关系。在相关性开始下降时，系统才会停止尝试。注意：在只有一列数据而且需要基于自身构造模型时，就必须选择延期。

如果想在模型中添加时间性或季节性变量，而事先没有指定这些列，现在可以单击"Time"（时间）来指定。

确定模型测试 使用对话框中"Model testing"（模型测试）下的选项来确定用以下三个方法之一测试你所构造的模型。4Thought 根据测试数据决定何时停止建模过程。

1. 强制拟合：这时系统不进行任何预测测试。如果想对比神经网络模型和传统统计模型的结果，这个选项就很有用。

2. 简单测试：此选项在建模时分出一片数据区域以供测试使用，建议使

210

用这个选项。单击"Define"（定义）按钮可以控制对测试数据的选择。对横截面数据，建议使用"Evenly spread"（平均扩展）选项。对时间序列数据，可选择"Contiguous groups"（相邻数据组）或"At end of data set"（在数据集末）。如果选择"Contiguous groups"（相邻数据组），系统会选择代表性的相邻数据区进行测试。建议使用两组相邻数据组。

3. 全面测试：在此选项下，系统会用不同测试点建立很多模型以确定一个最优点，达到这一点时即停止建模。此时系统会用所有数据建立一个最终模型。如果数据组比较小，最好使用这个选项。

如果愿意，可以不必去证实要测试的附加数据点。这是一个完全独立的测试，没有在建模和预测时用过。供验证测试的数据应在 RU 列下标 V，同一列中系统建模选用的数据标 M，预测选用的数据标 T。

注意：在对 BBBCNN.4TH 中的数据运行模型前，必须将 1 601～3 900 行的数据标上 V。这将保证这些数据不会用在建模和测试过程。但可以得到对这些行的非独立变量（如顾客的选择行为）的模型预测值，最简单方法是在"Model"（模型）对话框中选择"Verify using last"（用后面的数据进行验证），并把此值设为 59%（= 2 300/3 900）。

完成了模型的设置后，单击"OK"（确定）。图 5—32 所示为神经网络建模过程（设置此屏要花一些时间，如果数据集较大的话，运行这个模型需要的时间就比较长了）。若"Model fit"（模型拟合度，屏幕上显示为蓝色）和"Test fit"（测试拟合度，屏幕上显示为红色）很相近，则模型就应该可靠。另外，若留出了专门用于测试的数据，屏幕还会显示"Verify fit"（验证拟合度），如果其值同模型拟合度相近，就可以进一步肯定模型的可靠性。

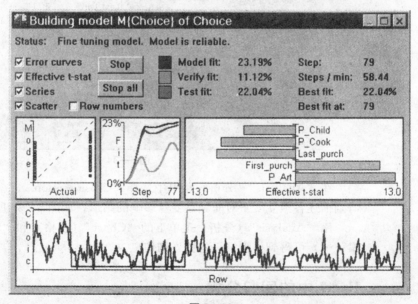

图 5—32

一旦程序选定了最终模型，电子报表就会显示两个新列，如图 5—33 所

211

示：RU 是指在建模时某行数据的使用方式，M 指在建模时使用，T 指要用于模型测试，V 指用于模型验证。"Model"（模型）（红色）列所示为非独立变量的预测值。

15:07	123	123	Model	123	123	123	123	123	123
M(Choice)	Actual		Model	0	0	0	0	0	0
1Rx1C	Choice	RU	M(Choice)	Gender	Amt_purch	Last_purc	First_purc	Frequency	P_Child
1	1.00	RU	0.19	1.00	113.00	8.00	1.00	8.00	0.00
2	1.00	T	0.71	1.00	418.00	6.00	11.00	66.00	0.00
3	1.00	M	0.39	1.00	336.00	18.00	6.00	32.00	2.00
4	1.00	M	0.28	1.00	180.00	16.00	5.00	42.00	2.00
5	1.00	M	0.81	0.00	320.00	2.00	3.00	18.00	0.00
6	1.00	T	0.36	1.00	268.00	4.00	1.00	4.00	0.00
7	1.00	M	0.60	1.00	198.00	2.00	12.00	62.00	2.00
8	1.00	M	0.39	0.00	280.00	6.00	2.00	12.00	0.00
9	1.00	M	0.60	1.00	393.00	12.00	11.00	50.00	3.00
10	1.00	M	0.39	1.00	138.00	10.00	7.00	38.00	2.00
11	1.00	T	0.47	0.00	142.00	14.00	2.00	20.00	0.00
12	1.00	M	0.21	0.00	251.00	10.00	2.00	18.00	0.00
13	1.00	M	0.30	0.00	130.00	14.00	2.00	18.00	1.00
14	1.00	M	0.48	1.00	308.00	6.00	1.00	6.00	0.00
15	1.00	M	0.38	1.00	251.00	10.00	2.00	18.00	1.00

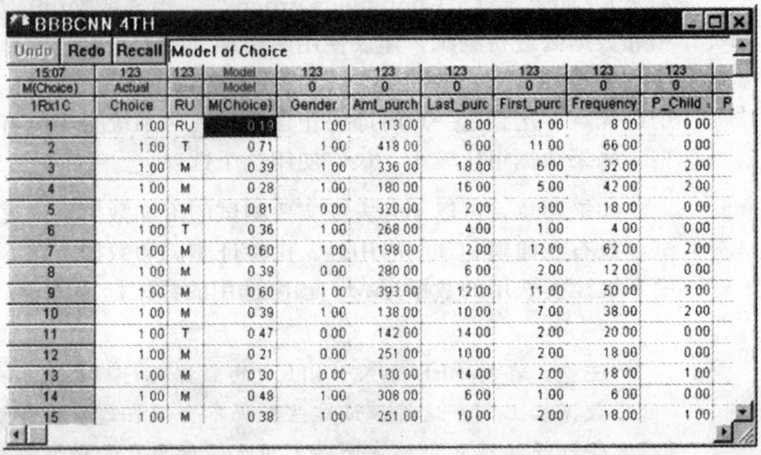

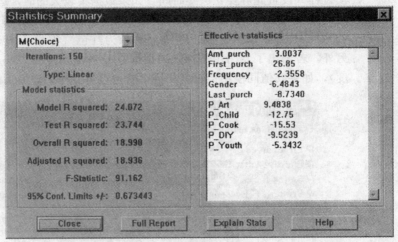

图 5—33

解释模型可用"Analysis"（分析）菜单：选择"Statistics..."（统计……）可看到模型拟合的细节，如图 5—34 所示；在"Statistics Summary"（统计摘要）对话框中单击"Full Report"（全部报告）可看到结果的其他细节信息。

图 5—34

在"Analysis"（分析）菜单中选择"Cross-section..."（横截面……）可看到描述各独立变量对非独立变量影响的图形，如图 5—35 所示。

用"Analysis"（分析）菜单下的"Chart"（表格）和"Scenario..."（方案……）可得到模型结果的更详细信息。

Excel 中的回归分析

为便于同神经网络模型的比较，用最小二乘回归法运行 BookBinders 书友会的数据。打开 BBBC. XLS 文件，如图 5—36 所示。

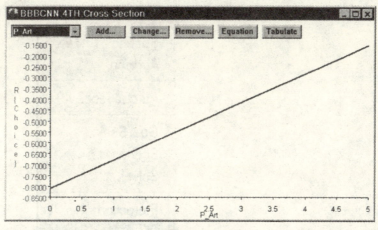

图 5—35

	A	B	C	D	E	F	G	H	I
1	Choice	Gender	Amt_purch	Last_purch	First_purch	Frequency	P_Child	P_Youth	P_Cook
2	1	1	113	8	1	8	0	1	0
3	1	1	418	6	11	66	0	2	3
4	1	1	336	18	6	32	2	0	1
5	1	1	180	16	5	42	2	0	0
6	1	0	320	2	3	18	0	0	0
7	1	1	268	4	1	4	0	0	0
8	1	1	198	2	12	62	2	3	2
9	1	0	280	6	2	12	0	2	0

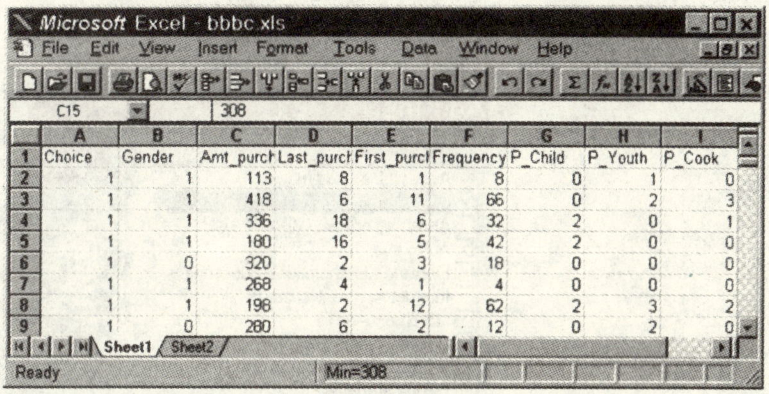

图 5—36

要启动回归分析工具，可在“Tools”（工具）菜单下选择“Add-Ins”（加载宏），如图 5—37 所示，选定“An alysis ToolPak”（分析工具库），如图 5—38 所示。

然后在“Tools（工具）”菜单中打开“Data Analysis”（数据分析），选择“Regression”（回归），如图 5—39 所示。

现在可以开始进行回归分析了。指定要选用的回归模型，如图 5—40 所示。

模型运行后，得到如图 5—41 所示的回归结果。

BookBinders 书友会案例[1]

美国每年约有 50 000 种新书出版或再版。出版业的年销售额达 200 亿美元（1994），其中约 10%的图书是通过邮购销售的。

20 世纪 70 年代图书零售业的特点是连锁书店和购物中心同步发展。到了 1980 年，由于折扣店的兴起，书店的客流量大幅度提高。在 20 世纪 90 年代，图书超市推动整个行业以两位数的速度增长。图书超市一般坐落在大型购物中

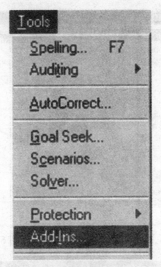

图 5—37

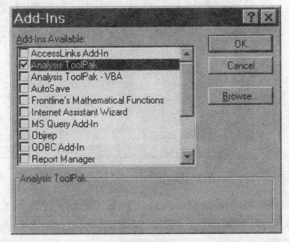

图 5—38

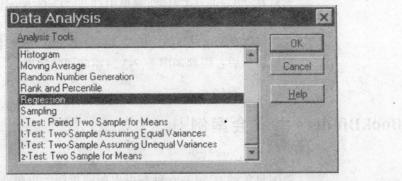

图 5—39

心附近，销售 30 000～80 000 种图书。图书超市给书友会、邮购公司和零售店带来了巨大的竞争压力。最近，在线图书超市（如 Amazon）也出现了，销售100 万～250 万种图书，进一步加重了书友会和邮购公司的压力。于是，书友

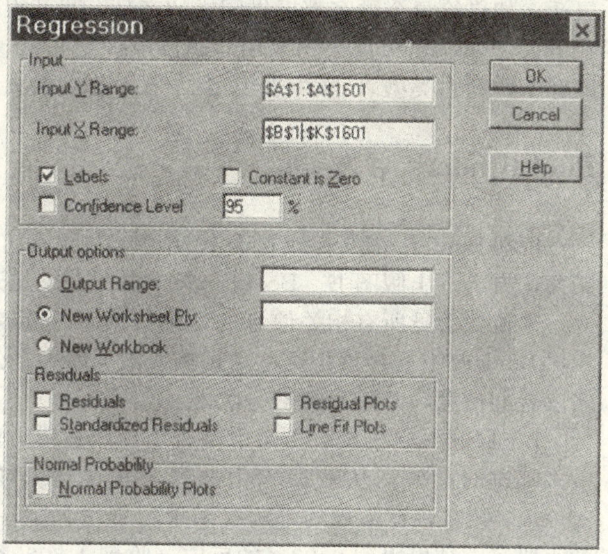

图 5—40

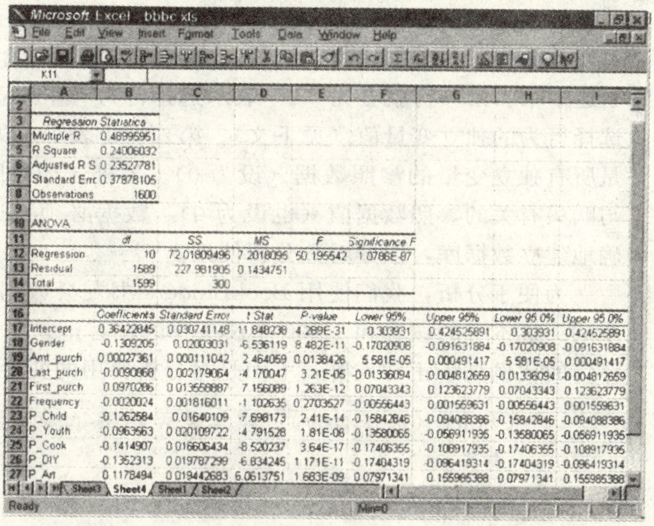

Regression Statistics	
Multiple R	0.48995951
R Square	0.24006032
Adjusted R S	0.23527781
Standard Err	0.37878105
Observations	1600

ANOVA

	df	SS	MS	F	Significance F
Regression	10	72.01809496	7.2018095	50.195542	1.0786E-87
Residual	1589	227.981905	0.1434751		
Total	1599	300			

	Coefficients	Standard Error	t Stat	P-value	Lower 95%	Upper 95%	Lower 95.0%	Upper 95.0%
Intercept	0.36422845	0.030741148	11.848238	4.289E-31	0.303931	0.424525891	0.303931	0.424525891
Gender	-0.1309205	0.02003031	-6.536119	8.482E-11	-0.17020908	-0.091631884	-0.17020908	-0.091631884
Amt_purch	0.00027361	0.000111042	2.464059	0.0138426	5.581E-05	0.000491417	5.581E-05	0.000491417
Last_purch	-0.0090868	0.002179064	-4.170047	3.21E-05	-0.01336094	-0.004812659	-0.01336094	-0.004812659
First_purch	0.0970286	0.013558887	7.156089	1.263E-12	0.07043343	0.123623779	0.07043343	0.123623779
Frequency	-0.0020024	0.001816011	-1.102635	0.2703527	-0.00556443	0.001559631	-0.00556443	0.001559631
P_Child	-0.1262584	0.01640109	-7.698173	2.41E-14	-0.15842846	-0.094088386	-0.15842846	-0.094088386
P_Youth	-0.0963563	0.020109722	-4.791528	1.81E-06	-0.13580065	-0.056911935	-0.13580065	-0.056911935
P_Cook	-0.1414907	0.016606434	-8.520237	3.64E-17	-0.17406355	-0.108917935	-0.17406355	-0.108917935
P_DIY	-0.1352313	0.019787299	-6.834245	1.171E-11	-0.17404319	-0.096419314	-0.17404319	-0.096419314
P_Art	0.1178494	0.019442683	6.0613751	1.683E-09	0.07971341	0.155985388	0.07971341	0.155985388

图 5—41

会开始考虑其他商业模式，以便能对顾客的偏好做出更快的反应。

读书俱乐部与会员读者之间存有一种合同式的关系，为会员提供连续服务和否认服务。连续服务比较适合儿童图书，读者签约以每本几美元的价格（加运费和手工费）订购几本书，同意此后每月购买一二本图书。在否认服务模式中，会员可选择愿意接受哪些图书，默认的话，读书俱乐部以后就会送来俱乐部所选的图书。读书俱乐部通知会员每月选择了哪些书，如果会员不想接受这些图书，就要在订单上标明“否”。现在有些公司开始采用认可订购方式，但只适用于他们认为能接受某些特定图书的部分顾客。

读书俱乐部也开始用数据库营销技术来明智地工作，而不是一味扩展邮寄的覆盖范围。Doubleday 公司的总裁马库斯·威尔赫姆（Marcus Willhelm）说：“数据库是我们经营的关键……我们必须了解顾客需要什么，也必须更为灵活。如果给每个顾客都提供同样的产品，我就很怀疑读书俱乐部是否还能存在下去。"Doubleday 公司采用建模技术研究了 80 多个变量（包括地理变量和顾客所购图书类型），从中选出了 3～5 个影响最大的预测性变量。

BookBinders 书友会

BookBinders 书友会成立于 1986 年，主要是直销专业书籍。它是纯粹的分销商，自己不出版图书。BookBinders 书友会决定开展数据库营销，开始要建立一个包含会员所有相关信息的详细数据库。读者填写一张插页问卷并寄回，BookBinders 书友会再把这些数据输入数据库中。公司现在的数据库已有 50 万名读者的信息，并每月邮寄一次。

BookBinders 书友会正考虑是否用预测建模方法来改进邮购业务。在最近一次邮寄时，公司从数据库中选择了宾夕法尼亚州、纽约州和俄亥俄州的 20 000 多顾客，在常规的邮购目录里特别增加了一本介绍《佛罗伦萨艺术史》的小册子。结果得到 9.03％的反应（收到 1 806 张订单），然后建了一个数据库来校准它的反应模型以确定影响购买的因素。

数据库中的每个记录都包括两行数据，分别表示买或未买。BookBinders 书友会选择了一些它认为能解释观察到的选择行为的变量。假设某个顾客已买了这本书。第一行就会为"1"表示选择行为（非独立变量），后面是影响这一选择行为的独立变量值（见下文）。第二行是表示未买的数据值（"0"），后面是所有独立变量的参照数据（设为 0）。另外，如果顾客未买书，第二行就是与购买有关的参照数据值（也设为 0）。数据必须构造成这样的形式，才能正确地建立数据库，供分对数分析使用。

为便于分析，我们使用 BookBinders 书友会数据库的一个子集，内有 400 个购买这本书的顾客和 1 200 个没买书的顾客记录，这个数据集合中"反应群体"的比例高于正常人群。下面是对分析要用的变量的描述：

Choice（选择行为）：顾客是否购买了《佛罗伦萨艺术史》，1 ＝ 买，0 ＝ 未买。

Gender（性别）：0 ＝ 女性，1 ＝ 男性。

Amount_purchased（购买量）：在 BookBinders 书友会购买图书的总金额。

Last_purchase（最近一次购买）：上一次购买到现在的月数。

First_purchase（第一次购买）：第一次购买到现在的月数。

Frequency（频率）：在指定时间内买书的次数。

P_Child（儿童）：购买儿童类图书的数量。

P_Youth（青年）：购买青年类图书的数量。

P_Cook（烹饪）：购买烹饪类图书的数量。

P_DIY（自助）：购买动手实践类图书的数量。

P_Art（艺术）：购买艺术类图书的数量。

练习

BookBinders 书友会正在评价线性回归模型、二元分对数模型和神经网络模型等三种不同的建模方法，以找出对消费者是否购买《佛罗伦萨艺术史》影响最大的因素。

1. 概括你对这三种模型进行分析的结果。用下面的数据文件建立你的模型，所有文件都包含了格式不同但内容相同的数据。

- 线性回归：BBBC. XLS，内有 1 600 个用于建模的观察值。
- 二元分对数模型：BBBC. DAT，内有 1 600 个用于建模的观察值（3 200 行）。
- 神经网络模型：BBBCNN. 4TH，内有 3 900 个观察值，其中 1 600 个用于建模，2 300 个用于预测。
- 文件 BBBCPRED. XLS，内有 2 300 个观察值，可用线性回归和二元分对数模型的系数进行预测。

2. 解释这些模型的结果，特别要指出哪些因素最能影响顾客是否购买图书的决策。

3. BookBinders 书友会正考虑在中西部地区进行一次类似的邮寄宣传活动，他们有 5 万个中西部顾客的数据。这种邮寄一般只能促销几本书。一本艺术类图书的平均邮寄成本是每个收件人 0.65 美元（含邮费），而购买和邮寄这本书的成本是 15 美元，公司按成本的 45％把管理费用分摊在每本书上。此书的售价是每本 31.95 美元。根据模型，BookBinders 书友会应把哪些顾客作为目标市场？你认为用模型选择邮寄对象同给所有人邮寄相比，公司能增加多少利润？

4. 根据你在这次建模练习中的体会，概括每种建模方法的优缺点。注意，要研究结果的相似之处和差异所在。

5. 你是否会建议 BookBinders 书友会建立自己的建模力量以便能够自己评价邮寄活动的效果？

6. 如何把你向 BookBinders 书友会推荐的建模方法简单化和自动化，以方便公司将来的建模工作？

【注释】

[1] 此案例及数据由特拉维夫大学（Tel Aviv University）的尼桑·莱文和雅各·扎哈维（Nissan Levin & Jacob Zahavi）教授提供，经许可我们略作了修改以便软件使用。

第 **6** 章

营销战略决策模型

第 5 章描述了营销战略的基本组成。本章则要讨论营销工程方法擅长处理的一些重要的营销战略问题：

● **市场进入和退出决策**：怎样确定进入和退出市场的时间及与市场先入和市场进入次序相关的问题。

● **经验模型**：怎样吸取成功公司的经验。

● **产品业务组合模型**：怎样把各类产品和业务当作一个有机的整体进行管理。

● **竞争模型**：市场性质和竞争对手的反应如何影响营销战略。

这些决策都依赖于一个关键的营销战略决策：在较长时期内如何分配公司的营销资源？决定什么时候进入或退出市场是时机的选择问题：什么时候是最佳的投资（或放弃）时机？经验模型可以帮助我们把其他组织的投资成功经验当作学习的榜样，以改善自己的营销投资战略。产品业务组合模型可以帮助加强各项投资之间的内在一致性：什么情况下各种营销投资会出现对稀缺资源的相互竞争？应该怎样确定这些投资的优先顺序并合理分配资源？最后，竞争模型能帮助分析竞争者对我们的投资决策可能做出的反应以及如何应付这些反应。

市场进入与退出决策

制定动态市场战略的一个关键问题就是根据市场先入或先行优势来选择市场进入的时机。利伯曼和蒙哥马利（Lieberman & Montgomery，1980）认为先行优势来自三个方面：

1. 因学习曲线比竞争者构造得更合理（经验曲线效应）或因研发与专利的成功而带来的技术领先。

2. 对稀缺资产的先占权，如有限的原材料、分销渠道、货架空间以及稀缺的、有特殊技能的工人。

3. 转换成本高和购买者对风险的规避，这两个因素会阻止购买者从现有产品转而购买新产品；市场后入者必须投入更多资源（提供更低的价格或更高的价值）才能克服顾客转换供应商时要发生的成本和风险。

鲁滨逊和福内尔（Robinson & Fornell，1985）用 PIMS 数据库发现市场先入者常常比早期市场追随者有更高的市场份额，早期市场追随者的市场份额又高于晚期市场追随者。他们对这一研究结果的解释是：较早进入市场会影响产品质量、产品线宽度、产品价格和产品成本等四个因素。厄本等人（Urban et al.，1986）研究了 129 种包装消费品后也发现市场进入顺序对市场份额有显著的影响。帕里和巴斯（Parry & Bass，1990）也证明了这个结论，他们还发现这种影响会因行业类型和最终用户购买数量的不同而不同。

卡扬纳拉姆、鲁滨逊和厄本（Kalyanaram，Robinson & Urban，1995）将他们对市场进入时机选择的研究成果总结成了三个结论：

1. 对成熟的消费品和工业品，市场进入顺序和市场份额之间存在负相关的关系。

2. 对包装消费品，市场进入者的预计市场份额除以先入者的市场份额得到的商大致等于 1 除以市场进入顺序的平方根。

3. 对成熟的消费品和工业品，早期进入者的市场份额优势会随时间而缓慢下降。

这些结论和其他学者的研究（Lilien & Yoon，1990）为市场进入决策可能产生的结果提供了重要信息。除时机的选择外，企业还应该考虑消费者对产品的可能反应、竞争对手的可能反应和市场的变化等。

举例

约恩和利连（Yoon & Lilien，1985）选取了 112 个新型工业品作为样本，从市场份额的角度研究它们一年后的成功率（见图 6—1）。他们把这些产品分成：

创新型新产品：技术上有突破，常常是在该行业中从未使用过的技术（也叫新产品线和全新产品）。

改进型新产品：对现有产品进行了扩展和修改，往往可以降低成本或扩大使用范围（也叫降低成本、产品改进和增加功能）。

这些新产品的业绩取决于公司在技术成熟与市场推出新产品之间延迟的时间。他们发现创新型新产品在第一年市场份额增长，到某一点后渐次下降；而改进型新产品在第一年市场份额就开始平稳减少。这种差别反映了市场开发的水平；对改进型新产品市场是成熟的，新产品进入市场滞后的时间越长，失败的风险越大，这主要是由于市场条件的变化、竞争对手的反应或进一步的技术创新。

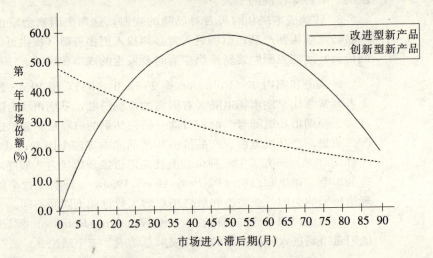

第一年市场份额与市场进入滞后期

图6—1 某工业品样本的新产品成功率

在第一年末，立即进入市场的改进型新产品市场份额最高，而创新型新产品上市的滞后会带来后发优势。

资料来源：Yoon & Lilien 1985, p. 142.

举例

卡利什和利连（Kalish & Lilien，1986）在美国能源部（DOE）的资助下研究了民用太阳能电池示范计划的市场进入时机选择。美国能源部正考虑资助美国西南部一家房地产开发商的计划：在百户住宅中增加太阳能电池。在提出建议之时（1980年），太阳能电池产品的技术还不成熟，调查的结果和专家判断都表明当时开展示范计划会对该产品的市场渗透率产生不良影响（失败的风险甚至失火对住宅房顶的损坏都会很严重）。卡利什和利连开发了一个市场渗透模型（对本书第7章的巴斯扩散模型的改进），用来研究产品在市场中可能的扩散率。

他们的分析表明：如果美国能源部的目标是十年后达到最大的市场渗透率，最好把示范计划推迟五年（同时消除技术上的缺陷）。此外，推迟还使能源部节省了开支。能源部接受了这一结果，没有为居民区示范计划提供资助。

经验和以上两个例子都表明，市场进入的时机取决于产品的性质（创新型还是改进型）、市场的性质（产业市场还是消费品市场；成熟的市场还是不成熟的市场）和竞争的性质（在你之前进入市场的对手数量，即进入顺序）。过早进入市场有时是个错误，它和过晚进入市场一样都会造成巨大的损失。

怎样才能找到进入市场的适当时机呢？第7章将介绍几种根据新产品扩散理论开发出来的模型。这里要介绍的是决策分析或决策树分析，它也可以用来解决这类问题。

市场、消费者和竞争对手对新产品进入市场的反应是不确定的，营销经理

220

处理不确定性因素也有几种不同方式。有些经理作最坏情况分析，即使预计推出的新产品在更差的市场反应与更高的成本情况下也能盈利时才推出这种产品。还有些营销经理运行电子报表估计各种方案可能产生的结果，从中进行选择。

经理可用的决策支持软件越来越多，使这些决策更易量化。最适合处理不确定条件下决策问题的方法之一就是决策分析。决策分析适于解决具有下列特征的问题：

● 必须从各种行动方案中选择一种或几种。
● 选择出的一种或几种方案必须能够带来某种后果；但决策者事先无法确切地知道将会出现什么样的结果，因为行动的结果不仅取决于决策者的决策，而且也取决于一个或几个不确定事件的结果。

对行动方案的选择取决于决策者的行动产生各种后果的概率，也取决于各种后果能带来的利益。

决策分析法通常包括以下步骤：

1. **构建问题框架**：为了构建问题的框架，必须确定总目标，详细说明衡量有效性的指标，界定行动的约束条件，并描述问题的时间顺序。此外还要找出其他行动方案来。

2. **给每种可能的结果分配概率**：必须估计各种管理活动带来的不同后果发生的概率。这种概率的分配可以是纯主观的，也可以结合对过去系统行为进行分析的结论。

3. **给每种结果分配可能的收益**：决策者必须明确表示出他对各种可能结果的偏好（这些偏好或收益与第 2 章介绍的目标和目的相关）。

4. **分析问题**：分析问题要采用称为"平均和回算"的方法，下面举例说明。

举例

本案例选自基尼（Keeney）的论文。QRS 公司现在要决定是否将新产品引入市场。如果把这种产品引入市场，其销售额可能高也可能低。为简便起见，我们假定公司的目标是预期利润最大化。公司正考虑进行一次市场调查，收集预期销售额方面的信息。市场调查公司的报告结论会是很好、好或者差，"很好"意味着销售额可能较高。营销经理认为，如果公司现在把产品引入市场，则实现高销售额的概率是 0.4。公司从过去与这家市场调查公司打交道的经验知道：过去有 60% 的畅销产品的调查结论是很好，30% 是好，10% 是差；10% 的滞销产品的市场调查结论是优秀，30% 是好，60% 是差。如果销售量很高，则公司可能的净利润（不考虑调查成本）为 10 万美元；如果销售额很低，则公司可能的净损失（不考虑调查成本）为 5 万美元。

可以把这个决策问题构造成一个决策树（见图 6—2）。各事件按发生的时间序列从左到右排列。首先，营销经理要决定是否进行市场调查。如果要进行市场调查，在获得调查结果的基础上，再决定是否把产品推向市场，最后得出销售额结论。

一棵决策树有两种节点：决策节点用 D 表示，表示管理部门可以控制行动方案；决策者不能控制的机会节点用 C 表示。

每条决策树路线的终端都标出了各项行动方案的结果。例如，如果公司要进行市场调查，调查结果是很好，公司决定生产该产品，且销售额很高，则能获得纯利8.4万美元（10万美元减去调查费用1.6万美元）。除了不调查、不生产、不销售的战略外，所有结果都可以给出。

自机会节点开始的决策树的各部分都是条件概率（括号内的数字），即该点之前决策树上其他事件发生的条件下与此段相关的事件出现的概率。例如，在公司进行市场调查的条件下，调查结果是很好的概率是0.3或30%，则在调查结果是很好且公司决定生产的条件下，产品销售额高的条件概率是0.8或80%。

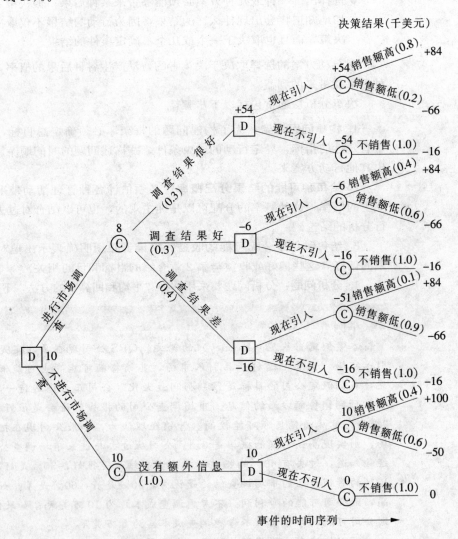

图6—2 QRS公司的决策树

标有"D"的节点是决策节点，标有"C"的节点是机会节点。

为了总结给定的信息，公司从过去的经验中得知（P代表概率）：

P（调查结果很好 | 畅销）＝ 0.6

222

P（调查结果好 ｜ 畅销）＝ 0.3

P（调查结果差 ｜ 畅销）＝ 0.1

P（调查结果很好 ｜ 滞销）＝ 0.1

P（调查结果好 ｜ 滞销）＝ 0.3

P（调查结果差 ｜ 滞销）＝ 0.6

P（畅销）＝ 0.4

P（滞销）＝ 0.6　　　　　　　　　　　　　　　　　　　　　　　　　(6.1)

为计算调查结果很好的概率，我们用全概率定理：

P（调查结果很好）＝P（调查结果很好 ｜ 畅销）× P（畅销）＋ P（调查结果很好 ｜ 滞销）× P（滞销）＝ 0.6×0.4＋0.1×0.6 ＝ 0.3

　　　　　　　　　　　　　　　　　　　　　　　　　　　　　　　(6.2)

同理可得，P（调查结果好）＝0.3

P（调查结果差）＝0.4

要计算P（畅销 ｜ 调查结果很好），可用贝叶斯定理：

P（畅销 ｜ 调查结果很好）＝ P（调查结果很好 ｜ 畅销）P（畅销）／ P（调查结果很好）＝ 0.6 × 0.4 / 0.3 ＝ 0.8　　　　(6.3)

同理可得，P（畅销 ｜ 调查结果好）＝ 0.4

P（畅销 ｜ 调查结果差）＝ 0.1

P（滞销 ｜ 调查结果很好）＝ 0.2

P（滞销 ｜ 调查结果好）＝ 0.6

P（滞销 ｜ 调查结果差）＝ 0.9

现在我们可以用这些概率计算平均值和回算了。每个节点旁边的数字代表与该节点状态相关的期望利润。如果我们进行市场调查，市场调查的结果很好，并且把产品引入到市场，则产品畅销的概率是80%，表明其净利润为8.4万美元，而产品滞销的概率是20%，其净亏损为6.6万美元，这样，期望利润（平均数）为：

（0.8）×（8.4 万美元）－（0.2）×（6.6 万美元）＝ 5.4 万美元　(6.4)

在下面紧接着的节点处，如果我们进行市场调查，调查结果为很好，但不进行生产，则会损失1.6万美元。

现在退回（回算）到这些机会节点前的决策节点，公司可引入产品并期望得到5.4万美元的利润；也可以不将产品引入市场，会遭受1.6万美元的损失。最好的选择是生产产品；因此该决策节点的期望利润是5.4万美元。另外，如果我们回算到起点，会发现最好的选择是不进行市场调查。

────────────────────────────

决策分析是一种强大的工具，可以帮助经理对这类问题进行结构化的决策。决策树可以很容易进行扩展，用来进行选择市场进入时机的决策。例如，假设在每个"引入"决策节点上的决策都是推迟一个季度，假定管理者认为竞争对手进入市场的概率是0.2（即有20%的概率不作市场先入者，相应的回报也较低，对成功产品也不例外）。但是，如果这一滞后能使企业开发出质量更高的产品（产品质量随时间推移而提高，就像前面的太阳能电池的例子），则可以提高产品畅销的概率。决策树提供了一种便于分析的理论框架，经理可以利用这一框架明确、量化地做出判断和权衡，目前的软件可以很方便地构建决策树。用户通过剪贴操作很容易复制出这样的决策树（现在引入、等待一段时间、等待两段时间等），而且还能得到其他诊断结果，如："市场调查结果很好时，是否把产品引入市场对企业的影响到底有多大？""这个项目的回报提高或降低10％会带来什么后果？"这些诊断结论还为用户提供了以下有用的信息：样本信息的期望价值和完备信息的期望价值。

样本信息的期望价值是企业应该为调查支付的最高价格。市场调查的价格达到多少就会使决策者认为做不做市场调查都一样？

举例

从分析中我们知道，公司从市场调查公司得到的信息并不值 1.6 万美元，那么它值多少呢？如果我们把调查费用表示为 S，对它进行平均和回算，结果会发现第一个机会节点的价值是 2.4 万美元减去 S。如果 S 是 1.4 万美元，那么是否做调查对公司就没有任何差别，因为"不做市场调查"的决策价值是 1 万美元，这个数字是公司应该为调查支付的最高费用。

完备信息的期望价值是公司应该为"完备"调查支付的最高金额。完备调查是能够可靠地告诉公司产品能否取得成功的调查。

举例

完备信息的期望价值很重要，因为没有任何一项调查能给我们提供完备的信息，因而完备信息的价值是公司应该为样本信息支付的最高价值。

"完备信息"的意思是指具有如下特征的预测：

$$P（预测值高 \mid 畅销）= 1$$
$$P（预测值低 \mid 滞销）= 1 \tag{6.5}$$

并且其他结果出现的概率为零。

如果预测销售额较高，最好的战略就是将产品引入市场。这种结果出现的概率是 0.4：

$$P（预测值高）= P（销售额高）= 0.4 \tag{6.6}$$

这一结果的净利润是 10 万美元减去 R，其中 R 表示完备信息的成本。同样，预测值低的概率是 0.6，在这种情况下，最好的战略是不生产，该战略的净利润为 $-R$。

因此，完备信息的期望利润是

$$（0.4）\times（10 万美元 - R）+（0.6）\times（-R）= 4 万美元 - R \tag{6.7}$$

当 $R=3$ 万美元时，得到完备信息和不做市场调查对营销经理没有任何区别。两种战略的期望净利润都是 1 万美元。这样，完备信息的期望价值是 3 万美元。

所以，决策分析不仅能帮助经理解决不确定条件下的决策问题，它还能帮助确定收集减少不确定性的信息究竟有多大价值。按照我们的经验（Brown，Lilien & Ulvila, 1993），哪怕只降低一点点不确定性都要耗费巨大的市场调查

费用，而决策分析能够帮助证明这样的支出是否合理。

在前面的讨论中，我们假定这样的信息会影响管理者的决策。如果管理者已做出了新产品进入市场的决策，决策分析的最大用处就是提供不适当决策的（期望）机会成本。尽管我们相信随着可用的营销工程工具越来越多，它们对决策系统化的帮助也会越来越大，但就目前而言，这种帮助作用还几乎未体现出来。

举例

本案例选自乌尔维拉和布朗（1982）的论文。霍尼韦尔（Honeywell）公司的防御系统分公司该怎样发展呢？1979年底，为霍尼韦尔公司的防御系统分公司制定规划的经理要制定该分公司未来十年的发展规划，其中一项重要内容是在不超出研发预算的前提下开拓新产品的机会，提高分公司的销售额和利润。

这位经理先筛选掉了一些不适合分公司其他部门的新产品机会。现在他需要预测产品销售额、利润和投资要求。产品开发能否成功、竞争者的优势以及最终能否在市场上取得成功都是不确定的。另外，有些产品成功的可能性是相互联系的，其中有几种产品共同发展的可能性非常大。

分析人员采用的方法是通过将各产品的决策树分析综合起来为分公司进行预测。项目进行期间，霍尼韦尔公司的规划人员同决策分析顾问紧密合作，到项目完成时，他们已经掌握了自行进行分析所需的各种技能。这种分析现已成为霍尼韦尔公司项目评估、计划和预测活动的常规内容。

分析人员为每种产品都开发出了一个模型。分析小组与项目经理及其下属工作人员密切合作，构建决策树，评估概率和价值，并讨论分析结果和灵敏度。

这两种分析在很多方面都存在显著差异。首先，霍尼韦尔公司的分析结果不仅要用于决策，还要用于预测。这意味着分析人员必须将一些额外因素加到模型里，并设法使最终的模型形式适合预测之用。

其次，由于某些产品的成功相互关联，分析人员在进行分析时必须把这些产品的公共投资、共同发展的机会和各种产品的营销的互动等因素考虑在内。

第三，霍尼韦尔公司存在的问题无法提供一条明确的决策标准，需要考虑多个财务指标，如内部收益率、净现值、年利润、投资和投资回报率。

霍尼韦尔公司的预测是基于对三种主要产品和两个共同发展机会的决策树分析。分析人员首先为每种产品构造决策树，确定无论足以支持成批生产的市场是否出现的销售分布情况。然后又着手进行第二层分析，用模型模拟产品之间显著的依存关系，确定出任何一种产品开始大规模生产的概率要取决于哪些其他产品也同时进行成批生产。

预测结果表明，在前7年这些产品的期望销售额都很低，后6年销售额期望值是每年约7 500万美元。而且这个销售额数字是不确定的。例如，预测表明1989年销售额低于2 500万美元的概率是24%。

决策树分析有助于解释每年预测结果的形状。例如，由于不能确定哪些产品在1988年前会有足以支持成批生产的市场，因而销售预测（曲线的形状）是上下波动的。产生这些不确定性的原因可通过决策分析详细指明。

这些分析能帮助霍尼韦尔公司评估这些产品实现其销售目标的可能性、评估其中的不确定性以及产生这种不确定性的原因。详细分析产生不同销售额水平的一系列事件，决策树分析还能识别出起关键作用的各个点，公司可在这些点处采取行动来改变概率并提高销售。

分析人员还用决策树预测年利润、现金流量、资产、研发投入及相关的财务指标（如净现值、内部收益率和年投资回报率）。他们的预测结果表明，这些产品将在各个方面超过原先的要求；预测结果还表明，除非公司有意规避风险，否则这些产品是非常有吸引力的。

霍尼韦尔公司经理对预测结果进行了比较，以确定追求哪些产品机会。由于有些产品明显在所有因素上都不如另外一些产品，这样的比较就又筛掉了一些产品。有些产品预计在某些因素（如内部收益率和净现值）上表现得更好，有些产品预计在另一些因素（如投资回报率）上表现得好些，但因为这种分析没有表现出每种因素的相对重要性，所以无法明确对产品进行排序。如果公司经理采用多属性应用法或层次分析法之类的分析方法，就能够进行这种排序了。

厄本和豪泽（1993）提供了一些在新产品规划中应用决策分析的例子。雷法（Raiffa, 1968）也对决策分析的概念做了很好的基本解释。决策分析也可用于评估市场和竞争者对企业其他战略性行动和战术性行动的反应。如果企业打算提高价格，可以用决策分析模拟竞争对手和市场可能做出的反应，给各个方案分配价值和概率，以便企业能选用最佳的行为方案。读者可用本书所附的 Treeage 软件来学习这种方法，读者只要表示和阐述问题，由软件来完成相关运算。

经验模型：PIMS 法

人们在实践中会使用各种工具支持市场战略决策，这些方法可粗略分为：

1. 经验模型（PIMS 法）。
2. 产品业务组合模型。
   a. 标准模型；
   b. 定制模型；
   c. 金融模型。
3. 标准的资源分配模型。

所有这些方法都明确或含蓄地将产品生命周期分析、经验曲线效应、市场界定效应和市场结构效应等融为一体。本章我们将介绍经验模型和产品业务组合模型，关于标准的资源分配模型可参阅温德和利连（1993）的论述。

1960 年在通用电气公司启动 PIMS（营销战略的利润效应）项目主要是对该公司各项业务的相对获利能力进行内部分析。PIMS 的理论基础是：将各种成功或不成功的业务的经验汇集起来必定能对决定业务获利能力的要素提供有用的见解和指导。"业务"指的是战略业务单元，即向一群可识别的顾客销售一组独立产品并与一些明确界定的竞争对手开展竞争的经营单元。到 20 世纪 80 年代中期，PIMS 数据库中有 450 家参与企业提供的约 3 000 个企业的资料，每个企业用 100 个数据项进行描述。

也许 PIMS 数据最广为人知的用途就是 PAR 回归模型，它在投资回报率（ROI = 四年平均的税前收入 / 投资额）和一组独立变量之间建立了联系（Buzzell & Gale，1987）。表 6—1 所示为对整个 PIMS 数据库进行 PAR 回归分析的结果。PIMS 研究结果中应用得最广泛的是在市场选择和获利能力相关的战略特征之间建立联系的结果（表 6—2）。

表 6—1 整个 PIMS 数据库的投资回报率（ROI）和销售回报率（ROS）的多元回归方程

利润影响	对 ROI 的影响	对 ROS 的影响
市场的实际增长率	0.18	0.04
价格上涨率	0.22	0.08
购买集中度	0.02**	
联合化（％）	−0.07	
采购数量少且采购的重要性低***	6.06	1.63
采购的重要性高	5.42	2.10
采购数量大且采购的重要性低	−6.96	−2.58
采购的重要性高	−3.84	−1.11**
出口减进口（％）	0.06**	0.05
定制产品	−2.44	−1.77
市场份额	0.34	0.14
相对质量	0.11	0.05
新产品（％）	−0.12	−0.05
营销（销售额的％）	−0.52	−0.32
研发（销售额的％）	−0.36	−0.22
存货（销售额的％）	0.49	−2.09
固定资产密集度	−0.55	−2.10
厂房新旧	0.07	0.05
生产能力利用（％）	0.31	0.10
员工生产率	0.13	0.06
垂直一体化	0.26	0.18
先入先出法存货估价	1.30*	0.62
R^2	0.39	0.31
F	58.3	45.1
样本数量	2 314	2 314

注：除标有星号之外的所有系数都是显著的（$P < 0.01$）。

* 显著性水平介于 0.01～0.05 之间。

** 显著性水平介于 0.05～0.10 之间。

*** 采购量很低且采购对顾客的重要性也很低的产品。

ROI = 投资回报率；ROS = 销售回报率。

资料来源：Buzzell & Gale 1987，p. 274.

表 6—2　　　　　　　与市场选择和获利能力战略规划相关的一般性 PIMS 原则

与高获利能力相关的市场特征：
- 市场正在增长
- 处于产品生命周期早期
- 通货膨胀率高
- 供应商少
- 采购量少
- 联合度低
- 出口多／进口少

与高获利能力相关的战略性因素：
- 市场份额高
- 相对成本低
- 可感知质量高
- 资本密集度低
- 垂直一体化水平中等

资料来源：Buzzell & Gale 1987，p. 274.

　　参加 PIMS 项目的公司都收到了各自业务的 PAR 报告，这些报告将企业的实际投资回报率和销售回报率与 PIMS（根据市场特征和战略特征）预测出的该企业的 ROI 和 ROS（ROS ＝ 四年平均的税前收入／销售额）进行了对比。从这一分析可以看出实际 ROI 与 PAR 投资回报率之间的差异，可以帮助企业深入了解该项业务在多大程度上实现了它的战略潜力，还说明了产生差异的原因。PIMS 分析提供的另一种有用结果是"有限信息报告"，这是 PAR ROI 模型的简要分析结果。有限信息模型只包括 18 个变量，可以用 PIMS 模型分析所需数据的子集进行评估（表 6—3）。

表 6—3

	本企业（%）	失败者（%）	胜利者（%）
实际 ROI	18.0	5.9	26.2
现金流／投资	−3.0	−1.3	4.7
研发费用／销售额	6.2	4.8	2.8
营销费用／销售额	1.2	9.1	11.4
新产品相对百分比	0.0	3.7	−2.6
固定资本密集度	44.0	57.0	33.1

　　PIMS 有限信息报告将企业所关注的业务与同一市场上的胜利者和失败者做了对比。有限信息模型只要求用 PIMS 模型所需数据的子集。

资料来源：Cole & Swire 1980.

举例

　　本案例选自萨德哈尚（Sudharshan，1995）的著作。Scott 公司的中央空调分公司投资 8 500 万美元来提高 1.5 至 10 吨空调的生产能力。生产能力提高后，分公司的盈亏平衡销售点是 5 600 万美元，甚至高于以前 5 200 万美元的最高记录。公司管理层要求资本收益率至少达到 22％。分公司经理为实现这个目标，采用 PIMS 的有限信息报告来指导战略的制定。

分公司的经理用有限信息报告检验了销售增至每年 1 亿美元产生的影响；但这个销售额只占整个市场的 8.3%，这个市场份额与 ROI 高目标不一致。这么低的市场份额是同不利的市场地位、不畅的销售渠道及生产能力利用率低一致的，由此导致 ROI 低。

分公司的管理者在此分析的基础上决定把重点集中在几个狭小的细分市场上：要求现代化的市场和替换空调的市场。如果公司能在这些狭小的细分市场上（在这些市场上它既有产品优势又有战略优势）实现 1 亿美元的销售目标，预计市场份额（28% 而不是 8.3%）就与 22% 以上的 PIMS 投资回报率相一致。这个案例里的有限信息报告帮助经理确定了营销战略，采用这种战略，公司的目标至少能与 PIMS 数据库中的企业的业绩一致。

这个简单的例子说明了以 PIMS 模型为基准的好处和风险。一方面，公司可用 PIMS 作为诊断工具，指出结果（投资回报率和其他业绩衡量指标）处在什么范围就能同企业的市场地位和战略相一致。另一方面，如果公司用这个模型来提出具体的战略建议（如"如果把市场界定得小一些，我们就能提高市场份额，从而提高投资回报率"），公司就会处于危险的境地（有些学者不赞成这么重视市场份额，可参看 Anterasian, Grahame & Money, 1996）。作为跨行业业务战略信息来源的 PIMS 名气很大，得到广泛的支持。但也受到一些质疑，研究人员对 PIMS 的数据收集方法和模型结构有不同意见，经营管理人员也怀疑 PIMS 的具体建议和数据能否适用于当前的业务问题（因为数据都是十年前收集的）。我们的观点，PIMS 只是一种简单的基准方法。PIMS 的作用就是提供了参照点，使经理能够了解其业务的绩效，并对具体业务战略是否适用提出质疑。但 PIMS 的分析结果本身并不能提出政策建议（本书所附软件中的产品业务组合分析练习可以帮你进一步了解 PIMS 模型。另一种基准方法是第 8 章介绍的 ADVISOR 模型）。

产品业务组合模型

温德（1981）把众多产品业务组合模型分为标准模型、定制模型和金融模型。

所有标准的产品业务组合模型都假设市场地位（或市场份额）的价值取决于竞争结构和在产品生命周期所处阶段。这样，在某种程度上，竞争优势和市场增长的速度在所有这些模型中都起着突出的作用。

波士顿咨询集团法

最早和应用最广泛的标准模型是波士顿咨询集团（BCG）提出的市场增长率/市场份额矩阵。在这种方法中，公司要将所有战略业务单元分门别类画在产品业务组合矩阵中，如图 6—3 所示。要注意：

- 纵轴（市场增长率）表示各战略业务单元所在市场每年的增长速度。市场增长率武断地用10％增长线分成"高"和"低"两类。
- 横轴（相对市场占有率）表示各战略业务单元相对于行业最大竞争者的市场份额。这样，相对市场占有率为0.4表示公司的战略业务单元所占市场份额是领导者市场份额的40％，而相对市场占有率为2.0则表示公司的战略业务单元是领导者，并且是该市场第二大公司市场份额的两倍。相对市场占有率能比绝对市场份额传达竞争地位方面的更多信息。如果我们不知道市场领导者的市场份额，就很难判断15％的绝对市场份额是否算得上市场的领导者。公司的相对市场占有率大于1.5的战略业务单元越多，则占据领导地位的市场就越大。这个相对市场占有率是用对数尺度算出的。
- 圆圈描述公司各战略业务单元的市场增长率/市场份额状况。圆圈的面积和战略业务单元的销售额成正比。
- 图中的每个象限都代表一种现金流状态，从而可以将战略业务单元分为以下几类：

  明星类表示市场增长率高和市场份额高的战略业务单元。迅速增长需要现金的支持，所以这类业务单元经常需要现金。最终它们的增长将放慢，变成金牛类业务单元，并且成为主要的现金创造者以支持其他的战略业务单元。

  金牛类表示市场增长率低、市场份额高的战略业务单元。它们为公司带来大量现金，可以支持其他需要现金的战略业务单元。

  问题类（也叫问题儿童或野猫）表示市场增长率高、市场份额低的战略业务单元。它们需要大量现金维持和提高市场占有率。经理应认真思考，是花更多的钱把问号业务发展成市场领导者呢，还是让这类业务单元逐渐退出市场。

  瘦狗类（也叫现金陷阱）表示市场增长率低、市场份额也低的战略业务单元。它们也许能产生维持自身发展的现金，但不可能提供大量现金。

- 战略业务单元的市场份额越高，其产生现金的能力也就越高，因为更高的市场份额是同更高的获利能力相伴随的。另一方面，市场增长率越高，战略业务单元对现金的需求也越高，否则将很难维持和发展其市场份额。
- 战略业务单元在业务组合矩阵的四个象限中的分布表明公司当前的健康状况和将来的正确战略方向。图6—3中的公司幸运地拥有一些大的金牛类业务，能够资助其问题类、明星类和瘦狗类业务发展。
- 随着时间推移，战略业务单元在业务组合矩阵中的位置会发生变化。许多战略业务单元开始时属于问题类；如果取得成功，就变成明星类；随着市场增长率下降而成为金牛类；最后转变为瘦狗类，走到生命周期的末端。
- 管理者的工作就是去设计一个未来矩阵，表示出在企业战略不发生变化的前提下每个战略业务单元最可能的位置。通过比较当前矩阵和未来矩阵，管理者可以发现企业面临的主要战略问题。在战略规划中，管理者

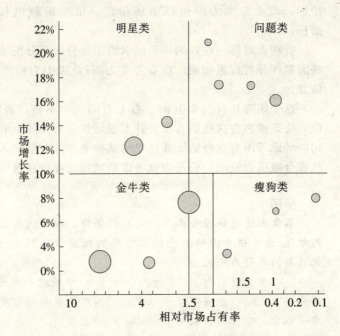

图6—3　波士顿咨询集团业务组合矩阵

资料来源：Lilien, Kotler & Moorthy 1992，p.554.

的任务是决定每个战略业务单元应当承担什么样的作用才能达到资源的最合理配置。管理者通常要评价以下四种基本战略：

1. 建立和提高市场地位，并为此放弃短期收益。

2. 巩固和维护目前的市场地位。

3. 不顾长期影响来实现现金流的短期增长。

4. 企业因可以将资源用在能获得更大收益的其他业务上而放弃、售卖或清算该业务。

波士顿法的核心概念是现金平衡，即公司的长期健康发展要求不仅要有一些能创造现金（和利润）的产品，而且还要有一些能利用这些现金获得增长的产品。除非公司有很大的现金流入，否则就无力维持需要投入大量现金的产品。另外，如果资源过于分散，公司最终可能只有一堆收支勉强相抵的业务，只得降低生产能力，为更有前途的未来业务机会提供资金。

通用电气/麦肯锡法

很多人批评波士顿法过于僵化和过于简单，无法得到普遍应用。实际上，波士顿法中的市场增长率与相对市场占有率两个维度可看做是通用电气公司提出的多因素业务组合矩阵［通用电气/麦肯锡（GE/MeKinsey）多因素矩阵］的元素（或特例）。在通用电气/麦肯锡法里，各种业务要在两个综合维度上表现出来：**行业吸引力和业务实力**。这两个维度又是由组成综合维度的一系列因素加权后得到的。因素权重和因素本身都可以因应用的不同而相应变化。例如，行业吸引力包括市场规模、增长速度、竞争强度等的衡量指标，而业务实力则包括市场份额、市场份额增长率和产品质量等衡量指标。

管理者对每一业务的每一因素给出评分，并分配给每一因素一定权重。这些因素评分与权重相乘，在业务实力/行业吸引力矩阵中找到与乘积相对应的位置。

这个矩阵具有九个方格。右上方的三个小格，表明公司有强大的市场地位，应该考虑在这些地方投资并实现增长。对角线上的三格的吸引力中等，公司应考虑采用有选择地加强这里的某些业务并创造收入。最后，左下方的三格的综合吸引力较低，公司应该考虑清理或放弃处在这三格中的业务。

举例

本案例选自萨德哈尚（1995）的著作。福特汽车公司的拖拉机分公司用通用电气/麦肯锡法评估若干国家市场的组合（见图6—4），他们将某国对拖拉机业务的吸引力定义为：

业务吸引力 = 市场大小 + 2 × 市场增长率 + 0.5 × 价格控制/法规评分 + 0.25 × 批准要求 + 0.25 × 国产化率和补偿要求 + 0.35 × 通货膨胀率 + 0.35 × 贸易余额 + 0.30 × 政治因素

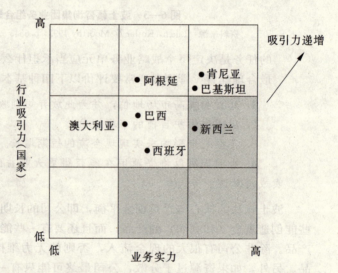

图6—4　福特拖拉机多国市场组合分析的通用电气/麦肯锡矩阵

资料来源：Sudharshan 1995，p. 258.

注意，福特汽车公司解释业务吸引力所用的因素是讨论多国市场组合问题所特有的；对其他应用，即使同样是拖拉机这种产品，所用的因素也可能完全不同。

尽管通用电气/麦肯锡法比波士顿法更完整，但同样存在所有标准业务组合方法共有的问题。它的好处在于易于实现、易于沟通和易于理解。它的局限在于试图将业务战略分解为很少几个多少有点武断的维度相互作用的结果，从而忽略了业务规划环境中重要的独特特征。

与标准业务组合方法不同的是定制方法，这类方法不预先指定维度或目标

（本书所附的 GE 业务组合规划软件可以建立定制矩阵，软件包里的业务组合分析练习可以用这一工具解决产品组合问题）。

产品业绩矩阵法（Wind & Claycamp，1976）允许经理自己选择维度。一家大公司应用这一方法时选择了四个维度：行业销售额、产品销售额、市场份额和获利能力。在分配资源方面，这种方法与波士顿法一脉相承，但它是以对各种营销战略的预测销售反应为依据的。

金融模型

业务组合问题和股票组合问题之间的相似性使人们将金融组合模型应用于这一问题领域。金融组合分析解决的是持有在金融市场上交易的有价证券的投资问题，其目标通常是创造一个有效的证券组合，对给定的风险水平使投资回报率最大，或在指定的回报水平上使风险最小。将这一方法应用于业务组合，经理必须能评估期望回报率、回报率的方差和任意一对业务的回报之间的相关性。

这种方法从理论上看似很吸引人。然而在实践中却很难获得所需必要输入数据的可靠估计值，因此限制了它的应用。安德森（Anderson，1979，1981）和卡多佐以及温德（Cardozo & Wind，1980）深入讨论了这种方法的应用。

层次分析法

层次分析法（AHP）是另一种在一个业务组合中进行评价和分配资源的方法。在公司能为问题建立一个合理的结构却很难对各种方案的经济后果做出定量评估时，层次分析法尤其有效。这种情形在战略营销决策中十分常见。

层次分析法是一个交互式结构化过程，需要执行不同职能和有不同经验的主要决策者共同参与。他们作为一个群体，将"客观"的市场数据与主观的管理判断结合了起来。这一过程包括 3 个步骤：

1. 把问题构造成一个有很多层次的结构（见图 6—5）。在构建这个层次结构时，决策者要提出有创造性的备选方案，并说明做出这一评价所依据的标准。

2. 按下一层次上的每条标准评价各层次的要素。决策者用 9 分制的评分尺度打分，并进行一系列成对比较。

3. 为备选方案确定权重。模型用一种加权算法按多条标准或多个目标确定备选方案的权重。这种算法的依据是成对比较可解释这个层次结构中各条目或对象的相对权重（重要性）。

例如，给定 n 个对象 A_1，……，A_n 和一个相应权重的未知向量 $w = (w_1，……，w_n)$，我们就可以构造一个对权重进行成对比较的矩阵：

	总目标			
	1.00			
层次1	兼容性	市场机会	投资和成本	竞争优势	风险
	(0.108)	(0.446)	(0.065)	(0.262)	(0.119)

层次1 兼容性　市场机会　投资和成本　竞争优势　风险
　　　(0.108)　(0.446)　(0.065)　(0.262)　(0.119)

层次2 一致性　增长　固定成本　差异化　技术
　　　(0.047)　(0.183)　(0.022)　(0.209)　(0.060)
　　　支持　地理集中度　可变成本　当前地位　营销
　　　(0.062)　(0.041)　(0.035)　(0.052)　(0.024)
　　　　　容量　替代成本　　分销
　　　　　(0.041)　(0.007)　　(0.024)
　　　价格水平　　　危机
　　　(0.116)　　　(0.012)

层次3 支持创造
　　　(0.047)
　　　扩张
　　　(0.027)
　　　收获
　　　(0.015)

定义	标准
期望的价格接受水平	价格水平
就所提方案而言的竞争优势	竞争优势
方案与整体战略的兼容性	兼容性
对危机的敏感度	危机
与总体目标的外在一致性	一致性
在相关市场上的市场地位	当前地位
与竞争对手的差异程度	差异化
物流不畅的风险	分销
方案的固定成本	固定成本
相关市场的地理分布	地理集中度
相关细分市场的增长率	增长
方案要求的投资和成本	投资和成本
失败的商业风险	营销
方案的市场机会	市场机会
方案面对的不确定性	风险
替代（脱离）的成本	替代成本
相关支持的可能性	支持
失败的技术风险	技术
方案的可变成本（边际）	可变成本
相关市场的容量	容量

图6—5　汽巴-嘉基集团的决策层次结构

有两层标准（层次1和层次2）及对三种方案评价的一个节点（层次3）。

$$A_1 \cdots A_n$$

$$A = \begin{matrix} A_1 \\ \vdots \\ A_n \end{matrix} \begin{bmatrix} \dfrac{w_1}{w_2} & \cdots & \dfrac{w_1}{w_n} \\ \vdots & \ddots & \vdots \\ \dfrac{w_n}{w_1} & \cdots & \dfrac{w_n}{w_n} \end{bmatrix} \qquad (6.8)$$

我们可以通过一些简单的矩阵计算还原出权重的尺度（w_1，……w_n），这样计算得出的权重就能在最大限度上还原出被调查者的成对判断（这种方法还综合了每一层次上的权重，以得到每一决策方案的整体优先度）。在产品组合模型中，使用者直接提供分配给每个标准的权重，而层次分析法与此不同，它要根据一系列简单的成对判断推导出这些权重。

这一过程可以为按决策者确定的战略方案优先顺序选择其中一种战略提供明确的指导原则。最终得出的战略可经过调整在多种环境情景和时限下满足企业使命和实现多个目标。

层次分析法的次要输出结果包括为评价各备选方案时所用的标准或目标确定了权重。层次分析法为成对判断提供了一致性指数，这是评价这些判断质量的良好准则。此外，它还提供了一种对结果进行敏感度分析的简单方法。用软件"Expert Choice"（本书软件包里提供）可帮助识别需要收集额外信息，这种额外信息是决策者难以达成一致的一些关系，而且采用其中一种意见会使结果发生显著变化。

举例

汽巴—嘉基（Ciba-Geigy）是世界十大制药集团，目前需要为皮肤用药部制定一个长期的国际战略。这个部属于OTA（其他治疗领域）分公司，规模虽然相对较小，但利润丰厚。皮肤用药的促销一直很随意，在全球的市场份额也在下降。但这一市场上有一个新细分市场正在蓬勃发展。公司可凭借自己在这一领域里的研发能力努力为市场进入准备好充分的竞争优势。管理者为这个皮肤用药部找到了三种战略：

1. 在可的松（TC）产品的基础上从现有业务中最大限度地榨取利润，并于近期推出新产品。它将放弃正在开发的产品或特许给其他企业生产。这种方案所用的研发和营销费用最少，是维持在市场上不消失所必需的。

2. 扩张现有业务，推出仍处于开发阶段的可的松产品以改善在这一细分市场上的业绩，同时进行相应的研发和营销努力。

3. 扩张现有业务并创造一个新的细分市场，开发并推出非类固醇产品，大大提高研发和营销支出。

战略指导委员会负责从营销机会和资源配置角度评价各个产品小组的行动在战略上是否一致。委员会的目标是确保结果的最大化，同时要考虑到总体战略和目标、组织约束条件和决策的政治意义、市场机会、投资和成本、竞争优势和风险。委员会用层次分析法模型来评价为皮肤用药部找出来的各种方案，以实现以上目标。

委员会构建了一个三层结构来确定适当的战略。图6—5给出了两层评价标准，如一条标准（层次1）是兼容性，它包含了层次2上的两条标准：一致性和支持。图6—6为分析的结果：对这些输入的值，第三种方案（扩张和创造新的细分市场）除了风险标准外在其他所有标准上都表现最好。

层次分析法及相关软件可为构建这类战略决策问题的结构提供便利，并简化敏感分析。

层次分析法在营销战略方面有广泛的适用性。萨泰和瓦尔加斯（Saaty &

Vargas，1994）在报告中讨论了这种方法在新产品定价、制定企业战略、确定发展中国家市场吸引力和其他领域的用途。

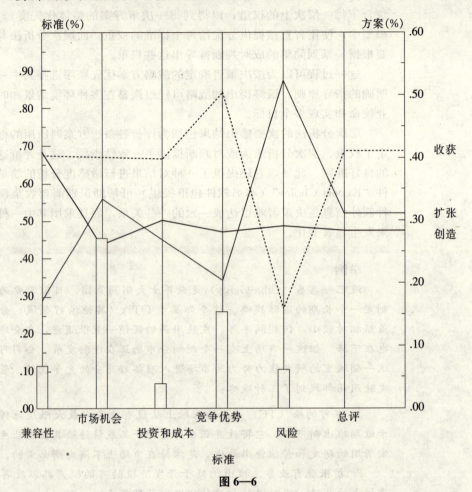

图6—6

对汽巴—嘉基集团而言，第三种方案除了风险标准外在其他所有标准上都表现最好。

竞争

大多数产品都有替代品，所以如果认为在制定营销战略时可以不考虑竞争就太天真了。多兰（Dolan，1981）从微观经济学和市场营销学分别对竞争方法做了简要介绍，同时还提供了根据得自多项工业调查对竞争类型进行的实证分析。

在垄断和完全竞争的条件下，微观经济学理论为最优营销组合决策提供了明确的结论。但在寡头垄断市场（少数制造商对市场的控制），由于难以详细描述竞争对手的行为，因而也就难以确定最优的营销组合决策。寡头垄断模型并没有为企业提供可以遵循的单一解决方案或战略（Singer，1968）。

思考竞争对手之间的系列行动和反行动是非常复杂的。鲍莫尔（Baumol，1972）建议可采用以下两种方法之一：（1）忽略竞争者之间的相互依存关系；（2）假定每个竞争者都是理性的经济人，他们决定采取行动是为实现期望效用的最大化。

这两种方法都同考诺特（Cournot）于 19 世纪首先提出的**反应函数**和**博弈论模型**有关。古典反应函数的假设是，每个销售者都认为竞争对手的产出（行为）是固定的，然后确定一种价格以实现利润最大化。尽管格林和克里格（Green & Krieger，1991）声称这种方法非常接近于实际市场行为，但其实这种分析方法得出的结果不仅脱离现实，而且显然无法达到最优（Mansfield，1979；Scherer，1980）。

多兰（1981）指出，很多人在进行营销时都认为，只要克服了某些重要的数学障碍，博弈论模型就能解决许多竞争方面的问题。而事实并非如此：博弈论"作为在冲突环境中做出理性决策的一种规定性理论，存在着无法克服的问题。博弈论规定性的一面应予消除"（Rapoport，1966）。一个主要问题是博弈论的结果在很大程度上依赖于对目标的假设，依赖于信息的水平，依赖于**所有**竞争对手的分析能力，而要制定决策的企业是不可能了解到这些因素。然而，这个模型对深入了解市场结构和运作方式非常重要（Lilien, Kotler & Moorthy，1992）。想了解对博弈论的用途和局限性的评价，可参阅奥曼（Aumann，1987）和鲁宾斯坦（Rubinstein，1991）的论述。

理解竞争的另一种方法来自于行业组织领域，这种方法探索的是影响竞争行为的结构性变量的性质。波特（1980）把竞争的类型和强度归于 8 个因素：

1. 竞争对手的数量和规模分布情况；

2. 行业增长速度；

3. 成本结构和存储费用；

4. 产品差异程度；

5. 新增生产能力的可分性；

6. 竞争对手的多样性；

7. 对企业而言市场的重要程度；

8. 退出壁垒的高度。

多兰（1981）仔细研究了多项行业调查结果，想确定这些结构性变量能在多大程度上决定竞争状态。他将自己的结论总结为以下 4 点教训：

1. 固定成本高促使竞争者对企业争夺市场份额的企图做出强烈反应；

2. 存储费用低能减弱竞争反应；

3. 原生需求的增长能减弱竞争反应；

4. 大企业往往要避免价格竞争。

他认为市场的结构性特征会影响市场反应的可能性和市场反应的形式，但这只是一些笼统的指导原则。

有一种经济计量学方法用反应矩阵来构建竞争模型。下面举例说明反应矩阵。市场上的两个竞争企业在价格（P）和广告（A）两个方面展开竞争。图 6—7 表示他们的反应矩阵。假设这些弹性是常数，在一段时间内保持不变，并且多重函数能合理地表示竞争者之间相互作用的结构，那么图 6—7（a）中

的 η（弹性）就能通过方程估算出来：

$$\log P_1(t) = a_1 + b_1 \log P_2(t) + b_2 \log A_2(t) \tag{6.9a}$$

$$\log A_1(t) = a_2 + b_3 \log P_2(t) + b_4 \log A_2(t) \tag{6.9b}$$

其中，b_1 是 $\eta_{P_1 P_2}$ 的估计值，b_2 是 $\eta_{P_1 A_2}$ 的估计值，以此类推。图 6—7（b）给出了兰宾、内尔特和布尔特茨（Lambin，Naert & Bultez，1975）介绍这一应用时所用的反应矩阵。所有对角线上的元素都与 0 相差很大，表示企业 2 会对企业 1 营销组合中的任何变动直接做出反应（例如企业 1 改变价格，企业 2 也改变价格）。此外，滞后的广告—价格弹性同样也很显著，表明间接反应同样也很重要。这个例子说明，反应行为非常复杂，要涉及多种反应和时间上的滞后；因此只跟踪直接反应会推出错误的结论。

公司 2

		P_2	A_2
公司 1	P_1	$\eta_{P_1 P_2}$	$\eta_{P_1 A_2}$
	A_1	$\eta_{A_1 P_2}$*	$\eta_{A_1 A_2}$

* $\eta_{A_1 P_2} = P_2$ 发生 1% 的变化时，A_1 变化的百分比。

图 6—7（a）　　两个公司两个营销变量的反应矩阵

本苏桑、布尔特茨和内尔特（Bensoussan Bultez & Naert，1978）用这种方法来优化竞争环境中营销组合决策。兰宾（1976）和汉森斯、帕森斯与舒尔茨（Hanssens，Parsons & Schultz，1990）报告了这一方法的另一种应用：评估竞争行为。汉森斯（1980）扩展了这个基本模型，以明确表示多个市场竞争者，并在特定公司内的营销要素之间建立相关联系。卡彭特及其同事（Carpenter，1988）讨论了如何应对竞争效应在各竞争者之间差别分布且不对称的情况。

公司 2

		价格	（滞后）广告
公司 1	价格	0.664*	1.898*
		(0.030)	(0.825)
	广告	0.008*	0.273*
		(0.005)	(0.123)

* 在 0.05 水平上的显著性。

图 6—7（b）　　反应函数示例

表明公司不仅会做出同样方式的反应（例如，你降价，我也降价），而且在企业 1 降价时，企业 2 会增大广告投入。

资料来源：Lambin，Naert & Bultez 1975，p.119.

这种方法的主要见解和贡献是衡量了企业在竞争市场上的行动所带来的销售额受什么因素的驱动。企业可通过提高市场份额或在市场增长的同时保持市场份额不变去赢得销售。企业行为（如增加广告投入）可直接引起市场的增长，也可通过竞争对手对企业行为的反应间接带动市场增长。例如，竞争者对企业广告计划的反应是提高自己的广告投入，这样也可以间接引起市场总销售的扩大。正规地讲，这种方法把销售弹性分解为：

$$销售弹性 = 份额效应 + 规模效应 \tag{6.10}$$

$$份额效应 = 直接效应 + 竞争者反应效应 \tag{6.11}$$

$$规模效应 = 直接效应 + 竞争者反应效应 \tag{6.12}$$

这种分解使我们能对企业营销组合的各种方案的直接效应和间接效应做出更细致的评估。本书所附软件包中用竞争广告软件完成的 Acme 公司清洁液练习说明了研究竞争者反应的复杂性。

萨德哈尚（1995）研究了产业组织经济学、体育运动、军事行动和生物进化论等四个对竞争进行过广泛研究的领域，给竞争分析带来了新鲜有趣的观点。这四个领域在处理竞争方面都有自己的独到之处，从这一研究中可以学到各种各样的竞争战略的指导原则和深刻见解。

表 6—4 总结了萨德哈尚对这些方法的评价。例如，产业组织经济学认为竞争者间存在明显不对称的关键在于战略集团和流动性障碍，并提出了企业与竞争者相隔离的三种途径：产品差异化、降低成本和共谋。产业组织经济学主要研究使企业能从竞争中隔离出来的机制。

表 6—4   总结竞争战略的相似情景及其在营销战略问题中的潜在应用

战略	关键要素	一般战略	主要局限性
组织经济学	竞争与合谋；差异化机制。	成本竞争；产品差异化；战略集团竞争（集团间竞争和集团内竞争）。	成本和质量之间的相互影响；"混合"战略的性质；集团的稳定性。
体育运动	规划和协调；时间的重要性；改变规则的影响。	进攻型；防御型；模仿型；创新型。	比赛的领土逻辑；固定的规则；控制的程度。
军事行动	信号的作用；方向和意外；多时期。	正面冲突；侧翼包围；游击战；回避。	重视冲突；地形的重要性；对外部因素和后勤的关注。
生物进化论	竞争的范围；组织的形式；公司及其市场间的相互作用。	通才；专家；小生境。	竞争的性质；分析的层次和单位；每个物种都有一个"小生境"。

资料来源：Sudharshan 1995, p. 55.

体育运动关注的是事先计划和执行之间的关系、时机的作用（每局、一场比赛、一个赛季）和取得成功的多种途径。此外，体育运动是规则阐述最明确的领域（其次是产业组织领域，其他两个领域最不明确），因此在选择和修正竞争战略时改变游戏规则就成了关键。

正如在本书第 1 章中强调的，用来解决营销决策问题的营销工程方法提供了结构、深刻见解，也提供了直接的策略建议。也许这种价值在分析竞争市场战略时表现的最为突出，因为在这种分析中，对相似情形的理解能够帮我们了解自己的环境，但将这种了解直接运用于营销问题却是危险的。情形的相似可以拓宽思维，也丰富了在制定竞争营销战略时可以结合使用的理论和工具。

本章小结

在制定营销战略决策时，必须决定营销资源的长期分配。决定进入和退出市场的时机就是一项重要的战略性决策。我们已经找出了在这类决策中对成功起决定性作用的几个因素，还介绍了一种易于使用的方法（决策分析）。决定何时进入市场以及分析公司的产品组合和市场组合是分配企业战略营销资源的核心任务。经验模型、产品业务组合模型以及层次分析法都十分有利于企业进行资源分配决策。

确定营销战略时必须考虑到竞争因素。我们的竞争分析工具比较原始，却非常丰富。我们可以将竞争智慧与市场模拟、反应矩阵分析以及相似情景研究等方法结合起来，更好地理解战略性分配决策的利益和效果。

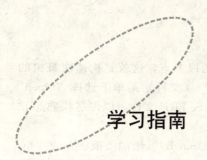

学习指南

决策树分析法

导言

当选择（或一系列选择）会带来某种不确定的后果时，对要在众多方案中做出选择的管理者来说，决策树分析是非常有用的决策方法。如果决策过程可以分解为一系列行动或事件，Tree Age 软件就能考虑到潜在**回报**、**风险**以及与决策相关的不确定性。**回报**是决策带来的货币收益或其他收益，**风险**是因决策者缺乏对决策结果的控制（即不能肯定地知道结果）而由决策带来的潜在消极后果，**不确定性**是指有关回报和风险程度的信息不精确。

决策树分析通常分为四步：（1）把问题构造成决策树形式，树枝的终端节点是与特定路径（方案）相联系的回报；（2）为决策树上表示的各个事件指定主观概率；（3）为各种结果指定回报（与特定方案相联系的货币收益或效用值）；（4）通过分析（如决策树回溯、敏感性分析和蒙特卡罗模拟等）选择行动方案。我们以 QRS 公司为例介绍以上步骤。

TreeAge 是一个大型软件包，内有详细的联机帮助文件和电子版的用户手册。这里只描述了卜内门案例所需要了解的功能。

> **注意**：如果要阅览或打印电子版的用户手册，必须用营销工程软件光盘。如果没有安装 Adobe Acrobat，请运行营销工程软件光盘上的 ACRO-READ. EXE 程序来安装。遵循屏幕上的指令完成安装。
>
> Acrobat 安装成功后，启动 Acrobat 程序。在"File"（文件）菜单下选择"Open"（打开），从 x：\ treeage \ manuals 目录下打开 manual. pdf 文件，其中 x 代表光驱。然后在"File"（文件）菜单下选择"Print to"（打印到），就可以打印指南了。

第1步：把问题构造为决策树

启动 TreeAge 软件后，你会看到一个空的根节点，这就是构造决策树的起点。要加载一个已有的决策树，可在"File"（文件）菜单下选择"Open"（打开）（在../mktgeng/data 目录里选择 QRS. TRE 文件，以便尽快熟悉软件。加载 QRS. TRE 后就可以直接练习第 2 步）。

在"Options"（选项）菜单下选择"Add Branch"（增加决策枝）或"Insert Branch"（插入决策枝），可以在决策树的任何节点上增加决策枝，如图6—8 所示。要删除决策枝，可单击"Delete Branch"（删除决策枝）。

在节点上增加决策枝的另一个方法是双击该节点。当光标停在节点标志上时就会变成决策枝形，这时双击可以增加决策枝。

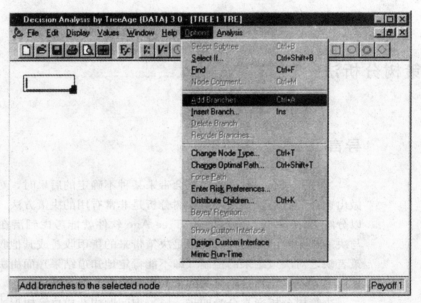

图 6—8

要指明决策枝的含义，可在决策枝上面的方框里输入描述性文本，如图6—9 所示。把光标放在决策枝上，单击就可看到方框。

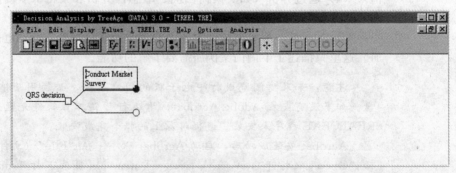

图 6—9

提示：决策树可以用子决策树来复制。可将子决策树剪切并粘贴到决策树的其他部分。把光标移到想粘贴的决策枝的根节点处并单击。在"Options"（选项）菜单下点击"Select Subtree"（选择子决策树），然后到"Edit"（编辑）菜单下选择"Copy Subtree"（复制子决策树），接着将光标移到粘贴目标节点上并点击，现在到"Edit"（编辑）菜单下点击"Paste"（粘贴）。即使已经为各决策枝指定了名称和概率并为终端节点指定了回报值，也可以对子决策树的操作进行剪切、粘贴［参阅"Help"（帮助）下的"Clone"（克隆）命令］。

"Edit"（编辑）菜单有四个决策树剪贴板，这样就可一次保留多个子决策树，分别放在不同的剪贴板上，以供粘贴的需要。

第 2 步：给各个决策枝指定（条件）概率

可在决策枝下的文本框插入结果发生的概率。要想看到文本框，可把光标放在决策枝下并点击。

注意：只能对从机会节点发出的决策枝指定概率。决策树一般包括三类节点：

1. 机会节点（绿圆圈）代表一个不确定或有风险的事件。从机会节点发出的决策枝代表该事件所有可能（非重叠）的结果。

2. 决策节点（蓝方块）代表管理者面临的决策。从决策节点发出的决策枝指出所有可能（非重叠）的决策选择。

3. 终端节点（红三角）代表最终的结果，即路径的终端，常称为"方案"。

要改变节点类型，点击该节点，在"Options"（选项）菜单下点击"Change Node Type"（改变节点类型），从中选择节点类型。另一种方法是在工具栏上点击图标█并选择所需的节点类型。

练习：构造图 6—2 的决策树（如图 6—10 所示）：

现在讲述软件的一些高级功能。你熟悉了上述功能后可跳过第 2 步直接进入第 3 步。

许多情况下你并不敢肯定概率估计的准确性。将概率定义为变量就能够进行敏感性分析，帮助你评价不确定性是否显著。这就要求你定义变量，确定它的取值范围，并在决策树相应的位置标明。

1. **定义变量**：在"Values"（数值）菜单下选择"Define Values"（定义数值）。点击"New"（新建）并从下拉式菜单中选择"Variable"（变量），如图 6—11 所示。

在"Properties（属性）"对话框（如图 6—12 所示）中的"Text Properties"（文本属性）里为变量命名，还可以输入一小段描述或注释，用于定制显示的内容。

反复上述过程，定义模型中的所有变量。

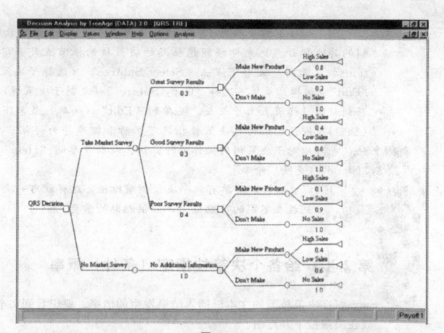

图 6—10

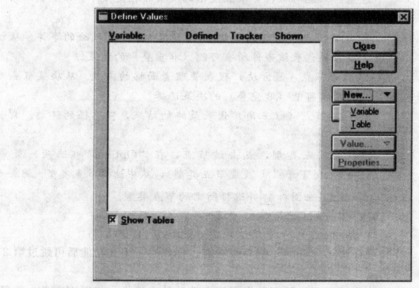

图 6—11

2. **确定缺省值，并根据情况确定变量的取值范围。** 在 "Value Properties"（数值属性）部分指定变量的缺省值（下限）和取值范围。例如，p1 的缺省值为 0.8，取值范围在 0.6～0.9 之间。在指定敏感性分析的参数时，可接受也可拒绝给定的取值范围。给出取值范围很容易，但不要求必须给出。

3. **在决策树上标明数值的位置。** 先点击 "Value"（数值），如图 6—13 所示，此时你有两种选择：把一个数值定义在一个节点上；或把该值定义为整个决策树的缺省值。如果你在节点上定义一个数值，程序就会将该变量的这个取值用于以该节点为根节点的子决策树上。如果你把一个变量定义为整个决策树

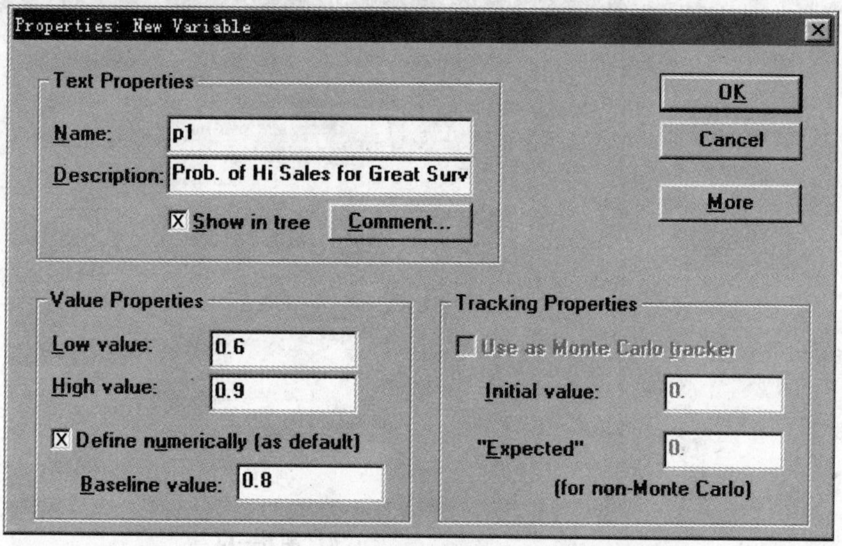

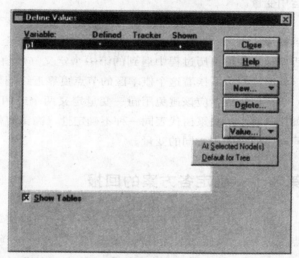

图 6—12

图 6—13

的缺省值，则这个取值适用于整个决策树，它的定义即位于根节点上。给每个节点定义不同值的方法适用于在决策树上的不同点会有不同取值的概率。例如，销售额高和销售额低的概率取决于市场调研是否得出了有利的结果。缺省值定义法适用于在整个决策树中取值保持不变的概率，如通货膨胀率。

4. **建立决策树上的概率与变量的关联：** 在决策枝下的文本框里添加变量名，该变量将表示该决策枝的概率值。在图 6—14 中，p1 表示"生产新产品"和"调查结果很好"下"销售额高"的条件概率。

注意： 从同一机会节点发出的各决策枝的概率之和必须为 1。因此，若某个机会节点有两个决策枝，就可把其中一个定义为 p1，另一个定义为 (1—p1)。

在机会节点上正确地指定变量非常重要，为此必须明白程序在运算时如何

245

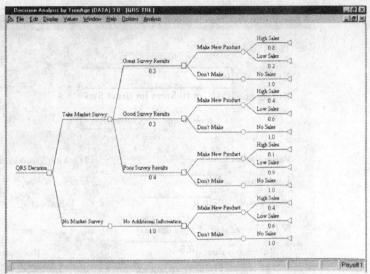

图 6—14

运用变量。

　　计算遇到一个概率区里的变量时，会立即从该节点开始向右搜索赋值，直到概率区右边；然后再从这里开始向左搜索，直至根节点。对一个给定变量，程序接受在树遍历过程中遇到的第一个定义（赋值）。因此，程序将忽略比在该概率区右边紧挨着这个概率区的节点更靠近终端节点的任何定义。

　　一般来说，应该避免用同一变量定义两个或两个以上事件的概率。因此，如果有两个子决策树代表同一种不确定性（高销售额、低销售额）但概率值不同时，应该采用不同的变量。

第 3 步：确定各方案的回报

　　如果确切知道某方案的货币收益，可先选择终端节点（用鼠标在该节点上点击一下），然后在"Options"（选项）菜单下选择"Change Node Type"（改变节点类型）。也可以点击图标 来改变节点类型。

　　屏幕会出现如图 6—15 所示的对话框：

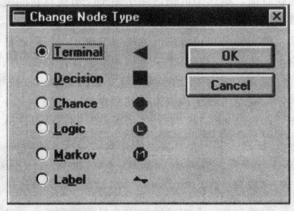

图 6—15

246

选择终端节点类型（红三角）并点击"OK"（确定）。

程序会提示你输入一个数值作为"Payoff 1"（回报 1），这时你可以输入一个确定的回报值。最多可以给每个方案规定 4 种不同的回报值（如货币收益、成本、效用值或伙伴公司的收益）。图 6—16 中选择"调查结果很好"下的"销售额高"方案的终端节点，输入 84。

为每个终端节点输入回报值。

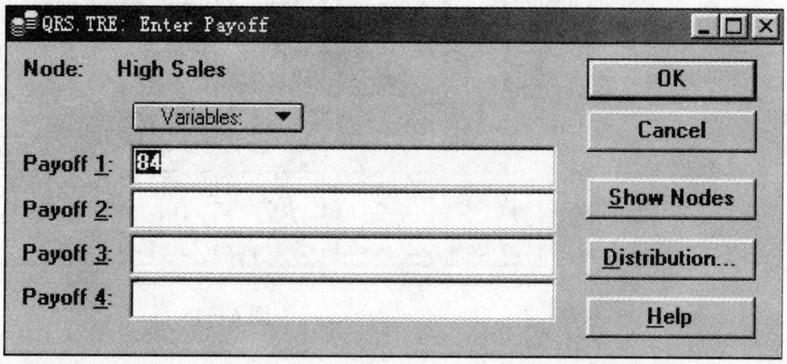

图 6—16

在第 3 步的剩余文字部分，现在讲述软件的一些高级功能。你熟悉了上述功能后可以跳过这部分直接进入第 4 步。

要进行敏感性分析，可用变量来表示回报。用变量表示回报的过程同用变量指定概率的过程相同。在图 6—17 中用变量 v1 表示在"不进行市场调查"和"高销售额"方案下实现的回报，也可以用变量表达式（如 v1＋v2－v3）表示复杂的回报。

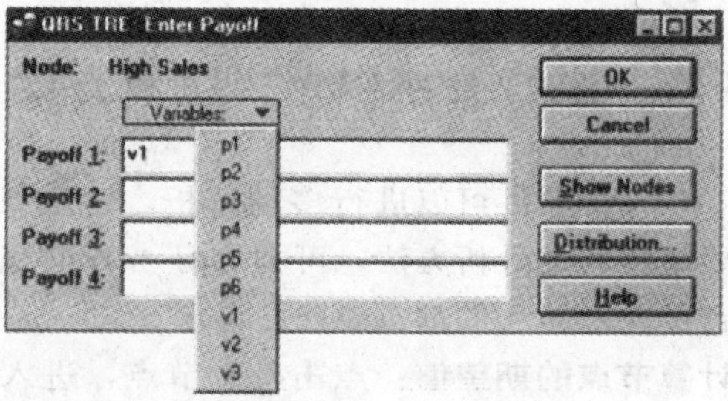

图 6—17

对计算某个方案回报要用的变量，程序会搜索该方案的每个节点，从终端节点开始向左遍历到根节点，寻找每个相关变量的数值定义。对一个给定的变量，程序会接受在遍历过程中找到的第一个定义（赋值）。所以，如果同样的树结构在两个不同节点上有不同的值，最好在这些节点定义两个不同的变量。例如，如果生产的单位成本在产量较高时也较高，那么销售额高的各个方案中的成本就应该比销售额低的各个方案中的成本大。

点击"Distribution"（分布）按钮指定在蒙特卡罗分析中变量取值可能选用的频率。在图 6—18 中，先从各种分布中选择了"Normal"（正态分布），然后为变量 v1 指定平均值为 80 且标准离差为 8，如图 6—19 所示。

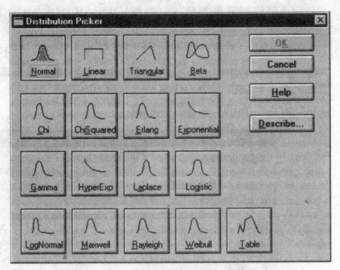

图 6—18

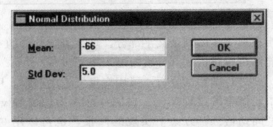

图 6—19

第 4 步：进行分析以选择决策方案

TreeAge 软件可以进行多种分析，这里只描述卜内门练习中要用到的分析。要了解其他分析方法，可去练习 "Analysis"（分析）菜单下的其他命令，联机帮助文件对它们都有说明。

计算节点的期望值：点击某个节点，进入 "Analysis"（分析）菜单并选择 "Expected Value"（期望值）。这时出现一个对话框显示出期望值。在图6—20 中，"进行市场调查"节点的期望值是 8 美元。

> **注意**：计算期望值时，程序会使用变量的下限值或者变量分布的均值。

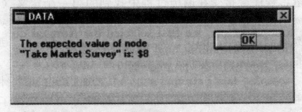

图 6—20

回溯决策树：可以同时计算和显示所有节点期望值和概率。可在 "Analysis"（分析）菜单下点击"Roll Back"（回溯），或点击工具栏上的图标▣。

完成决策树回溯后会看到决策树上另外三条信息：（1）期望回报（以金额表示或以其他单位表示）显示在每个机会节点或决策节点的方框中；（2）每个终端节点的回报和总概率；（3）能带来最高期望回报的路径（其他路径均标以"\\"符号）。

图6—21中的最优决策是不进行市场调查并生产新产品。

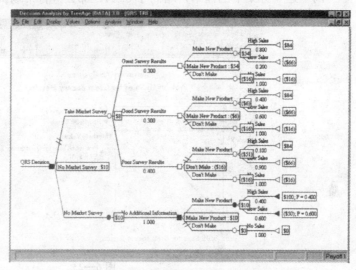

图6—21

敏感性分析：TreeAge软件提供了多种敏感性分析，以确定哪些因素会对决策产生重要影响。敏感性分析最常用的方法是：选择一个节点，在"Analysis"（分析）菜单下选择"Sensitivity Analysis"（敏感性分析）。这里有四种选项：（1）分析一个变量的变化带来的影响（单向分析）；（2）分析两个变量同时变化带来的影响（双向分析）；（3）分析三个变量同时变化带来的影响（三向分析）；（4）龙卷风图，这是对决策树中的任一组变量进行一系列单向敏感性分析。我们这里讲述单向图和龙卷风图。

单向敏感性分析：如果选择"One-Way"（单向），就会看到如图6—22所示的显示。

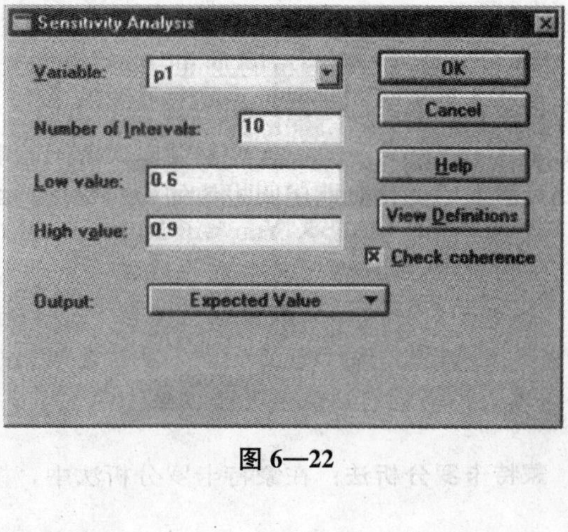

图6—22

确定了要研究的变量和变化范围后，点击"OK"（确定）。这时出现一张表，显示决策方案期望值随着所选变量的变化而发生的变化。

在图6—23中，分析表明：如果p1（进行"调查结果很好"和"销售额高"这一方案下的概率）略高于0.84，那么进行市场调查就是值得的。

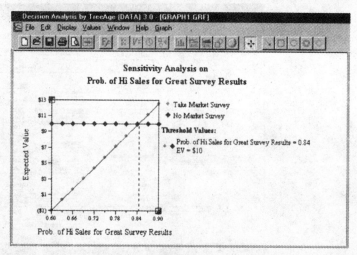

图6—23

在"File"（文件）菜单中点击"Close"（关闭），回到决策树显示屏。

龙卷风图： 进行敏感性分析的另一种方法是龙卷风图，即在一个图上进行多个小的敏感性分析。它可以包括决策树中定义的全部或部分变量。你可以指定要分析的变量，并为每个变量的值指定范围。在结果图中，每个变量都用横条表示。每个横条表示改变相关变量后结果变化的可能范围。宽条表示该变量对决策期望值有巨大的潜在影响（之所以称为"龙卷风图"，就是这些横条按宽、窄由上至下排列，形如漏斗）。图上垂直的虚线表示所选节点的期望值（通常是根节点）。

构造龙卷风图时，先选择构造该图的机会节点或决策节点。在"Analysis"（分析）菜单下选择"Tornado Diagram"（龙卷风图），如图6—24所示，然后选择"Variables to Analyze"（要分析的变量）。在"Available Variables"（可选变量）中点击要分析的变量，然后点"Add>>"（添加）。程序就会提示你指定每个变量的范围，如图6—25所示。

输入了正确信息后，程序就会以横条图的形式显示敏感性分析的结果，表示变量值发生变化时期望回报值的相应变化，如图6—26所示。

蒙特卡罗分析法： 在蒙特卡罗分析法中，模型进行一些模拟试验，每次试

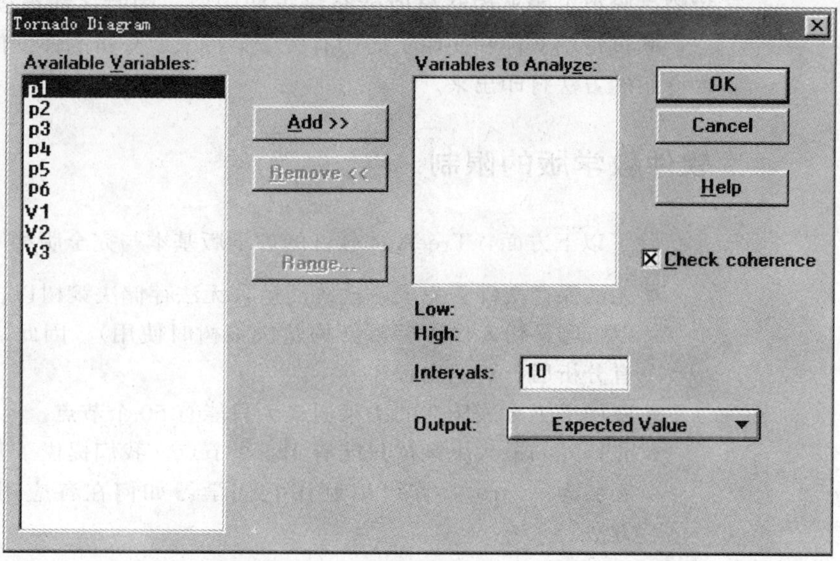

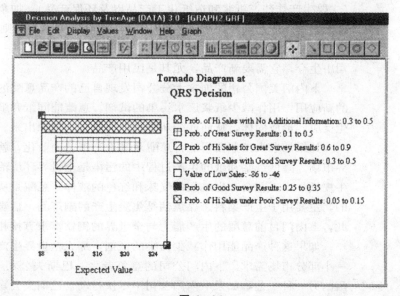

图 6—24

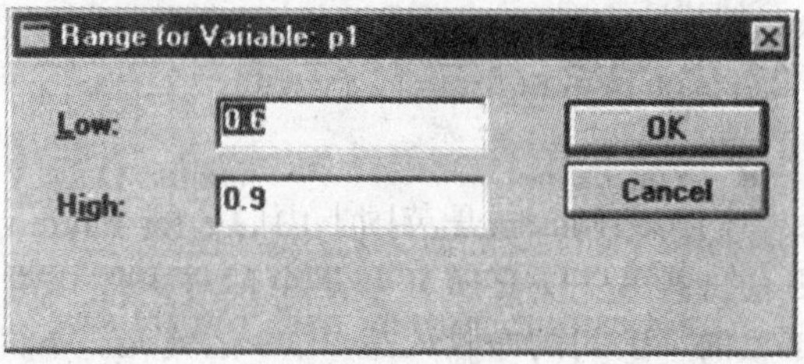

图 6—25

图 6—26

验结果都是根据模型指定的概率选择出来的一种方案。大多数决策树中没有指定的结果值与期望值对应。模拟的结果是回报的分布而不是一个期望值。多次

251

模拟试验得出的平均结果值就会接近期望值，同时还能得到期望值偏差的信息。联机帮助文件和使用手册中有关于蒙特卡罗分析的详细信息，你可按照前面介绍的方法打印出来。

软件教学版的限制

除了以下方面，TreeAge 软件的教学版基本与完全版相同：

- 无法保存文件。完成一次练习后，无法存储决策树以备将来使用（你可以打印一份，供以后重新构造决策树时使用）。因此，在确信已完成所有分析后，再退出程序。
- 以用手工方式构造的决策树最大只能有 50 个节点。
- 能打开的最大决策树只能有 125 个节点。我们提供了几个例子文件（扩展名为 *.tre），你可以利用它们学习如何在各应用领域运用决策树方法。

卜内门美国公司研发项目选择案例[①]

卜内门美国公司是英国卜内门公司（ICI）的子公司。1992 年卜内门公司的总销售额为 112 亿美元，是全球最大的化学公司。1992 年发生意外情况和停工之前，公司的净收入达 2.18 亿美元。卜内门公司在北美的子公司包括卜内门美国公司（主要生产聚酯胶片、药品和专用化工产品）和加拿大工业公司（主要生产炸药、纸浆和造纸化工产品以及环保产品）。加拿大工业公司在北美地区销售工业炸药（如采矿用的炸药）。卜内门美国公司则专注于军用炸药市场，冷战结束使这个子公司的增长机会大大减少。为了在一个发展很快的大公司中生存，它需要新产品，尤其是民用产品。

卜内门美国公司的加拿大分公司发现自己的产品蒽醌的一种不受专利保护的新应用：用作减少纸浆厂水污染的试剂。蒽醌能同纸和纸浆的废弃污染物发生反应，形成固体，从而就能从纸浆厂的废水中过滤出来。

如果加拿大工业公司能将蒽醌及其生产工艺商业化，就能开拓出广阔的世界市场。降低纸浆和纸的生产过程中的污染是全世界环境治理专家的目标，如牛皮纸生产工艺会产生难闻的气味和红色的液体。蒽醌是从煤焦油中蒸馏出来的，主要用于生产染料。煤焦油是焦炭生产的副产品，焦炭用于钢铁冶炼。因此，卜内门目前蒽醌的生产能力与全世界的钢铁需求直接相关。

如果这种产品能用作减少污染的试剂，那么全世界生产的蒽醌也仅能满足一小部分市场需求。卜内门公司的竞争者之一巴斯夫公司（BASF）有合成蒽醌的另一种工艺，如果卜内门公司不尽快行动，巴斯夫公司就可能赶在前面抢占领导地位。

---

① 引自 Hess，1993。

卜内门公司需要迅速决定是投资进行研发还是放弃这个项目。

下面就是这个决策要考虑的基本问题：

- 市场测试能否证实该产品有一个可观的市场？
- 公司能否开发出技术上可行的生产这种产品的新工艺？
- 即使市场前景好，生产工艺在技术上也可行，公司董事会是否会赞成投资建一个新工厂来大规模生产这种产品？
- 假定对以上问题的回答都是肯定的，工厂也建起来了，这个工厂是否会成功？

假设这四个问题都有肯定和否定两种回答，管理小组估计每一事件发生的概率（如表6—5所示）：

表6—5　　　　　　　　　　　　　　　水污染问题的概率

事件	概率
市场前景好	0.6 ± 0.15
技术可行	0.15 ± 0.10
董事会同意建新工厂	0.8 ± 0.2
销售成功	0.8 ± 0.2

影响上述事件概率的经济因素如下：

- 研究产品新生产工艺的费用；
- 确定是否存在一个足够大的市场而进行市场调查的费用；
- 开发新工艺的费用，包括得到批准前的工程费用；
- 董事会批准前后的商业化开发费用；
- 工厂投资成功的净现值。

这些费用的估计值如表6—6所示。正负符号表示这些值的不确定范围。

表6—6　　　　　　　　　　　　水污染问题的财务数字估计值

费用或收益	净现值（百万美元）
研究费用	1.5 ± 0.40
市场调查费用	0.2 ± 0.50
工艺开发费用（批准前）	3.0 ± 0.75
商业化开发费用（批准前）	0.5 ± 0.25
商业化开发费用（批准后）	1.0 ± 0.25
成功后的收益	25.0 ± 12.50

公司要决定现在是否放弃这一产品所需要的决策和行动包括：

- 投资研究和营销拓展。如果市场调查表明这一产品没有广阔市场，则放弃这个项目。
- 如果工艺开发研究表明这一项目在技术上不可行（若市场调查的结果是肯定的），就放弃该项目。
- 如果该工艺在技术上可行，则投资于工艺开发。如果工艺在技术上不可行，则削减开支并退出。
- 如果该项目在技术上可行，则在工艺开发上投资并开始商业化开发。如果董事会不批准投资建立新工厂，则削减开支并退出。

● 如果董事会批准，则投资进行进一步的商业化开发。至此，公司所有的决策都已完成。如果新工厂在商业上取得了成功，就获得成功的回报（减去迄今为止的开支），否则公司就损失迄今为止的所有费用。

练习

卜内门公司的管理者认为决策树分析法适用于目前面临的问题。构造一个决策树来表示这个问题的结构。管理者关注的是下列问题：

1. 在得到批准前的工艺开发中，卜内门公司最多应投资多少？
2. 在乐观、悲观和最佳猜测三种方案下，模型推荐什么决策？
3. 哪些概率和回报估计值对决策的影响最大？
4. 卜内门公司应怎么做？为什么？

练习的参考文献

Hess，Sidney W. 1993，"Swinging on the branch of a tree：Project selection applications"，*Interfaces*，Vol. 23，No. 6（November-December），pp. 5—12.

PIMS 策略模型指导

PIMS 电子报表实现的是 PIMS 投资回报率（ROI）模型。PIMS 意即营销战略对利润的影响，其基本观点是：将多个成功企业的经验汇集起来，从中析取的数据经回归分析后能为提高企业的利润水平提供有益的见解和指导。PIMS 的数据是从 200 个公司的 3 000 多个成功的业务中收集的。

这里的 PIMS 模型综合了四个战略业务单元（SBU）的数据，在通用电气业务组合规划练习的业务组合分析中描述了这些战略业务单元。

要启动这个程序，可在"Model"（模型）菜单下选择"PIMS：Strategy Model"（PIMS：战略模型），即出现如图 6—27 所示的"Introduction"（介绍）屏幕。

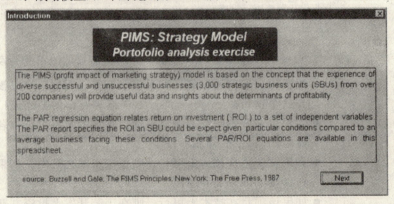

图 6—27

点击"Next"（下一步），进入"Main Menu"（主菜单）。产品业务组合练习中的四个战略业务单元分别建在 TRANS、SALT、UBC 及 POWER 中。如图 6—28 所示，要选择一个战略业务单元进行分析，可点击屏幕右下角的"Built-In"（内置）。

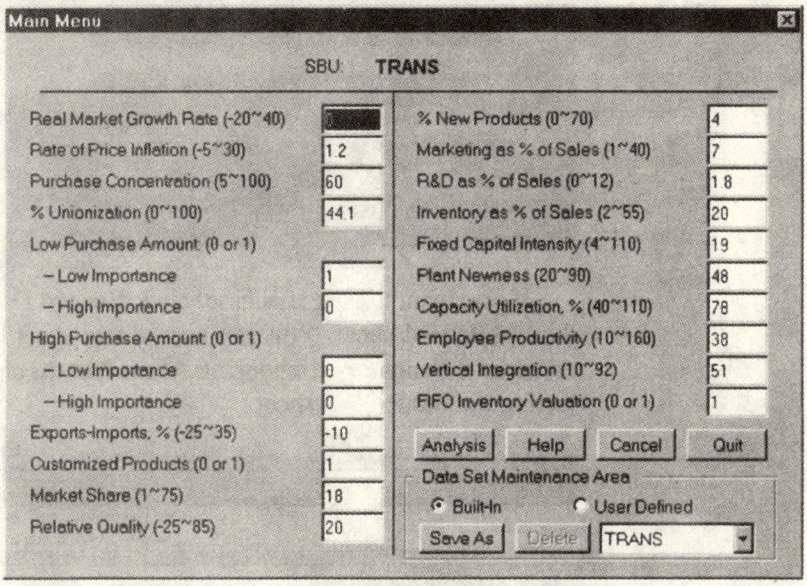

图 6—28

选择好战略业务单元并修改了内置数据后，点击"Analysis"（分析）激活模型。

用如图 6—29 所示的"Model Selection"（模型选择）指定一个适用的模型。

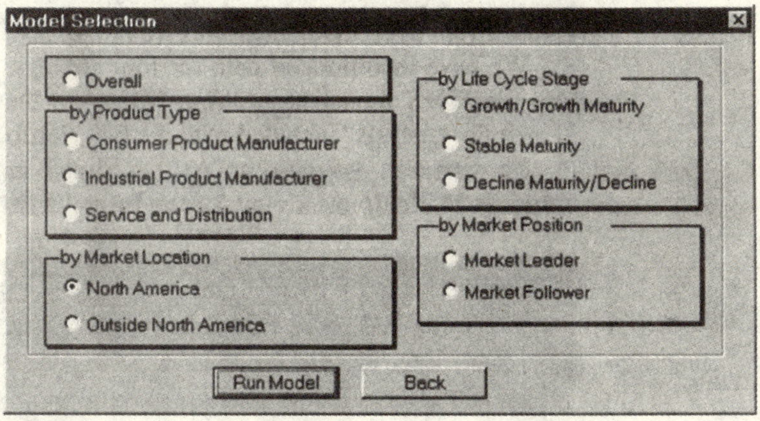

图 6—29

指定完模型后点击"Run Model"（运行模型），激活 ROI 分析。

现在就会看到输出对某一输入的变化有多敏感了。这里把"Unionization"（工会组织比例）由 44.1％改为 60％，于是生成如图 6—30 所示的报告：

如果要保存，点击"Record Data"（记录数据），即可保存 wshRecord 工作表中的数据了。在"Model"（模型）菜单下选择"Main Menu"（主菜单），

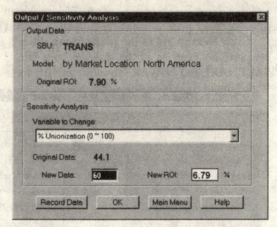

图 6—30

点击"Cancel"（取消）并选择 wshRecord 表格，如图 6—31 所示，即可访问这个表格（如图 6—32 所示）。

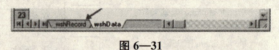

图 6—31

图 6—32

要想把数据作为自己的案例保存下来，在"Main Menu"（主菜单）对话框中点击"Save As"（另存为），程序会提示你输入数据文件名。这样数据就会作为自己的案例保存起来。

可以用同样的方法删除自己定义的数据，在"Main Menu"（主菜单）下选择"Delete"（删除）即可。

练习的参考文献

Buzzell，Robert D. and Gale，Bradley T. 1987，*The PIMS Principles*，The Free Press，New York.

PIMS 程序所用词汇的含义

生产能力利用率（capacity utilization）：一年中生产能力的平均利用率。利用率等于净销售额加减产成品存货的变化再除以标准生产能力。标准生产能力是指战略业务单元（SBU）在正常作业条件下最大产出的货币价值。

定制产品（customized products）：为各个顾客定制的产品（指数为 1）还是对所有顾客都一样的标准化产品（指数为 0）。

员工生产率——每员工之增值（employee productivity-value added per employee）：总销售额除以全日制员工人数，单位为千美元。

出口和进口（exports and imports）：行业销售额中出口和进口的比例。注意，要根据该战略业务单元所在行业而定。

先进先出存货估算法（FIFO inventory valuation）：估算存货的方法是先进先出法（指数为 1）还是其他方法（指数为 0）。这个因素影响税收，从而对报告的利润额产生影响。

固定资产密集度（fixed capital intensity）：工厂和设备的总账面价值占销售的百分比。此定义不含折旧和流动资金。

存货占销售的比例（inventory as a percentage of sales）：战略业务单元年销售额中存货（包括原料、零部件、半成品和产成品）所占的比例。

市场份额（market share）：战略业务单元在所处市场上的份额。

营销费用占销售的比例（marketing as a percentage of sales）：战略业务单元的年营销费用（包括销售人员、广告、媒体、促销及其他营销费用）占年销售额的比例。

新产品比例（percent new products）：战略业务单元的总销售额中前三年上市新产品所占的比例。

工会组织比例（percent unionization）：战略业务单元的所有员工（管理人员、非管理人员；年薪制员工、按小时付酬员工）中参加工会人数所占的比例。

工厂新旧程度（plant newness）：厂房和设备的净账面价值与毛账面价值的百分比。

购买金额（purchase amount）：与一个最终用户或直接顾客达成的一次交易的金额。如果少于 1 000 美元，则认为低（指数为 0）；如果高，则指数为 1。

购买集中度（purchase concentration）：占战略业务单元总销售额 50% 的直接顾客的百分比。

购买重要性（purchase importance）：指以一般顾客或最终用户的年购买额占该战略业务单元所售产品和服务的比重，如果你认为比例较高（如 5% 以上），则指数为 1。

研发费用占销售的比例（R&D as a percentage of sales）：研发费用（不包括总公司的基础研究）占战略业务单元年销售额的比例。

通货膨胀率（rate of inflation）：战略业务单元的销售价格的提高速度。

实际市场增长率（real market growth rate）：战略业务单元在其所服务市场上的销售增长速度（消除了通货膨胀因素）。战略业务单元所服务市场属于其总市场的一部分，战略业务单元为此市场提供了适当的产品并通过某种营销计划送达到此市场。

相对产品质量（relative product quality）：计算顾客所感知的战略业务单元比最大三个竞争者"更好"、"相同"或"更差"的产品或服务的销售额所占的比例，然后用优质产品销售额的百分比减劣质产品销售额的百分比所得的指标。

垂直一体化（vertical integration）：用战略业务单元的销售额减去所有的采购（包括原材料、零部件、劳动力、供应和能源等），所得数值占战略业务单元销售额的百分比，是衡量战略业务单元增加值的指标。

通用电气产品业务组合规划模型指导

此电子报表以通用电气/麦肯锡产品业务组合模型为基础。通用电气公司设计此工具的目的是为评价某种战略业务单元的组合，它根据业务实力和行业吸引力数据在一个多因素矩阵上绘制这些战略业务单元的位置，为制定企业战略提供帮助。

在"Model"（模型）菜单下选择"GE：Portfolio Planning"（通用电气产品业务组合规划）再选"Generalized Model"（广义模型），就可看到如图6—33所示的"Introduction"（介绍）屏幕。

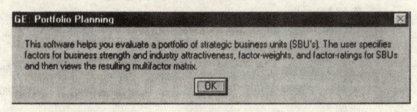

GE: Portfolio Planning

This software helps you evaluate a portfolio of strategic business units (SBU's). The user specifies factors for business strength and industry attractiveness, factor-weights, and factor-ratings for SBUs and then views the resulting multifactor matrix.

OK

图 6—33

点击"OK"（确定）后进入第一个工作表，系统提示你输入数据，如图6—34所示：

现在来构造两个战略业务单元的矩阵。先在"Study Title 研究标题"中输入合适的标题，然后点击"Industry Attractiveness Items"（行业吸引力因素）进入下一屏，开始设定模型。

选择要对战略业务单元进行评估的业务吸引力因素，这里列出了一些可能的因素。选择表中的条目并点击"Add>>"（添加），如图6—35所示，你的分析就会包含这些因素了。

你还可以自定义行业吸引力因素。在图6—36中，我们要在表中增加"Global opportunities"（全球机会），先将此因素输入右下方的编辑框里，然后点击"Insert"（插入）按钮即可。如果对某一因素不满意，可选中它再点击"Remove"（删除），也可以使用"Clear All"（全部清除）。

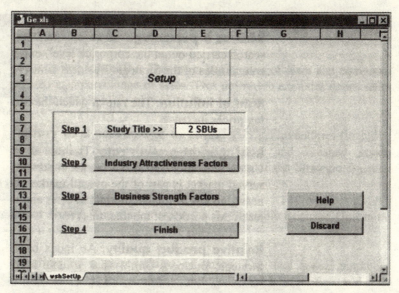

图 6—34

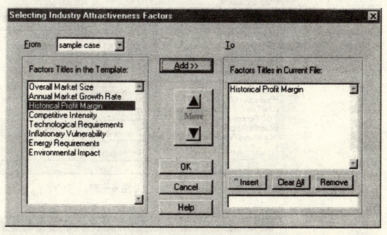

图 6—35

点击"OK"（确定）即回到开始的"Setup"（设置）屏幕，点击"Business Strength Factors"（业务实力因素）开始实施第 3 步。

现在要加入业务实力因素，如图 6—37 所示，从"Factor Titles in the Template"（模板的因素）中选择并按下"Add"（增加），也可以在右下方的编辑框里输入自定义的因素并按下"Insert"（插入），这些操作与行业吸引力因素的选择类似。选好后点击"OK"（确定）。

再次点击"OK"（确定）会回到开始的"Setup"（设置）屏幕。完成模型设置后点击"Finish"（完成）（第 4 步），继续或选择"Discard"（放弃）。

如果选择"Finish"（完成），系统会根据你的设置来定制工作表，并提示你输入文件名来存储这些设置（如图 6—38 所示）。

为你的设置起个名字，但不能起 GE 这个名字。

现在，你就可以根据你的设置开始评估战略业务单元了。图 6—39 为评价的"Main Menu"（主菜单）。

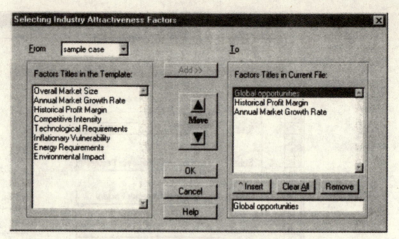

图 6—36

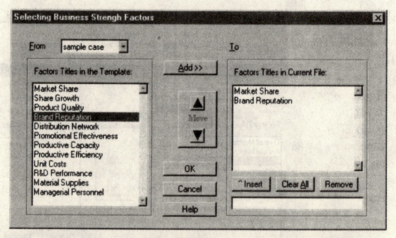

图 6—37

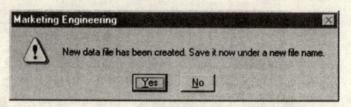

图 6—38

先选择"Weights"（权重）来确定你所选择的每个因素的重要性权重（如图 6—40 所示）。这些权重要与你随后对战略业务单元各因素的评分相乘。

注意：这是相对权重，为每个因素赋值 1 与赋值 2 的效果是相同的。

点击"Save As"（另存为）保存这些权重以备后用。你可以定义多组权重，每组都以不同的文件名来保存。

点击"Back"（后退）回到"Main Menu"（主菜单），接着选择"SBU Rating"（战略业务单元评分），如图 6—41 所示。

在行业吸引力和业务实力两个维度上为第一个战略业务单元打分，点击

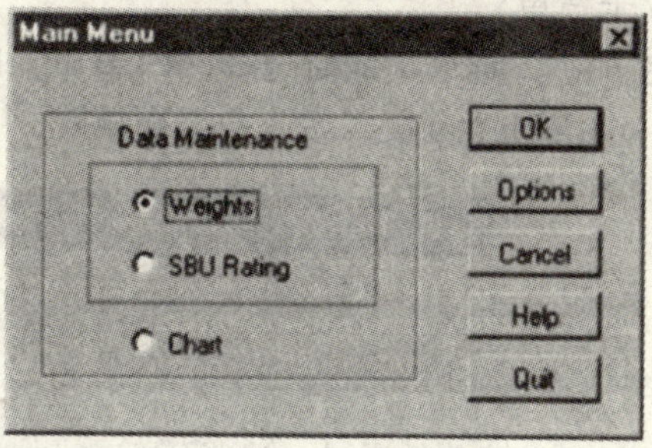

图 6—39

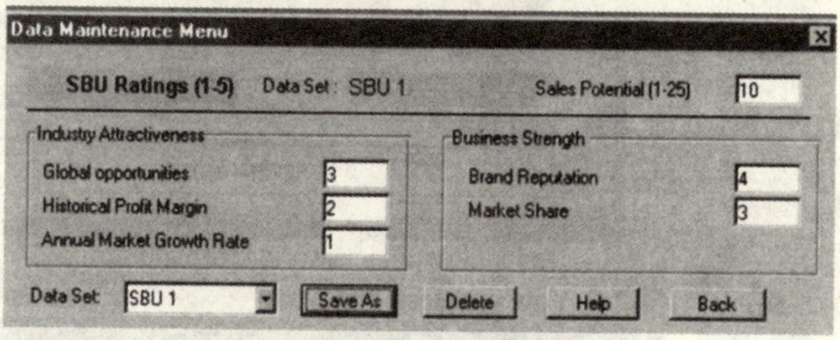

图 6—40

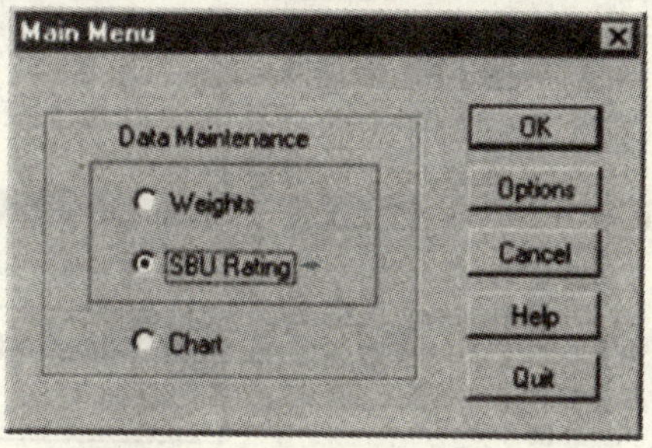

图 6—41

"Save As"（另存为）保存这些评分，如图 6—42 所示。

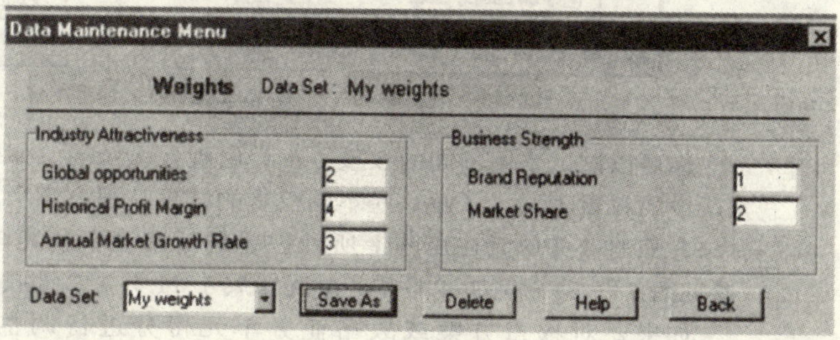

图 6—42

注意： 对销售潜量的评分不影响这些评分在矩阵中的位置，但会影响结果图中圆圈的大小。

对其他战略业务单元重复以上过程。点击"Back"（后退）回到"Main

Menu"（主菜单）。

如图 6—43 所示，最后选择 "Chart"（图表）并点击 "OK"（确定），就会看到一个空的多因素产品业务组合矩阵。

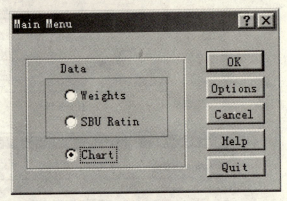

图 6—43

点击 "Add from Database"（从数据库中添加），将对这些战略业务单元的评分信息输入图表，就会看到你的输入所产生的结果，如图 6—44 所示。

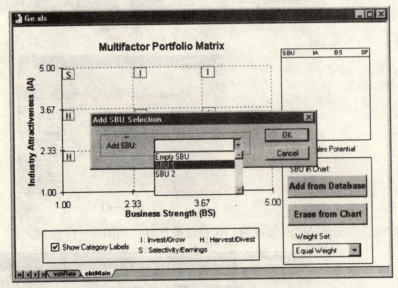

图 6—44

你可以试试采用不同的权重方案会出现什么情况。如果不同经理对这些因素所设的权重不同，了解这些不同权重的结果就很有意义。

各战略业务单元在矩阵上所处位置的战略意义如矩阵上的分类标签所示（参见图 6—45），例如战略业务单元 1 属于 H 类，意即收获和放弃。

如果要对权重方案或战略业务单元得分进行调整，可在菜单条中的 "Model"（模型）下选择 "Main Menu"（主菜单）。

教学版软件的限制

行业吸引力因素的最大个数：15；

262

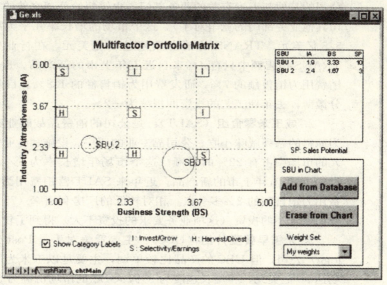

图 6—45

业务实力因素的最大个数：15；

图表中能绘出的最大个案数：10。

练习的参考文献

Wind，Yoram；Mahajan，Vijay；and Swire，Donald J. 1983，"An empirical comparison of standardized portfolio models，" *Journal of Marketing*，Vol. 47，No. 2（Spring），pp. 89—99.

产品业务组合分析练习

> **注意**：文件 Portfol. xls 包含了本练习中四个战略业务单元的数据，可用此文件完成本练习，也可用前面的方法建立你的电子报表。要选择 Portfol. xls，在"Model"（模型）菜单下选择"GE：Portfolio Planning"（通用电气产品业务组合规划）再选"Portfolio Planning Exercise"（产品业务组合规划练习）。

1995 年末，Conglomerate 公司的董事会将公司重组，设立了若干分公司，而每个分公司又分成若干战略业务单元。它的食品分公司下辖三个消费品战略业务单元和一个工业品战略业务单元，分公司的经理是亨利·安特沃斯（Henry Antworth）。公司董事会要亨利报告这四个战略业务单元的运营情况和未来战略。

1. **玉米加工产品组**（TRANS）：生产玉米加工设备和配件，产品供应给

263

公司的其他与玉米有关的业务部门，也销售给公司之外的客户（其中有些是公司其他业务部门的竞争对手）。这个市场的增长率几乎为零，全球年销售额为5.5亿美元，TRANS 的销售额超过 1 亿美元，在行业中居第二或第三位。TRANS 销售额中只有 4% 来自近五年上市的新产品。近年来，TRANS 的营销费用为销售额的 7%，研发费用为销售额的 1.8%。目前这一行业的利润十分微薄，去年新工艺的投资回报率为 -2%。

2. **咸玉米零食组**（SALT）：是公司的消费品战略业务单元，生产以玉米为原料的系列咸味小吃。公司靠专业的厂房、设施和专业知识在这个 4.5 亿美元的市场中占有 22% 的份额。这个市场年增长率为 3%，SALT 销售额中有7% 来自近五年上市的新产品。近年来 SALT 营销费用为销售额的 9%，研发费用为销售额的 2% 多一点。相对较低的厂房利用率（75%）和稳定的销售使公司以较小的投资（这项业务要求的投资不大）得到了较高的回报率（19%）。

3. **无糖早餐麦片组**（UBC）：主要竞争对手是 Post 公司和家乐氏（Kellogg）公司，但 UBC 的产品比较单调，主要是以玉米为原料的产品。整个市场达 98 亿美元，年增长速度为 3%，UBC 的市场份额为 5%。近年来 UBC 的营销费用为销售额的 8%，研发费用为销售额的 3%。公司销售额中约 5% 来自新产品，近期的投资回报率是 17%。

4. **酒精饮料组**（POWER）：是公司新成立的消费品战略业务单元，在这个近 4.7 亿美元的市场占 27% 的份额，处于领导地位。玉米及玉米产品是酒精饮料的重要原料。在这个竞争激烈的市场上，POWER 的营销费用为销售额的 11%，研发费用为销售额的 3%。此市场的年增长率为 5.5%，POWER 的销售收入中有 15% 来自新产品，近期的投资回报率是 13%。

在 1996 年 6 月的第一周，安特沃斯先生要同计划人员和各战略业务单元的经理开会讨论以下问题：

1. 这些业务过去的业绩如何（各战略业务单元的经理都要交一份符合业务投资要求的资金和生产预算）？

2. 营销预算和研发预算要仔细审查。分公司的各种业务的最佳投资是多少？应当在各战略业务单元间如何分配预算？

3. 公司应对这些战略业务单元采取什么策略（投资、放弃、保留或收获）？

在会议前三周，安特沃斯把这些问题交给了各战略业务单元的经理，结果很快收到 4 个表示不满的电话，认为这些问题只能凭"商业感觉"和"经验"来回答。安特沃斯本人刚刚参加了战略营销分析（营销工程）研讨班，他建议大家采用这次培训介绍的结构化分析法来回答他的 3 个问题。在讨论会前几天的一次会议上，安特沃斯让每个业务经理为研讨班介绍的两个模型（PIMS 模型和通用电气/麦肯锡模型）提供所需的数据，也指导他们通过练习来"猜测"以下问题的答案：

问题一：如果战略业务单元的营销预算增加 1%，你期望市场份额会增加多少（是现有市场份额的百分之几）？

问题二：如果战略业务单元的研发预算增加 1%，你期望相对质量会提高多少（是目前质量水平的百分之几）？

经过讨论，小组成员就以下问题达成了共识（见表6—7）：

表6—7

	市场份额增长（%）	质量提高（%）
TRANS	1.8	3.1
SALT	2.2	2.9
UBC	1.9	2.7
POWER	1.5	2.4

练习

1. 用 PIMS 模型、通用电气模型或你认为合适的方法给安特沃斯先生提出建议（如果你的方法要求其他信息，详细说明你需要什么样的信息，如何得到这些信息）。

提示：在用 PIMS 模型时，要注意各因素（质量和市场份额）的共同变化对投资回报率的影响，营销费用和研发费用对利润率的影响，从 PIMS 模型来看，我们是不是过分或者没有支持某项业务？

2. 评价 PIMS 模型和通用电气模型在分析 Conglomerate 公司的问题时的用途和局限。

3. 安特沃斯的计划人员考虑用层次分析法，与之相比，本方法如何？

4. 有些人认为经理可能会有意歪曲模型以支持自己提出的战略，请评论此观点。

层次分析法指导

层次分析法是一种常用的解决问题的方法，对于那些没有确定数值的变量的复杂决策（如多标准决策）非常有用。我们下面介绍建立和使用层次分析法的知识。此软件是 Expert Choice 公司开发的，本指导也是根据软件的联机帮助文件写成的。你可阅读联机帮助文件，详细了解层次分析模型的所有特性。

使用此软件建立决策模型（评价和选择方式）包括 5 个步骤：（1）构造决策模型；（2）输入备选方案；（3）确定层次结构上各元素的优先级；（4）综合；（5）进行敏感性分析。

构造决策模型

先把一个复杂的决策问题分解为一个层次结构，可使用以下要素：（1）要实现的总目标（或子目标）；（2）标准和子标准；（3）方案；（4）备选方案。

下面以一家冰淇淋连锁店的新店决策为例。决策目标是从两个地点中选一个好店址，决策的主要标准是：（1）租金；（2）潜在的客流量；（3）竞争者数量。所考虑的两个店址分别是郊区的购物中心（租金低、青少年和退休人员多，这些人是冰淇淋主要购买者）和主干道商业区（租金高、办公室职员多，这些人晚上和周末不在这里）。

Expert Choice 模型至少包括三个层次：决策的总目标在最高层，标准（子标准）在第二层，备选方案（两个店址）在第三层。在多层模型中，通常把普遍因素放在高层，具体标准放在低层。

要启用新模型，在 Expert Choice 软件的"File"（文件）菜单下选择"New"（新建），输入一个要保存模型的文件名（如 location.ec1）并点击"OK"（确定），如图 6—46 所示。

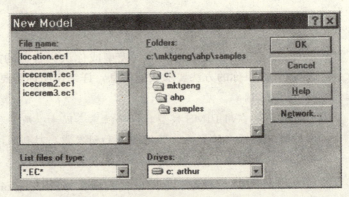

图 6—46

要逐个节点建立模型，可点击"Direct"（直接建立模型），如图 6—47所示。

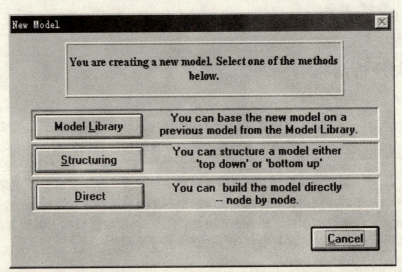

图 6—47

输入对决策目标的描述，如"Select Site Location for new Ice Cream Outlet"（为新的冰淇淋分店选择店址），点击"OK"（确定），如图 6—48 所示。

在图 6—49 中，决策标准是竞争程度（COMPET'N）、顾客满意度（CUST FIT）和成本（COST）。在"Edit"（编辑）菜单下选择"Insert"（插

266

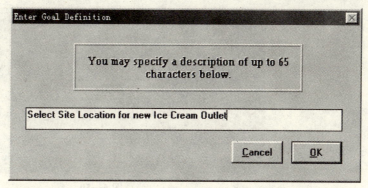

图 6—48

入），即可输入决策标准。这样就在活动的 GOAL 节点下为层次结构直接增加了一层。在输入每条标准时，软件允许输入对该标准的描述，例如，输入 COMPET'N 时可加入描述"在此地区竞争者的数目"。输入层次结构上此层所有节点的信息后，按下 <Ese> 键。

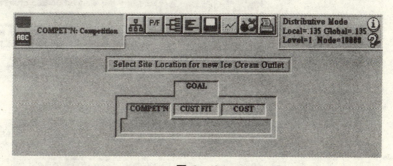

图 6—49

输入备选方案

要输入备选方案，先选择 COMPET'N 节点，在"Edit"（编辑）菜单下选择"Insert"（插入），输入第一个备选方案的缩写（8 个字母以内），再点击"OK"（确定），如图 6—50 所示。同样，也可以输入对该备选方案的描述，例如，输入备选方案"Mall"（购物中心）时可加入描述"郊区购物中心"。接着输入下一个备选方案，完成所有输入后，按下 <ESC> 键。

激活所输备选方案下的标准（子标准）节点，在"Edit"（编辑）菜单下选择"Replicate children of current node"（复制当前节点的子结构），如图 6—51 所示。

点击"To Peers"（到同层）或"To All Leaves"（到所有叶节点），把备选方案复制到模型底部其他所有节点上。备选方案与所有节点联结后，就会在屏幕底部显示出来，如图 6—52 所示。

要保存模型，在"File"（文件）菜单下选择"Save"（保存）。

267

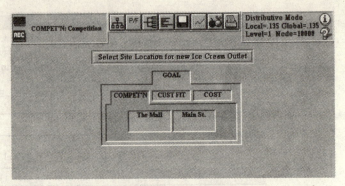

图 6—50

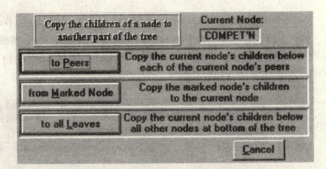

图 6—51

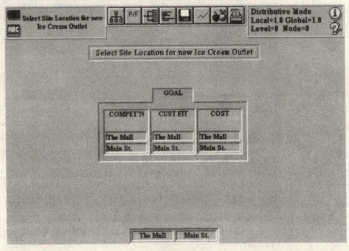

图 6—52

确定层次结构中各因素的优先级

一旦完成决策模型的设置，就可以评估每层的备选方案及标准，通过对同层各因素的成对对比推出"局部"优先顺序（权重）。先选择要确定优先级的节点，在"Assessment"（评估）菜单下选择评估方法，如"Pairwise"（成对评估）或"Data"（数据）。

输入重要性权重 点击"Assessment"（评估）再选"Data"（数据），即可输入各节点权重的绝对值（不是相对值），如为竞争程度、顾客满意度和成本等标准指定重要性权重。

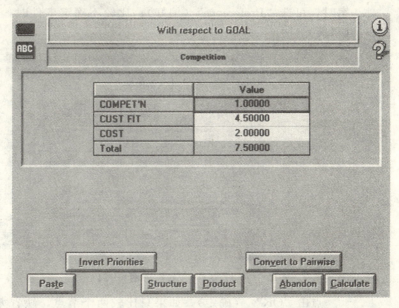

输入重要性权重后点击"Calculate"（计算），新值就出现在决策模型中（若模型没有显示权数，可点击屏幕上方的 P/F 图标），如图 6—53 所示。

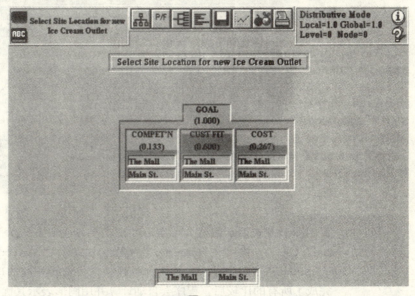

图 6—53

输入成对比较 可就每对因素进行简单的比较判断。在开始成对比较时，先双击第一条标准的节点（如 COMPT'N），选择"Assessment"（评估）下的"Pairwise"（成对比较）（只有备选方案在 9 个以内才适用）来比较各备选方案，如图 6—54 所示。

选择比较类型（重要、偏好、可能）和比较方式（文字、图表、数

269

字）。选择你熟悉的比较类型和比较方式。你所选的类型不会影响"Evalu-
ation and Choice"（评估和选择）的计算（所选类型会出现在比较说明里）。
一般来讲，在比较各标准时，可选"Importance"（重要）；比较各备选方
案时，可选"Preference"（偏好）；比较不确定事件时，可选"Likelihood"
（可能）。

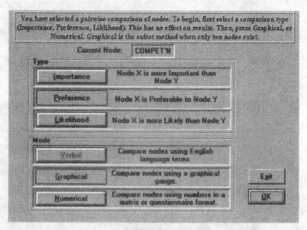

图 6—54

点击"OK"（确定）。如果只比较两个节点，缺省方式为"Graphical"
（图形）（见图 6—55 所示）。

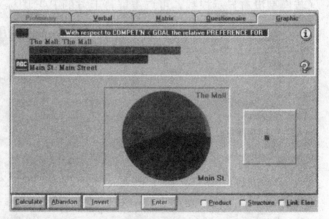

图 6—55

要用图形方式表示偏好，可点击并拉动上方或下方的水平判断条。如果用
"Verbal"（文字方式）、"Numerical"（数字方式）、"Matrix"（矩阵方式）或
"Questionnaire"（问卷方式）输入你的评估，可选择相应的选项夹。

完成了所有的比较后，程序会自动计算并用图形表示其优先顺序，并衡量你
的判断中自相矛盾的地方，即"Inconsistency Ratio"（不一致比率）（此例只有一
个成对比较，没有冗余信息，因此不一致比率没有意义）（见图 6—56）。

点击"Record"（记录）回到主屏幕。

用类似方法处理所有标准（如双击"COST"（成本）节点），完成整个评
估过程。

做完成对比较和备选方案评估后（层次分析法的最下层），从目标的角度

270

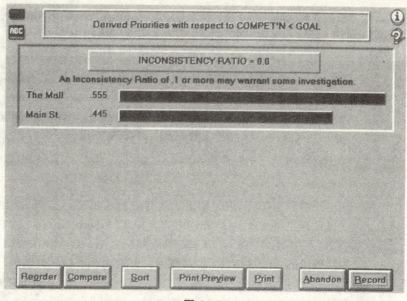

图 6—56

对标准进行成对比较，软件将利用这些信息推导出标准的相对重要性（成本、顾客满意度和竞争程度）。

要对标准进行成对比较（不是直接将重要性权重分配给各个标准），可双击"GOAL"（目标）节点，选择"Assessment"（评估）下的"Pairwise"（成对比较）来进行标准的比较。选择"Importance for the Type"（该类型的重要性）和"Verbal"（文字）为比较方式，点击"Skip Preliminary Questions"（跳过预备问题）将出现如图 6—57 所示的屏幕：

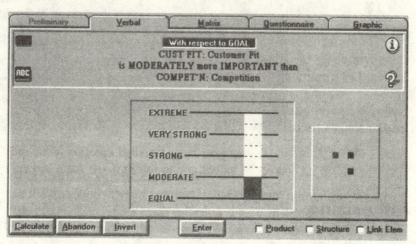

图 6—57

判断两个标准的相对重要性，点击"Enter"（回车）按钮即进入下一轮比较。点击"Calculate"（计算）可得到本次判断中不一致比率的统计结果，如图 6—58 所示。

不一致比率的目的只是为了提供信息。程序不会强迫实施一致性。在比较判断时，你不可能完全保持一致，尤其判断的是无形标准。一般说来，应将不一致

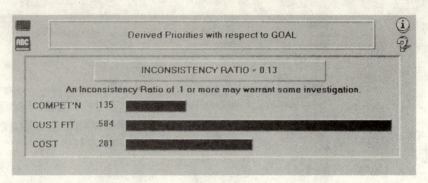

图 6—58

比率控制在 0.10 以内。如果想改善该比率的话，可进入"Assessment（评估）"菜单选择"Matrix"（矩阵）方式，拉下"Inconsistency"（不一致性）菜单选择"1 most"（最不一致），以了解哪个判断最不一致（突出显示的单元格）。浏览了系统提供的"最优拟合"参照值后，可输入一个新的判断值。点击矩阵左上方的"Best Fit"（最优拟合）或进入"Inconsistency"（不一致性）菜单选择"Best Fit"（最优拟合），就可以看到这个判断值（见图 6—59）。

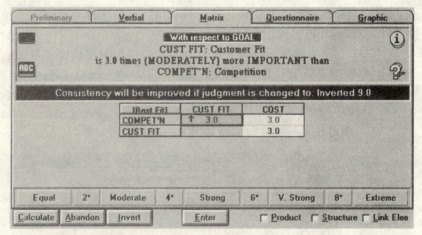

图 6—59

完成判断输入后，点击"Record"（记录）保存，并回到主屏幕。

综合

保存了你的选择后，程序将把各层的优先级综合起来，计算各备选方案的最终优先级。你可选择两种数学综合方式：分布综合方式和理想综合方式（缺省方式），如图 6—60 所示。

要进行综合，到"Synthesis"（综合）菜单里选择"From Goal"（从目标开始）。

要看整个层次结构中所有节点的全局优先级，可点击"Details"（详细）按钮。

你可以选择"Distributive"（分布）综合按钮或"Ideal"（理想）综合按

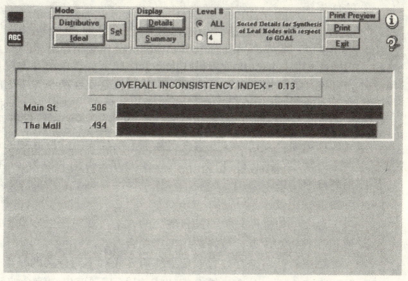

图 6—60

钮，也可选择"Set"（设置）按钮，由它引导你回答一系列问题以帮助你确定正确的模型。选择综合方式的标准取决于看待决策的方式：如果认为是根据相对价值排列备选方案，应选用分布综合方式；如果认为是要挑选一个最好的备选方案，应采用理想综合方式。在添加新的备选方案后，理想综合方式会保持原排列顺序不变；而分布综合方式则允许排序改变，如在选项 C 加入备选方案以前，选项 A 优于选项 B，引入选项 C 后，选项 B 可能会优于选项 A 了。在分布综合方式下，标准权重依赖于每条标准在多大程度上反映出备选方案间的差异，这对在重要标准上优秀且与众不同的备选方案最为有利。

下面介绍这两种综合方式在优先级综合时的应用。更详细的信息和例子可参阅 Expert Choice 的联机帮助或使用手册。

分布综合方式

在此方式下，程序按每条标准将各个方案的权重标准化，即在各方案之间分配某标准的全局权重，使全部权重的分割对应于各方案的相对优先级（每层都要进行标准化）。

如果想让你对各方案的偏好依赖于其他备选方案的数目和类型，那么就应选择分布综合方式。如果全部方案都是相关的，比如决策任务要求排出各方案的优先级、分配资源并规定在什么情况下排序要受其他方案的影响，这时就得使用分布综合方式。一般来说，如果每个方案都各不相同（即不是其他方案的复制）而且能从特征上很清楚地区分，就应当使用分布方式。

理想综合方式

在此方式下，各方案的优先级要除以他们中的最大值再乘以指定父节点的全局权重。因此，每组最受偏爱的方案将得到上一级标准的整组优先权，其余方案则得到部分的全局权重（注意：如果同一方案在所有标准下都是最优的，则该方案得到的总优先值为 1，其他方案得到的权重就相应减少。所有方案的综合会大于 1）。与分布方式不同，理想综合方式保持了最优方案

273

的优先级。

如果各方案区别不明显，而且你也不想让相似或相近的方案影响决策结果，这时理想方式就非常有用。例如，要比较三种计算机，其中两台低价计算机彼此相似，而高价计算机在大部分标准下都比那两台要好，在考虑成本时两台低价计算机都是较好的选择，但如果权重要在两个方案之间进行分配（就像分布方式），那么它们将互相降低彼此的权重。理想方式会把成本标准的权重全部给予价格最低的计算机，使这台计算机成为高价计算机的强有力的竞争者。理想综合方式用各方案在各标准下的优先级除以其中的最大值，而不是将整个方案集合进行标准化，最受偏爱的方案得到的值为1。在这种情况下，方案的排序结果不会相互影响。对该条标准，每个新增的方案都只与排名最高的方案进行比较。

总之，如果你只关心排名最高的方案，或对绝大多数标准来说几个方案的值相等或非常接近，最好选用理想综合方式。

要查看分布综合方式或理想综合方式对不同方案的权重分配摘要，可点击"Distributive"（分布）综合按钮或"Ideal"（理想）综合按钮，再点击"Summary"（摘要）按钮。

要查看分布综合方式或理想综合方式权重分配的详细信息，可点击"Distributive"（分布）综合按钮或"Ideal"（理想）综合按钮，再点击"Details"（细节）按钮。

敏感性分析

敏感性分析来用来考察方案排序对标准权重变动的敏感程度。Expert Choice 软件提供了五种图示敏感性分析方式：

- 特性法；
- 动态法；
- 梯度法；
- 二维法；
- 差别法。

从"GOAL"（目标）节点开始的敏感性分析说明的是对目标之下的标准而言各方案的敏感程度。如果模型有三层以上，还可从"GOAL"（目标）节点之下的节点开始敏感性分析，其结果是各方案对较低层次标准的敏感性。

要进行特性敏感性分析，可在敏感性图形菜单下选择"Performance"（特性），如图 6—61 所示。

竖条为标准，备选方案用横线图表示。备选方案的横线图和标准的垂直条的交叉处为方案在给定标准下的优先顺序，数值绘在标有"Alt%"的右轴上。标准的优先次序用垂直条的高度来表示，数值绘在标有"Crit%"的左轴上。"OVERALL"（总体）线表示各方案的整体优先次序，数值绘在右轴上。

要进行假定方案分析，可点击矩形的标准框并上拖或下拖来改变该标准的优先级，这一改动产生的影响会从右边各方案的排名变化上观察到。在上例中，尽管"Mall"（购物中心）方案在成本标准上的表现不尽如人意，但总的

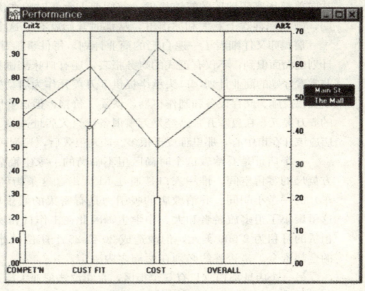

图 6—61

优先级较高（61％）。

可按＜Home＞键来恢复原先的优先次序。返回主菜单也可以恢复到原先的优先级。可用"Windows"（窗口）菜单下的命令来改成其他敏感性图形（只要不按＜Home＞键，假定方案的分析变化就会一直显示在当前窗口里）。

Expert Choice 软件支持的敏感性分析方法还有：

- **动态敏感性分析**：这是一个横条图，可用它提高或降低任一标准的优先级，观察这种变动对各方案优先级的影响。例如，如果向右拖动顾客满意度（CUST FIT）条提高其优先级，其余标准的优先级会相对降低，程序就按各方案间的新关系重新计算其优先级。
- **梯度敏感性分析**：此法为每个标准绘制一幅梯度图，竖线为所选标准的当前优先级，斜线表示方案，斜线和竖线交叉处就是方案的当前优先级。
- **二维图敏感性分析**：此分析可清楚地表示出在任意两个标准下各方案的优先次序如何。
- **差异图敏感性分析**：差异图表示在所有标准下任两个方案优先级之间的差异。可在"Options"（选项）菜单下选择"Weighted"（加权）或"Unweighted"（不加权），观察不同情况下的差异。不加权时，每条标准都有相同的权重；加权时，各标准既有优先级，又存在差异。

詹妮弗意大利冰淇淋店案例

詹妮弗·艾德森（Jennifer Edson）正在考虑成立一家冰淇淋店——詹妮弗意大利冰淇淋店（Gelato）的商业计划。詹妮弗意大利冰淇淋店按每勺或每客零售冰淇淋，也提供外卖服务（Gelato 是一种非常美味的意大利冰淇淋），并向首都华盛顿地区的餐馆批发。詹妮弗上大学时曾在佛罗伦萨学习了一个学期，她深深喜欢上意大利冰淇淋，从那时开始就有了这个商业念头。

詹妮弗又仔细看了一遍自己的商业计划，每件事情都顺理成章、有条有理，计划也面面俱到，不仅有正式的财务报表，还有口味测试报告。一位风险投资家非常看好她的商业计划，口头承诺提供 5 万美元作为启动资金。她已经详细考查了餐馆设施、储存设备和制作机器，谈妥了价格，但这些固定资产会用光她仅有的 5 万美元。在夏季开张已经是万事俱备，只欠店址选择了。詹妮弗认为冰淇淋店应该开在市中心，那里雅皮士很多。谈判很久后，只剩两个可供选择的店址了。

一个店址是乔治敦这个时尚区里不临街的一家空商店里，这里有 1 200 平方英尺的零售空间，惟一入口是通往 M 大街（这条街经常挤满了步行者和汽车）的一条小胡同。乔治敦店的吸引力是有密集的娱乐场所和零售购物客流，这里聚集了很多旅游者和大、中学生，因此在工作日和晚上都会有生意。长期租赁的月租为 2 500 美元，但改造成 20 到 25 个座位的冰淇淋店会耗去詹妮弗的全部资金。是否签约必须在两周之内决定。

另一个店址离白宫只有 5 个街区，是宾夕法尼亚大街上一栋用作零售和办公的写字楼，也很有吸引力。这条小购物街里的商店有服装店、珠宝店、音像店、餐馆和各种国际快餐店。客流量主要是周边以三个街区为半径内的办公人员以及三四个街区外的一所市立大学的教工和学生。面积有 1 000 平方英尺，租期为一年，月租为 2 000 美元，每年续约都要跟开发商重新谈判。另外，开发商还要收取每年总收入的 2%。由于是新建筑，开发商会按租户的要求分割空间。

詹妮弗用电子报表总结对这两个店址的调研情况（见表 6—8）。另外还准备了收入报表（见表 6—9），关于第二个报表有两个假定：

● 每客意大利冰淇淋售价为 2 美元；
● 销售成本为零售价格的 40%。

表 6—9 还对这两个店址进行了盈亏对比分析，乔治敦店过高的固定成本造成其盈亏平衡点比较高。詹妮弗不知道是否该把这个分析结果作为附件，因为盈亏分析只研究了负面的风险。她最不能确定的数字是对第一年销售收入的预测。

表 6—8　　　　　　　　　　　步行客流量统计*

标准	宾夕法尼亚大街（不显眼的底层）		M 大街（乔治敦）	
客流量（小时）	下午（午 12 点—晚 5 点）	晚上（晚 5 点—晚 11 点）	下午（午 12 点—晚 5 点）	晚上（晚 5 点—晚 11 点）
星期一	302	142	156	524
星期二	286	202	215	426
星期三	194	114	187	394
星期四	371	176	272	404
星期五	226	224	413	735
星期六	75	110	521	816
星期日	62	90	795	692
合计	1 516	1 058	2 559	3 991
平均	216.6	151.1	365.6	570.1
日均（下午和晚间）	183.9	467.9		

*数字为四月份某一周店前的客流量，客流量是指经过该店的行人数量。

276

表 6—9　　　　　　　　　　　　　　形式上的收益报表和盈亏平衡分析

	宾夕法尼亚大街（不显眼的底层）（美元）	M 大街（乔治敦）（美元）
收入	1 500 000	1 500 000
销售成本	600 000	600 000
毛利	900 000	900 000
租金	24 000	30 000
房主提成	30 000	
折旧	5 000	5 000
公用事业费	8 500	9 000
管理费用	50 000	50 000
广告	100 000	100 000
改造费用	0	20 000
执照	1 500	1 500
经营费用合计	219 000	229 000
纯利		
经营利润	681 000	671 000
利息	9 000	9 000
税前利润	672 000	662 000
所得税	248 640	244 940
税后利润	423 640	417 060
盈亏分析		
固定成本		
租金	24 000	30 000
折旧	5 000	5 000
公用事业费	8 500	9 000
管理费用	50 000	50 000
利息	9 000	9 000
广告	100 000	100 000
改造费用	0	20 000
固定成本合计	196 500	223 000
单位可变成本（美元/匙）		
销售成本（美元）	0.80	0.80
房主提成比例	0.04	0.04
可变成本合计	0.84	0.80
收益（美元/匙）	1.16	1.20
盈亏平衡点	338 793	371 667
盈亏平衡量（美元/匙）	169 397	185 833

　　詹妮弗根据她对行业的看法及一些学术资料提出了如下的概念模型，其中影响在某个地点的意大利冰淇淋零售额的因素有：

　　● 意大利冰淇淋的销售可能会表现出明显的季节性，类似普通冰淇淋、酸奶及其他冰冻甜品。

- 意大利冰淇淋的销售（类似普通冰淇淋及其他冰冻甜品）会表现出一种无事先计划的冲动购买行为。
- 意大利冰淇淋及其他冰冻甜品经常是消费者参加完某些活动（看电影、购物、参与或观看体育活动、在餐馆吃饭等）后购买的。
- 赶时髦的、社会上层的雅皮士对意大利冰淇淋的需求可能会比较高，这类人对世界各地的东西都感兴趣，经常会尝试外国风味的美食。
- 像许多便利店一样，意大利冰淇淋的销售会受客流量以及是否接近零售店、餐馆和娱乐地点等因素的影响。
- 其他冰淇淋店的竞争也是一个重要因素，购物街、购物中心和其他地方的冰淇淋店已达到了饱和，但意大利冰淇淋的独特性有望抵消传统冰淇淋销售的残酷竞争。

这些因素表明，尽管詹妮弗已经做了许多概念化工作、财务分析及观察研究等准备工作，她仍面临一个店址选择的复杂问题。在使用 Expert Choice 模型前，她决定总结一下有关这两个店址的信息（见表 6—10），然后开始建立 Expert Choice 模型。

表 6—10 地点选择的比较

标准	宾夕法尼亚大街（不显眼的底层）	M 大街（乔治敦）
建筑物	新办公/零售建筑	旧房改成的零售区
地点	邻近宾夕法尼亚大街的封闭式小购物中心	M 大街边的一条小巷里的独立商店
环境	商业写字楼、大学	高级商场、餐厅
客源	国务院、世界银行、政府职员、大学教工	游客、大学生、购物者、娱乐场所顾客
每小时平均客流	184	468
面积	1 000 平方英尺	1 200 平方英尺
花费	每月 2 000 美元，发展商收取年收入的 2%	每月 2 500 美元
盈亏平衡量		高 10%
店址开发	发展商实质性的帮助	自己承担所有改造费用
竞争	周边 6 个街区里有两家冰淇淋店	周边 6 个街区里有五家冰淇淋店

练习

1. 建立如图 6—62 所示的 Expert Choice 模型来为意大利冰淇淋店选择店址（注意：所选的评价标准要能反映出此问题的定性和定量因素）。

2. 用 Expert Choice 模型的效用敏感性分析方法进行店址选择的假定分析，写一份报告陈述你所作假设。

3. 提交一页纸的报告（不包括图表及图形），总结你为詹妮弗提出的建议。

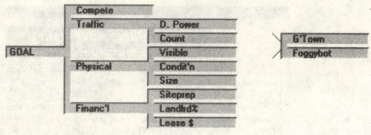

Competition：店址的竞争情况

Condition：商店的条件

Count：营业时间内的客流量

Drawing Power：店址对这类零售店的吸引力

Financial：财务考虑

Foggy Bottom：首都华盛顿宾夕法尼亚大街（不显眼的底层）

Georgetown：首都华盛顿 M 大街（乔治敦）

Landlord％：房主的销售提成比例

Lease＄：租金

Physical：店址实际特征

Siteprep：店址改造

Size：商店面积

Traffic：店址交通情况

Visible：店址是否显眼

图 6—62　零售店址选择的 Expert Choice 模型

选择最佳店址。

竞争性广告指导

竞争性广告软件可用来确定在两个公司组成的市场中市场份额和总市场规模都受广告影响时应花费的广告费用。

在"Model"（模型）菜单中选择"Competitive Advertising"（竞争性广告），就出现如图 6—63 所示的"Introduction"（介绍）屏幕。

图 6—64 是有关此市场的假设。目前我们公司的品牌（如 Acme）和竞争者的品牌（如 Baker）的广告花费都是每季度 100 万美元，我们的售价是每单位产品 1.5 美元，成本是每单位产品 0.75 美元。竞争者的广告基数是固定为常量的当前广告水平。滞后效应是介于 0～1 之间的数值，0 表明市场份额只受当前广告水平的影响，0.5 表明市场份额同时、同等地受过去广告的滞后效应及当前广告水平的影响。

点击"Next"（下一步）开始分析此案例，如图 6—65 所示。

在突出显示区域里，可从表示竞争者反应的以下选项中选择：

- **有反应，固定**（Yes，Set Level）：假设 B 的广告费是 A 广告费的固定倍数（大于 0）。

- **有反应，定制**（Yes，Customize）：这时可在 C46 及以下单元格中设置 B 的广告费公式或数值（例如，可设定 B 的广告费是 A 广告费的平方根乘一个倍数，这时要先"取消工作表保护"）。

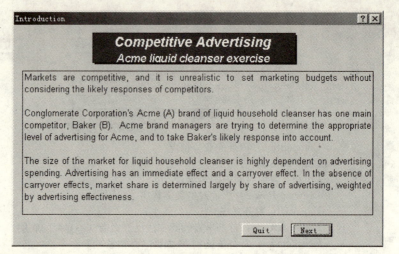

图 6—63

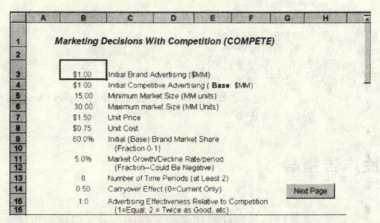

图 6—64

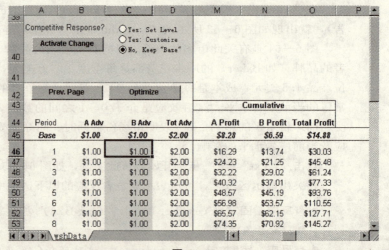

图 6—65

● 没反应，保持（No，Keep Base）：仍然将 B 的广告费用水平设定为与前

280

一页一样。

描述了竞争对手反应后，点击"Activate Change"（激活改动）。

点击"Optimize"（优化）调用"规划求解"，选择一个目标并指定近似的决策值。例如，可设定让 A 在第三期的累计利润（单元格 M48）在第一到第三期广告推进下达到最大，如图 6—66 所示。

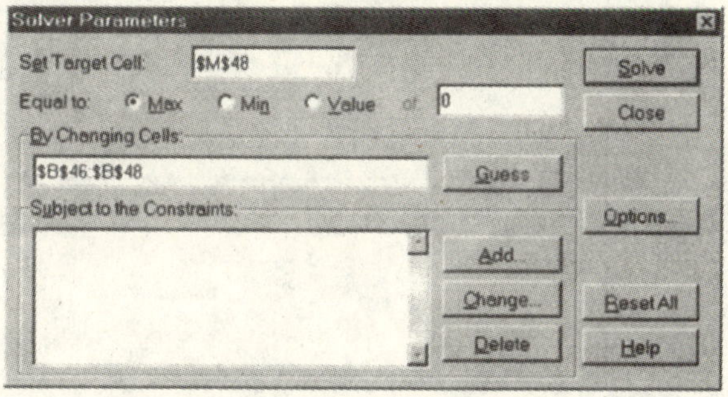

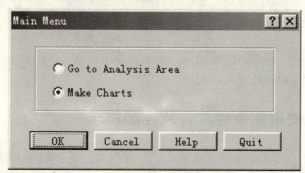

图 6—66

在"Model"（模型）菜单下选择"Main Menu"（主菜单），再选择"Make Charts"（制图）绘制结果图，如图 6—67 所示。

图 6—67

可选择利润图或广告图。返回"Model"（模型），在"Main Menu"（主菜单）下选择"Go to Analysis Area"（到分析区），可修改分析的结果，如图 6—68 所示。

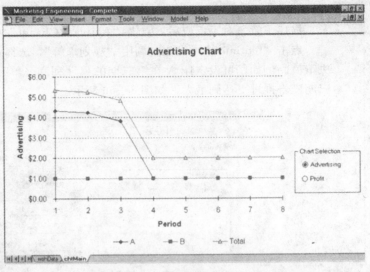

图 6—68

注意：如果要制定自己的目标函数（如第 X 期的市场份额），必须先取消对工作表的保护，方法是在"Tools"（工具）菜单下选择"Protection"（保护），再选择"Unprotect Sheet"（取消工作表保护），如图 6—69 所示。

图 6—69

最后要注意的是，主工作表中的 A～D 栏是冻结的，滚动工作表可查看销售和市场份额的数据。

使用竞争性广告软件的提示

1. 在运行"规划求解"程序前，先要取消对工作表的保护，在"Tools"（工具）菜单下选择"Protection"（保护）；再选择"Unprotect Sheet"（取消工作表保护）。

2. 要进行类似分析时，需要看一下目标单元格 M53、N53 和 O53（分别表示 Acme 的利润、Baker 的利润和总利润），可选择"Changing Cells（改变单元格）"改变 Acme 的单元格 B46 到 B53 和 Baker 的单元格 C46 到 C53。

3. 在考虑双方的总利润时，可使用单元格 B46 到 C53，不要改变 D 栏的单元格！

4. 对于竞争者反应，如果 Baker 的广告紧跟 Acme 或是 Acme 广告的几倍，可选择 "Yes, Set level"（有反应，固定），对被动反应或其他竞争反应可分别选择 "No, Keep Base"（没反应，保持）和 "Yes, Customize"（有反应，定制）。

练习的参考文献

Lilien, Gary L., Kotler, Philip and Moorthy, Sridhar K. 1992, *Marketing Models*, Prentice Hall, Englewood Cliffs, NJ.

ACME 清洗液练习

背景

Conglomerate 公司的 Acme 牌家用清洗液面对的市场竞争非常激烈，主要竞争对手是 Baker 牌。Acme 的品牌经理正在确定广告水平，同时还要考虑 Baker 的反应。

这个市场非常复杂，但为分析之需，Conglomerate 公司假定 Acme 和 Baker 是市场上仅有的两个品牌，并假定广告费用是决定总市场规模和各品牌市场份额的主要因素。

Compete 模型

分析人员已完成了一个有关市场基本假定的简单电子报表，文件名为 Compete. xls。在此电子报表中，以一季度为一期，一年共四期，你要做的是两年度的分析（共八期）。

Compete 电子报表中已有家用清洗液的竞争市场几种重要效应：

- 市场对广告费用的总投入有反应，销售额介于一个低水平（不做广告）和一个上限（广告费用无限大，即市场所能吸收的最大量）之间。市场对广告投入变化的反应是即时的。
- Acme 产品的市场份额部分取决于自己的广告费用份额，部分取决于过去广告费用的滞后效应（分析中有一个参数可帮你研究不同滞后效应的影响）。由于广告文案和产品质量的不同，Acme 产品广告费的效果与 Baker 不同。
- 就 Conglomerate 公司所知，Acme 与 Baker 的生产成本大致相同，销售价格也大致相同。

练习

这个市场近来一直处于变动之中，Baker 一直在模仿 Acme 的广告费用模式，但不敢肯定 Baker 的模式是否会继续。用这个电子报表分析不同的反应模式。Acme 的管理层要求你提交一份广告预算和对未来八期市场份额及利润的预测。用这个电子报表和 Excel 的"规划求解"功能来支持你的建议。

方案 1：假设未来八期里，Baker 会继续模仿 Acme 的广告费用模式，这时 Acme 最佳的广告费用水平是多少（这里"最佳"意味着累计利润最大）？

方案 2：假设 Baker 无反应（每期广告费仍为 100 万美元），这时 Acme 最佳的广告费用水平是多少？

方案 3：假设 Baker 也进行了你在问题 2 中的分析并因此优化了自己的广告费用，那么 Baker 现在的广告费用是多少？Acme 对这种广告费用水平应做何反应？

重复这个 Acme、Baker、Acme、Baker 的过程，直到双方的广告策略稳定下来为止。比较方案 3 与方案 1、2 的广告费用及利润水平。

方案 4：假设 Baker 更富攻击性，每期广告费都比 Acme 多 50%（竞争反应水平 = 1.5），这时 Acme 最佳的广告费用水平是多少？

方案 5：Acme 正考虑收购 Baker，如果它决定这么做并且联邦贸易委员会也批准了，为了使总利润达到最大，Acme 最佳的广告费用水平应该是多少？就其广告费用及利润水平与上述方案进行对比。

方案 6：Acme 最近更换了广告代理商，希望新代理商的广告比以前的效果好 20%。再回到方案 1，这时 Acme 最佳的广告费用水平和预期利润是多少？

完成这些方案分析后（假设 Acme 没有收购 Baker），你建议采用什么样的广告费用策略（可进行任何你认为合适的分析，且广告费用策略可以每年进行调整）？

第III篇

制定营销活动计划

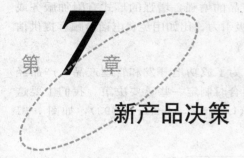

第 7 章

新产品决策

本章主要内容是：

● 为新产品开发中的重要决策提供概念框架；

● 介绍联合分析法，可用于产品设计决策以及评估新产品的市场机会；

● 介绍新产品投放市场前后一段时期的销售状况的预测方法。

引言

产品可以是为满足某种需要或需求而投放市场的任何事物。我们所认为的大多数产品都是**实体产品**（physical product）。但事实上，产品还包括**服务**，比如说音乐会、包裹运输、管理咨询、假日旅游、联机服务（如美国在线）以及 MBA 教育。从这种意义上说，像美国红十字会这样的实体都可看做产品，因为与红十字会的交易可使我们无论是对它还是对己都有一种积极的感觉。

营销管理者从三个层次上看待产品：

1. **核心产品**：是产品最基本的方面：消费者通过购买这种产品能满足的需要或需求。正如特德·莱维特（Ted Levitt, 1960）所指出的，顾客购买的是 3 英寸的小洞，而不是 3 英寸的钻头。或者如露华浓公司（Revlon）的查尔斯·雷夫森（Charles Revson）所说："我们在工厂里生产的是化妆品；我们在商店里出售的是希望。"

2. **有形产品**：营销管理者必须将核心产品转化为有形产品，包括产品属性、样式、质量水平、品牌名称和包装，将核心产品制作成顾客可购买的东西。比如说，度假俱乐部提供的服务能把顾客对冒险、兴奋、发现伙伴或逃避尘世等愿望转化成一种可方便地购买的有形产品。再如，Visa 信用卡将顾客对安全、方便和迅速获得赊欠的愿望转化成一种有形产品。

3. **附加产品**：附加产品是对有形产品的增强，增强的形式有附加服务或附加特色，目的是使产品在竞争中更有吸引力，比如用免费电话给顾客提供信息、安装指导、送货、保修和售后服务等。

产品是营销组合中最重要的因素。为了成功地开发和管理产品，产品经理必须在开发新产品和管理现有产品组合时制定一些重要决策。我们主要这里介绍新产品开发，它包括五个阶段（Urban & Hauser，1993），如图7—1所示。

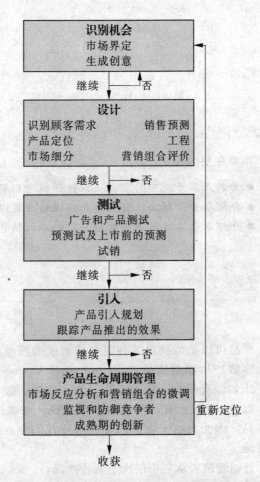

图7—1　新产品开发过程的各阶段及决策图示

资料来源：Urban & Hauser 1993, p. 38.

第一阶段要**识别市场机会**。人们可提出各种创意，并明确阐述与这些创意相关的市场机会。例如，雷诺烟草公司（R. J. Reynolds）提出"无烟型香烟"的创意，以利用社会对吸烟的反对情绪日益高涨而带来的市场机会。再如，吉列公司（Gillette）提出一种在剃刀架上安装弹簧的创意，这种剃须刀剃须时比市场上现有产品更干净、安全。如果公司认定某一新创意能吸引顾客，就会进入下一阶段。

第二阶段是**设计阶段**。即公司通过赋予某种创意以形式、属性和意义，将创意转化成为物质实体或概念实体。例如，无烟型香烟不燃烧，而是加热烟草，它比普通香烟的烟雾造成的环境污染减少了 65%～99%；另外用白底加金黄色细斜线的整洁包装传达了"更干净的香烟"的形象，品牌名称"Premier"也表明这是一种优质产品。

在设计阶段中，管理者还要加深对这种产品细分市场的理解，探索在这些细分市场中定位该产品的其他方式（参阅第 3 章），与工程师合作确定产品应具有哪些属性才能在成本和产品性能间达到平衡，开发和评价产品原型，制定初步的营销计划，并为选定的产品设计方案进行销售预测。

第三阶段是**测试**阶段。经理要评估产品引入市场后能否被接受、能否实现营销计划中的公司利润目标和市场份额目标。试验情况还提供了诊断信息，如对产品或营销计划进行什么改动能提高它成功的可能性。如果各种测试（如口味试验、广告文案测试、刺激购买测试等）都表明产品是成功的，公司就会将该产品引入市场中。

在 Premier 牌香烟案例中，测试结果表明，消费者对"社会效益"的重视不足以抵消其糟糕的味道（这种烟的后味有点像木炭），更无法忍受较高的价格和"古怪感"（每包香烟都有如何点烟的特别说明）。大多数测试商店都报告说，虽然顾客的试用率很高，但重购率很低。因此雷诺烟草公司放弃了向全国推广 Premier 牌香烟。

第四阶段：在产品**引入**市场时需要做许多决策，如生产和营销计划是否协调、对产品设计进行微调以适合大规模生产以及管理分销渠道等。此外，引入新产品还要求对市场业绩进行持续监测以改进新产品引入战略（如价格和广告文案等）。

第五阶段：如果企业成功地将新产品引入了市场，就将开始**管理产品生命周期**的过程，以尽力维持产品的增长与盈利能力。成功的产品会招来竞争对手，因此企业需要制定防御战略。成功的产品还会将企业的资源从其他产品上吸引到自己这里，因此企业必须对整个产品线运用产品业务组合管理战略，以确保整个产品组合的短期盈利能力和长期盈利能力（见第 6 章）。

在上述每个阶段中，企业都要决定"继续"进入还是"不"进入下一阶段（如图 7—1）。上述过程是一种理想状态，每个公司都会根据具体产品的要求和本公司的生产能力来定制这个过程。有时候，企业可以跳过某一阶段（如测试阶段），或在进入下一阶段之前在两个阶段之间来回多次。

与新产品相关的成本与风险是很高的。大多数新产品都无法实现预定目标，从市场上撤下去了。厄本和豪泽（1993）估计，以 1987 年的美元价值计，识别市场机会的平均成本为 70 万美元，设计的成本为 410 万美元，测试的成本为 260 万美元，引入市场的成本为 590 万美元（他们分析的项目中，60% 为工业品，20% 为耐用消费品，20% 为非耐用消费品）。在其他产品大类中，短暂的产品生命周期（如新电影的生命周期为几周，新笔记本电脑为几个月）要求经理开始便正确引入这种产品，不能在引入市场后再慢慢改进。

几项研究都表明，运用规范的方法进行新产品开发会提高成功的概率。海斯等人（Hise et al.,1989）在报告中说，采用如图 7—1 所示各阶段相关的全部活动的企业有 73% 取得了成功，而那些只从事其中部分活动的企业成功率只有 29%。

新产品决策模型

在如今的竞争性市场上经营的企业都在匆忙地开发能同时实现多项目标的新产品，所以上述新产品开发过程必须非常小心。今天的新产品必须在国际市场上具有竞争力，必须为顾客提供卓越的价值，必须有利于保护环境，必须能增强企业的战略地位，还必须在适当的时机进入市场。为实现这些富有挑战性的目标，企业都在采用新的思想观念和新技术来支持新产品开发过程中的各种变化。这些新技术包括质量功能配备法、阶段回顾法等**技术**和周期时间等**衡量指标**（measures）以及跨部门小组等**组织机制**（organizational mechanisms）（参见 Griffin, 1993 和 Zangwill, 1993）。另外，在新产品开发过程中使用计算机模型为每一阶段制定决策的做法越来越普遍（Rangaswamy & Lilien, 1997），下一节将讲述其中一些模型。本章其余几节将详细介绍一些模型，本书所附的软件包里都有这些模型。

用于识别市场机会的模型

产生创意　新产品开发的创造性既要求运用发散性思维（横向思维），也要求运用集中性思维。人们用自由联想和协力创新法等发散思维方法可以产生大量创意，然后再通过集中思维对这些创意进行分类和挑选，确定哪些创意最有成功的希望。由于人与软件之间的交互有助于增强创造力，目前已有几种商业软件包可以支持这一富有创造性的过程。

Mindlink 是一种能实现协力创新过程的软件，它支持结构化解决问题的思想和激发创造性思维的技术。用户先陈述问题（如提高笔记本电脑电池的使用寿命），软件用"愿望触发器"（如希望计算机能像仙人掌储存水分一样地存储能量）和"创意触发器"（指实现这些愿望的方法，如遍布整个笔记本电脑的电池）来鼓励发散性思维。程序还用称为"备选方案触发器"的机制帮助用户评价各种创意，从中选择出那些最能解决问题的创意。

其他用于生成创意的软件还有 IdeaFisher 和 Inspiration 等。IdeaFisher 软件鼓励发散性思维，并通过自由联想找出不同事物之间的隐性联系。它使用了两个关联的数据库：一个数据库里存储了交叉引用连起来的 65 000 个单词和词组；另一个数据库里是分门别类组织的 700 个问题（如孩子会怎样解决这个问题?）。用户输入一个单词或词组时，软件就会搜索与之相关的词或词组。例如，输入**新产品**这个词，软件就会搜索到像**营销**、**想像力**和**研究试验**等相关短语，而且这些词又会引出其他相关词语（如富有想像力的人和地点等）。这个过程可以反复进行。

Inspiration 软件提供了一个方便创意过程的视觉环境。用户可从一个核心概念出发，借助图表、地图、符号和轮廓等视觉辅助物从核心概念联想开去，建立核心概念和其他相关概念之间的联系。例如，若核心创意是要开发一种电池寿命为 10 个小时的笔记本计算机，用户就可用箭头等视觉手段将这个概念与其他活动联系在一起，如"向专利局查询电池技术的专利情况"、"与同一母公司下的其他公司的研发部门联系"以及"在公司内部进行可行性研究"等。之后，每项活动又都可以在视觉上与其他概念相联。在此过程中，概念表示在电脑屏幕上，可以很容易对它们进行重新安排。

生成创意的软件包一般说来只能为评价这些创意提供最小的支持。还有其他决策模型可用来评价创意对公司的潜在价值及引入市场的成功概率。

评估创意　层次分析法（见第 6 章）可根据使用者提供的标准和子标准确定几个新产品项目的优先级。管理者首先把评估新产品所依据的标准和子标准构造成一个层次结构，然后再在此等级结构的每一层上对各种备选方案做出成对评价。软件可将该层次结构各层上的评价加以综合，得出一个分数，表明新产品创意的总体相对吸引力。层次分析法尤其适用于进行视觉敏感性分析，能帮助经理了解某一标准的变化会在多大程度上改变每个备选方案的相对吸引力。图 7—2 显示了评价一种新药的层次结构模型。

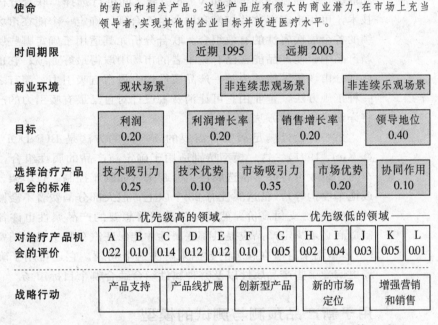

图 7—2　制药公司用层次分析法评估 12 种产品的机会次序（从 A 到 L）

资料来源：Jerry Wind, The Wharton School.

NewProd 模型能帮助企业从商业风险和收益的角度来评价新产品创意，并确定提高产品成功机会所需的组织资源。NewProd 里的模型基于库珀的研究（1986，1992），库珀用 80 个独立变量分析了 195 种新产品的成功决定因素。最初的数据库一直在不断更新、扩大，目前的模型只有原 80 个变量里的 30 个变量（减少到了 9 个正交变量），这些变量最能解释产品取得成功的程度。

企业可在一位受过训练的协调员指导下使用 NewProd。项目成员各自独立为这 30 个变量提供数据，然后一起讨论所输入内容的不同之处，重复这些过程直到大家对输入内容取得大致统一的意见。NewProd 将新产品特征（总结为 9 个因素）的输入内容与内部的因子得分数据库进行比较，从而确定新产品相对于数据库中已有产品的优越程度。这种评估过程可以按行业（如包装消费品、企业市场或电子和通信）进行定制。生成的报告可帮助项目成员确定新产品在各项因子上的得分是否同成功或不成功的产品一致，并指出要提高新产品成功几率应完成的工作。企业还可用这个软件评价处于新产品开发不同阶段的产品，以所有正在开发的新产品为背景对其中一种产品做出评价。NewProd 操作的方式在很多方面都很像 PIMS、ADVISOR 等经验模型（参见本书第 6 章和第 8 章）。

用于产品设计的模型

很多产品和服务可看作一组属性的集合，也就是说，产品可表示为不同层次产品属性的组合。例如，一辆丰田佳美车（Camry）可描述为：规格＝中型，类型＝轿车，每加仑行驶英里数（MPG）＝30（市区），引擎＝V—6 燃油喷射型，备选＝活动车篷等。消费者在购买商品时要在各种属性中进行权衡和取舍，比如在活动车篷和 V—6 引擎之间进行选择。联合分析是一种正规的技术，可用来审视这些权衡和取舍是否合理，确定一个能在市场上取得良好业绩的各个层次属性的有效组合。联合分析尤其适用于确定哪些属性应当加入到新产品中，使产品能在已有竞争者的市场中取得最好业绩；它也适用于确定哪些细分市场最可能认为某一产品属性组合最富有吸引力。简言之，联合分析是一种正规方法，企业用它可让消费者设计对自己最有吸引力的产品。后面我们将详细描述这种方法。

另一种设计满足消费者需要的新产品的方法是 BUNDOPT 模型（Green & Kim, 1991）。这一模型特别适用于确定新产品的属性组合。比如在设计汽车时，企业可将许多备选属性组合起来（如刹车控制、行李架、车顶通风装置或拖车栓钩等），备选属性有 25 个以上，但大部分消费者不会愿意为超过 5 个或 10 个属性支付高价。然而每位消费者想要的产品属性也许各不相同。于是制造商必须决定产品应提供哪些属性才能保证汽车吸引最多消费者。BUNDOPT 模型用来自潜在顾客的数据来解决这个问题。它还可用于确定哪些细分市场更偏爱哪些产品属性以及哪种属性组合适合哪个目标市场。

用于新产品预测与测试的模型

本书第 5 章介绍的预测方法大多数都要求具备历史数据，而新产品在投入市场之前就要对销售情况和成功概率进行预测。预测能帮助企业把在市场上遭受失败的风险降到最小，并且尽可能地利用这种新产品的市场机会。如果做好预测的话，福特公司的 Edsel 汽车、苹果公司的"牛顿"个人数字助理和通用汽车公司的 Wankel 引擎等的损失就能降到最低限度；如果预测得以改进，马自达公司的 Miata 汽车和玩具大王美泰公司（Mattel）的点心宝宝（Cabbage Patch）洋娃娃的利润也许能更高。

我们可按产品成功依赖于顾客对新产品的首次购买还是重复购买来对新产品预测进行分类。对可能要求消费者改变当前行为的非连续创新，预测顾客的首次购买是十分重要的。例如，想用个人信息管理器（PIM）替换原来用的 Rolodex 的顾客可能就不愿意用键盘输入信息，而更愿意手写。同样，用微波炉的顾客也不得不学习新的烹调方法。生产这两种产品可能都是为了运用新技术（PIM 采用便宜的集成芯片，微波炉使用可控的微波生成技术），但事实并非总是如此［如克莱斯勒公司用现有技术开发厢式小货车］。但某些基于新技术的创新并不要求顾客显著改变其购买行为或使用行为（如 DirecTV 的数字电视信号卫星传输技术）。从事企业间商务的企业还必须预测新产品的销售额，如在引入新的生产设备时。

预测重复购买行为对频繁购买的产品十分重要（如包装商品或工业品）。消费者可能已经具备了一些使用经验，可以用这些经验来评价新产品。企业常常要在真正的市场上或模拟市场中测试新产品，从而预测销售情况。

大多数预测都要依赖于具体的市场营销计划。好的预测模型能提供诊断信息，帮助企业识别对新产品销售额影响最大的可控变量（如价格、产品定位或广告等），指出怎样才能最好地改进原定的营销计划。

在本章最后两节，我们将介绍预测首次购买行为的巴斯模型和预测重复购买行为的 ASSESSOR 模型。它们都是预测新产品销售情况的成熟模型。

产品设计的联合分析

引言

把产品和服务视作一组产品属性的组合是十分有用的。例如，比萨饼就是几种属性的集合，如面饼的类型、配料的类型、乳酪用量等。一种属性可以有多种备选方案或水平（如配料有意式辣肠、蔬菜或乳酪）。一个产品属性组合就是由每个属性的某一方案（或水平）构成的具体产品。

联合分析法用顾客对某些产品属性组合的总体偏好数据，将这些总体偏好分解为顾客附加在每个属性每种水平上的效用价值（局部价值）。这组分解过的效用价值称作**局部价值函数**（part-worth function）。

在联合分析的数据收集阶段，企业要采集被调查的顾客对某些产品属性组合的偏好数据。挑选出来的产品属性组合一般不包括那些在所有属性上都优于其他组合的产品属性组合。被调查者要为这些产品属性组合打分或进行排序，以表明对每种产品属性组合的偏好程度。在评价过程中，被调查者被迫在各种属性之间做出取舍判断，因为一个产品属性组合中某一属性可能具有顾客偏爱的水平（如有意式辣肠配料），同时另外一些属性的水平却可能不是顾客偏好的（如较高的价格）。偏好数据使企业能够获得局部价值函数，并可以用这种函数估计顾客对任何一种产品的偏好程度（即对任何一种属性水平集合的偏好程度），包括那些消费者没有直接评价的产品。于是，管理者能够有效地确定更多产品设计备选方案对顾客的价值，而不仅仅局限于顾客直接评价过的产品。用数值化的局部价值函数还能使企业管理者对其他各种要考虑的产品进行销售与市场份额的定量预测，同时，还能帮助管理者估计那些非经济性属性的价格（如，对顾客来说，交货期为三周或四周各应采用什么价格）。

举例

设计比萨饼：为举例说明联合分析法的基本思想，让我们看看一家食品企业如何用这种方法来设计一种新型冷冻比萨饼。首先，假设比萨饼可看成是多种属性的集合——面饼的类型、配料的类型、乳酪用量和种类、价格等属性。假设企业正在考虑三种面饼（薄饼、厚饼和平饼），四种配料（蔬菜、意式辣肠、香肠和菠萝），三种乳酪（莫泽雷勒干酪、罗马诺干酪和混合乳酪），三种乳酪用量（两盎司、四盎司或六盎司）和三种价格（7.99 美元、8.99 美元和9.99 美元）。假定诸如大小、番茄酱类型和品牌名称等其他因素对各种比萨饼都是一样的。即使这样，企业也共有 324 种不同的备选方案（3×4×3×3×3）。那么哪个方案是目标市场中的顾客最为青睐的呢？

在常规的联合分析研究中，营销人员会给选定的目标市场中的潜在顾客提供几种比萨饼的选择。可以用文字来描述这些比萨饼，也可用图片来展示，更好的方法就是像在本案例这样提供样品供顾客品尝。本案例中，消费者要对324 种方案中的 16 种进行评价，因为要研究的只有 16 种（＝3＋4＋3＋3＋3）不同的属性水平，模型要估计的参数少于 16 个。这样，从技术上来说，要评估顾客赋予每一属性水平的局部价值是可行的，方法是让被调查者评价仅仅16 个产品属性组合。即使只有顾客对这么少量的产品方案的评价信息，企业仍然可以估计出这个顾客将如何评价这 324 种比萨饼了。之所以能做到这一点，是因为联合分析的基本输出包括：(1) 顾客对比萨饼每种属性的相对重要性的**评估**（如配料类型重要性是乳酪用量重要性的三倍）；(2) 每位顾客对每种属性各种不同水平的**局部价值评价**（如若以 0～30 计分，某一顾客对蔬菜配料的评价为 10 分，而对意式辣肠的评价是 30 分）。表 7—1 表示了怎样将这些局部价值相加来计算顾客（或细分市场）对任何一种比萨饼的评价。

表 7—1　　　　　　　　　　　　　　　联合分析的例子

面饼(15 分)	乳酪用量(10 分)	配料(30 分)	价格(35 分)	乳酪类型(10 分)
平饼（0）	2 盎司（0）	菠萝（0）	9.99 美元（0）	罗马诺干酪（0）
薄饼（10）	4 盎司（8）	蔬菜（10）	8.99 美元（20）	混合乳酪（3）
厚饼（15）	6 盎司（10）	香肠（25）	7.99 美元（35）	莫泽雷勒干酪（10）
		意式辣肠（30）		

根据局部价值函数得出该顾客对三种比萨饼的得分：

夏威夷风光 (Aloha Special)	荤食天地 (Meat-lover's Treat)	田园风光 (Veggie Delite)
平饼（0）	厚饼（15）	薄饼（10）
菠萝（0）	意式辣肠（30）	蔬菜（10）
莫泽雷勒干酪（10）	混合乳酪（3）	罗马诺干酪（0）
4 盎司（8）	6 盎司（10）	2 盎司（0）
8.99 美元（20）	9.99 美元（0）	7.99 美元（35）
效用＝38	效用＝58	效用＝55

说明某消费者对冰冻比萨饼的局部价值函数（括号中的数字为局部价值）。对这个顾客而言，配料属性值 30 分（在 0～100 的尺度上），面饼属性为 15 分。在配料属性中，从菠萝改为蔬菜值 10 分，从蔬菜改为香肠值 15 分。

在这三种比萨饼中，这个顾客最喜欢荤食天地。

从表 7—1 中列出的局部价值数据中，我们可以得到对这位顾客来说最理想的比萨饼（即最受偏爱的比萨饼）：厚饼，配料为意式辣肠，有 6 盎司的莫泽雷勒干酪，价格为 7.99 美元，效用得分为 100 分。该顾客最不喜爱的比萨饼为平饼，配料为菠萝，2 盎司罗马诺干酪，价格为 9.99 美元，其效用得分为 0。而其他 322 种比萨饼的得分介于 0 与 100 分之间。例如，"夏威夷风光"得分为 38 分，"田园风光"得分为 55 分，"荤食天地"得分为 58 分。还要注意的是，该顾客更喜欢意式辣肠（30 分），而不太喜欢蔬菜（10 分），相差 20 分；在 8.99 美元和 9.99 美元这两个价格水平之间，他喜欢前者，偏好程度也相差 20 分。这表明，对该顾客来说，改用意式辣肠而不用蔬菜，相当于价格下降了 1 美元。

尽管该企业可以生产出该顾客认为能得 100 分的比萨饼，但究竟这么做能不能获取利润还并不清楚。首先，并非所有的比萨饼生产成本都相同，这意味着企业必须在顾客对各种属性（包括价格）的偏好和成本之间进行权衡，找出哪种比萨饼最能赚取盈利。其次，并非所有顾客都与表 7—1 中的顾客有完全相同的偏好。在某一目标市场中，顾客偏好是多种多样的。尽管目标市场中的大部分顾客可能都偏好于最低的价格和意式辣肠的配料，但他们在乳酪数量与种类及面饼种类等方面的偏好却很可能不尽相同。所以，没有一种比萨饼能让目标市场上所有顾客都认为是最好的。因此，企业就会尽量开发若干种对目标市场大部分顾客来说是比较受偏爱的产品。这一问题比单纯找出平均效用得分最高的比萨饼更复杂。

上述例子表明，联合分析尤其适用于设计对于目标市场顾客的效用最大的产品。用分析结果提供的信息，企业可修改现有产品与服务，并且开发最能吸引顾客的新产品。联合分析的早期应用便属于这一类。然而，越来越多的企业开始用联合分析制定营销战略决策（如为某种产品选择能使其效用最大化的细分市场）、制定竞争战略计划及分析定价策略等（Wittink & Cattin, 1989）。

联合分析的步骤

联合分析一般包括三个阶段：第一阶段，设计研究方案；第二阶段，从目标市场的顾客样本那里获取数据，第三阶段，用这些数据建立模拟方案探索各种决策带来的影响（见表 7—2）。

表 7—2   设计和执行联合分析的步骤

第一阶段：设计联合分析研究方案
第 1 步：选择同产品或服务相关的属性
第 2 步：选择每个属性的水平
第 3 步：确定要评价产品的属性组合
第二阶段：从顾客样本里获取数据
第 1 步：设计数据收集方法
第 2 步：选择计算局部价值函数的方法
第三阶段：评价各种产品设计方案
第 1 步：按顾客的局部价值函数划分顾客
第 2 步：设计市场模拟方案
第 3 步：确定选择规则

第一阶段：设计联合分析研究方案

第1步：选择同产品或服务相关的属性。识别这些属性的方法之一是从目标顾客中找出一个重点顾客群进行调查（如产业营销中可选择设计工程师）。另一种方法是询问新产品开发小组正在考虑哪些产品特征和利益。还有一种方法就是利用二手数据确定一组适当的产品属性。尽管联合分析曾经研究过许多属性，但若超过六个属性，分析就会很困难。温德等人（1989）介绍了万豪集团用50个属性研究万怡饭店的设计。

第2步：选择每种属性的水平。首先可询问新产品开发小组正在考虑哪些设计方案。在选择属性水平的过程中，我们必须牢记以下相互冲突的标准：

● 为提高联合分析的现实意义，应当选择那些同在现有产品上观察到的属性水平范围相近的属性水平。应当既考虑最高的普遍水平（如每加仑行驶英里数最高汽车），又考虑最低普遍水平（如最低的抗拉强度）。

● 研究的属性个数和属性水平应该尽可能地少，以简化顾客的评估任务。一般地，在研究中每项属性常有两至五个水平。

● 为避免对属性的权重估计出现偏差，应当确保每个属性具有同样多的属性水平。否则，就像威廷克、克里斯纳默西和穆特尔（Wittink, Krishnamurthi & Nutter, 1982）指出的，有些属性可能仅仅由于有较多的属性水平供顾客进行评价而显得更重要。我们要让各属性具有的属性水平相等，可以采用重新定义属性、合并属性或分解属性等方法。

总的来说，我们使用的属性水平的范围应该与在市场上观察到的产品属性水平范围一致，此外，还要确保各个属性拥有相等数目的属性水平。这样做的目的是为了简化顾客的评价工作和避免对各个属性的权重得出错误结论。

第3步：确定要评价的产品属性组合。我们将产品定义为各种属性水平的组合。正像前边的冷冻比萨饼案例一样，不能指望顾客对每种可能的属性水平组合都进行评价。我们必须选择要向顾客认真展示的产品属性组合（又叫产品概况）。在研究中，我们不是运用全因子设计方案（即包括产品属性水平所有可能的组合），而是部分因子设计方案，这样就可以减少让顾客评价的产品数目。一种常见做法是选择属性水平的正交组合来减少顾客必须评价的产品属性组合数目；同时，允许顾客评价每个属性对效用函数的贡献。表7—3列出了比萨饼案例中符合某一正交设计方案的一组产品。我们还可用非正交（或是更饱和的）设计方案来评价各种属性间的相互作用。例如，如果我们相信比萨饼价格对顾客的效用依赖于配料的种类，那么就应当考虑更复杂的设计方案。格林（1974）介绍了几种设计方案。

表 7—3　冷冻比萨饼研究示例：构成一个正交设计方案的 16 个产品属性组合

产品属性组合#	面饼	配料	乳酪类型	乳酪用量（盎司）	价格（美元）	偏好得分
1	平饼	菠萝	罗马诺干酪	2	9.99	0
2	薄饼	菠萝	混合乳酪	6	8.99	43
3	厚饼	菠萝	莫泽雷勒干酪	4	8.99	53
4	薄饼	菠萝	混合乳酪	4	7.99	56
5	平饼	蔬菜	混合乳酪	4	8.99	41
6	薄饼	蔬菜	罗马诺干酪	4	7.99	63
7	厚饼	蔬菜	混合乳酪	6	8.99	38
8	薄饼	蔬菜	莫泽雷勒干酪	2	8.99	53
9	厚饼	意式辣肠	莫泽雷勒干酪	6	7.99	68
10	薄饼	意式辣肠	混合乳酪	2	8.99	46
11	平饼	意式辣肠	罗马诺干酪	4	8.99	80
12	薄饼	意式辣肠	混合乳酪	4	9.99	58
13	平饼	香肠	混合乳酪	4	8.99	61
14	薄饼	香肠	莫泽雷勒干酪	4	8.99	57
15	厚饼	香肠	混合乳酪	2	7.99	83
16	薄饼	香肠	罗马诺干酪	6	8.99	70

注意：16 种产品属性组合上的偏好得分可以是排列次序（从 1 到 16），相对偏好评分（在 1~100 的尺度上），还可以是常数（如 100 分）。

我们可通过求有某属性水平的各个产品属性组合的偏好得分的平均值来计算一个属性的相对效用。例如，要计算平饼的偏好得分，可计算产品属性组合 1、5、11 和 13 得分的平均值，结果是 45.5。同样，厚饼的平均偏好得分是 60.5，而薄饼的得分则是 55.5。所以，顾客从平饼改为厚饼后效用提高了 15 分，从薄饼改为厚饼则使效用提高了 5 分（为便于说明，我们令这些相对效用与表 7—1 中效用相同。读者自己练习计算其他属性水平的相对效用）。

有些情况下，正交设计方案会出现不现实的产品，例如，当顾客认为这项研究中所用的某些属性彼此相关，如汽车的马力（hp）和里程油耗（mpg）通常呈负相关关系，但正交设计方案可能会得出某种假设产品，使高马力与高油耗里程集于一身。如果在正交组合中出现了不现实的产品，有以下几种补救方法：（1）可将这些属性合并起来，并为合并后的属性确定一组新的属性水平范围（如马力与油耗可合并为"性能"这一属性，高马力与低油耗即为性能高，低马力与高油耗则表示性能低）；（2）可用产品属性的其他组合方式来替代不实际的产品（也许这些组合方式是随意生成的，但不会与保留下来的组合方式重复），虽然这种方法损害了方案的正交性特点，但如果我们只替换其中很少的几个产品属性组合（比方说低于 5%），不会显著影响估计出来的效用函数，（3）可选用其他的正交组合（这项补救措施需要专业知识）。

为了使顾客对产品属性组合的评价工作量减到最少，我们建议让顾客评价的产品属性组合最多不超过 25 个（最好是 16 个或再少一些）。如果用传统的评估程序，要评估的产品应该是用该模型估计的参数量的两倍。

本书所附的软件采用了一种比传统方法更加灵活的交互式效用评价程序，需要做评价的产品数目比待定参数的数量多 25%—50%。待定独立参数的数目等于：

$$\left\{ \sum_{i=1}^{N} (n_i - 1) \right\} - 1 \tag{7.1}$$

这里，N 是产品属性的数量，n_i 是第 i 种属性的水平数。对每种产品属性都可以武断地设定最低效用值（比如说为 0），还可以武断地设定某一产品提供的最高总效用值（比如说为 100）。在这个冰冻比萨饼案例中，待定参数为 10 个。

第二阶段：从消费者样本获取资料

第 1 步：设计数据收集方法。一旦设计出研究方案，下一个阶段便是要获取目标市场中某一顾客样本对所选产品属性组合的评价数据。我们可以用文字、图片或实物模型向顾客展示产品。图片的优势在于能使评价工作更有趣，而且对某些产品来说，图片要比文字描述有优势（如度假胜地）。实物模型虽然较理想，却比较贵，因此不常用在联合分析中。决定采用哪种展示方式后，可通过以下几种途径来获取顾客的评价数据：

● **对产品属性组合进行成对比较评价**：每次向顾客展示两种产品，要求为这两种产品打分。比较一对产品很简单，但顾客可能要比较很多对产品。例如，假设有 16 种产品属性组合，消费者就必须进行 120 次成对比较（16×15）/2，任务很繁重（详细介绍可参见 Hauser & Shugan，1980）。表 7—4 为对表 7—3 中两种产品的成对比较。

表 7—4　　　　对表 7—3 中的产品 1 和产品 10 进行成对比较

产品 1		产品 10
平饼		薄饼
菠萝	或者	意式辣肠
罗马诺干酪		混合乳酪
2 盎司乳酪		2 盎司乳酪
价格为 9.99 美元		价格为 8.99 美元
强烈偏爱产品 1	1—2—3—4—5—6—7—8—9	强烈偏爱产品 10

● **为各个产品属性组合排序**：这种方法就是让顾客对所给的产品进行排序，把最喜爱的列为第一名，把最不喜爱的列为最后一名。有必要的话，顾客可先将全部产品划分为几组有相近价值的产品，然后再在每一小组内部排序，最后再做整体排序。我们可用专用软件如 MONANOVA 或 LINMAP 将顺序数据转成局部价值函数，使该函数尽可能地符合所排的顺序（有序回归分析及使用排序的数据也往

往能得出满意的结果）。

● **按一定尺度评价产品**：这种方法就是让顾客按一定尺度来评价每种产品（如按从 0 到 100 的尺度），数字越大，表明偏好越强。顾客可以将一常数（如说 100 分）分配给所有产品，这一点和上述方法都不一样，但做起来更困难。这种方法的假设是顾客有能力表示出他对某种产品的偏好比对其他产品的偏好强烈多少。这种衡量指标的优势在于我们可用包含哑变量的有序最小平方回归分析法（OLS）来计算局部价值函数。因为回归分析软件包随处可见，因此这种方法对管理者而言是最方便的（本书所附软件也采用这种方法）。表 7—3 的最后一列为某顾客在比萨饼研究中给出的评分。

第 2 步：选择计算局部价值函数的计算方法。不管前面选择了哪种方法，如果顾客不得不评价许多产品，他们会觉得评价工作太困难了。简化评价工作的方法有以下几种：

● **混合式联合模型**：我们先获得"自解释"偏好数据，然后再将它与通过传统方法得到的缩减的数据集结合。顾名思义，混合模型就是把两种方法结合起来。在自解释阶段（Green & Srinivasan，1990），消费者先按某种偏好尺度分别评价每个属性的各个水平（比如，按 0 到 10 的尺度，最不能令人满意的属性水平为 0 分，最令人满意的为 10 分）。然后让顾客在各属性之间分配一个常数（如100）来反映每种属性的相对重要性。接着们将这些重要性权数与每个属性水平的偏好得分相乘，即得到属性水平的初始局部价值。我们可用来自每个顾客对一组较少产品属性组合做出的评价数据增强这些自解释数据。最后要计算出每个顾客调整后的局部价值函数。详细介绍可参看格林（1984）的论述。

● **自适应式联合分析法**：另一种减轻顾客评价工作负担的方法是自适应式联合分析法。它用计算机程序以交互方式从顾客那里获得数据。顾客先粗略按重要性为属性排序（一种简单的自解释），再用成对比较修正两个重要属性之间的对比结果。该程序选择要比较的各对产品属性组合，以保证使顾客所反映的信息容量达到最大。详细介绍可参看约翰逊（Johnson，1987）的论述。

● **桥式设计法**：另一种用于处理众多产品属性的方法是用先进的设计方案，让顾客根据其中一部分产品属性和几个顾客共有的"桥式"属性来评价产品属性组合。这种方法可将评价全部产品属性组合的重担分摊给了若干顾客。详细介绍可参看格林和斯林尼瓦桑（1978，1990）的论述。

本书所附软件主要用混合式联合分析法与自适应联合分析法的思想来简化评价工作。顾客首先提供自解释偏好信息，然后软件根据自解释评分得出的偏好降序排列各个产品属性正交组合（设计者还可在外部开发定制的非正交设计方案，并把这些方案集成到软件中）。顾客接着在 0 到 100 的尺度上给每个产品打分。这个软件的引人之处在于它使顾客能看到自己的局部价值函数图，并直接微调局部价值函数，使它能更严密地反映顾客的偏好。这是一个互动的、重复的过程，它将自解释、评分和局部价值的修正整合起来了。

本书所附软件用哑变量回归法，按顾客提供的评分分别计算每位顾客的局部价值函数：

$$R_{ij} = \sum_{k=1}^{K} \sum_{m=1}^{K} a_{ikm} x_{jkm} + \varepsilon_{ij} \tag{7.1}$$

其中，$j =$ 研究设计方案中的某种特定产品或概念；$R_{ij} =$ 第 i 位顾客对第 j 种产品的评分；$a_{ikm} =$ 第 k 种属性第 m 种水平（$m = 1, 2, 3, \cdots, M_k$）相对应的局部价值；$M_k =$ 属性 k 的水平数；$K =$ 产品属性的数目；$x_{jkm} =$ 哑变量，当第 j 种产品有第 k 种属性的第 m 种水平时，其值为 1，否则为 0；$\varepsilon_{ij} =$ 误差项，假设为正态分布，平均数为 0，并且对所有的 i 与 j，偏差等于 σ^2。

其中，得自回归分析的各 a_{ikm} 项取值要改变其尺度，使每种属性最不受欢迎的水平取值为 0，最受欢迎的产品取值为 100，这样生成的结果更容易解释说明。设 $\tilde{a}_{ikm}$ 表示估计出来（重新确定了尺度）的局部价值，则产品 j 对消费者 i 的效用 μ_{ij} 为：

$$u_{ij} = \sum_{k=1}^{K} \sum_{m=1}^{M_k} \tilde{a}_{ikm} x_{jkm} \tag{7.2}$$

注意，产品 j 可以是能用研究中的属性和属性水平设计出来的任何产品，包括那些没有在方程（7.1）中进行局部价值估计的产品。

第三阶段：评价各种产品设计方案

第 1 步：按顾客的局部价值函数划分顾客。本阶段可以把有相似局部价值函数的顾客分组，从而完成市场细分。在比萨饼案例中，偏爱薄饼的顾客可以是一个顾客群，而偏爱平饼的顾客为另一顾客群，这两组中的顾客对比萨饼其他方面的属性偏好大致相同。我们也许会发现这两组顾客在人口统计特征（如年龄）和媒体习惯（如看 MTV）等方面有系统差异。识别这种顾客群的一个简单方法就是传统的聚类分析（第 3 章）。还有许多更复杂的模型，如聚类回归分析，可以对顾客进行细分，同时估计出每个顾客群的共同效用函数。

第 2 步：设计市场模拟方案。联合分析得以广泛应用的一个主要原因在于，一旦从有代表性的顾客样本处得到局部价值（即 $\tilde{a}_{ikm}$）的估计值，就很容易估计不同模拟市场条件下一种新产品获得成功的可能性。我们也许会问：在现有若干竞争者存在的市场中，应该期望某种新产品达到多大的市场份额？要回答这个问题，先要把市场上现有的产品具体描述为正在研究的产品属性各个水平的不同组合。如果有相同属性水平的竞争产品多于一个，我们只需挑选出其中一个作为代表进行分析。

第 3 步：确定选择规则。为完成模拟设计，必须明确一种选择标准，以便将局部价值转化成顾客最可能选择的产品。常用的选择规则有三种：效用最大化、效用份额和分对数规则（本书所附软件里都有）。

● **效用最大化规则：**按此规则，我们假设每位顾客都会从各种备选产品中选择出效用价值最大的产品，包括正在考虑的新产品概念。这一选择规则最适用于参与度高的购买活动，如汽车、录像机、设备以及其他不常购买的耐用品。

我们可以数出认为该产品提供的效用最高的顾客人数，然后除以研究中的顾客总数，便可求出该产品所占的市场份额。计算总体市场份额时，有时可能需要根据顾客在同一产品大类中购买的相对数量计算他购买每种备选产品的可能性：

$$m_j = \frac{\sum_{i=1}^{I} w_i \, p_{ij}}{\sum_{j=1}^{J} \sum_{i=1}^{I} w_i \, p_{ij}} \tag{7.3}$$

其中，I＝参与这项研究的顾客总数；J＝可供顾客挑选的产品数，包括新产品概念；m_j＝产品 j 的市场份额；w_i＝顾客 i 购买的相对数量，设所有顾客的平均购买量指数为 1；p_{ij}＝顾客 i 购买产品 j 的几率（或者说，顾客 i 在只能购买一次的情况下选择产品 j 的可能性）。

● **效用份额规则**：这项规则的假设是：某种产品对某顾客的效用越大，他选择这种产品的可能性就越大。这样，每种产品在顾客购买中所占份额就同它在该顾客偏好中所占份额成比例。对产品集 J 中的产品 j 而言，

$$P_{ij} = \frac{u_{ij}}{\sum_j u_{ij}} \tag{7.4}$$

这里，产 u_{ij} 是顾客 i 对产品 j 的效用估计值。

这样，再计算出所有顾客的 p_{ij} 平均值（若有必要可按公式 7.3 加权计算），就得出产品 j 所占的市场份额。这种规则特别适用于包装消费品等经常购买的参与度低的商品。

这一规则广泛用于联合分析中，它可很好地估算出产品的市场份额。但是，正如卢斯（Luce，1959）所指出的，这一规则要求以比率的形式表示出效用值，如顾客将某一固定总数（如 100）分配给所有备选产品而得到的总和为常数的效用数。遗憾的是，大部分联合分析的数据资料都不能满足这项要求。

● **分对数选择规则**：这一规则与效用份额规则类似，只是基本原理有所不同。效用份额规则假设效用函数基本上是准确的，但在将效用转化成具体的选择过程中，可能会受到随机因素的影响。而分对数选择规则假设计算出的效用值是随机过程的平均实现值，因此，具有最大效用值的产品也将随机变化，比如说每次购买时都不一样。于是，对产品集 J 中的产品 j 而言，该规则就给出了产品 j 取得最大效用值的次数所占比例：

$$p_{ij} = \frac{e^{u_{ij}}}{\sum_j e^{u_{ij}}} \tag{7.5}$$

无论是效用份额规则还是传统的分对数规则，都具有一个有争议的性质，即独立于不相关的备选产品（IIA）。从任何备选产品集

内选择某个产品的概率仅依赖于该产品集包含的产品，而与该产品集以外的产品无关。这一性质表明，例如，假设你偏好淡啤酒甚于普通啤酒，那么，如果在你的产品集内再加上一种新的普通啤酒（一个无关产品），也会降低你选择淡啤酒的概率，这个结果和我们的直觉很不一样。

在这三种规则中进行选择的方法是：先用每种规则计算现有产品的预计市场份额；再选用那种能使计算出来的预计值最接近事实的选择规则（假设我们使用有代表性的顾客样本进行研究）。

最适合联合分析的情况

联合分析是营销中应用最广泛的建模技术之一，已使用了至少 25 年。威廷克和卡廷（Wittink & Cattin, 1989）在一次调查的基础上提出，联合分析法在确定新产品、竞争分析、定价、市场细分和产品定位中应用的最多。此外，在对许多企业进行调查后，安德森、杰恩和钦塔冈塔（Anderson, Jain & Chintagunta, 1993）在报告中说，联合分析可用于需求预测和定价、产品定位和新投资决策；他们还报告说，这些企业中有 85% 认为它们成功地利用联合分析法评估了顾客对其产品的评价情况。

联合分析法是一种复杂的方法，应谨慎使用。下列清单有助于判定联合分析法是否适用于以下某种决策情形：

1. 设计产品时，必须在提供给顾客的各种产品属性和利益之间进行取舍。
2. 能将产品或服务分解成为若干可控的并对顾客有意义的基本属性。
3. 现有产品可视为各种属性水平的组合，新产品可由这些基本的属性水平综合而成。
4. 可用文字或图片真实地描述该产品属性组合（否则就要用实际产品进行评价）。

这种分析法也存在着几点局限。从公式（7.2）可以看出，顾客对某种产品的总效用等于该产品各个属性的效用之和。因此，若一种产品在某一属性上的效用值很高，就会弥补其他属性的不足。这样一来，低价格就能弥补比萨饼的配料没有意式辣肠的不足（见表 7—1）。但在许多情况下顾客的选择是不能互相补偿的。例如，不论其他属性有多好，顾客也不大可能会想要一辆变速系统有问题的汽车。由于产品属性之间会存在不能相互弥补的情况，因此联合分析可能会导致错误结论。

这种方法的有效性还取决于这组产品属性是否完整。但是，联合分析中涉及的属性太多会增加顾客评价各种产品属性组合的工作量，疲劳会导致不准确的答复。一般情况下，使用联合分析时可包括大约 16 种产品属性组合，涉及五个属性，每种属性有三四个属性水平。

最后，市场份额模拟分析要假设顾客在做出选择时会考虑所有备选产品。而实际上顾客往往会剔除某些产品不作考虑（比如不考虑任何变速系统有问题的汽车）。有些联合分析技术考虑了这种情况（Jedidi, Kohli & DeSarbo, 1996）。

新产品销售预测

巴斯模型概述

营销中运用巴斯模型预测首次购买情况已有很长的历史了。巴斯模型最适于预测一种目前市场上尚无竞争者的创新产品的销售。在向新技术或重大产品创新投入大量资源前，管理者必须对其销售额进行预测。

巴斯模型为预测新技术或新耐用品的长期销售模式提供了良好的起点，但必须具备以下两个条件：（1）企业已引入了该产品或该技术，并已观察到它几个时期的销售情况；（2）企业尚未引入该产品或技术，但该产品或技术在某些方面同已有一些销售历史的某种现有产品或技术很相似。巴斯模型的目的是预测出最终有多少顾客会采用这种新产品以及何时采用。**何时**的问题至关重要，因为这个问题的答案将引导企业在该新产品的市场营销中正确地配置资源。

举例

虽然 Windows 95 或以后的操作系统终将取代早期的 Windows 版本，但取代发生的时间对于微软公司和 PC 机行业的其他公司都是至关重要的。微软公司正在开发一种其操作系统的企业增强版 Windows NT；顾客采用 Windows NT 的速度以及对开发抱有的期望都会影响到 Windows 95 的销售速度和销售量。微软公司需要这一信息来规划它的生产和后勤配送、进行财务预测并通知其销售渠道成员和电脑软硬件开发商（Intel、Gateway 和 Lotus 等），这些公司的决策和业务都依赖于对 Windows 95 取代发生时间和渗透情况的预测。

图 7—3 是一些创新成果（包括几篇有创新的科技文章）的销售轨迹图。从图中可以看出，有些产品一开始就出现爆炸式增长，但销售额却很快就开始下降。而另一些产品则表现出一种"沉睡者"模式（S 形轨迹），销售速度开始很慢，然后加速，最后开始下降。令人惊讶的是，一种简单却很优雅的模型（Bass，1969）只用三个很易于解释的参数便能很好地表示出这些模式。

巴斯模型的技术描述

假设目标市场中的某个顾客在时点 t 之前会采用某一创新产品的概率由一个非递减连续函数 $F(t)$ 给出，其中 $F(t)$ 随着 t 越来越大，趋近于 1（肯定采用）。图 7—4（a）显示了这样一个函数，它表明目标市场上一个顾客最终会采用这种创新产品。函数 $F(t)$ 的导数是概率密度函数 $f(t)$［见图 7—4（b）］，它表示采用的概率随时间 t 变化的速度。为估计出未知的函数 $F(t)$，我们规定条件概率 $L(t)$ 表示某个顾客在创新产品引入市场后的时点 t 采用它的概率，条件是在该时点之前它一直都没有采用。利用上面对 $F(t)$ 和 $f(t)$ 的定义，根据贝叶斯定律，可得：

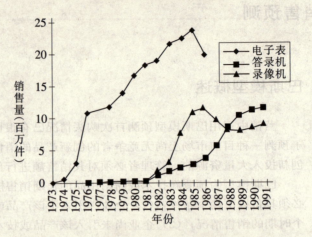

某些电子产品的销售额模式

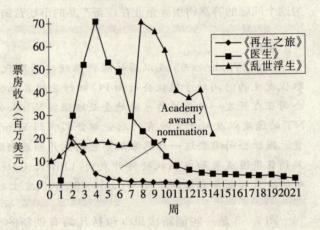

沉睡者型电影的销售额模式

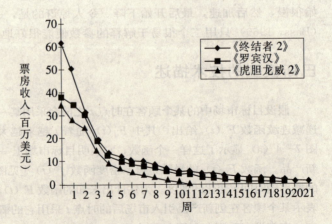

沉睡者型科技论文的引用情况

304

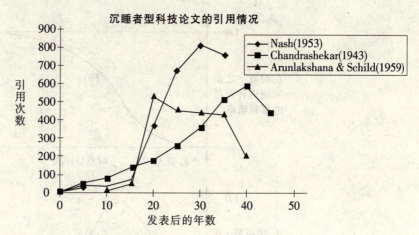

沉睡者型科技论文的引用情况

资料来源：Citation Index,1990

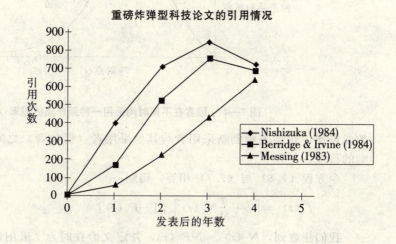

重磅炸弹型科技论文的引用情况

图 7—3　这些图表示出不同产品大类中的几种产品的总销售额（累计销售额）模式

资料来源：Citation Index，1990

（a）表示目标市场上一个顾客在时点 t 之前采用这种产品的概率；

（b）表示一个顾客刚好在时点 t 采用这种产品的瞬时概率。

$$L\ (t)=\frac{f\ (t)}{1-F\ (t)} \tag{7.6}$$

巴斯（1969）建议将 $L\ (t)$ 定义为：

$$L\ (t)=p+\frac{q}{N}N\ (t) \tag{7.7}$$

其中，$N\ (t)=$ 在时点 t 前已经采用了该创新产品的顾客数；$\overline{N}=$表示最终采用这种创新产品目标市场上的顾客总数；$p=$ 创新系数（或外部影响系数）；$q=$ 模仿系数（或内部影响系数）。

方程（7.7）表示，目标市场中某个顾客刚好在时点 t 采用该创新产品的概率是两个概率之和。第一部分（p）表示采用该创新产品的固定倾向，这种倾向与时点 t 之前已有多少其他顾客采用该产品无关。方程（7.7）中的第二部分 $[\ (q/\overline{N})\ N\ (t)]$ 与在时点 t 之前已经采用该创新产品的顾客人

305

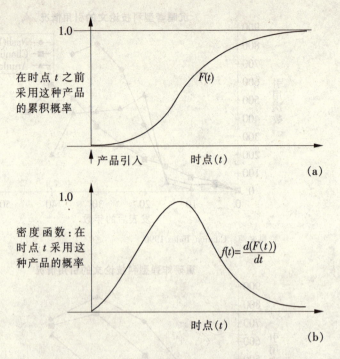

图 7—4 顾客在不同时间采用一种新产品的概率

数成正比，它还表示创新采用者与其他采用者（模仿者）之间有利的相互影响的程度。

令方程（7.6）与（7.7）相等，得到：

$$f\ (t)\ =\left[p+\frac{q}{N}N\ (t)\right]\ [1-F\ (t)] \tag{7.8}$$

我们注意到，$N\ (t)\ =\overline{N}F\ (t)$，并定义恰在时点 t 采用该创新产品的顾客数为 $n\ (t)\ [=\overline{N}f\ (t)]$，经代数运算后，可得到以下基本方程用来预测产品在时点 t 的销售额：

$$n\ (t)\ =p\overline{N}+\ (q-p)\ N\ (t)\ -\frac{q}{N}\ [N\ (t)]^2 \tag{7.9}$$

如果 $q>p$，那么模仿效应将大于创新效应，而且 $n\ (t)$ 对于时间（t）的图像呈倒置的 U 形。新电影、新唱片或蜂窝电话等新技术都属于这种情况。反之，如果 $q<p$，那么创新效应将大于模仿效应，最高销售额将出现在引入期，此后的每一阶段里销售额都将持续下降（如重磅炸弹型电影）。不仅如此，p 值越小，创新产品实现销售额增长所需时间就越长。如果 p 与 q 都较大，则销售额会迅速上升，到最大值后又将迅速下降。通过改变 p 和 q 的值，我们就可以很好地捕捉到如图 7—3 所示的所有模式。

广义巴斯模型：巴斯、克里斯南和杰恩（Bass, Krishnan & Jain, 1994）提出了方程（7.8）的一种通用形式，这种形式还结合进营销组合各变量对新产品采用可能性的影响：

$$f\ (t)\ =\left[p+\frac{q}{N}N\ (t)\right]\ [1-F\ (t)]\ x\ (t) \tag{7.10}$$

这里，$x(t)$ 是营销组合变量（如广告和价格）关于时点 t 的函数。

方程（7.10）意味着，企业可以通过加强市场营销来提高新产品被采用的可能性。也就是说，营销努力能加快新产品在人群中的扩散。在本书所附的软件中，营销努力是用与基数为 1 的营销努力基本水平相对比来衡量的：如果时点 t 的广告是基本水平的两倍，$x(t)$ 就等于 2.0。

估计巴斯模型的参数：估计巴斯模型参数的方法可分为两类，一类以历史销售数据为依据校准模型，另一类则以主观判断为依据校准模型。如果有该创新产品几个时期（年）的历史销售数据，就可以用线性回归法或非线性回归法。判断法则包括与相似产品进行类比和开展市场调查两种方法。

线性回归：用离散时间段替换连续时间 t 就可使方程（7.9）离散化，其中 t 表示当前时期，$t+1$ 表示下一时期，以此类推。于是就可用最小二乘回归来估计下列线性方程的参数（a、b、c）了。

$$n(t) = a + bN(t-1) + cN^2(t-1) \tag{7.11}$$

这里，$n(t)$ = 在第 t 个时期内的销售额；$N(t)$ = 到第 t 个时期为止的累积销售额。

于是就可计算巴斯模型的参数：

$$\overline{N} = \frac{-b - \sqrt{b^2 - 4ac}}{2c};$$

$$p = \frac{a}{\overline{N}};$$

$$q = p + b。$$

要估计 a、b 和 c 三个未知参数，必须要有至少三期的销售数据。为了与模型意义相一致，令 $\overline{N} > 0$，$b \geqslant 0$，$c < 0$。

非线性回归：同样将方程（7.8）离散化，再在两边同时乘以 $\overline{N}$，可得到：

$$n(t) = \left[p + \frac{q}{\overline{N}} N(t-1) \right] \left[\overline{N} - N(t-1) \right] \tag{7.12}$$

若有至少四个 $N(t)$ 的观察值，就可以用非线性回归法来选择参数值（$\overline{N}$、p 和 q），从而使方差和最小。这种方法也正是本书所附软件中巴斯模型所用的方法，也是获取表 7—5 总结的参数估计值时采用的方法。这种方法的一个重要优势在于，用户无需知道新产品何时投入市场，只需知道该产品在估计期内的累计销售额。

利用相似产品：实践证明这种方法是非常有用的。首先找出哪些以前创新的产品与当前产品相似，接着用这些类似产品的销售曲线确定出 p 和 q 的值，然后将 p 和 q 的值与估计出的（或据管理者判断得出的）$\overline{N}$ 相结合，便可预测出新产品的销售曲线。这种方法的优势在于，经理不是直接猜测新产品的销售额，而是猜测要向一个相当成熟的模型输入什么数据，该模型会提供一种结构，在生成预测时将这些输入结合进去。

在选择相似产品时必须小心谨慎。如果两种产品的相似点在于具有类似的预期市场行为，那么按此标准挑选的类似产品就比按产品自身相似性挑选的相似产品要好。例如，预测数码相机的销售曲线时，用光盘驱动器作为相似产品就比用 35 毫米 SLR 照相机要好。托马斯（Thomas，1985）提出，在选择相似产品时应遵循五个依据：环境氛围（如社会经济环境和法律环境）、市场结构（如进入壁垒、竞争者数量与类型）、购买者行为（购买情形、产品属性）、本企业营销组合战略及新产品的特点（如新产品相对于现有产品的优势和产品复杂程度）。如果有必要，可以考虑若干个相似产品，再取这些相似产品 p 值与 q 值的（加权）平均值。

销售 100 万台电话用了 27 年时间，销售等量的电视机、录像机、CD 机和惠普的打印、传真、复印、扫描四合一机分别用了 11 年、6 年、5 年和 2 年。表 7—5 总结了各种新产品的参数估计值（本书所附的软件里包含了这些估计值，可方便你选择相似产品）。

表 7—5　　　　　　　在几个产品大类中应用巴斯模型的参数

产品/技术	分析时期	p	q	$\bar{N}$
农业				
拖拉机（辆）	1920—1964	0.000	0.142	5 144.0
杂交玉米	1926—1941	0.000	0.797	100.0
人工授精	1942—1959	0.028	0.307	73.2
干草包	1942—1959	0.013	0.455	92.2
医疗设备				
超声成像	1964—1978	0.000	0.534	85.8
乳房造影法	1964—1978	0.000	0.729	57.1
CT 扫描仪（50—99 床）	1979—1993	0.036	0.375	57.5
CT 扫描仪（>100 床）	1973—1993	0.028	0.292	94.5
生产技术				
吹氧炼钢炉（美国）	1954—1980	0.000	0.503	62.9
吹氧炼钢炉（法国）	1960—1980	0.013	0.374	85.2
吹氧炼钢炉（日本）	1958—1975	0.044	0.325	85.3
蒸汽商船（英国）	1810—1965	0.006	0.259	86.7
塑料牛奶容器（1 加仑）	1963—1987	0.021	0.245	101.5
塑料牛奶容器（半加仑）	1963—1987	0.000	0.280	25.5
有条码扫描仪的商店（联邦德国，台）	1980—1993	0.001	0.605	16 702.0
有条码扫描仪的商店（丹麦，台）	1980—1993	0.076	0.540	2 061.0
家用电器				
空调	1949—1979	0.006	0.185	60.5
床罩	1948—1979	0.008	0.130	72.2
搅和器	1948—1979	0.000	0.260	54.5
开瓶器	1960—1979	0.050	0.126	68.0
电咖啡壶	1954—1979	0.056	0.000	127.6
烘干机	1948—1979	0.009	0.143	70.1
洗衣机	1922—1979	0.000	0.111	96.4
咖啡壶 ADC	1973—1979	0.077	1.106	32.2

续前表

产品/技术	分析时期	p	q	$\bar{N}$
烫发器	1973—1979	0.101	0.762	29.9
洗碗机	1948—1979	0.000	0.213	47.7
污物碾碎器	1948—1979	0.000	0.179	50.4
电火锅	1971—1979	0.166	0.440	4.6
冷冻机	1948—1979	0.013	0.000	129.7
煎锅	1956—1979	0.142	0.000	65.6
电吹风	1971—1979	0.055	0.399	51.6
轻便电炉	1931—1979	0.056	0.000	26.3
微波炉	1971—1990	0.002	0.357	91.6
搅拌器	1948—1979	0.000	0.134	97.7
炉灶	1924—1979	0.004	0.065	63.6
内置炉灶	1956—1979	0.038	0.014	32.6
冰箱	1925—1979	0.017	0.188	101.1
慢火灶	1973—1979	0.000	1.152	34.4
蒸汽熨斗	1949—1979	0.033	0.116	102.1
烤面包器	1922—1979	0.030	0.000	123.8
吸尘器	1922—1979	0.000	0.066	120.3
电子产品				
有线电视	1980—1994	0.100	0.060	68.0
计算器	1972—1979	0.145	0.495	101.1
CD播放机	1987—1992	0.157	0.000	68.8
家用 PC 机（台）	1981—1988	0.121	0.281	25.8
电话答录机	1987—1992	0.259	0.041	53.6
黑白电视	1948—1979	0.106	0.235	98.1
彩色电视	1964—1979	0.059	0.130	103.1
录像机	1980—1994	0.025	0.603	76.3
各次研究的平均数,包括许多未在次列出的(Sultan et al.，1990)		0.03	0.38	

由克里斯托弗·范·登·布尔特（Christophe Van den Bulte）整理，均为美国数据。

估计广义巴斯模型的参数：巴斯、克里斯南和杰恩（1994）用上述非线性回归的修正形式来估计广义巴斯模型的参数。

本书所附的软件只考虑了广义巴斯模型中的广告效应和定价效应。我们还可用前面讲过的任何一种方法来估计传统巴斯模型中的 p 与 q。此外，软件要求经理提供他们对广告系数与定价系数的最佳推测值。

一旦通过估计或通过与相似产品的类比确定参数值后，就将这些值输入电子报表中进行预测（见表7—6）。软件即可用非线性最小二乘法进行估计（如果有足够的市场数据），也可直接从相似产品中选择 p 和 q 的值。

表 7—6

每期销售量（每季度报告一次）		
季度	销售量	累计销售量
0	0	0
1	160	160
4	425	1 118
8	1 234	4 678
12	1 646	11 166
16	555	15 106
20	78	15 890
24	9	15 987

计算示例：使用巴斯模型预测一种创新产品（这里是空调）的销售额。计算以对 p、q 和市场潜力（$\bar{N}$）的估计值为基础，其中 $p=0.1$，$q=0.41$，$\bar{N}=16\,000$（千台）。

计算示例［得自方程 (7.9)］：

第一季度销售量 $= 0.01 \times 16\,000 + (0.41-0.01) \times 0 - (0.41/16\,000) \times 0^2 = 160$

第二季度销售量 $= 0.01 \times 16\,000 + (0.41-0.01) \times 160 - (0.41/16\,000) \times 160^2 = 223.35$

第四季度销售量 $= 0.01 \times 16\,000 + (0.41-0.01) \times 692.9 - (0.41/16\,000) \times 692.9^2 = 424.8$

基本巴斯模型的扩展

巴斯模型有几个关键的假设条件。马哈简、马勒和巴斯（Mahajan，Muller & Bass，1993）提出一些更复杂的模型可放宽这些假设条件，但基本模型的应用最广泛。巴斯模型最重要的假设条件及其可能的扩展如下：

- **市场潜量（$\bar{N}$）保持恒定。** 如果模型中 $\bar{N}$ 是价格下降幅度、技术性能不确定性及目标市场增长率的函数，那么在这些模型中本假设条件可放宽。本书所附的软件包里有选项，可让使用者自由指定目标市场增长率。

- 支持新产品的营销策略不影响新产品的采用过程。很多研究都致力于探索营销变量（尤其是价格、广告和推销努力）的效应。我们介绍过的广义巴斯模型就放宽这项假设。

- 消费者决策过程是二元的（只有"接受"或"不接受"两种答案）。如果模型包含多阶段决策过程，即消费者依次经过"知晓—兴趣—采用—口碑"等几个阶段，则在这样的模型中，这个假设可以放宽。

- q 的值在新产品的整个生命周期里固定不变。但事实上，顾客之间的相互影响（如口碑）依赖于采用时间，在产品生命周期的早期和晚期相对强一些。如果模型含有随时间变化的模仿参数，这个假设条件就可以放宽。

- **模仿常具有积极作用（即模型只考虑了创新采用者与非创新采用者之间的有利于创新的相互影响）。** 有几种模型既考虑了口碑的积极作用也考虑到了消极作用。如果口碑可能产生积极效果（如沉睡者型电影《人鬼情未了》），明智之举就是逐渐增加营销支出。如果口碑会造成消极效果（如重磅炸弹型电影《未来水世界》），最好在这种消极效果降低销售额之前迅速展开广告攻势以获得大量销售额。

- **创新产品的销售不受其他创新是否被采用的影响**。事实上，许多创新都要依赖于其相关产品被采用才能而取得成功。例如，多媒体软件的采用就依赖于顾客是否采用了功能更强的 PC 机。同样，互联网与电子商务这样的创新则相互补充，因此在预测销售情况时必须将二者相结合。有几种模型可用来预测受其他产品采用情况影响的创新产品的销售。
- **该创新产品不存在重复购买或替代购买**。有几种巴斯模型的扩展模型既能预测首次购买者的购买，也可以预测重复购买者的购买。

尽管基本巴斯模型及扩展模型已得到广泛应用，但仍然存在着某些共同的局限性，其中最重要的也许在于，它们主要用来描述新产品是怎样成功地在市场上得到扩散的，而不是用来预测。所以，如果我们只把那些取得了成功的创新产品当作类比时要用的相似产品，那么巴斯模型预测任何新产品的销售都会是非常乐观的！这种预测结果将会使经理已有的偏见更加根深蒂固，因为他们通常都愿意为创新产品做出乐观的预测。要克服这种偏见，就必须预测产品失败的可能性。遗憾的是，对失败的新产品的销售，我们几乎没有什么可用的信息。

第二个局限在于，我们只有在观察了一些实际销售情况以后才能很好地利用这些数据估计巴斯模型。然而到这时，企业已经做出了关键的投资决策。虽然用相似产品预测可在将新产品引入市场之前帮助公司做出预测，但要挑选一种合适的相似产品至关重要，而且还必须小心谨慎地判断。由此可见，必须有一种方法能在产品投入市场前校准这个扩散模型，也许实验室衡量法是个解决办法。

下一节将介绍一种用来预测新产品销售额的好方法。它曾被应用于包装商品业，这是基于实验室衡量结果的方法。

预测试市场预测

据《食品研究所调查报告》（*Food Institute Report*），1995 年仅食品与饮料两类产品就有 22 000 多种新产品引入美国的超市，其中 90% 以上属于产品线的扩展和对现有产品的细微改动。这些产品大多数都不会达到预期目标，而且在投入市场两年后就会退出市场。这些新产品的成本大部分都发生在引入市场之后。要减小这些成本，必须有能在产品投入市场前就能预测其销售的好方法。此外，我们还需要有能为企业提供诊断性信息的方法，使企业能找出产品的潜在问题，从而在投入市场前提高其成功的几率。

最近 20 年里已经成功地开发并广泛应用了几种预测试产品预测模型，主要用于商品包装业。NEWS、TRACKER、SPRINTER、BASES、ASSESSOR 和 LTM 等都是商业性的模型软件。肖克尔和霍尔（Shocker & Hall，1986）对这些模型进行了简要评述，并总结了它们之间的异同点。这里我们介绍 ASSESSOR 模型。在基本原理和特性方面，ASSESSOR 模型与其他模型很相似，已有公开出版的文献介绍了它的具体特点。下面对 ASSESSOR 模型的介绍是以西尔克和厄本（Silk & Urban，1978）以及厄本（1993）为基础的。

当产品和包装（数量至少足够试用）、广告文案等已备好待用，而且企业已经制定好营销组合（价格、分销渠道和营销预算等）的预备计划以后，就要开始进行预测试市场预测和分析了。有了这样的输入，ASSESSOR可以做到：

1. 预测该新产品的长期市场份额及其销售量；

2. 估计新产品市场份额的来源，即份额是从竞争者手中夺到的还是来自企业其他产品份额的减少（"自相残杀"）；

3. 提供诊断性信息以改进产品、广告文案和推出新产品必需的其他资料；

4. 使企业能粗略地评估各种营销计划，包括不同的价格、包装设计等。

ASSESSOR 模型概述

图7—5和表7—7总结了该模型的总体结构和校准模型所用的衡量方法。ASSESSOR包括两个模型：偏好模型和试用—重购模型。如果这两个模型所做出的预测相似，就会增强预测的可信度；反之，如果所做的预测相差很大，通过分析产生差异的原因也能得到十分有用的诊断性信息。

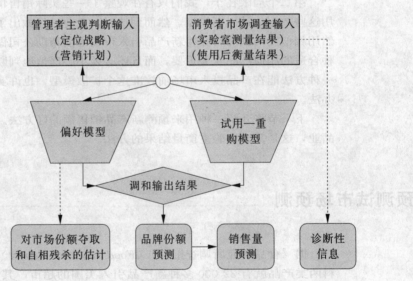

图7—5 建立 ASSESSOR 模型的步骤概述

这一模型用管理者的主观判断和消费者调查数据得出销售预测（品牌份额和销售量）并提供诊断性信息（如估计市场份额是夺自竞争者，还是来自企业内部产品线的自相残杀，并估计顾客购买新产品的理由）。

资料来源：Silk & Urban 1978，Urban & Katz 1983.

研究的实验室阶段可在购物中心附近的测试地点进行（如商业街上的一个房间或经过专门布置的拖车里）。参与者约300个人，都经过筛选，适合参与这项研究，能代表目标细分市场的特点。每个参加者因参加这项研究可得到10美元的报酬。

到测试地点后，参与者要独立填写一份问卷，说明其产品考虑集合（即该产品大类中他们知晓并可能会考虑购买的品牌）、上次购买这类产品时购买的品牌和对考虑集内的几种主要产品（竞争品牌）的偏好。然后观看五六个电视广告，每个广告宣传一个产品，新产品也包括在内。为了避免系统性的位置效应，调查人员会轮换广告播放的顺序。

表 7—7　　　　　　　　　　　　　ASSESSOR 数据收集过程概述

设计方案	程序	测量结果
O_1	筛选和招募调查者（个人访谈）	确认目标顾客的标准（如产品大类的使用情况）
O_2	对现有品牌进行预测量（自管理问卷）	形成现有品牌的"相关集"、属性权重和评分、偏好
X_1	观看现有品牌和新品牌的广告	
$[O_3]$	测量对广告的反应（自管理问卷）	可选，如广告是否受欢迎和是否可信
X_2	模拟购物过程，观看新品牌和现有品牌陈列	
O_4	购买机会（调查人员记录调查者的选择结果）	所买的品牌
X_3	新品牌在家里的使用或消耗	
O_5	使用后的衡量（电话访谈）	新品牌的使用率、满意度评分和重复购买倾向；属性评分和对包含现有品牌和新品牌的"相关集"的偏好

资料来源：Silk & Urban 1978，p. 174，Table 1.

然后将参与者送往一家模拟商店，店里陈列有要测试的产品大类里的各种产品，并标有每种商品的价格。参与者可用给他们的 10 美元购买任何产品，也可以什么都不买。交易结束后，没有购买新产品的参与者可免费获得一定数量的新产品。这一过程与实际市场行为十分相似，在真实的市场中，一些消费者会在看过广告后亲自尝试广告里的新产品，还有些人则只有在得到免费样品后才会试用。调查给参与者一段时间在家里试用这种新产品，此后调查人员打电话同他们联系，进行用后调查。参与者还有机会再次购买该产品（邮购），这时可重新回答在实验室里曾经回答过的问题（衡量他们的知觉和偏好）。实验室衡量结果为校准偏好模型和试用—重购模型提供了输入数据。

偏好模型

偏好模型将测量到的参与者偏好（表 7—7 中的观察值 O_2）转化成选择概率，表示该参与者可能购买其考虑集内每种产品的可能性。

$$L_{ij} = \frac{V_{ij}^b}{\sum_{k \in C_i} V_{ik}^b} \tag{7.13}$$

其中，V_{ij} = 按适当尺度衡量出来的参与者 i 对产品 j 的偏好程度；L_{ij} = 参与者 i 购买产品 j 的概率估计值；C_i = 参与者 i 的考虑集；b = 从数据中估计出来的参数。

对于不在参与者 i 的考虑集内的产品 j，L_{ij} = 0。分母的求和运算是要对参与者 i 的考虑集内的所有产品求和。如果各参与者的产品使用率存在很大差异，可以给 L_{ij} 加上一个使用率指数 作为权数，将购买概率转换成产品的市场份额，类似于方程（7.3）。

方程（7.13）中的参数 b 是一个表示产品偏好转换成该产品购买概率的比率的指数。如果 $b>1$，高偏好品牌就比低偏好品牌有与偏好差不成比例的高购买概率。一般情况下，b 的取值在 $1.5\sim3.0$ 之间。要使 b 值能够最大程度地反映出参与者在上次购买中（即表 7—7 中的 O_2）实际做出的选择，可以用**极大似然估计法**（their most immediate previous purchase occdsion）来估算 b 值。

要预测新产品的购买概率，需要在参与者试用新产品一段时间后衡量他们对新产品和现有产品的偏好程度。因为参与者了解并已经试用了新产品，就可以假设该产品被列入所有参与者的考虑集内，可以用类似于方程（7.13）的方程来估算所有产品（包括新产品）的购买概率。

$$L'_{ij} = \frac{V'^b_{ij}}{V'^b_{in} + \sum_{k \in C_i} V'^b_{ik}} \tag{7.14}$$

其中，$V'_{ij}=$ 参与者 i 在试用新产品后对产品 j 的偏好评分；$n=$ 表示新产品的指数；$L'_{in}=$ 参与者 i 用过新产品后购买该产品的概率。

在方程（7.14）中，我们假设在实验室环境中，所有参与者都会将新产品列入其考虑集内。在方程（7.14）中，b 是从方程（7.13）中获取的估计值。

根据方程（7.14）得出的新产品市场份额必定是一种乐观的预测，因为现实中并非所有消费者都会把新产品列入考虑集内。要针对这一点进行修正，一种方法是估算出目标市场上会把该新产品列入考虑集的消费者占所有消费者的比例，然后对 L'_{in} 作如下修正：

$$M'_n = E_n \sum_i \frac{L'_{in}}{N} \tag{7.15}$$

这里，$E_n=$ 将新产品列入考虑集的参与者所占比例；$M'_n=$ 新产品市场份额预测值；$N=$ 参与者的总人数。

为了估计该新产品的市场份额是来自外部竞争者（"夺取"）还是本公司的其他产品（"自相残杀"），先要将参与者分为两组：第一组人会将新产品列入考虑集（其比例为 E_n），第二组人不会把新产品列入考虑集（其比例为 $1-E_n$）。E_n 的一个估计值是目标细分市场中最终会试用该新产品的顾客所占比例，估计这个数字是试用—重购模型的任务之一。这样，就有 NE_n 个参与者会把新产品列入考虑集，有 $N(1-E_n)$ 个参与者不会这么做。对第二组人来说，其选择概率的最佳估计值由方程（7.13）给出，这个方程反映的是试用该新产品前所做的产品选择。同理，对第一组人来说，其选择概率的最佳估计值由方程（7.14）给出。这样就得出新产品市场份额来源的最佳估计值（如下所示）。首先要分别计算出新产品引入市场之前和之后现有产品 j 的市场份额：

$$M_j = \sum_i \frac{L_{ij}}{N} \tag{7.16}$$

$$M'_j = E_n \sum_i \frac{L'_{ij}}{N} + (1-E_n) \sum_i \frac{L_{ij}}{N} \tag{7.17}$$

其中，$M_j=$ 新产品引入市场前，产品 j 的市场份额，$j=1,2,\cdots\cdots,J$，

这里 J 是竞争集内现有产品（即属于至少一个顾客的考虑集内的产品）的总数；$M_j'=$ 新产品引入市场后，产品 j 的市场份额。

在此模型中，对所有现有产品，M_j' 最大不超过 M_j。计算出这些估计值后，新产品从现有产品 j 那里获得的市场份额为：

$$D_j = M_j - M_j' \qquad\qquad (7.18)$$

需要指出的是，所有现有产品的市场份额夺取量之和（即 $\sum_{j \in J} D_j$）就等于新产品的市场份额（M_n'）。新产品从本公司的其他产品获得的销售额所占比例称为"自相残杀"；余下的那部分市场份额是从竞争者的手中得到的，称为增量销售。如果某种新产品的销售额主要来自"自相残杀"，即使 ASSESSOR 模型预测它会有很高的市场份额，也必须进一步分析它对公司的财务贡献。

表 7—8 用数字举例说明了方程（7.13）到方程（7.18）的计算过程。

表 7—8　　　　　　　　　　　　**ASSESSOR 模型的相关计算示例**

顾客	偏好评分								
	V_{ij} （使用前）				V_{ij}' （使用后）				
	B1	B2	B3	B4	B1	B2	B3	B4	新产品
1	0.1	0.0	4.9	3.7	0.1	0.0	2.6	1.7	0.2
2	1.5	0.7	3.0	0.0	1.6	0.6	0.6	0.0	3.1
3	2.5	2.9	0.0	0.0	2.3	1.4	0.0	0.0	2.3
4	3.1	3.4	0.0	0.0	3.3	3.4	0.0	0.0	0.7
5	0.0	1.3	0.0	0.0	0.0	1.2	0.0	0.0	0.0
6	4.1	0.0	0.0	0.0	4.3	0.0	0.0	0.0	2.1
7	0.4	2.1	0.0	2.9	0.4	2.1	0.0	1.6	0.1
8	0.6	0.2	0.0	0.0	0.6	0.2	0.0	0.0	5.0
9	4.8	2.4	0.0	0.0	5.0	2.2	0.0	0.0	0.3
10	0.7	0.0	4.9	0.0	0.7	0.0	3.4	0.0	0.9

顾客	选择概率								
	L_{ij} （使用前）				L_{ij}' （使用后）				新产品
	B1	B2	B3	B4	B1	B2	B3	B4	新产品
1	0.00	0.00	0.63	0.37	0.00	0.00	0.69	0.31	0.00
2	0.20	0.05	0.75	0.00	0.21	0.03	0.03	0.00	0.73
3	0.43	0.57	0.00	0.00	0.42	0.16	0.00	0.00	0.42
4	0.46	0.54	0.00	0.00	0.47	0.50	0.00	0.00	0.03
5	0.00	1.00	0.00	0.00	0.00	1.00	0.00	0.00	0.00
6	1.00	0.00	0.00	0.00	0.80	0.00	0.00	0.00	0.20

续前表

顾客	选择概率								
	L_{ij}（使用前）				L'_{ij}（使用后）				
	B1	B2	B3	B4	B1	B2	B3	B4	新产品
7	0.01	0.35	0.00	0.64	0.03	0.61	0.00	0.36	0.00
8	0.89	0.11	0.00	0.00	0.02	0.00	0.00	0.00	0.98
9	0.79	0.21	0.00	0.00	0.82	0.18	0.00	0.00	0.00
10	0.02	0.00	0.98	0.00	0.04	0.00	0.89	0.00	0.07
未加权市场份额（%）	38.0	28.3	23.6	10.1	28.1	24.8	16.1	6.7	24.3
新产品从每个品牌夺取份额（未加权，%）					9.9	3.5	7.5	3.4	
新产品从每个品牌夺取份额（用 E_n 加权后，%）					2.0	0.7	1.5	0.7	

设有 10 位顾客和 4 个品牌（B1、B2、B3 和 B4）。要把偏好评分转化为选择概率，我们给方程（7.13）里的参数 b 取值 1.9。为计算新产品从其他每种品牌夺取的加权市场份额，设 $E_n = 0.2$（E_n 是将新产品列入考虑集内的顾客人数所占比例）。

试用—重购模型

ASSESSOR 用来自实验室测试的新产品试用和重复购买衡量结果，用一个标准公式来测算该产品的长期市场份额：

$$M_n = trw \tag{7.19}$$

这里，t = 目标市场上最终会试用该新产品的消费者的累计比例；r = 试用新产品并将成为长期重复购买者的消费者人数比例；w = 相对使用率，市场的平均使用率 $w = 1$。

ASSESSOR 对试用率（t）的估计如下：

$$t = FKD + CU - (FKD)(CU) \tag{7.20}$$

其中，FKD = 试用者；CU = 得到样品的人数；$(FKD)(CU)$ = 因重复计数而进行的调整。

这时，F = 假设分销能力无限且目标市场所有顾客都知道该新产品时的长期试用概率，也是在模拟商店中购买该产品的参与者所占比例（表 7—7 中的 O_4）；K = 长期知晓概率，是在管理者主观判断和预定广告计划基础上估计出的；D = 该产品在目标顾客购物处有现货的长期概率，是在管理者主观判断和期望的基础上得出的对最终会出售该产品的销售网点所占比例的估计；C = 目标市场某一顾客收到新产品样品的概率，是在新产品引入计划基础上估计的；U = 收到样品的顾客试用的概率，是在历史经验与管理者主观判断的基础上估计的。

方程（7.20）中的第一项 FKD 表示最终会知晓新产品、在购物处能买到新产品并且最终会试用新产品的顾客所占比重。第二项 CU 表示将得到试用样品的顾客所占比重。第三项 $(FKD)(CU)$ 是为避免重复计数，表示既购买了该产品又得到样品的顾客。与偏好模型不同的是，试用—重购模型并不能估算出来自竞争者或自相残杀的市场份额各是多少，而这一点对企业制定该新产品的营销计划是非常重要的。

我们可从使用后电话调查得到的信息（表 7—7 的 O_5）中估算重购率［方

程"7.19"中的 r]。先建立一个品牌转换矩阵，表示在每一时期转而使用和转而不使用新产品的顾客比例。

$$t \begin{array}{c} \overset{t+1}{\begin{bmatrix} p_{nn} & p_{no} \\ p_{on} & p_{oo} \end{bmatrix}} \end{array} \tag{7.21}$$

其中，$p_{nn}=$ 在时点 t 购买新产品的顾客在时点 $t+1$ 还会再次购买的概率，也即估计出的在测试地点购买了新产品并在使用后的调查中表示下次仍会购买的顾客所占比例；$p_{no}=1-p_{nn}$；$p_{on}=$ 在时点 t 购买其他产品的顾客在时点 $t+1$ 会购买新产品的概率，也即在测试地点没有购买新产品但在使用后调查中表示下次会购买的顾客所占比例；$p_{oo}=1-P_{on}$。

如果转换矩阵中的模式在各个时期不断重复出现，就可以确定在时点 t 购买新产品的顾客有多大比例在下一时期（$t+1$）仍然会购买，即均衡重复购买率是多少。答案可用一个简单的公式算出来：

$$r=\frac{p_{on}}{1-p_{nn}+p_{on}} \tag{7.22}$$

在方程（7.19）到方程（7.22）中总结的试用—重购模型提供对新产品市场份额的独立估计结果，可以把这个结果同从偏好模型得出的估计结果进行比较。如果两种模型的估算结果比较接近，就能增强管理者对新产品市场份额预测结果的信心。

ASSESSOR 模型的有效性及价值

商业性的预测试市场模型都宣称成功率很高，而 ASSESSOR 模型是学术期刊中报告过有效性研究的少数几个模型之一（Urban & Katz，1983）。经过 ASSESSOR 模型评价的新产品的成功率为 66%，而没有经过任何一种正规预测试模型分析的产品成功率仅为 35%。经 ASSESSOR 模型预测不合格但仍引入市场的产品只有 3.8% 取得成功。在一项对 44 种用 ASSESSOR 模型分析过的新产品进行的研究中，平均预测市场份额为 7.77，而实际市场份额平均为 7.16，标准差为 1.99。预测市场份额与实际市场份额的相关系数为 0.95。

厄本和卡茨（Urban & Katz，1983）比较了在决定是否引入新产品时采用 ASSESSOR 模型的企业与没有采用市场测试的企业的平均收入。采用 ASSESSOR 获得的平均增量收入为 1 170 万美元，而在 ASSESSOR 模型上的投资仅为 5 万美元，可见 ASSESSOR 模型带来的回报是极其可观的。那些既用了 ASSESSOR 模型又用了常规市场测试法的企业还因使用 ASSESSOR 模型而增加了 30 万美元的收入。

总之，预测试市场模型已成为营销工程最成功的应用领域之一。这些模型尤其适用于预测和评价某种即将进入已有很多产品的市场中的新产品。ASSESSOR 模型里的偏好模型提供的诊断性信息有助于企业制定引入新产品的营销计划。偏好模型只有用于满足下列特征的产品大类时才比较准确：（1）顾客了解新产品的速度足够快，使顾客偏好能迅速稳定下来；（2）顾客对该产品大类的使用率不会因新产品的出现而改变。

本书所附的软件包里提供了 ASSESSOR 模型，内有试用—重购模型和偏好模型，还有庄臣公司案例的数据。

本章小结 --

　　企业知道对新产品的不尽追求是企业兴旺的一项战略性的必要条件。本章概要介绍了新产品开发的主要阶段以及企业可用于改进决策的很多决策模型。重点介绍了三种模型：联合分析模型、巴斯模型以及 ASSESSOR 预测试市场预测模型。在新产品开发的初期，企业可用这些模型对新产品的投资进行有效决策。

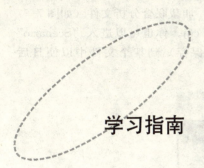

学习指南

联合分析指导

      联合分析广泛应用于新产品的设计中，可用来衡量、分析和预测顾客对新产品和现有产品新性能的反应，使企业把顾客对产品或服务（文字描述或视觉形象）的偏好分解成与产品属性或性能组合相关的"局部价值"效用，然后把这些局部价值合并起来，预测顾客对任何可能的属性组合的偏好。这种方法可用来确定最优的产品概念或识别对某产品评价高的细分市场。

      在"Model"（模型）菜单上，选择"Conjoint Analysis"（联合分析），就会出现如图7—6所示的窗口：

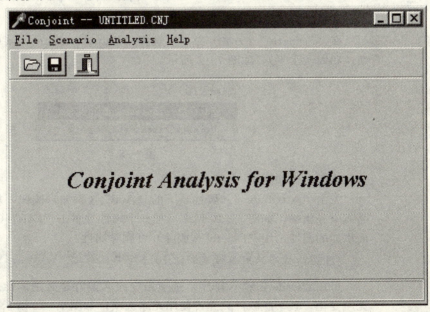

图7—6

在"File"（文件）菜单用"Open"（打开）加载联合分析文件（如图7—7所示），在福特饭店的练习中要打开文件 hotel. cnj。你也可以进入"Scenario"（方案）菜单。还可以把中间信息"Save"（保存）到某个文件中以便日后使用。

图 7—7

本指导内容包括三部分：1. 设计联合分析方案；2. 评价顾客偏好；3. 进行市场模拟。

设计联合分析方案

联合分析设计的第一步是生成一个方案，即详细说明产品的各个属性及这些属性可能的水平。为此，需要完成以下三个步骤：

1. 指出该大类产品的主要属性。例如，"顾客能享受的休闲活动"就是设计一家新饭店要考虑的主要属性。

● 可向专家咨询、调查顾客或进行小组访谈来识别属性。属性可以是结构性特点、产品特征、产品外观或者营销组合变量（如价格）。

● 从其中删去所有产品和新产品概念都共有的属性。例如，如果所有饭店的结账服务都很快捷，而且这种服务被看作是基本服务，就可以把它去掉。此外，要注意采用目标顾客所关心的属性。

在"Scenario"（方案）菜单下选择"Edit Attributes and Options"（编辑属性和属性水平），如图7—8所示：

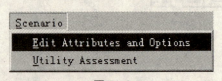

图 7—8

然后出现如图7—9所示的屏幕：

点击"Attributes"（属性）下的"Add"（添加）按钮，加入要研究的产品或服务属性，如图7—10最多可加6个属性。单击"Edit"（编辑）可编辑前面添加的属性，用"Delete"（删除）可删除属性。

注意：程序只用属性名的前10个字符。

可用"Ordering"（排序）选项指定顾客偏好是否随属性递增、递减还是无序变化。教学版软件只允许使用无序选项，如图7—10所示。

2. 输完属性表后，要为每一属性输入两个以上的备选属性水平，如图7—

320

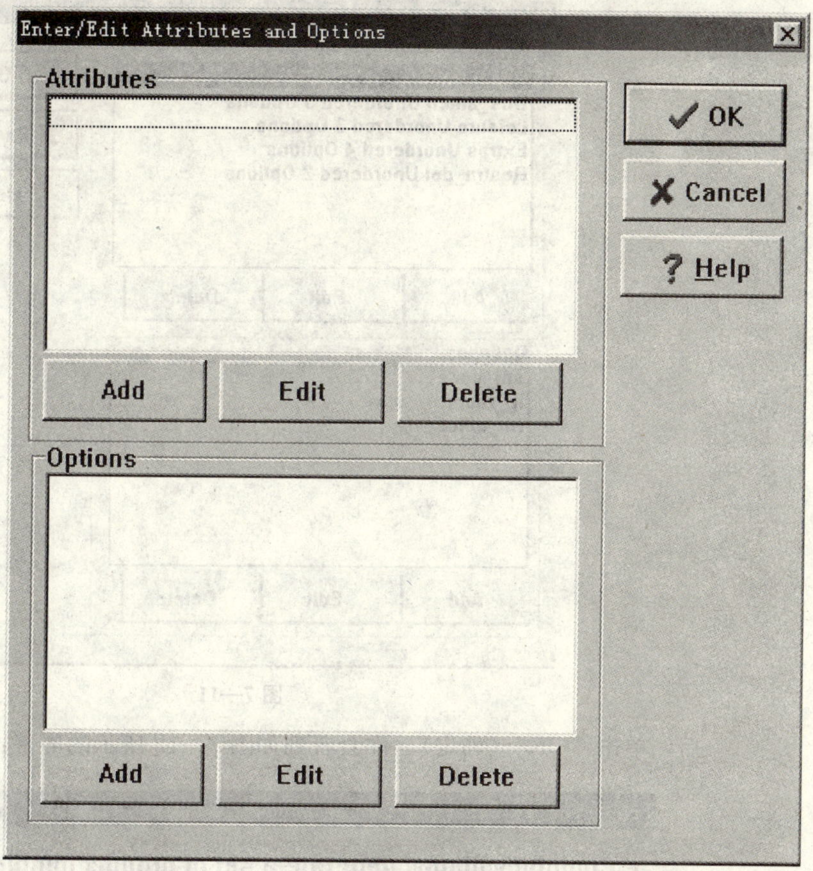

图 7—9

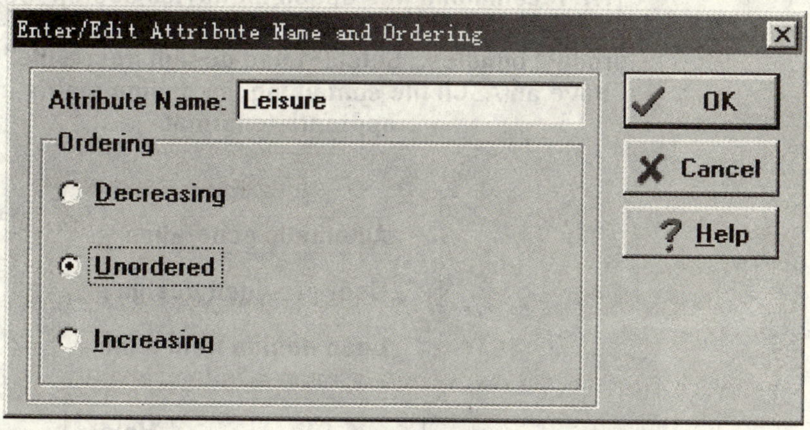

图 7—10

11 所示的"Leisure"（休闲）属性。用"Add"（添加）按钮加入各种属性水平。应选择现有产品所具有的属性水平，同时考虑将新属性水平应用在新产品中。用箭头键或鼠标选择想加入属性水平的属性。

3. 要生成一组供顾客评价的产品，就要把各产品描述成各种属性水平的组合。程序可以自动地从属性水平组合中选出部分产品。输完属性和属性水平

Enter/Edit Attributes and Options
Attributes
Room Unordered 3 Options
Bus_amen Unordered 3 Options
Leisure Unordered 3 Options
Extras Unordered 4 Options
Restrn_del Unordered 2 Options
OK
Cancel
Help
Add
Edit
Delete
Options
sm_suite
lg_room
rm_office
Add
Edit
Delete

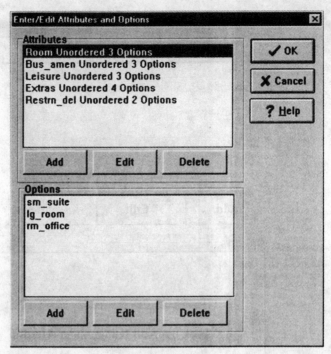

图 7—11

后，单击“OK”（确定）。你会看到如图 7—12 所示的屏幕：

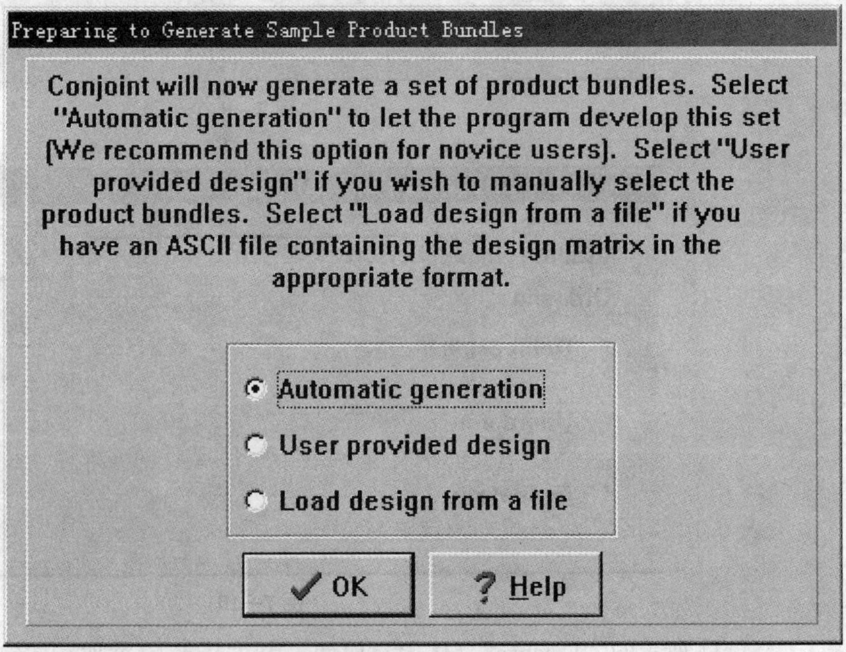

Preparing to Generate Sample Product Bundles
Conjoint will now generate a set of product bundles. Select "Automatic generation" to let the program develop this set (We recommend this option for novice users). Select "User provided design" if you wish to manually select the product bundles. Select "Load design from a file" if you have an ASCII file containing the design matrix in the appropriate format.
Automatic generation
User provided design
Load design from a file
OK
Help

图 7—12

选择“Automatic generation”（自动生成）选项，程序生成一组正交的产品，如图 7—13 所示。如果没有使用联合分析的经验，可选用自动生成（缺省选项）。

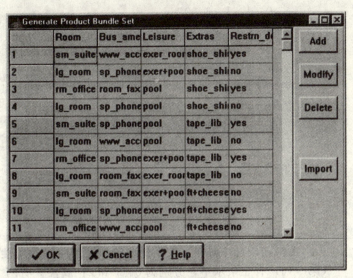

图 7—13

熟悉联合分析的用户可用其他标准来选择自己的产品子集。选择 "User provided design"（用户提供设计）选项可详细指定一组产品概况。这时，程序会显示自动选择的属性组合列表，你在此基础上设计自己的产品集，如图 7—14 所示。

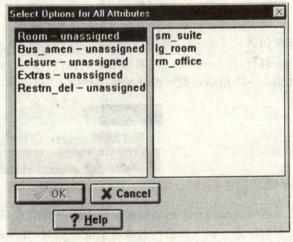

图 7—14

注意：这时单击 "OK"（确定）会回到第一屏。

还可选择 "Load Design from File"（从文件加载设计）选项，这样就可以从外部的 ASCII 码文件里加载自定义的设计矩阵。下例是一个有五个属性的设计矩阵文件。

```
0  0  0  0  0
1  1  2  0  1
2  2  1  0  0
1  1  1  0  1
```

```
0  1  1  1  0
1  0  1  1  1
2  1  2  1  0
1  2  0  1  1
0  2  2  2  1
1  1  0  2  0
2  0  1  2  1
1  1  1  2  0
0  1  1  3  1
1  2  1  3  0
2  1  0  3  1
1  0  2  3  0
```

在指定设计矩阵时，按惯例要给如上例所示的属性水平添加标签：属性 1（第一列）有三个水平，分别为 0、1 和 2；属性 5 有两个水平，为 0 和 1。

在本指导中已经指定了设计矩阵，也就完成了第一部分。后面将会继续使用这个例子。如果你还没有指定设计矩阵，可在"File"（文件）菜单下单击"Open"（打开），加载 hotel. cnj 文件。

评价顾客偏好

这里讲述如何获取受访者对产品评价的数据。为方面起见，假定你就是一个受访者。

打开"Scenario"（方案）菜单，选择"Utility Assessment"（效用评估），如图 7—15 所示，就可以开始效用评估了。

图 7—15

这时会出现一个对话框要求输入用户 ID，你的偏好将存放在此 ID 下供日后分析使用。输入你的姓名或一个惟一的 ID 并单击"OK"（确定），如图 7—16 所示。

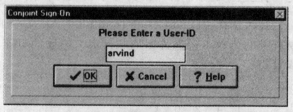

图 7—16

接着会看到如图 7—17 所示的屏幕：

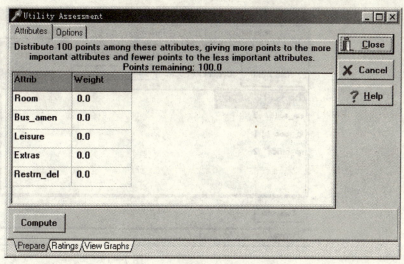

图 7—17

在"Utility Assessment"（效用评估）对话框中，可选择"Prepare"（准备）或"Ratings"（评分），也可按顺序完成这两个步骤。

1. 准备（也叫自解释评分）：要完成"Prepare"（准备）工作，必须提供以下信息：（1）对属性的相对偏好；（2）对每一属性的各属性水平的相对偏好。你要把 100 分分给各个属性，如图 7—18 所示。

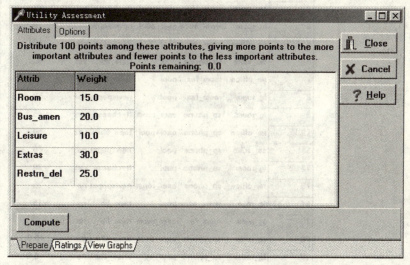

图 7—18

评估完各属性的重要性（或权数）后，单击"Options"（选项）标签，排出"Leisure"（休闲）属性的各属性水平的顺序。单击"Next Attrib"（下一属性）按钮进行对下一个属性的操作。在图 7—19 中，下一属性是"Extras"（额外计价的项目）。输完所有属性的排序后，单击"Compute"（计算）。

2. 评分：单击屏幕底部的"Ratings"（评分）标签开始打分，这时会看到如图 7—20 所示的对话框：

在"Rating"（评分）栏中输入一个 0～100 之间的数值，表示你对某种饭

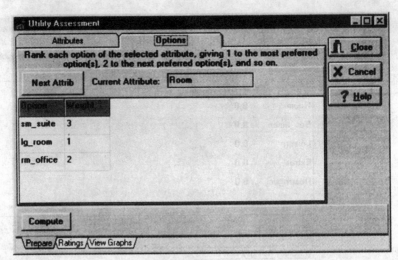

图 7—19

	Room	Bus_amen	Leisure	Extras	Restrn_del	Rating
1	sm_suite	www_acce	exer_room	ft+cheese	yes	100.0
2	sm_suite	www_acce	exer_room	shoe_shine	yes	85
3	sm_suite	room_fax	exer+pool	ft+cheese	no	90
4	lg_room	www_acce	exer+pool	newspaper	yes	70
5	rm_office	www_acce	pool	ft+cheese	no	65
6	sm_suite	sp_phone	pool	tape_lib	yes	80
7	rm_office	room_fax	pool	shoe_shine	yes	70
8	lg_room	room_fax	pool	newspaper	yes	50
9	lg_room	sp_phone	exer_room	ft+cheese	yes	45
10	rm_office	sp_phone	exer+pool	tape_lib	yes	50
11	sm_suite	sp_phone	pool	newspaper	no	60
12	lg_room	sp_phone	pool	ft+cheese	yes	30
13	rm_office	sp_phone	exer_room	newspaper	no	25
14	lg_room	www_acce	pool	tape_lib	no	15
15	lg_room	room_fax	exer_room	tape_lib	no	10
16	lg_room	sp_phone	exer+pool	shoe_shine	no	0.0
17	lg_room	sp_phone	pool	shoe_shine	no	0.0

图 7—20

店属性组合的偏好，每行表示一种饭店属性组合。如果此前已经完成上步的准备工作，程序这时已经按照你在准备阶段的评分将属性组合进行了排序。偏好程度最高为 100，排在最前面；偏好程度最低为 0，排在最后；中间是供你评价的各种属性组合。如果此前没有进行上步的准备工作，程序会随机排出各种属性组合。先进行准备工作会使评分工作更为容易。

在评分时，可点击"Reorder"（重新排序）对属性组合从偏好程度最高到偏好程度最低进行排序，以方便评分工作，如图7—21所示。

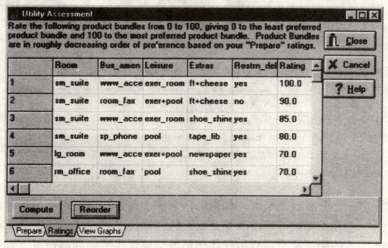

图 7—21

完成所有属性组合的评分后，单击"Compute"（计算），程序就会按你在"Ratings"（评分）栏里输入的分数来计算效用函数。

3. **图形**：完成评分工作后，点击"View Graphs"（查看图形）可观看基于你的评分生成的效用函数的图形表示，如图7—22所示。为保持一致，效用函数的值也分布在0～100之间。

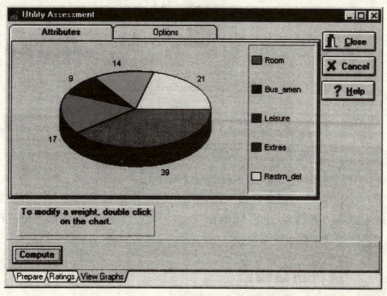

图 7—22

点击"Options"（选项）标签，会显示反映各属性每种属性水平的局部效用的柱状图，如图7—23所示。

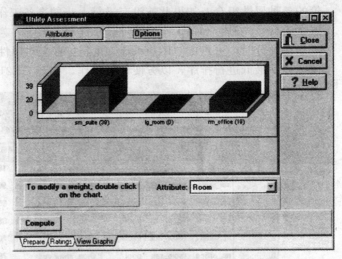

图 7—23

查看图形后，如果你认为图中属性及属性水平的相对权数没有表达出你的真正偏好，可以改变分配给任一属性或属性水平的权数。双击饼图可改变属性的局部价值，双击柱状图可改变属性水平的局部价值（参见图 7—24）。

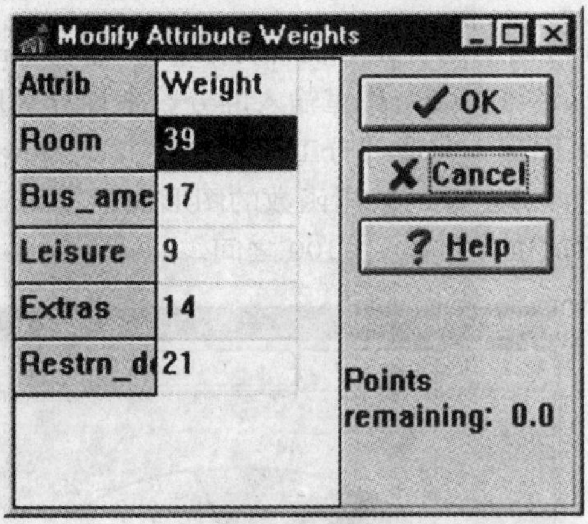

图 7—24

注意：为保持一致，属性权数和必须是 100，属性水平权数必须介于 0 和该属性最大权数之间。

你可以在"Prepare"（准备）、"Ratings"（评分）和"Graphs"（图形）之间来回切换，直到确信图示的效用函数表达出你的真正偏好。完成这项工作后，程序会在你此前所命名 ID 文件名下保存最后的效用函数。最后单击"Close"（关闭）。

进行市场模拟

获得受访者效用函数后，就可以开始分析工作了。你可以用这个程序设计出在市场上现有产品存在的情况下能吸引目标顾客的新产品。新产品的成功取决于其属性水平是否比竞争产品更能符合顾客的偏好。回到"Analysis"（分析）菜单。在评价新产品概念前，需要完成以下工作：

1. 在"Analysis"（分析）菜单下选择"Load Part Worth File（s）"（加载局部价值文件），如图 7—25 所示。你可用任意标准选择一组受访者的信息进行分析，如只选择男性受访者分析。然后对其他细分市场重复同样的分析。程序把效用函数保存在每位受访者的 ID 名下，并加上扩展名 .PRT。

> **注意**：如果已经在某个文件中保存了局部价值数据，就不必每次运行此程序时都重新加载这些文件。在福特饭店的练习中，hotel. cnj 文件里含有 40 位受访者的局部价值文件，此时可直接进入"Create/Edit Existing Product Profiles"（建立/编辑现有产品档案）或使用"Analysis"（分析）菜单下的其他命令。

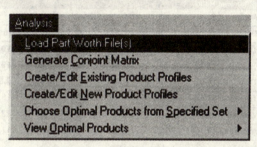

图 7—25

选择所要的所有文件并单击"Add"（添加）。想同时选中多个文件，可在点击文件名的同时按住 Ctrl 键。此练习要选择 40 个受访者。选好文件后单击"OK"（确定），如图 7—26 所示。

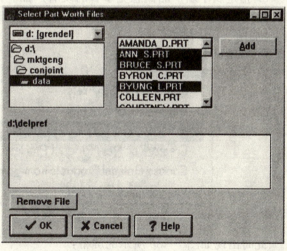

图 7—26

2. 选择"Generate Conjoint Matrix"（生成联合矩阵）加载这些文件，如图 7—27 所示。可用卷滚条查看矩阵的全部内容，如图 7—28 所示。

联合矩阵的最后一行为各属性水平的平均局部价值，从此数值可看出哪些属性水平对这部分顾客最有吸引力。单击"Close"（关闭）[也可单击"Load File"（加载文件）按钮并指定文件名称，直接载入一个包含一定数量受访者局部价值数据的 ASCⅡ码文件，此文件要符合前面要求的格式]。

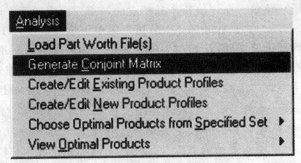

图 7—27

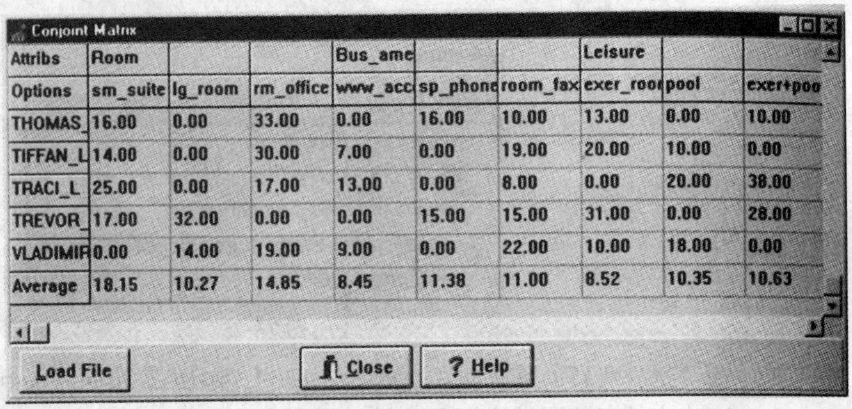

Attribs	Room			Bus_ame			Leisure		
Options	sm_suite	lg_room	rm_office	www_acc	sp_phone	room_fax	exer_roor	pool	exer+poo
THOMAS_	16.00	0.00	33.00	0.00	16.00	10.00	13.00	0.00	10.00
TIFFAN_L	14.00	0.00	30.00	7.00	0.00	19.00	20.00	10.00	0.00
TRACI_L	25.00	0.00	17.00	13.00	0.00	8.00	0.00	20.00	38.00
TREVOR_	17.00	32.00	0.00	0.00	15.00	15.00	31.00	0.00	28.00
VLADIMIR	0.00	14.00	19.00	9.00	0.00	22.00	10.00	18.00	0.00
Average	18.15	10.27	14.85	8.45	11.38	11.00	8.52	10.35	10.63

图 7—28

3. 指定属于新产品概念竞争者的现有产品。回到 "Analysis"（分析）菜单，选择 "Create/Edit Existing Product Profiles" （建立/编辑现有产品档案），如图 7—29 所示。

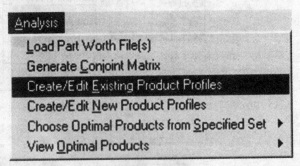

图 7—29

此时出现如图 7—30 所示的屏幕：

单击 "Add" （添加）或 "Modify" （修改）即出现如图 7—31 所示的屏幕：

选择对应此产品的属性水平来指定每种产品，最好只选择可能会与新产品概念发生直接竞争的产品。

如果有同样属性水平的现有产品不只一种，你只能定义其中一种。定义好产品后，出现如下屏幕。你也可以为此产品提供一个名称，如此处将这个属性水平组合命名为 "Courtyard by Marriott"（万怡饭店）。

330

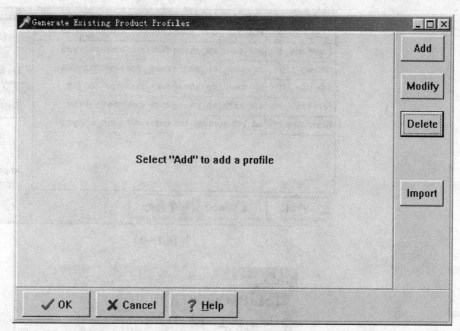

图 7—30

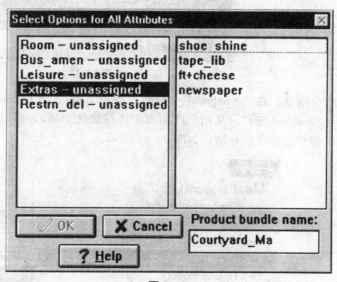

图 7—31

定义完所有产品后，单击"OK"（确定），这时出现类似图 7—32 所示的屏幕：

4. 现在指定一组候选的新产品概念（如果没有指定新产品，则可以计算现有产品的市场份额，这样可以验证数据集）。在"Analysis"（分析）菜单下选择"Create/Edit New Product Profiles"（建立/编辑新产品档案），如图 7—33 所示。

用上述创建现有产品档案的方法指定新产品的属性水平。

5. 现在已经指定了用联合分析来模拟所选产品的市场业绩所需要的大部

331

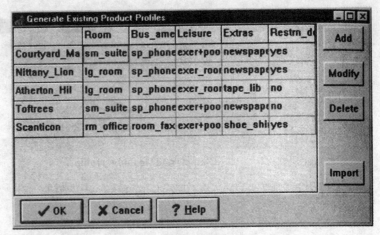

图 7—32

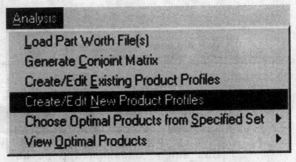

图 7—33

分信息。在"Analysis"（分析）菜单下单击"Choose Optimal Products from Specified Set"（从指定产品集中选择最优产品），可以用三种选择规则来评估新产品的市场业绩，如图 7—34 所示。

图 7—34

效用最大规则：假设每个受访者都会从所评价的竞争产品和新产品概念中选择能提供最大效用的产品。联合分析会轮流评估每种新产品与现有产品的竞争。如果顾客只是偶尔购买该产品大类中的产品，效用最大规则就是一种比较好的分析。

效用份额规则：每个受访者购买某个产品的份额可看作是同竞争产品集里所有产品的总效用相比此产品效用的函数。这种分析方法适合顾客频繁购买的产品。

分对数选择规则：对每位受访者来说，每一产品的份额是同竞争产品集里所有产品的总效用相比此产品加权效用的函数。加权是指数函数。此规则是又一种适合频繁购买产品的效用份额规则。

　　用效用份额规则和分对数选择规则得出的市场份额预测值对衡量效用的尺度很敏感。如果给计算出的每一产品的效用值都加一个常数，用效用份额规则得出的市场份额预测值就会发生变化；如果用一个常数去乘这些效用值，预测值不会改变。在采用分对数选择规则时，如果给这些效用值加一个常数，得出的市场份额预测值不会发生变化；如果用一个常数去乘这些效用值，市场份额预测值就会发生变化。

　　在计算市场份额时，我们采用格林和克里格（1985）的方法：先把每位受访者的效用尺度标准化，这样每一属性的最不受偏好的属性水平效用值为 0，效用尺度从 0 到 K，这里 K 为属性的数量。

　　不要绝对地解释新产品的市场份额预测值，应该从相对意义来看待这些份额：市场份额预测值较高的新产品可能比市场份额预测值较低的新产品有更好的市场业绩。

　　6. 选择好分析方式后，就会看到显示第一种新产品市场份额的饼图。如图 7—35 所示为一种名为"Profesnl_1"的新产品在进入已有四种竞争产品的市场上时其市场份额为 16.44％。单击"Next"（下一步）可看到下一个新产品市场份额的饼图。

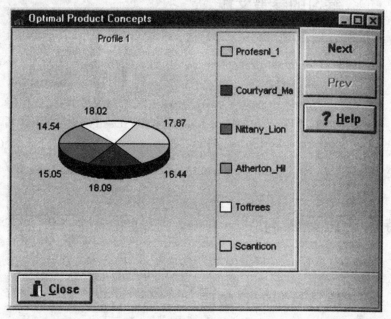

图 7—35

　　7. 还可对所有可能的产品进行一次完整的搜索，方法是回到"Analysis"（分析）菜单下选择"View Optimal Products"（查看最优产品），如图 7—36 所示，这样程序会按你指定的选择规则选择前四位业绩最好的产品档案。

　　注意：在这个评估中，不包括你在现有产品档案中定义的产品。

333

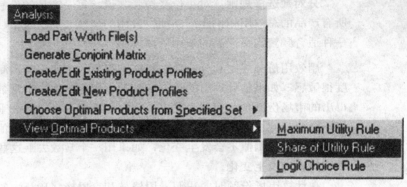

图 7—36

软件教学版的限制

最大属性数：6；
每种属性最大水平数：4；
最大现有产品数：8；
最大新产品数：5 000。

练习的参考文献

Green, Paul E. and Wind, Yoram 1975, "New way to measure consumers' judgments," *Harvard Business Review*, Vol. 53, No. 4 (July-August), pp. 107—117.

Wind, Jerry, Green, Paul E., Shifflet, Douglas and Scarbrough, Marsha 1989, "The Courtyard by Marriott: Designing a hotel facility with consumer-based marketing models," *Interfaces*, Vol. 19, No. 1 (January-February), pp. 25—47.

福特饭店设计练习[1]

福特总裁假日饭店

福特饭店是欧洲一家大型连锁饭店，目前在美国发展新的连锁饭店——福特总裁假日饭店（Forte Executive Innes），既有欧洲饭店的氛围，又有美国饭店的实用和方便。福特饭店希望能够抓住从欧洲到美国出差的人越来越多的趋势。

334

公司背景

福特饭店是英国最大的连锁饭店，旗下的品牌包括迪拜（Le Meridien）、福特顶峰（Forte Crest）、福特驿站（Forte Posthouse）和福特旅栈（Forte Travelodge），此外还有 80 家高级饭店［如首都华盛顿的水门（Watergate）饭店、伦敦的海德公园（Hyde Park）饭店和多伦多的爱德华国王（King Edward）饭店］组成的国际集团。最近，福特饭店总裁罗科·福特（Rocco Forte）爵士宣布出售美国的福特旅栈连锁饭店，开发新的连锁饭店——福特总裁假日饭店，面向欧洲和美国的商务旅行者。

福特饭店发展新连锁的战略有双重意义：到美国的欧洲商务旅行者能很容易认出福特的品牌，并联想到舒适和服务；而美国的商务旅行者知道这个新饭店具备中等价位的饭店所缺乏的舒适，又能感到饭店有美国饭店的全部功能。福特总裁假日饭店是欧洲风格，但设施和服务可以和希尔顿（Hilton）、喜来登（Sheraton）和万豪旗下的万怡等饭店媲美。

初步评价

最近一项调查指出，商务旅行者选择饭店先考虑的三个理由是价格、地理位置和饭店品牌。福特总裁假日饭店价位中档，每晚约 100 美元；目前正在努力争取美国各地靠近市郊商业中心的黄金地点；另外，新连锁饭店命名时会充分利用福特的名气。现在面临的问题是如何精心调整饭店的特色，使它既能吸引美国的商务旅行者又能吸引欧洲的商务旅行者。

检索商业数据库使企业对商务旅行者的偏好有了初步了解。男性商务旅行者（占美国商务旅行者的 60%）选择新饭店主要考虑价格、位置和便利，女性商务旅行者比男性更注重安全和清洁。这些因素和福特的品牌形象对吸引新顾客很重要，但饭店的特色（即属性）才是吸引回头客的主要因素。其他一些调查显示，有些生活设施会吸引 30% 以上的商务旅行者，这些设施包括房内计算机设施，饭店内的会议设施，照明良好的工作区、大书桌及转椅的客房，通信设施（如扩音器、数据端口）。一家信用卡公司的调查发现，到美国的欧洲商务旅行者中 50% 想找能关照他们并让他们感到放松的饭店，另一些人想寻找能使他们快速、高效地完成商务任务的饭店。了解到这些基本信息，福特公司意识到必须充分理解目标市场的偏好才能建好一个连锁饭店。

联合分析（让饭店的特色符合顾客的偏好）

公司决定先了解顾客对福特总裁假日饭店能实现差异化的五种重要属性的偏好：客房类型、商务设施、休闲设施、便利设施与额外项目及餐饮服务。它对每个属性定义了几种属性水平（见表 7—9），其中没有考虑所有饭店都有的一般属性。为便于比较，只考虑面积相仿、房内有数据端口和其他设施及前台传真服务的客房。

表 7—9	属性及属性水平
属性 [缩写]	属性水平 [缩写]
客房类型（面积相仿）	● 小套房 [sm_suite] 小套房，有小卧室、客厅、长沙发、电视和咖啡桌。 ● 大标准房 [lg_room] 比标准房长 3 英尺，有两张大床。 ● 配大书桌和转椅的客房 [rm_office] 和大标准房规格相同，只有一张大床，在放另一张床的位置是光线良好的工作区，有一张大书桌和转椅。
商务设施	● 互联网接入服务 [www_access] 配浏览器（如网景）的计算机，可接入互联网，按小时计费，费用较低（每小时 2—3 美元）。 ● 室内扩音器 [sp_phone] 供小组讨论用的扩音器。 ● 室内传真机 [room_fax] 一台有专用号码的传真机，结账后失效。
休闲设施	● 健身房 [exerc_room] 内有组合器材、举重机、健身车、步行机登高机和蒸汽浴室，24 小时开放。 ● 游泳池 [pool] 室内标准长形分泳道游泳池，有深水区和浅水区。 ● 小健身房加小游泳池 [exer+pool] 缺少某些设施的小健身房（如没有蒸汽浴室、健身器材较少）；供嬉戏的圆形小游泳池，无泳道。
便利设施及额外项目	● 免费擦鞋 [shoe_shine] 晚上放在门外的皮鞋次日清晨会擦亮并放回原处。 ● 录像带库 [tape_lib] 房内有录像带目录，选好后由客房服务生送来。 ● 免费水果和奶酪盘 [ft+cheese] 房内有免费赠送的水果和美味奶酪盘。 ● 免费报纸 [newspaper] 一份《今日美国》放在门外。
送餐服务	● 有 [yes] 顾客可用附近餐馆的菜单点菜，通知客房服务送餐。 ● 无 [no] 没有送餐服务。

福特公司要确定表 7—9 中的哪种属性水平组合最能吸引目标顾客，公司管理层授权你用联合分析方法来作决定。福特饭店调查了 300 名商务旅行者，本练习使用其中 40 位受访者提供的信息（见表 7—10）。

表 7—10　　　　　　　　偏好数据

	客房	商务设施	休闲设施	额外项目	送餐	小套房	大标准房	办公房	互联网接入	扩音器	房内传真	健身房	游泳池	健身房加泳池	擦鞋	录像带库	水果和奶酪	报纸	有送餐	无送餐
1	47	21	16	11	5	47	0	20	21	0	10	12	16	0	10	0	8	11	5	0
2	23	29	7	18	23	23	0	7	0	15	29	7	0	5	9	5	18	0	0	23
3	15	38	9	21	17	15	0	12	0	14	38	4	0	9	5	7	0	21	0	17
4	20	27	10	20	23	20	0	16	10	0	27	8	10	0	0	12	20	16	23	0
5	21	26	21	21	11	21	10	0	12	26	0	0	21	3	21	9	13	0	0	11
6	22	25	12	22	19	8	0	22	13	0	25	0	12	6	22	0	0	0	0	19
7	33	16	13	33	5	16	0	33	0	16	0	13	0	10	0	11	33	18	0	5
8	24	23	14	24	15	13	0	24	10	23	0	14	0	4	8	0	24	12	15	0
9	34	22	6	22	16	0	12	34	0	22	0	0	5	6	15	0	22	8	16	0
10	26	21	16	22	18	26	0	0	14	9	16	0	0	0	0	14	7	19	18	0
11	11	52	10	17	10	0	9	11	52	13	0	8	10	17	6	13	0	0	0	0
12	19	22	18	24	17	0	14	19	9	0	22	10	18	0	24	5	0	7	17	0
13	28	37	19	12	4	12	0	28	5	0	37	0	19	11	8	12	0	6	4	0
14	30	19	20	13	18	14	0	30	0	19	20	10	0	4	6	0	13	0	0	18
15	47	25	9	12	7	0	7	47	0	0	25	9	0	0	12	8	0	0	0	7
16	34	23	12	14	17	34	0	11	23	13	0	4	12	0	5	0	8	14	17	0
17	27	42	7	8	16	27	0	23	0	13	42	0	0	13	6	0	14	9	0	16
18	34	16	16	16	13	34	0	30	0	16	0	16	11	21	0	0	13	8	13	0
19	50	19	11	8	12	50	27	0	0	4	11	0	0	7	0	5	4	12	0	0
20	34	27	14	10	15	34	0	16	6	27	0	8	0	14	4	0	10	8	0	15
21	33	29	3	26	9	28	0	33	11	29	0	0	1	3	6	0	26	4	0	9
22	22	22	12	24	20	0	16	22	0	22	12	6	0	24	0	0	12	0	0	20
23	31	10	10	18	31	0	0	31	8	0	10	0	0	7	15	18	31	0	0	0
24	20	21	9	41	9	20	0	14	0	7	21	9	0	5	41	13	10	0	0	9
25	31	14	25	18	12	14	31	0	14	0	7	25	0	13	0	18	8	12	0	0
26	29	11	31	16	13	10	0	29	0	11	0	31	17	2	9	16	0	13	0	0
27	18	27	27	16	14	0	14	0	27	18	12	0	27	4	9	0	14	0	0	14
28	27	4	56	10	3	0	27	7	4	0	2	56	19	0	4	10	0	6	3	0
29	16	29	29	2	14	0	16	0	16	29	0	0	29	20	0	12	6	9	14	0
30	45	7	32	2	19	45	0	17	0	0	7	0	0	32	0	0	1	0	0	0
31	16	16	33	2	22	6	16	0	0	16	0	33	5	0	0	13	0	22	0	0
32	19	22	32	11	16	0	19	5	10	22	0	32	16	0	9	11	0	3	16	0
33	43	12	25	8	12	13	43	0	11	0	12	10	25	0	0	8	6	4	0	12
34	37	9	39	2	12	10	37	0	0	9	0	39	21	3	0	3	0	0	12	0
35	17	24	32	15	12	17	0	24	0	32	2	15	8	0	0	12	0	0	0	12
36	72	7	10	5	6	72	43	0	7	0	7	0	10	0	0	5	5	0	0	6
37	36	18	24	8	14	36	18	0	18	0	11	24	0	6	8	8	14	0	0	0
38	25	13	38	12	25	0	17	13	0	38	0	20	38	0	10	4	0	12	0	0
39	20	19	32	18	11	11	20	0	0	19	14	0	32	4	0	18	12	11	0	0
40	32	15	31	12	10	17	32	0	0	15	15	31	0	28	12	7	0	5	10	0

练习

1. 设计：在联合分析软件的"Scenario"（方案）菜单下选择"Edit Attributes and Options"（编辑属性和属性水平），完成本指导的第一部分工作。简述将产品描述成若干属性水平的组合有什么优缺点。

2. 效用评估：用"Utility Assessment"（效用评估）命令对福特总裁假日饭店正考虑的各属性及属性水平做出权衡（本指导的第二部分工作）：先完成准备工作（即自解释评分），再完成评分工作。项目小组的每个成员都应各自完成效用评估。之后记下每个属性及属性水平的最终权数集。

根据你在完成这些任务时获得的经验，总结联合分析在获取顾客偏好数据上的优缺点。

3. 分析：用"Analysis"（分析）菜单（本指导的第三部分）评价四个饭店概念（Profesnl＿1、Profesnl＿2、Tourist 和 Deluxe）的可行性，这四个饭店是福特公司打算在州立大学（State College）市开发的。依据本案例中 40 个商务旅行者的偏好和如表 7—11 所示的成本估算进行评价。偏好数据在 hotel. cnj 文件中。对一家有 150～200 个客房的饭店来说，不论客房类型如何，每个客房（没有表 7—11 中的属性和属性水平）装修的基本成本约为 40 000 美元。

从福特公司的这些饭店概念找出最佳概念，解释你如何得出这种意见。

4. 在州立大学里，除福特在考虑的四种饭店概念外，你还会推荐其他什么饭店概念吗？为什么？

5. 概括联合分析在新产品设计方面的主要优缺点，哪些条件会有助于在饭店业应用这种方法（回答时要考虑顾客类型、市场环境等因素）？

6. 听完这次研究的汇报后，福特公司的一位经理宣称："联合分析法会妨碍饭店设计，它是没有远见和信念的经理的救命稻草。表面上它很合乎情理：在设计之前精确找出顾客偏好的特色。但实际上是不可能的：没有亲身体验过各种饭店前，顾客根本无法告诉你他们的真正偏好。即使你提供了饭店的图片或原型，他们表达出的偏好也会让饭店设计偏于平庸。这种方法带给你一个毫无个性的四不像饭店！用这种方法永远得不到一家特色鲜明的饭店。"你同意这种说法吗？为什么？

表 7—11　　　　　　　　　　　　　　成本数据

	建设时每客房增加的固定费用(美元)	每日每客房平均增加费用(美元)
互联网接入服务	2 500	3.00
室内扩音器	200	2.00
室内传真机	600	2.50
健身房	1 500	−2.00
游泳池	3 000	−4.00
小健身房加泳池	3 500	−4.50
免费擦鞋	30	−0.50
录像带库	300	−0.50

续前表

	建设时每客房增加的固定费用(美元)	每日每客房平均增加费用(美元)
免费水果和奶酪	100	−5.00
免费报纸	—	−1.00
有送餐	100	−3.00
无送餐	—	—

练习的参考文献

Green，Paul E. and Krieger，Abba M. 1986，"Choice rules and sensitivity analysis in conjoint simulators," *Working Paper*，The Wharton School，University of Pennsylvania.

广义巴斯模型指导

GBass 电子报表软件可用来预测新产品采用。它既可实现巴斯模型（Bass，1969）也可实现广义巴斯模型（Bass，Krishnan & Jain，1994）。广义巴斯模型在巴斯模型中加入了广告与价格变化因素。

GBass 软件提供了两种模型校准方式：（1）类比与修正（即目视跟踪法）；（2）通过非线性最小平方方法用历史数据拟合巴斯模型（Srinivasan & Mason，1986）。Gbass 的预测部分是为目视跟踪设置的，可观察到模型参数变化对预测结果的影响。

在"Model"（模型）菜单下选择"Bass Model"（巴斯模型）即出现如图 7—37 所示的"Introduction"（介绍）屏幕：

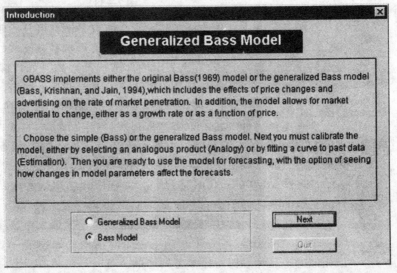

图 7—37

选择"Generalized Bass Model"（广义巴斯模型）或"Bass Model"（巴斯模型），单击"Next"（下一步）。广义巴斯模型包括价格和广告两个决策变量，模型假设它们能决定顾客的总量。巴斯模型没有决策变量，并假定顾客总量是常数。

由于广义巴斯模型包含了巴斯模型，我们只讲述广义巴斯模型的用法。这两个模型的设置是相同。

类比法模型校准

模型含一个数据库，里面有要应用巴斯模型的各数据集的实际数据点、系数 p 与 q 的估计值和市场潜量估计值等。这些数据来自多个产品大类。有关数据库的其他信息可参看本章正文的讲解，其中包括了每个案例的系数 p 与 q、市场潜量及分析期。

你需要找到一种同你要分析的产品有相似市场特征的产品或技术。如果没有新产品的历史数据，用类比法校准模型是很有用的。如果没有足够的数据而无法把握模型参数时，这种方法也很有用。

要了解相似产品的销售模式，选择"Estimation of p and q by Analogy"（用类比法估计 p 和 q），单击"OK"（确定），如图 7—38 所示。

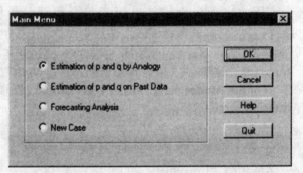

图 7—38

在图 7—39 中，先选择产品大类。所有案例都可分成四类：（低 p，低 q）、（高 p，低 q）等。例如，系数 p 高表示外部影响系数高（如广告是该产品市场渗透的重要因素），系数 q 高表示内部影响系数高（如口碑是该产品市场渗透的重要因素）。在"Products"（产品）表中点击某个产品，你就可以预览它的曲线和系数。

现在选择一种产品，单击"Add＞＞"（添加），在"Current Products"（当前产品）区的参照案例组中加入此产品（加入的产品不得超过三种，因为一次最多只能绘制三条曲线）。

选好产品后单击"OK"（确定），程序会绘出这些产品的真实数据点和估计的扩散曲线，如图 7—40 所示。

为简化比较，这些产品都已经标准化了，其最大市场渗透率等于 1。

单击"Next"（下一步）到下一个对话框，如图 7—41 所示，指定你认为最相似的产品和想保留作参考的产品。

单击"OK"（确定）回到"Main Menu"（主菜单）。

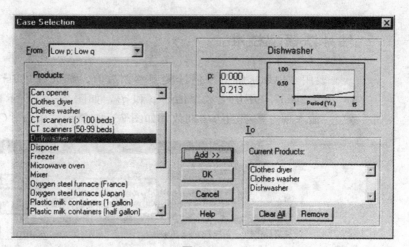

图 7—39

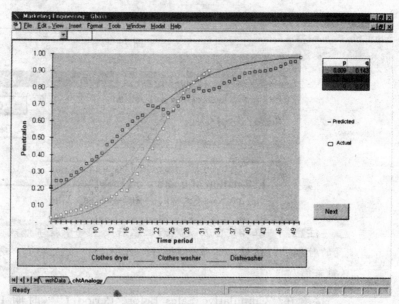

图 7—40

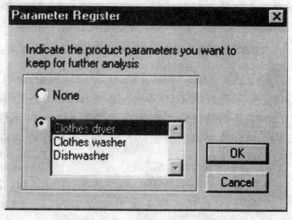

图 7—41

估计法模型校准

要用"规划求解"来估计模型参数数值，可选择"Estimation of p and q on Past Data"（用历史数据估计 p 和 q），如图 7—42 所示，单击"OK"（确定）。输入现有数据的历史期数，如图 7—43 所示，单击"OK"（确定）。

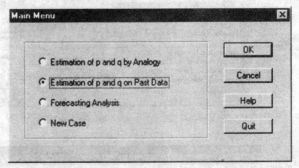

图 7—42

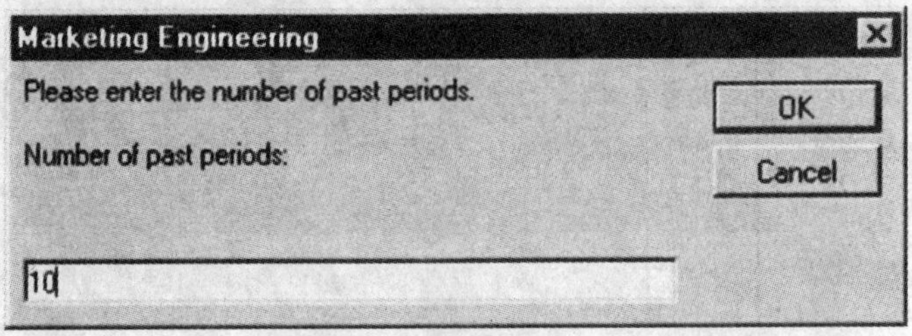

图 7—43

> **注意**：一旦指定了历史期数，在后续估计中就不能改变了。要对不同数量的时期进行估计，必须回到"Main Menu"（主菜单）选择"New Cases"（新案例）。

接着在"Cumulative Sales Before Period 1"（时期 1 前累计销售额）、"Market Growth Rate"（市场增长率）、"Market Potential at Start"（初期市场潜量，这是对初期市场规模的估计）和"Market Potential Price Elasticity"（市场潜量价格弹性）等栏目里输入数据，如图 7—44 所示。

> **注意**：时期 0 用作曲线图的起点，其销售额固定为 0。

如果选择的是"Bass Model"（巴斯模型），可不必输入广告系数或价格系数值。如果选择的是"Generalized Bass Model"（广义巴斯模型），就必须提供这些系数的估计值，因为历史数据的变化性不够，不能用来估计这些参数。广告系数和价格系数可粗略看成是"市场接受速度弹性"，表示市场对一种新产品的接受速度。

- 广告系数表示的是：当广告增加 1% 时，市场接受速度增加的百分比（广告系数值一般在 0.3~1 之间）。
- 价格系数表示的是：价格下降 1% 时，市场接受速度增加的百分比（价

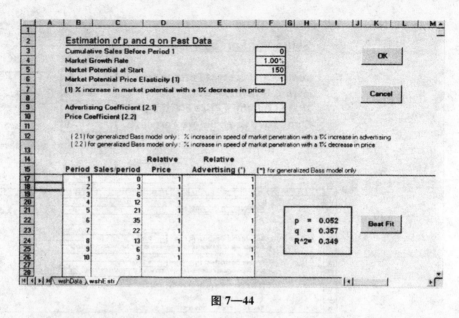

图 7—44

格系数值一般在 1～2 之间）。

现在输入各期的销售数据，各期的价格和广告指数可输入，也可不输入。

单击"Best Fit"（最优拟合）开始模型校准。软件只估计系数 p 和 q。市场潜量值固定为你所输入的最优猜测值。

单击"OK"（确定）回到"Main Menu"（主菜单）。

预测分析

选择"Forecasting Analysis"（预测分析），如图 7—45 所示，单击"OK"（确定）。

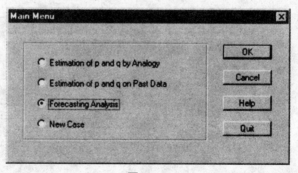

图 7—45

这时出现如图 7—46 所示的对话框：

输入"Number of Forecast Periods"（预测期数）、"Market Growth Rate"（市场增长率）和"Market Potential Price Elasticity"（市场潜量价格弹性，即价格下降 1％时市场潜量增加的百分比）等栏目的值，如图 7—47 所示。单击"OK"（确定）。

下面指定对价格变动的预期。在广义巴斯模型中还要指定广告的变动。相对

343

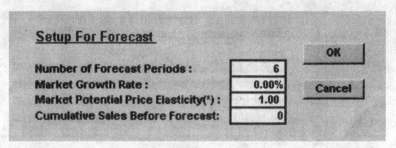

Setup For Forecast

Number of Forecast Periods :	6	OK
Market Growth Rate :	0.00%	Cancel
Market Potential Price Elasticity(ˣ) :	1.00	
Cumulative Sales Before Forecast:	0	

图 7—46

Forecasting Parameters

Advertising Coefficient (ˣ) = 0.6   OK
% increase in speed of market penetration with a 1% increase in advertising

Pricing Coefficient (ˣ) = 1.7   Cancel
% increase in speed of market penetration with a 1% decrease in price

(ˣ) for generalized Bass model only

Period	Relative Price	Relative Advertising(ˣ)
0	1	1.00
1	0.98	1.02
2	0.95	1.05
3	0.93	1.07
4	0.92	1.09
5	0.85	1.11

图 7—47

价格和相对广告是相对时期 0 各自的值而言,时期 0 是最后一期的实际数据。

点击"OK"(确定)转到如图 7—48 所示的屏幕。

Chart Parameters

Scroll Bar Ranges	Value of p	Value of q	Market Potential	
Starting Value	0.035	0.5	150	
Increment (From -5 To +5 Units)	0.005	0.07	5	OK
For Reference				Cancel
From Estimation	0.052	0.357	150.000	Help
From Analogy	0.009	0.143		
Analogy Product :	Clothes dryer			

图 7—48

在绘图时要指定系数 p、q 及市场潜量的初值与增值。如果可能,软件会同时显示最优拟合值(用历史数据估计出的 p、q 值)和参照产品(用类比法选择的 p、q 值)。

注意:"Starting Value"(初值)可上下波动最多五个单位。

点击"OK"(确定)可看到估计出的销售曲线,如图 7—49 所示。

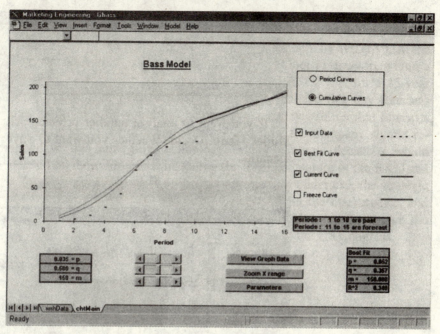

图 7—49

现在可以选择 "Period Curves"（各期曲线）来逐期观察销售曲线，也可以选择 "Cumulative Curves"（累积曲线）来观看累计销售曲线。选中 "Current Curve"（当前曲线）左侧的方格，就可看到 p、q 和 n 值如屏幕左下角所示时的预测销售模式。可用 "Period"（时期）下的滚动条调整 "Current Curve"（当前曲线）的参数，观察参数值的变化对曲线形状的影响。

如果觉得 "Input Data"（输入数据）和 "Current Curve"（当前曲线）已经匹配得很好了，就可以锁定这条曲线以供参照。这条 "Freeze Curve"（锁定曲线）的所有参数值都列在屏幕右下角。如果选择了 "Best Fit Curve"（最优拟合曲线），就可对比锁定曲线与最优拟合曲线的参数值。现在还可继续改变 "Current Curve"（当前曲线）的形状，"Freeze Curve"（锁定曲线）将保持不变。

点击 "View Graph Data"（查看图形数据）按钮，屏幕会显示出原始数据工作表，你不能改动其中的数据。

点击 "Zoom X Range"（放大 X 轴范围）可限制绘图的时期数。

点击 "Parameters"（参数）按钮即回到 "Chart Parameters"（图参数）屏幕，这时可重新输入系数的初值和增量。

如果想尝试另一个案例或类比产品、修改数据点或要保存当前产品，就要回到 "Main Menu"（主菜单）。你可在 "Model"（模型）菜单下选择 "Main Menu"（主菜单），如图 7—50 所示。

如果要分析另一个案例，在 "Model Menu"（模型菜单）中选择 "New Case"（新案例）。你可以 "Save"（保存）或 "Discard"（放弃）当前的方案，如图 7—51 所示。

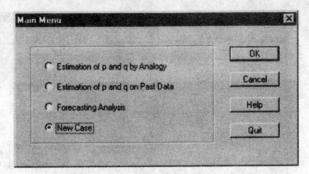

图 7—50

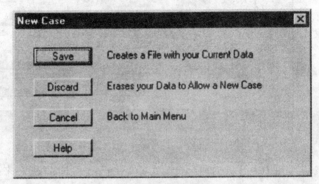

图 7—51

练习的参考文献

Bass, Frank M. , Krishnan, Trichy V. ; and Jain, Dipak 1994, "Why the Bass model fits without decision variables," *Marketing Science*, Vol. 13, No. 3 (Summer), pp. 203—223.

Bass, Frank M. 1969, "A new product growth model for consumer durables", *Management Science*, Vol. 15, No. 4 (January), pp. 215—227.

Srinivasan, V. and Mason, Charlotte H. 1986, "Nonlinear least squares estimation of new product diffusion models," *Marketing Science*, Vol. 5, No. 2 (Spring), pp. 169—178.

Zenith 高清晰度电视[2]

1990 年 8 月 1 日，Zenith 电子公司的总裁杰里·珀尔曼（Jerry Pearlman）同负责营销的副总裁布鲁斯·休伯（Bruce Huber）一起讨论高清晰度电视的市场潜力。会议的最后，珀尔曼先生请休伯先生一个月后提交一份报告，预测一下从 1992 年起未来 15 年内高清晰度电视的市场需求。他们俩都知道任何预测最多也只是猜测，但这些预测可以帮助公司决定是否关注以及如何应对这种新技术。这些预测也会影响到未来的许多战略决策，包括公司的研发投入和市场调查费用、寻找战略联盟以及公司参与本行业对联邦通讯委员会（FCC）和美国国会的游说活动。

高清晰度电视的背景

高清晰度电视比普通电视的分辨率高（图像更清晰）而且音质能达到 CD 的水平，屏幕也宽。电子工业协会（EIA）规定，电视的清晰度可用画面的分辨率来衡量，即屏幕上扫描的水平线数和垂直线数。

为促进高清晰度电视市场的增长，各利益相关方必须采用共同的标准：

● 关于高清晰度电视核心功能及制造的详细技术说明。

● 在高清晰度电视上播放的电视及电影制作标准。

● 采用联邦通讯委员会规定的广播和信号传输标准，保证在现有带宽内传输高质量的信号。

日本政府和企业在 1984 年采用了每帧 1 125 条线的高清晰度电视标准，而美国国家电视标准委员会（NTSC）采用的却是每帧 525 条线的标准。此外，美国国家电视标准委员会规定屏幕宽高比为 4：3（或 16：12），目前正考虑采纳 16：9 的更宽的宽高比。1950 年后制作的影片一般都采用宽银幕（但宽高比不一定都是 16：9），1950 年前制作的电视和大部分电影都采用 16：12 的宽高比。

日本的标准是以传统模拟信号进行广播，但只能通过卫星信道传输。有高清晰度电视的用户还需要卫星接收设备，否则无法收看节目。

1990 年，美国企业和政府仍然处在标准制定阶段，他们要解决以下几个棘手的问题：

兼容现有电视：联邦通讯委员会希望不管高清晰度采用什么传输标准都不会淘汰现有电视。即使保证了兼容性，在普通电视上收看高清晰度电视节目时，电视屏幕的顶部和底部会出现一条空白［见图 7—52（a）］；用高清晰度电视接收普通电视节目时，在宽屏幕中间出现的是一个近似正方形的画面［见图 7—52（b）］。

数字标准与模拟标准：Zenith 等几家美国公司尽力敦促采用数字标准，而不是日本采用的模拟标准。数字标准即是将图像转换成计算机的 0/1 语言，并在通过光缆、卫星或空气传输前压缩，由电视接收设备把这些数字信号重新转换成图像。

虽然数字标准更符合计算机技术和远程通信技术未来的融合趋势，但行业成员却有些担忧。在有干扰时模拟信号退化很小，也就是说，信号质量的轻微降低只会导致图像质量的略微下降。但数字信号质量的些微下降都会使图像质量大幅下降（这对有线电视不算问题）。人们对模拟传输的经验比较丰富，数字传输标准在采用前还需几年时间进行实验和检验。

撇开数字传输标准还是模拟传输标准不管，内容供应商（如电视台和电影制片厂）也得购买昂贵的设备才能制作高分辨的图像。举例来说，制片厂要么得买高清晰度的数字摄像机，要么得有将图像从高分辨率格式（如 35 毫米

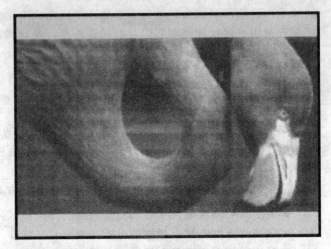

（a）在普通电视上收看高清晰度电视节目的效果

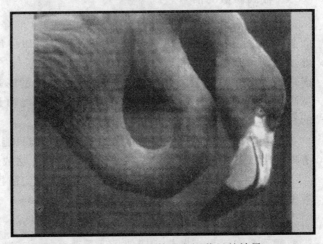

（b）在高清晰度电视上接收普通电视节目的效果

图 7—52

胶片）转换的设备。一台符合制片厂质量要求的摄像机要花 30 万～40 万美元。电视制作人员还得适应宽屏幕，他们必须学习屏幕构图、帧编辑等新技术。广播公司（如电视台、有线电视公司）还得在播送高清晰度电视信号的设备（如发射机、发射塔）上大量投资。

迄今为止 Zenith 公司在高清晰度电视上的尝试

在 1990 年，Zenith 公司努力开发能显示高清晰度电视图像的平面显像管。开发工作进展顺利，公司计划在 1992 年开始销售 20 吋以上的宽屏幕电视。另外 Zenith 公司和战略伙伴 AT&T 公司在研制兼容的高清晰度电视传输系统上取得了重大进展，这种传输系统能使用目前 NTSC 标准的信道传输高清晰度电视图像（由于信道带宽稀缺，大家都认为这种系统对高清晰度电视能否上市至关重要）。

电视机市场

Zenith 公司进行了一系列市场调查，得出以下这些结论：

- 消费者希望物有所值，尽力不超出预算。大部分消费者对现在的电视机满意。
- 产品质量是评价品牌的最重要标准。消费者通常愿意选择大屏幕电视，也会考虑立体声、遥控等属性，产品样式也很重要。
- 消费者没有勇气购买价位低的品牌，他们怀疑这些品牌质量低劣。

布鲁斯·休伯还得到了公司市场调查部提供的其他资料。他认为表 7—12～表 7—17 中的数据对预测高清晰度电视的销售会有帮助。

表 7—12　　　　　　　　　　　　**1989 年电视机规格及平均价格**

	规格	台数（％）	平均零售价（美元）
小	19 吋以下	42	290
中	20～25 吋	40	610
大	27 吋以上	15	1 050

表 7—13　　　　　　　　　　**电视相关技术的市场接受时间**　　　　　　　单位：％

	电视	多台电视	彩电	有线电视	录像机	遥控器
1950	10	—	—	—	—	—
1955	67	4	—	—	—	—
1960	87	12	—	—	—	—
1965	94	22	7	—	—	—
1970	96	35	41	7	—	—
1975	97	43	74	12	—	—
1980	98	50	83	20	—	—
1985	98	57	91	43	14	29
1989	98	63	97	53	60	72
1990	98	65	98	56	66	77

资料来源：*The American Enterprise*，1990，p. 97.

注：尼尔森（Nielsen）公司估计 1990 年 1 月 1 日美国有电视的家庭数量为 92 100 000 家。

表 7—14　　　　　　　　　**1971 年以来美国电视机厂的电视出厂量汇总**

年份	台数	总金额(美元)	每台均价(美元)	以 1989 年(美元)计总金额*	以 1989 年（美元）计每台均价
1971	11 197	2 551 997	228	7 831 740	698
1975	11 606	2 684 121	231	6 184 102	533
1980	18 143	4 798 239	264	7 220 650	398
1985	20 829	5 871 854	282	6 766 820	325
1989	24 669	6 899 762	280	6 899 761	280

* 按消费品价格指数（CPI）进行了调整。

资料来源：EIA Electronic Fact Books 1981—1989.

表 7—15	Zenith 公司进行的电视购买者市场细分调查结果	单位:%
购买者类型		
性能	36	
经验	34	
价格	30	

注：产品性能导向的购买者在选购电视时首先考虑电视的性能；经验导向的购买者要的是可信任的技术，也就是说，这些技术在购买者采用前已趋成熟并得到广泛应用；价格导向的购买者首先考虑价格。

表 7—16	Zenith 公司按购买情况划分的彩电销售预测					单位：百万台	
		1989	1990	1991	1992	1993	1994
彩电预测（计量经济模型）		22.0	22.2	23.4	24.9	25.7	25.9
台数							
首次购买		2.1	1.8	1.6	1.6	1.5	1.5
更新换代		7.7	8.3	8.9	9.6	10.3	11.0
添加		11.6	11.5	12.3	13.0	13.2	12.7
机构购买		0.6	0.6	0.6	0.7	0.7	0.7

表 7—17	Zenith 公司对美国大屏幕电视销售的预测								
	1992	1993	1994	1995	1996	1997	1998	1999	2000
行业总产量（百万台）	21.4	21.9	22.4	22.9	23.5	24.1	24.7	25.2	25.9
25 吋以上（百万台）	6.0	6.1	6.2	6.4	6.8	7.2	7.5	8.0	8.5
Zenith 高清晰度电视零售价									
26 吋／31 吋（美元）	2 500	2 000	1 700	1 500	1 400	1 350	1 300	1 300	1 300
22 吋／27 吋（美元）				1 100	1 000	900	900	900	
Zenith 普通电视零售价									
26 吋／31 吋（美元）	3 000	2 500	2 100	1 900	1 700	1 550	1 550	1 550	1 500
22 吋／27 吋（美元）				1 200	1 100	1 000	1 000	1 000	

注：这些电视的价位与高清晰度电视的价位接近。

高清晰度电视销售预测

几个月前，电子工业协会预测，到 2000 年美国高清晰度电视的渗透率会达到 25％。但杰里·珀尔曼没有这么乐观，他估计到 1999 年高清晰度电视占据整个电视销量的 10％。

一些行业观察家认为这两种预测都过于乐观，因为没有大量的高清晰度电视节目，单凭画面质量无法使高清晰度电视得到普及。他们认为，上述预测实现的前提是：（1）联邦通讯委员会能立即解决传输标准问题，这几乎是不可能的；（2）广播公司大量投资新设备，在制片商制作高清晰度电视节目之前这也是不太可能的。美国大约有 1 500 家电视台，每家都需要投资 200 万～300 万美元购买设备才能实现数字传输。这些观察家认为，上述情况几年内不可能发生，到 2000 年高清晰度电视销售量只能达到几十万台。在此期间，只会用高清晰度电视观看闭路电视（如科教片），或在高级娱乐系统上观看买来或租来的电影片。

有了这些初步调查结果后，布鲁斯·休伯准备开始对高清晰度电视进行预测。他刚购买了一个用来预测新产品销售的 GBass 软件，不知道这个软件能否帮助他进行预测。

练习

1. 整理对高清晰度电视的市场表现从悲观到乐观的各种可能情况，并说明理由（即能自圆其说的假设）。

2. 针对每种情况，预测 1992—2006 年美国高清晰度电视的市场渗透率，解释并证明你的预测是正确的。

ASSESSOR 预测试市场模型指导

ASSESSOR 系统是一套测量程序和模型，目的是帮助管理者在试销前对包装产品的市场份额进行预测。本书的 ASSESSOR 电子报表程序包含了两个核心模型：试用—重购模型和偏好模型。这两个模型是互相独立的，可以相互补充。本书的 ASSESSOR 电子报表程序可以用于分析哈佛商学院案例"庄臣公司的 Enhance 护发液"。

试用—重购模型

在"Model"（模型）菜单下选择"Pretest Market Model"（预测试市场模型）即出现介绍屏幕，选择"Trial & Repeat Model"（试用—重购模型），单击"Next"（下一步）按钮，如图 7—53 所示。

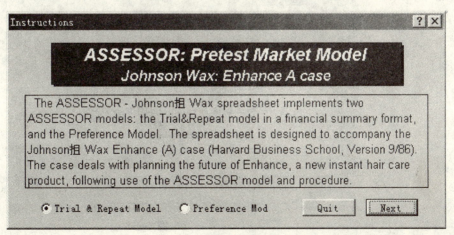

图 7—53

运行偏好模型前先要运行试用—重购模型。在本练习中，试用—重购模型会为偏好模型生成输入数据。

在试用—重购模型的输入框出现后，可单击"Response Mode"（反应方式）间接指定参数值，或单击"Manual Mode"（手工方式）直接指定参数值，如图 7—54 所示。

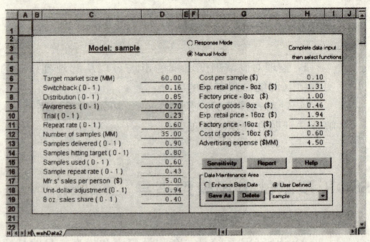

图 7—54

注意，在"Manual Mode"（手工方式）中没有"Set Up"（设置）按钮。

反应方式允许定义广告支出与知名度之间和广告支出与试用率之间的函数关系，广告支出的变动在成本和收入上都能反映出来。而手工方式则是简单的"哑电子报表"方式，销售额与广告水平无关。

在"Response Mode"（反应方式）下单击"Set Up"（设置），会看到如图 7—55 所示的对话框：

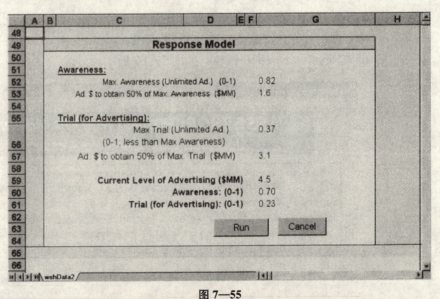

图 7—55

广告支出对知名度和试用率影响的反应曲线是基于修正指数函数绘制的，

提供校准这两条反应曲线所要求的参数。完成之后单击"Run"（运行）回到模型的输入屏幕。

为试用—重购模型提供了所需的输入值后，将结果保存起来。单击"Save As"（另存为）保存所输入的数据集并指定一个文件名。要访问以前保存的数据集，可选择"User Defined"（用户自定义），然后从下拉菜单中选择数据集。单击"Delete"（删除）可删除数据集。

可以选择"Sensitivity"（敏感性）或"Report"（报告）来查看试用—重购模型的结果，如图 7—56 所示：

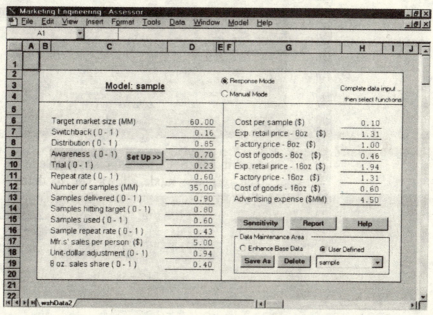

图 7—56

敏感性分析：选择"Sensitivity"（敏感性）会出现一个对话表，从中可以查看改变一个输入参数对市场份额和销售回报的影响。图 7—57 的编辑框里选择了研究广告支出的影响。

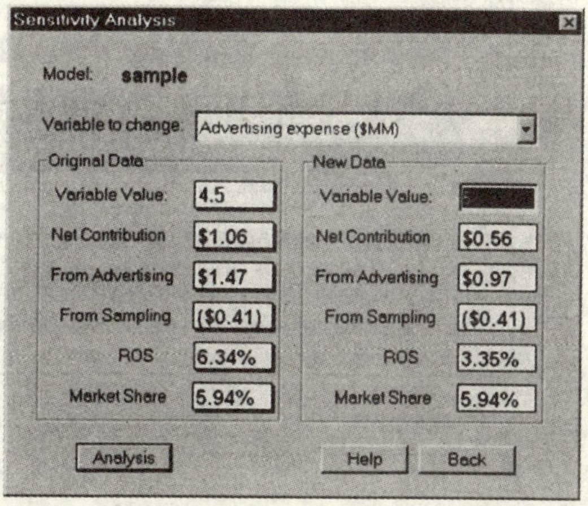

图 7—57

注意：试用与知名度数值输入模式不同（手工模式与反应模式）会导致改变广告支出产生的影响存在差异。

单击"Back"（后退）回到模型的输入屏幕。

报告：选择"Report"（报告）可看到试用—重购模型的两页输出结果，如图 7—58 所示，其中有广告和产品样品对市场份额影响的效果及一些财务结果。

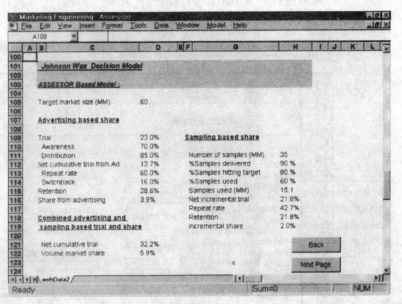

图 7—58

偏好模型

切换到偏好模型，要在"Model"（模型）菜单下选择"Introduction"（介绍）。选择"Preference Model"（偏好模型）并单击"Next"（下一步），如图 7—59 所示。

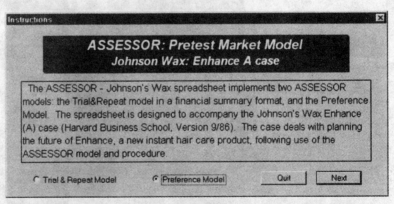

图 7—59

在偏好模型的"Main Menu"（主菜单）中显示了此模型的各种功能，如

图 7—60 所示。

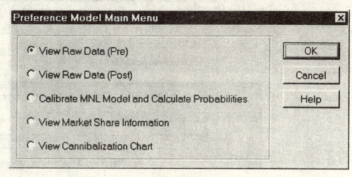

图 7—60

注意：在菜单条的"Model"（模型）菜单项下选择偏好模型的"Main Menu"（主菜单）（在试用—重购模型状态下无法进入偏好模型的主菜单）。

步骤 1 首先查看受访者在看到广告和模拟购物前（用前）及看到广告和模拟购物后（用后）的输入数据。用前数据表为每个受访者在广告和模拟购物体验前试验里的每个品牌和上次所购品牌的偏好评分。在"Model"（模型）菜单下选择"Main Menu"（主菜单），单击"View Raw Data（Post）"［查看原始数据（用后）］查看用后数据表，这是受访者在使用产品后提供的偏好评分。用前数据集和用后数据集里是包括回答两次调查的受访者的信息。

步骤 2 偏好模型的核心是第三个选项"Calibrate MNLC Multinomial Logit，Model and Calculate Probabilities"（校准多项式分对数模型并计算概率），如图 7—61 所示，单击此选项开始估计多项式分对数系数（b），并根据估计出的系数计算市场份额。

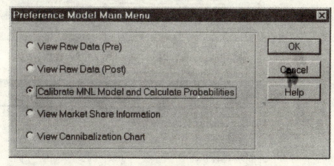

图 7—61

首先输入品牌数量和受访者数量。这些参数取决于 ASSESSOR 测试数据。在"庄臣公司的 Enhance 护发液"案例中这些参数已经输入了，如图 7—62 所示。

试用—重购模型可计算广告的累计试用率的值，用这个值表示那些没有模拟购物体验的受访者购买 Enhance 护发液的可能。单击"Calibrate"（校准）开始进行估计，然后点击"OK"（确定）。程序会显示计算得出的系数 b，单击"OK"（确定）继续。

程序用"规划求解"工具计算多项式分对数模型的系数 b，并计算每个受访者选择每个品牌的概率，然后用估算的系数 b 把这些概率转成市场份额。在

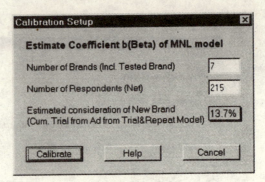

图 7—62

宏运行时，状态栏会提示运行过程。

> **注意**：选择"View Raw Data（Pre）" ［查看原始数据（用前）］和 "View Raw Data（Post）"［查看原始数据（用后）］可查看概率估计值（也可参照步骤4）。

步骤3 程序校准了多项式分对数模型并估计出了概率后，选择"View Market Share Information"（查看市场份额信息），如图7—63所示，这时可看到市场份额信息及从竞争者处夺得的市场份额，如图7—64所示：

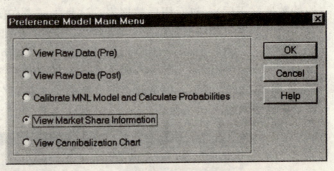

图 7—63

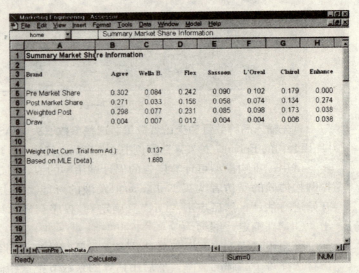

图 7—64

356

还可选择“View Cannibalization Chart”（查看自己产品相互竞争图）查看“Market Share Draw”（市场份额争夺图），此图显示了本企业产品相互争夺市场份额的影响，如图 7—65 所示。

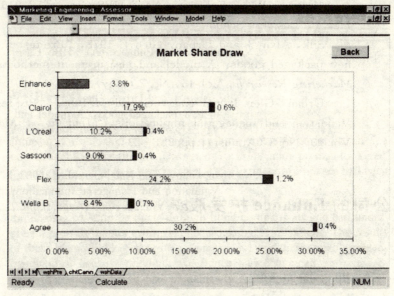

图 7—65

步骤 4　如果想详细研究偏好模型的结果，可回到“Main Menu”（主菜单）并选择“View Raw Data（Pre）”［查看原始数据（使用前）］或“View Raw Data（Post）”［查看原始数据（使用后）］，看看用前和用后数据的预计概率（这些估计值基于系数 b），如图 7—66 所示。

Scaled preference ratings and data about the brand last purchased prior to advertising exposure and the simulated shopping experience

Resp. ID	Last Brand Bought	Agree	Wella B.	Flex	Sassoon	L'Oreal	Clairol	Enhance
1	5	1.835	1.416	0.709	1.056	1.916	2.538	0
2	6	0.769	0	0	0	0	1.354	0
3	6	1.236	0	1.825	0	0	3.338	0
4	1	4.67	0	1.774	0	0	0	0
5	2	1.94	4.158	1.152	1.955	4.12	4.961	0
6	1	4.432	3.568	2.757	3.134	0.458	2.314	0
7	4	2.258	3.017	3.509	4.705	0	1.232	0
8	5	1.868	1.636	0.974	0	2.231	0	0
9	4	0	4.472	3.339	1.863	4.605	1.432	0
10	1	3.724	0	0.704	0	0	0	0
11	5	0.99	4.646	0.355	0.166	4.826	3.16	0
12	6	1.355	0	0.65	0	0	3.171	0
13	1	3.784	0.87	2.475	1.445	1.866	2.507	0
14	4	2.347	0	0.252	4.804	0	0	0
15	1	3.411	0	1.316	0.487	3.008	2.074	0
16	2	4.768	4.784	4.71	1.389	1.109	0.418	0

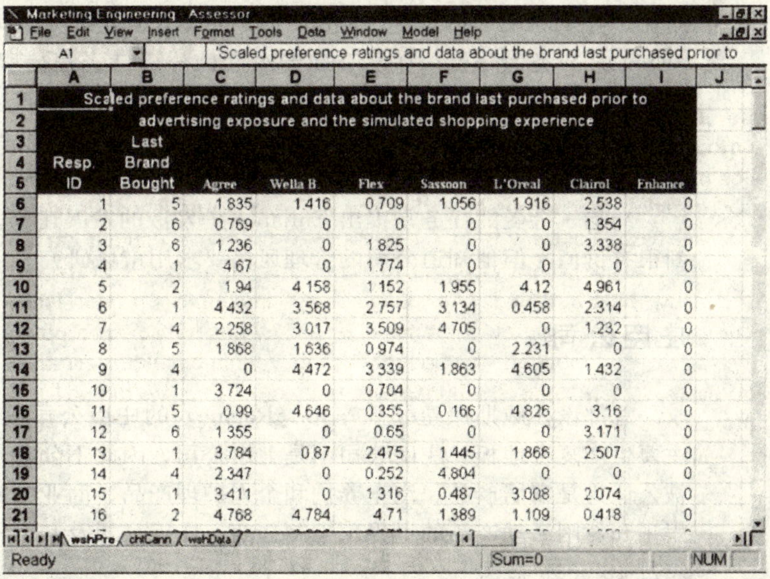

图 7—66

练习的参考文献

"Johnson Wax: Enhance (A)," HBS Case ♯583046, 1 - 32, © 1982, Harvard Business School.

Silk, Alvin J. and Urban, Glen L. 1978, "Pre-test market evaluation of new packaged goods: A model and measurement methodology," *Journal of Marketing Research*, Vol. 15, No. 2 (May), pp. 171 - 191.

Urban, Glen L. and Katz, Gerald M. 1983. "Pre-test market models: Validation and managerial implications," *Journal of Marketing Research*, Vol. 20, No. 3 (August), pp. 221 - 234.

庄臣公司的 Enhance 护发液[3]

即效护发液

1979 年 4 月，庄臣公司（S. C. Johnson & Company）的产品开发部经理约翰·舍曼（John Sherman）要决定 Enhance 护发液的未来，这是一种新型即效护发液，也是公司的第一个护发产品雅姬（Agree）的配套产品。Enhance 护发液的研制用了一年半的时间。

在研制过程中，通过盲测将 Enhance 护发液与市场上现有的领先产品作了对比，并用 ASSESSOR 软件进行了预测试市场分析。公司过去做过多次 AS-SESSOR 或类似分析，高层管理者对这种分析已经很信服了：在 ASSESSOR 得出对新产品上市有利的分析结果时，高层管理者恨不得跳过市场测试阶段直接将新产品引入市场。因此，ASSESSOR 的分析结果在舍曼的建议中会占有重要的地位。

约翰·舍曼的任务是提出 Enhance 护发液的发展建议。他的经验和直觉判断很有价值，但他知道公司的管理风格要求用市场研究来证明他的建议。

庄臣公司

总部设在威斯康星州拉辛市（Racine）的庄臣公司成立于 1886 年，当时主要生产复合地板。庄臣公司不是上市公司，因此不公布自己销售和利润，但被公认为是家居产品、汽车养护和个人护理产品、商业维护和工业市场及户外娱乐和休闲活动产品的世界顶尖制造商。庄臣公司及其下属机构在全球的员工超过 13 000 名。

公司总部的建筑群是由弗兰克·劳埃德·怀特（Frank Lloyd Wright）设计的，得过许多建筑大奖，并进入了美国国家级历史建筑名单。美国公司的工厂设在拉辛市以西 8 英里的瓦克斯代尔市（Waxdale），厂区面积 190 万平方英尺，是世界上同类工厂中最大的也是最现代化的工厂之一。

庄臣公司在美国 20 个大都市设有销售处及配送中心。

庄臣联合公司是由 9 家生产和销售休闲活动和室外娱乐产品的公司联合而成的集团，其产品通过由销售代表组成的系统分销给全国及海外的批发商和零售商。

庄臣公司的第一家海外子公司于 1914 年在英格兰建立，到 1979 年庄臣公司已在 45 个国家建立了子公司。

庄臣公司消费品产品线有很多家喻户晓的家庭用品、汽车养护和个人护理产品品牌，如金光（Glo-Coat）地板蜡、碧丽珠（Pledge）家具上光剂、效洁（Shout）地毯去渍剂、佳丽（Glade）空气清新剂、庄臣氏（J-Wax）汽车养护产品和雷达（Raid）杀虫剂等。

庄臣公司的 Innochem 分公司生产和销售供给企业顾客的各种高效耐用的抛光剂、清洁剂、杀虫剂和消毒剂。

庄臣美国的消费品通过公司的全国销售队伍分销到超市、杂货店、折扣店和百货店。Innochem 分公司的工业品通过独立的销售部门和由全国 400 多家分销商组成得网络的销售。Innochem 分公司和消费品分公司共用仓库和分销设备。

庄臣公司的新产品开发

多年来众多产品线的开发使庄臣公司有丰富的新产品评估及上市的经验。新产品概念源自实验室研究、市场调查以及同顾客的接触。庄臣公司的产品开发过程相当标准：新产品创意要经过各种商业可行性研究，比照竞争者产品进行性能测试，在全国市场上推出前要进行市场测试。

近年来消费品的新产品开发成本开始变得高昂起来，这迫使庄臣公司同其他制造商一样开始寻求降低成本的方法。一种解决办法就是预测试市场分析。据估计 [4]，进行一次成本为 5 万美元的预测试市场分析可以带来 100 万美元以上的预期收益。在 Enhance 护发液进行预测试市场分析前，庄臣公司已开展过多次这种预测试分析，大部分都用 ASSESSOR。

护发品市场

在 20 世纪 70 年代，护发品的品种、数量及品牌都猛增起来。去头屑洗发水及不同发质（干性、中性或油性）配方洗发水就是在这期间出现的。这一时期上市的还有洗发与护发二合一的新产品。一家制造商认为：

> 好的洗发护发膏能解决头发的许多问题。发丝在湿着的时候是最脆弱的，用洗发水洗发后直接梳理很容易破坏发丝。洗发后用毛巾擦干又会使头发缠在一起，梳理时发丝很容易断裂。洗发护发膏可以防止这种损发，它可以防止头发缠在一起，使头发在湿着的时候易于梳理。洗发护发膏还能柔发，增加头发的弹性、光亮和饱满，防止产生让头发"飞起来"的静电。

护发产品有两种类型：

● **即效护发**：在头发上保留 1～5 分钟后即可冲洗。

● **疗效护发**：要在头发上保留 5～20 分钟，然后才能冲洗。

"护发膏"这个词现在仍偶尔用于那些强调易梳理和打理的护发产品，但这个词正逐渐被"即效护发品"代替。受新产品的引入和使用量（尤其是年轻妇女）不断提高的刺激，护发产品的销售在 20 世纪 70 年代增长迅猛。

1978 年即效护发品的主要品牌和市场份额是：庄臣公司的雅姬（Agree）占 15.2%；威娜公司（Wella）的凤仙（Balsam）占 4.7%；伊卡璐（Clairol）的 Condition 占 9.9%；露华浓的 Flex 占 13.4%；沙宣（Sassoon）占 5.4%。

各制造商的销售情况如表 7—18 所示：

表 7—18	出厂量	单位：百万美元
年份	护发产品总销售额	即效护发产品销售额
1975	132	116
1976	160	141
1977	200	176
1978	230	202

即效护发素有各种包装，但一般是装在透明或不透明的塑料瓶里，通常带有喷头。比较受欢迎的规格是 8 盎司、12 盎司和 16 盎司装一瓶。零售利润率通常在 30%～38% 之间。

雅姬

1977 年 6 月庄臣公司以雅姬洗发护发膏进入了护发产品市场，随后又推出了雅姬洗发水。那时一些洗发护发膏的配方中含有油性成分。雅姬的促销广告说，由于这种油性成分，头发（尤其是油性发质）洗后不久就会感觉太油腻。庄臣公司的突破就是生产出了几乎不含油性成分的产品（雅姬），有助于"防止头发变油腻"。庄臣公司的促销材料说：

> 用雅姬可以使纠缠发丝松散开，使头发在湿润时更容易梳理。雅姬有一种好闻的香味，使头发感觉清洁，有健康的光泽、弹性和饱满度。雅姬不含有害成分，其 ph 值均衡，与头发和头皮本身的 ph 值一致。

雅姬在产品比较测试和 ASSESSOR 预测试市场测试上取得了良好的成绩。到 1978 年，雅姬在洗发水市场上占有 4.5% 的市场份额，在护发素市场上的市场份额则为 15.2%。

Enhance 产品的开发

雅姬的早期成功给庄臣公司带来了一种乐观气氛。在诱人的护发素市场上占据了一个立足点，这给日后扩展护发素产品线和随后在规模更大的洗发水市场上取得更大成功提供了机会。

公司管理者认为，雅姬的成功主要在于解决了一个细分市场的一个特殊问题。他们也感觉到提供另一种个人护理产品线是个好主意。公司对 Enhance 的构思是：面向 25～45 岁干性发质的年轻妇女的即效护发素。这次盲测对比的对象是露华浓公司的 Flex。

这次调查由约翰·舍曼和市场调查部的尼尔·福特（Neil Ford）主持，要点归纳如下：

> 调查目的是确定 Enhance 与最大的即效护发液品牌 Flex 相比的偏好水平，包括总体水平和具体性能特征的偏好水平。测评小组是事先通过电话选择的 400 名护发素产品的使用者，每人都收到了 Enhance 和 Flex，两种产品都去掉了商标，用的是完全相同的包装。使用者前三周使用第一种产品，后三周使用第二种产品。六周后参与访谈，讲述他们对这两种产品的偏好和行为。这一分析的关键是了解 Enhance 目标市场（有头发护理问题的女性）的偏好。

分析结果的摘要如表 7—19 和表 7—20 所示。福特在 1978 年 8 月提交给舍曼的报告中得出以下结论：

> 两种产品的差别不大，差异之处主要集中在 Enhance 希望解决的问题和这个品牌的目标女顾客上。产品需要改进，目前可以采用 ASSESSOR 模型，必要的话可以在引入市场测试中也采用。

表 7—19 盲测结果 单位：%

发质问题。

	全体妇女	25～29 岁	30～34 岁	35 岁及以上
头发干燥/发丝断裂	53	55	53	46
分叉	34	42	35	29
头发干燥	32	29	35	31
发丝脆	12	13	17	9
发丝断裂	13	10	18	11
无光泽/发质细软	65	64	68	58
难梳理	38	32	42	39
头发无光泽	24	16	21	30
发质细软	44	45	39	46

每个参与者根据自己是否有这七类发质问题进行分类。这些问题再归成两大类："头发干燥/发丝断裂"和"无光泽/发质细软"。

总体偏好。

	（基数）	偏爱 Enhance（%）	偏爱 Flex（%）	无偏好（%）
全体使用者	（320）	48	44	8
按年龄分类				
35 岁以下	（166）	46	47	7
35 岁及以上	（154）	50	40	10
按发质分类				
油性	（94）	51	45	4
中性	（154）	44	47	9
干性	（72）	53*	35	12
按发质问题分类				
干燥/断裂	（168）	50*	40	10
细软	（208）	49*	43	8

* 在 90% 的置信水平上显著。

表 7—20   盲测结果   单位:%

对产品属性的偏好。

	偏爱 Enhance	偏爱 Flex	无偏好
芬香			
瓶中	27	32	41
用时	34	37	29
头发干后	28	28	44
感觉清爽			
用时	18	17	65
头发干后	26*	19	55
第二天	26	22	52
护发			
护发	28	24	48
柔顺	31	26	43
饱满	31	32	37
易梳理	32	30	38
有光泽	14	16	70
缓解干燥	(22)	15	63
梳理			
易梳理	22	20	58
不打结	16	16	68
使用			
均匀涂抹	(30)	14	56
渗透更好	(28)	18	54
易于漂清	22	21	57
产品			
色彩好	4	6	90
质量稳定	27	29	44
基数: 320 位使用者			

( ) 在95％的置信水平上显著。

* 在90％的置信水平上显著。

ASSESSOR 预市场测试

完成盲测后，在产品配方、产品定位、包装及广告文案等方面继续工作，制定出一个产品导入的营销计划。在广告中，Enhance 成为一种解决头发干燥和断裂问题的产品。公司生产出了两种样品：常规配方的 Enhance 和特效护发配方的 Enhance。

在公司批准了这个营销计划，也生产出样品后，ASSESSOR 预市场测试活动就可以开始了。这个活动的主要目标是估计 Enhance 的长期市场份额，并确定消费者对产品的反应。公司用了两种技术分别预测新产品引入一年后的市场份额：一种是用试用—重购水平进行的预测，另一个市场份额预测则是从参与者对 Enhance 和已有产品的属性的认知及偏好计算出来的品牌偏好估计值。在实验期间及使用之后收集的其他定性和定量信息也支持 ASSESSOR 得出的初步结论。

ASSESSOR 是 1973 年由马萨诸塞州沃尔瑟姆（Waltham）市的 MDS 公

司开发出来的一个商业性的模拟市场测试法。1968 年 Yankelovich 实验室的 YLTM 是第一个商业性的模拟市场测试方法，随后是埃尔里克和拉维奇（Elrick & Lavidges）的 COMP、美国采购调查公司（NPD）的 ESP 和伯克（Burke）市场调查公司的 BASES。到 1979 年，这些模型已应用了近 1 400 次。

Enhance 的 ASSESSOR 测试由实验期和回访期组成。在实验期间，从购物中心找一些女顾客，询问她们是否愿意参加这个市场测试。那些愿意参加并且属于目标顾客的女顾客要参与以下五个步骤的测试：

1. **用初步问卷**决定参与者对哪些品牌能够提供有用的信息。这个品牌清单是参与者确定的，包括她们近来或以前用过的品牌以及下次购买时可能考虑或不考虑购买的品牌。

2. **偏好问卷**是为每个参与者定制的，其中只有此人"品牌集合"中的品牌。她要在自己的品牌集合中为每对品牌之间分配 11 个虚拟筹码。分配结果用来计算每个参与者对自己品牌集合中每个品牌的偏好强度。如果她的品牌集合里有 N 个品牌，她就要对这 N（N−1）2 对品牌中的每对品牌给出自己的分配方案。

3. **广告回忆水平**是在参与者看到 6 种洗发/护发产品的电视广告后测定的。这些产品包括：Tame、雅姬、露华浓的 Flex、伊卡璐的 Condition、威娜的凤仙和 Enhance。

4. **实验购物**是在一个模拟商店进行，每个参与者都能得到一张价值 2.25 美元的购物券。如果购买超过 2.25 美元的商品，多出的金额自己负担。没购买 Enhance 的参与者会得到一个 Enhance 的礼品装，其中一半人得到的是 2 盎司的包装，另一半人得到的则是 8 盎司的包装。对少数几个没有购买任何测试产品的人询问了几个附加问题，以便了解她们对 Enhance 的印象及未购买的原因。

5. **品牌评分**参与者要对自己品牌集合中的几个品牌在 22 个产品属性上进行评分。对 Enhance 也用这些属性进行打分。由于参与者没有使用过 Enhance，评分就以她们对广告、价格和包装的感觉为依据。评分采用七分制。

回访期是为了收集有关产品用后偏好、重购率及有关产品性能的诊断性信息。公司只要求用过 Enhance 的参与者完成访谈。回访访谈是在实验期结束四周后进行的。

现场调查是在亚特兰大、芝加哥和丹佛进行的。调查开始于 1978 年 9 月 25 日，大约四周之后进行回访访谈。对洗发护发产品的用户进行了 387 次访问。参与者中有 120 位用雅姬洗发护发水，这个数字与市场份额不成比例，目的是为更好地测出 Enhance 对雅姬的影响。

ASSESSOR 的结果

ASSESSOR 的结果分为八个方面：（1）市场结构；（2）广告回忆；（3）试用率估计；（4）重购率估计；（5）产品接受情况；（6）市场份额预测；（7）本企业产品的相互竞争；（8）样品反应。

1. 市场结构：在实验期，参与者要用 22 个属性从自己的品牌集合里评出理想的品牌。这些品牌评分结果用作因子分析（一种数据简化技术，能将相似的属性归为基本因子或维度）的输入数据[1]。这一分析得到四个基本知觉维度（因子），如表 7—21 所示：

表 7—21

因子	相对重要性（%）	形成因子的属性组合
调理	33	滋养干燥头发； 保湿； 防止头发分叉； 使干燥头发看上去更健康； 调理头发； 避免头发损伤； 渗入发中。
清洁	27	没有头屑； 不油腻； 使头发感觉清洁； 易清洁。
易梳理	23	易梳理； 有光泽； 使头发柔软如丝； 使发丝饱满。
芳香	17	用时有好闻的香味； 发上有余香。

因子分析除了识别出影响即效护发素市场的可能因子外，还在知觉图上绘制出消费者的品牌定位。它把每对因子当作知觉图的两轴，给每个品牌分配一个因子得分（即该品牌在知觉图上的坐标）。有了这些坐标后，一个品牌就在知觉图上有了一个位置。MDS 公司针对一些细分市场绘制这种知觉图。整个市场的知觉图如图 7—67 所示（图中没有包括"芳香"这个因子）。

ASSESSOR 结果

产品图（I）

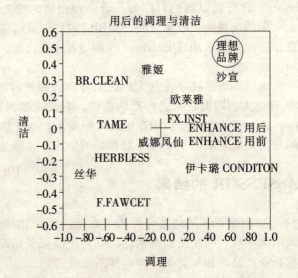

① 注：附录 A 为因子分析过程的解释说明。

产品图（II）

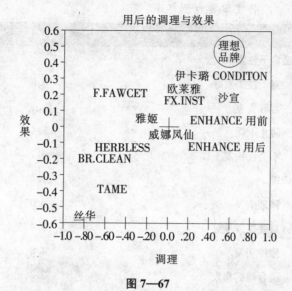

图 7—67

MDS 公司对市场结构的结论是：

这四个维度对调查所涉及的所有细分市场都很重要。这一事实告诉我们，要在市场占有很高的份额，仅在一个维度上有优势可能不够。

雅姬和 Breck 这两种洗发护发产品在"清洁"方面非常突出，而伊卡璐的 Condition 护发素由于把它自己定位为"调理性"的品牌而实现了差异化。从这些图来看，威娜的凤仙没有什么特殊形象，因此很容易被新进入市场的产品击败。沙宣虽然是一个比较新的品牌，但取得了很好的形象。

2. 广告回忆：广告回忆可以看出一个广告如何在众多竞争性广告中脱颖而出。对 Enhance 的广告回忆率是 76%，在 ASSESSOR 所测试的产品中属于中等水平，但比公司用 ASSESSOR 测试过的其他产品要低一点。在发质不同的各个细分市场上，广告回忆率大体相等。

在回忆起 Enhance 广告的人中，有大约 50% 的人回忆起 Enhance 是针对干性头发的。回忆起其调理功能和渗透性的人则要少一些。表 7—22 总结了对广告文案要点的回忆结果。

3. 试用率估计：商店的目的是为反映本地条件和模拟预期的竞争环境。Enhance 的两种配方（常规配方和特效调理配方）各有两种规格。每种规格与配方都有不同的装饰，并且在货架中间突出陈列。总之，24 种洗发水和护发素共有 60 种装饰。Enhance 有 8 盎司和 16 盎司两种规格，售价分别为 1.31 美元和 1.94 美元。雅姬有 8 盎司和 12 盎司两种规格，售价分别是 1.31 美元和 1.67 美元。露华浓的 Flex 只有 16 盎司一种规格，售价与雅姬一样。Enhance 的价格与 Breck、威娜的凤仙和 Tame 的价格十分接近。

广告文案要点回忆率。

	总比率	购买者	非购买者
适合干性发质			
对干性头发好	46.8	50.0	46.1
营养头发	33.1	37.9	32.0
防止干燥	5.4	1.7	6.2
不会让头发干燥	0.7	0.0	0.8
调理	20.4	27.6	18.7
调理头发	8.0	17.2	5.8
对受损发丝好	5.4	5.2	5.4
修护头发	4.0	6.9	3.3
适合脆的头发	3.3	1.7	3.7
保护头发不受热度的损害	0.7	0.0	0.8
修护开叉	0.7	0.0	0.8
渗透	19.7	31.0	17.0
深入发根	19.7	31.0	17.0
不仅仅覆盖在头发表面	3.3	8.6	2.1
易梳理	11.4	17.2	10.0
使头发易梳理	7.7	12.1	6.6
对柔软发质好	3.3	3.4	3.3
减少头发打结	0.7	1.7	0.4
发质	6.4	5.2	6.6
让头发更饱满/有弹性	4.3	1.7	5.0
让头发柔顺	2.0	3.4	1.7
基数	(299)	(58)	(241)

　　试用率是用购买 Enhance 的人数占总实验购物的百分比来表示的。387 名参与调查者中有 307 名（79%）在商店里购买了洗发水和护发素。Enhance 的试用率为 23%。雅姬的 ASSESSOR 测试中试用率为 33%。为了进行比较，图 7—68 列出了其他用 ASSESSOR 测试过的产品的试用率，有的是健康和美容产品，有的则不是。

　　4. 重购率估计：重购率和对产品的接受情况是在实验访谈四周后通过电话回访测出的。由于所有没有购买 Enhance 的参与者都得到了 Enhance 的赠品，因此能够得到所有参与者的使用后数据。对那些没有使用 Enhance 的人，则不要求她们完成电话访问。215 名参与者完成了电话回访（占实验参与者的

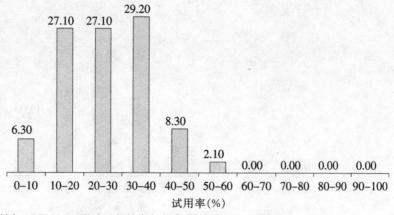

所有 ASSESSOR 测试过的健康与美容类产品的试用率比较。

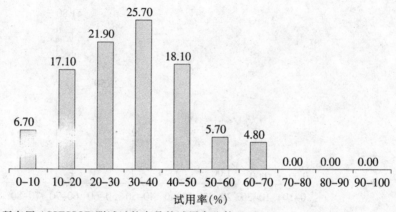

所有用 ASSESSOR 测试过的产品的试用率比较。

图 7—68

55%）。这个比率低于大部分 ASSESSOR 的电话回访完成率。那些没有完成电话回访的人中，有 23%（42 人）称没有使用 Enhance 是因为它是专为干性头发设计的。

在电话回访时，再次要求参与者把 Enhance 与她们品牌集合中的其他品牌进行比较。这些信息可以用来了解实际使用是否能够改变 Enhance 在市场上的地位。

另外，参与者还有机会以实验商店里的价格再购买一瓶 Enhance。那些决定再次购买 Enhance 的人加上那些在没有提示的条件下主动提出下次购买护发产品时会买 Enhance 的人都归于重购者。重购率如表 7—23 所示：

表 7—23　　　　　　　　　　　　　　　　　　　　　　　　　　　　　单位：%

	Enhance	雅姬
实验室购买者的重复率	60	78
非购买者的重复率（接受样品者）	43	63

在再次购买 Enhance 的人中，72%购买了特效配方，64%的人购买了 16 盎司装的 Enhance。

其他用 ASSESSOR 测试过的产品的重购率见图 7—69。

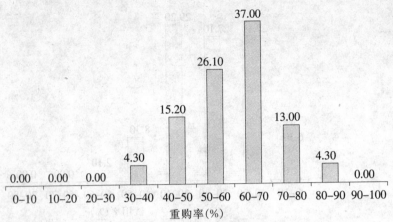

所有 ASSESSOR 测试过的健康和美容类产品的重购率比较。

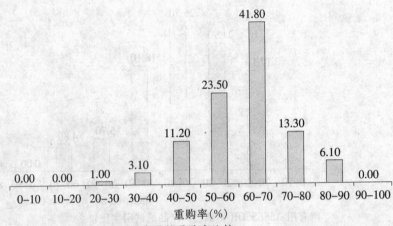

所有用 ASSESSOR 测试过的产品的重购率比较。

图 7—69

5. 产品接受情况：在电话回访时，要询问参与者最喜欢 Enhance 的哪些特点。令人惊讶的是，尽管"易梳理"并不是广告诉求的要点，却是被提起最频繁的产品特点（而不是调理性）。重购者比非重购者更多地提到了易梳理的特点。表 7—24 是对 Enhance 好/恶的开放式调查结果。表 7—25 列出了使用后偏好和与用户最喜爱品牌的比较。

表 7—24   **ASSESSOR 结果**

对 Enhance 好/恶的开放式回答（多次提及）。

喜爱	总体	重购者	非重购者
易梳理	42	48	37
芳香	21	14	27
调理	11	12	10
质量稳定	7	7	6
涂抹/易使用	7	6	7
渗透性	6	5	7
清洁性	5	7	4
基数	(215)	(102)	(113)

368

续前表

不喜爱	总体	重购者	不重购者
易梳理	24	9	38
芳香	16	7	25
调理	11	8	13
质量稳定	1	3	0
涂抹/易使用	1	1	1
没有特别不喜欢之处	59	74	46
基数	(215)	(102)	(113)

表 7—25　　　　　　　　　　　　ASSESSOR 结果　　　　　　　　　　　　单位：%

用后偏好。

	偏好 Enhance 的百分比*				
	第一选择	第二选择	第三选择	第四选择	（基数）
干性头发	38	32	17	7	(93)
油性头发	22	34	20	15	(41)
中性头发	23	34	19	12	(69)
总样本	28	33	19	11	(215)
总样本（雅姬）	54	26	12	2	(279)

与常规品牌的比较。

	在试用者中		在非试用者中	
	Enhance（%）	雅姬（%）	Enhance（%）	雅姬（%）
最好	30	44	14	35
较好	24	25	21	22
差不多	26	13	37	21
较差	14	12	16	13
最差	6	5	12	8
（基数）	(50)	(76)	(165)	(203)

*应该读作：在 93 个干性头发的人中，38% 把 Enhance 作为最喜爱的品牌，32% 作为第二选择；以此类推。

6. 市场份额预测：与其他预测试市场测试方法相比，ASSESSOR 的主要特征之一是采用两种收敛方法来预测市场份额。市场份额是分别用试用—重购模型和偏好模型估计出来的。

试用—重购模型

试用—重购模型用的是在实验购物时所收集的顾客购买信息及随后通过回访得到的重购率信息。所用公式如下：

$$M = TS \tag{7.23}$$

其中，M = 市场份额；T = 最终累计试用率（渗透或试用）；S = 曾购买过该品牌的人中最终重购率（维系率）。

维系率（S）是最初的重购率和买过另一品牌后又转回来重新购买 En-

369

hance 的人所占比率（称为转回率）的函数。附录 A 对此有解释。

如前面提过的那样，Enhance 的实验室试用率为 23%，重购率为 60%。通过一系列电话回访得出的转回率为 16%。这样就可以计算出 Enhance 的维系率为 28.6%。由于这些估计是在每个参与者都能看到广告并且 Enhance 随时可买到的环境下做出的，因此必须对这些估计值进行修正，使实验的测定结果与实际市场的条件一致。市场试用率通过以下公式进行估计：

$$T = FKD + CU - [(FKD) \times (CU)] \qquad (7.24)$$

其中，F = ASSESSOR 测试中的试用率，即在所有消费者都看到广告的条件下得到的试用率；K = 消费者注意到 Enhance 的长期概率；D = 销售 Enhance 的零售网点比例；C = 收到试用品的目标顾客的比例；U = 收到试用品并会使用试用品的顾客比例。

用 CU 来估计发放试用品后导致的试用会夸大样品试用的程度，因为即使没有样品，广告也会带来一部分试用。重叠的试用 $[(FKD) \times (CU)]$ 会被重复计算，因此必须从发放样品导致的试用率中减去。

Enhance 市场份额的估计值不仅取决于从 ASSESSOR 测试中得到的数据，同时还取决于约翰·舍曼对 Enhance 广告实现的知名度及分销水平的估计。舍曼决定先用雅姬的知名度及分销水平的数据，如表 7—26 所示：

表 7—26 单位：%

广告知名度	70
分销水平	85

利用这些值（忽略当时的样品发放）就可以用试用—重购模型估计出 Enhance 的市场份额为 3.9%。表 7—27 是舍曼对 Enhance 及雅姬的市场份额的计算。

表 7—27   **ASSESSOR 结果**

试用—重购模型的市场份额预测。

	Enhance	雅姬
1. 试用（%）	23	33
2. 广告实现的知名度	0.70	0.70
3. 分销	0.85	0.85
4. 净累积试用（%）[（1）×（2）×（3）]	13.7	19.6
5. 重购	0.60	0.78
6. 转回率	0.16	0.15
7. 试用者选择份额（维系率：%）(6) / [1+ (6) — (5)]	28.6	41
8. 基本份额（%）[（4）×（7）]	3.9	8.1

偏好模型。

	Enhance	雅姬
9. 在每个人的品牌集里都包含 Enhance 时的份额（%）	27.5	42.0
10. 预计的渗透率 [= (4)]	0.14	0.20
11. 基本份额（%）	3.8	8.4

偏好模型对市场份额的估计

用偏好模型估计市场份额使用的数据包括：参与者对产品属性问题的回答及从这些品牌中能多大程度感受到这些属性的存在。偏好模型预计，在把 Enhance 选入自己品牌集合的顾客中，Enhance 会获得 27.5％ 的市场份额。利用在 ASSESSOR 研究的实验期得出的渗透率（14％），MDS 公司计算出了基本市场份额估计值为 3.8％（见表 7—27）。

7. 本企业产品的相互竞争：Enhance 对雅姬市场份额造成的影响也可以从 ASSESSOR 的结果中看出。方法是专门计算雅姬使用者中 Enhance 所占的份额。这个分析显示，Enhance 从雅姬那里夺取来的份额不成比例，只占雅姬用户的 2.4％。这表明雅姬被 Enhance 抢占的份额还不到半个百分点。

通过更详细的分析可以看出，Enhance 从威娜的凤仙处夺取的市场份额超过应有的比例，从露华浓的 Flex 和沙宣处夺取的份额正好合乎比例，而从雅姬、欧莱雅（L'Oreal）和伊卡璐的 Condition 处夺取的市场份额则小于应有的比例。

8. 发放样品引起的份额增加：由于未曾买过 Enhance 的参与者在初次 ASSESSOR 实验结束时接受了产品样品赠送，因此发放试用品引起了市场份额的增加，增加值也可以估计出来。样品的使用和接受程度可以在电话回访时加以测定。

对发放样品的效果进行评估时，首先要确定它所引起的试用率的提高。在使用样品的人中，一定比例（等于净累积试用率）的人无论如何会试一下这个产品，其他人则属于试用品带来的新试用者（见上面的公式）。这些新增的试用者会遵循正常的品牌转换过程，对他们的长期市场份额潜量进行估计的方法和对广告引起的新试用者的估计类似。如表 7—28 所示的计算过程估计出，发放 3 500 万个样品带来的市场份额增加额为 2％。如果考虑到样品的影响，则用偏好模型估计出的市场份额为 5.8％，用试用—重购模型估计出的市场份额为 5.9％。

表 7—28　　　　　　　　　　　ASSESSOR 结果

1. 送达的样品数（3 500 万×0.9）	3 150 万
2. 命中目标顾客的百分比（％）	80
3. 使用率（％）*	60
4. 样品使用量 [（1）×（2）×（3）]	1 512 万
5. 使用样品的百分比（％）* [（4）/6 000 万户]	25
6. 重叠部分（％）[（5）×广告导致的试用率]（表 7—27 第 4 行）	3
7. 试用率净增幅度（％）[（5）−（6）]	22
8. 首次重购率（％）* （非购买者的重购）	43
9. 试用者的选择份额（％）（维系率）**	22
10. 发放样品带来的份额增加（％）[（7）×（8）×（9）]	2.0

发放 3 500 万个样品、送达率 90％ 的条件下，发放样品引起的份额增加估计值。

对比 Enhance 与雅姬。

* 通过 ASSESSOR 回访测定。

** 利用公式 SB/（1+SB−R）算出。其中，SB 在表 7—27 第 6 行给出，R 在本表第 8 行。

9. 销售量的预测：对 Enhance 成功可能性评价的最后一步是把份额估计值转化成销售额，这一步是很有必要的。这就需要一些额外资料和调整。1979

年即效护发产品的销售额预计为 2.5 亿美元。为了确定在某一市场份额下 Enhance 的销售额，可以根据 Enhance 与其他同类产品之间在价格和使用频率上的差异进行调整。

根据期望的销售额和使用频率对使用量进行的调整表明，Enhance 的使用频率大约是同类产品平均值的 0.9 倍。测试出的 Enhance 两种包装规格的价格和销售量份额需要用价格调整因子 1.04 进行调整。将这两个调整因子相乘，得到一个因子 0.94，可以用它把销售量份额转化成销售额份额。

根据这两个模型，可以预测销售额如表 7—29 所示：

表 7—29

	试用—重购模型	偏好模型
本产品大类的销售额（万美元）	25 000	25 000
Enhance 销售量份额（%）	3.90	3.80
Enhance 销售额份额（销售量份额×0.94）（%）	3.66	3.57
Enhance 销售额（万美元）	915	893

通过促销增加的销售		
促销的销售量份额（%）	2.0	
促销的销售额份额（%）	1.88	
Enhance 销售额（万美元）	470	470
总销售额（万美元）	1 385	1 363

建议

MDS 公司根据 ASSESSOR 研究的结果认为 Enhance 的前景并不乐观，发放样品也不会促使 Enhance 取得成功。庄臣公司的管理人员设定了一个 10% 的市场份额目标[6]（如表 7—30 所示）。

表 7—30　　　　　　　　美容保健品市场的成本结构*　　　　（以建议零售价为基准）

建议零售价	100
估计货架价格(16 盎司大包装)	83
（8 盎司小包装）	73
制造商的售价	56
商品销售成本	21

*这些数据不是庄臣公司提供的，不能表示它的真正支出。这些数据只是用来尽可能接近真实地反映平均市场成本结构，有助于案例讨论。

约翰·舍曼知道，最终的建议还是要由自己提出。他可以建议放弃 Enhance、修改配方、重新进行市场测试或建议在全国市场上推出 Enhance。最终决策要由公司更高层的经理决定，但他的建议会被认真考虑。

附录 A：庄臣公司的 Enhance 护发液

市场份额预测模型

ASSESSOR 的市场份额预测是用两个独立的模型分别计算得出的：

1. 试用—重购模型建立在试用（在实验商店里测定）、重购（在电话回访中测定）和转回（在多次电话回访中测定）的基础上。

2. 偏好模型建立在对产品用后的偏好（电话回访测定）、在特定市场上偏好与购买行为之间的关系（在实验室测定）的基础上。

这两个模型的预测结果一致的话，说明对市场份额的预测是可信的。

试用—重购模型

产品的目标市场的代表就是由 ASSESSOR 测试中所选出来的参与者。在实验过程中，一些参与者在实验商店里购买了 Enhance。购买者的比例提供了试用的估计值，这个值必须用实际市场中的知名度和商品现货率进行调整。调整后的试用水平可用来估计在实际市场中产品会达到的累积渗透率。估计出累积渗透率，就可以估计持续购买量了。这就是维系率，它是发生品牌转换数量的函数。

在任意给定的时间 t，即效护发产品的购买者都可分成两组：上次购买过 Enhance 的人和上次没有购买 Enhance 的人。在时间 $t+1$ 的情况可用图 7—70 解释。在时间 t（X）曾购买过 Enhance 的人中，部分人在时间 $t+l$ 还会购买，再次购物的机会为（R）；而其余人会购买竞争品牌（$X-R$）。在时间 $t+l$，在时间 t 之前曾买过 Enhance 而在时间 t 没有购买的人中，有部分人会转回购买 Enhance（SB），其他人会继续购买竞争品牌。

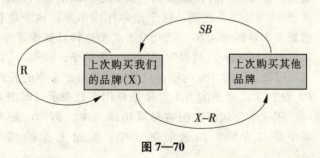

图 7—70

重购者加上未重购者必须等于上次购物时选择 Enhance 的人。同样，转回者加上未转回者必须等于过去曾买过 Enhance 但上次没有购买的人，如表 7—31所示。

373

表 7—31　　　　　　　　　　　　　　　　　　　　　　　　　　　　　　　单位:%

购物期	可重复者	重复者R+	未重复者	可转回者	转回者SB+	未转回者
第1期	100.0	81.0	19.0	—	—	—
第2期	81.0	65.6	15.4	19.0	3.8	15.2
第3期	69.4	56.2	13.2	30.6	6.1	24.5
第4期	62.3	50.5	11.8	37.7	7.5	30.2
第5期	58.0	47.0	11.0	42.0	8.4	33.6
第6期	55.4	44.9	10.5	44.6	8.9	35.7
第7期	53.8	等等	等等	46.2	等等	等等

假定有 100 位消费者试用了 Enhance。如果重复率为 81%*，转回率为 20%*，在以后购物时会看到表 7—31 的结果:

现在计算过去曾买过 Enhance 并且现在仍将购买的试用者比率，如表7—32 所示:

表 7—32　　　　　　　　　　　　　　　　　　　　　　　　　　　　　　　单位:%

购买期	购买 Enhance（R+SB）	购买其他品牌
第1期	81.0	19.0
第2期	69.4	30.6
第3期	62.3	37.7
第4期	58.0	42.0
第5期	55.4	44.6
第6期	53.8	46.2
第7期	52.8	47.2

* 这些数值只是用于示意。

注意，随着购物次数的增多，在给定时间重购 Enhance 的试用者的比率与上期相比是如何逐渐减少的。实际上，如果我们无限定地继续这种购买，就会达到 51.3% 这个比例，这个值称作维系率。这个过程的最终稳定值完全是由重复率和转回率决定，因此没有必要这样计算维系率。这就是所谓的"两段马尔可夫（Markov）过程"应用的一个例子。要明白 ASSESSOR，不必了解两段马尔可夫过程的详细内容，只要知道最终维系率的公式即 $S = SB/(1 + SB - R)$ 就行了，这里的 SB 和 R 最好用小数表示（即用 0.3 代替 30%）。

用这个公式可以很容易算出维系率。例如，若 $R=0.50$，$SB=0.20$，维系率是多少呢？在这个例子中，经过七次购买后，最后的结果非常接近 0.513。

最后一步计算是计算产品渗透后的市场份额和维系率（试用者的百分比和曾试用过的人中不断变化的购买者份额）:

$$市场份额 = 渗透率 \times 维系率 \tag{7.25}$$

总之，用试用—重购模型预测市场份额的步骤是:

1. 在实验室衡量试用率。
2. 用试用率乘以预期的知名度和产品现货率计算非实验条件下的渗透率。
3. 在电话回访阶段衡量重购率和转回率。
4. 用马尔可夫公式计算维系率。
5. 用维系率乘以渗透率就得到市场份额。

偏好模型

用偏好模型来预测市场份额的推导过程要比试用—重购模型复杂得多，许多细节问题不在本案例的范围之内。有兴趣的读者可以参看前面提到的西尔克与厄本的文章。

用偏好模型来预测市场份额的推导过程概述如下：

分析现有品牌

1. 根据案例中所描述的参与者的筹码分配，对每个品牌 j 计算其偏好分数 $V(j)$。偏好分数借用计算心理学的方法得出。

2. 接着用这些偏好分数计算某个参与者购买品牌 j 的概率 $P(j)$，计算公式为：

$$P(j) = \frac{\hat{V}(j)^{\beta}}{\sum_{k}[\hat{V}(k)]^{\beta}} \tag{7.26}$$

这里的加和是对参与者"选择集合"中 j 品牌的加和。

这些步骤估计出 Enhance 导入前市场上已有品牌的购买概率。公式中的 β 是市场对某一品牌忠诚度的估价值。

3. 在电话回访阶段，要重新计算一次筹码分配。假设随着 Enhance 的引入和试用，β 值保持不变，下面的公式就是消费者试用之后选择 Enhance 的可能性。

$$L(i) = \frac{A(i)^{\beta}}{A(i)^{\beta} + \sum_{k}[A(k)]^{\beta}} \tag{7.27}$$

其中，$A(i)$ ＝消费者试用 Enhance 后对它的偏好；$A(k)$ ＝消费者在试用 Enhance 后对 K 品牌的偏好；β＝要估计的参数

这里的加和是对消费者所选所有品牌的加和。

这些品牌偏好是对每个消费者单独计算得出的，并且是以消费者的选择为前提的。汇总个人品牌偏好，再用把 Enhance 列入自己品牌集合的消费者的比例乘以这些偏好就可以算出每个品牌的预期市场份额。

$$M(j) = E(j) \frac{\sum_{k=1}^{N} L_k(j)}{N} \tag{7.28}$$

其中，$M(j)$ ＝品牌 j 的预期市场份额；$E(j)$ ＝把品牌 j 列入自己品牌集合的消费者比例；$L_k(j)$ ＝消费者 K 购买品牌 j 的概率；N＝消费者数量。

因子分析和市场图

图7—67所示为现有品牌和理想品牌的相对位置。这是用因子分析法做出。下面简单介绍因子分析的目的及这些图的绘制。

假设我们对即效护发产品的属性询问如表7—33所示的7个问题：

表7—33

	最高分						最低分
1. 营养头发	7	6	5	4	3	2	1
2. 去头屑	7	6	5	4	3	2	1
3. 使发丝饱满	7	6	5	4	3	2	1
4. 易彻底清洗	7	6	5	4	3	2	1
5. 保持水分	7	6	5	4	3	2	1
6. 防止分叉	7	6	5	4	3	2	1
7. 使头发柔滑	7	6	5	4	3	2	1

品牌名：

请在下表中填写对此品牌的护发产品打分，最高为7分，最低为1分。对每个属性都圈一个分数。即使没有用过这个产品，我们也希望你根据自己看到或听到的给出一个印象分。

每个参与者都要就 Enhance 及其品牌集合中的其他品牌回答上述这些问题。然后看一下对这些问题的回答是否存在一致性，如问题一与问题五都与保湿有关，因此某个参与者在这两个问题上对某个品牌都给了高分或低分。回答问题的相似程度用一个关联系数来表示。

关联系数很容易就可以测出回答两个问题时高于或低于均值的程度。如果实验中的每位参与者对两个问题都给予了高于平均值的回答，这两个问题的关联系数就是1。如果每位参与者对其中一个问题的回答高于平均值，而对另一个问题的回答低于平均值，这两个问题的关联系数为－1。关联系数的取值处于这两个极值之间。关联系数为0表示这两个问题的答案没有一致性。

表7—34是对上述7个问题回答的关联系数。

表7—34 　　　　　　　　　　对所选问题回答之间的假设关联*

问题	1	2	3	4	5	6	7
1	1.0						
2	0.2	1.0					
3	0.1	－0.1	1.0				
4	－0.3	0.9	－0.1	1.0			
5	0.8	－0.2	0.2	－0.2	1.0		
6	0.7	－0.1	0.1	－0.1	0.9	1.0	
7	0.2	－0.1	0.8	0.2	0.1	0.3	1.0

*这不是真正的关联系数，只是用来示意。

如果我们观察一下这7个问题的答案之间的关系，我们会发现其中一些是相关的，例如：问题 1、问题 5 和问题 6 的答案可在放在一起，问题 2 和问题 4，问题 3 和问题 7 的答案可以归为一类。把这些问题归类后，我们再把表 7—34 重写一遍，如表 7—35 所示：

在仔细观察表 7—35 时，注意这些问题是如何分成三个区域的：在每个问题区里，问题回答的关联性很高，而不同区里问题回答关联性低。假设有一组表示三个不相关变量的相关性的数据，其关联系数将排列如下：

```
1
0      1
0      0      1
```

表 7—35   对所选问题重新整理后的关联

	问题	f1			f2		f3	
	问题	1	5	6	2	4	3	7
f1	1	1.0						
	5	0.8	1.0					
	6	0.7	0.9	1.0				
f2	2	0.2	−0.2	−0.1	1.0			
	4	−0.3	−0.2	−0.1	0.9	1.0		
f3	3	0.1	0.2	0.1	−0.1	−0.1	1	
	7	0.2	0.1	0.3	−0.1	0.2	0.8	1

这就是只看问题区时表 7—35 的形式。如果把每个区看成一个变量，就会得到称为因子的新变量组：因子 1 包括问题 1、问题 5 和问题 6，因子 2 包括问题 2 和问题 4，因子 3 包括问题 3 和问题 7。

这些新变量是什么？我们自己可以给它们命名，但其特性是由定义它们的问题给出的。在本例中，因子 1 称为"调理"，因子 2 称为"清洁"，因子 3 称为"易梳理/效果"。

这是一个简化的案例，在开始时分组就很清楚。但事情并不总是这样简单。在研究消费者对产品的感受时经常要提出许多问题，构成市场结构的因子也决不是这么明显。有时经理想看一下自己对市场的感觉是否受实际测试结果的支持。在这两种情况下，因子分析都是有帮助的。

因子分析是干什么的呢？它要在大批变量中找出变量组或因子，在这些变量组或因子里，原来的变量是高度相关的，因子之间的关联很小。

图 7—67 是怎样绘制的呢？这相当容易。每个初始问题（即变量）都有一个相关系数 a_i，这个系数把它与所属的因子联系起来，很像一个回归系数。我们可以这样写：

$$f_1 = a_0 + a_1 v_1 + a_2 v_2 + \cdots\cdots + a_k v_k \tag{7.29}$$

对给定品牌如果取每个问题的平均值，就可以用这个等式计算这个品牌的因子得分 f_1。如果有三个因子，对每个品牌就可以计算三个因子得分。利用这些因子得分就可以在一个三维空间找出这个品牌的位置。在这个三维空间里，每个维度都代表一个因子。

【注释】

[1] 这是一个虚构的案例，由布鲁斯·塞米施（Bruce Semisch）在阿温德·朗格斯瓦米教授的指导下完成。

[2] 本练习是根据哈佛商学院的案例 5—591—025 整理而成，并得到哈佛商学院出版社的授权。

[3] 原案例系达拉尔·克拉克（Darral G. Clarke）副教授为课堂讨论而准备的，并不是为说明一个管理情景的有效或低效的解决。本案例经罗伯特·杜兰（Robert J. Dolan）教授修改。版权归哈佛商学院所有，未经许可，任何部分都不得复制、进入检索系统或转成任何形式（电子、机械、复印和录音等）。本案例由哈佛商学院案例服务中心发行。

[4] Glen L. Urban and John R. Hauser, *Design and Marketing of New Products*（Englewood Cliffs, NJ：Prentice-Hall, Inc. , 1980），pp. 52—59. 进行为期 9 个月的两个市场的市场实验成本估计为 100 万美元。ASSESSOR 可节约 100 万美元，这是考虑以下因素进行贝叶斯分析计算得出的：（1）ASSESSOR、市场测试和全国市场推出的成本；（2）在新产品上市过程中不同阶段成功的概率。

[5] 关于 ASSESSOR 的详细资料可参考本案例的附录及论文：Alvin J. Silk & Glen L. Urban, "Pre-Test-Market Evaluation of New Packaged Goods：A Model and Measurement Methodology", *Journal of Marketing Research*, Vol. XV（May 1978），pp. 171—191.

[6] 庄臣公司不是上市公司，不公开报告自己的财务数据。美容保健品的制造商通常都对成本数据严格保密。如表 7—30 所示为该行业成本结构的大概信息。这些数据只供讨论使用，不应看成是 Enhance 真正的成本结构。

[7] 附录 A 为因子分析过程的解释说明。

第8章

广告与沟通决策

本章讨论广告及其他沟通组合决策的营销工程方法。营销者可用的沟通组合要素包括：

广告：由明确的主办人发起的对创意、商品或服务的非人际有偿展示和推广。

直接营销：用邮寄、电话及其他非人际接触工具同顾客和潜在顾客进行沟通并激发其潜在购买力。

促销：鼓励人们试用或购买某种产品或服务的短期刺激行为。

公共关系和宣传：各种旨在推广或保护企业形象或企业产品的活动。

人员推销：为达到销售目的，同一个或多个潜在购买者进行面对面的交互活动。

本章着重于广告，第9章和第10章将讨论沟通组合中的其他要素。

本章要讨论的问题主要有：

- 广告令人困惑的性质；
- 广告效果：反应、媒体与文案；
- 广告预算决策；
- 媒体决策；
- 广告文案的设计与决策。

本书所附的相关软件有 ADBUDG 电子报表（配以蓝山咖啡案例）、AD-VISOR（配以 Convection 公司案例）和基于知识的广告文案系统 ADCAD。

广告令人困惑的性质

现代营销管理中最重要也最令人困惑的推销工具之一就是广告。毋庸置疑，广告可以有效地向潜在购买者展示信息并说服他们进行购买。谁都同意，广告可以影响顾客对产品的偏好，增强企业形象并影响顾客的购买行为。即使广告不直接影响销售，也可能影响到企业形象和消费者偏好，从而间接地影响销售。事实上，人们对某种产品的偏好发生的细微变化都可能有长久的影响力，最终日后提高销售量。

广告令人困惑的原因之一就是，一般而言，广告效果要过一段时间后才能慢慢表现出来，而且可能呈非线性，并与营销组合中其他因素相互作用，共同促进销售。目前，尚无人知晓广告在市场上究竟能起到什么样的作用。但人们对广告的期望非常明确：即提高企业销售收入和利润。但仅靠广告自身却很少能创造出销售来，顾客是否购买还取决于产品、价格、包装、人员推销、服务、融资及营销过程中的其他方面因素。

广告决策及其效果要受广告与营销目标、产品特色和营销组合其他要素的影响，其受影响的程度要大于其他营销组合要素。下面举例说明：

人员推销：当人员推销是营销组合的一个重要因素（如产业市场）时，广告的作用就削弱了。与广告相比，人员推销这种沟通方法要有效得多（虽然更昂贵）。由于人员推销需要额外支出，所以，只有当销售给某个潜在顾客的销售额期望水平较高时（一般指销售给产业市场顾客、批发商和零售商），人员推销才是最有效的。

品牌：如果企业在同一个品牌下生产多种产品，如家乐氏麦片和金宝汤品（Campbell Soup），就可以对整个产品线进行广告，不时地把广告重点移到某一特殊品牌上。如果企业产品有不同品牌，如宝洁公司的"汰渍"（Tide）、"波德"（Bold）和"奇尔"（Cheer）洗衣粉，就可以分别为每一品牌做广告，并分别制定广告预算决策、文案决策和媒体决策。

定价：广告文案、广告信息及媒体选择必须能增强该品牌的价格定位并与之保持一致。对高价位品牌要强调该品牌与其他产品的差异；对低价位品牌则要强调其物美价廉。

分销：分销渠道的长度及整体营销战略决定了要把广告信息传达给谁。对批发商或零售商施加影响，企业可用两种不同策略："推"与"拉"。在推式策略中，企业将营销工作重点放在推销员或交易上，目的在于推动产品在分销渠道上运动；在拉式策略中，企业营销战略的目标是最终消费者，目的在于刺激消费者需求，让消费者需求拉动产品沿分销渠道运动。

阿克尔和迈尔斯（Aaker & Myers, 1987）界定了广告的三种主要决策：（1）设定广告目标和预算（花多少钱）；（2）设计广告文案（传达什么消息）；（3）选择媒体（使用哪些媒体）。我们在此分别阐述这三个决策，但其实它们是紧密相关的：广告目标驱动广告文案决策，而广告文案的效果则会因反应群体的不同而不同，它又会影响到媒体决策。而且这三个决策还要注重时机。对预算来说，广告费用的支出是个长期的过程，企业必须对脉动型支出与连续型支出的策略进行评估。此外，广告文案的效果会随时间推移而变化，最终逐渐消失，因此企业必须创作并逐渐采用新广告。最后，企业必须决定在什么时机采用哪种媒体来传达什么信息。

广告效果：反应、媒体与文案

广告反应现象

利特尔（1979）指出广告销售反应模型可能引起争议的三个方面：

形状指每一广告支出水平上的长期销售水平。二者之间是线性还是S形关系？当广告支出为0时销售额是多少？是否存在超饱和点（即大量的广告支出却导致销售下降）？

动态指当广告增加/减少时销售增长/降低的速度。问题在于是否存在滞后性，即广告是否能推动销售达到一个不继续提高广告支出就会停滞不前的新水平。尽管许多实证研究都发现了这种滞后效果，但对这种效应会持续多久却还没有达成一致意见（Clarke，1976）。

相互作用指的是广告与营销组合其他因素（如促销、人员推销和价格等）之间的相互作用和协同作用（包括正面作用和负面作用）。

利特尔（1979）还研究了许多实例，试图从中发现最重要的广告反应现象。图8—1表明广告提高了这种包装产品的销售率：企业做了大量广告后，销售率显著增长。销售率在一个月左右时间内便显著提高，超出了许多管理者的意料。

图8—1显示出，在大量广告的这段时期内销售额趋于稳定：显然，在广告支出回到正常水平以前，销售率已达到了总体效果。

图8—1还显示出，广告减少后销售也开始下降，而且销售下降的速度似乎小于它增长的速度。这里出现的是两种独立的现象：销售增长与广告有关，而下降则与产品体验有关。产品体验是与广告不同的现象，因此销售下降的速度与增长速度也不同。

图8—2表示从未做过广告的一个产品线的销售情况。超级市场与百货商店里有很多自营品牌、低价品牌以及其他尽管没做广告但很畅销的产品。因此，广告反应模型应当能考虑到零广告时也会有很好的销售情况。

也许对广告的反应中最有趣的是反应曲线的非线性特点。逻辑上认为线性反应曲线是不合理的：对一个反应曲线为线性的产品，最优的广告支出不是零就是无穷，而且只要不断增加广告支出就能提高销售。而非线性反应曲线却能覆盖许多不同情况，其中最重要的是回报率递减和S形曲线。图8—3所示为两种表现出凹形的产品，或者说其广告支出回报率递减。

利特尔（1979）将他的观察结果总结为五种现象，一个好的广告反应模型应当能表现这五种现象：

1. 广告增加时销售增长；广告减少时销售下降。这种升降频繁发生，只是变动速率不同。

2. 广告反应曲线呈凹形或S形，而且当广告支出为零时，销售率常为正。

3. 竞争性广告会影响到销售额，通常产生的是负作用。

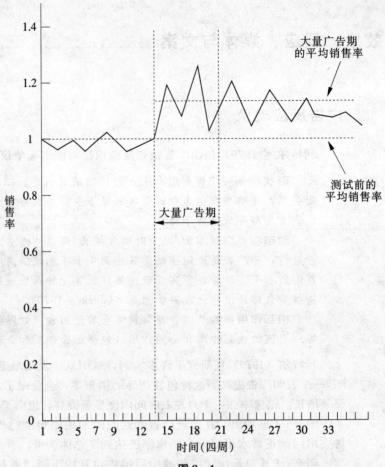

图 8—1

一种包装商品的销售率随广告的增加而迅速上升，随着广告减少销售率也相应缓慢下降。竖轴表明测试区销售率与控制区（没有大量做广告的地区）销售率间的比率。

资料来源：Little 1979，p. 637.

4. 由于广告媒体、文案及其他因素的变化，每单位广告支出的有效性会随时间推移变化。

5. 有时，产品销售随广告支出增加而出现增长回落，即使广告支出保持恒定也会回落。

一种广告反应模型：维达尔和沃尔夫（Vidale & Wolfe，1957）开发出了一种经典的广告反应模型，解释当广告既存在即时效果又存在滞后效果时的销售变化率：

$$\frac{\Delta Q}{\Delta t} = \frac{rX \ (V-Q)}{V} - \alpha Q \tag{8.1}$$

其中，Q = 销售量；$\Delta Q/\Delta t$ = 在时点 t 时销售量的变化；X = 广告支出率；V = 市场容量；r = 销售反应常数（当销售量 $Q = 0$ 时，每一美元广告支出 X 带来的销售量）；α = 销售衰减常数（当广告支出 $X = 0$ 时，每单位时

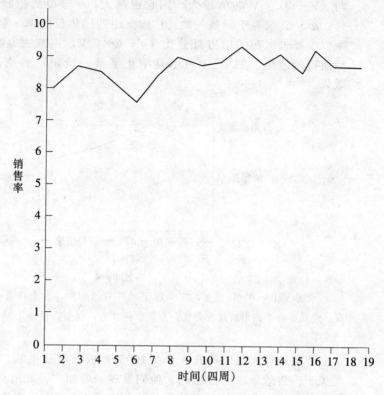

图 8—2

一个未做过广告的食品产品线的正常销售情况，表明广告并非推销所必需的。

资料来源：Little 1979.

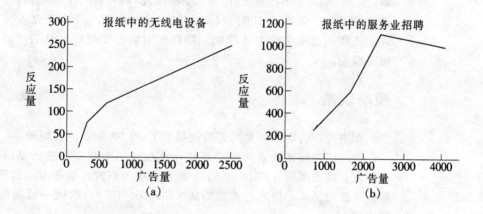

图 8—3

在这两个非线性广告反应的例子里，回报率随着广告的递增而下降。

资料来源：Little 1979.

间内损失的销售量所占比例）。

方程（8.1）右端的含义是，销售率的变化 $\Delta Q/\Delta t$ 依赖以下因素：r、X

与 $(V-Q)$ / V 的值越大，则它也越大；α 与 Q 的值越大，则它越小。这样，$\Delta Q/\Delta t$ 就等于，每一美元广告支出的销售反应率 r 乘以广告支出 X，再乘以市场未饱和的销售百分比 $(V-Q)$ / V，再减去衰减后的销售损失 αQ 后所得的差值。图 8—4 所示是中止了某一给定广告密度下的广告活动的效果。

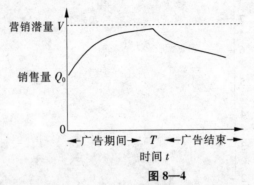

图 8—4

根据 Vidale-Wolfe 模型，在为期 T 的广告活动中，如果广告支出不变，销售额会提高，表现出一个凹形的反应曲线。当广告停止后，销售会逐渐下降，下降的速度与上升的速度不同。

罗迪斯等人（Lodish et al.，1995a）根据有线电视广告的情况提出了一些关于广告效果的有趣结论。他们发现，增加广告支出总的来说并不能增加销售；只有当广告与产品的变化（如新产品）、广告文案的变化或媒体策略的变化相伴时，以及当广告对象是店内很少促销的产品大类时，广告才最有可能促使销售增长。特别地，67％的测试表明，对知名品牌的产品来说，广告的增加并不能带来销售的增长；61％的测试表明，沿用原来的广告文案的话，广告增加并不能使销售增加。知名品牌产品的广告弹性平均为 0.05，也就是说，广告增加 100％只能增加 5％的销售。营销研究人员在这类研究方面还要做更多工作，才能确定销售何时以及如何对自己的产品大类的广告做出反应。

频率现象

在进行广告媒体决策时，关键是要了解广告展露的长期效果。

关于广告频率效果的理论是建立在心理学实验室研究的基础上。早在 19 世纪末，埃宾豪斯（Ebbinghaus）就对此做过研究，他指出，重复学习同一课程能降低遗忘率。后来，齐尔斯基（Zielski，1959）将这一发现用于杂货商品的广告上。

阿佩尔（Appel，1971）和格拉斯（Grass，1968）指出，对某一简单刺激的反应通常是先上升，到达最高点后下降（见图 8—5）。格拉斯研究了杜邦公司的几种产品后发现，广告展露两次时，注意力增强并达到最大；当展露两次或三次时，已知信息的数量不断增加并达到最大。克鲁格曼（Krugman，1972）根据对脑电波和眼睛活动的研究提出，第三次展露及接下来的展露会加强第二次展露的效果。

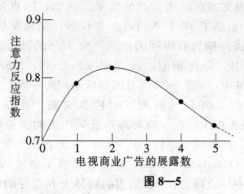

图 8—5

随着电视广告的展露次数增多，人们的注意力递减。

资料来源：Grass 1968.

麦克唐纳（McDonald，1971）根据 255 位家庭主妇在 13 周内对报纸、杂志、收音机和电视广告上 50 大类产品所做的广告展露记录报告了对频率研究的发现：对其中 9 类产品，如果在对该产品的两次购买之间家庭主妇看见该品牌两次或两次以上广告，她们转而购买这种品牌的可能性就比一次都没看见或只看见一次高 5%；如果在第二次购买前四天内看了广告，广告效果就更强。

奥美公司（Ogilvy & Mather，1965）在对四个广告主所做的一次调查中要求参与调查者对所看电视有所记录，跟踪他们的品牌偏好并将品牌偏好与该品牌广告展露的次数联系起来。奥美的研究表明：（1）八周展露一次的广告几乎没有什么效果；（2）每天不同时间展露的效果大不相同；（3）品牌之间存在巨大差异。纳普勒斯（Naples，1979）的另一项调查要求参与调查的人在日记中记录他们购买有线电视的情况。调查结果表明，广告要达到最大效果至少需要展露两次。他还发现，广告反应最大的品牌是在同类产品中广告最多的品牌。据这些调查和对其他调查结果的总结，纳普勒斯（1979，pp. 63—81）提出下列结论：

1. 在一个购买周期中，最适宜的展露频率是三次或更多。

2. 展露次数超过三次后，广告效果继续增强，但增强的速度递减。

3. 尽管广告频率能加速广告效果的减弱，但频率本身并非导致广告逐渐失效的原因。

4. 对市场份额最高的产品，广告的反应较小。

坎农（Cannon，1987）列出了 27 条命题（如"命题 25：鲜明生动的形象要求的频率比较低，因为这样的形象提供了独特而易于记忆的体验。"）以总结他的看法，即广告频率会受个人、文案和情景的影响，媒体时间安排可以适当地对市场进行细分，选择最适合每个细分市场的媒体载体和时间表（还可参阅Cannon & Goldring，1986；Wenzel & Speetzen，1987；工业广告可参阅Cort，Lambert & Garret，1982）。

广告文案的效果

对广告文案或广告语的有效性感兴趣的人最关心相对媒体支出（广告密

度）而言广告文案在促销方面的效果。例如，阿克尔和卡曼（Aaker & Car-man，1982）总结了 48 个 AdTel 广告试验，结果发现其中 30％的试验表现出广告密度对提高销售有很强的效果，而 47％的试验表明广告文案对销售有很大的促进作用。与此相似，富戈尼（Fulgoni，1987）报告说，在 400 多个行为监控测试中，40％～55％（因年份不同而不同）的测试表明销售会对广告强度产生反应，而 75％的测试对广告文案产生很强的反应。卡罗尔等人（1985）的报告指出，在一项对海军征兵广告的实验中，广告密度并没有产生强烈的效果，而根据当地特点定制的广告文案却产生了很显著的效果。伊斯特拉克和拉奥（Eastlack & Rao，1989）总结了金宝汤品公司的 19 个广告试验后，在报告中一致同意："在适当的媒体上刊登好的广告文案能够在不增加预算的前提下提高销售额"（p. 70）。斯图尔德（Stewart，1990）分析了 92 个英国电视广告测试的数据，在报告里指出有 48％的测试表明新广告文案引起了销售的明显增加，而 31％的测试表明对知名品牌加强广告密度可以大大提高销售。

既然广告文案这么重要，人们就理所当然地想知道什么才是好的广告。广告文案的研究者调查了大量广告现象，既包括怎样将广告的物理特点和机械特点同认知、回想和其他指标联系起来（Hendon，1973），也包括电视广告的幽默性和严肃性（Wells，Leavitt & McConnell，1971）。雷蒙德（Ramond，1976）总结了众多广告文案测试研究后提出下列原则：

- 印刷品广告面积越大，以后就会被越多的人认出来（Starch，1966、Trodahl & Jones，1965、Twedt，1952 和 Yamanaka，1962），其人数大体是广告尺寸增长量平方根的函数；
- 能认出彩色广告的人比能认出黑白广告的人要多（Gardner & Cohen，1966 和 Twedt，1952）；
- 广告标题越短，广告就越容易被认出；
- 人们既能回想起较短的电视广告，也能回想起较长的广告，而且产品类别对电视广告和印刷品广告的认知和回想都有重大影响；
- 随着电视商业广告播出情况的变化，人们的认识和态度也会变化，可以通过这些变化预测品牌选择的变化（Assael & Day，1968 和 Axelrod，1968）；
- 即使不相信广告，人们也能把它们记住（Leavitt，1962 和 Maloney，1963）。

这些观察结果虽然过于简单，却能帮助形成关于广告文案和信息传达效果的理论，也就是说，在哪些情况下应该传达哪些信息（Rossiter & Percy，1987）。这一方面的其他研究也同样很有建树：例如，汉森和韦茨（Hans-sens & Weitz，1980）指出，对工业品广告的回想和阅读同广告的尺寸和在杂志中的位置等特点都有密切关系；休厄尔和萨雷尔（Sewall & Sarel，1986）也对收音机广告做了类似研究；古德温和埃特加（Goodwin & Etgar，1980）指出了沟通效果与广告取向间的关系。要想了解有效电视广告的驱动因素，可参阅斯图尔德和弗斯（Stewart & Furse，1986）对 1 000 则电视商业广告的研究。

广告预算决策

广告预算决策是企业必须经常要制定的决策。这里主要介绍四种比较常用的决策方法。帕蒂和布拉斯科（Patti & Blasko, 1981, 1984）对这些方法在工业企业的应用（*I*）和在消费品企业的应用（*C*）提供了一些统计数据。下文括号中的数字是工业品企业和消费品企业中采用该方法的企业所占百分比。

量力而行法（*I*＝20%，*C*＝33%） 许多经理都根据他们认为企业支付得起的数额制定广告预算。正如一位广告经理所解释的（Seligman, 1956, p. 123）：

> 为什么采用？简单呗。首先，我到楼上去问总会计师今年能给我们多少。他说 150 万。然后，老板来问我应当花费多少，我说："噢，大概 150 万吧。"这样便有了广告预算。

这种制定预算的方法意味着广告支出与销售收入之间几乎没有什么关系：公司应当把它能用得上的资金用在广告上，就像买保险一样。这种方法最大的弱点是导致了广告预算的波动，使企业很难为长期市场发展做规划。

销售百分比法（预期：*I*＝16%，*C*＝53%；过去：*I*＝23%，*C*＝20%） 许多公司以销售额（既可以是当前销售额也可以是预期销售额）或售价的一定百分比作为广告支出。例如，一位铁路公司的经理曾说过（Frey, 1955, p. 65）：

> 我们在前一年的 12 月 1 日制定下一年的广告预算。那天，我们要把下个月的收入加进来，把总收入的 2% 作为来年的广告支出。

此外，汽车制造业一般以汽车计划单价的某一固定百分比作为广告预算，石油公司则一般将每加仑汽油售价的一部分作为广告费。

这种预算方法有许多优点：首先，广告支出基本上随公司可支付资金的多少而变化；其次，这种方法鼓励经理考虑广告成本、售价与单位利润之间的关系；第三，如果竞争对手也花费大致相同比例的广告费，有利于保持竞争的稳定。

尽管有上述优点，销售额百分比法还是有不少缺陷。这种方法采用了循环推理，使销售额成了决定广告的因素，而不是广告带来的结果。而且，这种方法致使经理根据可用资金的数额而不是根据可用的广告机会来制定广告预算。此外，这种方法也不能为选择某个百分比提供合理的依据，惟一的依据是过去的经验、竞争者现在的情况或者可能引起的成本。最后，这种方法不能鼓励企业建设性地为不同产品、不同销售区域分配广告费用，而是按照销售额的同一个百分比分配所有的资金。

竞争对等法（*I*＝21%，*C*＝24%） 有些企业确定广告预算只是为了不输于竞争者的预算，即维持竞争地位的对等。

对这种方法有两种论点：一是竞争者的支出代表了该行业的集体智慧；二

是保持竞争地位的对等有助于防止广告大战。但这两个观点都是错误的。我们没有先验的理由认为竞争者是以符合逻辑的方法来确定广告支出。每家公司的广告声誉、资源、机会和目的都大不相同，任何一家公司的预算对其他公司都没有什么指导意义。而且也没有证据表明为了追求竞争上的对等而确定广告预算确实能使本行业的广告支出达到稳定。

了解竞争者在广告上的花费无疑是有用的信息，但掌握这一信息与盲目照抄照搬完全是两码事。

目标任务法（$I=74\%$，$C=63\%$） 运用这种方法，广告主可以通过下列步骤制定预算：(1) 尽量明确具体地确定广告目标；(2) 明确为实现这些目标而必须完成的任务；(3) 估算完成这些任务所需的成本。这些成本的总和就是广告费用预算（Colley，1961；Wolfe，Brown & Thompson，1962）。

企业应当尽量使广告目标具体化，从而根据目标来设计广告文案、选择媒体以及评估广告效果。像"要创造品牌偏好"的目标比起"明年要使 Y 百万个 18 至 34 岁的妇女中有 30%树立起对品牌 X 的偏好"的目标要模糊得多。科利（Colley）列出了 52 项沟通目标，包括：

- 宣传某个现在就购买的特殊理由（如价格优惠）；
- 使广告受众熟悉并易于认出商品的包装或商标；
- 使广告主能选择自己偏爱的分销商和经销商；
- 说服潜在顾客参观展览室并提出观看商品演示的要求；
- 鼓起公司销售人员的士气；
- 纠正错误印象、错误信息及其他阻碍销售的障碍。

这种方法对广告主很有吸引力，应用也很广泛。它的主要缺陷在于未能指出怎样选择目标、怎样评价目标以及怎样确定这些目标是否值得付出这么多成本。其实，布拉斯科和帕蒂（1981）在一份报告中指出，虽然工业品企业中只有 3%（Blasko & Patti，1984）用定量方法来确定广告预算，但大的消费品企业的比例却达到了 51%。

基于模型的方法 很多研究人员都致力于开发广告预算决策模型。他们在论文中主要研究了广告预算的大小和资金分配。尽管研究目的和研究方法各有不同，但大多数却都与下列一般方法密切相关：

找出 $A_i(t)$，使得

$$\max Z = \sum_i \sum_j \sum_t S_i\left\{t \mid [A_i(t)], [C_{ij}(t)]\right\} \times m_i - \sum_i \sum_t A_i(t)$$
$$= 毛利润 - 广告支出 \tag{8.2}$$

限制条件为：$\sum_i \sum_t A_i(t) \leqslant B$（预算约束），$L_i \leqslant \sum_t A_i(t) \leqslant U_i$（区域约束），

其中，$S_i\left\{t \mid [A_i(t)], [C_{ij}(t)]\right\} =$ 在时点 t 地区 i 的销售额，是本企业与竞争者品牌当前广告支出及历史支出的函数；$C_{ij}(t) =$ 时点 t 竞争者 j 在地区 i 所做的竞争性广告；$A_i(t) =$ 时间 t 地区 i 的广告水平；$m_i =$ 地区 i 单位销售额的利润；$[A_i(t)] =$ 计划中的全部广告活动；U_i，$L_i =$ 区域约束的上限和下限；$B =$ 预算限制。

我们讨论的各种定量模型最主要的区别在于对 $S_i(t)$ 的形式的规定不同。

正如在上一节讨论过的，反应模型应当包括某些广告现象。但不同模型有不同形式，它们在不同程度上将这些现象结合在了模型里。下面我们介绍两种最简单的决策模型，并根据预算标准的正规制定过程介绍第三种模型——ADVISOR。

举例

拉奥—米勒法（Rao & Miller，1975）：拉奥—米勒模型综合了多个市场在较长一段时间内的数据。其基本思想是，许多全国性的广告活动提供了一套准试验性的条件，因为每个市场的展露率和其他广告特点都与其他市场有所不同。模型的目的是从每个销售区域市场上推导出一个广告反应系数，然后将这些系数综合起来，最终生成一个典型的销售反应函数。

拉奥和米勒假设广告既有即时效应又有滞后效应，且滞后效应呈指数速度衰减。虽然模型也可以处理降价和贸易促销，但这里仅介绍模型中与广告相关的内容。其单个市场模型是：

$$S_t = c_0 + c_1 A_t + c_1 \lambda A_{t-1} + c_1 \lambda^2 A_{t-2} + \cdots\cdots + \mu_t \tag{8.3}$$

其中，S_t = 时点 t 的市场份额；A_t = 时点 t 的广告支出；c_0，c_1，λ = 常数（$0 < \lambda < 1$）；μ_t = 随机扰动。

这一等式的意思是，在一定时间段内，广告支出每增加一个单位就能在该时间段内产生 c_1 的市场份额点，下一时间段内为 $c_1 \lambda$，再下一时间段内则为 $c_1 \lambda^2$，以此类推。

方程（8.3）中滞后效应的分布形式可通过在等式两边同时乘以 λ 得到简化：

$$\lambda S_{t-1} = \lambda c_0 + \lambda c_1 A_{t-1} + \lambda^2 c_1 A_{t-2} + \cdots\cdots + \lambda \mu_{t-1} \tag{8.4}$$

从方程（8.3）减去方程（8.4），可得：

$$S_t = c_0 (1-\lambda) + \lambda S_{t-1} + c_1 A_t + \mu_t - \lambda \mu_{t-1} \tag{8.5}$$

注意，这里的短期广告效应是：

$$\frac{dS_t}{dA_t} = c_1 \quad （短期效果） \tag{8.6}$$

而广告长期效应在第一个时间段为 c_1，在其后各个时间段中为 $\lambda c_1 + \lambda^2 c_1 + \cdots\cdots$，或者

$$c_1 + \lambda c_1 + \lambda^2 c_1 + \cdots\cdots = \frac{c_1}{(1-\lambda)} \quad （长期效果） \tag{8.7}$$

现假设：I = 每年该地区的行业总销售额；P = 该地区人口；AV = 在该时间段内的平均广告率。

那么，在每年的 k 个时间段内，根据方程（8.6）可知，若广告费增加 1 000 美元，由此带来市场份额增加 $c_1 / (1-\lambda)$。这样，广告费增加 1 000 美元带来的销售额增加量为：

$$y_1 = \Delta 销售额_i = \frac{c_1}{(1-\lambda)} \frac{I}{K} \quad （在市场 i 上） \tag{8.8}$$

此时，人均广告率 $AV_i / P = x_i$。换句话说，方程（8.8）可解释为当人均

广告支出率为 AV／P 时典型的市场份额反应曲线的导数。

这种计算方法为每一市场 i 都给出了一组值（y_i，x_i），其中 $\{y_i\}$ 是更典型的反应函数 $g(x)$ 的导数，因此 $y=dg/dx$。拉奥和米勒假设 $g(x)$ 曲线是 S 形，建议用 x 的多项式来逼近它；他们特意假设 $g(x)$ 是 x 的三次函数，而 $y(x)$ 是 x 的二次函数：

$$y=k_1+k_2x-k_3x^2+k_4z \tag{8.9}$$

其中，$z=$ 优秀品牌的百分比（是一个据经验和实证分析得到的调整因子，以便考虑边际反应的易变性）；k_1，……，$k_4=$ 待定系数。

给定一组 $\{y_i\}$ 和 $\{x_i\}$（及 $\{z_i\}$）的值，我们就可以用标准计量经济学方法估算出方程（8.9）中的系数。求方程（8.9）的积分，就可得到总广告反应函数。积分后可得：

$$g(x)=k_0+k_1x+\frac{k_2}{2}x^2-\frac{k_3}{3}x^3+k_4z \tag{8.10}$$

这里的 k_0 未指定。模型作者假设 $k_0=0$（若广告费为 0，则销售额为 0），但这一模型显然包含了广告费为 0 时销售额并不为 0 的情况，这一点与利特尔提出的第二种现象是一致的。这样，方程（8.10）就可应用到方程（8.1）中，把广告预算分配到不同的销售区域和不同的时间段里去。

下面用一个包含五种品牌的例子说明这种模型的应用。对市场内部模型方程（8.5）来说，判定系数（R^2）的平均值是 0.89；反应曲线方程（8.9）的判定系数平均值是 0.60。因此拟合度已足够大了。图 8—6（a）表现的是品牌 B（五种品牌之一）因广告带来的边际销售额与平均广告支出水平之间的关系，而图 8—6（b）则是相应的广告反应函数图形。作者说明了如何用这种模型来评价不同的广告策略，并且证明了当反应曲线呈 S 形时会出现脉动现象（广告支出先是低而后不规则地突然提高）。

企业早已开始广泛应用这种方法，并推广运用到交易效应与价格效应上（Rao，1978 和 Eastlack & Rao，1986，1989）。

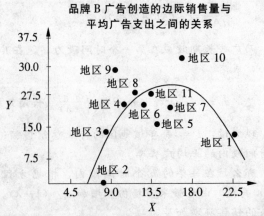

品牌 B 广告创造的边际销售量与
平均广告支出之间的关系

$X=$ 每年每千人广告支出；$Y=$ 每年每千人广告支出变化 6 美元时每年每千人销售额的变化。

390

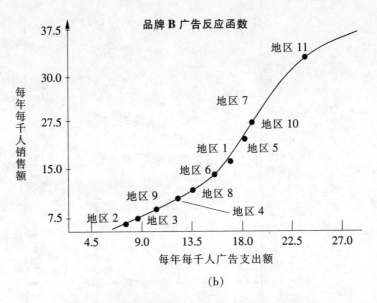

图 8—6 拉奥和米勒的广告决策计量经济学模型

（b）对曲线（a）进行积分后得到的反应函数。

资料来源：Rao & Miller 1975, p.13.

有些产品的反应曲线是 S 形，有些是凹形。像大多数其他计量经济学方法一样，这种建模方法也有许多弱点。在利特尔希望能在模型里体现的三种现象中，这种模型只包括了其中的第二种——S 形的反应曲线。但是可以对该模型进行扩展，使它能包含竞争效应（第三种现象），广告文案效果与媒体效果也可包含在 x 中的有效性因子里。方程（8.4）没有考虑到上升和衰减次数的不同。同所有基于计量经济学的模型一样，数据质量及其易变性限制了人们对模型的接受。此外，尽管模型作者在报告中说明是 S 形的反应曲线，但汉森、帕森斯和舒尔茨（1990）还是批评了他们的统计方法。

总的来说，尽管这种模型存在某些缺点，但它确实简单有用。它用计量经济学方法来估算（假定的）全局反应曲线的局部状况。此外，这种模型同为频繁购买的包装商品而收集的数据类型实现了很好的结合。

ADBUDG 模型　利特尔（1970）用他的 ADBUDG 模型引入了主观判断式的决策演算方法。同拉奥和米勒一样，利特尔也主要集中研究市场份额对广告支出的反应，没有明确地考虑竞争效应。他的 ADBUDG 模型建立在以下假设的基础上（见图 8—7）：

关于一个时期内广告反应的假设，该模型可以用来推导反应函数。

1. 若广告费用削减到零，则品牌的市场份额将减少；但存在一个下限或最低点，到某一时间段之末，市场份额会从最初水平降低到这个最低点；

2. 若广告费用大大增加，比如达到了饱和点，则品牌的市场份额也会增加；但存在一个上限或最高点，在一段时间之末，市场份额会达到这个最高点；

3. 存在某个使份额始终保持在最初水平的广告率；

4. 根据广告对市场份额的影响数据的分析和经理主观判断，可以估计出

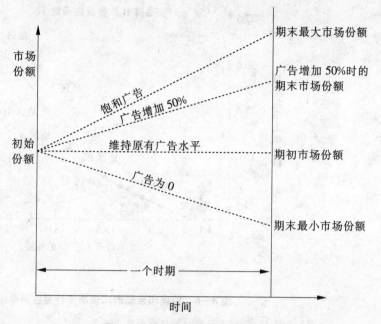

图 8—7 利特尔的 ADBUDG 模型

到一个时期末广告水平会比维持水平提高 50%。

这些假设可以用图 8—8 中市场份额对广告的反应曲线上的四个点来表示。这是本书第 2 章中的 ADBUDG 函数：

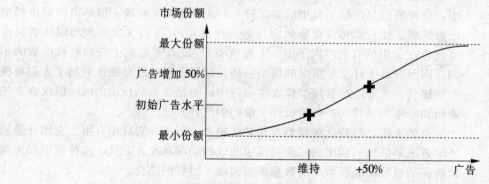

图 8—8 ADBUDG 模型用图 8—7 中的假设生成的数据得出了一个平滑的广告反应函数

$$市场份额 = b + (a-b) \frac{adv^c}{d + adv^c} \quad (adv \text{ 表示广告}) \qquad (8.11)$$

常数 a、b、c、d 可由输入数据决定。方程（8.11）表示的反应关系既多样化又有限。

把广告费增加 50% 所带来的市场份额增长量将在很大程度上决定广告率的大小，而 a（最大值）和 b（最小值）则将市场份额的变动限制在一个有意义的区间里。

尽管图 8—8 表示了一种 S 形曲线，但方程（8.11）表示的并不一定是 S 形。如果 $c > 1$，则曲线为 S 形；如果 $0 < c < 1$，则曲线为凹形。c 的值取决于输入的数据。

到目前为止还没有考虑到时间的延迟。为了将时间延迟考虑进去，模型假设：（1）如果不做广告，则市场份额最终将衰减到某一长期最低值（可能为0）；（2）一个时间段内的市场份额衰退值是当前份额与长期最小份额之差的一个固定百分比；也就是说，衰退是指数函数。

令"长期最小"表示长期最小份额，"保留比例"表示在市场份额衰减一段时间后，市场份额与长期最小份额之差的一个百分比。那么在上述假设条件下，可得：

$$保留比例 = \frac{最小份额 - 长期最小}{初始份额 - 长期最小}$$

$$份额_t = 长期最小 + 保留比例 \times [份额_{t-1} - 长期最小]$$

$$+ (a - b)\frac{adv_t}{d + adv_t} \tag{8.12}$$

这是一个简单的动态模型。它很容易解释，也很合理。如果允许其中一些常数随时间而变化，那么这个模型可以更通用化，但目前还不必这么做。

我们说的广告到底是什么含义？是广告支出的金额，还是广告展露的次数？产品经理想知道的是广告支出率、媒体和广告文案。让我们构造两个随时间而变化的指标：（1）媒体效率指数；（2）广告文案有效性指数。假设这两个指标的参照值均为 1.0。这样，我们就可以假设已送达广告［即被代入反应函数（8.10）的 adv_t］可由加权广告（wtd adv_t）计算得出。

$$加权广告 = 媒体效率_t \times 媒体有效性_t \times 广告支出金额_t \tag{8.13}$$

我们可以主观地确定媒体有效性指标和广告文案有效性指标的值，但最好存在其他不同的值。广告文案测试是很有用的方法，可用媒体成本、各细分市场的展露次数以及各细分市场相对价值等数据得出媒体指标（我们还可以在这个模型中包含进去其他效应，如产品类别销售效应、促销、竞争和价格等，但在此不作讨论）。模型可以总结为：

1. 市场份额：

$$调整后的市场份额 = 长期最小 + 保留比例 \times [市场份额_{t-1} - 长期最小]$$

$$+ (a - b)\frac{加权广告_t}{d + 加权广告_t} \tag{8.14a}$$

2. 品牌销售额：

$$调整后的销售额_t = 产品类别销售额指数_t \times 调整后的市场份额_t \tag{8.14b}$$

3. 利润：

$$广告对利润的贡献_t = 每单位销售额的贡献_t \times 品牌销售额_t \times 广告支出_t$$

$$\tag{8.14c}$$

本书所附软件包中蓝山咖啡案例的电子报表提供了 ADBUDG 模型的软件实现，你可以很容易将它修改后用于其他领域。

ADBUDG 模型存在的问题是：（1）没有考虑到竞争；（2）一个时间段内反应的上下限（最大和最小）与期初的市场份额无关；（3）广告与其他营销组合的效果无关；第四，时间足够长的话，广告会使市场份额超过 100%，而这实际是不可能的。尽管存在上述问题，该模型还是简单和易于理解的，而且以一种直观的方式既体现了单个时期内的效果，也体现了延后效果。

利特尔（1979）提到，很少有人使用制定广告预算的模型。我们希望本书的软件既能够展现 ADBUDG 的简易，又能够鼓励更多的人使用它。

人们对广告效果知之甚少，而且其确实很难测算，所以难怪企业很少依赖ADVISOR这样的正规方法作为指导，而总是进行大概的估计和主观臆测。

共享经验法——ADVISOR ADVISOR模型采用的是同PIMS（第6章）一样的共享经验法，但更注重如何确定产业用品营销的预算。ADVISOR研究1973年开始于麻省理工学院，有80多家企业提供资助，并为它提供了300多家企业的数据。

研究者们分析了这些企业在制定预算时采用的决策过程，并总结了早期的研究成果。结果发现，营销沟通支出模型应当将产品特征与市场特征（如产品生命周期阶段和产品复杂程度）之间的相互作用考虑进去，并且还应考虑到支出水平与产品特征和市场特征之间的非线性关系。

广告支出或营销支出水平的主要决定因素是用产品上一年销售额表示的产品销售水平和营销活动力图达到的顾客数量。然后，企业再调整支出水平，使之能适应产品生命周期的阶段、顾客集中度以及产品技术复杂程度等因素。

下面是一个能反映这些概念的简单乘法模型：

$$营销_t = b_0 \times 销售额_{t-1}^{b_1} \times 用户数_2^{b_2} \times 变量_3^{b_3} \times \cdots\cdots \times 变量_9^{b_9} \tag{8.15}$$

其中，b_0，……，b_9 = 回归系数；营销 = 营销支出金额（主要是人员推销、技术服务和营销沟通的支出）；销售额 = 销售额（滞后一年）；用户数 = 营销活动必须触及的受众人数；变量 = 其他变量（产品生命周期阶段、产品计划等）。

表8—1给出了ADVISOR模型的主要结果。广告和营销都与销售额有高度正相关关系（第1列）。随着销售的增加，广告费用在营销开支中的比重逐渐减小，也许是因为行业杂志数量有限，而销售人员却没有这种局限（第2行）。随着用户数的增加，企业的营销支出和广告支出都在增加，但是A／M比率（第2列）却没有明显变化。

表8—1 ADVISOR模型的系数

非独立变量	连续变量					二元变量				常数	R^2/F	SSE/N
	销售额(LSLS)	用户数(LUSERS)	顾客集中度(LCONC)	订单转成销售的比例(LSPEC)	潜在顾客/顾客/产品态度差异(DIFF)	直销额(LDIR--USER)	产品生命周期阶段(LCYCLE)	产品计划(PLANS)	产品复杂度(PROD)			
广告(LADV)	+0.618 (9.1)	+0.104 (3.6)	-1.881 (3.1)	-1.989 (4.4)			-0.892 (3.2)	-1.503 (6.0)		-0.651	0.59 — 25.0	1.12 — 110
A/M [Logit (A/M)]	-0.232 (4.5)				+0.383 (2.0)	-0.255 (2.1)			-0.230** (1.2)	+0.544	0.24 — 7.5	0.91 — 100
营销(LMKTG)	+0.712 (12.6)	+0.082 (3.1)	-1.633 (3.1)	-0.993 (2.8)	-0.305 (1.7)	-0.194** (0.6)	-0.424 (2.0)	-0.809 (3.9)	+0.528 (2.5)	+0.185	0.72 — 28.2	0.91 — 110

注意：广告（A）；广告与营销（M）的比率 {logit（A/M）= log [A/（M−A）]} 以及营销。LMKTG的意思是广告（ADV）方程取对数后将呈线性 [方程（8.15）]。

括号里为t统计；所有方程的显著性均为$\alpha < 0.001$。

* 变量不重要以及逻辑上不相干。

** 为取得逻辑上的一致性而保留的变量。

资料来源：Lilien 1979.

394

研究者们还构造了其他模型，考虑了媒体选择、分销渠道选择、支出模式变化和参与展销会的情况等因素（Lilien，1979）。此外，利连和温斯坦（Lilien & Weinstein，1984）对80种欧洲产品的样本进行研究之后也得到了一致的结果。本书所附软件包中Convection公司的案例为读者提供了用ADVISOR模型评估工业品营销预算决策的背景材料。

可见，广告在市场上引起了许多不同反应，其中大多数都在实证研究报告中提到过（Leone，1995；Lodish et al.，1995b；Kaul & Wittink，1995）。但我们仍然需要进一步了解这些效应的动态变化及其估算方法。POS设备和互联网购物等衡量方法上的进步必将增强我们对广告现象的理解，这也使我们能够进一步改进广告模型，做出更好的广告决策。

媒体决策

广告代理机构常面临两种决策：创意决策（随后讨论）和媒体决策。在选择媒体时，广告代理机构要找到一种最好的方式，使广告消息能以预定次数展露给目标受众；他们还要在规划的期限内安排这些消息展露给受众的时间。

我们将详细讲解"最优展露次数"这个概念。广告主大都希望从目标受众那里得到对其广告的反应。假设想得到的反应是一定的产品试用水平，它取决于品牌在受众中的知名度等因素。假设产品试用水平随受众知晓度递增，但递增的速度递减（图8—9a）。因此，如果广告主希望产品试用率达到 T^*，那么产品知晓度就必须达到 A^*，这时的任务就是找出企业需要多少次展露（E^*）才能达到这种知名度。

广告对受众知晓度的影响取决于广告的送达率、频率及其影响：

送达率（R）：在一段规定时间内，至少看到一次某一广告的人数或家庭数。媒体模型假设，如果某人看到了播放某广告的媒体，也就看到了这则广告。

平均频率（F）：在该时间段内目标市场中的一个人或一个家庭接收到广告消息的平均次数。

影响（I）：通过某种媒体实现的一次展露的定性效果［也就是说，如果在《好管家》（*Good Housekeeping*）上刊登一则食品广告，比在《大众机械》（*Popular Mechanics*）上刊登的影响更大］。

图8—9（b）所示为受众知晓度与广告送达率之间的关系。受众知晓度越大，广告展露的送达率、频率和影响都越大。此外，送达率、频率与影响之间存在着此消彼涨的关系。例如，假设媒体规划者的广告预算为100万美元，每千次普通质量的展露的成本为5美元。这样就可以购买2亿次展露（＝$1 000 000×1000／$5）。如果要求平均展露频率为10次，广告就可以送达给2 000万受众（＝200 000 000／10）。但如果想采用质量更高的媒体，如每千次展露成本为10美元，除非降低展露频率，否则广告就只能送达给1 000万人。

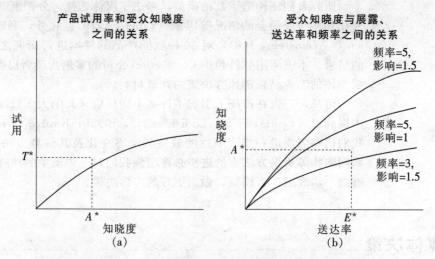

产品试用率和受众知晓度
之间的关系

受众知晓度与展露、
送达率和频率之间的关系

图8—9 产品试用率、受众知晓度和展露函数之间的关系

广告的送达率越高，知晓度就越高（b），新产品的试用水平就越高（a）。

下述概念反映了送达率、频率和影响之间的关系：

展露总次数（E）是送达率与平均频率的乘积，即 $E = R \times F$。它也称为总评分点（GRP）。如果某一媒体计划将广告送达给80％的家庭，而平均展露频率为3次，那么就可以说该媒体计划的 GRP 为240（80×3）。如果另一媒体计划的 GRP 为300，就可以说它分量更重，但我们无法单从 GRP 的值判断出送达率和频率各是多少。

加权展露次数（WE）是送达率、平均频率与平均影响三者的乘积，即

$$WE = R \times F \times I \tag{8.16}$$

我们可以这样看待媒体规划问题：对一个给定的预算，购买怎样的送达率、频率和影响三者的组合才最能发挥成本的经济效益？

选择媒体类型组合时，媒体规划者要考虑：（1）目标受众的媒体习惯；（2）产品特点；（3）广告要传递的信息；（4）相对成本。根据媒体的影响和成本，规划者可从每类媒体中选出一个子集（20个主要细分市场上的各种 PC 杂志、白天的电视节目和日报），子集中的媒体都能以最经济有效的方式带来理想的反应结果。然后再做出最终判断，确定哪些具体载体能够将送达率、频率和影响最好地结合在一起。

一些广告代理商（和企业）用数学模型帮助制定媒体计划。媒体决策问题可以表述为：

给定某一媒体预算、广告语和文案、一组可供选择的媒体、受众数据和每种媒体成本数据，要求确定：（1）采用哪种媒体；（2）每种媒体插入广告为多少及其时间安排；（3）在每种媒体上采用哪种广告单位（如印刷品广告的大小和颜色）能使媒体预算产生最大效果。这种媒体决策过程的结果被称为媒体计划，它实际上取决于对目标函数的选择。评价媒体计划效果的最好方法是评价它们对企业利润的影响。但大部分媒体模型都不能确定不同媒体上的广告能产生多少当前或长期的销售额或利润。相反，当未来销售额难以或无法测定时，

这些模型可用其他不同的沟通指标来测定广告的有效性。在媒体模型中，最常用的指标是对目标受众的展露次数，即在方程（8.16）中定义的加权展露次数。要确定媒体计划的加权展露总次数，我们必须知道两个数据：（1）每种媒体的净累计受众数，这是关于展露次数的函数；（2）受众在每对媒体间重复计算的数目。假设只有两种可选媒体，我们一般可用下列等式来计算媒体覆盖范围：

$$R=r_1 (X_1) +r_2 (X_2) -r_{1,2} (X_{1,2}) \qquad (8.17)$$

其中，R ＝媒体计划的送达率（即去掉重复计数的人数后的总加权展露数）；$r_i (X_i)$ ＝ 媒体 i 的受众人数；$r_{1,2} (X_{1,2})$ ＝ 既是媒体 1 又是媒体 2 的受众的人数。

若有三种媒体，则它们的送达率是：

$$R=r_1 (X_1) +r_2 (X_2) +r_3 (X_3) -r_{1,2} (X_{1,2}) -r_{1,3} (X_{1,3})$$
$$-r_{2,3} (X_{2,3}) +r_{1,2,3} (X_{1,2,3}) \qquad (8.18)$$

在这种情况下，将每种媒体各自的送达率相加，再加上这三种媒体同时都达到的范围，再减去三种媒体中每两个媒体同时送达的范围，其值即为三种媒体的净覆盖范围。这个等式可推广到有 n 种媒体的情况。

要得到不同媒体的受众间重叠情况的数据，必须要有很大的受众样本，这需要很大的花费。阿格斯蒂尼（Agostini，1961）根据对法国媒体受众重叠性的研究数据构造了一个有用的估算公式，说明了估算杂志插页广告总送达率的方法：

$$C=\frac{1}{K (D/A) +1}A \qquad (8.19)$$

其中，C ＝ 总送达率；K ＝ 常数，估计为 1.125；$A = \sum_{j=1}^{n} r_j(X_j) =$ 媒体 1，2，……，n 受众的总人数；$D = \sum_{j=1}^{n} \sum_{k=j+1}^{n} r_{jk}(X_{jk}) =$ 所有两两重复受众的总人数。

当 $K=1.125$ 时，计算出来的结果同美国和加拿大杂志的实际情况十分接近（Bower，1963）。可参看克莱坎普和麦克莱兰（Claycamp & McClelland，1968）对这个公式所做的分析性解释。拉斯特（Rust，1986）建议将 Agostini 模型用于估算单一媒体的送达率，而用 Hofman（1966）模型估算两种及两种以上媒体的送达率。拉斯特还对前人构造的估算受众重叠和展露频率的模型做了一个很好的综述（要了解其他估算送达率和频率的方法，可参阅 Rice，1988；Rust，Zimmer & Leone，1986；Lancaster & Martin，1988；Danaher，1989）。

媒体规划模型可分别用于销售目标函数、有效展露值或送达率和频率。最适合衡量销售情况和有效展露次数的指标，也是最难使用的，因为这些指标的建模和衡量都非常困难。

媒体决策的各种模型通常包含三部分：（1）目标函数，它将某个值（如利润或有效展露次数）分配给一份广告规划；（2）解决策略（如启发式方法或优化);(3) 约束条件(如预算)。

目标函数通常有五个主要组成部分:

1. 媒体展露次数衡量指标:测定净送达率、媒体计划的展露次数或总评分点(GRP);

2. 重复效应:将广告重复展露给同一个人能对该受众产生的影响;

3. 遗忘效应:不同展露之间产生的遗忘和广告效果的下降;

4. 媒体来源效应:来自不同来源的广告展露的相对影响;

5. 市场细分效应:广告受众是谁以及受众中能代表目标市场的比重。

根据媒体模型的求解方法,可将这些模型分为优化模型和非优化模型两类。优化模型包括几种数学规划模型,非优化模型包括启发式方法、分步分析法(边际分析法)和模拟模型。

在 20 世纪 60 年代早期及中期,研究媒体模型的学者主要集中研究线性规划方法。他们在模型中考虑的主要约束条件有广告预算费用、具体媒体和媒体大类的最多和最少使用量以及不同目标购买者的理想最小展露次数。要选择最好的计划方案,就要求固定一个有效性标准,对媒体选择而言,通常可以采用加权展露次数。

还有其他模型(如 MEDIAC)也很先进、精细,要求许多数据、管理者主观判断以及很好的计算机处理能力才能得出媒体计划。经过十年的尝试,广告代理机构开发出嵌在决策支持系统中的启发式程序,能比其他方法更省时、省力、省成本地制定出很好的(如果不是最优的)媒体计划来(Simon & Thiel,1980),而且这些方法也更易于媒体计划者理解。

由于获得单一来源数据(将购买模式、广告展露次数和其他沟通形式结合起来)和数据库管理软件越来越容易,新模型还将不断涌现(Eskin,1985;Kamin,1988)。(对媒体模型的回顾可参阅 Rust,1986;Leckenby & Ju,1989。)

广告文案的设计与决策

广告展露的效果很大程度上取决于广告本身的创意质量。但评价广告质量十分困难,而且在广告文案的测试方面也存在着很多争议。尽管一则广告也许有很高的美学价值,甚至得了奖,但它也许对销售没有什么积极作用(如日产公司为太子车引入市场所做的广告,广告里连这种车型的照片都没有)。另一则广告也许看似粗俗或惹人讨厌(如 Wisk 的经典广告"项圈周围的铃铛"),但对销售有很大的推动力量。幽默、可信、信息量大、简单和易记等特点的广告不一定有助于提高销售额。本节讨论三个问题:(1)测试广告文案并衡量文案的有效性;(2)评价广告的创意质量;(3)介绍一种设计广告的新方法。

广告文案的有效性

广告文案要以广告目标为依据。新产品的广告文案要致力于建立广泛的知名度和吸引试用，而现有品牌的广告文案则要致力于提醒人们用该品牌、提高使用率和突出该品牌与其他品牌的差异。这样，在创作广告时，必须要找到这种产品力求表达的事实和创意。

广告文案测试的目的是要确定一则广告能否发挥应有的作用。文案测试包括两个部分：测定非独立变量（如反应）及衡量指标的设定。衡量反应可用的指标包括：

1. 注意力和印象：广告吸引注意力和易于记忆的能力；

2. 沟通和理解：广告向目标市场清晰准确地传递信息的能力；

3. 说服力：广告改变人们对这种产品某些重要属性的态度和信念或改变其总体购买意向的能力；

4. 购买：广告对购买行为产生正面影响的能力。

最后两个衡量指标虽然最合理，但也最难衡量出来。

广告文案测试可根据是使用实验室环境、模拟现实环境还是完全现实的环境（即市场测试）分为三类。实验室法和模拟现实环境法都要对重点顾客群访谈，还要用各种生理学记录设备，包括眼部照相机（测量眼球的运动）、多种波动记录器和相关设备（测量情绪反应或生理反应）以及测瞳仪（测量人们看到感兴趣的事时的瞳孔放大现象）。

在模拟现实环境中，研究者通常把被调查者带入某个经过布置的环境中，测量他们的兴趣、爱好以及在将广告文案展露给他们之前和之后的购买可能性。有些方法还可以在广告展露的同时进行联机测量。例如，什未林公司（Schwerin）在播出的电视节目中插入广告，测量由广告导致的品牌提升。

许多企业都进行市场测试。通常将广告活动局限在某一小区域里，要求被调查者（既有看过广告的，也有没看过的）回答回想和偏好的问题。伯克市场调查公司的 AdTel 和 IRI 公司的行为监测都可以用有线电视技术、个人访谈及邮件小组等方法衡量广告的效果。

这些方法提供了一些与产品销售有关或无关的衡量指标。博伊德和雷（Boyd & Ray, 1971）在对广告主对广告文案测试态度的交叉文化对比中发现，由于衡量方法的问题，进行市场测试的企业往往只强调预测的有效性、解释能力和可靠性，并不以销售额为评判标准。

举例

设计 AT&T 公司的"拜访成本"广告活动：库里奇斯基等人（Kuritsky et al., 1982）为 AT&T 长途电话公司设计了"拜访成本"广告文案计划并进行了测试。整个研究耗时 5 年，花了 100 多万美元。研究包括四个项目：（1）住宅长途电话市场的市场细分研究；（2）为测试顾客对跨州电话费用知晓度而进行的跟踪研究；（3）为设计一个广告概念而进行的顾客态度定性研究；（4）在有线电视上进行了大规模的实验，借此测定这一广告活动在市场上的效果。

在市场细分研究中发现，有一个少量使用者群虽然看上去（就人口统计特征而言）很像大量使用者群，但这一群体中的人都认为电话费很贵，即存在价格障碍。第二阶段说明大部分人都将长途电话成本高估了 50%。第三阶段确立了"拜访成本"主题，包括四个要素：（1）对**成本如此之低**感到惊奇；（2）

20 分钟电话**拜访**非常合算；（3）**最大成本**（3.33 美元以内）；（4）**含税**（没有隐性成本）。

研究的第四阶段是 AdTel 有线电视实验。在 AdTel 系统中有两家有线电视台负责向居民发送电视节目。AdTel 将一个地理区域分成 40～50 个有线电视订户的小方块，就像棋盘那样，其中每个小方格收到的信号不是 A 就是 B（如棋盘上的红方格收到节目 A，黑方格收到 B）。

为与 AT&T 公司上次成功的"伸展"广告活动对比，AdTel 仍利用 16 000 个家庭组成的重点小组来测试"拜访成本"广告的效果。由于播放广告的时间与看到广告后打电话的时间之间不存在（必需）延迟，而且 AT&T 公司能够自动记录电话呼叫数据，所以这个研究环境比其他环境能够更清楚地掌握受众对广告的反应。

这次实验持续了两年时间，分为三阶段：（a）评估前阶段（5 个月）；（b）实施阶段（15 个月）；（c）评估后阶段（6 个月）。

在评估前阶段中，AT&T 公司跟踪了所有家庭的电话记录，掌握了他们打电话行为的规律。此外，公司还给所有被调查者寄去了问卷，以确定他们的态度是否与一项早期研究的结果相同，还要确定实验人群和控制人群在人口统计特征方面是否均衡（确实是均衡的）。

在实施阶段中，AT&T 公司开始播放这两则广告，频率是使每户家庭每周看到三次。"拜访成本"广告的目标是要鼓励所有用户群（但主要是少量使用者群体）在打四折期间和折扣较大的时间段（夜晚和周末）打电话。实验结果显示，总体而言，普通家庭在折扣期间平均每户多打了 0.5 个长途电话，而少量使用者群体里家庭平均每户多打了 1.5 个电话（这些结果的显著性水平为 0.01）。另外，电话费总体增长了 1‰，而少量使用者群体相应的电话费提高了 15%。

为完成评估并使其合理化，AT&T 公司运用了下列模型：

$$USDF = \alpha + \beta \times UNOFF + \varepsilon \tag{8.20}$$

其中，USDF = 测试人群（"拜访成本"）和控制人群（"伸展"）之间的使用量差距 =（实施阶段测试人群平均使用量－评估前阶段测试人群平均使用量）－（实施阶段控制人群平均使用量－评估前阶段控制人群平均使用量）；

UNOFF = 哑变量 = $\begin{cases} 0，测试前 \\ 1，测试中； \end{cases}$ ε = 干扰因素。

模型将每户每周使用量的差距作为测试前常数 a 和实施中常数（$a+b$）。因此，b 对于任何细分市场（如折扣期间的少量使用者）的统计显著性都可从线性回归分析得到的标准置信区间看出来。

为将模型结果推广至全国范围，AT&T 采用了以下模型：

$$y = \sum_{i=1}^{I} \left(n_i \sum_{j=1}^{J} z_{ij} p_{ij} \right) \tag{8.21}$$

其中，y = 假设广告展露为某一给定水平时某地区的预计使用率；i = 按使用量划分的细分市场的指数（少量使用者、一般使用者等），$i = 1$，……，I；j = 按不同费率期间划分的通话类别指数，$j = 1$，……，J；z_{ij} = 第 i 种用户的每个家庭打第 j 种电话的使用量；n_i = 该地区第 i 种用户的数目；p_{ij} = 第

i 种用户第 j 种类别在"拜访成本"与"伸展"两次广告活动中使用率的差异百分比。

将相应地区所得结果相加，便可得到全国或任一地区的预测值。

分析结果预测，AT&T 公司引入这种新的广告文案后，可以在不增加资金支出的情况下，从少量使用者这个细分市场上多获得 1 亿美元以上的收入。

许多例子都说明，广告文案策略的变化能对顾客购买和使用产品行为产生很大影响。上述案例仅为一例，它表明通过系统方法来测试广告的效果很好。我们期待随着电子商务和直销越来越普及，这类实验也将越来越多。

评估广告创意的质量

有几位研究者一直试图将广告应具有的理想特点与可量化的机械要素和信息要素联系起来。大多数研究人员都主要集中于研究印刷品广告的阅读情况和回想情况，这是最容易衡量的一种广告类型和反应变量。特威德（Twedt, 1952）曾经用包含很多变量的回归方法分析了《美国建筑师》（*The American Builder*）杂志中 151 个广告的阅读情况，结果发现广告面积、插图面积和颜色数量造成了广告阅读量差异的 50%。有趣的是，这些机械变量比特威德在回归分析中同样考虑到的许多内容变量更能解释广告阅读情况差异的原因。

戴蒙德（Diamond, 1968）对各个广告变量对阅读量的影响进行了一次著名的回归研究。他的数据是 1964 年 2 月 7 日到 7 月 31 日《生活》（*Life*）杂志上刊登的 1 070 则广告。他用六个不同等级对每则广告的阅读情况进行评分：男性（女性）"注意到"、"看到—联想到"和"读到大部分"。除了这 6 个阅读情况评分等级外，还测量了 12 个与每则广告都相关的变量：产品类别、过去广告的支出、该期杂志中的广告数、面积、颜色数、洇渗/无洇渗、左页/右页、在杂志中的位置、布局、字数、品牌知名度和标题醒目程度。

戴蒙德构造了几种回归模型，并用这些系数推出了不同变量对阅读评分的影响。他发现，广告面积越大，颜色越多，当期杂志中广告的总数越少，那么广告的阅读评分就越高；刊登在右页的广告比刊登在左页的广告更能吸引注意力；有照片的广告比有示意图的广告效果好，而且这两种广告都比没有图片的广告效果好。

在一项对工业品的印刷品广告效果的研究中，汉森和韦茨（1980）用 24 种广告特征分析了《电子设计》（*Electronic Design*）杂志中 1 160 则工业品广告的回想、阅读和查询情况。他们采用了下面的模型：

$$y_i = e^a \prod_{j=1}^{p_t} x_{ij}^{b_j} \prod_{j=p_{t+1}}^{p} (1 + x'_{ij})^{b_j} e^{\mu_i} \tag{8.22}$$

其中，$y_i =$ 第 i 则广告的有效性指标；$x_{ij} =$ 第 i 则广告的第 j 种非双态特征（如页数、面积）值，$j=1, \cdots\cdots, p_t$；$x'_{ij} =$ 第 i 则广告的第 j 种双态特

征（如是否洇渗、颜色）值（0或1）；$e^{\rho}=$ 换算系数；$\mu_i=$ 误差项（$\prod$ 意即乘法）。

他们通过对从杂志读者处获得的购买过程相似性评分进行因子分析，将15种产品分为三类：经常购买产品、独特购买产品及重要购买产品。他们的结论与特威德（1952）和戴蒙德（1968）的结论差不多：广告的特征在使广告能被"看到"、"大部分读到"和"询问"等不同效果中所发挥的作用分别为45%强、30%强和19%～36%之间。由此可见，"看到"这一指标能解释的差异显著大于"大多数被读到"，而后者又比"询问"解释的更多。这些结果不仅在这三类产品中都是一致的，而且还与效果等级模型相一致。效果等级模型假定，沟通变量对低层次的反应（知晓）比高层次的反应（行为）有更大的影响。

汉森和韦茨还发现，回想与阅读都与格式变量和布局变量（如广告面积、颜色、洇渗、照片或示意图的使用等）紧密相关，而这些变量对能否引起顾客问询的效果却较弱。有些因素（如广告面积）的效果对各类产品和各种有效性衡量指标而言都是一致的；而另一些因素（如能吸引注意力的方法：广告中的女性形象、标题长短等）对不同产品类别和有效性衡量指标而言则各不相同。

正如前文所述，只有休厄尔和萨雷尔（1986）对电台广告作了类似的研究。这里和前文谈到的大部分研究都采用了一些衡量回想的指标（而不是衡量行动的指标）作为非独立变量，并且忽略了展露时间的效果、对广告可信度的衡量以及对可靠性的评估等。罗西特和珀西（Rossiter & Percy, 1987）对广告测试中的实际问题进行了很好的讨论。

广告设计

我们能否在某种意义上将上述过程颠倒过来呢？也就是说，能否利用对广告文案效果的了解进行完整的广告设计呢？ADCAD 系统的目的就是帮助消费品广告主确定广告目标和广告文案策略并选择沟通方式。

ADCAD 是一种基于规则的专家系统，它允许管理者将他们对市场行为的定性理解转化成广告设计决策的依据。图 8—10 对广告设计过程和 ADCAD 系统操作进行了概述。ADCAD 系统假设，在购买一种品牌之前，消费者必须：（1）有一种能通过购买这种品牌而得到满足的需求；（2）知道这种品牌能够满足这种需求；（3）能够认出这种品牌，并能从相近的替代品中分辨出来；（4）不存在阻碍购买该品牌的行为障碍或态度障碍。广告可以完成以下一个或几个任务：刺激对该产品大类的需求；树立品牌知名度；便于品牌的识别；改变可能阻碍购买的品牌印象。

ADCAD 开始先询问关于产品、竞争性质、目标受众的特点等的背景信息，接着针对每种目标受众制定一种沟通策略。图 8—11 列出了为某个具体应用设定目标的规则。

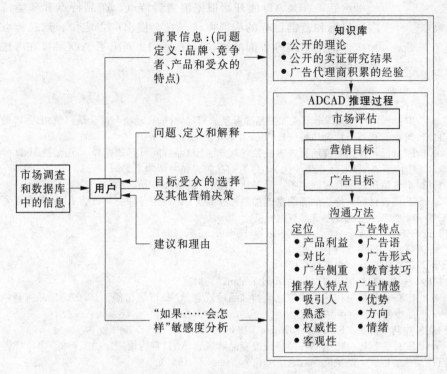

图 8—10　广告设计主要步骤及用户同 ADCAD 的交互、用户与环境的交互、
ADCAD 知识库的作用及生成建议的推理过程。

营销目标（11 条规则）
- IF 产品生命周期阶段＝引入 AND 创新类型＝非持续

　　THEN 营销目标＝刺激基本需求
- IF 品牌使用＝无

　　THEN 营销目标＝刺激品牌试用
- IF 当前品牌使用＝有些 AND（品牌转换率＝高 OR 产品使用率＝固定）

　　THEN 营销目标＝刺激重购/忠诚
- IF 当前品牌使用＝有些 AND 品牌转换率＝低 AND 产品使用率＝变化

　　THEN 营销目标＝提高品牌使用率

广告目标（18 条规则）
- IF 营销目标＝刺激基本需求 AND 购买动机引导＝负

　　THEN 广告目标＝传达产品类别信息
- IF 营销目标＝刺激品牌试用 AND 购买动机引导＝正

　　THEN 广告目标＝传达品牌形象
- IF 品牌选择时间＝购买时 AND 包装能见性＝高 AND 包装识别性＝低

　　THEN 广告目标＝增强品牌识别性
- IF 营销目标＝提高品牌使用率 AND 新品牌使用＝是

　　THEN 广告目标＝传达新品牌使用

图 8—11　ADCAD 选择营销目标与广告目标的规则示例，基于规则的模型形式

然后，ADCAD便开始根据消费者特点、产品特点和环境特点选择能取得广告目标和营销目标的沟通方法。它会提出广告定位、信息特点、推荐人特点和广告感情基调等方面的建议。图8—12列出了ADCAD在考虑这些问题时所遵循的规则。

定位（24条规则）
- IF 目标=传达品牌形象或加强品牌形象 AND 品牌购买动机=社会认可 AND 品牌使用能见性=高

THEN 可能的利益=社会地位（Holbrook & Lehmann，1980）
- IF 目标=传达品牌信息或改变品牌观念 AND 品牌间可感知差异=小或中 AND 可感知业绩=较差或持平 AND 实际业绩=优 AND 当前品牌忠诚=竞争者忠诚

THEN 广告语比较=直接同竞争产品对比（Gorn & Weinberg，1983）
- IF 广告目标=传达品牌信息或加强品牌观念 AND 信息冲突=可能 AND 教育程度=大学及以上 AND 产品知识=丰富 AND 参与度=高

THEN 广告语侧重=全面（McGuire & Papageorgis，1961）

广告语特征（80条规则）
- IF 广告目标=提高知名度

THEN 技巧=押韵词句或口号（MacLachlan，1984）
- IF 广告目标=传达品牌信息或加强品牌观念 AND 市场份额＞18.5 AND 品牌转换率=高 AND 产品类型=现有产品

THEN 技巧=停止（Stewart & Furse，1986）
- IF 广告目标=传达品牌信息或改变品牌观念 AND 广告语概念动机=低 AND 广告语概念能力=低

THEN 广告格式=解决问题（Schwerin & Newell，1981）

推荐人特征（20条规则）
- IF 广告目标=传达品牌信息或改变品牌观念 AND 广告语概念能力=低

THEN 推荐人的权威性=高（Rhine & Severance，1970）
- IF 推荐人的权威性=高

THEN 出现时机=早（Sternthal，Dholakia & Leavitt，1978）
- IF 广告目标=传达品牌信息或改变品牌观念 AND 参与度=高

THEN 推荐人的客观性=高（Choo，1964）

广告语情感（35条规则）
- IF 广告目标=传达品牌形象或加强品牌形象或改变品牌形象

THEN 情感导向=积极（Young & Rubicam）
- IF 目标=传达品牌形象或加强品牌形象 AND 品牌购买动机=感官刺激 AND 广告语概念动机=高

THEN 情感基调=兴奋（Rossiter & Percy，1987）
- IF 广告目标=改变品牌观念 AND 广告语概念动机=低 AND 购买欲望=低 AND 使用品牌可避免危害=是

THEN 情感基调=非常担忧（Ray & Wilkie，1970）

图8—12　ADCAD选择广告沟通方式的规则示例

这些规则（知识库）是从哪儿来的呢？规则和判断主要来源：公开的理论结果、公开的实证研究和广告代理商的经验。从这些规则或知识库出发，AD-CAD用推理机以合乎逻辑的方式处理规则和事实，最终得到确定的意见来解决用户提出的问题。具体地说，ADCAD要求提供要做广告的品牌名称和产品类别及目标细分市场名称等信息。然后在目标的驱动下（称为"后向推理"）用这些规则寻找最能满足用户规定条件的沟通方式和广告文案策略。对不能从用户过去反应中推断出的沟通方法，ADCAD需要用户提供少量信息才能做出评价。如果只要求ADCAD得到某一变量（如产品所处的生命周期阶段）的惟一答案或结论，那么在得到一个答案后，它会马上停止对该变量答案的进一步探索。如果期望得到对某变量（如要寻求的利益）的答案不止一个，ADCAD便会寻求多种答案（或建议）。

图 8—13 和图 8—14 所示为推断出丝华洗发露案例结论的过程（Albion，1984a，b）。图 8—13 列出了输入数据和输出结果（ADCAD 的建议），图 8—14 则显示了该系统如何将用户的输入数据与知识库中的规则联系起来并得出结论的。

输入资料：市场评估

受众特征：

性别 = 女　　　　　　　　　　　　　　过去使用该品牌 = 否
产品大类使用 = 经常　　　　　　　　　产品购买间隔 = 短
品牌间可感知差异 = 小　　　　　　　　"价值"重要 = 是
目前忠诚 = 其他品牌的转换者　　　　　品牌选择时间 = 购买时
品牌购买动机 = 自信、社会认可　　　　包装识别性 = 低

产品类型特征：

生命周期阶段 = 成熟期　　　　　　　　复杂性 = 低
能否示范质量 = 能　　　　　　　　　　竞争 = 剧烈

品牌/竞争者特征：

该品牌市场份额 = 2.0　　　　　　　　相对业绩 = 与竞争者相当
该品牌价格 = $1.40　　　　　　　　　竞争者价格 = $3.60
购买时包装能见性 = 高　　　　　　　　品牌使用能见性 = 低
广告中"质量"能见性 = 高　　　　　　使用中"质量"能见性 = 低
"价值"是否独特 = 是　　　　　　　　"价值"让渡 = 是
身体/健康危害 = 小

输出结果：营销与广告目标

营销目标 = 刺激品牌试用　　　　　　广告目标 = 创造/提高品牌认知度、传达
品牌形象/情绪/风格

输出结果：沟通方式

定位：

强调利益 = 质量（原建议为"价值"，用户修改）
利益诉求 = 非常积极　　　　　　　　　广告语对比 = 否
利益数量 = 少　　　　　　　　　　　　广告语侧重 = 有

广告语特征：

形式 = 展示使用的产品、名人支持
技巧 = 近景、颜色、长时间包装展示、音乐、视觉刺激/形象、效果说明、抓住消费者情感

推荐人特征：

身份 = 名人　　　　　　　　　　　　　性别 = 女
可爱 = 高　　　　　　　　　　　　　　吸引力 = 大
出现时机 = 早　　　　　　　　　　　　熟悉程度 = 高

广告语情感：

力度 = 高　　　　　　　　　　　　　　导向 = 积极
基调 = 先抑后扬　　　　　　　　　　　描述的真实性 = 高

图 8—13　丝华洗发露案例的 ADCAD 输入的数据与输出的结论

用户输入数据	中间结论	建议
当前品牌忠诚度 ＝其他品牌的转换者	当前使用该品牌＝否	营销目标 ＝刺激品牌试
过去使用该品牌＝否	使用该品牌＝否	
品牌决策时间＝购买时 购买时包装能见性＝高		
包装识别性＝低		广告目标＝提高易辨认性
品牌购买动机 ＝自信/社会认可	品牌购买动机引导＝积极 营销目标＝刺激品牌试用	广告目标＝传达品牌形象
该品牌价格＝低 竞争者价格＝高 该品牌相对效果＝ 与竞争者相当	可能的利益＝"价值"	
"价值"让渡＝是 "价值"独特＝是 "价值"重要＝是	强调利益＝"价值" （用户改成"质量"）	
身体危害＝低 品牌间可感知差异＝小	经济风险＝低 心理风险＝低 参与度＝低	
参与度＝低	广告语概念动机＝低 广告目标＝传达品牌形象	推荐人＝名人

"如果……会怎样"分析：

用户输入数据	中间结论	建议
品牌间可感知差异＝大 品牌购买动机＝自信/社会认可	目前使用该品牌＝否 心理风险＝高 参与度＝高	推荐人熟悉程度＝高
参与度＝高	广告目标＝传达品牌形象	
决策者＝个人 品牌态度＝中立	广告语概念动机＝高	推荐人＝无名

丝华洗发露案例所涉及的洗发露市场是成熟、竞争激烈且高度分散的市场，传统上的洗发露的大量使用群体是 18～34 岁的女性。公司将这一市场分为三部分：丝华忠实使用者（22%）、试过丝华洗发露但现在使用其他品牌的消费者（28%）和从未试过丝华洗发露的消费者（50%）。企业将第三个细分市场作为目标市场，并由用户将这一信息输入 ADCAD 系统。

ADCAD 首先询问用户一些问题，以确定企业的营销目标。系统提供了"What"的功能，用户用它可以找到系统在问题中所用术语的详细定义。系统还提供了"Why"的功能，用户可了解系统为什么要询问某个信息。在丝华洗发露案例中，ADCAD 推断，因为洗发露是成熟产品，大多数消费者都经常使用，所以没必要提高基本需求。目标受众从未用过丝华洗发露，所以 ADCAD

建议要鼓励他们试用该品牌。

接下来 ADCAD 要确定适当的广告目标。用户认为受众购买某一品牌洗发露的动机不是为清洁头发而是为增强自信并得到社会认可。ADCAD 因此建议广告应当把品牌形象、情感或生活方式传达给受众（Rossiter & Percy，1987；Wells，1981）。案例还提供了购买者在购买地点选择品牌的信息，因此，系统建议广告应当增强品牌的识别性（Bettman，1979）。

ADCAD 接着要选择在广告中着力强调的产品利益并确定有效的沟通方式。丝华洗发露的价格远远低于竞争者，但产品特征却无大差别。价格属性对目标受众非常重要，因此 ADCAD 建议定位在价值上。但用户预期市场上将会出现一些低价的竞争产品，因此没有采纳 ADCAD 的建议，决定加强丝华洗发露的质量形象。形象导向的广告创意战略要求广告语有侧重。

最后 ADCAD 提出了结论。因为洗发露价格不高，品牌间可感知差异很小，健康风险极低，因此购买决策要求的参与度很低。ADCAD 建议公司在广告中让一位有吸引力的、大家熟悉的知名女性对丝华洗发露加以肯定，吸引受众的注意力，并传达产品的质量形象（Petty，Cacioppo & Schumann，1983 和 Young & Rubicam，1988）。广告应当引人入胜，抓住消费者的情感，并且用视觉刺激、形象和音乐来增强情感反应（Mehrabian，1982、Rossiter，1982 和 Young & Rubicam，1988）。为突出受众购买某一品牌的动机，ADCAD 建议采用先抑后扬的感情基调（Rossiter & Percy，1987）。由于受众对品牌优点的评价是主观的（使用该品牌的有形利益较低），而且从广告中接受概念的动机很小，所以 ADCAD 建议广告要极力突出该品牌的效果（Maloney，1962），并将其他能表现效果的特征（如泡沫丰富、颜色多样等）表现出来（Runyon，1984）。为了提高品牌的识别性，ADCAD 建议用大幅彩照或放大的产品包装特写（Diamond，1968、Holbrook & Lehmann，1980 和 Starch，1966）。用户可以深入研究 ADCAD 是怎样得出结论的。系统还能提供提出建议的理由。

用户可以重新审查和修正输入信息，并查看修正后的信息对系统所提建议会产生什么影响。在丝华洗发露案例中，用户考虑了另一种情况，即消费者会考虑品牌之间重要差异。因为消费者的动机在于获得社会认可和提高自信，因此 ADCAD 推断洗发露决策的心理风险和参与度现在提高了，并对它的建议作了修正。受众可能多少都会看重广告信息的诉求，因此 ADCAD 建议采用带有支持性信息的强有力的广告诉求（Petty，Cacioppo & Schumann，1983）。受众可能会对品牌信息感兴趣，因此 ADCAD 建议采用一个能让受众产生认同感的、有吸引力的推荐人（Brock，1965 和 Young & Rubicam，1988）。ADCAD 不再建议在广告中先抑后扬，因为它假设购买动机已经存在了（Rossiter & Percy，1987）。

ADCAD 是一个营销专家系统，它可以帮助没有营销知识的人；它以方便低廉的方式充分利用了现有的知识。ADCAD 的主要价值在于能够始终如一地在决策中运用现有的研究成果。但它还远远不是一种完美的系统：它按照人为的程序进行顺序推理，不能从整体上把握推理；它不能产生新的创造性的建议；目前还不能同外部数据库连接，它的知识库既不完整又不能及时更新，总有一天会过时的。

从好的一面来说，ADCAD 是一种开发广告文案的营销工程新方法，它或以后出现的其他系统对设计更好的广告文案有重要价值。

广告文案的最后一个决策是确定要创作多少个广告。ADCAD 只会提出一个广告，但大多数广告代理都不会（也不应该）创作出一个广告就停手了。最初的创意可能是最好的，但大多数情况下都不是。客户在选择之前常常要求广告代理商提出多种创意并进行测试。代理商创作和测试的广告创意越多，找到好广告的概率就越大。但创作多种广告花的时间越长，成本也就越大。因此，广告代理商该为客户创作并测试不同广告的数量必定存在一个最优值。

如果客户补偿代理商创作和测试广告的成本，代理商可能会创作出最优数量的广告以供测试。但在正常情况下，广告代理商的主要收入是收取媒体费用的 15%，因此广告代理商没有创作并测试多个广告的动力。格罗斯（Gross，1972）独创性地研究了这一问题并得出结论：一般情况下，广告代理商创作出供测试的广告都太少了。这一结论意味着，广告主通常都没有得到最好的广告，得到的只是广告代理商创作的为数不多的广告里最好的一个。

为了具体说明这一点，格罗斯取了分析变量的"保守"值，结果表明创作和测试广告的最佳支出应占广告预算的 15%，比常规的支出要多五倍。

有人曾对这些结论提出了挑战（Longman，1968），但格罗斯的结论对广告测试方法仍有重要意义。他发现，测试的价值更多地取决于测试的有效性（广告与销售效果的关系如何）而不是可靠性（以后的评价能否证实测试的结果）。此外他还发现，测试的有效性越高，大样本就越有可能提高测试的可靠性。

广告主和广告代理商对格罗斯创作更多广告的论点只是嘴上表示赞成，琼斯（Jones，1986）评论说，"广告界事实上并不关心创造广告的数量，他们关注的是找到一个方案，淘汰其他方案只是为了说服别人接受这个方案。"

本章小结

广告一度是营销组合中最有潜力但问题也最多的因素。在实验室环境之外很难测定它的效果。不管怎样，管理者必须找到一种决策支持系统帮助他们做出明智的广告决策。

本章主要论述了三种广告决策。在制定广告预算时，广告反应函数的概念是核心，我们提出了三种方法：主观判断信息（ADBUDG 模型和蓝山咖啡案例）、用跨地区的时间序列历史数据评估可能的市场反应（拉奥—米勒法）以及历史规则法（ADVISOR 和 Convection 公司案例）。尽管我们还需要进一步探索，但这些方法的确能够使确定广告规模和预算分配的过程更加系统化。

确定媒体计划的模型一般采用启发式模型（几十年前优化模型曾很流行）。专家系统的出现和单数据来源的存在重新激起了人们对这种正规方法的兴趣。

广告文案的设计和决策传统意义上是一种创造性的工作，ADCAD 专家系统能为企业提供有力支持。

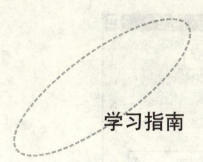

学习指南

广告预算指导

　　ADBUDG 是利特尔（Little，1970）开发的一个广告销售反应模型，该模型用关于市场反应的主观输入来确定广告支出的最佳水平和最好时机。软件包里的 ADBUDG 应用是为蓝山咖啡广告预算案例设计的。

　　在"Model"（模型）菜单中，选择"Advertising Budgeting"（广告预算），即可进入"Introduction"（介绍）屏幕，如图 8—15 所示。

图 8—15

　　点击"Next"（下一步）即进入"Main Menu"（主菜单）。

　　首先选择"Calibration Based on Managerial Inputs"（用管理者的输入进行校准）来校准广告预算模型的参数值，如图 8—16 所示。

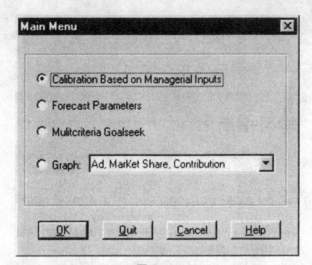

图 8—16

输入 6 个参数值来校准反应模型，然后单击"Calculate"（计算）看看反应函数的参数估计值，即 c、d 和"Persistence"（保留比率）。反应曲线将随着输入数值的变化而改变，如图 8—17 所示。

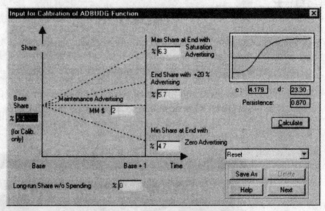

图 8—17

如果这组输入数据想以后再使用，点击"Save As"（另存为）并指定一个文件名（如图 8—18 所示）就可以将其保存起来。

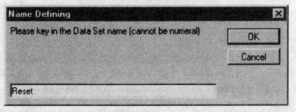

图 8—18

保存了输入数据和相应的系数估计值后，可以在下拉式菜单中选择该文件名（如图 8—18 中的"Reset"）将它激活。注意，当前进行校准的数据组的名称将显示在主工作表的左上角，如图 8—19 所示。

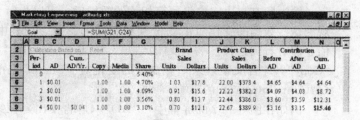

图 8—19

完成了模型的校准后，点击"Next"（下一步）回到主工作表。

在"Model"（模型）菜单中点击"Main Menu"（主菜单）并选择"Forecast Parameters"（预测分析），如图 8—20 所示，再点击"OK"（确定）。

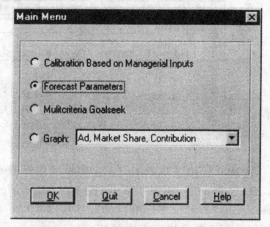

图 8—20

在对话框中设置预测用的参数。除"Initial Share Previous Period"（前期初始份额）外，输入的参数值都将用于所有 12 个时期。如果你的"Copy Effectiveness"（广告文案效果）和"Media Efficiency"（媒体效率）数值会随时间发生变动，可以在电子报表上直接输入每个时期的值，如图 8—21 所示。

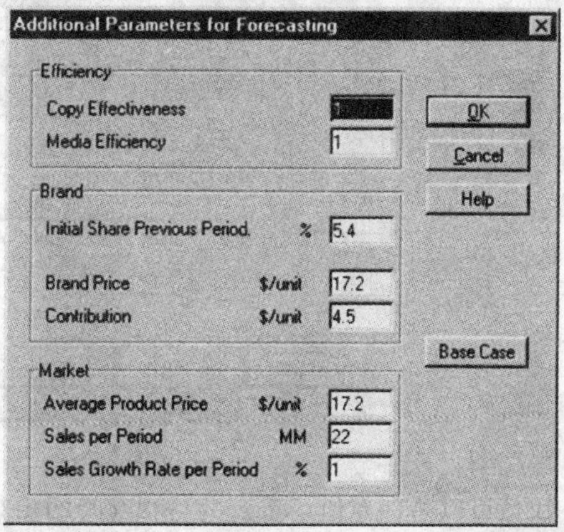

图 8—21

点击"Base Case"（基情形）恢复 ADBUDG 电子报表内置的数据。

输入所有与决定广告预算相关的数据后，可以为每个时期输入不同数据来观测这些数据的变化对市场份额和利润的影响。在表中蓝色栏内输入这些数值，即可看到各种广告计划的结果。该表会显示出"AD"（广告费用）和"Copy"（广告文案效果）等变量的变化对"Share"（市场份额）和利润贡献（"Contribution"）的影响。

例如在图 8—22 的屏幕中，"AD"（广告支出）在第三个时期提高了，而"Media"（媒体效率）和"Copy"（广告文案效果）却下降了，结果使市场份额在这个时期的增长幅度减小了。

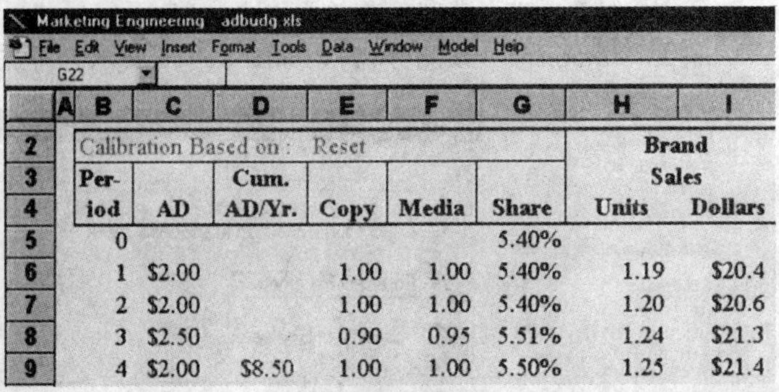

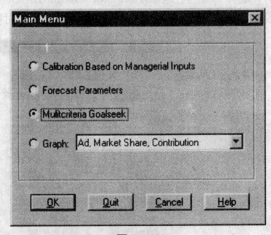

图 8—22

ADBUDG 电子报表中有一个多标准目标搜寻（Multicriteria Goalseek）功能。在"Model"（模型）菜单中选择"Main Menu"（主菜单），点击"Multi-criteria Goalseek"（多标准目标搜寻），如图 8—23 所示。这一功能利用 Excel 的规划求解工具来决定广告预算。

你可以对短期（4 期）和长期（12 期）的市场份额和累积利润设定不同的权数，以此确定选择广告目标的标准。规划求解工具将根据你对每年广告预算（4 期）设定的约束条件来优化广告预算数额。

图 8—23

权数可以是任意值，重要的是相互间的相对值。例如在图 8—24 中，短期利润（权数为 4）比短期市场份额（权数为 2）重要两倍。你可以将某一特定决策条件下的不相关目标的权数设定为 0。

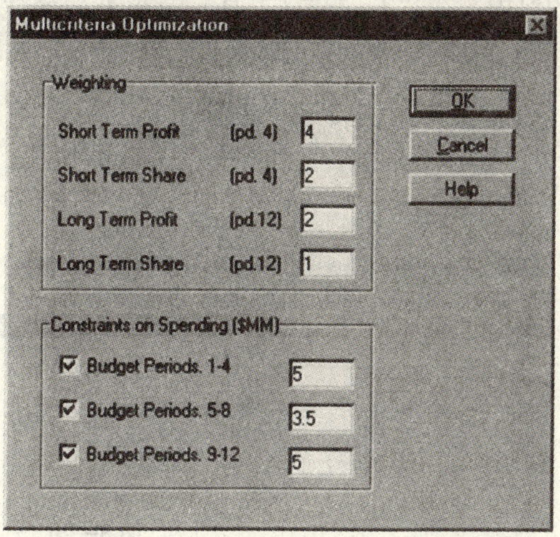

图 8—24

输入信息将传到工作表中。ADBUDG 模型所用优化算法的目标函数是一个简单的加法函数形式，仅用来解释如何处理多目标问题的一个简单示例。在这个软件中，标准（即市场份额和利润）可按多种不同尺度衡量，因此必须在优化之前将其标准化。我们可以为每个标准计算出一个按某个尺度调整后的数值，以此完成标准化任务。我们主观地选择一个标准化因子，使公司维持原广告水平 200 万美元不变时所有标准调整后数值之和等于 1（参见图 8—25）。

注意：高目标值比低目标值要好。当然，指定多标准目标函数的方法不止这些。

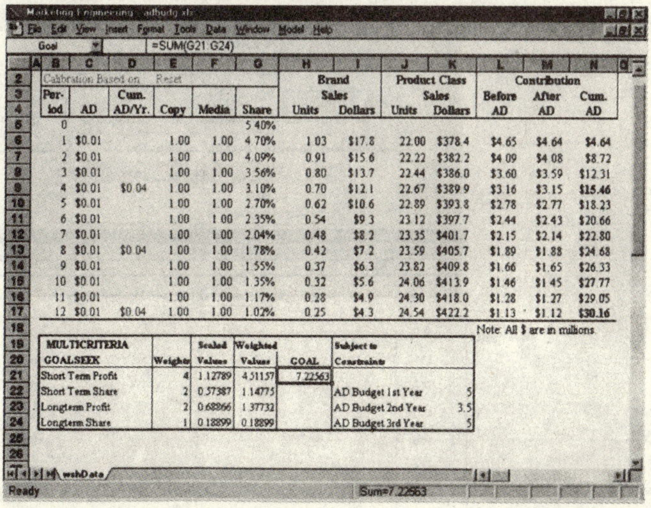

Period	AD	Cum. AD/Yr.	Copy	Media	Share	Brand Sales Units	Brand Sales Dollars	Product Class Sales Units	Product Class Sales Dollars	Contribution Before AD	Contribution After AD	Contribution Cum. AD
0					5.40%							
1	$0.01		1.00	1.00	4.70%	1.03	$17.8	22.00	$378.4	$4.65	$4.64	$4.64
2	$0.01		1.00	1.00	4.09%	0.91	$15.6	22.22	$382.2	$4.09	$4.08	$8.72
3	$0.01		1.00	1.00	3.56%	0.80	$13.7	22.44	$386.0	$3.60	$3.59	$12.31
4	$0.01	$0.04	1.00	1.00	3.10%	0.70	$12.1	22.67	$389.9	$3.16	$3.15	$15.46
5	$0.01		1.00	1.00	2.70%	0.62	$10.6	22.89	$393.8	$2.78	$2.77	$18.23
6	$0.01		1.00	1.00	2.35%	0.54	$9.3	23.12	$397.7	$2.44	$2.43	$20.66
7	$0.01		1.00	1.00	2.04%	0.48	$8.2	23.35	$401.7	$2.15	$2.14	$22.80
8	$0.01	$0.04	1.00	1.00	1.78%	0.42	$7.2	23.59	$405.7	$1.89	$1.88	$24.68
9	$0.01		1.00	1.00	1.55%	0.37	$6.3	23.82	$409.8	$1.66	$1.65	$26.33
10	$0.01		1.00	1.00	1.35%	0.32	$5.6	24.06	$413.9	$1.46	$1.45	$27.77
11	$0.01		1.00	1.00	1.17%	0.28	$4.9	24.30	$418.0	$1.28	$1.27	$29.05
12	$0.01	$0.04	1.00	1.00	1.02%	0.25	$4.3	24.54	$422.2	$1.13	$1.12	$30.16

MULTICRITERIA GOALSEEK	Weights	Scaled Values	Weighted Values	GOAL	Subject to Constraints	
Short Term Profit	4	1.12789	4.51157	7.22563		
Short Term Share	2	0.57387	1.14775		AD Budget 1st Year	5
Longterm Profit	2	0.68866	1.37732		AD Budget 2nd Year	3.5
Longterm Share	1	0.18899	0.18899		AD Budget 3rd Year	5

图 8—25

有时优化方法会产生一个显然是次优解的广告预算分配方案，规划求解工具有时会停在一个局部最优解上。有时规划求解可能根本无法收敛。你可以提供每期广告预算新起点以获得一个（更好的）新结果。请参阅教材第 2 章的附录。

如果想用规划求解直接在主工作表上进行其他分析，必须先取消对电子报表的保护：在"Tools"（工具）菜单上选择"Protection"（保护），然后再选择"Unprotect Sheet"（撤销工作表保护），如图 8—26 所示。

图 8—26

在"Model"（模型）菜单中选择"Main Menu"（主菜单），选择"Graph"（图形），如图 8—27 所示，点击"OK"（确定）就可看到一幅示意图（见图 8—28），表示你的广告计划及其对市场份额和利润贡献的影响。

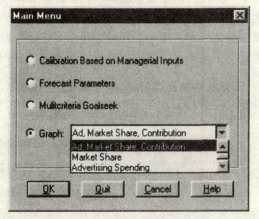

图 8—27

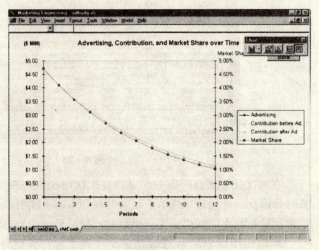

图 8—28

练习的参考文献

Little, John D. C. 1970, "Models and managers: The concept of a decision calculus," *Management Science*, Vol. 16, No. 8, pp. B466—B485.

蓝山咖啡公司案例[1]

蓝山咖啡公司的品牌份额近来稳定住了,但过去几十年里公司在咖啡市场的份额一直急剧下滑。广告部经理非常着急,他去年的广告预算增加额因高层对广告效果不满意而在年中就被削减掉了。此外,他认为提高蓝山咖啡的市场份额非常重要,这样就不会继续丧失分销商了。

广告部经理面临的问题是为新财政年度提出广告预算并证明预算的合理性,他正考虑用 ADBUDG 模型来帮助他。

1994 年 5 月的一天,蓝山咖啡公司广告部经理雷金纳德·范·塔斯尔(Reginald Van Tassle)摸着自己的小胡子,思考着最近的市场份额报告。这真是一个气氛沉闷的时刻。他低声咕哝着:"唉,我得想办法扭转这种状况,再耽搁下去对公司和我来说就都太晚了。但我也实在承担不起去年的错误了……"

雷金纳德·范·塔斯尔是 1992 年夏天由蓝山公司营销副总裁詹姆斯·安东尼(James Anthoney)聘来的。在此之前,他曾在荷兰和新加坡工作,是一个以敏锐和高效著称的广告经理。现在,1994 年的春天,他正努力改变蓝山公司长期下降的市场状况。

露辛达·波格(Lucinda Pogue)是蓝山公司的董事长和大股东,她听说蓝山咖啡的市场份额跌至一年前的 5.4% 后非常沮丧。她曾严厉地警告雷金纳德说,如果下个财政年度的市场份额和盈利率没有改善,她将不得不采取"一些非常严厉的措施",还咕哝着说些"给你买张机票回新加坡去吧"之类的话。

蓝山公司的市场定位

蓝山咖啡公司是一个有着悠久历史的著名咖啡公司,总部位于宾夕法尼亚州的斯奎勒尔山(Squirrel Hill)市,市场覆盖了美国的东海岸、南部地区和中西部的大部分地区。在 20 世纪 50 年代的黄金时代里,它在这些地区的市场份额曾达到 15%。这个品牌一直非常著名并且不断成长,公司赞助了许多流行的电台和电视节目,如《蓝山喜剧时光》和《蓝山欢乐时光》。

蓝山公司在 20 世纪 60 年代开始出现困难:电视广告的成本和时间成本都开始上升,随着很多地区性老牌公司逐渐被巨型公司(如通用食品公司和宝洁公司等)收购,竞争加剧。此外,速冻脱水产品的出现和速溶咖啡的大规模促销及日益流行,使始终坚持生产真空包装咖啡的蓝山公司面临空前的困难和巨大的压力。

然而,蓝山公司的麻烦才只是刚刚开始。在 1962 年咖啡消费的顶峰时期,

74%的美国人每天喝三杯咖啡，此后，美国的咖啡消费量在20世纪70年代和80年代直线下降。到20世纪80年代末，仅有一半的美国人喝咖啡，而且平均每天只喝1.7杯。同时，咖啡市场的垄断性更强了。三大巨头宝洁公司的弗爵咖啡（Folgers）、卡夫（Kraft）通用食品公司的麦斯威尔咖啡（Maxwell House）和雀巢公司的雀巢咖啡（Nescafe）控制了美国3/4的市场份额。咖啡被人们看作一种大众商品，竞争主要集中在价格上面。在这样的市场环境下，蓝山咖啡的市场份额从20世纪80年代初的12%降到80年代末的5.5%。

此后它的市场份额一直比较稳定。管理层将此归功于一群坚定的忠诚购买者、积极但成本高昂的消费者促销活动以及给分销商的降价优惠。营销副总裁詹姆斯·安东尼认为，他们刚好及时阻止了市场份额进一步下滑。如果再下降的话，蓝山公司就将开始丧失分销商。要是真出现这种情况，这个历史悠久的公司就开始走向衰亡了。

业务突围

1990年露辛达·波格成为公司的董事长，她的主要目标就是阻止公司市场地位下降的趋势，如果有可能的话尽力扭转这种局势。她成功的实现了第一个目标。然而，她和安东尼都认为，过去采用的大规模消费者促销和贸易促销的战略无法把失去的市场份额赢回来。

他们认为应提高蓝山咖啡品牌的知名度，培养消费者对它的态度，以提高市场地位。这只有通过广告才能实现。既然公司生产的是优质产品（蓝山咖啡比许多竞争对手的咖啡更醇厚、更芳香），他们认为提高广告投入的战略或许能够成功。他们开始寻找一位新的广告部经理，最后聘请了雷金纳德·范·塔斯尔。

范·塔斯尔花了一段时间熟悉蓝山公司、美国的咖啡市场和广告环境，随后开始制定一个旨在使蓝山公司重新焕发生机的广告计划。他先同公司当时的广告代理商解约，接着向对蓝山公司感兴趣的广告代理商招标。他告诉这些广告代理商公司的广告预算会增加，他强调指出他最关心广告的取向和文案的执行。公司和各家代理商都认为应把全部广告预算都投在地区性电视台上，原因是：首先，蓝山公司的市场区域具有地域性特点，在全国性电视网上播出广告不合适；其次，对咖啡这样的产品而言，电视广告的效果最好。

Aardvark公司以"蓝山纯美"为主题的广告最终中标。Aardvark公司建议每季度广告预算增加30%，让新广告充分发挥作用。范·塔斯尔与露辛达·波格和詹姆斯·安东尼经过多次协商并与广告代理商进行了深入探讨后，达成了广告预算增长20%的妥协。新广告于1993年秋季开始，这是公司1994财政年度的第二个季度（公司财政年度始于1993年7月1日，结束于1994年6月30日）。它的代号是"业务突围"。

蓝山公司前些年每季度的平均广告费为200万美元。这似乎足以维持目前5.4%的市场份额。不管蓝山公司的广告预算怎样增加，范·塔斯尔和詹姆斯·安东尼都不希望看到竞争者的广告支出在以后几年会有大的变化。

1994年计划的依据之一是公司期望每季度200万美元（忽视几个变量）的广告费将足以保持其5.4%的市场份额。雷金纳德认为，广告预算增加20%将使市场份额提高到6%。

露辛达·波格觉得这个预测结果相当不错，尤其在她咨询了公司的总会计师后。总会计师给她了一份备忘录，谈论广告预算增加及相应的结果（图8—29）。

1993.8.1 **机密备忘录**

收件人：露辛达·波格总裁

发件人：总会计师菲格瑞（I. Figure）

主题：广告支出增长20%的提议

我认为雷金纳德提高广告支出20%的建议（从每季度200万美元提高到240万美元）是个好主意。他预计市场份额会从5.4%提高到6%。我无法评论这个假设的可行性，这是雷金纳德的事情，我认为他知道自己在干什么。但我可以告诉你，这个结果将带来很高的盈利率。

你知道，咖啡的批发价一直是每盒12磅17.20美元，扣除每盒平均的零售广告和促销费1.60美元，再扣除生产和分销的可变成本每盒11.10美元，剩余的是用于固定成本和利润的毛利为每盒4.50美元。假设市场总容量每季度约为2 200万盒，而市场占有率从0.054增加到0.060（提高0.006），那么毛利将提高：

$$毛利的变化 = \$4.50 \times 22\,000\,000 \times 0.006 = \$600\,000$$

减去广告支出的增加额，再除以这个数字，就得出广告支出回报率：

$$广告支出回报率 = (毛利的变化 - 广告支出的变化)/广告支出的变化$$
$$= \$100\,000 / \$200\,000 = 0.50$$

也就是说，每增加1美元的广告投入即可多得0.50美元的纯利润。你可以看出，只要这个数值大于0（它等于0时，毛利的增加量正好抵消广告费用的增加），增加我们的广告支出就是一个好办法。

我认为雷金纳德在这方面大有可为，因此我的建议是让他干下去。附带说一下，新增加的纯利润（抵扣了广告费以后）可以用来缓解我上周提到的现金流动困难。我们能够至少维持每季度的分红。

图8—29

当然，雷金纳德也警告说，期望中的市场份额增至6%并不是一件确凿无疑的事情，新广告的效果至少要几个季度才能看到。

新广告在1994财政年度第二季度的第一天（即1993年10月1日）正式开始了。雷金纳德对Aardvark公司的电视广告有点失望，销售现场的早期报告也让他有点着急。各商店7月、8月和9月市场份额报告显示仅比前期的5.4%有微弱的增长。不过，雷金纳德认为，过一段时间后新广告就会发生作用，最终会实现它的目标。

1994年1月中旬，1993年10月、11月和12月的市场份额报告都出来了。蓝山公司的市场份额为5.6%。1994年1月21日雷金纳德收到了菲格瑞写给露辛达的一封备忘录的复印件（见图8—30）。

1994年1月24日星期一，詹姆斯·安东尼电话通知范·塔斯尔，说露辛达想马上讨论这个新的广告计划。在接着几天的几轮讨论里，范·塔斯尔没能说服露辛达和詹姆斯，无法让他们确信这个广告最终将会成功。结果，他们决定将广告支出恢复到1993财政年度的水平。范·塔斯尔同各地电视台重新商讨了电视广告合同，到2月中旬广告水平退回到每季度200万美元。Aardvark

公司抱怨说，蓝山公司突然削减广告预算致使他们媒体购买的效率在 2、3 月间受到损害，但说不出损失了多少。蓝山公司决定 1994 年春季的广告支出为正常水平的 200 万美元。从一月份开始的这个季度，市场份额略高于 5.6%，而四月份则降为 5.5%。

1994 年 1 月 20 日　　　　　　　　**备忘录**

收件人：露辛达·波格总裁
写件人：总会计师菲格瑞
主题：广告计划的失败

我对未能取得雷金纳德·范·塔斯尔预计的市场份额目标深感忧虑。我们在 10 月到 12 月期间取得的 0.2 个百分点的市场份额增长不足以补偿广告费的增加。10 月份显然是启动期，撇开这个月不谈，市场份额 0.2 个百分点的增长仅带来每季度 20 万美元的新增毛利。这要同 40 万美元的广告费的增加进行比较，因此广告回报率只有−0.50：大大低于盈亏平衡点。

我知道范·塔斯尔先生期望着市场份额在下个季度继续上升，但他无法说出能上升多少。新广告意味着每个季度广告支出将比去年冬季多 40 万美元。我看不出我们如何能在未来投资回报不会提高的情况下继续维持这样的广告支出。

转发：詹姆斯·安东尼
　　　雷金纳德·范·塔斯尔

图 8—30

1995 财政年度的规划

1994 年 5 月中旬，雷金纳德·范·塔斯尔必须为 1995 财政年度的四个季度提出广告预算了。如果想在 1994 年夏季实现任何实质性的增长，公司就必须增加它的媒体购买量，因此现在才开始制定广告预算可能已经晚了。或者，公司就必须迅速行动，将广告支出降低到"正常"广告预算 200 万美元之下。

在过去的一个月里，范·塔斯尔花了很多时间来回想 1994 财政年度所遇到的困难。他仍然确信，广告支出增长 20% 应该能使市场份额提高到 6% 左右。他之所以这么肯定，一半是基于直觉，一半是基于学术研究和商业市场调查。

他从去年的不幸经历中学到的一个教训是：向最高管理层勾勒出一幅过于乐观的图画是不明智的。但是，如果他做出保守的估计，他就可能得不到高层对这个广告计划的批准。另外，他仍然相信，广告对市场份额的实际影响效果比公司 1993 年秋季的业绩要大。当最高管理层评价他的建议时，应该考虑到这个判断。如果他们怀疑他的判断并且有充分的理由，那么他想知道他们的理由。毕竟，露辛达·波格和詹姆斯·安东尼在咖啡行业里待的时间比他长得多，而且他们也都精明老练。

可能问题出在他对这个广告计划起作用的速度的估计上。他以为只需要很短的时间，但没有明确说准在什么时候。毕竟，这是非常困难的。他没有向管理层准确陈述时间问题，所以他无法责备菲格瑞先生所设定的期限。

还有一个使事情复杂化的因素是，范·塔斯尔刚收到广告代理商 Aardvark 公司的一份报告，阐述了去年秋、冬季广告文案的质量和广告取向。令人失望的是，如果普通广告得分为 1.0 的话，他们的广告仅得了 0.95。这是用所谓的剧院技术测试出的。这种方法是指广告代理商在一个娱乐节目中插入各种广告，判断广告对测试者在模拟购买行为中表现出的选择行为有什么影响。幸运的是，目前播出的广告得分为 1.0。计划在 1994 年秋季、冬季和 1995 年春季播出的一个新广告看上去要好得多。在夏季完成广告制作前，广告代理商无法采用剧院测试法来测试广告效果，但这家代理商的专家确信新广告的得分至少为 1.15。雷金纳德对这些广告印象不错，但他知道这样的预测通常过于乐观。同时，他必须下周向管理层提交 1995 财政年度四个季度的预算申请。

为了解决这个问题，雷金纳德决定采用一个市场营销规划模型，即利特尔（1970）的 ADBUDG 模型。

营销规划模型

范·塔斯尔向蓝山公司调研部主管吉尔·斯蒂尔曼（Jill Stillman）描述了他的问题，让斯蒂尔曼给他列出模型需要的基本输入变量表。范·塔斯尔冥思苦想了一番，又同斯蒂尔曼反复讨论，最后拟出了一组基本输入变量的初步估计值（见表 8—2）。只有与市场份额相关的估计值和与广告开支相关有关的估计值才值得冥思苦想。

表 8—2	ADBUDG 基本输入值
期初市场份额（%）	5.4
每季度维持的广告投入（万美元）	200.0
若广告达到饱和水平，在期末可实现的市场份额（%）	6.3
若广告增加 20%，在期末可实现的市场份额（%）	5.7
若不做广告，在期末可实现的市场份额（%）	4.7
不做广告的长期市场份额（%）	0.0
广告文案的效果 1.0 媒体效率 1.0 前期的市场份额（%）	5.4
品牌价格（美元）	17.2
利润贡献（美元/件）	4.5
产品平均价格（美元）	17.2
每期产品销售量（百万盒）	22.0
每期产品销售增长率（%）	1.0

经过一番深思熟虑，范·塔斯尔认为，如果广告预算降到零，下一年市场份额损失将损失一半，或下季度失去 1/8 的市场份额。他把不做广告时下季度市场份额定为 4.7%。同样，他把饱和广告水平时的市场份额定为 6.3%，在

广告增长 20％时市场份额会达到 5.7％（市场份额要达到 6％则需要广告支出连续三季度增长 20％）。

　　然后，他开始用不同数据来试验市场份额估计值及媒体效率与文案效果估计值。他希望能用这个分析结果去解释过去的结果，并帮助他准备 1995 年的计划。他列出了表 8—3 中的"蓝山公司大事表"帮助他回忆上次广告计划。

表 8—3　　　　　　　　　　　　　蓝山公司大事表

广告预算期	月份	年份	1994/1995 财政年度	广告预算（百万美元）	文案/媒体	市场份额(%)	大事
0						5.4	
1	7	1993	1994 财政年度第一季度	2.00	1.00	5.4	
1	8	1993					
1	9	1993					
2	10	1993	1994 财政年度第二季度	2.40	0.95	5.6	"业务突围"
2	11	1993					
2	12	1993					
3	1	1994	1994 财政年度第三季度	2.10	0.95	5.6	预算削减
3	2	1994					
3	3	1994					
4	4	1994	1994 财政年度第四季度	2.00	1.00	5.5	提高了广告文案效果
4	5	1994				→5.4	现在！
4	6	1994					
	7	1994					1.00
2	10	1994			>1.00		

近期发展：美国咖啡市场出现转机

　　虽然广告预算萦绕于心，露辛达·波格还一直在想，从最近的咖啡市场发展趋势来看，改变蓝山公司的长期市场地位方面还大有可为。长期以来看似稳定的咖啡市场正在经历一场深刻的结构变化。美国咖啡消费量经历了 20 多年的下降后开始缓慢回升，近年咖啡豆也开始复兴，但蓝山公司和其他咖啡公司（如宝洁、菲利普·莫里斯和雀巢）没能有效利用这一趋势。这个增长主要来自特殊调配的咖啡以及咖啡及附属产业连锁（如西雅图的星巴克咖啡公司）的扩张。露辛达·波格警惕地注意到，特殊调配咖啡以每年 20％的速度增长，不断从超级市场咖啡销售额那儿抢占份额。事实上，根据最新的数字，星巴克、其他地区性咖啡公司以及高级咖啡豆烘烤商已占领了这个数十亿美元的咖啡市场的 1/4。

露辛达·波格正在思考如何对这些变化做出最有效反应，她担心蓝山公司可能已错过了最好的机会。她认为磨制咖啡市场上的主要竞争者采用的减价和优惠券等办法不会有多大效果。露辛达·波格一直在仔细观察星巴克公司的发展，无论竞争变得多么激烈，无论遇到了多少模仿，星巴克公司始终没有失掉自己在特殊调制咖啡市场上第一的位置。星巴克公司的业务设计明显不同于蓝山公司，除了自己的几百家店铺以及同巴诺书店（Barnes & Noble）、名店Nordstroms 和高级餐馆的合作外，还有一个覆盖全国的邮购业务作为对其他业务的补充。根据露辛达·波格意外发现的一项调查结果，精制咖啡的消费者是年龄在 25～45 岁、年薪超过 3.5 万美元和受过高等教育的人。他们喝精制咖啡，不但是因为喜欢其口味，更是因为它是地位象征。精制咖啡的价格比罐装咖啡高出 8％～10％，是一种负担得起的奢侈品。对蓝山公司来说什么样的商业模式才能成功呢？露辛达·波格耳边依然萦绕着一位行业分析家的告诫："就跟汽车一样，X 代人不会被父辈的老爷车吸引，也不会去喝他们父母喜欢的咖啡品牌。传统企业必须增添新的趣味，一成不变的老式咖啡难以再发挥往日的作用。"

练习

1. 准确阐述你认为蓝山公司 1994 年广告计划的目标应该是什么？是范·塔斯尔的目标，露辛达·波格的目标，还是菲格瑞的目标？

2. 评价 1994 财政年度广告投入的成果。如果广告增长 20％的预算能延续整整一年，你认为结果会如何？

3. 范·塔斯尔应该提出什么样的预算作为 1995 年的广告预算？该如何向最高管理层证明这个预算的合理性？

4. 范·塔斯尔该如何处理季节变动和广告文案质量的问题？

5. 评价 ADBUDG 模型作为广告预算辅助决策工具在本案例以及普遍意义上的广告预算决策中的作用和局限性。

沟通规划指导

ADVISOR 模型可提供对确定工业品营销支出来说非常重要的产品与营销特征的描述性信息。本软件包里的 ADVISOR Excel 电子报表虽然是配合 Convection 公司的案例的，但它的适用范围更广，能为确定其他产品的营销预算提供指导。

在"Model"（模型）菜单中选择"Communications Planning"（沟通规划），即可进入图 8—31 的"Introduction"（介绍）屏幕。

点击"Next"（下一步）进入"Main Menu"（主菜单）。图 8—32 是尚未输入数据的"Main Menu"（主菜单）。

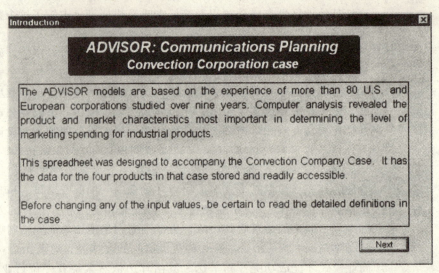

图 8—31

图 8—32

选择"Data Set Maintenance Area"(数据集维护区)里的"Built In"(内置)选项,就可以看到 Convection 公司案例的数据。点击右边的下拉箭头可以选择本案例的其他产品,如图 8—33 所示。

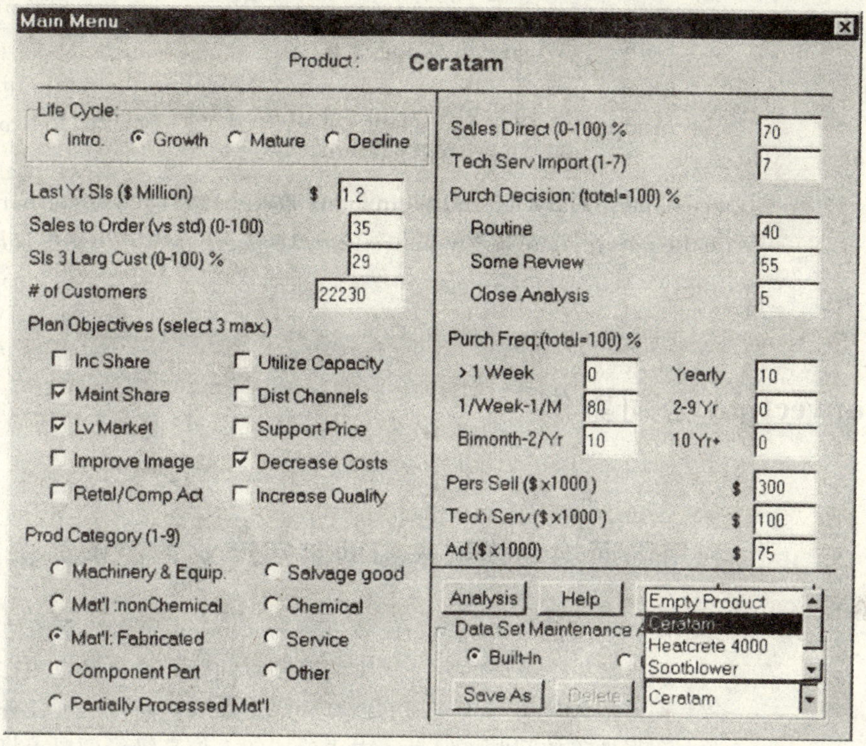

图 8—33

选定一个产品后，点击"Analysis"（分析）可以看到如图 8—34 所示美元的标准报告。标准报告可以将你的预算情况同一般情况进行比较，即同有类似产品的其他公司的实际情况进行比较。

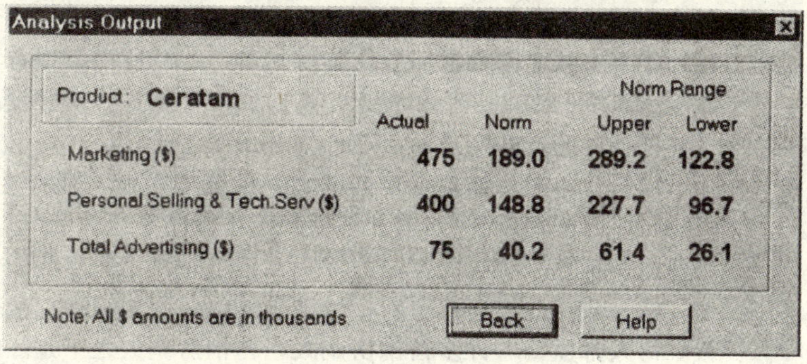

图 8—34

点击"Back"（后退）返回有产品数据的"Main Menu"（主菜单）对话框。这时，你可以改变输入数据并重新进行分析。点击"Main Menu"（主菜单）里的"Save As"（另存为）将你的新数据集保存成"User Defined"（用户自定义）产品。

练习的参考文献

Lilien，Gary L. 1993，"Convection Corporation case," *Marketing Man-*

agement: *Analytic Exercises for Spreadsheets*, second edition, Boyd and Fraser, Danvers, Massachusetts.

Lilien, Gary L. 1979, "Advisor 2: Modeling the marketing mix for industrial products," *Management Science*, Vol. 25, No. 2 (February), pp. 191—204.

Lilien, Gary L. and Weinstein, David 1984, "An international comparison of the determinants of industrial marketing expenditures," *Journal of Marketing*, Vol. 48, No. 1, pp. 46—53.

Convection 公司案例[2]

利用沟通规划模型来帮助制定产业营销预算决策

保罗·沃伦（Paul Warren）是 Convection 公司的营销协调人，他的职责之一是寻找一个系统的方法解决沟通预算问题。他自己也要在每年的预算审批会上提出他为公司产品确定的预算和媒体建议，所以这项任务对他来说也算不上一个很抽象的问题。但是，由于公司的一位高级经理要求将营销支出削减三分之一，使得这个任务变得有些复杂化了。

背景

Convection 是美国的中西部地区的一家公司，成立于 1880 年，主要为附近的印第安纳北部钢铁厂生产蒸汽锅炉。这就使得公司有了高温生产设备和高压液压系统的专业经验和能力。随后的多年来，公司开发出一系列产品，服务于各种各样的产业用户。

尽管竞争激烈而且主要市场之一的公用事业行业存在着很大的不确定性，Convection 公司 1997 年第 3 季度的销售额还是达到 20 亿美元。现在，公司期望建立一种更系统化的营销方法，在重组时沃伦先生的职位就应运而生了。

Convection 公司重组后，营销职能由一位高级副总裁分管，下属三位副总裁，每人都监督着许多营销协调人，营销协调人之下是品牌经理。这种新的组织结构取代了多年来形成的产品导向型的组织结构。但目前各种经理的角色和责任还不是很固定。

沃伦的任务是为产品经理薇拉·斯特普尔顿、斯坦·布洛克和韦恩·柯林斯（Vera Stapleton, Stan Bloch and Wayne Collins）等负责的四个产品提出营销和沟通活动方案并说明这些活动的合理性。

薇拉·斯特普尔顿是 Heatcrete 4000 和 Ceratam 的产品经理，她有现场销售的经验，还曾经在总会计师办公室工作过一段时间。斯坦·布洛克在公司里工作了 22 年，他与几家锅炉制造商共同开发了 Flowclean 吹灰机，过去 4 年一直在推销 Flowclean。由于他对 Flowclean 的丰富的知识而被任命为产品经理。韦恩·柯林斯 3 年前获得材料学专业的硕士学位后来到公司，承担的第一项任务是研究如何改进传统钢铁合金的抗腐蚀性，研究成果的第一次应用就是 Corlin 阀。

沃伦先生和他的三个产品经理负责四种工业设备的营销，这些产品在推销工作的性质、销售规模和产品年限等方面各不相同。

Heatcrete 4000

Heatcrete 4000 是一种可铸造的混凝土耐火材料，用于建造高温熔炉、化学反应堆及其他工艺应用。它既可用作烧制耐火砖的灰泥，也可用于铸造特殊形状的材料，是公司的老产品。一些生产耐火系列产品的制造商也生产类似产品。去年，3 个新竞争者进入了耐水材料市场，使市场份额在 1% 以上的竞争者达到 28 家。Heatcrete 4000 通常与其他耐火产品一起销售。斯特普尔顿估计，通过直销（占销售额的 50%）或 100 家分销商可以覆盖大约 600 家客户。Heatcrete 的销售人员说，要促使客户做出购买决定，一般要同客户点的三个人打交道。1998 年耐火产品的行业总需求预计为 2.3 亿美元，并且有望每年增长 8%。同年整个行业中 Heatcrete 同类产品的销售额预计为 6 300 万美元。

薇拉·斯特普尔顿目前忧虑的是，到处零零星星地反映客户对 Heatcrete 4000 感到不满，另外它的市场份额太低了。她认为应该调查产品可能存在的问题。如果产品不存在任何问题或者问题能得到解决，那么在 Heatcrete 4000 没有开始亏损之前，其广告和促销应该达到销售额的 5%。

薇拉·斯特普尔顿提交了一份 Heatcrete 4000 初步预算，如表 8—4 所示：

表 8—4

			1998 年（预计）	1997 年（实际）
Heatcrete 的销售额（美元）			632 000	601 000
市场份额（%）			1	1
营销费用	1998 年金额（美元）	占销售百分比（%）	1997 年金额（美元）	占销售百分比（%）
人员推销	28 000	4.4	20 000	3.3
技术服务	5 300	0.8	3 900	0.6
广告	25 000	4.0	20 000	3.3

Ceratam

Ceratam 是机床机夹刀具表面的陶瓷材料。自 20 世纪 70 年代中期起，陶瓷开始在机床机夹刀具上广泛应用，因为陶瓷可降低工具与机件间的摩擦和温度。但机床行业和重型制造业的近期趋势很不好，Ceratam 的盈利情况也不好。

要证明在机夹刀具表面的陶瓷涂层是必要的，还需要新的有力论据，大部分用户都担心涂敷的材料会严重影响机床的运行。薇拉·斯特普尔顿认为："让顾客接受这种产品需要付出大量的营销努力，因此营销开支已经大大损害了利润。我们不知道市场会如何发展，因此应该保持目前的地位并努力削减推销成本。但是，如果这种技术普及起来，我们希望能保持一个合理的市场位置。我们将营销费用从 1996 年占销售的 46.7％ 削减到 1997 年的 39.5％。我认为营销费用不能超过销售收入的 40％，以免进一步损害我们的利润。"

Ceratam 有大约 2 000 家潜在客户和 40 到 50 家分销商。约 35％ 的 Ceratam 是按订单生产，这对分销商可能有所影响。斯特普尔顿感到，Ceratam 首次购买的决策过程非常复杂，销售人员需要与客户点的 11 个人接触。这个行业 1997 年销售增长率大约是 11％，同年的全行业销售额是 500 万美元。Ceratam 有 3 个市场份额在 1％ 以上的竞争者。

薇拉·斯特普尔顿的 Ceratam 初步预算如表 8—5 所示：

表 8—5

	1998 年（预计）	1997 年（实际）		
销售额（美元）	1 200 000	800 000		
市场份额（％）	24	18		
营销费用	1998 年金额(美元)	占销售百分比(％)	1997 年金额(美元)	占销售百分比(％)
人员推销	300 000	25.0	250 000	31.0
技术服务	100 000	8.3	50 000	6.3
广告	75 000	6.3	75 000	7.5

Flowclean 吹灰机

自 20 世纪 70 年代起环保压力越来越大，燃料成本也不断上升，而吹灰机由于能提高效率、降低清洁要求并减少锅炉停机时间，因此通过设计或改造而用在几乎所有大型的矿物燃料蒸汽锅炉中。吹灰机能从燃烧室抽取空气中的重微粒，所以近年来又进一步改进以适于控制污染和提高燃烧效率。Convection 公司现在的吹灰机产品线是 25 年前开发的，之后只进行过很小的改进。市场上大约有 1 000 家客户，销售人员需要与客户点的 5 个人接触。推销一台吹灰机需要让锅炉制造商和锅炉购买者都了解整个锅炉系统的设计参数。

这个市场中仅有 3 家公司，Convection 公司是最大的一家。这项应用需要很高的技术水平，因此只有全面了解锅炉系统的公司才有能力生产吹灰机。布洛克这样描述推销形势："当我推销吹灰机时，大家都认识我，知道我懂这个产品。有时候我要跟锅炉的最终客户谈话，因为吹灰机必须适应客户现有设备或特殊的环保措施。这时候就要向这些人展示我们在重要行业出版物上的广告，让他们知道我们是最大的制造商，这是非常有效的。最好常备一些小册子，让人们知道 Convection 公司是一家在工程领域拥有良好声誉的大公司。除此之外，影响销售的就是产品规格和工程问题了。"

1997 年，Flowclean 的销售额达到了 2 350 万美元，这意味着市场份额达到 50％。对 1998 年的预测是一幅混乱的图画：公用事业这个主要细分市场的生产扩张速度似乎在放慢，同时很多企业都开始由用汽油转向用煤。这两种方向完全相反的因素到底会对吹灰机的需求产生什么影响还很难确定。

布洛克对 Flouclean 的初步预算如表 8—6 所示：

表 8—6

	1998 年（计划）		1997 年（实际）	
销售额（美元）	24 160 000		23 500 000	
市场份额（%）	50		50	
营销费用	1998 年金额（美元）	占销售百分比(%)	1997 年金额（美元）	占销售百分比(%)
人员推销	2 338 000	9.7	2 166 000	9.2
技术服务	314 000	1.3	304 000	1.3
广告	248 000	1.0	388 000	1.7

Corlin 阀

Corlin 阀是用特殊合金制成的，比以前不锈钢阀的抗腐蚀能力强。Corlin 合金阀的潜在市场非常广大，它能代替目前价格非常贵的抗腐蚀阀。有些应用要接触腐蚀性极强的物质，需要特殊的抗腐蚀阀门。但对其他众多应用来说，Corlin 合金阀的价格性能比要好得多。

说服化工公司转而使用 Corlin 合金阀不是件容易的事。柯林斯说："我认为需要让客户相信我们的产品能够满足他们的技术要求。许多工程师认为，任何与腐蚀物接触的阀门都必须是钛涂层。我认为应该在专业报刊上发表一些文章，介绍 Corlin 合金阀与其他材料的抗腐蚀性所作的比较测试结果。"

抗腐蚀阀市场容量 1996 年估计为 2 300 万美元，增长速度为 15%。潜在顾客有近 4 000 个。销售 Corlin 合金阀通常要求同客户点的 5 个人打交道。Corlin 合金阀有 7 个市场份额在 1% 以上的竞争者。

柯林斯先生的初步预算情况如表 8—7 所示：

表 8—7

	1998 年（计划）		1997 年（实际）	
销售额（美元）	500 000		100 000	
市场份额（%）	1.9		0.43	
营销费用	1998 年金额（美元）	占销售百分比(%)	1997 年金额（美元）	占销售百分比(%)
人员推销	225 000	45	130 000	130
技术服务	30 000	6	20 000	20
广告	80 000	16	55 000	55

用 ADVISOR 进行营销预算规划

沃伦认为无论用什么预算方法都需要征得三个产品经理的一致同意。为此，他觉得有必要开会讨论一下各种预算方法。在他担任这个新职位之后，他花了好几个晚上阅读了大量工业品广告预算方面的资料。

他以前一直觉得如果有办法解决这个问题，也只有"直觉"的办法了。但他读到一篇文章，介绍了一个称为 ADVISOR 的工业品营销预算行为的大型跨行业调查，觉得很吸引人，就去参加了 ADVISOR 的学习班。在学习班上了解到，ADVISOR 的思想是理解并推广成功企业的沟通决策的经验。

ADVISOR 要找出影响某一产品营销水平和广告水平的产品特征和市场特征，其数据来自 100 多家公司提供的 300 多种工业品，涉及影响预算水平的 11 个因素，而模型的构建是通过广告支出和营销支出的标准报告计算出来的标准。

学习班结束后，沃伦不奢望 ADVISOR 能解决所有的预算问题，但他感到这个方法非常有意思，应该用它分析他所负责的 4 个产品。

他的分析结果如表 8—8 (a) ～表 8—8 (d) 所示（表 8—9 是上述表中所用术语的解释，表 8—10 是相关数据）。他看完 ADVISOR 分析的标准报告后，感到这对他很有帮助，但还不能确定产品经理们是否也这样认为。

表 8—8 (a)　　　　　　　　　　　**ADVISOR 结果**

产品名：Ceratam

	实际	正常	变动范围
营销支出（千美元）	475.0	189.0	122.8～289.2
人员推销/技术服务（千美元）	400.0	148.8	96.7～227.7
广告总支出（千美元）	75.0	40.2	26.1～61.4

表 8—8 (b)　　　　　　　　　　　**ADVISOR 结果**

产品名：Heatcrete 4000

	实际	正常	变动范围
营销支出（千美元）	58.3	139.3	90.6～213.2
人员推销/技术服务（千美元）	33.3	99.4	64.6～152.1
广告总支出（千美元）	25.0	39.9	25.9～61.1

表 8—8 (c)　　　　　　　　　　　**ADVISOR 结果**

产品名：Flowclean 吹灰机

	实际	正常	变动范围
营销支出（千美元）	2 900.0	1 335.5	868.1～2 043.3
人员推销/技术服务（千美元）	2 652.0	1 262.0	820.3～1 930.9
广告总支出（千美元）	248.0	73.5	47.8～112.4

表 8—8 (d)　　　　　　　　　　　**ADVISOR 结果**

产品名：Corlin 合金阀

	实际	正常	变动范围
营销支出（千美元）	335.0	505.3	328.4～773.1
人员推销/技术服务（千美元）	255.0	346.8	225.4～530.6
广告总支出（千美元）	80.0	158.5	103.0～242.4

ADVISOR：一组数学模型，能比较有相似营销特征的产品的共同预算科目的编制。

广告：在标准报告中广告覆盖了与产品有关的下列活动：

        所有促销   直接邮购

        贸易展览会   宣传册和商品目录

        空间广告   电视和电台

顾客：购买的影响者、使用者或转卖者。如果企业有 10 个客户点，每个点都有 5 人参与购买决策过程，那么就有 10×5 即 50 个顾客。顾客数包括分销商及可能影响购买决策的外部人士（如咨询顾问）。

生命周期：产品生命周期分为四个阶段：导入期指的是产品初期增长还相当缓慢的时期。紧随其后的是成长期。成长期能持续很多年；一般地，如果企业总以 8%～10% 或更快的速度增长，就可以认为产品仍处于成长期。当增长率下降而销售额每年保持稳定时，产品即进入成熟期。由于竞争性技术出现而使产品开始被取代时，产品即进入生命周期中的衰退期。

营销：在标准报告中营销包括如下活动：

           所有的广告

           所有的人员推销

           技术服务

直接成本和一般管理费用也包括在内；但销售管理支出不包括在内。

标准：标准指的是大多数公司一致认可的广告支出水平。标准报告能将你的预算同产品与你相似的企业的预算进行比较。

产品或产品市场：产品市场是由顾客需求决定的，是完成这个问卷的依据。因此，如果你生产一种特殊的塑料制品来满足目前由钢铁产品满足的需求，你的竞争者就要包括竞争性钢铁产品的制造商，因此也就必须相应地界定行业的销售额。

产品可以是一系列一起销售的产品，也可以是产品—市场的组合。这个定义中的产品应该灵活理解为对你的组织具有业务意义的事物。很少会有人把产品定义得非常狭义，以至于产品没有竞争者；也不应过于泛泛地理解，使单价或市场份额都变得模棱两可。

变动范围：预算水平会变动，甚至在产品和营销环境相似时预算也不相同。变动范围提供了衡量样本中预算水平的变动性指标。大约 3/4 的产品都处于变动范围之内。在变动范围之外意味着你显著地不同于正常水平。

销售额：（按公司或行业计算的）产品对外部组织的交易金额。公司内部产品的转移不包括在内。

表 8—10	Convection 公司的产品数据			
产品名	Ceratam	Heatcrete	Flowclean 吹灰机	Corlin 合金阀
1. 对这类产品的整体市场而言，它处于生命周期的什么阶段？				
导入 = 1				
成长 = 2				
成熟 = 3				
衰退 = 4	2	3	3	2
2. 你的产品对最终用户和经销商的销售额是多少（百万美元）？	1.2	0.632	24.1	0.5
3. 产品销售中有多大百分比（%）				
a. 按订单生产	35	5	100	10
b. 标准产品：放在仓库	65	95	0	90

续前表

产品名	Ceratam	Heatcrete	Flowclean 吹灰机	Corlin 合金阀
4. 整个行业总销售额中多大比例是由最大的三家客户购买的（％）？	29	40	63	15
5. 去年全行业有多少顾客（以任何方式影响购买过程的人）？	22 230	1 650	5 224	22 480
6. 用"1"标出今年该产品计划和目标的重点（标为"1"的项目不得超过3个）：				
a. 提高份额	0	1	0	1
b. 保持份额	1	0	1	0
c. 撤离非营利市场	1	0	0	0
d. 改善形象	0	1	1	0
e. 报复竞争者的行动	0	0	1	0
f. 更充分利用生产能力	0	0	0	1
g. 激励分销渠道	0	1	0	1
h. 支持价格	0	0	0	0
i. 减少推销成本	1	0	0	0
j. 提高产品质量	0	0	0	0
7. 下列分类中哪个最好地描述了该产品？				
机械设备 = 1				
原材料（非化工材料）= 2				
预制材料（如玻璃）= 3				
零部件 = 4				
废物利用商品 = 5				
化工产品 = 6				
服务 = 7				
半加工材料 = 8				
其他 = 9	3	3	1	1
8. 产品销售中大约有百分之几是直销给用户的（区别于经销和分销）？	70	51	25	80
9. 对该产品大类，你如何评价技术服务的重要性（1 = 不是很重要，……，7 = 是营销中的关键要素）？	7	4	7	3
10. 企业客户中认为购买该产品的决策属于下列决策的各占多大百分比？				
a. 常规性	40	60	15	0
b. 需要一番考虑	55	35	60	10
c. 需要严格分析	5	5	25	90
11. 企业客户的产品购买决策频率如何分布（指购买决策，不考虑仅仅下订单的情况）？				
a. 每周一次或更频繁	0	0	0	0
b. 每周一次到每月一次	80	5	15	40
c. 两月一次到一年两次	10	22.5	17.5	30

续前表

产品名	Ceratam	Heatcrete	Flowclean 吹灰机	Corlin 合金阀
d. 每年一次	10	22.5	17.5	30
e. 每2—9年一次	0	40	50	0
f. 每10年一次或更少	0	10	0	0
*12. 公司今年为该产品花费的人员推销费（包括相应的管理费用）是多少（美元）?	300 000	28 000	2 338 000	225 000
*13. 公司今年为该产品花费的技术服务费（包括相应的管理费用）是多少（美元）?	100 000	5 300	315 000	30 000
*14. 公司今年为该产品所花费的广告是多少（美元）?	75 000	25 000	248 000	80 000

带*的信息仅用于参考和比较，不在 ADVISOR 标准中使用。

预算会议

沃伦回到办公室后就给产品经理们打电话，要求他们来一起讨论产品预算问题。他介绍了自己第一次运行 ADVISOR 模型的结果，并给他们每人一个软件包版，如果他们愿意可以自己重新分析一下所负责的产品。

这时，沃伦问："你们对自己提出的预算建议都有信心吗？你们能确信预算是正确的吗？还有最后一个问题，本来我实在不愿意提出来，但我刚收到审计员约翰·斯迈利（John Smiley）的一份备忘录，说由于公司面临的经济形势很困难，今年预算要比去年削减 1/3。他对我们产品所作的 1998 年利润预测如表 8—11 所示：

表 8—11 单位：美元

Heatcrete	12 640
Ceratam	(57 200)
Flowclean	4 212 000
Corlin 合金阀	(197 000)

"我们从哪儿削减预算呢？我认为现在解决不了这个问题。我们周一早上能再开一次会吗？我希望到时候你们能证明现在的预算是合理的。另外，我需要一个新的预算，要求 1998 年的预算减少到 1997 年的 2/3，也要陈述理由。"

练习

利用 ADVISOR 系统，准备一个分析：

1.（a）明确产品/市场、存在的问题和营销需求；

（b）为每个产品都提出一个总营销支出建议，并分解成广告支出、人员推销/技术服务支出；

(c) 指出你的建议的理由。

仔细检查你的假设（尤其是产品计划）：反复运行 ADVISOR，看看还有没有更合理的假设。

2. 把这些产品看做一个产品业务组合，用 BCG 增长/份额矩阵模型（第 6章）评价你的分析。这个模型有用吗？

3. 削减 1/3 预算合适吗？应从哪儿削减呢？为什么？

广告文案设计指导

介绍

ADCAD 系统是帮助公司开发频繁购买品的电视广告的专家系统。这个系统要求用户输入对当前市场形势的看法，将这些看法与系统内部关于各种条件下什么样广告最有效的知识库结合起来。接下来系统对广告战略中的各个要素提出一套定制的建议，用户可以将这些建议付诸实施。系统还含有对这些建议的解释。你对待这些建议应该像你对待其他专家的建议一样——小心谨慎。

用户与系统之间就某个决策问题进行的交互或对话称为一次**咨询**（consultation）。ADCAD 系统在对话过程中会要求用户提供各种所需的任何信息。

运行

> **注意**：在 Windows 3.1 下运行 ADCAD 系统需要其他系统文件。检查 Windows 和 windows \ system 目录，看看有没有 win32s. ini 文件。如果没有，可以从 Microsoft 的 ftp 网站下载并安装名为 pw1118. exe 的补丁文件：ftp：//ftp. microsoft. com/softlib/MSLFILES/
>
> 把自解压文件 pw1118. exe 放在一个单独的目录下，这个文件会扩展成很多文件。执行 pw1118. exe，从其所产生的一组文件中找到 setup. exe 并执行 setup. exe。
>
> 在 Windows 95 以上版本或 Windows NT 下运行 ADCAD 系统，可能会有与 ADCAD 不兼容的系统文件。如果遇到了诸如"无法打开空文档"的错误，就要替换一些文件（这个变动会对计算机中其他程序的运行产生影响，请认真遵循这些操作指令）。首先，把文件 threed. vbx 更名（如 threed. kp）并复制到 c:\windows\system 或 c:\winnt \system 目录下。然后把 ADCAD 的目录下的 threed. vbx 复制到 Windows 系统目录下。以后如果遇到与 threed. vbx 有关的问题，可以将保存的版本（即 threed. kp）恢复到 Windows 系统目录下。

在"Model"（模型）菜单中选择"Ad Copy Design"（广告文案设计），这时会出现一个有 3 个方框和一个菜单条的窗口。在"Run"（运行）菜单中点击"Start"（开始），将会看到图 8—35 的屏幕：

咨询窗口有三个对话框。最上面的对话框所示为 ADCAD 系统在咨询过程中生成的信息。中间的对话框里显示 ADCAD 的提问。底部的对话框里需要你回答问题，并给每个答案分配一个置信因子（置信因子的缺省值为100）。

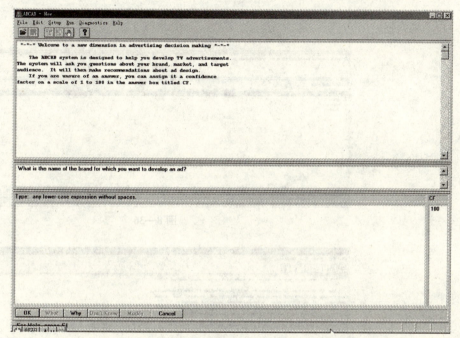

图 8—35

回答 ADCAD 系统所提出的问题可用以下三种方式之一：

● 点击系统提供的答案之一（如果有的话），并且在 CF（置信因子）栏中输入一个置信因子（如果有的话）。完成后点击"OK"（确定）登记你的答案；

● 对某些问题，你可以在答案对话框中直接输入答案；

注意： 不要输入空格或大写字母。

● 要想了解某个问题的更多信息，可以点击"What"（什么）、"Why"（为什么）、"Modify"（修改）或"Don't Know"（不知道）。"What"（什么）简要介绍 ADCAD 问题的细节信息。"Why"（为什么）简要说明 ADCAD 系统提出这个问题的原因或背景。"Modify"（修改）允许你修改对前面问题的回答。"Don't Know"（不知道）则告诉 ADCAD 系统你不知道如何回答这个问题。对系统提出的如下三个基本问题不可以问答"不知道"：（1）要做广告的品牌的名称；（2）该品牌所属的产品大类；（3）广告的目标受众。

图 8—36 和图 8—37 的两个屏幕为点击"Why"（为什么）和"What"（什么）时系统做出的反应。

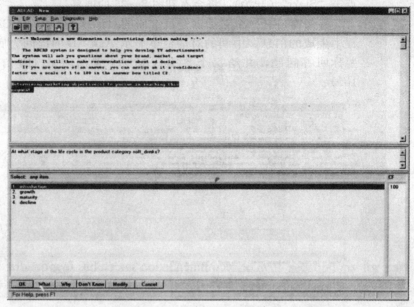

图 8—36

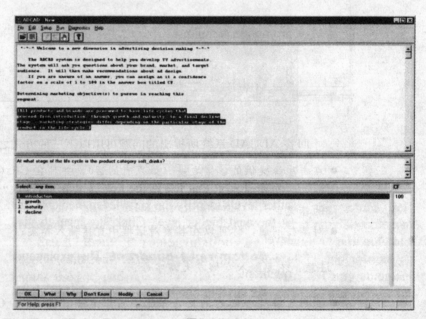

图 8—37

回答完 ADCAD 系统提出的所有问题后，它将会给你提出一组建议，如图 8—38 所示：

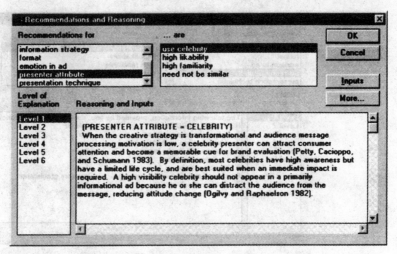

图 8—38

建议屏幕里面有四个方框：

左上框：显示建议的类型，如：（1）产品利益的展示技巧；（2）信息的展示战略；（3）广告形式；（4）广告的情感；（5）推荐人的特点；（6）广告要展示的产品利益；（7）整体展示技巧；（8）整体促销技巧。

右上框：点击左上框中的某个类别时，ADCAD 系统会在这里显示它提出的该类建议的内容。

左下框：ADCAD 系统允许你了解建议背后的推理过程，它会分层次进行解释。

在"Level 1"中，ADCAD 系统简要说明推出该建议的最重要结论，并引用支持该解释的研究文献。在"Level 2"中，ADCAD 系统概要说明它得出"Level 1"中最重要结论的中间结论。其他层次的解释则分别揭示了支持上一层次结论的知识依据。点击任何层次都可看到在此层次上的解释。

右下框：在此显示解释。

点击"Inputs"（输入）按钮可以看到得到一建议所需的一组输入值（对问题的回答）。图 8—39 所示为"请名人"（作为广告中"推荐人属性"）这一建议相关的输入值。

点击"More……"（更多）按钮可以看到保存、打印或观看整组建议的选项，如图 8—40 所示［在某些操作系统下，"View"（查看）窗口可能隐藏在活动屏幕后面，可以用 ALT＋TAB 组合键将"View"（查看）窗口调到前面来］。

点击"Save Recommendations"（保存建议）可将所有建议保存在一个文件中，系统会提示你输入一个文件名。

选择"Print Recommendations"（打印建议）可以打印建议。如果想打印任何一个解释或输入值，可用 Windows 的"Copy"（复制）命令，选中文本并复制到剪贴板。然后用 Windows 的"Paste"（粘贴）命令把文本粘贴到一个字处理程序中（如 Windows 的 Word 或记事本）。

选择"View Recommendations"（查看建议）用一个外部程序（如记事本）在屏幕上观看整组建议。

检查过建议和解释后，点击"OK"（确定）返回主屏幕。这时 ADCAD 系

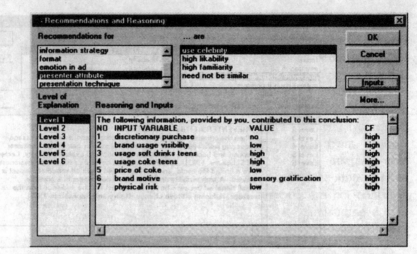

图 8—39

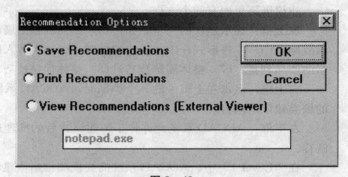

图 8—40

统会问："Would you like to rerun this consultation with different input scenarios?"（是否愿意用不同的输入场景重新运行这个咨询过程？）

如果点击"Yes"（是），会看到如图 8—41 所示的屏幕来显示你提供的输入。

用鼠标选择要更改的输入并点击"OK"（确定），ADCAD 系统会要求你提供新的答案（并输入）。

注意：你的新答案可能会引发第一次咨询中没有问过的其他问题。

系统将你对问题的新回答加进去后将生成新的建议。如果你只对输入情况做微小的变动，建议可能也改变不大。你可以任意重复这个过程：改变输入→了解新建议→改变输入。

ADCAD 系统的其他特点

在你回答问题时系统会一直跟踪你的输入。它把这些输入保存在内部缓存中，这样就可以保存咨询过程以便日后检索。

保存输入以备将来使用：在"File"（文件）菜单下点击"Save Cache As"（缓存保存为），你就可以在咨询期间内的任何时刻把当前输入存到一个文件中

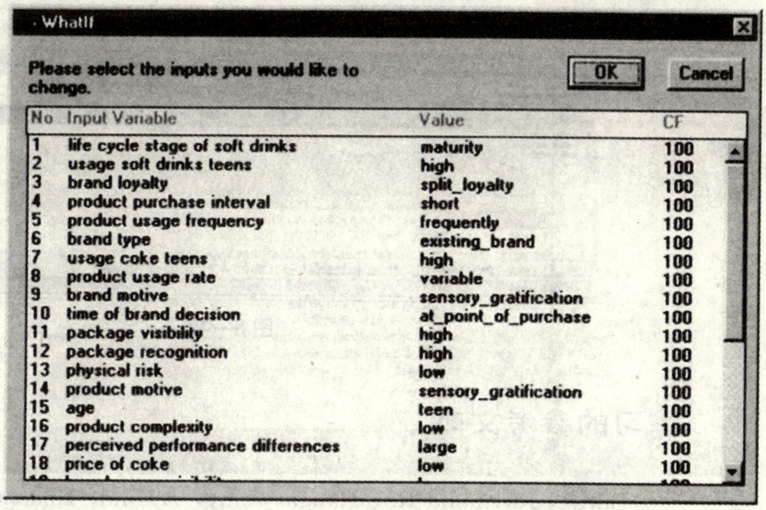

图 8—41

去。系统会提示你提供一个文件名。如果你想保存所有的输入以备将来参考使用，那么你要先显示全部建议，然后在使用"假设分析"对输入进行改动前运行"Save Cache As"（缓存为）命令。

自动保存输入值： 咨询结束后系统会在 STORE. CAC 文件里自动保存最新的一组输入。从 ADCAD 程序中退出后，如果要保留这些输入以备将来之用，应该重新命名该文件。否则，下次使用 ADCAD 程序时系统就会改写 STORE. CAC 的内容。

恢复已保存的输入： 进入"File"（文件）菜单点击"Load Cache"（载入缓存内容），即可载入以前某次咨询的内容。系统会提示你输入文件名。

重新开始一次咨询： "Run"（运行）菜单中的"Restart"（重新开始）命令和"Start"（开始）命令不一样，前者不是让系统恢复原来的设置，而是从上次离开系统的地方继续进行下去。恢复了保存过的输入后就可以用这个命令开始一次咨询。

置信因子： ADCAD 系统允许你给答案附上置信水平，数字介于 1～100 之间（表示你对答案从"一无所知"到"非常确定"的自信程度）。ADCAD 系统不是把置信水平解释为概率，而是解释为表示支持某个输入值的证据的主观指数。如果你对某个输入值不是很确定，你可以在标有 CF（置信因子）的方框内输入 1～100 之间的一个数字，给你的答案附上一个置信因子来提醒 ADCAD 系统注意。如果你没有输入置信因子，ADCAD 系统就假定置信因子为 100，表明你对答案非常肯定。我们推荐使用这种缺省选项。

多种答案： 对某些问题，ADCAD 系统可以接受多个答案，每个答案的置信水平都是 100%。答案框上方的指示提醒你可以输入多个答案。实际上，你可以对任何问题提供多个答案，方法是为每个答案都输入一个小于 100 的置信因子，如图 8—42 所示。

如果你回答"不知道"或者对很多问题都提供了多个答案，ADCAD 的建议也会相应变得不够精确。

437

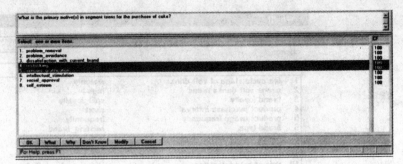

图 8—42

练习的参考文献

Burke, Raymond R. ; Rangaswamy, Arvind; Eliashberg, Jehoshua; and Wind, Jerry 1990 " A knowledge-based system for advertising design," *Marketing Science*, Vol. 9, No. 3 (Summer), pp. 212—229.

练习

1. 学习使用 ADCAD 系统的最好方法是为一个熟悉的品牌（如百事可乐或可口可乐）设计一个电视广告的各个要素。这时你的头脑中要有一个特定的目标市场，并比较系统所提供的建议和最近该品牌在该目标市场所作的广告。

2. 用 ADCAD 系统为庄臣的 Enhance 即效护发品制定一个广告文案。用案例中的数据和其他你认为适当的数值作为模型的输入。在你的报告中加入系统的建议和你的输入值。

3. 利用这些建议为庄臣的 Enhance 即效护发产品制作一个一页纸的印刷品广告。说明在设计印刷品广告时你是如何利用系统提供的建议的。

4. 总结 ADCAD 系统在确定广告文案设计参数方面的优势和局限性。

5. 一家广告代理商的高级经理在使用过 ADCAD 系统后评价道："这正是我想让我们的广告创意人员使用的那种系统化的方法。他们在广告创意前应该先对广告的战略意义进行评估。"而一位艺术指导在用过该系统后说："设计广告就像煎蛋一样。麦当劳可以一直制作差强人意的煎蛋，但只有一个伟大的厨师才能做出让我们永远记住的煎蛋。我认为创意人员不会接受这种机械的广告设计方法。"你同意哪个观点？解释为什么。

【注释】

[1] 原案例是由威廉·马西（William F. Massy）、大卫·蒙哥马利（David B. Montgomery）和查尔斯·温伯格（Charles B. Weinberg）等教授编写，发表在戴（G. S. Day）、埃斯金（G. J. Eskin）、蒙哥马利和温伯格编著的《Planning：Cases in Computer and Model Assisted Marketing》（Scientific Press，Redwood City，California，1973）。此案例由利连和卡特林·斯塔克改写，案例所附软件是斯塔克和约翰·林（John Lin）在利连教授的指导下

完成。

[2] 此案例改编自利连和克拉克的同名案例，版权归哈佛商学院所有。

[3] 本案例是在 1997 年第三季度末（既是日历时间，也是财政年度）编写的，因此案例中 1997 年的财务数据中，前三个季度是实际数据，第四个季度是预测数据。

第**9**章

销售队伍与渠道决策

本章主要内容是:

● 重点说明最适合用分析模型解决的销售队伍决策问题;

● 描述确定销售队伍规模和在产品与市场之间分配销售努力的 Syntex 模型;

● 总结设计销售区域和销售人员报酬计划模型的主要因素;

● 介绍有助于销售人员提高拜访效率的 CALLPLAN 模型;

● 罗列出一些重要的渠道决策,并介绍选择零售网点的重力模型。

销售队伍模型简介

表示销售活动效果的销售反应模型

从范围与成本来看,销售是营销组合中最重要的因素。大约 10％的员工专门从事销售及相关工作。许多员工尽管职位与销售无关,但其实也发挥着销售作用。例如,公司总裁、会计师事务所合伙人、管理咨询顾问、招聘人员和传教士等都在某种程度上从事销售工作。许多企业主要是依赖销售队伍来实施营销战略。

人员销售具有以下特点:

1. 使企业能选择自己的营销努力的目标:集中在价值高的潜在顾客和客户。

2. 由于销售的互动性,销售员能根据客户的特点定制销售信息。如找出并解决顾客的具体问题,用视觉辅助器材或模型来演示产品、消除顾客的反感并从顾客那里得到能使企业改进产品和服务的反馈信息。

3. 它涉及到人（招聘、培训、激励、报酬及维系员工），这就使它比营销组合的其他因素更加复杂。特别是，企业不能像改变对广告或促销的投资那样轻易地改变在人力资源上的投资。

4. 与广告相比，每次销售接触的成本更高。据《福布斯》杂志（1995 年 8 月 28 日）估计，一次销售拜访的平均成本在 1975 年是 71 美元，到 1995 年则达到 500 美元。而一份会被 2 000 万读者看到的 50 万美元的插页广告，人均成本仅为几美分。

和其他营销投资一样，企业必须要明白销售努力与销售额之间的关系。因为销售人员要同时完成以下多种职能，所以这种关系的本质和结构非常难以确定：

寻找潜在顾客：发现并培育新顾客。

沟通：向现有顾客及潜在顾客提供关于公司产品和服务的信息。

销售：进行展示、答复反对意见和完成交易等。

解决问题：理解客户的问题（包括现实问题和潜在问题），指出如何用企业的产品和服务来解决这些问题。

服务：提供技术帮助、安排财务事宜、催促送货以及组织售后服务等。

建立关系：与顾客建立长期伙伴关系，如确定这种关系的目标、理解客户需求和决策过程、与顾客共同实现目标等。

收集信息：收集关于顾客和竞争者的信息（市场情报），记录销售活动。

分析与分配：评估销售潜力并相应分配为之付出的努力。

传统观点认为，销售人员的主要作用在于实现销售目标，而营销部门和管理层关注利润。然而，随着企业转向市场导向，它们需要销售人员同时实现多项目标。除了跟踪销售额以评定业绩外，企业现在还用顾客满意度、客户关系、利润贡献、客户份额（占产品大类销售的份额）和顾客维系率等作为评定标准。

销售人员除销售外还要从事许多其他活动，这些活动是否有效可以从前面介绍的几个角度来衡量。将一位销售人员的投入（做了什么）与产出（企业看到了什么）之间的联系以销售反应函数的形式加以量化，这是销售模型实施方法的基础。这些反应函数既可以是针对销售人员个人的，也可以是针对整个销售队伍的。

本章的主要目标是要介绍几种帮助企业提高销售队伍和营销渠道生产力的模型。尽管采用电话销售或代理制的企业也可以采用这些模型，但在这里我们不专门探讨。我们着重介绍有配套软件实现的模型，即用于销售努力分配的 Syntex 模型和 CALLPLAN 模型及选择零售网点的重力模型。此外还要介绍设计销售区域和确定销售队伍报酬的模型及其软件。

销售队伍管理决策

图 9—1 为销售经理负责的三项主要决策：组织、分配和控制（Vandenbosch & Weinberg，1993）。四个方框及联结箭头简单明了地表示出了销售队伍管理决策的概念。销售队伍管理的目的与目标将企业总体战略规划与三项销

售队伍决策联系起来，这种关系的双向性表明目的和目标与每项决策之间是相互决定的关系。此外，每项决策也与其他决策相互影响。销售队伍组织决策决定了分配销售努力的企业内部环境和结构。分配决策是将总的销售努力在各个能带来收入的实体（如细分市场）之间进行划分。而控制决策的目的则是激励销售人员将企业目标视为个人目标。

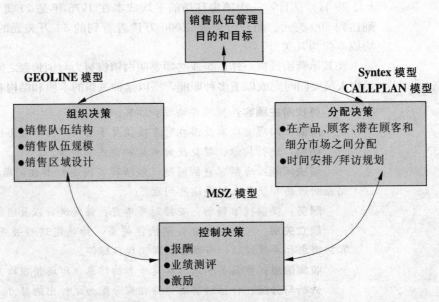

图9—1 销售队伍管理决策的概念

销售队伍管理的目标和目的与三类重要决策（组织、分配和控制）之间的关系。本章要介绍设计销售区域的 GEOLINE 模型、分配销售努力的 Syntex 和 CALLPLAN 模型以及通过报酬设计控制销售努力实施的曼特雷拉—辛哈—佐尔特纳斯模型（MSZ）。

销售队伍的组织 企业在组建销售队伍时必须决定是要有自己的销售队伍还是聘用外部销售代表，或者两种方法混合使用。聘用并培训自己的销售人员能更好地控制销售努力要强调的产品和细分市场。而外部销售代表通常也要销售别的企业的产品，也许不能把企业的产品放在优先的位置。另一方面，拥有自己的销售队伍会增加企业当前和未来的固定成本（工资、福利及管理费用），而收取佣金的外部销售代表则可以使这部分成本变成可变成本，从而使企业有更大灵活性。

在下列情况下，企业保留自己的销售队伍可能是一种更好的选择：

1. 企业销售人员了解自己的企业和产品，而这种知识在市场上并不广为人知；

2. 由于企业无法将销售努力与销售额确切地联系起来（如销售额高是因为销售人员具有高超的销售技巧还是因为市场环境非常有利），所以很难评价外部销售代表的业绩；

3. 企业销售的产品线非常复杂，销售人员必须细致地了解这些产品；

4. 与情况1相一致，企业处于不断变化和充满竞争的环境中；

5. 有效的销售业绩需要的不仅仅是销售（还有服务）（Anderson, 1985）。

桂格麦片公司（Quaker Oats）通过外部销售代表来销售冷冻食品（Aunt Jemima 华夫饼干和 Celeste 比萨饼），由自己的销售人员销售普通食品（如桂格速食麦片、给他力饮料），虽然这两种食品最终都在超级市场里销售，但是要求的进货频率不同：冷冻食品市场竞争激烈，外部销售代表可以每周去零售店铺补货；普通食品需要定期促销，通过企业自己的销售人员来进行是最有效的（桂格麦片公司 1996 年卖掉了冷冻食品业务）。

尽管学术研究成果提供了一些指导，但企业作何选择要看具体情况。基于上述因素的层次分析模型（第 6 章）为解决这一问题提供了一种方法。

如果企业自己聘用销售人员，那么销售队伍是以地理区域、产品、市场还是以职能来组织？这部分取决于企业的总体战略。表 9—1 列出了确定销售队伍结构时要考虑的一些因素。

表 9—1　　　　　　　　　确定销售队伍结构时要考虑的因素

方式	影响因素
1. 地理	差旅支出高； 产品成熟； 企业行政管理对产品的支持少（销售队伍由单枪匹马的销售员组成）。
2. 顾客	顾客需求或行为同质； 有大量客户； 企业整体而言是以市场为中心的组织。
3. 产品	产品复杂（如技术含量高）； 企业的组织结构是围绕产品组成的分公司； 企业提供多种产品； 很少出现重复拜访现象（多个销售人员拜访同一客户）。
4. 职能	购买过程复杂（涉及到许多人、购买过程长等）； 有效的销售对技能的要求不断变化（如管理咨询公司）。

销售队伍的规模与分配

销售队伍的规模（有多少销售人员）及分配（销售努力如何在不同产品、市场和销售职能之间进行分配）是所有销售队伍的基本管理问题。幸运的是，有许多经过检验的模型都能够支持这方面的决策。但是，虽然这些模型非常有效（参见 Lodish et al. , 1988；Rangaswamy, Sinha & Zoltners , 1990），许多企业还在使用直觉法。

直觉法

企业经常根据"我们付得起多少"来确定销售队伍的规模。企业通常是按销售预测的一定比例来确定对销售队伍的投资。他们也许会根据企业的历史经验或根据竞争者的销售开支比率来确定实际采用的比例。将这一比例除以每位销售人员的平均成本，就得到了销售队伍的规模。

$$销售人员人数 = \frac{占销售额一定比例的销售支出}{每位销售人员的平均成本} \tag{9.1}$$

在一项对 41 种包装商品销售队伍的调查中，德温森蒂斯和科奇尔（De Vincentis & Kotcher, 1995）发现，每个销售队伍的平均成本是销售额的 3.71%，其中小企业（年销售额小于 5 亿美元）是 5%~8%，而大企业的平均成本只有小企业的一半。

企业用来确定销售队伍规模的另一种方式是"分解法"，即将计划期的预测销售额除以每位销售人员创造的平均收入，就得到销售队伍规模：

$$销售人员人数 = \frac{预测销售额}{每位销售人员创造的平均收入} \tag{9.2}$$

企业决定了销售人员总人数以后，便将总销售努力（如销售拜访的总次数）按客户和潜在客户实际或预测销售额进行分配。例如，销售人员可每月拜访一次销售额高的客户，而对销售额较低的客户则可以半年才拜访一次。

确定销售队伍规模和分配问题的直觉法并不理想，因为：（1）没有考虑有些客户或潜在客户可能会产生与普通客户不同的反应；（2）企业不了解怎样有效分配总销售努力，就无法确定销售队伍的最优规模（见图 9—2）。

图 9—2 中缺少了一项"销售反应函数"，这一函数能使管理者定量地了解重新分配销售努力会产生怎样的结果。我们下面来讨论这一问题。

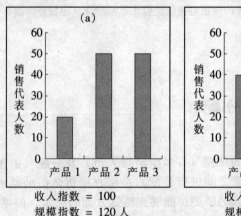

图 9—2

确定销售队伍规模时的两难问题——销售队伍究竟应多大？在情况（a）下（当前状态），企业有 120 人的销售队伍，但大部分销售努力却分配给了反应不很明显的产品 2、产品 3，牺牲了产品 1。分析表明，若将销售努力分配给产品 1，则产品 1 会在需要较少销售人员的条件下取得更高销售额［即（b）的情况］。在本例中，企业可通过将销售努力多分配给反应比较明显的产品 1，减少 17% 的销售队伍，却多得 8% 的销售收入。

市场反应法（Syntex 模型）

市场反应法要求估计出反应函数，用这一函数反映每个销售实体中销售努力与销售额之间的关系。销售实体是能与潜在销售联系在一起的任何事物（顾客、潜在顾客、细分市场、地理区域、企业销售的产品等）。如果企业估计出了每个销售实体的销售反应函数，就可以用这些函数计算出如何在各销售实体间分配销售努力才能使利润最大化或是实现公司的其他目标。所有非重叠实体的销售努力之和就是企业所需的总销售努力。于是，企业就可以把这一总值除以每位销售人员的平均努力（如每年 750 次拜访），从而得到企业所需的销售人员人数。

Syntex 模型为解决销售队伍规模和分配问题提供了一种通用方法。洛迪斯等人（1988）为 Syntex 制药公司建立了这一模型。经营多种产品、有多个细分市场的企业都可以对这个模型加以调整，以适合自己的需要。洛迪斯等人在 1982 年开始开发这一模型时，Syntex 制药公司正在向普通内科和皮肤科等九类内科医生销售包括萘普生（Naprosyn）和萘普生钠（Anaprox）等在内的七种处方药。Syntex 制药公司考虑大量增加销售人员，并期望这样能提高自己药品在这些内科细分市场上的销售额。图 9—3 概要显示了实施 Syntex 模型的过程。我们将在下文介绍这一过程。尽管 Syntex 模型是专为 Syntex 制药公司建立的，但可以很容易地推广到面临类似问题的其他企业。

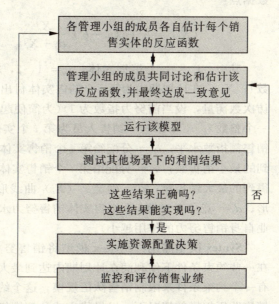

图 9—3　开发和实现 Syntex 销售队伍资源分配模型的步骤

确定并校准反应模型　Syntex 制药公司用 ADBUDG 反应函数（第 2 章）为每种销售实体（产品或细分市场）建立销售反应模型。为了校准模型，加起来有几十年销售药品经验的销售部门、营销部门及研发部门的高层经理共同估计这些反应函数。他们要各自回答一些问题，如每种药品的销售会对销售努力做出怎样的反应以及每个内科医生细分市场会对不同水平的销售努力有怎样的反应。下列问题就是他们要回答的问题：

根据 Syntex 制药公司的战略计划，如果 1982—1985 年间销售努力保持在当前水平（指数为 1），那么药品 A 的销售额将是计划水平（指数为 1）。如果在同时期，药品 A 的销售努力为以下水平，那么它在 1985 年的销售额会怎样（与当前水平作比较）？

1. 没有销售努力 　　　　　　　　　　　　X_0
2. 当前努力的一半 　　　　　　　　　　　$X_{0.5}$
3. 当前努力的 150% 　　　　　　　　　　 $X_{1.5}$
4. 销售努力达到饱和 　　　　　　　　　　X_∞

经过半天时间的培训，每位经理都各自回答了这些问题。每位经理的四个答案分别为 X_0、$X_{0.5}$、$X_{1.5}$ 和 X_∞，然后用计算机将这些答案汇总并向每位参与者提供汇总结果。

经理研究了汇总结果后，要对初步答案进行讨论，思考自己的反应与群体平均值的差别，然后再次回答这些问题。在 Syntex 研究中的第二轮里要使大家意见一致（有时可能会需要三轮或四轮才能得到一致的估计值，可参阅 Rangaswamy，Sinha & Zoltners，1990）。

这些达成了一致意见的估计值为校准 ADBUDG 函数提供了输入信息，即下列方程中的 a_i、b_i、c_i 和 d_i 用根据经理的上述 X_i 得出的 r_i（X_i）确定。当 $X_i=1$ 时，r_i（X_i）$=1$ 这一估计值为模型的校准提供了另一个数据点：

$$r_i（X_i）=b_i+（a_i-b_i）\frac{X_i^{c_i}}{d_i+X_i^{c_i}} \tag{9.3}$$

其中，$i=$ 一个销售实体，$i=1，2，3，\cdots\cdots，I$（销售实体的个数）；$X_i=$ 在计划期内为第 i 个销售实体付出的总销售努力，其值可用拜访次数衡量，设当前努力指数为 1（为简便起见把它视为连续变量而不是一个整数）；r_i（X_i）$=$ 销售人员为第 i 个实体付出的努力为 X_i 时，i 的销售额指数水平；$b_i=$ 分配给第 i 个销售实体的销售努力为 0 时，期望得到的最小销售额；$a_i=$ 分配给第 i 个销售实体的销售努力无限大时，期望得到的最大销售额；$c_i=$ 确定 r_i（X_i）曲线形状的参数——是凹形还是 S 形；$d_i=$ 竞争者对第 i 个销售实体销售努力水平的指数（d_i 的值越大，企业自身销售努力的作用越小）。

Syntex 模型描述　Syntex 模型将销售努力分配给销售实体，目的是在一些约束条件下使利润在计划期内达到最大。每次运行这个模型都要求有一个约束条件来限制销售队伍规模。这个约束条件能保证模型能在给定销售队伍规模的情况下，以最优方式分配销售努力。这个基本模型是：

求满足下列条件的 X_i：

$$\max Z=\sum_{i=1}^{I}r_i（X_i）S_i a_i-CF（利润） \tag{9.4}$$

约束条件：

$$\sum_{i=1}^{I} X_i e_i = F \text{（销售队伍规模约束）} \qquad (9.5)$$

其中，$S_I =$ 根据战略计划预测的第 i 个实体的销售额；$a_i =$ 第 i 个实体增加 1 美元销售额的利润贡献；$C =$ 一名销售人员的总成本（工资、福利等）；$F =$ 销售队伍的计划规模（销售人员人数）；$e_i =$ 根据战略计划预计分配给第 i 个实体的销售努力。

对给定的销售队伍规模 F，基本模型都给出了销售努力最优分配方式。接下来就可以对不同的 F 解出方程，只要每个销售人员能带来的新增利润为正，企业就应当不断增加销售人员。当每增加一销售人员所带来的边际利润为 0 时，销售人员数就达到了最优（见图 9—4）。

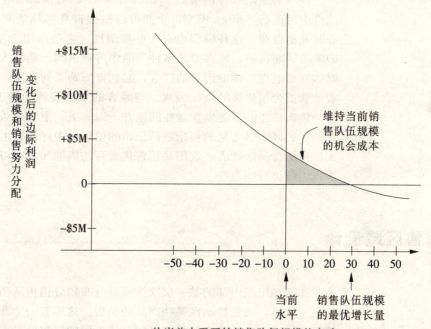

从当前水平开始销售队伍规模的变动

图 9—4

此图显示如何组织 Syntex 模型的结果来表示：（1）保持当前销售队伍规模的机会成本（阴影区域）；（2）要使利润最大化，当前销售队伍规模应如何变化。

方程（9.5）可以包括更多销售实体层次的约束。例如，可以包括分配给任何一个销售实体的最小和最大努力水平。修正后的约束条件组可表示为：

$$\sum_{i=1}^{I} X_i e_i \leqslant F \qquad (9.6)$$

$$LB_i \leqslant X_i \leqslant UB_i \qquad (9.7)$$

LB_i 和 UB_i 分别表示分配给任何一个销售实体的最小和最大销售努力。例如，企业可以将约束条件明确定为：分配给萘普生药品的销售努力最多不能超过 100 个销售人员（UB），最少不能低于 50 人（LB）。

模型应用 Syntex 制药公司要两次校准模型。第一次是将销售努力

447

分配给各种药品；第二次是将销售努力分配给各个内科。公司用这些结果来计划销售队伍规模的调整。参看哈佛商学院的 Syntex 制药公司（A）案例（案例编号♯584033），详细了解公司是怎样应用该模型的（注意，有些其他模型可以同时在细分市场和产品之间分配销售努力，如 Rangaswamy，Sinha & Zoltners 在 1990 年提出的模型）。

Syntex 模型还可用来评价销售队伍的总价值。在当今充满竞争的环境中，企业必须从机会成本的角度来证明每项投资的正确性。评价销售队伍投资机会成本的一种方式，是计算与公司确定的销售队伍规模相对应的销售努力应得的利润和企业所有销售实体的销售努力均为 0 时（所有的销售努力上限均设定为 0 时）应得利润之间的差别。

在本书所附软件包里的"Sales Resource Allocation"（销售资源分配）软件中可运行 Syntex 模型，企业可以根据自身实际情况修正这一软件来分配其他资源。这种模型也有一些局限性。它最适用于重复购买的情况，即购买周期很短，顾客要从多种产品中进行选购，销售人员能提供比其他媒体（如电视）详细得多的广告，起到提醒购买的作用，因此顾客拜访的数量就成为销售额的决定因素。与顾客的频繁接触有助于巩固双方关系，使销售人员能够事先发现潜在问题并予以解决。重复购买环境下销售代表对顾客的拜访最常见的包括制药公司的销售代表拜访医生、包装食品销售人员拜访食品杂货店、农用品销售代表拜访店铺和农民以及工业零部件销售代表拜访分销商等。

销售区域设计

企业往往在组织内部的某一层次按地理分布划分销售队伍。企业将销售人员分到某一地区，负责该地区某些产品的销售。这里有一个非常重要的管理问题，就是怎样将企业的整个目标市场划分成不同的销售区域。

划分销售区域的一个基本标准是"平衡"，也就是说要确保**机会**或**工作量**在所有销售区域都相等。如果把一个销售人员派到一个市场潜力小、竞争激烈或小客户太多的销售区域（一组客户），就会减少这位销售人员取得良好业绩的机会。在这种情况下，该销售区域设置给销售人员的障碍超过了销售人员的控制能力，使销售人员很难提高业绩，最终会引起频繁的人事变动。如果一个销售区域对销售人员的要求超出了销售人员的实际能力，销售人员就没有时间去拜访能带来丰厚利润的客户，企业就会丧失许多机会。著名的咨询顾问安德列斯·佐尔特纳斯（Andris Zoltners）说："美国 80％的公司都没有平衡的销售区域划分：总是在一个区域里安排了太多销售人员，而在另一个区域里安排的销售人员又太少。这使企业每年销售额损失 2％～7％。"

如果销售人员的报酬中"佣金"所占比例较大，保证各销售区域的市场潜量大体平衡就非常重要。如果销售人员领取固定工资，不按销售量取酬，就应该保证各销售区域的工作量大体平衡，另外还应保证各销售区域每年的客户拜访数量大体相当。

由于各区域的发展不均衡、企业在不同区域的增长率不同或者销售人员的调动，从而会导致各销售区域的销售潜力或工作量出现不平衡的变化，因而从长期来看，销售区域有趋于不平衡的趋势。例如，克雷文斯（Cravens，1995）描述了一家 500 强公司销售队伍分布不平衡的情况：24 位销售人员的年销售额最低只有 30 万美元，最高者则超过 6 000 万美元！企业应当在重组或同其他企业合并时评价现有销售区域的分布是否平衡。

企业在划分销售区域时除了考虑平衡外还可以采用下面一些标准：

1. 销售区域应当易于管理（如遵从某些地理特征，如行政区划或邮政编码等）；

2. 销售潜力应当易于估计（例如，如果只有邮政编码层次上的药品处方量，划分销售区域的基本单位就应当是邮政编码）；

3. 考虑地形、自然地理障碍和销售区域中心方位（销售人员的根据地），应当尽量减少路程上所费的时间。

销售区域设计的 GEOLINE 模型

该模型是由赫斯与塞缪尔斯（Hess & Samuels，1971）建立的一种优化模型，它力求实现三个目标：（1）平衡工作量或销售潜力（更通用地，平衡销售经理衡量销售活动的任何衡量指标）；（2）得到地域相邻的销售区域，即销售区域由毗邻的地理单元组成；（3）确保紧凑性，即区域形状要能使行路时间最少。该模型将整个地理区域（如全国、全省）分解为标准地理区域（如邮政编码或行政区域），然后把每个标准地理区域分配给一个或多个销售区域（见图 9—5）。

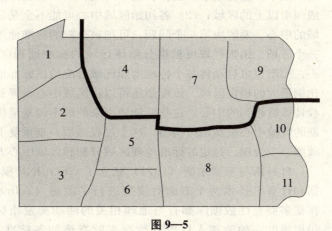

图 9—5

图中 11 个标准地理区域分给了两个销售区域：标准地理区域 4、7 和 9 分配给了销售区域 1，标准地理区域 1、2、3、5、6、8、10 和 11 则分配给了销售区域 2。

给定销售区域总数（I）和区域中心的起始位置后，该模型将每个标准地理区域分给一个销售区域，尽量使称作"惯性矩"的目标函数最小化。开始时，每个标准地理区域都分给离它最近的销售区域中心，这样就确保了毗邻的要求。目标函数是从一个区域的中心到该区域所有标准地理区域距离的加权平方和，这里的权数取决于对该标准地理区域内销售活动的衡量结果。确定一种恰当的衡量指标非常重要，销售活动的衡量指标可以是一般性的潜量（如一个标准地理区域中的消费者购买力）或工作量（如每年拜访次数），也可以是特定的潜量（如皮肤病医生数量或中餐馆数量）或工作量（如拜访皮肤病医生的次数）。销售区域数可以等于销售人员数，这样每位销售人员负责一个销售区域。该模型还有两个约束条件：（1）相等活动约束；（2）确保每个标准地理区域至少分配给一个销售区域。该模型是：

找出满足下式的 $\langle X_{ij} \rangle$：

$$\min \sum_j \sum_i c_{ij} X_{ij} a_j \text{（惯性矩）} \tag{9.8}$$

约束条件是：

$$\sum_j X_{ij} a_j = \frac{1}{I} \sum_j a_j \quad i = 1,2,3,\cdots\cdots,I \text{（相等活动约束）} \tag{9.9}$$

$$\sum_i X_{ij} = 1 \qquad\qquad j = 1,2,3,\cdots\cdots,J \text{（标准地理区域全部分配）} \tag{9.10}$$

$$X_{ij} \geq 0 \qquad\qquad i=1,2,3,\cdots\cdots,I \text{ 并且 } j=1,2,3,\cdots\cdots,J \text{（非负数）} \tag{9.11}$$

其中，$X_{ij} =$ 第 j 个标准地理区域分配给区域 i 的比例（$i=1,2,3,\cdots\cdots,I$ 并且 $j=1,2,3,\cdots\cdots,J$）；$a_j =$ 第 j 个标准地理区域的活动衡量指标；$c_{ij} =$ 当第 j 个标准地理区域分配给区域 i 时对"惯性矩"的贡献，其值等于销售区域中心到第 j 个标准地理区域中心距离的平方。

第一轮之后，模型对销售区域的分配已经使相对于起始区域中心的"惯性矩"最小。但初始解可能存在两个问题：（1）有些标准地理区域可能分到两个或两个以上的区域；（2）各初始区域中心可能不全是分给该区域的标准地理区域的中心。要解决第一个问题，可把被分割的标准地理区域重新完整地分配给一个区域。销售经理可根据分给该区域的标准地理区域来主观地调整区域中心，模型也可自动将每个标准地理区域分配给该标准地理区域的销售活动所占比例最大的销售区域。该模型还可以将区域中心设置到按区域活动衡量结果加权计算后得到的中心。这些变动使原来的解不再是最优解，所以，我们必须用新的区域中心重新运行模型。这个过程必须一直重复下去，直到模型的结果收敛到一个合理、稳定的标准地理区域分配和区域中心方案为止。

自赫斯与塞缪尔斯（1971）建立了 GEOLINE 模型以来，研究者们从数据和计算机技术两个方面对模型进行了改进（Zoltners & Sinha, 1983）。现在很多商业性数据库都有与地理相关的活动衡量指标。例如，SCAN/US 公司出售的一种地理人口统计数据库就有诸如各标准地理区域购买潜力、收入、年龄、性别等指标，标准地理区域可以按邮政编码甚至街区来界定。另外，数据库软件还有标准地理区域的可到达性（是否临近高速公路）和不可通行性（如没有架桥的水路或山区）等特征；这些数据非常重要，因为 GEOLINE 模型认为销售区域的紧凑比毗邻更重要。也就是说，根据"惯性矩"原则，应把区域中心设在销售活动的"重心"，而不是设在最容易到达的地点。

新的改进还可以让管理者利用用户友好的软件对从正规模型（如 GEO-

LINE）得到的结果进行调整。ZS公司的MAPS（人力分配规划系统）就是这样的程序，已在医药和医疗器械等行业得到广泛运用。MAPS不仅考虑了物理局限性（如不可通行性），还可以支持管理者对销售区域分配结果进行主观调整时考虑人事问题（如新来的销售员代替老销售员）。由于各销售区域的平衡并不意味着利润能够实现最大化，这可能需要经理放松平衡约束，进行主观调整，以提高企业利润。

举例

本案例选自坎帕雷利（Camparelli，1994）的研究成果。1993年初，赫司特（Hoescht）公司的医药分公司赫美罗（Hoescht Roussel）公司的副董事长兼总经理杰里·阿库夫（Jerry Acuff）认识到，要想保持竞争能力就必须更详细地了解公司的顾客是谁、在什么地方以及公司640人的销售队伍分布是否平衡。制药行业的市场瞬息万变。以前销售人员直接将药品销售给处方医生，但现在医生的处方权发生了一些变化：医生不再独自行事，而是团队的成员，团队里可能包括保健组织（HMO）的管理人员，这些管理人员会建议医生批量采购一些标准药品。阿库夫是否能重整销售队伍以适应市场的变化呢？

在重整前阿库夫先调查顾客想要什么。他进行了5个月的调查，收集顾客和企业内部各部门员工的信息。用阿库夫的话说，在调查之前，"我们的销售人员只知道大约65%的医生开出94%的处方。调查数据能够告诉我们在这65%的医生中哪些是应当重点销售的对象，于是我们决定重组销售队伍。"

在对销售队伍进行重组时，企业用销售区域分配模型按新界定的顾客群（普通保健诊所、保健组织和医院）重新分配销售队伍。在1993年年底前，赫美罗公司完成了调查和建模工作，模型建议将销售区域从9个削减到6个并解雇125个负责向医生直销药品的销售代表。在实施这一决策时，公司增设了区域业务经理的职位，这些经理负责各地区销售人员的培训和配备（以前由总部完成）。阿库夫说："以前整个销售队伍是按医生和医院所在地来配备的，而新组织则考虑了管理医疗的影响。"此外，公司还弄清楚了各地区的大量消费顾客和少量消费顾客（本模型的活动衡量指标是处方量）。销售队伍的重点是大量消费顾客身上，企业用邮寄和电话营销的方式向少量消费顾客销售。阿库夫认为这次重组使销售成本降低了14%—15%，节省了1 000多万美元。

销售队伍报酬

销售队伍报酬计划的目标是：（1）**报酬**（compensation），奖励个人的努力或业绩；（2）**激励**（cmotivation），鼓励销售人员更努力地工作，以取得更好的业绩；（3）**指导**（direction），引导销售努力投向最有利于企业的活动（如建立长期客户关系或强调新产品）。

企业为销售队伍的销售努力和销售业绩提供报酬的方式多种多样。报酬计划包括货币报酬或非货币报酬。货币报酬包括：（1）**工资**（salary），工作时间的报酬；（2）**佣金**（commission），为销售人员带来的收入所付的报酬；（3）**资金**（bonus），达到某一目标或定额的报酬。非货币报酬包括认可（如本月最佳销售员、最好的停车车位、富豪俱乐部的成员资格等）、竞赛（如本月销售最高的销售员）和非现金奖励（如公费旅游、使用公车）。

根据 Dartnell 集团对销售队伍报酬进行调查的结果，最常见的货币报酬是基本工资加激励报酬（佣金或奖金）。传统上完全靠佣金的证券企业也在逐渐转向采用组合计划。美国所有企业中约有 70% 采用组合计划，20% 采用纯工资制，其余企业采用完全的佣金制。小企业比大企业更倾向于采用完全的佣金制。最普遍的做法是工资与奖金的结合使用。

管理者在设计报酬计划时应当记住：在大多数情况下管理者都不能完全观察到销售人员的销售努力，因此企业通常不能确定销售人员的业绩中有多少归功于自己的销售努力、有多少只是偶然现象。另外，销售额不只受销售努力的影响，还要受其他多种因素（如产品质量、企业名誉及广告等）的影响，因此销售人员并不能确切知道自己销售努力的结果。此外，销售人员之间的各种差别（包括能力的差别、偏爱闲暇还是工作以及各地区的销售潜力等）都可能会造成不同的销售业绩。最后，一个好的报酬计划应当是公平（即保证销售人员之间的赚钱机会大致相等）、易于理解和易于实施。曼特雷拉、辛哈与佐尔特纳斯（Mantrala, Sinha & Zoltners, 1994）建立了一种奖金计划的模型，称为 MSZ 模型，它综合考虑了上述问题，可用于重复购买环境中销售人员奖金计划的设计。

用联结分析法设计奖金计划（MSZ 模型）

MSZ 报酬模型可帮助管理者：（1）设定个人销售定额，同时兼顾销售区域销售潜力的差别，（2）设计通用奖金计划，使完成同样比例定额的销售人员都能得到同等的货币报酬。这样，所有超额完成定额 20% 的销售人员都会得到完全相等的奖金，不考虑不同销售人员的实际定额。企业设计这样的奖金计划先需要两类信息：

每一销售区域的销售潜力：在制药行业中（曼特雷拉、辛哈与佐尔特纳斯就是为这个行业建立此模型的），销售潜力的数据可以从二手资料来源得到。其他行业可以利用地理人口统计数据库（在本章的最后将有介绍）。

个人的销售努力（如个人销售反应函数）和对闲暇/收入的偏好对销售人员估计产品销售额的可能影响：企业可采用联合分析法（下文介绍）从销售人员处得到这一信息。

有了上述信息，企业就可以预测出在不同的奖金计划下销售人员可能表现出的行为，然后利用这些信息设计合理的奖金计划。

MSZ 模型的核心是销售反应函数，指定为第 2 章中介绍的修正指数函数：

$$r_{ij}(X_{ij}) = b_{ij} + (a_{ij} - b_{ij})(1 - e^{-c_{ij}X_{ij}}) \tag{9.12}$$

其中：X_{ij} = 每段时期内第 j 位销售人员在第 i 种产品所投入的努力；i =

1，2，3，……I（产品数）和 $j=1$，2，3，……，J（销售人员数）；r_{ij}（X_{ij}）＝ 每段时期内第 i 种产品可归功于第 j 位销售人员的预期销售额；a_{ij} ＝ 第 j 位销售人员的努力饱和时第 i 种产品的最大预期销售额；b_{ij} ＝ 第 j 位销售人员的努力为 0 时第 i 种产品的最小销售额；c_{ij} ＝ 用来决定销售努力（X_{ij}）提高时销售额（$r_{ij}X_{ij}$）接近最大销售额（a_{ij}）的速度的参数。

在 MSZ 模型中，a_{ij} 和 b_{ij} 来自外部数据源，c_{ij} 是从销售人员为联合分析提供的反应数据中推导出来的。我们这里简要介绍企业确定合理的奖金计划所用的联合分析和优化模型（此模型的技术细节内容可参见 Mantrala，Sinha ＆ Zoltners，1994）。

将 X_{ij} 看做是销售额 r_{ij}（X_{ij}）的方程，反求 X_{ij} 的解，即将方程（9.12）"倒"过来，确定要取得预定的销售额（定额）所需要付出的销售努力。将这些努力值相加，即可求得一位销售人员销售产品的总努力值，这是该销售人员所销售的每种产品的 c_{ij} 的函数。销售人员从奖金报酬中得到"效用"，但要从获得这项奖金的总努力中得到"反效用"（奖金越多，效用值越高；销售的总努力值越大，反效用值越高）。对每位销售人员来说，在奖金的效用值和工作的反效用值之间权衡利弊完全属于个人的选择。要确定效用函数和反效用函数及反应函数系数（c_{ij}），企业要给销售人员布置一项"联合评分任务"。表 9—2 给出了一个例子。

表 9—2　　　　　　　用 MSZ 模型估计销售人员效用函数的调查表范例　　　　单位：美元

奖金计划	产品 A 销售目标	产品 B 销售目标	奖金 （100% 实现销售目标）	评分
1	316 000	45 000	2 100	____
2	316 000	75 000	3 200	____
3	316 000	105 000	4 900	____
4	526 000	45 000	4 000	____
5	526 000	75 000	4 250	____
6	526 000	105 000	5 100	____
7	737 000	45 000	4 700	____
8	737 000	75 000	5 300	____
9	737 000	105 000	6 400	____

下面是产品 A 和产品 B 的 9 种不同奖金计划。此外还列出了未来半年内可能的销售额目标（定额）以及销售人员实现了销售目标后能得到的奖金。请按照你的偏好给这 9 种奖金计划打分，用"1"表示最喜欢的计划，用"9"表示最不喜欢的奖金计划。

此表应根据每位销售人员的情况进行调整修改，使产品销售额目标能介于该销售人员的销售区域最大销售额（a_{ij}）与最小销售额之间（b_{ij}）。

我们可用有序回归法和销售人员在联合评分任务中提供的排序来估计每位销售人员的"效用函数"。估计出的效用函数取决于奖金数量、区域销售潜力

及反应参数 c_{ij}。

然后将所有销售人员的效用函数综合成一个优化模型，由该模型选择出所有销售人员通用的奖金计划（即销售人员实现了一定比例的定额时公司应支付的数额）。优化模型要使整个销售队伍创造的利润最大化，其假设是：每位销售人员都力求效用最大化，同时要求任何新的奖金计划都不应低于销售人员过去的满意度（效用值）。

也许有人会问，如果销售人员知道自己在联合评分任务提供的反应将用于设计奖金计划，那么会不会在回答问卷时不真实地表达自己的偏好。曼特雷拉、辛哈与佐尔特纳斯认为不会，至少有四个原因：（1）销售人员对该模型了解不多，不可能系统地伪装自己的偏好；（2）销售人员知道经理的目的是建立一项通用的奖金计划，而不是针对个人的奖金计划；（3）销售人员发现彼此很难共谋分享奖金金额；（4）管理者有能力发现欺骗行为并进行惩罚。

MSZ 模型及其各种变形已在许多医药和医疗设备企业得以实现。曼特雷拉、辛哈与佐尔特纳斯介绍说，此模型曾用在一个由 12 个销售人员组成的销售队伍，新的定额/奖金计划在 8 个月内使公司的利润提高了 10%。

我们还要进一步开发和应用销售报酬模型。现有模型在评价工资与奖金的组合计划、确定产品的交叉成本同销售额之间的关系及制定团队销售的报酬计划等领域都还很薄弱。

提高销售拜访的效率与效果

在大多数市场中，顾客和潜在顾客对销售人员的销售努力往往会做出不同的反应。有些顾客多年来一直从某企业购买产品，而有些潜在顾客在决定从某企业购买前需要投入大量的销售努力。有些消费者每次购买产品的数量都很大，有些却只购买少量产品。大多数销售人员都能凭直觉认识到这些差异。但没有正规方法的支持，他们就无法充分有效地利用这些差异，不能在顾客反应强的地方多努力，在反应弱的地方少努力。

一次销售拜访成本为 500 美元。Dartnell 公司的一项调查显示（*American Salesman*，1995 年 8 月），销售人员日均拜访 3.4 次，即年大约 750 次。在面向超市销售包装食品的销售队伍中，每人负责 2～4 个客户，相当于 40～120 家店铺，负责销售 2—18 种产品（100～5 000 种单品），每次拜访平均花 60～90 分钟，其中用于销售的时间为 11～15 分钟（De Vincentis & Kotcher，1995）。在工业品销售队伍中，销售人员花在面对面销售上的时间占全年工作时间的 35%（Hise & Reid，1994）。了解这些统计数据以后，就不难理解提高销售拜访的效率和效果会使有大量销售人员的企业提高利润。

CALLPLAN 模型

CALLPLAN（Lodish，1971，1974）是一种互动的拜访规划系统，能帮助销售人员确定在一定时间内对每位客户和潜在客户（或每类客户和潜在客户）应做多少次拜访才能使拜访的回报最大化。CALLPLAN 系统能确定一定**努力期**内的拜访频率，这里的**努力期**指销售人员所用的计划期（如一个季度）。该模型所依据的假设是，在某一"反应"期（即公司的规划期，如一年）内从每位客户和潜在客户得到的预期销售额是该反应期内每个努力期的平均拜访次数的函数。反应期必须要足够长，要能容纳每个努力期可能产生的滞后效应。

反应函数的规定　我们用 CALLPLAN 模型的简化版来说明其核心问题。像 Syntex 模型一样，CALLPLAN 也依赖于对反应函数的指定。我们仍然用 ADBUDG 反应函数（第 2 章）：

$$r_i\,(X_i)\, = b_i + \, (a_i - b_i)\, \frac{X_i^{c_i}}{d_i + X_i^{c_i}} \tag{9.13}$$

其中，$i = 1, 2, 3, \cdots\cdots, I$（客户或潜在客户的数目）；$X_i =$ 努力期内花在客户 i 身上的平均努力水平，用拜访次数来衡量，可将销售人员非正规的表述"我将每月拜访这个顾客两次"加以正规化；$r_i\,(X_i) =$ 当销售人员对客户 i 的销售努力为 X_i 时，i 的销售额指数；$b_i =$ 对客户 i 的销售努力为 0 时的最小销售额；$a_i =$ 对客户 i 的销售努力无限大时的最大销售额；$c_i =$ 决定曲线 $r_i\,(X_i)$ 形状的参数，即凹形还是 S 形；$d_i =$ 竞争者对客户 i 的销售努力指数（d_i 值越大，销售人员努力的效果越小）。

该反应模型可用本书第 2 章中介绍过的管理者主观判断进行校准。销售人员各自估计出每一客户的反应函数。如果不同客户的获利性水平不同，销售人员就可以根据各客户的利润边际因子 f_i 调整该反应函数。

模型的确定　确定了反应函数后，CALLPLAN 就要设计一种有效的方法，让销售人员能合理地在各个客户之间分配销售努力。模型假设销售人员都想从其销售努力中获得最大的贡献（利润）；但时间有限，因此希望尽可能有效地利用这一资源。假设一个销售区域可人为地分解为若干地理小区（如按邮政编码来划分）。在努力期内，销售人员要在这个销售区域中的几个或全部小区内活动。每次去某一小区的途中，销售人员都会有旅行、食宿等方面的可变成本；而且每去一次，销售人员拜访任一给定客户的次数最多只有一次。

介绍正规模型之前，先定义一些参数：

$n_j =$ 每个努力期内去第 j 个小区的次数，其中 $j = 1, 2, 3, \cdots\cdots J$。因为销售人员一次最多只能拜访客户一次，因此 n_j 也等于对第 j 个区域内的任一客户拜访的最大次数；

$c_i =$ 去一次第 j 个小区所发生的可变成本；

$t_i =$ 每次拜访客户 i 时销售人员花的时间（可以设所有顾客的 t_i 都相同）；

$U_j =$ 到小区 j 所用的时间；

$e =$ 一个反应期内的努力期数（如果一个努力期是一个月，一个反应期为一年，则 $e = 12$）；

$T =$ 一个努力期内一个销售人员可用工作时间总数，既包括销售时间，也包括非销售时间；

$a_i =$ 针对各个不同顾客的利润调整因子，反映了该顾客在销售中的利润贡献。

这个优化模型既考虑了拜访客户的成本，又考虑了所有客户和潜在客户的预期贡献，力图使一个销售区域的利润（Z）最大化：

求满足下列条件的 X_i：

$$\max Z = \sum_i a_i r_i(X_i) - e\sum_j n_j C_j$$

约束条件：

$$\sum_i X_i t_i + \sum_j n_j U_j \leqslant T \tag{9.14}$$

$$n_j = \max_i（小区 j 里的 X_i） \tag{9.15}$$

$$LB_i \leqslant X_i \leqslant UB_i \tag{9.16}$$

约束条件（9.14）可保证一个努力期内的总时间（拜访时间加上行路时间）不超过销售人员的全部可用时间。约束条件（9.15）保证了去小区 j 的次数等于对该区域中任一客户拜访的最多次数，这样就确保每次去区域拜访一位客户不超过一次。约束条件（9.16）使销售人员能将主观判断得出的在努力期内拜访客户 i 的次数上限和下限考虑进去。

模型应用　我们建议首次运用该模型时，对所有 i 不要限制约束条件（9.16）的上限，并把下限设为 0。于是，模型就可能建议销售人员不必过多关注某些客户，而要经常拜访另外一些客户。如果销售人员觉得这种分配不合理，就会为每个客户规定具体的最小次数和最大次数约束条件，来修正这些结果。这些主观判断要考虑隐含在模型中的因素的效应（如有些客户是在新产品正式上市前参与了贝塔测试，但对这些客户进行的销售努力并不能保证会增加销售）。

销售人员应当把客户和潜在客户都当作拜访对象。但一般而言，潜在客户比现有客户对销售努力的反应要弱一些。因此，模型不倾向于在拜访计划中包括潜在客户。要想平等对待这两类客户，一种方法是分别对现有客户和潜在客户运行这一模型。对潜在客户运行模型时，可设分配给潜在客户的时间 T_p 要小于限制条件（9.14）中的时间 T；对现有客户运行模型时，同样设分配给现有客户的时间为 T_A，这样 $T_A + T_P = T$，其中 T 是销售人员可用的总时间。比较为潜在客户留出一定时间与不留时间所得的结果，可知销售人员为培育长期潜在客户要放弃多少当前利润。

举例

要理解 CALLPLAN 模型中确定销售努力最优分配的"增量分析"概念，可考虑下面的四个客户的例子（见图 9—6）。假设销售人员目前对这些客户的拜访次数为 15 次，总销售额为 11 985 美元。如果一次拜访的成本为 200 美元，则净利润为 8 985 美元。

优化程序将第 1 次拜访分配给客户 3，因为它的利润贡献最大（3 600 美元）；将第 2 次拜访也分配给该客户，这次的利润贡献仅次于上次（1 800 美元）；第 3～5 次拜访分配给客户 2，总贡献为 3 350 美元；第 6 次拜访分配给客户 3；第 7～8 次分配给客户 2，总贡献为 1 140 美元；第 9～12 次分配给客户 1，总贡献为 1 400 美元；第 13 次分配给客户 2；第 14 次分配给客户 1；第 15 次分配给客户 2。这样的分配方式带来的总贡献为 13 000 美元，扣除拜访成本后，净贡献为 10 000 美元，比目前的拜访分配方案的净利润提高了 11.3%。

注意，模型建议不拜访客户 4。企业应当用成本小的方式（诸如电话营销）同这些客户联系。另外，如果一次拜访的利润贡献小于一次拜访的成本（200 美元），就不应当进行这次拜访。如果销售人员可以完成 15 次以上的拜访，第 18 次销售拜访就分配给客户 4，利润贡献为 180 美元。因此，销售人员对这组客户的最多拜访为 17 次（如果销售人员只拜访 15 次，那么没有进行第 16～17 次拜访的机会成本为 25 美元，即这两次拜访的净贡献。第 16 次拜访应分配给客户 1，第 17 次应分配给客户 3）。

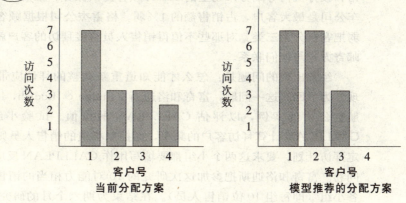

矩阵每行里的数字对应于该客户的反应函数，表明每次拜访的增量利润。
▢ 表示当前销售努力方案的利润贡献。
◯ 表示最优销售努力方案的利润贡献。

图 9—6　CALLPLAN 优化方法示例

上表用数字表示了 4 个客户的销售反应函数。下方的柱状图表示出了销售拜访总数为 15 次时，对这 4 个客户的当前分配方案和模型推荐的分配方案。

表 9—3 是 CALLPLAN 的一次实际应用的输出结果（Lodish，1971）。在此例中，如果销售人员遵从模型的建议，把对小客户（如 Chempro 和 Polyfin）的拜访转为对大客户（如 Chemplst 和 Ethyln）的拜访，就能使销售额提高 20%。

表 9—3		用 CALLPLAN 最优分配水平的范例		
客户	三个月内最优拜访次数	一年中最优预期销售	当前拜访方案	当前拜访方案的预期销售
Balfor	7	75	8	79
Chempro	3	14	6	22
Chemplst	10	195	3	171
Dilctx	5	15	4	8
Emerson	0	0	1	0
Ethyln	6	64	4	52
F/C	5	37	5	37
M-I	0	0	1	2
Micro	0	0	4	2
Polyfin	1	5	3	8
Slctro	5	36	3	18
Sevema	9	59	6	38
Surf	0	0	3	2
Tri—Pt	5	72	3	36
Brdng	0	0	1	0
Marlow	0	0	1	1
总数	56	572	56	476

越来越多的企业利用电话营销和邮寄等方法同获利性小的客户接触。例如，格雷杰（W. W. Grainger）公司向承包商、专业服务店、维修公司、旅馆和教育机构等细分市场上的 130 万顾客提供保养、维修和工业配件，通用汽车公司是最大客户，占销售额的 1% 弱。格雷杰公司根据顾客的规模和反应强弱把客户分为三类。对那些不值得销售人员直接拜访的客户就采用电话营销和邮寄方式与他们联系。

经常出现的问题是：怎么才能知道重新调整的拜访应带来的收益能否实现？为了回答这一问题，富奇和洛迪斯（Fudge & Lodish，1977）研究了联合航空公司的案例，以评估 CALLPLAN 的价值。试验小组的销售人员用 CALLPLAN 计算拜访客户的频率，而控制小组的销售人员则用手工技术来制定拜访计划。要求这两个小组都要填写用作 CALLPLAN 反应函数输入信息的问卷。富奇和洛迪斯把参加这次研究的 10 对能力相当的销售人员随机分派给各小组（即每组 10 位销售人员）。在结束为期六个月的研究时，采用 CALLPLAN 的小组销售额比前一年增加了 11.9%，而控制小组只增加了 3.8%；CALLPLAN 小组比控制小组的销售额增加了近 100 万美元；两组之间差异的统计显著性水平为 0.025。

个人使用者也可用类似的方式评价该模型的价值。一个简单方法是进行一次用前/用后的调查：跟踪使用模型前半年的销售业绩，并同使用模型的半年内的销售业绩进行对比。尽管这种方法可能会导致错误结果，尤其是评价期里存在季节性效应和市场变化的情况，但这种方法还是能够对该模型做出有效的评价。

458

CALLPLAN 的优点和局限   尽管许多销售人员认为应把精力集中在有潜力可挖的潜在消费者身上，但常常会回到老路上，频繁拜访已建立友好关系的客户。CALLPLAN 模型可以帮助销售人员了解用该模型对企业盈亏及自己佣金的影响，并促使他们试用新的拜访策略。洛迪斯（1974）说：

> 有些销售经理对这种方法的第一反应常常是"无用的输入、无用的输出"。他们不习惯主观估计出对每位客户采用不同拜访水平时销售额或利润。如果销售活动的目标是尽量提高销售额或利润，这些估计值对评价有限的人力资源的获利性是必要的……用过这种模型后，大部分经理就能明白这一点，并变成了模型的热心支持者。

近几年出现了多种商业性的客户管理软件，这些软件能记录客户的电话号码和地址、客户历史、通信等，而且还提供了安排拜访时间的功能。更复杂的软件可以同中心数据库连接起来，上传和下载信息（如产品展示材料或价目表）。CALLPLAN 为这类软件补充了分析方法，有助于销售人员更有效地利用客户信息。

CALLPLAN 模型的局限同 Syntex 模型一样，它最适用于重复购买的情况，而且只是适合单枪匹马的销售人员，但是也可对模型进行调整，使之适用于销售团队的应用。

营销渠道决策

营销渠道可"看做是在提供某种产品或服务的过程中相互依赖的各个企业"（Stern, El-Ansary & Coughlan, 1996）。营销渠道决策会影响企业触及市场的效率和效果。另外，由于渠道要求企业资源的长期投入，因此渠道决策还会影响到企业的竞争地位。一般而言，渠道决策包括：

1. **战略**：企业决定向目标市场销售产品的方式和合同机制。企业可直接向顾客销售（如邮购或网上销售），也可通过中介组织（如生产企业代理商、经纪人、批发商、零售商等）。合同制度既可以是完全拥有整个营销渠道的所有权，也可以依靠收取佣金的经纪人。

2. **店址**：企业要决定销售产品或服务的店铺的数量和地理位置。店址决策有时意味着企业要进行直接投资（如沃尔玛）；有时虽然是由中介组织进行投资（如麦当劳特许经营），但企业要对店址决策施加很大影响以保持对整个分销系统位置的控制。

3. **后勤**：企业规划并管理物流和存货之类的活动，以保证渠道运作效率的最大化。企业力求以最少的运输和存货成本来为客户提供最优的服务。

在这一部分，我们主要介绍店址决策的模型。最近几年，企业越来越多地运用这些模型，主要原因是因为价格相对便宜的地理人口统计数据库的使用越来越普遍了。关于战略和后勤的模型可参看利连、科特勒和穆尔泰（1992）的介绍。

店址决策   选择销售网点的位置时企业要做两项决策：一是选择一个市场

区域，像某个城市、地区或县等；二是在选定的地区内选择一个具体地点。前一种决策称为"宏观"决策，而后一种决策则是"微观"决策。许多企业在选择零售网点时，要考虑哪些不动产是可用的、某地的租金是否可以承受，然后再根据利润潜力及其他标准判断这个店址及其周围地区是否合适。现在由于有了使用方便的地理人口统计数据库，就可以用正规模型来制定宏观和微观的店址决策了。这些数据库包含人口统计数据及其他数据（如心理图案），并按含有美国大部分家庭和企业所在经度、纬度等地理位置来编码。将这些数据库与定量化的计算机模型（如重力模型，参见 Huff，1964）结合使用，管理者就可以仔细评价各个零售店址了。

重力模型

支持店址决策的正规模型倾向于评价顾客概况、商店形象、驾车时间以及竞争者的店址等因素的综合影响。重力模型为经理提供了一种评价这些因素和其他因素影响的建模框架——离散选择模型。重力模型的基本假设是：顾客或个人 i 选择商店 j 的概率为：

$$P_{ij} = \frac{V_{ij}}{\sum_{n \in N} V_{in}}$$
(9.17)

这里，P_{ij}＝地理区域 i 内的顾客选择第 j 个地点的商店的概率（在选择次数中所占的比例）；V_{ij}＝商店 j 对地理区域 i 内顾客的吸引力（也叫做价值或效用）指数；N＝与新商店竞争的商店集合（在此模型的改进形式中，可用 i 做 N 的下标，以表明在不同区域里 N 值不同）。

重力模型认为价值（V_{ij}）取决于几个关键因素。其中一个重要因素是店址 j 的商店（或购物中心）的面积。商店越大，吸引力就越大。一般而言，较大的商店品种更丰富，价格也更优惠。另一个重要因素是从消费者家里到每个零售店（包括新店）的距离。距离越远，吸引力越小。最后，该模型用多种参数来修正商店面积和距离的相对影响。下面会介绍一些有关这些参数的例子。这样，某地理区域内的消费者就会被"拉"（就像重力的作用一样）向离家更近、面积更大、形象更好的商店。

在实际中，方程（9.17）中的 V_{ij} 的具体形式为：

$$P_{ij} = \frac{S_j^{\alpha}/D_{ij}^{\beta}}{\sum_{n \in N} S_j^{\alpha}/D_{in}^{\beta}}$$
(9.18)

其中，P_{ij}＝地理区域 i 的消费者选择第 j 个店址的商店的概率；S_j＝店址 j 的商店的面积（更一般地说，可以是商店形象的某个指数）；D_{ij}＝商店 j 与地理区域中心 i 的距离（更一般地说，可看作是到达该店的难易程度，而不仅仅是距离）；α＝用来调整商店面积（或形象）对顾客光顾某家商店的决策造成影响的参数；β＝用来调整距离（或到达难易程度）对顾客选择决策造成影响的参数。

表 9—4 中的例子表明，商店选择决策随着 α 和 β 变化的方式。需注意的是，当距离因素更重要（从 $\alpha=1$ 和 $\beta=1$ 时的 0.32 变为 $\alpha=1$ 和 $\beta=2$ 时的

0.48）时，选择商店 3 的概率大大增加。

表 9—4　　　　　　　　　　　　　　　　重力模型举例

	商店形象 （平均指数为 100）	距离（英里）	（商店形象）° （距离）$^\beta$	选择概率 （P_{ij}）
$\alpha=1, \beta=1$				
商店 1	100	5	20.0	0.17
商店 2	100	3	33.3	0.29
商店 3	75	2	37.5	0.32
商店 4	125	5	25.0	0.22
$\alpha=1, \beta=2$				
商店 1	100	5	4.0	0.10
商店 2	100	3	11.1	0.29
商店 3	75	2	18.8	0.48
商店 4	125	5	5.0	0.13
$\alpha=1, \beta=2$				
商店 1	100	5	2 000.0	0.18
商店 2	100	3	3 333.3	0.29
商店 3	75	2	2 812.5	0.25
商店 4	125	5	3 125.0	0.28

　　商店 1、商店 2 和商店 3 都是已有的商店，商店 4 是打算开设的新店。本例表明模型参数对顾客选择商店的影响。参数 α 是商店的形象（或规模）对顾客选择商店概率的影响。α 增大，顾客选择形象比平均水平强或弱的商店的概率会发生更大的变化（参看商店 3 和商店 4 选择概率的变化）。参数 β 是顾客住处与商店间的距离（或到达难易程度）对顾客选择概率的影响。β 增大，距离变量影响顾客对商店选择的作用也就越大（参看商店 1、商店 3 和商店 4 选择概率的变化）。

　　重力模型已出现了许多年，但直到商用地理人口统计数据库普及后才使这类模型得到广泛应用。如果没有这些数据库，就很难确定分析使用的特定地理区域，也很难得到众多地区和商店的距离数据和人口统计数据。数据与模型的发展还使地理人口统计数据库能更容易地应用于店址决策中。管理者再也不必用传统的地理单元（如人口普查区和邮政编码）来评价商店的吸引力了。更新的数据库还能提供的更详细的数据，如每个地理实体对应的经、纬度，从而使决策更精确。用户可以随意通过组合方格来识别一个现有市场或潜在市场，掌握各种地理特征，诸如街道、高速公路、街区（约 2 000 人的地区）的边界等。此外，还可以用存储美国各地电话所在位置的经纬度数据库把公司的数据（如顾客记录）和商业数据库联起来。这些改进使企业能够利用自己的邮寄数据库寻找同现有客户距离较近的、有潜力的零售店。

举例

　　本案例选自加里（Garry, 1996）的成果。Supervalue 公司是美国最大的食品杂货批发商，也是第 12 大食品零售商。公司为 4 100 家食品店提供食品，有近 300 家零售食品店。Supervalue 公司成功的关键就是将分销机构和食品店设立于最优地点。它是地理信息系统（GIS）和重力模型法的早期采用者，用这些技术来支持许多决策，如新店店址决策以及在某个店出售何种产品组合的决策。

Supervalue 公司利用地理信息系统从各种角度评价有潜力的新店址，包括一个新址与现有店址对比的结果、商圈内购物者的类别和数量、购物者的支付潜力及竞争者的市场份额等。此外，公司还用这套系统来评价不同商店格局对特定市场是否合适；用重力模型评价现有店铺的经营业绩；根据商店邻近地区的顾客数量、去竞争者商店的难易程度、支出潜力及交通路线等预测某个商店的业务量。然后将这些预测结果与实际销售额进行对比，并用模型中的因子来解释业绩超常或不足的原因。

实施重力模型的步骤　本书所附的重力模型软件是 SCAN/US 公司开发的，这是一家提供营销决策所用地理人口统计数据库的顶尖公司。这些数据库在市场营销领域还有许多其他用途，但这里主要考虑在重力模型中的应用。建立重力模型时要经过以下步骤：

第 1 步：界定市场区域。找出新的店址及要为之服务的地理区域，将该区域划分为小区域。这些小区域应当在人口统计特征、竞争商店与活动障碍（如河流、铁路线、邻近地区犯罪率）等方面相对一致。

第 2 步：获取可能与新商店竞争的现有商店的数据，尤其是要得到该市场区域内每家竞争者商店的店址、规模、销售额以及其他特征的数据。

第 3 步：计算每家商店与每一小区域间的距离。只要输入小区域和商店店址的具体信息，软件就可以自动计算出二者距离（有时仅靠第二步和第三步得到的数据就能够反映出某个店址的潜在价值。例如，如果这些数据表明，现有商店每平方米的销售额远远高于平均水平，或者要走很远才能到达现有商店，那么就可能存在能带来很大利润的店址）。

第 4 步：就市场区域里现有竞争者来校准重力模型。具体而言，先选择出与现有数据拟合度很高的一组 α 和 β 值。除非有理由认为其他值更好，否则一般从 $\alpha=1$ 和 $\beta=1$ 开始较好。对选定的参数值，用第 2 步和第 3 步计算得出的面积信息和距离信息通过方程（9.18）计算出 P_{ij}。

　　a. 接着按下列公式计算每个现有竞争者商店的市场份额：

$$m_j = \frac{\sum_{i \in I} p_{ij} T_j}{\sum_{j \in J} \sum_{i \in I} p_{ij} T_j} \tag{9.19}$$

其中，T_j 是衡量小区域 j 销售潜力的指标；I 是该市场中小区域的个数；J 是该市场现有商店的数量。可用数据库中任一指数来衡量每个小区域的潜量（T_j），具体的选择取决于商店和产品大类。在某些情况下，潜量可以是一个一般指数，如某小区域内每户或所有家庭的平均年支出；有时潜量可以是某种具体产品的指数；潜量甚至还可用一些平均值为 100 的人口统计变量的相对指标来表示，如年龄或收入（如果用指数类衡量指标，就要确保指数值越高表示的市场潜量越大。如年龄越小则潜量越大，类似摇滚乐光盘的购买）。方程（9.19）的分子是商店 j 的销售潜力，分母是该市场上所有现有商店的销售潜力。

重力模型中最常用的人口统计信息是收入、性别、年龄、职业、教育程度、家庭人口数、宗教信仰、种族和国籍等特征。只有当这些特征与人们对商店偏好有关时，才能使根据这些特征得出的重力模型有意义。

b. 检验该模型得出的市场份额 m_j（或销售潜力 $\sum_{i\in I} p_{ij} T_j$）是否同现有竞争者的实际市场份额一致。如果不一致，就要改变参数 α 和 β 的值，重复第四步，直到找到符合实际的 α 和 β 的值为止（可以用一些统计方法来选择 α 和 β，参见 Cooper，Nakanishi，1988）。

第 5 步： 评价一家新店设在不同位置的销售潜力。将在所选店址上设立的一家新店 k 引入模型，用估计出来的 α 和 β 重新计算 p_{ij}。计算这家新店的销售潜力（$= \sum_{i\in I} p_{ik} T_k$）。重复这一过程，计算这家新店在其他位置的销售潜力。

第 6 步： 为新店选择店址，即销售潜力 $\sum_{i\in I} p_{ik} T_k$ 最大的位置。

要详细了解集成地理人口统计数据库和重力模型的实施过程，可参见泰曼与波尔的成果（Tayman & Pol，1995）。

重力模型的局限 在使用重力模型之前应仔细检查模型的假设条件。顾客并不总是喜欢离家近的商店，也并不总是倾向于规模大的商店。例如，有些高级时装店就以在精挑细选的位置开设小店取胜（如真丝领带和丝巾制造商 Hermes 公司），还有些商店则以大店取胜（如宜家家具店）。尽管存在局限性，重力模型依然不失为一种选择店址的有效方法。

重力模型是第 2 章介绍过的引力模型的一个特例。引力模型要考虑一种非直观的现象："独立于无关选项之外"。假设只有两家商店，顾客对在商店 1（S1）还是在商店 2（S2）购物就觉得无所谓。如果顾客能在 S1 和 S3 之间选择，喜欢 S3 的程度是喜欢 S1 的 4 倍；如果要在 S2 和 S3 之间选择，喜欢 S3 的程度是喜欢 S2 的 4 倍。在这种情况下，用模型对三家商店进行选择，选 S3 与选 S1 和 S2 的比例为 2∶1，而直觉判断仍然是 4∶1。模型要求 S3 与 S1 的吸引力比和 S3 与 S2 的吸引力比相同（4∶1）。当顾客在三家商店之间进行选择时，S1、S2 和 S3 的选择概率（市场份额）分别为 1/6、1/6 和 2/3。解决这个问题的方法是把所有相似选项都当作一个备选方案来看待。在前例中可把 S1 和 S2 看成一个商店。

重力模型的另一局限性是忽视了到达店址的方式。距离对乘公共汽车、轿车或步行有不同的意义。当多种交通方式都适用时，重力模型的效果就差一些。

同制定店址决策的多元回归模型相比，重力模型更难解释。回归法将许多商店的销售额（非独立变量）数据和多种独立变量（如商店的面积、人口统计特征等）与竞争商店的特征关联起来，然后根据各个可能的店址的独立变量值预测出这些店址的销售额。但回归模型在解释现有竞争者的影响方面不如重力模型。

零售行业在不停地变化。目前的趋势是顾客购物频率减少，超级购物中心、直销和网络营销迅速发展。这些趋势减弱了地理条件对购买行为的影响。随着这些趋势的继续，传统上用来衡量某一地理区域市场潜量的方法会变得落伍。例如，南达科他州北苏市（PC 机最大的直销商之一 Gateway 公司的总部所在地）的 PC 机销售额就不能用作某种新电脑游戏零售潜量的指标。

本章小结

本章介绍了管理销售队伍和营销渠道的五种成功的营销工程模型：分配销售资源的 Syntex 模型、设计销售区域的 GEOLINE 模型、设计销售队伍报酬计划的 MSZ 模型、规划销售拜访的 CALLPLAN 模型及新店选址的重力模型。我们还介绍了怎样校准这些模型，并且提供了应用范例。

这些销售管理模型是规范的决策模型（参阅本书第 1 章），能帮助管理者从各种方案中选择最优行动方案。重力模型是一种描述性/预测性决策模型，能帮助管理者仔细评价某些新店址。采用这些销售管理模型为企业带来了 5%～10% 的新增利润（与使用模型前相比）。尽管有许多企业使用重力模型，我们尚未发现有正式文献表明该模型提高了利润，但 Supervalue 等公司重复运用该模型这一事实表明它确实能发挥积极的作用。

当前的趋势之一是许多企业投资于销售队伍自动化，以支持销售过程（Young, 1995）。企业建立了数据仓库、沟通和支持服务，为销售人员提供最新信息（如本企业和竞争者的产品规格、许可价格、客户历史和订单履行状态等），并为销售人员和管理者配备了计算机，使他们能够拜访数据库并且上载或下载信息。

好的销售队伍自动化系统能有效地将公司各部门、现场销售经理和销售代表连接起来，使管理者能够很方便地监测销售活动，把工作中心放在为销售人员提供客户管理的指导和制定战略（而不仅仅是战术）上。系统还可以用软件包进行资源分配、客户分析、时间管理并生成报价方案和演示用的幻灯片。企业将企业数据库与地理信息系统集成起来，可以改进对渠道和业务的管理。随着信息技术在管理销售队伍和营销渠道中的应用越来越多，可以预见企业会发现我们介绍过的各种模型的更多的应用。

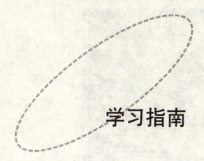

学习指南

销售资源分配指导

　　广义 Syntex 模型可用于确定销售队伍的规模和分配方案。该模型使用关于销售队伍的判断性输入数据，涉及各细分市场对推销努力的反应。模型能在用户给定的约束条件下做出关于销售队伍规模及销售努力分配的最优决策。该模型与 Syntex 制药公司案例中所用的模型一样。虽然这个广义销售资源分配模型在使用中是非常灵活的，但 Syntex 药品模型和 Syntex 科室模型却是专门为 Syntex 制药公司案例设计出来的，尤其是药品模型和科室模型都可以用 Syntex 案例的数据预先设定，而广义模型则需要用户提供所有基本的输入数据。

　　点击"Model"（模型）菜单中"Sales Resource Allocation"（销售资源分配）选项下的"Generalized Resource Allocation Model"（广义资源分配模型），就会看到如图 9—7 所示的信息：

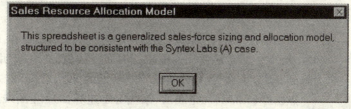

图 9—7

　　点击"OK"（确定），进入第一个工作表，如图 9—8 所示，电子报表会提示你输入相关数据。

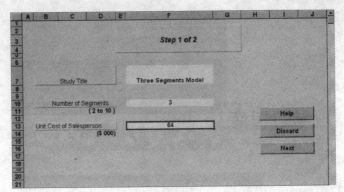

图 9—8

下面举例说明。设定一个只包含三个细分市场的简单问题。首先输入三个字段要求的信息，点击"Next"（下一步），进入第二步，如图 9—9 所示。

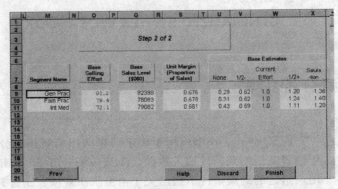

图 9—9

接着给各细分市场命名（最长 10 个字符）；输入销售努力、销售水平和单位毛利的基数据，并输入确定初始反应曲线形状的参数。

例如，对"General Practice"（一般做法），系统会问你，如果出现下列情况销售量会怎样变化？

● 无销售努力；
● 销售努力为当前水平的一半；
● 销售努力比当前水平高出一定百分比；
● 销售努力无限大。

四种情形下的答案（分别为 0.29、0.62、1.2 和 1.36）要按基销售水平（92 398 000 美元）进行标准化。例如，数值 0.29 表明："如果我们将销售努力降到 0，就只能销出 92 398 000 美元的 29%，即 26 795 000 美元。"

点击"Finish"（完成），系统会迅速算出反应曲线的系数，接着提示你输入一个文件名并将你的基本模型设置保存在这个文件中，如图 9—10 所示。

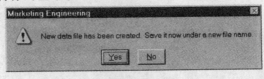

图 9—10

总之，此时保存你新配置的模型是个不错的主意。给文件起个名字，只要不是 Syngen 就行，如图 9—11 所示。

图 9—11

注意：必须将新文件存在 Syngen. xls 原文件的同一目录下。

点击"OK"（确定），进入下一屏幕，如图 9—12 所示，此页总结你所输入的信息。

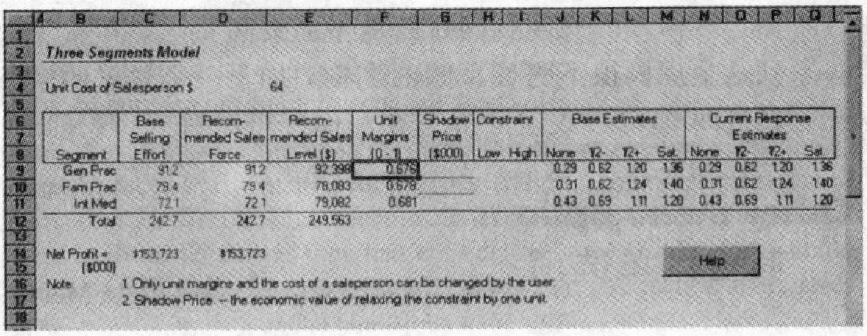

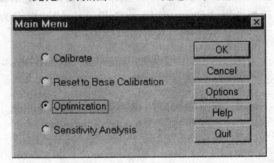

图 9—12

要开始优化，可进入"Model"（模型）菜单选择"Main Menu"（主菜单），再选择"Optimization"（优化）并点击"OK"（确定），如图 9—13 所示。

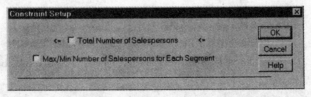

图 9—13

现在就可以输入各个约束条件值了。点击"OK"（确定）即可启动优化搜索过程，如图 9—14 所示。

图 9—14

图 9—15 所示为优化运行的结果。

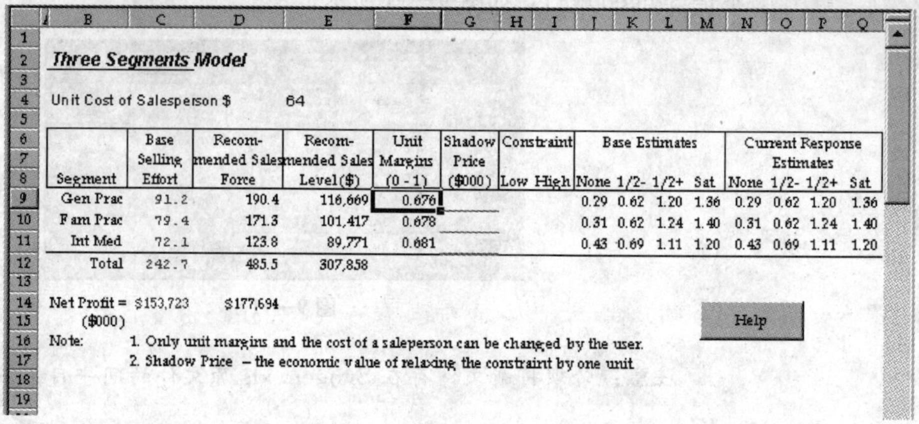

Three Segments Model

Unit Cost of Salesperson $ 64

Segment	Base Selling Effort	Recom-mended Sales Force	Recom-mended Sales Level($)	Unit Margins (0-1)	Shadow Price ($000)	Constraint Low	Constraint High	Base Estimates None	1/2-	1/2+	Sat	Current Response Estimates None	1/2-	1/2+	Sat
Gen Prac	91.2	190.4	116,669	0.676				0.29	0.62	1.20	1.36	0.29	0.62	1.20	1.36
Fam Prac	79.4	171.3	101,417	0.678				0.31	0.62	1.24	1.40	0.31	0.62	1.24	1.40
Int Med	72.1	123.8	89,771	0.681				0.43	0.69	1.11	1.20	0.43	0.69	1.11	1.20
Total	242.7	485.5	307,858												

Net Profit = ($000) $153,723 $177,694

Help

Note: 1. Only unit margins and the cost of a saleperson can be changed by the user.
2. Shadow Price – the economic value of relaxing the constraint by one unit

图 9—15

在无约束条件的情况下，优化建议将销售队伍规模（人数）扩大将近两倍，这样才能使净利润在基水平上提高 2 000 万美元。然而，把销售队伍扩大到这个规模很不明智。你也许希望加上一个总量约束条件（如销售人员总数不超过 300），再重新分析一次。你还可以进入“Main Menu”（主菜单）、选择“Sensitivity”（敏感性分析）来检测这个解的敏感性。

其他菜单选项

进入“Model”（模型）菜单选择“Main Menu”（主菜单）后，可以完成另一些任务，如：

- 选择“Calibrate”（校准）可尝试其他销售反应函数；
- 选择“Reset to Base Calibration”（重设为基参数）可将所有反应函数参数重新设为基水平。

进入“Model”（模型）菜单选择“Main Menu”（主菜单），再选择“Options”（选项）后就可以进行如下操作：

- 直接修改销售反应参数和基销售水平；
- 在另一个文件名下创建一个新模型。

软件教学版的限制

销售水平数：2～10 个。

本练习的参考文献

Harvard Business School，1983，“Syntex Laboratories (A)，” HBS Case Study ＃584033，1－25.

Syntex 制药公司案例[1]

1982 年 4 月，Syntex 制药公司的销售副经理罗伯特·尼尔森（Robert Nelson）正在思考一项销售人员规模和分配的调查结果。这些结果使罗伯特·尼尔森陷入两难境地。他原先曾提出一个业务计划，把销售代表的人数由 433 人增加到 473 人。目前，包括这个方案的公司预算计划正在制定。然而，这项调查表明，销售代表的人数达到 473 人时，1985 财政年度[2]的销售额及对利润的贡献将会大大低于销售队伍人数达到最高（即 700 人）时的水平。尽管尼尔森不敢肯定 Syntex 制药公司雇佣和培训销售代表的速度，但这一研究明确表明，销售队伍每年仅增加 40 人会严重限制公司现在和未来的利润率。

这项研究成果是由促销研究经理劳伦斯·刘易斯（Laurence Lewis）提供，他是公司与完成这项调查的顾问公司之间的联络人。刘易斯提出这些调查结果之后，尼尔森安排他为医药部的负责营销的高级副总裁斯蒂芬·奈特（Stephen Knight）做了第二次陈述。他们都觉得这项调查的结果非常出乎意料，如果相信这个结果的话，就应该打断公司目前的计划制定，要求雇佣更多销售代表。

公司背景

1940 年类固醇化学家罗素·马克（Russell Marker）从墨西哥维拉克鲁斯州（Veracruz）灌木丛中的一种野生蔓藤植物肥厚的块根里发现了便宜而丰富的类固醇荷尔蒙，于是就成立 Syntex 公司。公司最早的产品是口服避孕药和外用类固醇制剂，分别由妇科医生和皮肤科医生开具处方。到 1982 年，Syntex 公司已成长为一家国际性的生命科学公司，开发、制造和销售多种健康和个人护理产品。1981 财政年度的综合销售收入为 71 090 万美元，净收入为 9 860 万美元。自 1971 年以来，Syntex 公司的综合年均增长率高达 23%。

Syntex 制药公司

Syntex 制药公司是 Syntex 公司下属的医药公司，也是它最大的子公司。在 1981 财政年度里，Syntex 制药公司的销售额增长了 35%，达到 21 545.1 万美元，占公司药品销售额的 46%，并且表现出不断增长的良好势头。1981 年的利润是净销售收入的 27%。Syntex 制药公司研制、生产并销售治疗关节炎的抗炎药、止痛药、口服避孕药、呼吸系统药品和治疗皮肤病的外用用药。Syntex 制药公司注重这些药品的开发工作，也十分关注包括免疫学、病毒性疾病和心血管疾病等几个重要领域的药品开发。

Syntex 制药公司的产品线

Syntex 制药公司的产品线由七大药品组成。到目前为止，萘普生是公司最大的也是最成功的一种药品，而口服避孕药 Norinyl 和外用类固醇药则是 Syntex 公司的早期成果。表 9—5 所示为 Syntex 药品的零售额和市场份额。

表 9—5   **Syntex 制药公司近期销售额趋势**

治疗类别	药品零售额			处方总量			处方新增量		
	1980.7—1981.7（千美元）	1981—1982（千美元）	增长率（%）	1980—1981	1981—1982	增长率（%）	1980—1981	1981—1982	增长率（%）
抗炎药（治疗关节炎）									
市场规模	477 834	533 980	+16	49 759	51 466	+3	23 829	24 569	+3
萘普生	90 448	114 242	+26	6 837	7 849	+19	3 323	3 656	+10
Syntex 份额（%）	18.92	21.42		13.7	15.3		13.9	14.9	
止痛药									
市场规模	315 324	346 784	+1	89 774	91 881	+2	65 976	67 160	+2
萘普生钠	8 119	13 027	+60	762	1 569	+106	591	1 040	+76
Syntex 份额（%）	2.5	3.8		0.8	1.7		0.9	1.5	
口服避孕药									
市场规模	359 942	442 669	+23	50 811	53 896	+6	13 730	13 182	−0.4
Syntex 总额	36 925	50 726	+37	5 636	5 865	+4	1 620	1 520	−7
Syntex 份额（%）	10.3	11.42		11.1	10.9		11.8	11.5	
外用类固醇药剂									
市场规模	138 895	148 895	+7	24 948	24 531	+2	15 345	15 009	−2
Syntex 药品	31 361	37 768	+20	5 181	5 241	+1	3 044	3 103	+2
Syntex 份额（%）	22.6	25.4		20.8	21.4		19.8	20.7	

萘普生　萘普生*的销售在非类固醇类抗炎药（NSAI）类别**中居全国第三，紧随舒林酸（Clinoril）和布洛芬（Motrin）之后。

萘普生的主要优点在于服用剂量很灵活（250 毫克、375 毫克和 500 毫克的片剂），每天只需服用两次（用药次数比竞争产品少），在很大的剂量范围内发生副作用的可能性都很小。1980 财政年度里，非类固醇类抗炎药的市场容量为 47 800 万美元。图 9—16 详细显示了非类固醇类抗炎药的市场趋势。

---

* Syntex 制药公司的所有产品名称均已注册商标。

** 相同治疗目的的药物在制表时统一合并成"类别"。

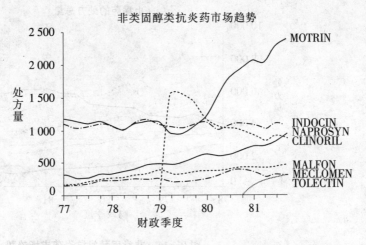

非类固醇类抗炎药市场趋势

非类固醇类抗炎药的处方总量

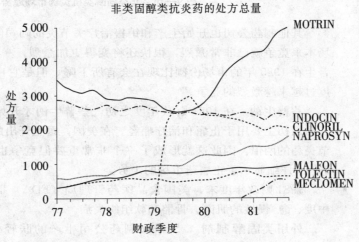

止痛药(仅统计药店)市场趋势

止痛药的处方新增量

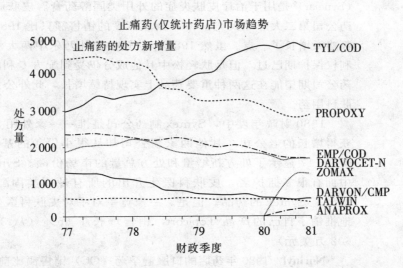

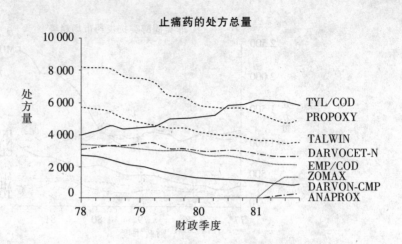

图9—16　非类固醇类抗炎药市场趋势

其他制药公司也开始生产和销售治疗关节炎的阿司匹林替代药品，这个市场本来竞争就已非常激烈，很快还将变得更加激烈。一位专家讲道："尽管萘普生在1985年的市场份额比现在会有所下降，但是它比现有药品更可能安然度过越来越激烈的竞争。"

萘普生钠　在1981财政年度之初，萘普生钠才开始在美国市场推出。该药品最初主要用于止痛和治疗痛经。在美国，医生开出的止痛药处方量是抗关节炎药的两倍，因此这就形成了一个非常重要但竞争也极其激烈的市场。图9—16详细显示了止痛药市场的走势。

1981财政年度末，美国食品医药管理局（FDA）批准萘普生钠治疗轻到中度、急/慢性的肌肉、骨骼和软组织炎症。

外用类固醇制剂　Syntex制药公司生产的肤轻松（Lidex）和仙乃乐（Synalar）是用于治疗皮肤炎症的外用类固醇药膏。皮肤病药品是Syntex制药公司第二大产品大类，1981财政年度的销售额只比1980财政年度的销售额略微增长了一点。虽然1981年肤轻松和仙乃乐中两大活性成分的美国专利权保护期已过，但是肤轻松中其他成分仍受到配方专利的保护。Syntex制药公司期望能在这两种重要药品上实现持续增长，此外公司也在开发新的皮肤科用药。

1980财政年度中，Syntex制药公司是惟一一家外用类固醇药剂处方量获得增长的老公司，其他两家新公司却从很小份额的基础上实现了增长。图9—17显示了处方新增量和处方总量的市场份额。Syntex在皮肤科专家中拥有很多拥护者，皮肤科医生开出的所有外用类固醇制剂处方量中有21％是Syntex的药品。但是，一家竞争对手对皮肤科医生和全科医生成功地推销了自己的产品Topicort，销售增长了65％（从366万美元增加到602万美元）。

Norinyl　1980年药店的口服避孕药（OC）销售额比前一年增长了23％，但这个增长主要是因为药价的提高。周期总销售额[3]下降了3.5％。处方新增量下降了1.5％，但小剂量口服避孕药的处方新增量却增长了21％。

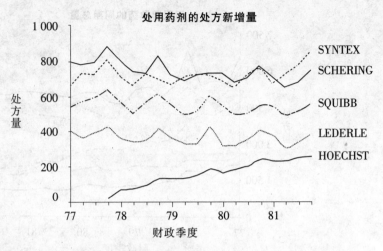

处用药剂的处方新增量

SYNTEX
SCHERING
SQUIBB
LEDERLE
HOECHST

处方量

财政季度

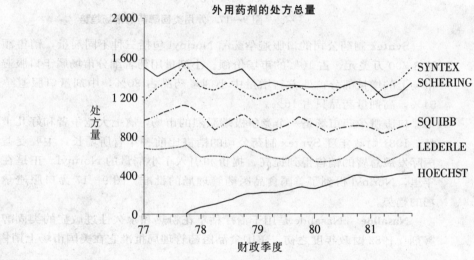

外用药剂的处方总量

SYNTEX
SCHERING
SQUIBB
LEDERLE
HOECHST

处方量

财政季度

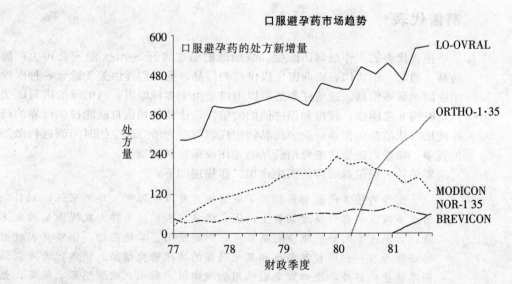

口服避孕药市场趋势

口服避孕药的处方新增量

LO-OVRAL
ORTHO-1·35
MODICON
NOR-1 35
BREVICON

处方量

财政季度

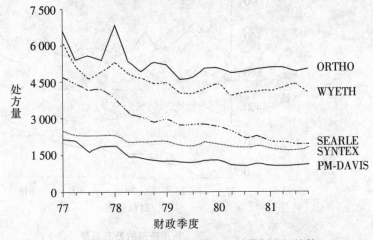

口服避孕药的周期总量

图 9—17　外用类固醇药剂市场趋势

　　Syntex 制药公司的口服避孕药品 Norinyl 包括三种不同剂量，销售额总计达 3 700 万美元，占 10％的市场份额。小剂量用药者细分市场属于口服避孕药市场上的增长部分；处方新增量中小剂量药品占 30％，中剂量口服避孕药占 54％，高剂量药品只占 16％。

　　口服避孕药市场是一个竞争极端激烈的市场，有七大竞争者和好几十种药品。1981 财政年度 Syntex 制药公司的销售比前一年有所增长，主要受益于向国际发展总署的销售得到提高、提价和引入了小剂量的 Norinyl。正是在这一年里，Norinyl 得到了美国食品医药管理局的批准。图 9—17 为口服避孕药市场的趋势。

　　Nasalide　　Nasalide 是用于治疗枯草花粉热和永久性过敏症的类固醇鼻喷雾剂。1982 财政年度之初，美国食品医药管理局批准它在美国市场上销售。

销售代表

　　销售代表的工作是拜访医生，鼓励他们给患者开 Syntex 制药公司生产的药品。通常，销售代表要向医生提供药剂样品，为他们提供关于适合各种医疗用途的剂量等信息。这项任务之所以困难是由于多种原因：与忙碌的内科医生约定时间非常困难；获得和保持他们的信任，让他们相信自己能提供可靠的药品使用方法信息也很难；众多药品销售代表都在为争夺医生的时间而进行激烈的竞争；衡量向医生详细介绍药品的工作成果极其困难等。

　　罗伯特·尼尔森对拜访医生这项工作描述如下：

　　　　优秀的销售代表应当非常了解医生开处方的习惯。举例来说，到目前为止多数医生都听说过萘普生，因此销售代表就应当努力发现医生的处方量。如果医生的处方里没有萘普生，而是选用了其他药物，销售代表就应当给他看看一些比较萘普生和其他药品的临床研究结果。销售代表可以强调萘普生的好处，比如发生副作用的概率低、每天只需服用两次等等，然后请医生给下六位风湿病患者开处方时选用萘普生。销售代表还可以利用诸如此类的信息说服医生把萘普生从第三位的选择提高到第二位，甚至第一位。对已经在处方里开萘普生的医生，销售代表可以用最近的研究成果证明萘普生的使用剂量很高也是安全的，从而鼓励医生把治疗重病患者的剂量从每天 750 毫克提高到 1 000 毫克。销售代表还可以向医生宣传萘普生刚刚得到美国食品医药管理局准的新用途，或者可以进一步加强医生对萘普生的偏好，而削弱竞争者对其药品优势的宣传。

对单个销售代表而言，他主要考虑拜访哪位医生、拜访频率如何以及给他们看什么资料。虽然销售管理部门会设置销售定额并提供一些基本的指导原则，但具体到每天该怎么做则靠每位销售代表各显神通了。劳伦斯·刘易斯解释道：

> 销售代表往往把自己销售区域里的医生分成两类"处方量大的医生"和"容易拜访的医生"。如果一家公司规定销售代表每天最少要拜访七个医生。销售代表会尝试先去拜访处方量最大的医生；由于这类医生大都非常忙，销售代表要想见到他们就需要等一会儿。那么在后半天，销售代表就会担心自己完成不了一天拜访七位医生的定额，因此就要选择那些处方量不大但容易拜访的医生。然而，销售代表的奖金依赖于他的定额和今年销售额的增长幅度，所以在选择要拜访的医生时，他还不能全然置处方量于不顾。

尼尔森认为，确定了销售代表的数量、划定并分配了销售区域后，他就算完成了自己的任务。要拜访哪些医生、重点介绍哪种药品则取决于销售代表自己的理解和偏好。对销售代表进行培训和激励，让他们按照销售计划行动，这项工作也是非常必要的。如果销售代表对销售计划有异议，严格的定额和指令性过强的政策就会削弱销售队伍的生产力。

Syntex 制药公司的销售管理

罗伯特·尼尔森是从市场调查主管提拔到销售副总裁的。在这个新职位上，他要直接向 Syntex 制药公司的负责营销的高级副总裁斯蒂芬·奈特汇报。6 个大区销售经理、47 个地区销售经理和 433 个普通销售代表通过国内销售经理弗兰克·普尔（Frank Poole）向尼尔森汇报。此外，还有一些专门从事医院销售和皮肤科销售的销售代表要单独向尼尔森报告。

尼尔森经过一番考虑之后，决定在销售队伍的管理上做一些具有战略性的重大决策：因为销售队伍的人数及地理分布显然是很重要的，但是拜访频率、销售拜访在不同科室之间的分配以及药品重点的推销策略也非常重要，而且一旦实施就不大容易更改。

销售队伍规模 1980 年的数据表明（见表 9—6），Syntex 制药公司的销售队伍[4]规模与直接竞争对手相比而言是相当小的：

表9—6		竞争对手销售队伍的规模			单位：人		
非类固醇类抗炎药		口服避孕药		外用类固醇药剂			
普强（Upjohn）	930	奥索（Ortho）	330	先灵（Schering）	615		
默克（Merck）	955	惠氏（Wyeth）	724	施贵宝（Squibb）	761		
麦克奈尔（McNeil）	457	瑟尔（Searle）	405	立达（Lederle）	600		
辉瑞（Pfizer）	663			赫司特（Hoechst）	379		

但尼尔森弄不明白 Syntex 制药公司的销售人员到底该增加多少。因为每个竞争者都有不同的产品线，他们的销售代表要拜访的科室也不同，因此看不出来 Syntex 制药公司的销售人员规模比其他公司小多少。

拜访频率 以每六周拜访医生一次来计，Syntex 制药公司的 433 名销售代表长期以来足够支持对 7 万名医生的目标市场进行销售拜访。实际上，这就是当初确定销售代表规模的第一步。由于其他公司每四周拜访一次 Syntex 制药公司拜访过的医生，因此尼尔森也开始考虑这种拜访频率。

这种每四周一次的拜访频率似乎很有吸引力，原因至少有两个：首先，如果我们认为销售人员的拜访对医生开处方的行为能产生积极影响，那么就可以合理地认为，与目标顾客积极接触的频率小于竞争者会损害公司的利益；其次，Syntex 的销售代表曾以每四周一次的频率拜访过皮肤科医生和风湿病医生，而这些正是 Syntex 推销最成功的两个科室。

在药品和科室之间分配销售努力 总共有 135 229 名医生在诊所里行医，从各科室的医生数量来看，按不同科室分配销售人员显然是必要的。如果每四周拜访所有医生一次，至少需要 1 200 名销售代表（假设不考虑地理因素造成的复杂性）。这是 Syntex 制药公司现有销售人员总数的 3 倍，比 Syntex 最大竞争对手拥有的销售人数还多出 1/3。

Syntex 制药公司的销售政策要求销售代表每天进行七次销售拜访，每次访谈中介绍 2～3 种 Syntex 制药公司的药品（平均每次访谈中介绍到的药品为 2.7 个）。销售代表会重点向医生介绍哪些药品取决于很多因素：比如该医生的科室、能否得到 Syntex 制药公司药品疗效的最新信息、药品的相对优势及在全国市场上的地位等。

不是所有医生都喜欢在开处方时用 Syntex 制药公司的所有药品，这个事实使销售代表对药品和科室的选择变得更加困难。每个销售代表平均每天能进行 7 次拜访，进行 19 次药品演示，这并不意味着要求销售代表重点介绍的药品就一定会被严格执行。比如，如果某天一个销售代表拜访了 4 位皮肤科医生和 3 位妇产科大夫，那么用作抗炎药的萘普生就没有被介绍的机会了。

销售队伍的地理分布 罗伯特·尼尔森成为销售副总裁时，销售队伍的地理分布似乎是最重要的因素，所以这个问题马上就引起了他的关注。然而，事实证明这是个相对容易解决的问题。收集内科医生的地址和竞争对手销售代表的地址是个繁重的任务，但劳伦斯·刘易斯认为：

> 几乎每家公司都是根据销售区域内医生的数目来分配销售代表。除了弄清医生的数目外，我们还做了很多其他事情，包括了解市场潜力。我知道其他公司也做了相同的工作。最后，所有公司都殊途同归，礼莱（Lilly）公司、辉瑞公司、默克公司还有我们自己在某个销售区域里都会安排一个销售

代表。或许某个大公司会在该地区派出两名代表，但各公司销售区域的分配最后几乎一模一样。我想，我们任何一家公司都不可能有足够好的数据为各销售区域提供不只一种分配方案。我们最终建立了各州的销售队伍分配模型，它基于六个因素，管理者根据主观判断为这些因素赋予了不同的权数。我们假设，如果在州之下继续划分销售区域，就得考虑许多地理性因素的影响。现在我们已经有了一个很不错的各州销售队伍分布计划，但还需要搞清楚总共需要多少销售代表、向哪些科室进行推销。

销售队伍战略模型

尼尔森和奈特发现萘普生销售的快速增长已打破了 Syntex 制药公司以前的平衡。奈特这么说：

> 我们公司一直是一家面对科室的公司。我们最早是从皮科药品起步的，接着是口服避孕药，所以除了拜访皮肤科大夫也拜访妇产科大夫。在最初的 15 年里，这些大夫就是公司主要拜访的对象，此外还包括一些保健医生。故而我们一直把自己看作一家面对科室的小公司。开发出萘普生之后，公司突然之间就拥有了全美销量第九大的药品，而且以每年 25％以上的增长率在发展。因此，我们就不得不考虑清楚我们到底是一家什么样的公司。正是因为 Syntex 制药公司的性质发生了这样的变化，迫使我们不得不进行更精确的分析。

尼尔森的看法是：

> 我们知道我们有过扩大销售队伍规模的机会。我们知道萘普生的增长非常迅速，而且同普强公司和默克公司这种抗关节炎药的大竞争对手相比，我们的药品在全科医生中的销售渗透率非常低。单凭他们每家都有 900 名销售代表这一点就知道我们比不上他们。但是我们应当把自己的销售代表的力量完全发挥出来。我们认为：全科医生有 6 万名，我们现有的销售人员足够多，如果他们每人每年拜访 1 360 人次，我们总共可以拜访医生多少次？其次，这些拜访该如何分配？这时我们意识到，我们一直假设所有医生对销售代表的反应都是一样的，但事实上他们的反应绝对不一样。可我们永远搞不清区别到底在什么地方。我们假定所有药品也都做出一样的反应，现在我们知道事实并非如此。最后我们问自己：到底有没有更好的办法。

尼尔森想努力找出一种更好的方法，他设立了一个促销研究经理的职位。在这个职位上就职的是市场调查部的分析员劳伦斯·刘易斯，他也曾作过销售代表。刘易斯的第一项任务是找出一种确定销售人员规模及其在药品和科室之间分配的方法。刘易斯先翻阅了市场调查领域的一些文献，并咨询了一些经验丰富的人，然后决定向沃顿商学院的教授伦纳德·洛迪斯（Leonard Lodish）请教，因为这位教授的名字多次出现在各种文献中。

洛迪斯教授应邀访问了 Syntex 制药公司，并介绍了他提出的确定销售人员规模和销售力量分配的方法。他的方法有两个特点引起了奈特和尼尔森的共鸣。尼尔森说：

这种方法最有吸引力的地方就在于可以让我们的销售人员和营销管理人员紧密联系，并明确阐述我们对每种药品的推销反应的看法。

奈特则认为：

过去我们一直是一点一滴慢慢扩大销售队伍的规模。为什么我们总是每年30或50人地扩大销售队伍的规模，而不是最大限度地根据预算允许的数量扩大销售队伍，这么做的原因始终没能使我满意。这些年来，公司小心翼翼地每年增加几个销售人员，一点儿长远的眼光都没有，我对此已经失去了耐心。我认为，如果我能带着更富有战略性的长远眼光进入高级管理层，那么每年增加必要的人员、实现以前确定的销售队伍目标和利用水平就会容易得多。

结果，Syntex制药公司与总部在波士顿的管理咨询公司——管理决策系统公司（MDS）签订了一个合同。洛迪斯教授是该公司的负责人之一。MDS公司将为Syntex制药公司开发一个销售队伍战略模型。劳伦斯·刘易斯负责Syntex制药公司与MDS公司之间的联络工作。

模型开发过程 销售队伍战略模型（SSM）的目的是帮助Syntex制药公司的管理部门在战略高度上配备其销售队伍。该模型用于计算分配给Syntex各种药品和不同科室的销售努力，并在给定销售人员人数的条件下使净利润最大化。将不同的销售代表人数分别代入这个模型并重复运行，最终可以找出最优人数。

该模型使用的技术将管理科学技术与历史数据及管理人员的主观判断相结合，计算出每次新增销售资源（可以是一次药品展示，也可以是对医生的一次拜访）能产生多少净利润增量。

定义模型的输入数据 销售队伍战略模型使用了多种信息。每次访谈的药品平均展示数、每日访谈次数、Syntex药品的边际利润及每个销售代表的支出都是从公司记录和综合数据中估算出来的（见表9—7）。在建立模型时，是销售人员的当前分配情况是关键因素，因为这些数据为Syntex制药公司的经理们提供了背景信息，他们据此可以估计出Syntex各种药品和各个科室对不同水平销售努力所做的反应。

表9—7　　　　　　　　　　　　　　模型的基本输入[5]

根据1981财政年度数据制定的1985年拜访或药品展示计划。

药品（展示次数）		科室（拜访次数）	
萘普生	358 000	全科（医生）	124 000
萘普生钠	527 000	保健科	108 000
Norinyl 135	195 000	内科	98 000
Norinyl 150	89 000	整形外科	54 000
肤轻松	101 000	风湿病科	13 000
仙乃乐	110 000	妇产科	117 000
Nasalide	210 000	皮肤科	50 000
		过敏专科	14 000
总计	1 590 000	耳鼻喉科	12 000
销售代表人均	3 677	总计	590 000
		销售代表人均	1 360

在当前分配策略下的 1985 年计划销售额（单位：千美元）。

药品		科室	
萘普生	214 400	全科（医生）	92 398
萘普生钠	36 500	保健科	78 083
Norinyl 135	21 200	内科	79 082
Norinyl 150	37 200	整形外科	19 671
肤轻松	38 000	风湿病科	16 691
仙乃乐	14 600	妇产科	51 312
Nasalide	11 200	皮肤科	26 598
总计	373 100	过敏专科	3 434
		耳鼻喉科	5 561
		总计	373 100

利润占出厂价的百分比（%）

药品		科室	
萘普生	70	全科（医生）	67.6
萘普生钠	55	保健	67.8
Norinyl 135	72	内科	68.1
Norinyl 150	72	整形外科	68.4
肤轻松	62	风湿病科	67.5
仙乃乐	53	妇产科	66.2
Nasalide	52	皮肤科	55.3
		过敏专科	62.5
		耳鼻喉科	62.2

1985 年，每个销售代表平均成本（不包括样品）估计为 57 000 美元。

1985 年，销售管理的固定费用（目前机构下）估计为 2 800 000 美元。

销售队伍战略模型有两种独立但相似的版本。一个版本的主要任务是找出能使贡献最大化的**销售代表拜访各科室**的次数，另一个版本的模型则要找到一个最佳方案来分配 Syntex 药品的销售展示数。两个模型都要各自独立地估算出一个最优的销售队伍规模。

在年度营销计划会议中的一系列专门会议中获得了公司管理者对销售努力反应的主观判断数据。伦纳德·洛迪斯、斯蒂芬·奈特、罗伯特·尼尔森、劳伦斯·刘易斯、弗兰克·普尔和一些产品经理以及地区销售经理参加了会议。刘易斯说：

> 会议开始时，先进行的是关于销售反应的一个简短讲座。然后做一个练习，要求每人为一名有 6 个客户、4 种药品的销售代表制定最优销售计划。做这个练习使我们理解了模型要完成的任务，也了解到靠手算是无法为 400 多名向 13 个不同科室推销 6 种乃至更多药品的销售代表做出推销计划的。

这一系列会议的主要议程是让与会者共同确定 Syntex 每种药品和每个科

室对销售代表的销售努力可能做出的反应。在年会的第一天（即星期一），每个与会者都分到一些工作表，要求他们在工作表上估计销售代表的不同活动量对 Syntex 的 7 种药品和 9 个科室的销售额的影响。每个经理针对每种药品和每个科室回答如下问题：

"按照战略计划，如果当前的销售努力水平从 1982 年到 1985 年一直保持不变，萘普生（萘普生钠等）的销售额能够达到计划的水平。在同期，如果萘普生（萘普生钠等）的销售努力发生如下变化，那么 1985 年销售额（与现有水平相比）会发生什么变化？

1. 没有销售努力；

2. 销售努力减少为当前一半的水平；

3. 销售努力比当前水平提高 50%；

4. 销售努力达到饱和水平。"

大家看过彼此的答案并讨论后，每人又得到一些新的工作表，重复一遍同样的过程。当大家达成了共识时，会议宣布暂停。

这次会议便形成了模型的初始形式。当星期五复会时，大家看到了初步分析的结果并进行了讨论。与会者认为初步分析看起来基本合理，大家做了最后的讨论并略微进行调整，就得出了所表 9—8 所示的反应估计值。

表 9—8 　　　　　　　　　　　Syntex 制药公司（A）

药品反应函数。

	无拜访	一半水平	当前水平	提高 50%	饱和水平
萘普生	47	68	100	126	152
萘普生钠	15	48	100	120	135
Norinyl 135	31	63	100	115	125
Norinyl 150	45	70	100	105	110
肤轻松	56	80	100	111	120
仙乃乐	59	76	100	107	111
Nasalide	15	61	100	146	176

科室反应函数。

	无拜访	一半水平	当前水平	提高 50%	饱和水平
全科（医生）	29	62	100	120	136
保健科	31	62	100	124	140
内科	43	69	100	111	120
整形外科	34	64	100	116	130
风湿病科	41	70	100	107	112
妇产科	31	70	100	110	116
皮肤科	48	75	100	107	110
过敏专科	17	60	100	114	122
耳鼻喉科	20	59	100	117	125

480

奈特解释说：

当然，我们知道这种估计出的反应在绝对意义上算不上"真实的反应"，但是我们聚集了公司里知识最丰富的人，进行了一场在我看来非常详尽的讨论，并得出了在当时情况下可能得出最好的估计结果。我们尊重模型的结果，但是我们将带着谨慎的怀疑态度使用这些结果。

普尔说：

"我们尽最大努力对模型进行估计。起初，我们不得不对自己不太有把握的事给出具体数字时，这使我们很不舒服。但讨论结束时，我们感到很满意，因为这是我们尽了全力的结果。"

模型结构 销售队伍战略模型可在以下方面帮助经理确定销售队伍规模和销售努力在各种药品和不同细分市场间的分配方案：

1. 模型可以预测由某个销售队伍人数和分配策略所带来的净利润及销售额；

2. 模型可以提供一个有效的方法找出最优的销售队伍规模和最优的人员配备策略。

该模型的基本概念非常简单：在当前销售队伍分配方案下，每新增一名销售代表就应分配他去拜访能提供最高增量贡献的科室。请看下面这个公司的例子。该公司有：

1. 两种药品：A 和 B；

2. 3 个专门推销 A 药品的销售代表和 2 个专门销售 B 药品的销售代表；

3. A、B 两种药品对推销努力的反应，如图 9—18 所示。

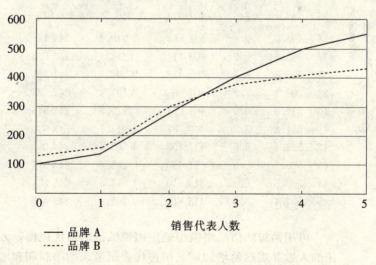

图 9—18

现在，我们假设公司要增加两名销售代表。模型要按顺序考虑这两个销售代表。如果新增的第一个销售代表被派去销售 A 药品，可带来 100 美元的利润增量（即 500 美元减去 400 美元）。如果把他派去销售 B 药品，那么他只能带来 75 美元的利润增量（即 375 美元减去 300 美元）。因此，应当分配第一名销售代表销售 A 药品。现在该公司就有 4 名 A 药品销售代表和 2 名 B 药品销售代表。如果新增的第二名销售代表被派去销售 B 药品，他仍会带来 75 美元的利润增量。但如果分配他去销售 A 药品，利润增量就只有 50 美元了[6]。因此，第二位销售代表应当去销售 B 药品。

表 9—9 展示了该模型把销售代表按科室配置的部分结果。模型在分析的每一步中都要说明已分配的销售代表人数、已分配的新增销售代表人数和分配给哪个科室。如果连续有几个销售代表分到同一科室，就在同一步累计起来。

表 9—9　　　　　　Syntex 制药公司销售队伍战略模型的科室分配方案

步骤	销售代表人数	销售代表人数变化	销售额（千美元）	销售额变化（千美元）	净利（千美元）	销售代表人均净利变化（千美元）	分配方案
26	391.8	0.9	367 818	312.4	224 144	185.7	风湿病科
27	392.6	0.8	368 119	300.5	224 285	176.0	耳鼻喉科
28	428.7	36.1	380 052	11 933.4	230 390	169.1	整形外科
29	437.0	8.3	382 766	2 713.5	231 752	164.3	全科
30	463.7	26.7	393 586	10 820.2	235 995	158.7	皮肤科
31	470.9	7.2	395 871	2 285.4	237 133	157.6	保健科
32	477.5	6.6	397 911	2 039.6	238 149	155.0	内科
33	480.8	3.3	399 201	1 290.0	238 646	148.7	皮肤科
34	481.6	0.8	399 463	262.2	238 763	146.3	耳鼻喉科
35	489.4	7.8	401 814	2 350.5	239 873	142.0	妇产科
36	493.0	3.6	402 863	1 049.4	240 385	141.9	整形外科
37	493.9	0.9	403 114	251.1	240 505	138.1	风湿病科
38	502.2	8.3	405 412	2 297.6	241 586	130.4	全科
39	509.7	7.5	407 603	2 191.4	242 529	125.9	过敏专科
40	510.6	0.9	407 874	270.8	242 645	123.9	过敏专科
41	517.8	7.2	409 787	1 913.1	243 530	122.7	保健科
42	524.4	6.6	411 452	1 665.1	244 291	116.1	内科
43	525.2	0.8	411 659	206.4	244 374	103.0	耳鼻喉科
44	533.5	8.3	413 610	1 951.8	245 221	102.2	全科
45	534.4	0.9	413 814	203.8	245 309	101.3	风湿病科

可用销售队伍战略模型确定销售队伍的最优规模，方法是逐步增加销售队伍的人数并观察每增加一名销售代表所带来的净利润和增量。对每个销售队伍规模水平，模型都会提供最优配置方案。最优销售队伍规模就是净利润最大时的销售人员人数，此时新增销售代表能带来的净利润增量为零。

Syntex 制药公司的管理者已经估算了按药品和科室分配销售人员的两种反应函数，所以用两种方式运行模型可以提供有效性检验。按科室进行分析表明，销售队伍的最优规模是 768 人，而按药品的分析表明最佳规模为 708 人。

销售队伍战略模型分析的结果 模型按科室和药品分别计算得出的最优销售队伍规模是比较接近的。但是，两个模型在估计销售人员人数从当前增加到 600 人之前时，对每个新增销售代表的净利润增量得出的估计值相差很大（见图 9—19）。

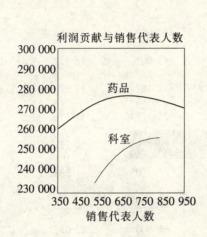

利润贡献与销售代表人数

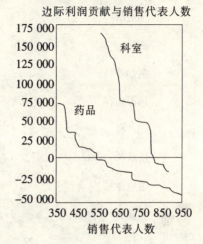

边际利润贡献与销售代表人数

图 9—19 Syntex 制药公司（A）

销售队伍战略模型按两种方式进行分析的结果不仅表明现有销售人员人数太少，而且也表明当前的人员分配不合理。从按科室分析的结果来看，1985 财政年度在现有销售人员规模下取得的净利润比最佳销售人员分配方案要少 720 多万美元（见表 9—10）。

表 9—10　在当前销售队伍人数不变的条件下，现行的销售努力分配策略与模型推荐策略之比较[7]

当前策略。

分配方案	销售代表人数	拜访次数	销售额（千美元）	毛利（千美元）	净利（千美元）
全科（医生）	91.2	124 000	92 398	62 461	57 264
保健科	79.4	108 000	78 083	52 940	48 414
内科	72.1	98 000	79 082	53 855	49 747
整形外科	39.7	54 000	19 671	13 455	11 192
风湿病科	9.6	13 000	16 961	11 449	10 904
妇产科	86.0	117 000	51 312	33 969	29 065
皮肤科	36.8	50 000	26 598	14 178	12 081
过敏专科	10.3	14 000	3 434	2 146	1 559
耳鼻喉科	8.8	12 000	5 561	3 459	2 956
总计	433.8	590 000	373 100	247 910	220 382

销售队伍战略模型推荐的策略。

分配方案	销售代表人数	拜访次数	销售额（千美元）	毛利（千美元）	净利（千美元）
全科（医生）	116.0	157 818	103 915	70 246	63 632
保健科	108.3	147 273	92 624	62 799	56 627
内科	78.6	106 909	81 586	55 560	51 079
整形外科	36.1	49 091	18 622	12 737	10 680
风湿病科	10.4	14 182	17 273	11 660	11 065
妇产科	70.4	95 727	47 120	31 194	27 181
皮肤科	0.0	0	12 767	6 805	6 805
过敏专科	0.0	0	584	365	365
耳鼻喉科	8.8	12 000	5 561	3 460	2 956
总计	428.7	583 000	380 052	254 825	227 590

在按药品分析时，直接比较当前分配方案和最优分配方案要更困难一些，因为销售队伍战略模型表明，萘普生钠要么应该被销售人员忽略掉，要么再增加130名销售代表。任何介于这两者之间的方案都不是最优的。这样就有了两个最佳方案：销售代表要么有369人，要么有499人，但绝不是现有的433人。但销售队伍战略模型清楚地表明，Syntex制药公司现行的销售努力在药品间的分配方案不如在科室间的分配方案。表9—11表明，如果369名销售代表按药品进行最优配置，所获得的销售额和净利润将分别比当前多5 050万美元和4 570万美元。

表9—11   在接近当前销售代表人数时，现行分配方案与模型推荐方案之间的比较

现行方案。

分配方案	销售代表人数	展示次数	销售额（千美元）	毛利（千美元）	净利（千美元）
萘普生	96.8	358 000	214 400	150 000	144 565
萘普生钠	142.4	527 000	36 500	20 075	11 956
Norinyl 135	52.7	195 000	21 200	15 264	12 260
Norinyl 150	24.1	89 000	37 200	26 784	25 413
肤轻松	27.3	101 000	38 000	20 140	18 584
仙乃乐	29.7	110 000	14 600	7 738	6 043
Nasalide	56.8	210 000	11 200	5 824	2 589
总计	429.7	1 590 000	373 100	245 905	18 610

484

369 名销售代表时的推荐分配方案。

分配方案	销售代表人数	展示次数	销售额（千美元）	毛利润（千美元）	净利润（千美元）
萘普生	246.3	911 272	306 526	214 568	200 530
萘普生钠	0.0	0	5 475	3 011	3 011
Norinyl 135	57.5	212 727	22 019	15 854	12 576
Norinyl 150	28.4	105 181	38 049	27 394	25 774
肤轻松	37.2	137 727	41 222	21 847	19 726
仙乃乐	0.0	0	8 614	4 565	4 565
Nasalide	0.0	0	1 680	873	873
总计	369.4	1 366 909	423 585	288 115	264 257

499 名销售代表时的推荐分配方案。

分配方案	销售代表人数	展示次数	销售额（千美元）	毛利润（千美元）	净利润（千美元）
萘普生	246.3	911 273	306 527	214 569	200 530
萘普生钠	129.5	479 091	33 708	18 539	11 159
Norinyl 135	57.5	212 727	22 019	15 854	12 577
Norinyl 150	28.4	105 182	38 048	27 395	25 774
肤轻松	37.2	137 727	41 222	21 848	19 726
仙乃乐	0.0	0	8 614	4 565	4 565
Nasalide	0.0	0	1 680	874	874
总计	498.9	1 846 000	451 819	303 644	272 405

最后，如果销售队伍达到最佳规模并进行了最佳配置后，1985 财政年度的销售额和净利润（见表 9—12）将比目前销售队伍规模和配置状况下要增加很多：

表 9—12   **Syntex 制药公司（A）**

销售队伍最优方案（按科室）

分配方案	销售代表人数	拜访次数	销售额（千美元）	毛利润（千美元）	净利润（千美元）
全科（医生）	198.9	270 545	118 680	80 227	68 888
保健科	173.3	235 636	104 067	70 558	60 682
内科	131.0	178 182	90 700	61 767	54 299
整形外科	61.4	83 454	22 818	15 608	12 110
风湿病科	16.5	22 454	18 327	12 371	11 430
妇产科	117.3	159 545	55 389	36 667	29 980
皮肤科	43.4	59 091	27 551	14 685	12 208
过敏专科	12.2	16 546	3 667	2 292	1 599
耳鼻喉科	13.6	18 546	6 506	4 047	3 270
总计	767.6	1 044 000	447 706	298 221	251 665

销售队伍最优方案（按药品）。

分配方案	销售代表人数	拜访次数	销售额（千美元）	毛利润（千美元）	净利润（千美元）
萘普生	263.9	976 363	309 379	216 565	201 524
萘普生钠	168.3	622 818	39 847	21 915	12 321
Norinyl 135	76.7	283 636	24 068	178 329	12 959
Norinyl 150	37.2	137 545	39 060	28 123	26 004
肤轻松	49.6	183 636	43 155	22 872	20 043
仙乃乐	29.7	110 000	14 600	7 738	6 043
Nasalide	82.6	305 455	15 802	8 217	3 512
总计	708.0	2 619 454	485 911	322 761	279 606

　　销售队伍战略模型预测，在最佳配置方案下 1985 财政年度的销售额和利润如表 9—13：

表 9—13

类别	销售队伍规模	销售额（百万美元）	净利润（百万美元）
科室模型			
（当前）	434	373.1	220.4
	429	380.1	227.6
	768	447.7	251.7
药品模型			
（当前）	430	373.1	218.6
	369	423.6	264.2
	708	485.9	279.6

管理启示

　　原先罗伯特·尼尔森也曾觉得销售队伍太小、应该多分配给萘普生一些销售努力，但谁也不曾预料到最优销售队伍规模居然是在 700 人和 800 人之间。劳伦斯·刘易斯说：

　　　　当洛迪斯问我他最多能雇佣多少销售代表时，我们已经有 430 名了，所以我就说："你干吗不雇个 550 人，或者你算出来的最大值，怎么都行。"我们知道给萘普生分配的销售人员太少，因为我们在非类固醇类抗炎药市场上的主要竞争对手都有比我们多的销售代表，而且这个市场也是我们销量最大和最重要的市场。我们知道萘普生是我们最重要的药品，但我们并不确定它到底有多重要。我们早就知道，当初推出三个新药品时耗费的销售努力损害了一些小药品，没想到，模型的结果表明受到损害最大的竟然是萘普生，这真是我们不愿意看到的情况。

当刘易斯收到销售队伍战略模型分析的结果时，他认为从这些结果中可得出四个结论：

1. 销售队伍达到 700 名销售代表之后，盈利才开始成为再增加销售代表的约束条件。

2. 从 1981 财政年度的 430 名销售代表的基础上开始，Syntex 制药公司应当一边增加销售代表，一边实现最优分配，而不是仅仅重新分配一下现有的销售人员。新增的销售人员大部分可以投入到保健科这个市场上。

3. 萘普生是 Syntex 制药公司的产品线中销售额最高的药品，而且是对销售努力增加反应最明显的药品，也是利润率很高的药品。因此 Syntex 制药公司应当把它当作销售队伍规模和分配决策中首先考虑的因素。

4. 最优的销售努力分配方案要求把大部分销售人员投入到全科医生这个市场上，所以 Syntex 制药公司应当把自己看作一个全科医药公司。

尽管刘易斯很喜欢这些结论，但还是带着一些谨慎的态度：

只要市场发生一点影响到我们任何一种产品竞争力的变故，比如产品撤出市场、出现极富创新性的新产品等，都会影响模型结果的有效性。

药品反应模型或科室反应模型的估计值出现任何重大失误，都会损害模型结论的有效性。从独立的销售反应估计值中得出两个模型结论非常相似，这就意味着销售反应估计不大可能出现重大失误。模型对萘普生销售反应程度的估计中的重大错误是非常敏感的。

刘易斯陈述完研究结果后补充说，如果罗伯特·尼尔森和斯蒂芬·奈特不把销售队伍扩大到最优水平，他们将面临两个选择：

1. 大幅度减少对专科医生的拜访量以提高对保健医生的拜访，这样就可以在销售人员达不到最优规模的条件下实现销售拜访分配的优化。这种方案会影响口服避孕药和外用类固醇药剂的销售，但可以提高萘普生的收益，从而可以在这种销售队伍规模下最大程度地提高销售额。

2. 放弃提高萘普生的销售努力，使其远远低于市场潜力，同时维持以前同专科医生的接触水平和老产品的推销努力。

销售拜访规划指导

销售拜访规划（CALLPLAN）是洛迪斯（1971）开发的模型，它可以帮助销售人员根据主观判断的反应函数分配他们对顾客和潜在顾客的拜访时间。

电子报表 JFrench. xls 是为无糖早餐麦片练习设计，使用了 CALLPLAN 模型，内有练习所用的数据。

在"Model"（模型）菜单下选择"Generalized Callplan Model"（通用 CALLPLAN 模型），这时会出现图 9—20 的"Introduction"（介绍）屏幕。

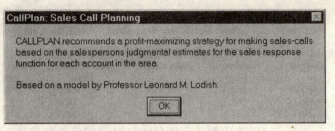

图 9—20

点击"OK"（确定）即进入第一个对话框，系统会要求你输入数据。

举例来说，我们假如要为 Smart Sell 先生设置一个简单模型。Smart Sell 先生有两个顾客，如图 9—21 所示。

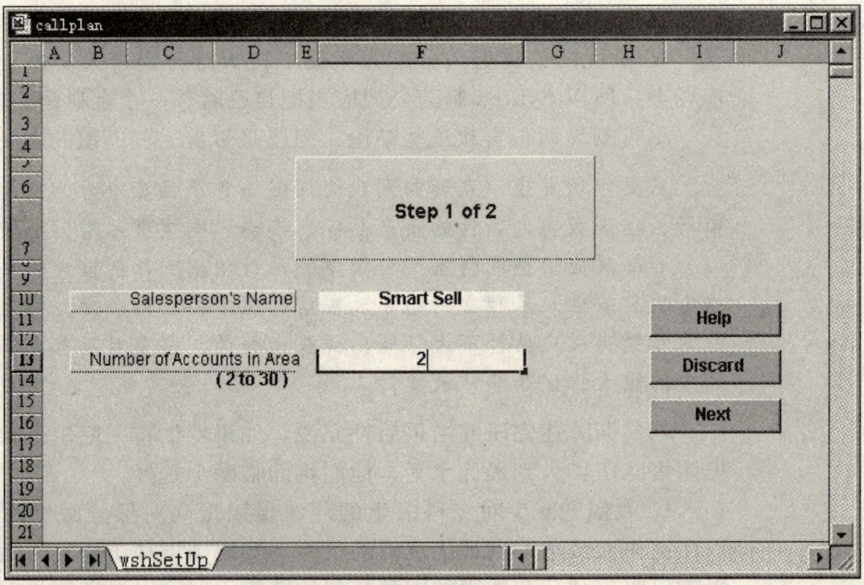

图 9—21

点击"Next"（下一步）进入第二个对话框。

在这里输入每个客户名称并提供一些基本信息，包括销售期内最近的销售拜访次数、销售额、销售利润等，接着估计销售额对不同的销售努力水平的反应，从而确定初始销售反应曲线的形状，如图 9—22 所示。

点击"Finish"（完成）后系统将估计销售反应曲线的参数，然后提示你输入一个文件名，将模型的基本设置保存在这个文件名下（如果计算机运行速度慢，保存过程需要花一段时间，系统必须为两个客户分别设置和运行两次独立的估计过程，优化所需的实际反应曲线）。

最好现在保存你新设置的模型，如图 9—23 所示，注意不要用 CALLPLAN 文件名。

点击"Next"（下一步）就可以看到你所输入信息的摘要，如图 9—24 所示。

要开始进行优化求解，可进入"Model"（模型）菜单选择"Main Menu"（主菜单），这次要进行基参数校准，可选择"Optimization"（优化）然后点击

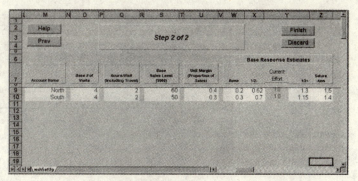

图 9—22

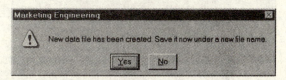

图 9—23

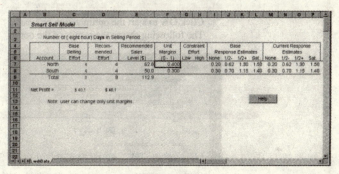

图 9—24

"OK"（确定），如图 9—25 所示。

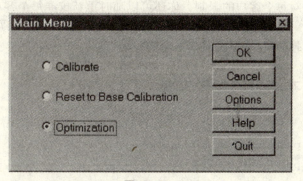

图 9—25

现在为最优求解过程设定时段。在图 9—26 中，Smart Sell 先生规定两天的销售时段。此外，你可以提供对拜访次数的约束条件。

点击"OK"（确定）开始运行优化求解程序。

图 9—27 所示为优化运行的结果。

在没有约束条件时模型运行答案表明，如果把一个单位的销售努力（在此

489

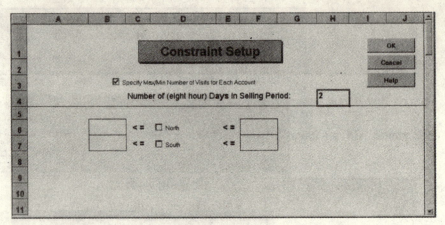

图 9—26

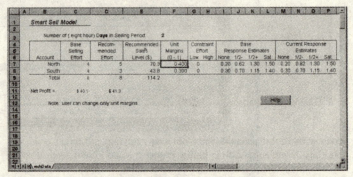

图 9—27

例中就是指两个小时的销售时间，包括旅行时间）从 South 客户转给 North 客户，Smart Sell 先生就能多获得 1 300 美元净利润。你可以重新运行模型，添加一个新的约束条件，即一个推销时期中的天数（一天按八小时计）或者改变对每个客户的限制。你还可以随时重新校准每个客户的销售反应函数。

如果想运行其他分析程序或退出程序，进入"Model"（模型）菜单并选择"Main Menu"（主菜单）。

本练习的参考文献

Lodish, Leonard M. 1971, "CALLPLAN: An interactive salesman's call planning system," *Management Science*, Vol. 18, No. 4, Part 2 (December), pp. 25—40.

约翰·弗伦奇练习：UBC 公司

生产无糖早餐麦片的 UBC 公司是 Conglomerate 公司的分公司，竞争者包括 Post 公司和家乐氏公司。UBC 公司产品的主要原料是玉米，产品种类比其他两家公司少。UBC公司估计在这个价值98亿美元的市场上所占的市场份额为5%。

UBC公司有一个混合配送系统：公司用自己的车队完成大部分向大客户直接送货的任务，此外还靠一些分销商给小客户送货。UBC公司的客户销售代表可以调度货车，给商店补充存货，与商店经理就货架空间和陈列空间进行谈判。虽然自己经营车队的成本比较高，但UBC公司发现这样能获得更高的销售额和利润（可以赚得分销商的加价），从这一点来看，有自己的配送车队的确是一件合理的投资。

1996年初，公司总部要求裁员并将非核心业务外包出去，这就迫使UBC公司谨慎地评估并报告业务的成本收益，并确保自己能用最有效率的方式经营这部分业务。为了帮助自己控制成本并遵从总公司的销售自动化计划，UBS开始尝试使用一个名为CALLPLAN的软件。

CALLPLAN需要销售人员主观估计出顾客对不同拜访频率的反应，以此作为模型的输入，并据此提出销售人员拜访时间的最优分配方案。

为了检验CALLPLAN系统，UBC公司管理者为美国东北地区的销售代表配备了软件的试用版。宾夕法尼亚州中部和东部业务的销售代表约翰·弗伦奇负责宾夕法尼亚州15个县的销售业务，他通常尽量每个月拜访一次重要客户。

约翰挑选了州立大学地区的四个客户作为测试对象，分别为BiLo、Weis、Giant和O. W. Houts。不管怎么着，他每周都要穿过Centre县（虽然不是每次都停留）。在规划下一季度的拜访计划时，他是这样的考虑：

> 让我想想……每季度我对这些客户最多拜访12次，最少时一次也不去。实际上，对Bilo、Weis和Giant等大零售商，我想拜访次数不会低于每季度两次，对Houts来说，我的拜访次数最少为每季度一次。我得查看一下业务记录，看看上季度我们通过这些零售商到底卖出了多少产品，也看看我实际上拜访了他们多少次。我还需要填写"主观判断校准"表来表明我的看法：如果我拜访的次数增多或减少一些，据我判断我们的销售额会增加多少或减少多少。我不可能在目前的基础再延长工作时间了，所以下一季度里我花费在这些客户身上的时间（5.25天）不可能比上个季度再多了。

[这些数据存在CALLPLAN模型下一个名为JFrench. xls的文件中，你可以用这个文件进行分析。使用时，选择软件包中"Model"（模型）菜单里CALLPLAN下的John French练习。]

练习

1. 按约翰所指定的要求设置销售拜访约束条件，运行CALLPLAN中的优化程序就可以得到一个模型推荐的拜访计划。你认为模型的运行结果有用吗？请解释这些结果。

2. 约翰正考虑将其中一些客户转给分销商负责（这就意味着没有对客户最少拜访次数的限制），这对问题1的解答有何影响？他应该这么做吗？

3. 由于最近零售商 BiLor 的销售额出现增长，约翰开始考虑增加对 BiLo 的推销努力时它的反应。他认为，如果销售努力比目前水平高出 50%，销售额相应会增加 50%；如果销售努力无限扩大，销售额会是现有水平的两倍。这些判断会对他拜访 BiLo 公司的频率产生怎样的影响（假定没有最少拜访次数限制）？

4. 约翰手下的地区销售经理建议多花点时间到 Weis 在哈里斯堡（Harrisburg）新开的分店推销。根据约翰的猜测，如果他每季度多拜访这家商店两次，季度销售额就会提高 1 400 美元（其利润与州立大学地区的商店一样）。这样就意味着他必须把对州立大学地区商店客户的拜访次数减少到每季度四次，他应当这样做吗（假定对任何客户的每季度拜访次数都没有最少次数限制，并使用问题 3 的校准结果）？

5. 如果要将 CALLPLAN 或其他类似模型应用于系列产品而且其中有些是新产品（即并不能马上带来销售额的产品），或者应用于由现有顾客和潜在顾客混合组成的顾客群，应该对模型进行怎样的修改？（当销售努力水平较低时，潜在客户可能带来也可能带不来销售额。）对于这些情形来说，模型目标适用吗？你有什么好的建议？

地理人口统计店址规划指导

重力模型可以帮助公司决定零售店址（如一家商店或一个购物中心）的位置。模型可以计算出居住在所选地理区域（如一个人口统计区域、一个邮政编码区域或任一指定区域）的居民光顾该店的概率。公司就可以利用这些概率数据推算出该零售店能够获得的销售额和市场份额。该模型主要根据两个因素估算各个竞争商店的市场份额，这两个因素是：（1）商店在满足顾客需求方面的整体声誉（也称为形象或吸引力）；（2）从顾客的常住地到零售地点的交通便利性。要使用这个模型，你需要每个地理单元中人口构成的数据，还需要从每个地理单元到零售地点的距离数据（以确定到达商店的便利性）。Scan/US 数据库里有能够满足这些目标的按地理编码的大量数据。

Scan/US 中的重力模型需要运行一个 Excel 宏程序，一次运行最多可以估算出 80 个店址的市场份额。在指定竞争零售店的地理位置之后，模型就可以用自己的数据库在模型内部计算出所要求的距离。但是，你必须输入各个商店的吸引力指数数据。人们通常用一个零售店的总可用面积（GLA）来粗略表示商店的吸引力，这里假设商店越大，提供的产品种类也就越多，因而就更有可能满足顾客需求。此外，你也可以用任何适合具体决策的指数来表示商店吸引力。可以用店址和顾客所在地之间距离加权和的倒数来表示顾客到达该店址的便利程度。

Scan/US 是一个用于地理人口分析的综合性软件程序。该程序包含一个详细的在线帮助文件。这里我们只介绍一些完成 J&J 家庭录像店练习所需要的功能。

注意：如果要查看或打印整个手册的内容，应使用营销工程软件光盘。

如果系统没有安装 Adobe Acrobat 程序，可以运行营销工程软件光盘上的执行文件 ACROREAD. EXE 来安装。请按照屏幕提示的安装指令进行安装。

安装了 Acrobat 程序之后启动 Acrobat 程序。在"File"（文件）菜单选择"Open"（打开），从 x：\ scanus \ manuals 目录下打开文件 manual. pdf，其中 x 代表你的光盘驱动器。在"File"（文件）菜单中选择"Print"（打印），就可以打印手册的内容了。

在 J&J 家庭录像店练习中要建立一个重力模型，为亚利桑那州菲尼克斯（Phoenix）大都市地区的一家新录像带商店寻找店址。本指导介绍了你在完成练习时要遵从的三个步骤：

1. 为重力模型设置初始数据；
2. 用 Excel 建立一个重力模型；
3. 绘制重力模型的结果图。

将营销工程软件光盘插到光驱中。从"Model"（模型）菜单下选择"Geodemographic Site Planning"（地理人口统计店址规划），可以看到如图 9—28 所示的屏幕：

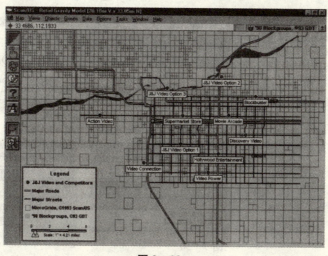

图 9—28

第一步：为重力模型设置初始数据

要设置重力模型，首先必须创建或指定一个想研究的地理区域，接着在指定区域中输入各种类型的数据（称为层）。然后载入一个描述零售地点位置的文件作为位置层。我们已经完成了 J&J 家庭录像店练习中的这些任务。如果你打开程序时这个练习没有自动载入，就在"Map"（地图）菜单下选择"J&J Family Video Exercise"（J&J 家庭录像店练习）。

指定分析中要用的竞争性零售地点（位置层）：点击屏幕右上角的箭头并选择"J&J Video and Competitors"（J&J 录像店和竞争者），如图 9—29 所示，就可以使这些地点成为活动层。

图 9—29

接着选择一些想加入到分析中的零售地点（录像店）。这时要先定义一个含所选商店的组。从"Groups"（组）菜单中选择"New Grouping"（新分组），给该分组起名（如 J&J Site 1），然后点击"OK"（确定），如图 9—30 所示。返回"Groups"（组）菜单，点击"New Group"（新组）为该组命名（如 All competitors），如图 9—31 所示。你可以在一次分组中指定许多不同的组。

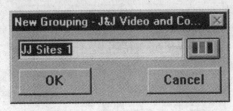

图 9—30

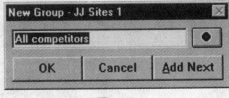

图 9—31

点击"OK"（确定）。这就回到了原先的屏幕和组模式下（如果组模式尚未激活，可点击屏幕左边的组模式图标 ）。现在就可以在新组名下指定分析中要用的零售地点了。先激活"多边形分组"子模式 ，按住鼠标左键同时拖动鼠标，在选定的录像店周围画一个多边形（现在就可以选择在屏幕上看到的所有商店供分析使用了）。

指定想在分析中加入的地理区域（消费者层）：现在有两个选择：可指定已经包含在 J&J 家庭录像店练习中的整个地理区域，也可以只选择其中一部分。

用 J&J 家庭录像店练习中的整个地理区域：（如果你不大了解这个软件，

494

我们建议你最好选择分析整个地理区域。）这时，只需将距离数据从位置层（J&J 录像店和竞争者）复制到消费者层（MicroGrid 层），其中消费者层是关于消费者住在本区什么位置的信息。要完成这项工作，需要把各店址（即 J&J 录像店和竞争者）激活成屏幕右上角的活动层。在"Objects"（对象）菜单下选择"Copy Distance"（复制距离），就会看到如图 9—32 所示的对话框：

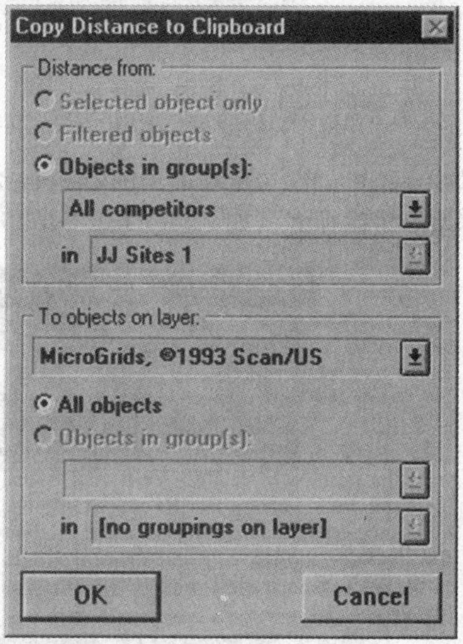

图 9—32

在下拉式菜单中选择"MicroGrids，© **1993** Scan/US"（MicroGrids，**1993** 年 Scan/US 版权所有），就可以把距离信息从"Objects in groups"（组中对象）（如 J&J 店址）复制到消费者层（MicroGrid 层）的"All objects"（所有对象）上。

点击"OK"（确定）继续。

用 J&J 家庭录像店练习中选定地区的子集：你可以不去计算消费者层中所有地理单元的距离，可以先在消费者层中创建一个组，从位置层把距离信息载入到消费者层刚刚定义的新组中。点击屏幕右上角的箭头并选择 MicroGrids 层就可以了，如图 9—33 所示。

图 9—33

进入"Groups"（组）菜单并选择"New Grouping"（新分组），并给 MicroGrid 分组命名，如图 9—34 所示：

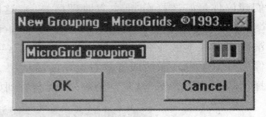

图 9—34

点击"Group-By Polygon"（多边形分组）按钮 ，按住鼠标左键同时拖动鼠标，就可以在选定地区周围画一个多边形。画出封闭的多边形后，系统会要求给这个组命名（如 MicroGrid Group 001，见图 9—35）：

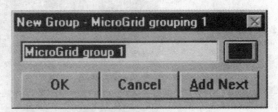

图 9—35

点击"OK"（确定）就会看到用红色突出显示所选的区域，如图 9—36所示：

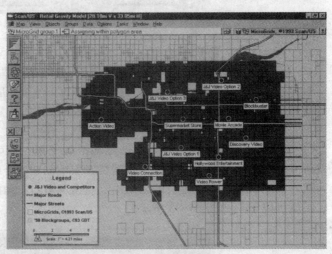

图 9—36

要运行重力模型，必须把从商店到 MicroGrids 的距离数据复制到消费者层（即在 MicroGrids 层选择的组）。你必须保证位置层（即 J&J 家庭录像店和竞争者）已经激活，激活的方法是点击屏幕右上角的箭头并选择"J&J Video and Competitors"（J&J 录像店和竞争者），然后在"Objects"（对象）菜单下选择"Copy Distance"（复制距离），这时会出现如图 9—37 所示的对话框：

选择"Objects in group（s）"（组中对象）并在 MicroGrid 层中指定分析要用的组和分组。如果组是一小块地理区域，重力模型就会只计算这个区域（组）的估计值，这样计算时间会缩短。接着点击"OK"（确定）。

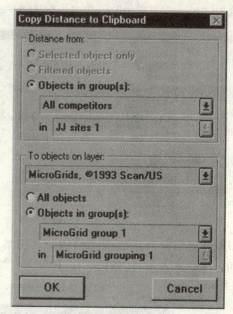

图 9—37

第二步：用 Excel 软件建立重力模型

建立重力模型需要用 Excel 宏程序。先要输入每一零售店的吸引力指数及距离影响系数。

距离影响系数表示到某家商店的便利程度对消费者在该店购买决策的影响。这个系数越高，消费者效用随消费者所在地到商店距离的增大就下降得越快。比如，在农村地区人们去商店往往要走 5 英里甚至更远的路程；而在大都市地区则没有必要走这么远。农村地区的距离影响系数若为 1.5，则大都市地区的距离影响系数就为 2.0 或更高。

Scan/US 重力模型向导是一个 Excel 宏程序，它可以生成一个含重力模型估计值的数据文件，这个数据文件可以在 Scan/US 程序中显示出来。

在"Tasks"（任务）菜单下选择"Build Gravity Model"（建立重力模型），Excel 就会启动 Scan/US 重力模型向导，如图 9—38 所示。

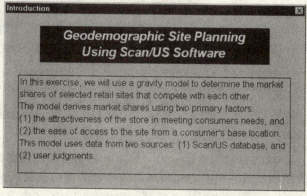

图 9—38

点击"Next"（下一步）并进入如图 9—39 所示的屏幕。

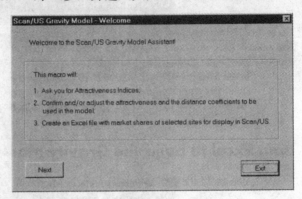

图 9—39

　　根据你对每家商店吸引力的猜测，用某种适当的尺度（最常用的尺度是 1～100，大数字表示商店的吸引力比较大）填入每个商店的吸引力指数，如图 9—40 所示。

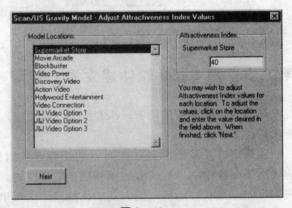

图 9—40

点击"Next"（下一步）转入图 9—41 的屏幕：

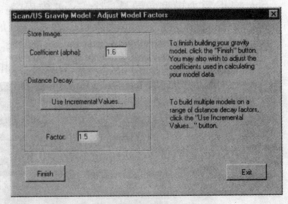

图 9—41

　　输入你对商店吸引力（形象）影响系数和距离影响系数的猜测，选择 α 和 β 系数来反映吸引力和距离对消费者的商店选择行为的影响。你可以为 β 系数选定一个值，也可以选择某一取值范围内的多个值来代表距离对消费者商店选择行为不同程度的影响。就后一种情况而言，点击"Use Incremental Values"（采用增量值）来指定取值范围，如图 9—42 所示：

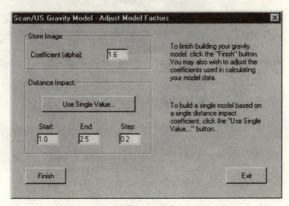

图 9—42

（如果用一个取值范围来表示距离的影响，就应当在模型运行结束后将每组运行结果保存在不同的 Excel 文件里。）

点击"Finish"（完成）继续。

模型现在就开始计算，用的是 Scan/US 生成的距离数据以及你提供的吸引力指数、α 和 β 系数。计算过程也许得几分钟（甚至几个小时），计算时间取决于分析所包含的地理实体的数量。就 J&J 家庭录像店练习而言，只需等候几分钟。位于屏幕底部的状态条将显示运算的进展。

数据处理过程结束时，重力模型向导会提示你保存重力模型表。在"Save in"（保存在）对话框中将路径改成 \ mktgeng \ Scanus \ Userdata 文件夹，一定要将"Save as Type"（保存类型）设置为 Excel 电子报表。输入一个文件名并点击"Save"（保存），如图 9—43 所示。

图 9—43

现在，你可以用另一组吸引力指数和 α、β 系数，重新运行 Excel 宏获得另一组模型结果。要重新运行 Excel 宏，可以点击"Back to the Beginning"（返回到开始处），如图 9—44。记住，必须把每次运行的结果分别存入不同的 Excel 文件中。本练习至少需要运行四次，其中一次是用现有商店进行运算（如把 J&J 正在考虑的新店址的吸引力指数设置为 0），一次是用供 J&J 家庭录像店选择的店址方案进行运算（即将分析中不涉及的两家新店址的吸引力参数设为 0）。

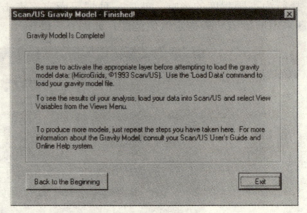

图 9—44

点击 "Exit"（退出）回到 Scan/US。

第三步：绘制重力模型的结果图

要在 Scan/US 中观看模型得出的市场份额估计值，需要将重力模型得出的结果（就在保存过的 Excel 文件）载入到消费者层（MicroGrids）去，并创建一个新的主题视图。

1. 点击屏幕右上角的箭头，并从下拉式菜单中选择 MicroGrids（消费者层）。

2. 在 "Data"（数据）菜单下选择 "Load Data"（载入数据），进入 Scanus \ Userdata 文件夹，选择一个保存重力模型的 Excel 文件。改变路径要先选择 "Directories"（目录）选项。点击 "OK"（确定）。

3. 回到 "Views"（视图）菜单并点击 "New Thematic"（新主题），如图 9—45 所示。

图 9—45

500

注意：如果在设置模型时已给消费者层的对象分了组，那么一定要选“Analyze：Grouped objects in grouping”（分析：分组对象），这样才可以看到所选区域的视图。

要想知道每个地理区域对某个店址的市场份额能有何贡献，可用彩色方案来区分各个地理区域的层次。先选择想观看的地理分布的变量，可以是所有商店的市场份额估计值，也可以是你所选商店的市场份额估计值。在图 9—45 中，我们选择的是所有商店的“Estimated % Market Shares”（市场份额估计值）。接着点击“层次管理器”按钮 ，如图 9—46 所示。

图 9—46

你可以用鼠标向上或向下拖动黑色哑铃状图标，改变赋予某一颜色的取值范围。设定了参数后点击“OK”（确定），如图 9—47 所示。

图 9—47

点击“Groups”（组）并给该组命名，如图 9—48 所示。

图 9—48

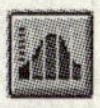

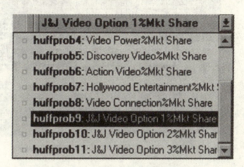

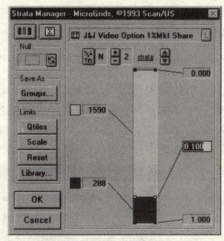

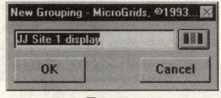

点击"OK"（确定）。现在就可以看到用你所指定的颜色突出显示的地域，如图 9—49 所示，表示出每个地理区域对 J&J 录像店店址 1 市场份额的不同影响。

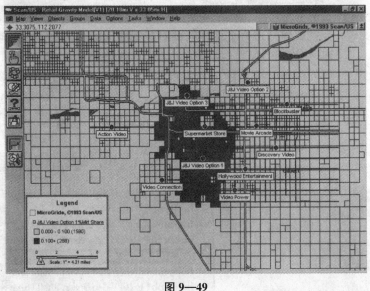

图 9—49

观看一个组的数据　你可以用 Scan/US 软件自动加总每组中各对象的数据，从而生成一个组摘要。首先要确保数据附在活动层上。比如，你想查看重力模型生成的结果，可以点击屏幕右上方的箭头，并从下拉式菜单中选择"MicroGrids，©1993 Scan/US"（MicroGrids，1993 年 Scan/US 版权所有），将 MicroGrids 激活。

将每组的市场份额估计值载入到这一层中。接着点击组模式按钮 ▦。如果你想看某组的摘要信息，可以选择该组，也可以创建一个新组。比如，如果你想看看一个区域范围扩展后的市场份额估计值，应建立一个包含所感兴趣的 MicroGrids 方格的组，接着在"Views"（视图）菜单下点击"QuickLook"（快速查看），如图 9—50 所示，就可以看到当前组的数据了。

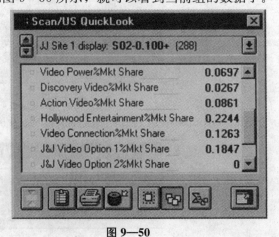

图 9—50

［"Estimated ％ Market Shares"（市场份额估计值）给出了初始数值。比如，这里的 0.2546 表明在该竞争者集中任何一个竞争者可能达到的最高市场份额估计值。］

点击"显示组"按钮 或"显示对象"按钮 ，可以在观看活动组数据或对象的数据之间来回切换。

高级分析：在 Excel 中定制数据

如果你能利用 Scan/US 数据库中的人口统计信息通过重力模型计算选择概率的指数，就能更加深入了解一个店址的销售潜量。举例来说，在 J&J 录像店练习中，可以考虑用该地区有孩子家庭的密集度来计算概率估计值的指数。还可以用 Scan/US 零售潜量数据库中的数据和概率值来计算潜在销售额。要完成如上分析，可以用 Excel 软件来建立自己的定制数据集，或者把你的数据与 Scan/US 数据合并起来。

> **注意**：除了 Scan/US BasePak 中的数据库外，许多有偿数据库提供的信息对分析也很有帮助，如按产品大类划分的家庭支出数据库。这些数据库中有些（如与 Scan/US 教学版配套使用的 Scan/US 零售潜量数据库）仅包含首都华盛顿和亚利桑那州菲尼克斯的数据。

下面我们讲解如何把你的数据与 Scan/US 的数据合并起来。你需要掌握：

1. 如何把 Scan/US 产品数据库的一个子集分组，并将它导入 Excel 中供以后操作。

2. 如何准备自己的 Excel 数据，并导入到 Scan/US 程序中去。

3. 如何通过建立一个主题视图来显示你的数据（参见前面章节）。

指定要导出到 Excel 程序中的数据　首先得指出哪些数据是分析要用到的。下例只考虑那些光顾 J&J 录像店店址 1 的概率大于 10％的 MicroGrids 方格。你可以用"隐藏层次"来限制分析中要用的数据（也可以将对象分组来选定一个地理区域）。

"隐藏层次"有助于集中分析一组具体对象。只有当主题图表示的是某一变量所在的层次（而不是数据值）时才可以隐藏层次。要准备你的数据，进入"Views"（视图）菜单并点击"View Variables"（查看变量）。选择"J&J Video Option 1％Mkt Share"（J&J 录像店店址 1％市场份额）作为要显示的层次变量，如图 9—51 所示。

点击"层次管理器"按钮 可以打开如图 9—52 所示的对话框。点击要查看的层次旁的展示图标，一个窗口阴影就会取代表示该层次的彩色图标（即已经创建了一个隐藏层次）。

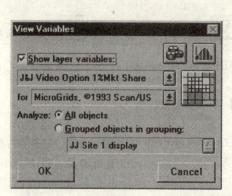
图 9—51

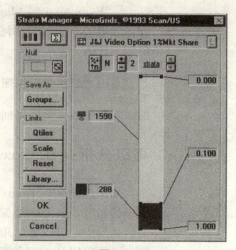
图 9—52

点击"Groups"（组）按钮将数据保存为一个新的分组，如图 9—53 所示。

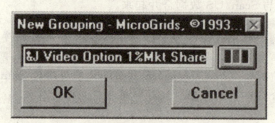
图 9—53

（在若干个打开的窗口上）点击"OK"（确定）。接着在"Data"（数据）菜单中点击"Copy Data"（复制数据），将数据复制到 Windows 的剪贴板上作为"Objects in groups"（组中对象），如图 9—54 所示。

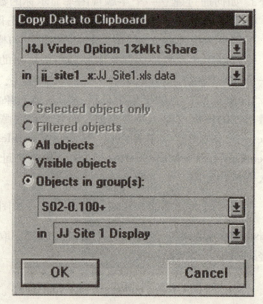
图 9—54

504

点击"OK"（确定）。现在打开 Excel 软件，将数据粘贴到一个电子报表中（用 Windows 的复制命令或用组合键 Ctrl＋V 即可），如图 9—55 所示。

	1	2	3	4	5	6	7	8
1	[data]	288	1	1	1	jj_site1_x:	1	1
2	Key	Group	Name	huffprob9:J&J Video Option 1%Mkt Share				
3	#33111/17!		2 Grid 33111	0.10811				
4	#33111/17!		2 Grid 33111	0.12628				
5	#33111/17!		2 Grid 33111	0.12173				
6	#33111/17!		2 Grid 33111	0.13041				
7	#33111/17!		2 Grid 33111	0.13349				
8	#33111/17!		2 Grid 33111	0.11403				
9	#33111/17!		2 Grid 33111	0.12373				
10	#33111/18!		2 Grid 33111	0.13015				
11	#33111/18!		2 Grid 33111	0.14965				
12	#33111/18!		2 Grid 33111	0.14274				

图 9—55

导出 Scan/US 人口统计数据：下面举例说明。我们从"Home Electronics"（家用电器）数据清单复制"Average annual expenditure per household for videos, tapes, disks"（每户在录像带、磁带和磁碟上的年均支出）变量，从 BasePak 数据库里的数据复制"Total Households"（总户数）变量，并把它们粘贴到如图 9—55 所示的电子报表中。

在这些任务中，这些数据必须能在消费者层中使用。可以把若干个数据清单载入一个层中（尽管一次只有一组数据是活动的）。在本例中，我们用 Scan/US 数据清单的家用电器和人口统计数据等信息，此外还有重力模型提供的概率估计值。要载入家用电器数据清单，需进入 Scan/US 程序中的"Data"（数据）菜单，选择"Data Center"（数据中心），再选"'93 Home Electronics"（**1993** 年家用电器），然后点击"Load"（载入）按钮（如果数据尚未载入的话），如图 9—56 所示。

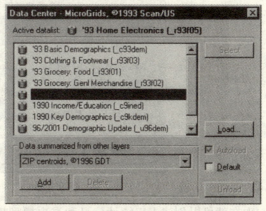

图 9—56

然后进入"Data"（数据）菜单点击"Copy Data"（复制数据）。在下拉式菜单中选择"Home Electronics"（家用电器）作为你的数据库，然后再选择想要复制到电子报表中去的变量，如图 9—57 所示。本例要求把人口统计数据复制到原先指定的层次组中（如 J&J 录像店店址 1％市场份额），或者只要选择"Filtered Objects"（过滤后的对象）即可。这样就保证了只复制光顾 J&J 录像店店址 1 的概率大于 50％的 MicroGrids 方格的数据。

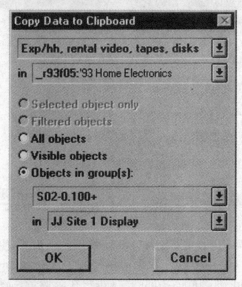

图 9—57

退到 Excel，把数据粘贴到电子报表中。

用同样方法从 BasePak 数据库中复制"Total Households"（总户数）变量，也粘贴到电子报表中，如图 9—58 所示。

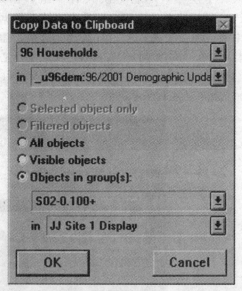

图 9—58

现在就可以创建人口统计信息和重力模型提供的选择概率合并的变量了。要计算"过滤后"地区（假设这是最重要的客源）给 J&J 录像店店址 1 带来的潜在销售额，可用概率列（电子报表上的 huffprob9）乘以总户数，再乘以每户年均录像带、磁带和影碟支出。接着求所有 MicroGrids 方格潜在销售额的总和，从而估计出该零售店址的潜在销售额。

准备自己的 Excel 数据导入 Scan/US 中　　（见图 9—59）在准备要导入 Scan/US 的数据时，你的 Excel 数据文件应满足下列要求（否则 Scan/US 软件将无法读取）：

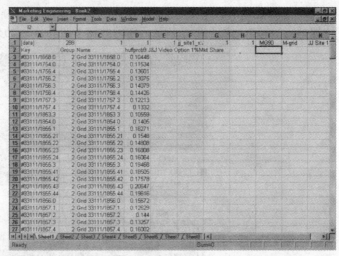

图 9—59

● 将对象关键词写入 A 栏。这里，对象关键词是每条记录的独有标识符，它能将数据与相应地理对象匹配起来。这些关键词必须是文本格式。数值型关键词前面的"♯"可以使这些数值变成文本（为方便起见，可将对象关键词按升序排列）。

● 数据列要有列标题，列标题名中不要有任何数字。

● 必须定义一个名为"database"（数据库）的取值范围，这个数据库中要包括含列名称、对象关键词和数据的所有单元格。否则 Scan/US 就无法正确地读取你的数据。如果在数据文件里改变了行数和列数，你必须重新定义"数据库"的范围（见图 9—60）。

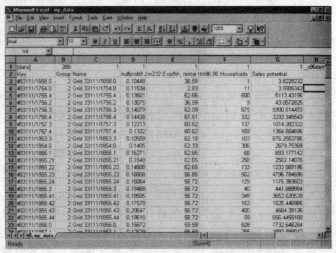

图 9—60

507

● 必须将电子报表保存为 Excel 格式。为方便起见，最好保存在 Scanus \ userdata 文件夹中。在将数据导入 Scan/US 之前要先关闭此文件。

在 Scan/US 里显示导入的数据　现在就可以将你的数据导入到 Scan/US 中了，即载入到含有你的对象代码的层中去。就图 9—61 而言，将 MicroGrids 层设成活动层，然后进入"Data"（数据）菜单并选择"Load Data"（载入数据），接着建立主题视图来显示你的数据并进行深入的分析。

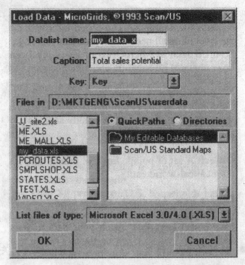

图 9—61

术语

数据（Data）：Scan/US 软件在 BasePak 中提供了在人口普查基础上添加了许多地理特征的人口统计数据。所研究地区的地理特征数据会自动载入软件。

组（Groups）：组可以把同层的对象分成不同的子集。你可以选择任一个组，把它当作一个单元进行操作，如在一个层上复制、粘贴、隐藏或显示各个组。

把对象分成不同的组称为分组。一个分组可以由多个组构成。因为可用很多方式把对象分成组，因此可以在该层上定义任意多个分组。你可以建立任意多个分组，但分组的个数会受计算机内存的限制。另外，在任何一层上一次只能有一个分组是活动的。

把对象分组是 Scan/US 软件的一个强大功能。分组是处理多对象的基本工具，也是分析一个地区或将分析范围限制在某个区域之内的第一步。例如，你可以为每个地区（如在西部地区/组中创建的加利福尼亚州、华盛顿州和俄勒冈州）创建一个组，在"QuickLook"（快速查看）中查看组的数据就可以知道各地区的销售额了。

层（Layers）：地理特征（如州、县、路或地形）是作为层载入到所研究地区中的，每个特征都在自己的层上。在重力模型的应用中，两个层有特殊的名称：消费者层和位置层。消费者层包含（人口统计上）用地理编码的客户信息，详细程度取决于你的分析需要（比如，大多数情况下是由 Scan/US 提供的数据，如 MicroGrids 方格或街区水平上的人口普查数据）。位置层则包含在分析中需要考虑的店址位置信息。

一个层上具有某个特征的项都可称为一个对象。例如，加利福尼亚州就是位于 Places 500T＋层的一个对象。虽然一个研究地区内有许多特征或者层，但每次只有一个层是活动的。"特征"和"层"这两个术语往往可以互换使用。

对象（Object）：空间数据库中的一组点、线或多边形，表示真实世界里的一个实体。

对象关键词（Object key）：一个对象关键词是每条记录的独特标识符。这个关键词将数据和所对应的地理对象互相匹配。你必须有一些能将数据与标准地理单元（如邮政编码或人口普查区）匹配起来的对象关键词，或者是能标识你的商店或分店店址的关键词。

练习的参考文献

Scan/US Basic Skills，4th edition. June 1996.
Scan/US User's Guide，1st edition. December 1994.

J&J 家庭录像店[8]

杰克·罗德曼（Jack Rodeman）和杰里林·罗德曼（Jerilyn Rodeman）是亚利桑那州斯科茨代尔（Scottsdale）镇的老居民。杰克曾在一家电子仪器与控制公司下属的航空业分公司管理生产作业，现在提前退休了。杰里林目前为菲尼克斯地区的小企业作兼职的软件咨询顾问。杰克和杰里林正在计划他们的后半生，决定开一家小服务公司，如网吧、餐馆或录像带出租店。他们同孩子和朋友们讨论一番后，决定了解一下在附近开一家录像店是否可行。

美国85％的家庭有一台录像机，50％的家庭每月至少租一盘录像带。有录像机的家庭年平均租 47 盘录像带，每盘带租金平均为 2.50 美元。1996 年录像带出租和销售额估计为 180 亿美元，其中租金额接近一半，其余份额包括二手录像带（每盘旧带售价约为 10 美元）和相关产品的销售。全美国总计有 27 500 家录像带商店，在 1990 年高峰时曾达到 31 500 家。一些行业观察家认为不断的兼并会减少录像店的数目，但还有些人〔如录像软件经销商协会的鲍伯·芬利森（Bob Finlayson）〕认为消费者只愿意短距离（3～4 英里）开车来租录像带，因此未来几年录像店的数目会出现增长。事实上，超市（1996 年为 19 亿美元）、K-Mart 之类的大商店（1996 年为 2 亿美元）和加油站的录像带租赁与销售额近年来一直在增长。

行业的领导者 Blockbuster 娱乐集团旗下的录像店铺数占行业总数的14％，收入占行业总收入的 20％以上。其他大公司还有总部在波特兰的好莱坞娱乐公司和总部在费城的西海岸娱乐公司。Blockbuster 娱乐集团的竞争优势在于提供给消费者丰富的片源（尤其是新片），有些店铺里的新片甚至有 40份拷贝。Blockbuster 娱乐集团旗下的有些大店面积达 6 000 多平方英尺，可供出租的录像带有 5 000 多种 20 000 盘，小店面积一般不足 2 000 平方英尺，供出租的录像带不到 6 000 盘。不同公司新片的租金相差很大，Blockbuster 娱乐集团的价格是两天 3.50 美元，而好莱坞娱乐公司的租金高达每天 3.00 美元。老片的租金为三天 1.50 美元～2.00 美元，有些甚至只有两天 99 美分。录像店经常进行促销，比如在上午 9：00—10：00 点之间的租金五折，每周二特价或向老年人打折。

杰克和里林认为店址是最重要的，它决定了新商店要面临的竞争环境，从而也决定了商店的长期发展趋势。他们请了一个朋友鲁比·杰克逊（Ruby Jackson）作顾问，一起研究如何评价店址所在地区的竞争环境。鲁比根据自己以前的经验，认为以下几个因素会影响顾客光顾哪些录像店：（1）从顾客家到商店的距离；（2）每个商店的总体吸引力，这又取决于是否靠近其他商店、录像带品种、服务质量、平均价格和商店规模。她找出了新商店在这一地区的八家竞争对手，并收集了这些商店的基本信息。表 9—14 是她归纳的信息：

表 9—14

商店	靠近其他店 （1 远—7 近）	录像带 品种	服务质量 （1 好— 7 优秀）	平均 租价	面积 （平方英尺）	本地份额 （客流量）
Discovery 录像店	2	2 000	6	1.95	1 200	5
Blockbuster 娱乐集团	6	4 000	3	2.30	4 400	25
Video Connection	2	800	6	1.70	1 000	5
Video Power	5	2 500	4	2.10	1 800	12
好莱坞娱乐公司	3	3 500	5	2.20	3 000	20
Movie Arcade	7	1 500	5	1.75	1 000	10
本地超市	7	300	1	2.40	200	5
Action Video	2	1 300	7	2.85	1 400	18

Blockbuster 娱乐集团和好莱坞娱乐公司的录像带品种繁多，像 Action Video 之类的小店重点是新片、成人录像带、悬念片和探险片等，Video Connection 和 Movie Arcade 则是老片和旧片。鲁比推测，这些录像店年销售额总计在 800 万美元左右（包括销给外地的消费者）。

杰克和杰里林想让他们的商店只经营面向家庭和儿童的片子（即 PG 级和 G 级）。他们计划最多经营 1 600 种录像带（包括新片），租价能达到 2.10 美元。杰里林找到了一个叫 Scan/US 的软件，过去曾用这个软件帮助小企业开发直销活动。她决定用这个软件来评估三个店址。如表 9—15 所示为这三个店址的一些特征：

表 9—15

店址	靠近其他商店 （1 远—7 近）	录像带种类	服务质量 （1 好—7 优秀）	平均租价	面积 （平方英尺）
选址 1	2	1 200	6	2.10	1 200
选址 2	4	1 600	5	2.10	2 500
选址 3	3	1 200	6	2.10	1 200

510

练习

1. 请用表中的数据为每个商店和三个潜在店址的总体吸引力设计一个衡量指标，并证明这个指标的合理性。

要回答下面的问题，需要用 Scan/US 和 Excel 建立一个重力模型。选择"J&J Video and Competitors"（J&J 录像店和竞争者）作为你的位置层。

2. 将每个商店的吸引力指数加入到重力模型，并估算杰克和杰里林所考虑的三处店址中哪个将获得最大的市场份额（每次只评估一个店址，要将不在考虑范围内商店的吸引力指数值设为 0）。

3. 杰里林估计，对一个老店来说，1 200 平方英尺的面积经营成本约为 30 万美元，2 500 平方英尺的经营成本约为 45 万美元。她估计开一家新店的成本在 25 万美元～30 万美元之间（根据具体规模）。初始成本包括购买录像带、家具和配套设施、计算机和软件等。根据这些成本结构，你认为这三个店址中哪个最好？为什么？

4. 随着广播电视和有线电视的扩展，杰克和杰里林也担心录像店的长期生存可能性。他们想知道有没有办法对重力模型进行修正，使它也能将这些潜在威胁考虑进去。

【注释】

［1］此案例是达拉尔·克拉克副教授为课堂讨论而编写的，并不是为说明一个管理情景的有效或低效的解决。版权归哈佛商学院所有，未经许可，任何部分都不得复制、进入检索系统或转成任何形式（电子、机械、复印或录音等）。本案例由哈佛商学院案例服务中心发行。

［2］Syntex 公司的财政年度结束于 7 月 1 日。

［3］口服避孕药销售额是按照一个月经周期的用药量来记录的。

［4］案例所指均为普通销售人员，不包括医院销售人员。为简单起见，"销售队伍"专指普通销售人员。

［5］对 1985 年的计划已经作了掩饰。

［6］这里用的简化算法并不保证能取得 S 形反应曲线的最优解。真正的销售队伍战略模型算法本质与此相同，但进行了修正，可确保每个合理的反应曲线都能得到最优解。

［7］最优分配方案是根据销售队伍规模一步计算得出的（参见表 9—9）。这样就无法对每种销售队伍规模都得出最优的分配方案，因此，最优分配方案的销售队伍规模与当前规模略有差异。

［8］本练习是一个虚构案例，由阿温德·朗格斯瓦米和卡特琳·斯塔克用公开资料编写的。

第10章
价格与促销决策

本章的主要内容是：

● 定价决策：古典经济学的方法；
● 实际的定价方法：成本定价、需求定价或竞争定价；
● 交互式定价：参考价格与价格谈判；
● 差别定价；
● 产品线定价；
● 促销的类型及效果；
● 分析推销效果的总量模型；
● 分析个人对推销的反应。

价格是惟一直接影响收入的营销变量。如果利润函数具有以下形式：

利润 ＝（单位价格－单位成本）× 销售量

从公式中可以看到，价格存在于利润函数的所有组成部分中。价格以两种方式影响利润（单位价格减单位成本）：首先，价格是该等式的第一项（单位价格）；其次，价格间接地影响单位成本，这种影响在一定程度上取决于销售量的多少。因为价格会影响销售量（从而间接影响单位成本），所以价格便在前面方程的三个组成部分中都有所涉及。

鉴于平常的促销手段（优惠券）用得并不比广告、临时降价更多，因此在本章将促销与价格结合起来讨论。

定价决策：古典经济学的方法

在古典经济学家看来，价格是在市场上分配商品与服务的推动力。对消费者来说，价格是购物的货币成本。对生产者或销售者来说，价格有助于决定供给水平和生产资源的分配。

经济学理论中的一个基本关系是需求法则。该法则认为，某一时期的需求量与价格是反比关系。它的假设前提是，有理性的顾客完全了解商品及其替代品，预算有限，惟一的驱动力就是实现效用最大化。若给定许多商品的相对价格，顾客会将其收入（包括储蓄）在商品之间进行分配以达到效用的最大化。如果这些商品的价格关系产生了变化，他们就会购买比较便宜的商品代替价格高昂的商品，以增加其效用。

这个模型的核心是价格弹性的概念。价格弹性是指需求量变化的百分比与价格变化百分比的比值。

$$e_{qp} = \frac{需求变化的百分比}{价格变化的百分比} = \frac{(Q_1-Q_0)/Q_0}{(P_1-P_0)/P_0} = \frac{\Delta Q/Q}{\Delta P/P} = \frac{\Delta Q}{\Delta P}\frac{P}{Q} \tag{10.1}$$

其中，e_{qp}＝需求价格弹性；Q_1＝价格变化后的需求量；Q_0＝价格变化前的需求量；P_1＝新价格；P_0＝原价格；$\Delta Q = Q_1 - Q_0$；$\Delta P = P_1 - P_0$。

注意，如果不规定销售量对价格变化做出什么样的反应，我们就无法计算价格弹性。在大多数情况下，价格弹性都为负值。价格弹性等于1，表示价格下降（或上升）一定百分比能引起同样百分比的需求量的增加（或减少）。在这种情况下，价格变化，但总收入不变。价格弹性大于1，表示价格下降（或上升）一定百分比引起更大百分比的需求量的增加（或减少），总收入随价格变化增加（或减少）。价格弹性小于1，表示价格上升（或下降）一定百分比引起更小百分比的需求量增加（或减少），总收入随之减少（或增加）。

如果我们知道了需求价格弹性，就可以准确回答价格是太高还是太低的问题。要使收入最大化，如果需求弹性在某一价格水平小于1，那么价格就太高。这条规则是否能使利润最大化，还要看成本情况。

一种商品的价格与另一种商品需求量之间的关系也能体现需求对价格的反应，称之为需求的交叉价格弹性。产品 X 的需求交叉弹性计算公式为 $(\Delta Q_X/\Delta P_Y)(P_Y/Q_X)$，其中 Y 代表另一种商品。如果交叉价格弹性为正值，产品 X 和 Y 就是替代品，以可口可乐和百事可乐为例，当可口可乐价格上升时，百事可乐的销售量就会增加，因为顾客用百事可乐替代可口可乐。如果交叉价格弹性为负值，产品 X 和 Y 则为互补品，例如计算机硬件价格降低时软件的需求量就会增加。

最后，需求弹性与边际收入的关系是：

$$总收入 = TR = PQ（价格 \times 数量） \tag{10.2}$$

因此，

$$边际收入 = \frac{\Delta TR}{\Delta Q} = P + Q\frac{\Delta P}{\Delta Q} = P\left(1 + \frac{Q\Delta P}{P\Delta Q}\right) = P\left(1 + \frac{1}{\varepsilon_{qp}}\right) \tag{10.3}$$

这个等式表明，边际收入随价格和价格弹性二者的变化而变化。

需求法则并未说明价格与数量关系曲线的形状。事实上，不同产品或产品类别的曲线形状也不同。有两种方程形式能很好地表示这种关系：线性方程和固定弹性方程。

一般的线性需求—价格方程（即需求量随价格上升而线性下降）：

$$Q = a - bP \tag{10.4}$$

这里的 a 和 b 是常数（见图10—1）。这种线性关系可能不适用于所有的价格范围，但在主导价格的邻近区域非常接近实际。

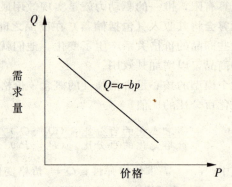

图10—1　线性的需求—价格函数

价格每下降1元钱，导致需求量单调上升（b个单位）。

在线性需求曲线上，怎样确定某一特定价格（如 P_1）邻近区域的价格弹性呢？对线性需求函数来说，$\Delta Q/\Delta P = b$，且

$$\varepsilon_{qp} = \frac{\Delta Q}{\Delta P} \times \frac{P}{Q} = -b \times \frac{P}{a-bP} = \frac{bP}{a-bP} \qquad (10.5)$$

从该等式推出：

1. 当 $P = a / 2b$ 时，价格弹性为—1；

2. 高价格的价格弹性绝对值也很高，理想做法是降价；

3. 低价格的价格弹性也低，理想做法是涨价。

另一种常见的需求函数曲线形状基于固定弹性的概念。函数为（如图10—2所示）：

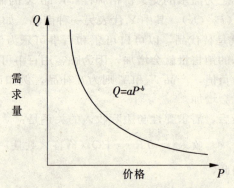

图10—2　固定弹性的价格—需求函数

价格每下降1%，需求量会增加b%。

$$Q = aP^{-b} \qquad (10.6)$$

幂指数 b 是价格弹性，对所有价格来说 b 都是恒定的。这种形式的需求函数得到广泛应用，因为它包含了一个能明确体现弹性的项，综合了定价的非线性效应，并且易于进行数学处理（Modeler 程序可以让你考查这些简单的价格模型）。

古典模型基于以下几个关键的假设：

514

- 企业的定价目标是为实现产品短期利润最大化；
- 定价时只考虑企业的直接顾客；
- 定价与营销组合其他变量无关；
- 需求与成本方程能够精确估计出来；
- 企业能够真正地控制价格，即企业是价格的制定者而不是价格的接受者；
- 市场对价格变化的反应很容易理解。

这些假设限制了模型的适用性，必须对古典模型加以修正。购买者会对价格变动做出不同反应，为解决这个有趣的问题，古典微观经济学理论往往假设有关市场价格信息是近乎完美的，需求曲线是向下倾斜的。但所有顾客并不都以同样方式看待价格。通常情况下，吸引顾客的降价行动可能并不为所有顾客所知，而且顾客可能认为降价是因为：

- 该产品即将被新产品取代；
- 该产品有缺陷，是滞销品；
- 企业陷入财务困境，可能即将倒闭，或无法继续提供零部件；
- 价格还会继续下降，再等一阵还会更便宜；
- 产品质量下降了。

相反，通常会阻碍销售的提价行为对潜在购买者也可能有多种不同含义：

- 产品很畅销并且很快就会售完；
- 产品价值不寻常；
- 卖方很贪婪，价格是顾客能承受的最高价，如果潜在顾客继续等待，价格还会更高。

这样，需求量不仅受当前价格影响，还受到当前价格承载的信息及对未来价格的预期等因素的影响。

因此，尽管古典模型概念清楚，从直觉上看很正确，但并不很有用。企业在实际定价决策时只考虑成本、需求或竞争三种关键因素之一，因此要用只考虑一种因素的模型。

定价实践：成本定价、需求定价或竞争定价

成本导向定价法

许多企业主要根据成本来定价。一般要计算所有成本，包括在期望业务水平下分配的管理费用。

成本导向定价的最基本例子是加价定价法和成本加成定价法。这两种方法的相似处在于价格都是在成本上增加一定数额而确定的，前者增加一个固定

值，后者增加一个固定的百分比。

在成本上增加一个固定值来定价合乎逻辑吗？一般来说答案是否定的。无论从长期还是短期来看，任何忽视当前需求弹性的定价方法都不可能实现利润的最大化，除非偶然的例外。随着需求弹性的变化（可以是季节性变化、周期性变化，也可以随产品生命周期变化），加价额也应相应变化。如果加价额始终是成本的固定百分比，在通常条件下，利润也无法实现最大化。但在特殊条件下，恰当的恒定加价额也能使利润最大化，比如（1）需求曲线上各点的平均（单位）成本恒定或（2）成本长期恒定。

在这些特殊条件下，最优价格为：

$$P^* = \left(\frac{\varepsilon}{1+\varepsilon}\right) MC \tag{10.7}$$

这里，ε＝ 需求的价格弹性，设为负值；MC ＝ 边际成本。

根据该公式，最优价格（成本加价额）随价格弹性（绝对值）提高而减小。如果价格＝（1＋α）MC，则 α 为加价额。在方程（10.7）中，设 ε/（1＋ε）＝（1＋α），则 α＝ε/（1＋ε）－1。如果价格弹性较小，比如冷冻食品为－2.0，则 α＝1 且最优加价额也很大（100％）。如果价格弹性长期相对恒定，固定的加价额就可以取得最优价格。边际成本不变和弹性不变这两个必备条件代表了零售业的特点。这就是为什么固定加价法在零售业得到广泛应用以及加价额符合最优定价要求的原因吧。但对大多数耐用消费品和工业品来说，这两条特殊条件在实际中难以实现。

第 5 章介绍了经验曲线的概念。经验曲线表示的是，随着生产经验不断积累，成本随之下降。实证研究确实表明，累积产量翻番后，成本会下降 5％～30％（Simon，1989）。如果能预测出这样的成本变化，成本导向定价便成了一种动态现象，即降价会产生两种效果：首先，降价会使短期需求增加；其次，短期需求的增加有助于使成本在经验的作用下得以降低（并提高利润）。这样便得出了与古典模型截然相反的结果：在经验曲线存在的情况下，企业一般都希望通过降价加速显现出学习效应并充分利用成本的变化。本书所附的软件包里提供的 ABCOR2000 定价规划练习可让读者亲自探索学习曲线对定价决策的影响。

需求定价

成本定价法注重的是生产与分销产品的成本，而需求定价法则关注不同价格水平下的产品需求情况，重点是顾客价值。需求定价法的核心思想是：力求在需求高涨时收取较高价格，而当需求低落时则收取较低价格，而生产成本可能不变。

许多精明的营销者（尤其是工业品的营销者）在分析了产品的使用价值后，都采用了基于价值的定价法。使用价值的基本思想是产品价格应当与该产品带给特定顾客的价值相关。这种方法尤其适用于大量购买的情况下，因为这时销售员有权自己定价。销售人员要设身处地站在顾客的地位上想一想，看看采用这种产品或是用自己推荐购买的新产品替换目前顾客正在使用的老产品是否合算。

新产品的使用价值指使潜在购买者无论继续使用当前产品还是转而使用新产品都无区别的价格。它的计算方法由下例说明。

举例

假设某化工厂用 200 个 O 形环来密封输送腐蚀性材料的管道阀门。每个 O 形环的价格为 5 美元，而且每两个月要更换一次。

一种新产品的抗腐蚀能力是这种 O 形环的两倍。这种新材料的使用价值（VIU）为：

解 1：目前所用产品的年成本

$= 200$（个 O 形环）$\times 6$（每年换 6 次）$\times 5$ 美元（O 形环单价）

$= 6\ 000$ 美元

$= 200$（个）$\times 3$（每年换 3 次）$\times$ VIU

得出，VIU $= 10$ 美元

解 2：这种新材料从使用到更换的间隔为 4 个月，比目前所用产品的 2 个月要长，更换的成本是 5 000 美元，可得：

$$\underbrace{200 \times 6 \times 1}_{设备成本} + \underbrace{5\ 000 \times 6}_{更换成本} = \underbrace{200 \times 3 \times VIU}_{设备成本} + \underbrace{5\ 000 \times 3}_{更换成本}$$

现用产品　　　　　　　新产品

即 VIU $= 35$ 美元。

在以价值为基础进行定价时，必须把所有成本（包括有形成本和无形成本）都考虑进去。除了本案例所示的初始成本和作业成本外，还必须考虑购买者规划期的长短、资金成本、转换成本（包括重新培训、产品重新设计和初始使用时的低效率）、维护成本的差额、业绩差异、灵活性差异以及购买者采用新产品时要承担的风险等。

举例

本案例选自李（Lee, 1978）的成果。要计算一种候选材料的使用价值，先要计算使用目前所用材料的成本（称为使用成本）。使用成本不仅包括每磅（或每加仑、每平方码等）该材料的价格，还包括加工费、精加工作业的成本、残料成本、存放该材料的库存费用及其他成本。

类似地，目前所用配件的使用成本不仅包括采购价格，还包括组装费、调校费等。

我们要比较使用寿命不同的两种材料或两种配件，如果这两者之间的差异十分明显，我们就应该考虑进去这种差异，计算它们的年使用成本。目前所用材料的年使用成本为：

$$目前所用材料的年使用成本 = (QC + C_p + C_f + \cdots\cdots) / L \qquad (10.8)$$

其中，$Q =$ 每单位产成品中的目前所用材料数量；$C =$ 每单位目前所用材料的购入价；$C_p =$ 使用目前所用材料时，每单位产成品的加工成本；$C_f =$ 使用目前所用材料时，每单位产成品的精加工成本；$L =$ 使用目前所用材料时，产成品的使用寿命。

我们可用类似的方程来计算候选材料的年使用成本。但在这个方程中，我们要代入的不是候选产品的价格，而是未知数 V——候选产品的使用价值。让这两个年使用成本相等，就可得 V 的解。

下面进一步举例说明。假设某企业用印模铸造的合金生产工业用扣件，候选材料是一种金属板料，可用冲压成形工艺生产这种扣件。假设相关的数量和成本如表 10—1 所示。

表 10—1　　用于生产工业用扣件的金属板料与铸模合金成本要素的使用价值计算

成本要素	铸模合金	金属板料
每一产成品中的用量（磅）	0.05	0.03
材料价格（美元/磅）	0.25	0.20
铸造成本（美元/件）	0.05	0.10
精加工成本（美元/件）	0.02	0
存货成本（%）**	5	5
残料成本（%）**	10	20
产成品零件的使用寿命（年）	3	7

**百分比是根据产成品中材料的价值计算的。

首先，计算目前所用材料的年使用成本：

$$目前所用材料的年使用成本 = (QC + C_{铸造} + C_{精加工} + XQC + YQC)/L \qquad (10.9)$$

其中，X = 库存成本，用小数表示；Y = 残料成本，用小数表示。

将表 10—1 的数据代入，解得：目前所用材料的年使用成本 = $(QC + 0.05 + 0.02 + 0.05QC + 0.1QC)/3 = 0.0281$（四舍五入）。

然后，建立一个类似方程，计算候选材料的年使用成本，简化这一方程：

$$候选材料的年使用成本 = (Q'V + C'_{铸造} + X'Q'V + Y'Q'V)/L'$$
$$= (Q'V + 0.10 + 0.05Q'V + 0.2Q'V)/7$$
$$= 0.00536V + 0.0143 \qquad (10.10)$$

最后，令这两个表示年使用成本的表达式相等，解得候选材料的使用价值：$0.00536V + 0.0143 = 0.0281$；$V = 2.57$。

通过运算可知，如果金属板料的成本是每磅 2.57 美元，那么，年使用成本就恰恰等于铸模合金的成本。换言之，在本例中，每磅金属板料"值"2.57 美元，即使用价值为每磅 2.57 美元，比它的假设价格 0.20 美元高得多，因此生产者应当改用这种材料进行生产，销售者也应当在每磅 0.20 美元的基础上适当提价。

要用这种定价法，企业必须对重要顾客群进行深入的调查研究，计算顾客认为这种产品的使用价值的范围，然后从战略角度确定是赚取利润（为金属板料定高价，如每磅 2.00 美元，并追求认为该产品有更高价值的那部分市场）还是以一种对大多顾客都有吸引力的价格（如金属板料的价格为每磅 0.20 美元）来渗透市场。本书所附的软件包里提供的 ABCOR2000 的客户规划练习介绍了销售员怎样用这一方法为不同客户定制推销策略。

竞争定价

如果某企业主要按照竞争者的价格而不是依照成本或需求来定价，那么它的定价策略就称为竞争定价，即企业力求使价格保持在行业平均水平，也叫现行价格定价法或模仿定价法。

企业主要对同质产品（如石油）实行随行就市的定价，即使市场结构本身可能是在完全竞争和完全垄断之间的各种形态。在完全竞争市场上销售同质产品的企业其实并没有自行选择价格的权利。而在完全垄断的市场上，市场被少数大企业控制，其他企业出于各种原因也要采用与竞争者相同的价格。因为市场上只有很少几家企业，每家企业都很了解其他企业的价格，而购买者也很了解这些价格。价格最低的企业便能争取到最多的生意，因此竞争者都要立刻纷纷降价。这种情形也阻碍了个别企业的提价。

另一方面，在产品有差异的市场上，企业拥有更大的定价自由度。产品差异，不管在样式、质量还是功能特征上的差异，都能使顾客变得对现存价格差异不再敏感。企业要使其产品和营销计划在每一定价区内一致，并且要对竞争者的价格变化做出反应，以便保持自己的相对价格。

竞争投标是市场上一种常见的定价方法，这是指企业与数量未知的供给者进行竞争，并且无法确定他们的价格。许多制造业和服务业企业都向国防部门、政府、原设备生产商出售产品或服务，它们必须经过投标，相互竞争才能得到这份业务；合同通常是给予报价最低的投标者。因此，销售者对每个投标机会必须仔细考虑两个问题：（1）企业到底是否应该投标（是否投标决策）；（2）如果要投标，报价应为多少（投标价格问题）？

如果供应商为一特定工作进行投标，就必须找到高于成本但低于（未知）竞争者报价的价格。价格比成本高出越多，一旦中标利润就越大，但得到合同的概率就会越小。中标的期望利润是争到合同的概率乘以合同的预计利润的乘积：

$$E(Z_P) = f(P)(P-C) \qquad (10.11)$$

其中，$E(Z_P)$ = 价格 P 中标的期望利润；$f(P)$ = 以报价 P 中标的概率；P = 投标价格；C = 履行合同的预计成本。

每个可能价格的中标概率都不一样。企业也许会合理地选择能使利润最大化的价格。表 10—2 是在一种假设情况下，四个投标价格水平及中标概率和利润。在此例中，企业打算报价 10 000 美元，因为这个价格水平带来的利润是最高的（216 美元）。

表 10—2   不同报价对预期利润的影响：1 万美元的报价是最好的

公司的报价(美元)	公司的利润(美元)	以此报价得到合同的概率(假设)	预期利润(美元)
9 500	100	0.81	81
10 000	600	0.36	216
10 500	1 100	0.09	99
11 000	1 600	0.01	16

该模型的主要问题在于如何猜测不同投标价格水平赢得合同的概率。如果价格是购买者惟一关心的因素，那么这个概率就是报价比其他所有竞争者都低的概率，而报价是最低价的概率又是该企业报价比每一竞争者价格都低的联合概率。假设竞争者各自独立地决定投标价格，那么成为价格最低的投标者的概率为：

$$f(P) = f_1(P) f_2(P) \cdots\cdots f_j(P) \cdots\cdots f_n(P) \tag{10.12}$$

这里的 $f_j(P)$ 是报价 P 低于竞争者 j 报价的概率，即最低报价应当比所有竞争者的报价都低，这就形成了概率的连乘。

虽然企业不能确切了解竞争者的投标价格，但却能以过去的投标行为为基础来估算。假设竞争者 j 过去多次参加投标并且可以得到相关资料，那么竞争者 j 每次投标的价格都与你对成本的估计值 C 有关：

$$r_j = \frac{P_j}{C} \tag{10.13}$$

这里，r_j = 竞争者 j 的投标价格与你公司成本之比值；P_j = 竞争者 j 过去的投标价格；C = 投标时你公司履行合同的成本。

如果对一个给定的合同，公司的成本为 C，那么可以推测，竞争者 j 的投标价格高于我方价格的概率为 $h_j(r_j)$。若有 k 个竞争者，且所有竞争者都是相似的，那么我方中标的概率则为 $[h(r)]^k$，我方投标价格 P 的期望利润为：

$$E(Z_p) = (P-C)[h(r)]^k \tag{10.14}$$

最后，我们得知确实有 k 个投标者。如果确有 k 个投标者的概率为某一数值，那么预期利润为 $(P-C)q_0 + (P-C)[h(r)]q_1 + (P-C)[h(r)]^2q_2 + \cdots\cdots + (P-C)[h(r)]^N q_N$。

这里，N 是投标者最大数目；q_k 是恰有 k 位投标者的概率。该等式与方程（10.14）相同，每一利润水平都加上了有 0、1、2、……直到 N 个实际投标者的概率做权数。

本书所附的软件包中提供的竞争投标软件和练习 $Paving\ I-99$ 可以让你在模拟投标的环境中对这些概念作进一步的探讨。

交互式定价：参考价格与价格谈判

前文对价格的探讨始终假设价格由决策者直接控制，且几乎无法影响顾客对产品价值的评判。但在许多实际情况中，这些条件并不成立。例如，如果顾客在购买产品前无法直接体验该产品的质量（如化妆品、酒和服务），那么价格就可以成为质量的标志，而价格折扣则可能起到不良效果（减小了需求和利润值）。

削弱古典理论的一个简单但又常被讨论的现象是参考价格的概念。例如，某一顾客可能认为一辆四门轿车价格不应超过 20 000 美元。粗略地说，参考价格是顾客用来评价实际价格是否合理的价格。

关键在于，如果存在参考价格这类现象，那么企业在定价时就应当考虑到这些因素。思考下面的例子：

举例

设我们所用的是方程（10.4）的线性需求—价格函数：

$$Q = 100 - 2P \tag{10.15}$$

如果边际生产成本大约为每单位产品10美元，那么利润 Z 等于：

$$Z = (P - 10) \times (100 - 2P) \tag{10.16}$$

而且使利润最大化的价格 P^* 为30美元。

但有参考价格时，方程（10.15）就变为：

$$Q = 100 - 2(P - RP) \tag{10.17}$$

这里，RP是参考价格。从（10.16）和（10.17）可推出利润最大化时的价格为：

$$P^* = \frac{120 + 2 \times RP}{4} \tag{10.18}$$

因此，若 RP = 0，得自方程（10.18）的最优价格还是30美元；若参考价格也是30美元，则最优价格是45美元！总之，最优价格（使利润最大化的价格）随参考价格的增加而增加。

如前例所示，如果顾客用某一参考价格评价产品，那么参考价格越高，企业能收取的价格就越高，最优价格也越高。这样，在存在的参考价格的情况下，销售者最好能在定价时考虑到参考价格因素，并尽力影响这些参考价格的形成过程。例如，很多汽车广告都与奔驰车进行比较，用以说明在所购的汽车性能差不多的情况下消费者可以省多少钱。

参考价格理论的重要应用是通过谈判实现交互式定价。为了说明价格谈判过程的特点，我们常用"保留价格"这一概念，这是指顾客愿为产品或服务所付价格的上限。

尽管许多消费品市场上都采用公布价格和固定价格，但在企业市场及产品多样、效用高的消费品市场（如房产、汽车和游艇），价格一般都是通过价格谈判来确定的。

图10—3所示为"协议区间"，即处于卖方的保留价格（或成本）s 与购买者的评价 b 之间的区域。若 $s > b$，则不存在协议区间；若 $s < b$，则购销双方要进行谈判，寻求某一价格 p，使 $s < p < b$。价格 p 将协议区间（$b - s$）分为两段：（$b - p$）叫买方剩余；（$p - s$）叫卖方剩余或利润。

在简单的一次性谈判中，买卖双方都不考虑长期关系中的因素（如信任）。他们寻求的都是如何使各自剩余最大化的价格 p。那么他们该怎样来确定 p 的值呢？

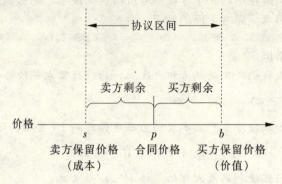

图 10—3

在价格谈判中，买方价值 b 是顾客愿意支付的最高金额，卖方成本 s 是卖方能接受的最低价格。合同价格 p 将协议区间一分为二，将 $(b-p)$ 给予买方（买方剩余），将 $(p-s)$ 给予卖方（卖方剩余或利润）。注意：若 $b<s$，则不存在协议区间。

纳什（Nash，1950）提出了解决这一问题的一种很好的方法。这种方法基于一些合理的假设，如个人的理性（喜欢多多益善）、帕累托最优（不存在另一种解决方案 $p*$ 能使双方的盈利都进一步提高）、对称或公正（一般而言，相对于无协议情况下的效用，解决方案应使买卖双方获得的效用相同）。这个解决方案就是：

$$\text{使} \, U_s \, (p-s) \, U_b \, (b-p) \, \text{最大化的} \, p \tag{10.19}$$

这里，U_s $(p-s)$ 是销售者在保留价格为 s、商定价格为 p 时的效用；U_b $(b-p)$ 的定义类似。

在一些营销实验中（Neslin & Greenhalgh，1983；Eliashberg et al.，1986），纳什解在预测方面有很好的效果。但内史林和格林哈格（Neslin & Greenhalgh，1986）指出，许多解都不是纳什型的。如果在实际中运用该方法，还必须用其他考虑到意外事件和个人偏好的方法求解价格。例如，罗斯（Roth，1979）放宽了纳什的对称性假设条件，得出加权纳什解，即：

$$\text{使} \, [U_s \, (p-s)]^r \, [U_b \, (b-p)]^q \, \text{最大化的} \, p \tag{10.20}$$

这里，r 与 q 分别是卖方和买方的谈判能力。注意这里参考价格和保留价格的作用。如果买方可以从其他供给者那里以更低的价格 $b*<b$ 得到产品或服务，那么纳什解的价格就要降低。同样地，如果卖方有能力向买方表明，情势（如原材料成本）会迫使 s 提高，那么商定价格就会上升。

在很多情况下，价格谈判往往会转化为对 b 和 s 取值问题的讨论，因此纳什解（或类纳什解）就有利于谈判力量较强的一方。如果信息不完备，买方不了解成本，卖方不了解买方价值，而且明显存在其他的买方或卖方选择（如 Gupta & Livne，1988；Gupta，1990），则这种情况下的价格解就与纳什解不同。

本书所附软件包中的 Value 电子报表练习能够计算买卖双方预期价值，并提供了支持这种价格谈判过程的工具。

对交互式定价的理论探讨和实证研究表明，买卖双方都应当在价格谈判前确定自己的保留价格并估计对方的价格。纳什方法及类似的分割差异求解法都取决于买卖双方怎样看待参考价格或无协议时的价格点（协议区间的端点）。大多数谈判过程都要先计算这些端点在哪里或应当在哪里，然后再尽力说服对方接受。

差别定价

理解差别定价

到目前为止，我们讲的都是卖方如何寻求能使利润最大化的单一最优价格。如果顾客彼此类似，而且企业只能采用一种价格，单一价格就是企业的最佳选择。但如果顾客评价各异，追求利润最大化的企业就可以制定多种价格，即通过实行差别定价提高其利润。下面我们就介绍差别定价法，并解释这种定价法如何发挥作用。

假设某一教科书的市场上有四个规模相等的细分市场，每个细分市场愿意支付的价格都不相同。市场 A、市场 B、市场 C 和市场 D 愿支付的最高价格分别为 40 美元、30 美元、20 美元和 10 美元。假定所有消费者都最多只购买一本书，而且只有当顾客剩余（即保留价格减去售价的差额）非负时才会购买。每本书的可变成本为 5 美元，固定成本忽略不计，且企业希望制定最优的单一价格。定价低于 10 美元是毫无意义的，因为每个人都至少愿支付 10 美元。这样，随着价格由 5 美元提高到 10 美元，利润也会增加。同样，价格定在各个不同的保留价格之间也没有意义。让我们从 10 美元开始分析。在此价格水平下，所有细分市场的顾客都会购买，利润为 $4N（10-5）=20N$ 美元，这里 N 是每个细分市场的顾客人数。如果定价为 20 美元，则细分市场 A、B 和 C 会购买，利润为 $3N（20-5）=45N$ 美元；如果定价 30 美元，则 A 和 B 会购买，利润为 $2N（30-5）=50N$ 美元；如果定价 40 美元，则只有 A 会购买，利润为 $N（40-5）=35N$ 美元。所以，最优的单一价格为 30 美元，利润为 $50N$ 美元。

现在，假设某企业可以针对四个细分市场分别制定四种价格，那么 A、B、C、D 的价格分别为 40、30、20、10 美元。企业利润为 $N（40-5）+N（30-5）+N（20-5）+N（10-5）=80N$ 美元

注意这种差别定价法的几个特点：

1. 企业要获取每个顾客的全部剩余（赚取所有的钱）；
2. 企业为每位愿意支付高于企业成本的价格的顾客提供产品（包含）；
3. 企业不会为愿意支付的价格低于企业成本的顾客提供产品（排除）；
4. 直接差别定价很有效，即任何其他的定价方式都不能既提高消费者的福利同时又增加企业利润。

想要实行直接差别定价的企业会面临以下困难：

1. 难以判断顾客的保留价格。顾客可观察的特征很少会同其保留价格有

紧密联系，而且企业也不能通过询问顾客愿意支付多少钱来获得准确信息（Morrison，1979）；

2. 难以针对某一特定细分市场收取某一特定价格。例如，大部分消费品都按标价销售，这样每个人都可以同样价格购买；

3. 难以避免套利交易。保留价格较低的消费者也许会大量购买产品，然后再以相对低价销售给保留价格较高的消费者；

4. 许多时候对不同细分市场实行不同价格是非法的，如性别与种族歧视、管制渠道间歧视行为的《罗宾逊—伯特曼法案》等；

5. 消费者可能会认为差别定价不公平。除非企业能有很好的理由支持它的减价，如作为慈善行为（老年人折扣、学生折扣等），否则支付高价的顾客可能会反感企业向其他人降价。在许多情况下，企业可能会"搭售"其他产品，如免费服务、融资和免费软件等，这会使差别定价不很明显，并且更易于被消费者接受。

尽管有种种困难，但直接差别定价仍然存在。例如，电话公司对居民与企业收取的费用不同，对老年人和学生的折扣也是常见的差别定价形式。许多工业品和服务的销售条件会因企业而不同，所以也采用差别定价方式。服务业运用直接差别定价尤其成功。服务提供者（如律师）同顾客一对一地打交道，而且所提供的服务是无法转售的。在这些情况中，前面的五种困难都得到了解决。

许多实践中的差别定价并不像这些例子所讲的那么直接。事实上，正是因为企业在实行差别定价时需要间接性，我们现在才会看到各种各样的差别定价形式。实行间接差别定价的困难在于判断不同细分市场的参考价格同这些细分市场对产品某些属性的偏好之间的关系。如果企业能够发现这些关系，它就可以将不同的价格与不同的属性水平联系起来，使消费者能够自由选择想要购买的属性水平。

基于收益定价的航空业就体现了这种思想。航空公司提供带有多种限制条件的多种机票价格。例如，高价机票不要求提前预订、没有对取消机票的罚款等；低价机票则有许多这样的限制。这样就形成了吸引不同细分市场、具有不同产品"限制条件属性"的产品线。商务旅行者认为这些限制条件难以接受，愿意购买高价的、没有限制条件的机票，而旅游者更倾向于低票价而不会在意限制条件。

如果可以根据价值对市场进行细分，而且这些细分市场易于识别，并可以当作目标市场，那么就可以实行差别定价。不同市场的制度差异和法律限制导致实行差别定价的方法也不一样。为了实施差别定价计划，卖方必须仔细分析顾客价值（通过选择模型、联合分析、使用价值分析或前面介绍过的其他方法），进行市场细分并选择不同细分市场作为目标市场（第3章）。

为了实行差别定价，企业必须了解怎样把细分市场区分开来，怎样通过广告、分销及其他营销工具来支持差别定价。有些常见的差别定价要依赖于地域差异与时间差异，运用非线性定价法（如根据顾客特征进行定价）和非价格的营销工具。

地域性差别定价

在贸易壁垒很高的时代，国界方便了差别定价的实行。如果套利交易的成本超过了价格差异，那么地域性差别定价就是很有效的。许多国家都存在的所谓"灰色市场"表明事实并非如此。

例如，美能达公司（Minolta）向香港的经销商出售照相机的价格低于向德国经销商出售的价格，这是因为运输费和关税都比较低。香港经销商比德国零售商的利润低，德国零售商不求销售量，更喜欢单品的利润。美能达的香港经销商注意到了这一价格差异，于是将照相机销售给德国的经销商，售价比德国的经销商从美能达的德国分销商那里的进价低。于是德国分销商无法售出自己的存货，向美能达公司提出了投诉（Kotler，1994，p. 424）。

企业必须认识到，信息的完备、贸易壁垒的降低、运输成本的降低及套利交易成本的降低会使地域性差别定价更难实行。例如，美国西海岸零售商的两重或三重优惠政策使制造商在西海岸发行的优惠券比在东海岸发行的优惠券面值更高，但是现在互联网上出现了优惠券交换团体，将价值更高的优惠券返销给东海岸的零售业。

时间性差别定价

时间性差别定价是指在推出一种新产品初期实行高价，向保留价格高的消费者销售；然后慢慢降价并向保留价格较低的消费者销售。例如，出版商开始时先推出高价的精装书，一年后再以低价格销售平装版。这种战略要求是只购买一次的产品，而且保留价格高的消费者购买产品的急切程度不亚于保留价格较低的消费者。例如，购买精装版的读者（拥有较高的保留价格）至少像购买平装版的读者一样想早一点阅读到图书。

时间性差别定价发挥重要作用的另一领域是服务业，因为消费者对服务的需求会随时间推移发生变化，例如：

- 时段定价：用电高峰期的价格、夜晚电话费折扣、午后电影票价、提早吃正餐的折扣、非高峰期火车票价等；
- 购买时间：乘坐飞机两周前、乘坐飞机当天等；
- 每周不同日子价格：公共交通工具、博物馆、剧院等；
- 季节性定价：机票价格、旅馆、度假服务、时装等。

在大多数情况下时间性套利交易无法实行，因为服务不能储存，因此差别定价十分有效。

举例

本案例选自史密斯、莱姆库勒和达罗（Smith，Leimkuhler & Darrow，1992）的成果。美洲航空公司将收益管理功能定义为："以适当价格向适当顾客销售适当的机票"。美洲航空公司系统分为三类主要功能：

1. 超额预订：有意预订比航班实际座位多的机票，以抵消乘客退票或不登机的影响。

2. 折扣分配：确定航班机票的折扣金额，并限制受欢迎航班的票价折扣，为订票较晚却能带来高收入的乘客保留座位。

3. 客流管理：按乘客的出发地和目的地控制预订，提供使收入最大化的市场组合（多个而不是单一的航班市场）。

我们下面介绍航空公司是怎样分配折扣的。如果航空公司只想提供两种档次的服务：全额票价和折扣票价，在起飞前的每个时间点上，该系统都能估计出拒售折扣票时全额机票的销售概率 P。如果 $P \times$ 全额票价 $>$ 折扣票价，则打折要求会遭拒绝。实际情况下，飞机起飞前，航空公司会根据剩余座位数量、离起飞时间长短及需求分布情况的不同，多次更新 P 值。美洲航空公司的票价种类包括全额机票、中等折扣机票和大折扣机票，所以开始在所谓"寻巢"的过程中采用这一方法。假设某次航班有 100 个座位，三种档次的服务，有 60 个座位可用中等折扣，其中 30 个可用大折扣。座位总数与打折座位间的差额就是保留给能带来更高收入的乘客的座位数量。这样，公司就专为全价机票保留了 40 个座位（100—60），70 个座位（100—30）留作全价票和中等折扣票。只有超量预订时才停止预售全价机票。

在下面的例子中，一架飞机有七种档次的机票，公司必须估计一下总需求才能进行计算。

假设某航班的乘客和收入如表 10—3 所示。如果公司不进行折扣控制，那么会接受所有预订直至到达超额预订。由于休闲乘客一般都提前很长时间预订价格较低的机票，于是一些愿付高价格的乘客被低价票需求挤没了座位。美洲航空公司估计这种情况下的收入是在班机全部坐满时可得到的最小收入。表10—4 所示为公司不进行折扣控制一次航班的收入。

表 10—3　　　　　　　　　　　某航班的实际乘客和收入信息

票价类型	乘客			收入（美元）	
	登机	溢出	总数	平均	总额
Y0	12	0	12	313	3 756
Y1	6	0	6	258	1 548
Y2	10	0	10	224	2 240
Y3	3	0	3	183	549
Y4	30	29	59	164	4 920
Y5	16	5	21	140	2 240
Y6	32	32	64	68	2 176
总计	109	66	175		17 429

被拒绝的乘客（溢出列）来自统计模型。在此例中，机票类型 Y0 到 Y3 已全部订出，没有拒绝任何乘客。而有 66 名乘客被拒绝预订（溢出），138 个座位的航班最后只有 109 名乘客登机。

表 10—4 　　　　没有折扣控制的情况下可能出现的乘客情况和收入情况

机票类型	总需求	登机乘客	收入（美元）	
			平均	总额
Y0	12	0	313	0
Y1	6	0	258	0
Y2	10	0	224	0
Y3	3	0	183	0
Y4	59	53	164	8 692
Y5	21	21	140	2 940
Y6	64	64	68	4 352
总计	175	138		15 984

假设需求首先来自价值最低的机票类型，因此能创造高收入的需求就被拒绝了，因为低票价乘客通常比高票价乘客提前很长时间预订机票。

如果美洲航空公司实行完美的折扣控制，就能实现每次航班收入的最大化。这时它为全价机票乘客保留的座位数正好与实际需求相等。只有对那些票价最低的乘客（且公司实在没有空座位时），公司才会拒绝他们的预订要求。表 10—5 列出了这种情形下的收入情况。

表 10—5 　　　　实行完美的折扣控制时的乘客情况和收入情况

机票类型	总需求	登机乘客	收入（美元）	
			平均	总额
Y0	12	12	313	3 756
Y1	6	6	258	1 548
Y2	10	10	224	2 240
Y3	3	3	183	549
Y4	59	59	164	9 676
Y5	21	21	140	2 940
Y6	64	27	68	1 836
总计	175	138		22 545

假设在起飞之前能确切了解需求量，所以可采用理想的折扣分配控制。这里所有被拒绝的乘客都属于 Y6 这档票价。

总收入机会是指完美的折扣控制与无折扣控制这两种情形之间的差别。这种差别是美洲航空公司通过控制折扣分配可获得的收入额。航空公司可通过计算实际收入与无控制时收入之间的差值来测算因采用折扣控制而得到的收入额。

在本例中，通过折扣控制可能得到的总收入

= 完美控制时的收入 — 无控制时的收入

= 22 545 美元 — 15 984 美元

= 6 561 美元

通过折扣控制实际得到的收入

$$= 实际收入 - 无控制时的收入$$

$$= 17\ 429\ 美元 - 15\ 984\ 美元$$

$$= 1\ 445\ 美元$$

于是航空公司获得的折扣分配收入机会所占百分比为 1 445 除以 6 561，即 22%。

航空公司可计算各次航班的平均业绩水平，由此测得公司整体范围的业绩水平。

美洲航空公司的总裁克兰德尔（R. L. Crandall）说：

> 自从 1979 年航空业解除了管制，收益管理就一直是运输管理中最重要的技术发展……（收益管理）创造了一种新的定价结构，使我们能根据各航班的不同对乘客需求做出反应。这样一来，我们就可以更有效地匹配需求与供给……我们估计，仅在过去 3 年里，收益管理就带来了 14 亿美元的收入，（而且我们）期望在可预见的未来，收益管理每年至少还将继续带来 5 亿美元的收入（Smith et al.，1992，pp. 30—31）。

下面是收益管理的另一个例子：

举例

本案例选自《华尔街日报》（Wall Street Journal，April 1，1996，p. 1）。助学金以前主要依据学生的财政需要，现在还要取决于学生对学校收费的价格敏感度，这一敏感度可通过计算多种因素得出，所有因素都同学生得到助学金的急切程度有关。学生越急于得到助学金……他们期望得到的数额就越少。尽管本星期期待学校招生办消息的学生及家人还蒙在鼓里，学校已开始采用航空公司和饭店所用的"收益管理"技术。

这些近几年才普及的统计模型被称作"财政资助杠杆"，这些模型正悄悄地从各个方面影响着学生，其中一些影响已引起了教育工作者的警觉，例如：

- 约翰·霍普金斯（Johns Hopkins）大学模式：该校目前不再使用，但将来会再次起用。该模式建议大幅减少对来校面试学生的资助，因为统计显示这些学生入学的可能性更大，因此吸引他们入学的资助额就可以少一点。校方的一位官员否认学校目前采纳这个建议。
- 匹兹堡市（Pittsburgh）的卡耐基·梅隆大学（Carnegie Mellon）和其他一些学校对提前录取学生的资助要比后录取学生少。招生办副主任威廉·艾略特（William F. Elliott）说："如果学生看重资助，就不应向任何学校申请提前录取。"
- 纽约州博纳旺蒂尔市（Bonaventure）的圣博纳旺蒂尔大学本学年对贫困优秀生的资助只达到所需资助的一半，对富裕学生的资助超过所需资助的 3 倍。结果，75% 的富裕学生决定入学，而最需要资助的学生只有 1/11 入学了。

本书所附软件包中的福特饭店收益管理练习是收益管理在饭店业应用的案例。

非线性定价或数量折扣

数量折扣是差别定价的一种常用形式：购买数量越多，价格越低。这里体现的是购买数量与保留价格之间的关系。那些大量购买以获得折扣的人对大额订单持有的保留价格比不能获得折扣的人要低。数量折扣有多种方式，包括两部价目与分段价目（Monroe，1990）：

两部价目 在两部价目中，卖方取价包括预先收取的固定额 F 和计量收取的价格 p。例如，会员制俱乐部（如山姆俱乐部）收取会员费并提供购物折扣。耐用品（如使用专用胶卷的一次性相机和需要专用刀片的剃须刀）的价格也可看作两部价目。耐用品的价格是固定费用，消耗品的单价则是使用耐用品的计量价格。

两部价目与简单线性价格的相似之处在于边际价格恒定，不随数量变化而变化。无论数量多少，每位购买者支付的边际价格都相等。我们说两部价目是一种数量折扣方式，主要是因为顾客支付的平均价格（F/Q）$+p$ 会随购买数量 Q 增加而下降。而在线性价格模式中，不论购买数量为多少，边际价格和平均价格都保持恒定。两部价目中的固定费比简单线性定价法更能攫取消费者剩余。

分段价目 分段价目是最常用的数量折扣形式，它至少含有两种边际价格，可以有也可以没有固定费用。例如电话公司的价目一般包括固定的月租费和几种价格差。图 10—4 是不含固定费的三段定价方案：购买量不到 Q_1，则单价为 P_1；购买量介于 Q_1 和 Q_2 之间，则前 Q_1 个产品的单价为 P_1，Q_1 到 Q_2 个产品的单价为 P_2（$< P_1$）；购买量大于 Q_2，前 Q_1 个产品的单价为 P_1，Q_1 到 Q_2 个产品的单价为 P_2，其余产品的单价为 P_3（$< P_2$）。

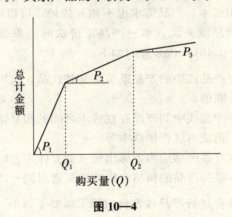

图 10—4

在这个三段式价目中，价格不断增加，经过 Q_1、Q_2 后边际价格随之递减。

价格段越多，差别定价就越细致，同时价目的管理和向消费者解释也就越难。数量折扣的一个极端是每多购买一个产品的价格都不一样，另一个极端则是产品单价始终不变（简单线性定价）。

差别定价的其他形式

促销与优惠券是差别定价的另外两种形式。其基本思想是，使用优惠券的人比不使用的人对价格更为敏感。生产者为价格敏感的细分市场制定比最优价格高一些的价格，再用优惠券向这一细分市场促销。这样，生产者就可以对价格敏感的细分市场和不那么敏感的细分市场都实现最优价格。

顾客特征也可用于差别定价，尤其是在服务业。最常见的特征有：

- 年龄：为儿童、老人制定的特价；
- 收入/教育：电影、杂志订阅的学生价；组织中与收入挂钩的会员费；
- 职业：政府职员折扣、教师折扣；
- 会员资格：汽车租赁的 AAA 折扣、雇员折扣、山姆俱乐部等。

分销网点也可用作差别定价的工具，例如专卖店就比超市的价格高。

有些产品自身就可实现差异定价。例如，软件公司经常销售学生版的软件包，学生版比正式版缺少一两种功能，价格却降低了 10% 以上。

企业还常把品牌差异化应用在差别定价中，以低于品牌产品的价格销售无品牌产品。

产品线定价

大多数企业经营的产品都不止一种。如果这些产品之间没有任何关联，既不分担成本，产品需求也不相互依赖，可以用上文所讲的方法实行差别定价。但对产品线来说，单一产品定价法的结果就可能不合适了，门罗（Monroe，1990，p. 464）认为原因如下：

- 产品线中的产品既可能是替代品，又可能是互补品，需求应当是互相关联的；
- 产品线中的产品存在成本之间的相互依赖关系，如共同的生产成本、分销成本或营销成本等；
- 有些产品应当捆绑出售（如立体声音响），这样便形成了互补关系；
- 某一产品的价格会影响购买者对同一产品线其他产品的主观评价。

企业进行产品线定价时除了需要了解单一产品定价所用的需求信息（即需求价格弹性），还需要对交叉价格弹性有些了解。

赖布斯坦和加泰农（Reibstein & Gatignon，1984）认为，在与方程（10.7）相似的条件下（即无论需求如何，平均成本恒定），在两种产品（$i+j$）组成的产品线中产品 i 的最优价格为：

$$P_i^* = \frac{\varepsilon_i}{1+\varepsilon_i}\mathrm{MC}_i - \frac{\varepsilon_{ij}}{1+\varepsilon_i}\frac{Q_j}{Q_i}(P_j - \mathrm{MC}_j) \qquad (10.21)$$

该公式表明，在需求相关的产品线中，其中一种产品的最优价格是用公式第二项对单一产品最优价格（即公式第一项）进行修正。公式第二项是产品自身价格及其交叉价格弹性、两种产品的需求量及另一产品的价格和边际生产成本的函数。若需求与价格之间的关系是随机的，则该函数还需进一步修正，以说明需求不确定性的影响。

总之，要想确定产品线中的 n 种产品的价格，企业必须求解 n 个像（10.21）的等式。

对这种模型来说，获得关键信息（如产品自身价格弹性及交叉价格弹性）往往很困难。

促销的种类及效果

促销包括各种以短期刺激形式来激励目标市场做出更早或较强反应的战术性推销手段。尽管促销有许多形式，但大部分促销都可看作暂时的、广而告之的降价行动。比较常用的促销形式有消费品市场的优惠券、赠品和奖励等，给分销商和经销商的购买津贴、合作广告津贴和免费商品，给工业用户的折扣、小礼物和额外赠品，给销售人员的销售奖励和特殊奖金。

大多数促销中的关键因素是可以能补充营销组合的其他因素，因此必须在零售商、批发商、销售人员、广告及生产与分销等职能之间进行协调。图10—5是促销的类型及流程图，它反映出对了解在不同层次开展促销的单个效果和综合效果并据此建模的重要性。

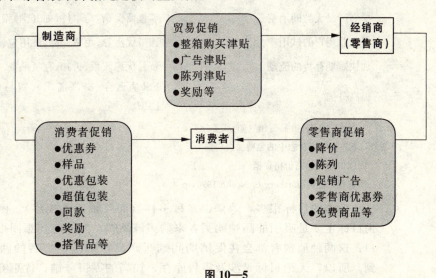

图 10—5

促销类型多种多样，既可提供给经销商（零售商），也可以提供给消费者。

因此，用模型表示促销效果就必须确定：（1）促销目标；（2）不同促销行动的特点及其对促销目标的预期效果；（3）不同促销手段的有效性；（4）促销决策的范围。

促销目标

由于促销工具形式多样，因此不能说它们有什么统一的目标。例如，免费样品能促使消费者试用，而免费管理咨询服务却能巩固与客户的长期关系。促销技术有三项功能：

1. 沟通：不仅能引起关注，通常还能提供吸引消费者的信息。
2. 刺激：包括一定的减让、诱导或贡献，目的是向受众表现产品的价值。
3. 邀约：多数都是希望马上进行交易的明确邀约。

表 10—6 为部分营销目标及用来实现这些目标的促销方式。

表 10—6　　　　　　　一些营销目标及用来实现这些目标的促销形式

营销目标	促销类型
提高重复购买率	包装内装优惠券,持续促销项目(如"N for"零售促销)
提高本品牌在品牌转换者中的市场份额	FSI 优惠券,面向其他品牌用户的优惠券,零售促销
提高零售商的促销频率	贸易优惠政策;消费者促销和贸易优惠结合使用
加强产品形象	与形象导向的零售商合作的形象广告
提高产品大类的转换率	零售促销,FSI 优惠券、大折扣
以优惠敏感的消费者为目标市场	优惠券,"N for"零售促销
提高产品大类的消费量	零售商促销,与事件(如开学)相关的促销
提高非用户的试用率	连带优惠券、免费样品、试用包装、邮寄优惠券
加快短期存货的流动	贸易优惠政策、折扣、存货融资
提高分销	FSI 优惠券(提高需求),贸易优惠政策(提高 DPP)

N for 指多件商品促销（如 99 美分买 6 个）

FSI 指报纸杂志中的免费插页广告

DPP 指经销商价格促销

资料来源：Blattberg & Neslin 1990，p. 464.

促销的目标很多，效果也多种多样（而且很让人迷惑）。例如，卖方的促销目标主要是吸引非品牌购买者来购买该品牌，但同时还想回报品牌的忠实用户；这两种消费者都会在促销期间购买产品，因此销售者的两个目的都能达到。所以，无论目标是涉及零售库存、提高的零售分销、优惠券兑换率还是涉及销售效果，设定目标和测定促销手段的效果都非常重要。

促销的特征

营销经理根据各种促销方式在实现目标的成本有效性来选择促销手段。对不同的促销手段，要考虑的重要因素也有所不同。

样品：可挨家挨户上门推销或采用邮寄方式或在购买另一种产品时免费赠送。而且，样品的多少可以不限（通用食品公司在为导入 Gainesburgers 进行促销时，试用包装只有正常狗餐的一半，促销结果不尽如人意）。

制造商价格折扣：销售者必须确定促销的总量，这在一定程度上取决于零售商愿意接受的数量。数量太少，可能无法激励零售商突出展示该产品。销售者必须仔细决定折扣的百分比及进行这种促销的频率——折扣的频率若太高，会使消费者期望折扣持续下去，或认为正常价格是提价。

优惠券：兑换率非常重要而且容易计算，它取决于优惠券的价值（Reibstein & Traver，1982）。但正如洛迪斯（1986）指出的，大多数促销手段对制造商来说都是无利可图的，制造商应当把精力集中在优惠券对长期销售和盈利性的影响上。同样品一样，制造商可以部分地控制优惠券所能接触到的家庭类型。

对附在**包装物上或包装物内的赠品**而言，选择赠品的种类和持续期间是非常重要的。赠品应当与品牌的质量形象一致，而且持续期间应足够长，使经常购买者能够得到赠品（如一副眼镜）。

店内展示是促销的一种有效形式，但展示空间有限，而且要遵从零售商的要求。

每种促销方式都有各自的性质，这会影响到它的成本及短期与长期品牌销售额。

营销人员对促销的作用及怎样看待促销的看法不一。然而，他们似乎一致认为，促销（与广告相反）无法建立长期的顾客品牌忠诚。布拉滕伯格、布赖尔契和福克斯（Blattberg，Briesch & Fox，1995）总结了促销的效果：

1．暂时降低零售价格能大大增加销售额：研究人员发现，暂时降低零售价格（如超市里的广告传单）能使短期销售额大幅度快速上升。电视及其他媒体上的广告都无法引发消费者这样的反应。

2．市场份额较大的品牌交易弹性较小：尽管优惠措施吸引了很多品牌转换者购买本品牌，但市场份额较高的品牌对贸易优惠政策的反应较小。

3．优惠措施的频率能改变消费者的参考价格：这项发现非常重要，它解释了为什么大力促销的产品失去了品牌价值（消费者认为这些产品没有那么大价值）。消费者参考价格的降低会使企业难以在市场上对该品牌收取高价。

4．优惠政策的频率越高，引起的销售高峰就越低：造成这一结果的原因在于：（1）消费者对优惠措施频率的期望；（2）消费者参考价格的改变；（3）以前优惠的遗留效应。

5．连带促销的效果是不对称的，而且对高质量品牌的促销会不均衡地影响到较弱品牌：对可口可乐进行促销会导致原先购买中间商品牌的顾客转而购买可口可乐，而对中间商品牌进行促销却很难使原先购买可口可乐的消费者转而购买中间商品牌。造成这种不对称品牌转换的原因可能在于品牌价值的不同。对这一发现加以扩展，可以用来探讨品牌类型的不对称现象。促销高档品牌所产生的转换效果要强过促销低档品牌的效果。

6．零售商并未把贸易优惠全部转移给消费者：零售商是将贸易促销的折扣传递给消费者的载体，销售者应当认识到大多数品牌的促销折扣传递率都不足 100%（促销折扣传递率是指制造商给零售商的促销折扣中有多大比例反映在零售商给消费者的促销折扣中。促销折扣传递率超过 100％，意味着零售商给消费者的折扣大于它从制造商得到的补偿）。

7. 产品陈列与突出展示广告对商品销售有很大影响：而且突出展示广告与产品陈列还能相互促进。

8. 为促销活动做广告能提高商店的客流量：事实证明，某些产品或产品大类的促销活动在广告以后的确能影响商店客流量（商店客流量的增加来自转换店铺的顾客或货比三家的顾客）。

9. 促销会影响互补品与竞争品的销售：人们知道这种影响的存在，却不知影响程度如何。促销某大类产品对其互补品或竞争品销售的影响很可能是这些产品自身种类和特征的函数。

从这些发现和布拉滕伯格与内斯林（1990）的研究可以推导出以下结果，供建模和评价促销结果使用：

- 品牌忠诚可能会（也可能不会）受到影响；
- 新的试用者可能会（也可能不会）受到吸引；
- 促销会与营销组合的其他要素（尤其是广告）互相影响；
- 促销结果会与生产和分销互相作用，会对库存产生迅速、动态的影响；
- 促销频率会影响促销效果，它与产品购买周期（消费者多长时间购买一次产品）的平均时间长度有关；
- 企业选择的促销种类不同可能对品牌忠诚度和促销吸引力有不同影响；
- 促销规模可能有阈值和饱和值，这表明销售反应关系曲线为 S 形；
- 企业实施不同促销手段时可能会取得不同程度的成功；失败可能是由于实施不善、促销设计不当，或二者兼有。

过去评价消费者促销常用的技术是对促销前、促销期间及促销后的销售额和市场份额进行比较，在所有其他条件都一样时，研究者就会把销售额的提高归功于促销活动。图 10—6 描绘了制造商希望看到的促销结果。在促销期间，企业的品牌份额由 6％升至 10％。份额上升 4％是由于：（1）优惠敏感的消费者，他们转而购买这种产品是为了充分利用这项优惠；（2）品牌忠诚的顾客，他们对价格刺激的反应就是提高其购买量。促销活动刚一结束，品牌份额便降到 5％，原因是由于消费者已囤积了过多的产品，正在逐渐消耗原来的存货。存货调整结束后，产品份额又增至 7％，表明忠诚顾客的数量提高了一个百分点。这种产品质量较高但并不为许多消费者所知时就会出现上述模式。

假设促销效果是短期的，我们就可以用这种方法分析促销效果。然而，即使 POS 机采集的数据越来越容易获得，应用也越来越多，但确定促销效果仍然很难，为精确测量新增的销售额，必须精确估计基销售额，即无促销时该品牌的销售额。如果以无促销时的销售额为基（如图 10—6 所示），且销售额增长非常快，那么对基销售额的估计就会偏低，从而夸大了促销的效果。注意，促销刚结束时的销售率比促销后的长期销售率要低得多。

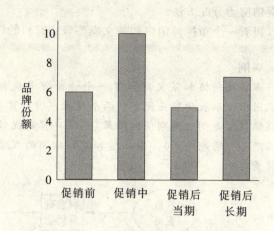

图 10—6　消费者促销对品牌份额的预期影响

在促销期间市场份额提高了，随后又回落（囤积），从长期来看又会恢复到另一个水平。

此外，要计算贸易促销的赢利性，必须评估促销效果中有多少传递给消费者、有多少是零售商超量购买以备日后出售。正如布拉滕伯格和莱文（Blattberg & Levin, 1987）指出的，远期购买非常普遍，所以从批发销售数据推断基销售是不合理的。因此，制造商要想评价贸易促销的赢利性，不仅需要确定消费者对零售商促销反应的模型，也需要确定零售商对贸易促销反应的模型。

分析推销效果的总量模型

现在所用的大多数操作性模型，即使是基于 POS 机数据的模型，都演变出了一些基于回归的总量分析方法。这些反应模型的重点一般都是不同市场上的促销费用的水平及分配。

举例

夏皮罗（Shapiro, 1976）介绍了亨氏公司（H. J. Heinz）进行的一系列促销效果调查。他的研究表明，就促销对市场份额的影响而言，促销效果在同一地区（或市场）内因包装规格不同而不同，在不同市场之间也有很大差异。分析人员在一系列单个市场回归模型中发现了这些效应，认为促销份额（规模）与该地区市场份额之间关系密切。他们将这些反应模型综合成一个模型，用来确定促销努力的最优水平及最优分配方案。模型结果显示，亨氏公司能够在很大程度上改善公司的促销，从而取得提高市场份额和降低成本的双重利益。1973—1974 年间，亨氏公司将模型的建议付诸实施，不仅促销费用比前一年下降了 40%，而且由于将促销努力集中于更易受到促销影响的市场上，亨氏公司的全国市场份额提高了三个百分点！

Conglomerate 公司的促销分析练习（见本书第 2 章）说明了夏皮罗所用

的促销努力分配方法。

再看一个布拉滕伯格和莱文模型（1987）的例子。

举例

布拉滕伯格和莱文建立了一个评价贸易促销效果的模型（见图10—7）。他们用模型来表示贸易优惠的两个效果：（1）贸易促销能鼓励零售商开展消费者促销（这是制造商期望的结果）；（2）贸易促销还能刺激零售商在促销期间多买产品（远期购买），由此增加促销期间的发货量，同时也减少了促销后的发货量。

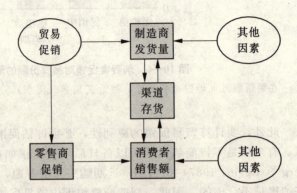

图10—7 贸易促销是如何影响发货量及销售量的

贸易促销既影响零售商订货量，又影响零售商对消费者的促销活动，而这些促销活动最终会影响发货量和渠道的库存量。

资料来源：Blattberg & Levin 1987, p. 127.

图10—8所示为这一活动的净效应：当消费者销售量（调整后的销售量）变化很小时，每个促销期内给零售商的发货量会出现剧烈跳跃，随后迅速下降。要了解贸易促销的效果，就必须分析这一过程的每个阶段。下列每个方程都表示了图10—7中一个方框的流入流出情况：

制造商发货量模型：

$$发货量_t = f_1（存货_{t-1}，贸易促销_t，其他因素_t）\qquad (10.22a)$$

零售促销模型：

$$零售促销_t = f_2（贸易促销_t，贸易促销_{t-1}，存货_{t-1}）\qquad (10.22b)$$

消费者销售量模型：

$$消费者销售量_t = f_3（零售商促销_t，其他因素_t）\qquad (10.22c)$$

存货模型：

$$存货_t = f_4（存货_{t-1}，发货量_t，消费者销售量_t）\qquad (10.22d)$$

注意，方程（10.22d）只是一个会计等式：

$$存货_t = 存货_{t-1} + 发货量_t - 消费者销售量_t \qquad (10.22e)$$

这样就有了三个需要指定或估计参数的方程。

促销使对交易伙伴的发货量出现了大的峰谷，但在消费者层面上效果却不明显。

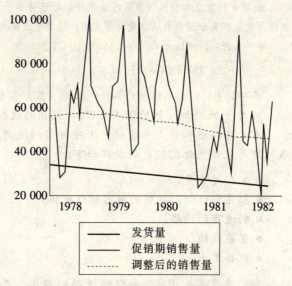

图 10—8 消费者销售量和发货量

资料来源：Blattberg & Levin 1987，p. 128.

假设在零售商促销结束后的某一时刻，消费者销售量恢复到基水平，将消费者销售量提高带来的总利润减去因贸易促销导致的同零售商交易的总利润损失，就可计算出促销的盈利：

$$促销盈利 = I \times \text{MARGIN} - P \times \text{DISC} \tag{10.23}$$

其中，I = 消费者销售量的增加；P = 贸易促销期间对零售商的总销售量；DISC = 贸易促销期间给零售商的平均单位折扣；MARGIN = 已售产品的单位利润。

图 10—9 表示出，因贸易促销期间的发货量部分是从未来"借"来的，而且促销期间的销售又在打折，因此，这些"借"来的发货量降低了促销的盈利性。

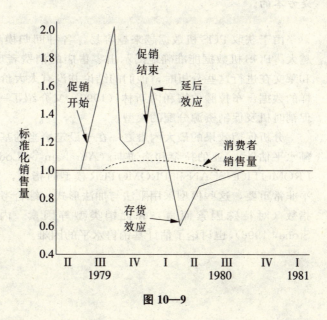

图 10—9

消费者销售量和交易销售量在促销开始时迅速攀升，随后由于消费者的囤积而下降。虚线下的面积表示消费者销售量的增长额，通常要比实线下的面积小。

资料来源：Blattberg & Levin 1987，p. 137.

$$F = P - N - I \tag{10.24}$$

其中，F = 远期购买；N = 正常（基）销售量。

随着 F 的增加（相对于 I 而言），促销的盈利性逐渐减小。

布拉滕伯格和莱文用这种方法分析了制造商在六个市场上对 10 种产品开展的贸易促销。他们拥有的数据如下：

● 工厂发货量；

● 零售审计部门提供的双月销售数据；

● 制造商的价格；

● 贸易促销；

● 广告支出。

制造商没有关于零售商促销活动的数据（尽管这种资料很容易购买到），因此，研究者删除了方程（10.22b），还删除了方程（10.22c）中的零售商促销变量。

其余对数线性形式的模型综合了"其他因素"来解释不同的促销类型、零售商订货量与发货量间的差额、趋势与季节性变化等。布拉滕伯格和莱文估计了 60 个独立的发货量方程和消费者方程实例，调整后的平均 R^2 分别等于 0.66 和 0.57。他们发现：

1. 贸易促销大大提高了发货量；

2. 远期购买量很大，导致促销期过后销售额大幅减少；

3. 促销期内消费者销售量会增加，提高的幅度远远低于发货量提高的程度。

布拉滕伯格和莱文进行了上述的盈利性分析，结果发现大部分贸易优惠都是亏本的。

由于获取 POS 机数据越来越容易，各种回归模型在实践中的作用也越来越大。POS 机数据能准确地揭示出零售店的消费者反应。1987 年布拉滕伯格和莱文在进行这些分析时，他们的结论并没有太大价值，因为当时无法得到这样的数据。布拉滕伯格和内斯林（1990）又介绍了一些可用来确定促销规模、促销时机及促销资源分配的模型。

分析促销效果的最大困难之一在于设定恰当的基水平（即无促销时的销售额水平估计）。亚伯拉罕和洛迪斯（Abraham & Lodish，1987，1989）在介绍 PROMOTIONSCAN 和 PROMOTER 模型时指出，估计无促销时的销售额水平非常重要，这些模型采用乘法与加法形式，综合考虑了趋势、季节性、例外指数（对特殊因素而言）和促销类型等因素。内斯林和斯通（Neslin & Stone，1996）也讨论了估计基销售水平的困难。

分析个人对推销的反应

能够获取与个人特征相关的 POS 机数据促进了研究人员用模型描述个人选择行为（包括促销效果）。因为技术问题与方法论问题都很多，所以建立这些模型必须具有丰富的专业知识。这些模型都有一个共同目标：即估计某人选择某品牌的概率，这个概率通常认为是下面这些变量的函数（Blattberg & Neslin，1990，p. 220）。

1. 品牌哑变量（表示品牌的内在价值）；
2. 促销活动；
3. 上次购买对顾客忠诚度的影响；
4. 上次购买对促销反应的影响；
5. 个人特征及人口统计特征。

这里经常引用格瓦达尼和利特尔（Guadagni & Little，1983）的分对数模型（本书第 3 章）：

$$P_k = \frac{e^{V_k}}{\sum\limits_{j=1}^{J} e^{V_j}}, j = 1,2,\cdots\cdots,J（品牌规格的数目）\tag{10.25}$$

其中，品牌规格是指某品牌的一种特定规格，如"2 升装可口可乐"；P_k＝购买品牌规格 k 的概率；V_k＝时点 t 时品牌规格 k 效用的决定性因素，这里下标 t 隐去了。

V_k 被定义为：

$$V_k = \sum_{l=1}^{7} \beta_l X(l,k) \tag{10.26}$$

其中，$X(1,k)$＝品牌规格常数 ＝ $\begin{cases} 0，非品牌规格 k \\ 1，品牌规格 k \end{cases}$；

$X(2,k)$＝ 促销指示因子 ＝ $\begin{cases} 0，未促销 \\ 1，正在促销 \end{cases}$；

$X(3,k)$＝ 每盎司的正常价格；

$X(4,k)$＝ 以前促销时购买情况 ＝ $\begin{cases} 0，若前次购买的不是正在促销的品牌 k \\ 1，若前次购买的是正在促销的品牌规格 k \end{cases}$；

$X(5,k)$＝ 再前次促销时购买情况 ＝ $\begin{cases} 0，若在前次购买的不是正在促销的品牌规格 k \\ 1，若再前次购买的是正在促销的品牌规格 k \end{cases}$；

$X(6,k,t) = \alpha X(6,k,t-1) + (1-\alpha)\delta_1(t)$；

$\delta_1(t) = \begin{cases} 0，若品牌 k 不是在第 t-1 次购买时买的 \\ 1，若品牌 k 是在第 t-1 次时买的 \end{cases}$；

$$X(7,k,t)=\gamma X(7,k,t-1)+(1-\gamma)\delta_2(t);$$

$$\delta_2(t)=\begin{cases} 0, & \text{如果品牌规格 } k \text{ 不是在第 } t-1 \text{ 次购买时买的} \\ 1, & \text{如果品牌规格 } k \text{ 是在第 } t-1 \text{ 时购买时买的} \end{cases};$$

α，γ = 分别为前次购买的品牌（和规格）的延后效应。

注意，该模型描述的是个人购买某一特定品牌规格的概率。模型以下列程式化的行为假设为基础：消费者会计算购买每种品牌的效用，并选择购买在某一特定时刻具有最大效用的品牌。在任何时刻，品牌 k 的效用（U_k）都是决定性因素（V_k）与随机因素（ϵ_k）的和。上述模型的具体形式是把作为以往购买该品牌的幂数递减当作变量 X（6）中的品牌忠诚度来测量，对 X（7）中的规格忠诚也可同样测出。变量 X（4）和 X（5）衡量的是以往购买对当前反应程度的影响。

有些人对该模型处理忠诚度的方式提出了批评。该模型假设市场是同质的，消费者的不同之处仅在于忠诚度的差异，而不在于他们接受促销的程度。他们还批评了该模型处理以往购买行为对消费者当前促销反应的影响的方式。此外，批评者认为更一般性的模型（如第 3 章的分对数模型）也许能更好地体现市场与竞争的本质。

布拉滕伯格和内斯林（1990）讨论了如何用个人选择模型预测消费者对促销的反应，并以此来指导企业的促销决策。还有些研究者建立了一些非常精细的模型，用来确定零售商应该促销哪些品牌、促销的水平及时机选择等，并且得到了一些振奋人心的结论，参见下例。

举例

特列斯和朱弗赖登（Tellis & Zufryden, 1995）建立了一个模型，帮助零售商提高在某一计划期间的累计利润。零售商可用此模型来决定哪些品牌打折、折扣多少及何时打折（该模型甚至还考虑了价格变化时重新标价的成本）。

这个零售商模型的核心是消费者反应模型：

$$E(S_{ijt})=E(Q_{ijt}\mid B,C,V)\,P_{ijt}(B\mid C,V)\,P_{it}(C\mid V) \qquad (10.27)$$

其中，i = 顾客；j = 品牌；t = 时间段；S = 销售额；V = 商店光顾；C = 所购买的产品大类；B = 品牌选择；Q = 购买数量；E = 期望；P = 购买概率。

这个模型还有三个子模型：购买概率模型、品牌选择模型和购买数量模型。

特列斯和朱弗赖登用一个（嵌套的）分对数模型来表示消费者决策过程，其中购买概率模型是一个二元（买或不买）分对数模型，品牌选择模型是多项式分对数模型。在消费者 i 对商店的某次光顾时，在时间段 t 内购买这一产品大类的概率为：

$$P_{it}(C\mid V)=\frac{1}{1+\exp\left[-(b_0+b_i\mathrm{CatPur}_i+b_2\mathrm{Inv}_{it}+b_3\mathrm{Inc}_{it})\right]} \qquad (10.28)$$

这里，CatPur_i = 消费者购买该产品大类的平均长期概率；Inc_{it} = 产品大类吸引力或价值［方程（10.29）分母的对数值］；Inv_{it} = 第 t 期之初，消费者的库存量；b_0，……，b_3 = 待定系数。

品牌选择模型为：

$$P_{ijt}(B \mid C) = \frac{\exp(\beta X_{ijt} + \gamma_j \text{Disc}_{ijt})}{\sum_k \exp(\beta X_{ikt} + \gamma_k \text{Disc}_{ikt})} \qquad (10.29)$$

其中，Disc_{ijt} = 期间 t 内消费者 i 可得到品牌 j 的折扣水平；X_{ijt} = 因果关系变量的向量，包括品牌忠诚度、前次品牌选择、标价、产品突出陈列和展示等；γ_j = 品牌 j 的折扣，是待定参数；β = 因果关系变量的向量（= β_0，β_1，……，β_γ，这里 γ 是因果变量的个数），待定参数；k = 选择集内的品牌指数。

消费者 i 在时期 t 选择品牌 j 的期望购买量模型为：

$$E(Q_{ijt} \mid B) = \exp(a_0 + a_1 \text{Price}_{ijt} + a_2 \text{Disc}_{ijt}{}^* + a_3 \text{Inv}_{it} + a_4 H_{ijt}) \qquad (10.30)$$

其中，Price = 标价；Disc = 某品牌的折扣；Inv = 期初产品的库存量；H = 品牌吸引力（从方程 10.29 中推出）；a_0，……，a_4 = 待定系数。

这里的 H 解释了为什么消费者所购买的不同品牌数量不同——举例来说，一个消费者可能购买少量的高档咖啡给客人喝，购买较多的便宜咖啡供自己饮用。

特列斯和朱弗赖登将该模型用在咸味薄脆饼干，结果发现促销的最优水平和时机随消费者忠诚度、消费者对营销组合变化做出的反应、零售利润及重新标价成本等因素的变化而变化。其结果还表明，当零售出现盈余、消费者对折扣产生反应、产品大类吸引力增强时，零售商应实行较高折扣；当顾客对产品库存产生反应、顾客忠诚水平提高时，应实行较低折扣。

他们在 PC 机上实现了该模型，并用 Excel 里的规划求解工具进行了优化运算。

本书所附软件包里的促销费用分析软件和 MassMart 案例说明了该模型的作用及模型的使用方法。

随着促销反应数据的数量和质量不断提高、即时促销（如在线销售）更加普及，我们希望营销人员能更好地理解促销效果，并能建立起描述这些效果的好模型。

本章小结

尽管营销组合中的非价格因素正在变得日益重要，但价格以及起到促销作用的各种短期价格变化仍将继续在营销组合中占据核心地位。定价必须了解消费者愿为产品支付的价格、生产产品的成本、竞争者可能的反应及这些因素的长期变化。大多数价格决策都以成本、需求或竞争为依据，我们已经介绍了以这些因素为基础的各种营销工程方法。需求定价法依赖于差别定价，它要充分利用不同顾客对产品不同程度的需求。收益管理是实施差别定价的一种有效方法。

由于大多数企业都要为相关的多种产品定价，因此产品线定价问题就显得

＊ 英文版原书为 $a_{2j} \text{Disc}_{ijt}$，疑为印刷有误，特此改正，敬请读者注意。——编者注

十分重要。企业必须了解产品间的相互作用。

促销的主要形式是短期降价。我们对促销效果的了解正在不断丰富，而且制造商和零售商也正在用许多有效的模型进行促销的设计和实施。

随着 POS 机数据和对这些数据分析方法的普及，我们能够更好地理解促销的效果，更好地利用这些知识引导企业进行促销决策。有了丰富的数据来源，加上在互联网环境中测定消费者促销反应的诸多方法，在不远的将来，研究者一定能开发出更好的模型，得出更精确的观测结论。

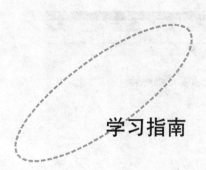

学习指南

学习曲线定价法指导

   学习曲线定价法软件能帮助公司依据经验曲线成本效应在市场活动中采取战略性定价。该软件模拟的是简单的（非竞争的）市场类型，并研究了经验曲线现象对最优的短期和长期定价政策的影响。

   在"Model"（模型）菜单中选择"Learning Curve Pricing"（学习曲线定价），就可以看到图 10—10 的"Introduction"（介绍）屏幕。

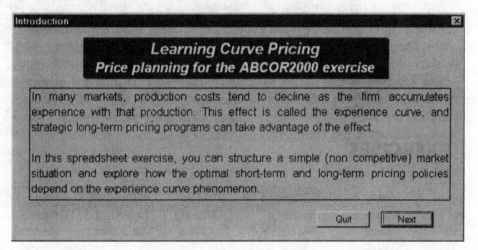

图 10—10

   点击"Next"（下一步）进入分析区，如图 10—11 所示。

   这时要提供关于市场主要特征的估计值（如累计产量、当期成本和经验曲线常数等）和分析所需其他参数。

   点击"Next Page"（下一页）进入优化区，如图 10—12 所示。

   这时要输入一组代表一定价格政策的价格，并检查该政策对利润可能产生

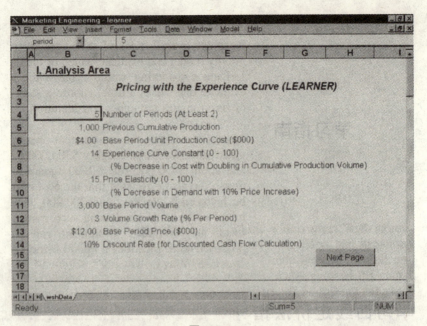

图 10—11

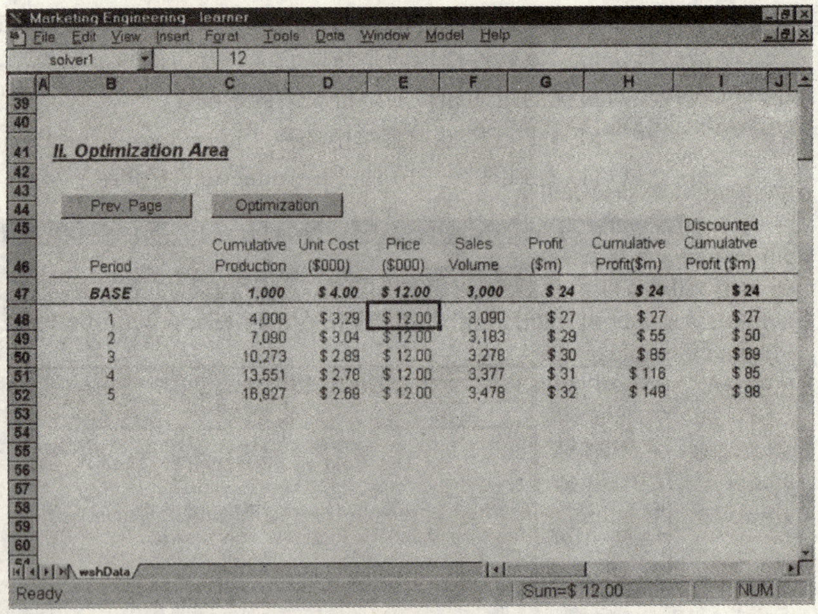

图 10—12

的影响。

　　点击"Optimization"（优化）来启动规划求解。设置目标单元格（如某期利润、累计利润和贴现利润等），指出不同时期何种价格需要进行优化，并设置对这些价格的约束条件，如图 10—13 所示。

　　在"Model"（模型）菜单中点击"Main Menu"（主菜单），从三种绘图选项中选择一种，如图 10—14 所示，如以单位成本作为累计产量的函数的图形可以表示经验曲线效应，如图 10—15 所示。

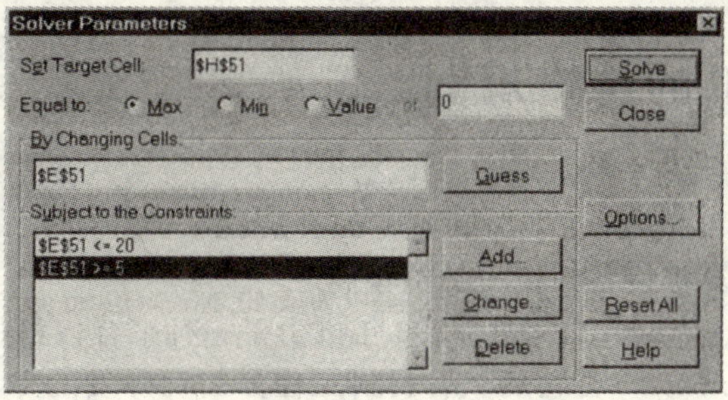

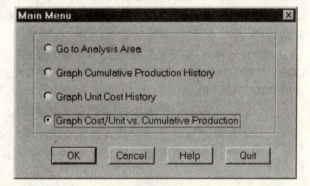

图 10—13

图 10—14

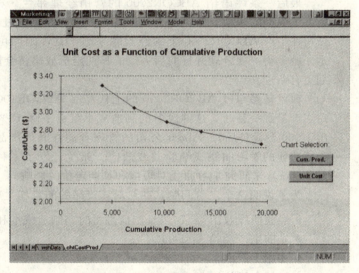

图 10—15

本练习的参考文献

Alberts，William W. 1989，"The experience curve doctrine reconsidered，" *Journal of Marketing*，Vol. 53，No. 3（July），pp. 36—49.

ABCOR2000 的价格规划

Abcor 工业公司是 Conglomerate 公司的一个全资子公司，它是美国最大的刻板设备和板材的销售商之一。

Abcor 公司于 1996 年推出了一种聚合板材的刻板设备，它使用的是 Conglomerate 公司的聚合材料工程分公司开发的专用聚合板材。该公司将第一代设备命名为 ABCOR2000；这种设备比合金设备（即 ABCOR1000 系列产品）价格高，但生产的板材却比金属板材便宜许多（有关 Abcor 及其产品 ABCOR2000 的详细背景资料，请参看使用价值定价法的练习中的"ABCOR2000 定价说明"）。

Abcor 公司开发出一个名叫 VALUE 的软件工具，以支持销售人员对 ABCOR2000 的推销活动。VALUE 模型的最初应用是相当成功的，销售人员对此有高度评价，例如：

- VALUE 软件使我的销售工作事半功倍；
- 我终于觉得自己开始掌握销售谈判的主动权了；
- 我对自己能够当场确定设备的销售条件并签订板材的合同感到很高兴；
- 我可以用更具攻击性的价格销售出比目前多很多的设备了！

最后一条评语给 ABCOR2000 的营销经理弗兰·柯林斯（Fran Collins）留下了深刻的印象。弗兰过去在设备与机床行业工作过，她认为，随着 Abcor 公司在生产 ABCOR2000 上的经验越来越丰富，因而可以有效地降低生产成本。她觉得一项合理并且前后一致的长期定价战略将会使 Abcor 的整体营销计划更有条理。

弗兰曾参与过 ABCOR2000 的上代产品 ABCOR1000 的工作。她注意到，每当产量翻一番时，这种设备的制造成本就会下降 13％至 15％（大约在生产出 1 000 台设备后）。Abcor 公司的管理者们在其他产品的生产中也注意到这种制造业的学习曲线或经验曲线效应。弗兰开发了一种简单的电子报表模型（Learner）来研究学习曲线对短期和长期定价的影响。

为了说明这个定价问题，弗兰对该产品的前景和生产成本做了一些假设：

- 经验曲线效用 = 14％（产量翻番时，制造成本和相关成本下降 15％）；
- 先前生产经验 = 1 000 件；
- 初始生产成本 = 4 000 美元；
- 初始市场价格 = 12 000 美元；
- 销售量预测（价格为 12 000 美元时）= 3 000 件；
- 价格弹性 = 15％（即价格每上升 10％将导致需求下降的百分比）；
- 增长率 = 3％（在当前价格下潜在市场需求每年以此速度增长）。

问题

弗兰面临的问题是为 ABCOR2000 制定一个定价政策。ABCOR2000 的预期产品生命周期大约为五年，Abcor 公司的经理们争执的是定价目标是短期（年度）利润最大化还是长期（五年）利润最大化。因而，弗兰做了大量的分析和比较以寻求：

- 使短期利润最大化的价格；
- 在五年中采用固定的价格，使五年累计利润现值最大的价格（提示：令 E47 以下各单元格都等于 E47，然后用规划求解改变 E47 求得最大利润）；
- 采用价格逐年可变的定价策略，使得五年累计利润现值最大的价格；
- 以上各种价格对可能的价格弹性变化（12%或 18%?）及学习曲线常数的变化（10%或 20%?）的敏感度。

定价计划进行比较的基准是从当前 12 000 美元的价格开始预期每年增长 3%。

你认为 Abcor 应采用何种定价策略？为什么？

注意：以下是电子报表中重要的关系式：

学习曲线效应：

$$C = C_0 Q$$

其中，C = 单位生产成本；C_0 = 常数；Q = 累计产量；r = 学习曲线指数（由输入数据导出）。

需求/价格关系：

$$V = kP^e$$

其中：V = 当前销售量；k = 常数；P = 当前价格；e = 价格弹性（负数）。

使用价值定价法指导

Value 软件根据顾客价值（使用价值）进行定价分析。这种模型的基本思想是：企业的定价行为不仅应考虑产品所耗费的生产成本，亦应对产品所能给予顾客的经济价值做出切实审慎的评价。该软件与"ABCOR2000 定价说明"这一练习配套使用。

在"Model"（模型）菜单中选择"Value-in-use Pricing"（使用价值定价），就可以看到如图 10—16 所示的"Introduction"（介绍）屏幕。

点击"Next"（下一步）进入输入/分析区，如图 10—17 所示。

在此要输入一些分析要使用的重要参数，包括初始年板材量、板材单价、机器设备价格及使用量增长率等。绘图参数会设定曲线原点（起点）及增量（步长），图中 X 轴自初值开始按步长增长 10 次。

点击"Next Page"（下一页）可看到现金流的结果，如图 10—18 所示。

返回"Model"（模型）菜单并选择"Main Menu"（主菜单），然后从多种图表输出形式中选择一种，如图 10—19 所示。

如果选择了"Graph Break even Analysis for Buyer & Seller"（买卖双方盈亏平衡点分析图），就会看到对买卖双方有吸引力的设备及板材的价格范围，

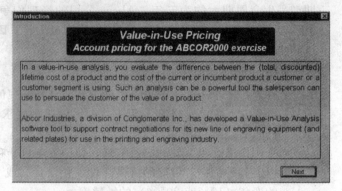

图 10—16

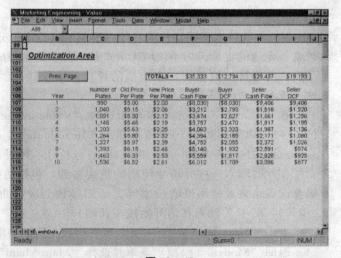

图 10—17

图 10—18

如图 10—20 所示。只要现金流上的任何一点对买方和卖方都是正数，就是一个可接受的合同价格。

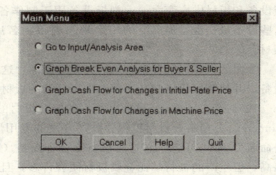

图 10—19

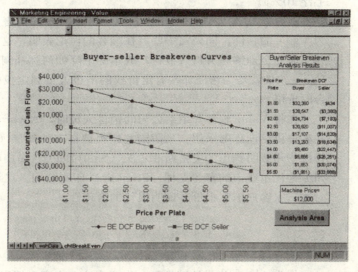

图 10—20

其他图表还可以提供额外的信息。点击"Analysis Area"（分析区）就可以返回分析区，重新设置参数。

本练习的参考文献

Lee, Donald D. 1978, *Industrial Marketing Research*, Technomic Publishing, Westport, Connecticut.

ABCOR2000 定价练习

背景

Abcor 工业公司是 Conglomerate 公司的全资子公司，也是美国最大的刻板设备和板材供应商之一。刻板设备用于制作各类礼品和纪念品的黄铜板材，这些设备最初也是最广泛的用途是制刻印制名片、优质文具、请柬等所用的板材。

公司的大客户是美国各地的专业印刷商，这些公司大部分都有自己的刻板设备，并从刻板设备制造商那里购买所需的板材。

1996年，Abcor公司推出了一种聚合板材的刻板设备，它使用的是Conglomerate公司聚合材料工程分公司开发的专用聚合板材。该公司将第一代设备命名为ABCOR2000；这种设备比合金设备（即ABCOR1000系列产品）价格高，但生产的板材却比金属板材便宜许多，且质量相当（若购买批量为500张以上，金属板材单价为4.78美元~4.92美元；若批量不到500张，单价会上浮10％）。

随着新品ABCOR2000的上市，Abcor公司的销售支持部门开发出一个名为Value的软件。同公司一些潜在顾客的讨论表明，这些不精通技术的小公司并不能完全理解原材料（板材）成本的下降如何弥补制版设备的高成本。这个Value软件就是为帮助那些有定价权的销售人员制定投标价格或者同顾客协商合同价格。

在将Value软件介绍给公司的销售人员时，Abcor公司找出三个典型的潜在客户供培训练习采用：马萨诸塞州梅德福市的朗福（Longform）印刷公司；特拉华州威明顿市的史密斯菲尔茨（Smithfields）高档印刷公司以及佛罗里达州劳德代尔堡市的富兰克林（Franklin）印刷公司。培训练习要求销售人员针对这三家客户拟定报价并证明报价的合理性。

练习

作为Abcor公司的销售员，你要为这三个客户拟定报价并证明报价的合理性（你也可以证明参与这些合同的投标并不符合公司的利益）。Abcor公司销售人员的报酬采用薪金制，此外依客户满意度不同，还可获得一些额外奖金。

针对每种情况均有如下假设：

- 设备的生产及运输成本计3 980美元；
- 设备标价为12 000美元（销售人员无须主管批准可提供20％以内的折扣，高于这一比例需得到书面批准）；
- 金属板材价格预计会每年上涨3％；
- 板材单位生产成本（含运费）为0.60美元；
- 设备年折旧25％（供计算残值使用）；
- 计划以同金属板材价格一样的速度提价。

为这些客户准备报价，并说明报价的合理性：

(1) 马萨诸塞州梅德福市的朗福印刷公司：

- 1947年成立。20世纪50年代中期成为我们的客户，雇员有15人；
- 板材耗量：990张（1994年耗量：940张）；
- 已使用ABCOR1000三年（初始价格4 000美元）；
- 经营保守：以十年为规划期，资金成本为15％。

（2）特拉华州威明顿市的史密斯菲尔茨高档印刷公司：

- 新的潜在客户，采用竞争对手的设备和板材；
- 需求不明（每年 250 至 500 张板材），但需求量每年增长 11％；
- 原设备市场价值约为 3 000 美元；
- 保守的投资者：资金成本为 20％，似乎喜欢以五年为期评估投资效益。

（3）佛罗里达州劳德代尔堡市的富兰克林印刷公司：

- 一家小型综合印刷商，兼营少量刻板业务，业务稳定；
- 最近四年每年从公司购买 200～250 张板材；
- 有我们生产的一台老设备 ABCOR11，已使用 15 年，已完全折旧；
- 以五年为期进行投资评估。投资的简单现金流量总和（不考虑贴现）如果五年内就能转为正数，它就可以考虑投资。

Value 电子报表

该电子报表包括以下关系：

买方现金流量 ＝ C 列 × （D 列－E 列）＋ 第一年旧设备残值价格

＝ C 列 × （D 列 － E 列）（在使用期内）

＝ C 列 × （D 列 － E 列）＋ 最后一年新设备残值

卖方现金流量 ＝ C 列 × （E 列－板材成本）＋ 设备价格－第一年设备成本

＝ C 列 × （E 列－板材成本）（在其他年份里）

贴现现金流量列（DCF）就是简单现金流量列的贴现值。

我们可以通过设定绘图参数绘制几种可能的价格贴现和不贴现现金流量。

竞争投标定价指导

竞争投标定价（BID）软件由两个部分组成：第一部分用于测算同数目已知的竞争对手进行竞价获胜的可能性大小，假设这些竞争者的报价符合你所规定的概率分布，软件可在这种情况下以已知成本来制定最优竞价战略；第二部分是专为配合 I－99 公路建设工程竞标练习设计的，模拟的是竞争者数目未知和成本未知条件下的竞价结果。

在"Model"（模型）菜单下选择"Competitive Bidding"（竞争性投标），就可以看到如图 10—21 所示的"Introduction"（介绍）屏幕。

选择"Bid Profit/Win Probability Analysis"（竞价利润/中标可能性分析）并点击"OK"（确定），即出现要求输入概率图参数的对话框，如图 10—22 所示。

输入竞价竞争各方的特征数据，如允许的最高报价、最低竞争性报价、竞争者数目以及你的产品成本等。同时还要为图设定起点及步长。现在点击"Chart"（图表），就可以看到一个表示你赢得首次竞价概率的曲线，如图

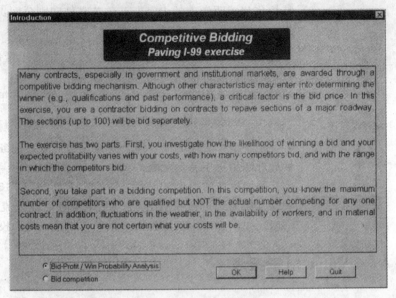

图 10—21

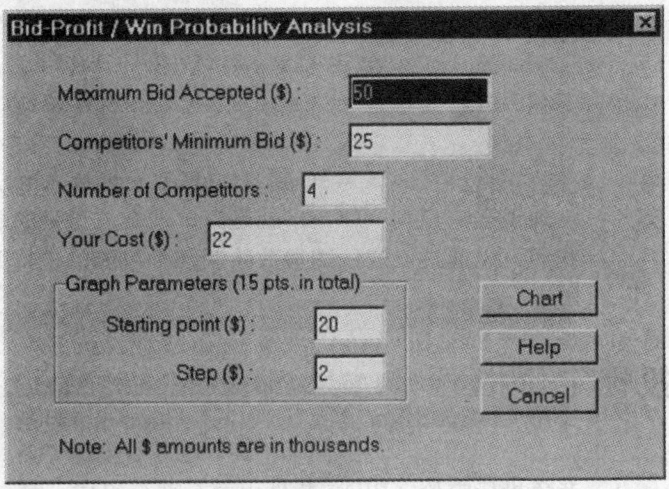

图 10—22

10—23 所示：

点击"Go To Profit Chart"（进入利润图表）查看你的预期利润如何随报价不同而变化，如图 10—24 所示。

选择"Model"（模型）下的"Main Menu"（主菜单），再选择"Bid Competition"（竞价竞争者）即进入竞价竞争者对话框。图 10—25 的对话框要求输入：

● 竞价期数；

● 竞价竞争者最大数目；

● 你的报价（每期都设定为同一水平的决策变量）；

● 你的产品成本范围（合同协商价格的最小值至最大值）；

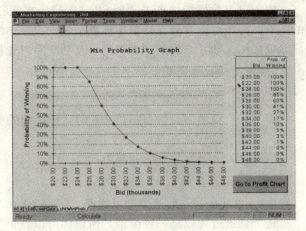

图 10—23

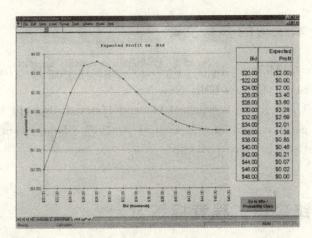

图 10—24

Bid Competition

Number of Bid Periods :	94	(100 periods Max)
Max # of Competitors :	4	
Your Bid ($) :	25	
Your Cost Ranges From ($) :	12	To : 27
Valid Bid Ranges From ($) :	20	To : 30

Run
Help
Cancel

Note: All ($) amounts are in thousands.　# of Wins: 9

Bid #	Your bid	Compets	Min Bid	Cost	Profit
1	$25.00	3	$23.58	$20.98	0
2	$25.00	4	$20.69	$13.38	0
3	$25.00	4	$23.01	$24.60	0
4	$25.00	1	$25.92	$25.82	($.82)
5	$25.00	1	$23.33	$16.38	0
6	$25.00	0		$19.35	$5.65
7	$25.00	4	$22.07	$24.72	0
8	$25.00	1	$22.18	$20.52	0
9	$25.00	3	$22.35	$21.92	0
10	$25.00	1	$21.90	$15.49	0

| Average Profit | $5.74 | Expect Profit ($) | $1.52 | Total Profit ($) | $51.66 |

图 10—25

● 你及竞争者的有效报价区间（最小至最大）。

输入以上数据后，点击"Run"（运行）来运行竞价程序，看看每期竞价的结果。你还可以看到在竞价中你赢了多少次、你的总利润及平均利润（总利润除以中标次数）和你的预期利润（总利润除以竞价期数）。

注意：该软件的两个模型都假定竞价者的报价概率在 U（报价上限）和 L（报价下限）之间均匀分布。

当与 n 位竞争者竞价且报价为 b 时，你中标的概率为：

$$[(U-b)/(U-L)]^n,$$

当报价为 b 时你的预期利润为：

中标概率 $\times$（b — 成本）

点击"Cancel"（取消）即可返回"Main Menu"（主菜单）。

这个竞价过程仅是一种模拟，所以你可以点击"Run"（运行）反复运行，从而得到不同结果（每次模拟运行中成本和实际竞价者数目不同）。

本练习的参考文献

Monroe，K. B. 1990，Pricing：*Making Profitable Decisions*，second edition，McGraw-Hill，New York.

Rothkopf，Michael H. and Harstad，Ronald M. 1994，"Modeling competitive bidding：A critical essay," *Management Science*，Vol. 40，No. 3 (March)，pp. 364—384.

I—99 公路建设工程竞标练习

背景

许多合同（尤其是政府和产业市场的合同）都是通过竞价招标签订的。尽管价格之外的因素（如资质及以前的业绩）也很重要，但报价往往是赢得合同的决定性因素（记住：卖方投标时报价低者胜，买方投标时报价高者胜）。

Conglomerate 公司建筑分公司正在参加宾夕法尼亚 I—99 公路建设的 34 个合同的竞标，这些合同的底价与施工成本大体相当。

实际的竞价练习模拟是本练习的第二部分。在第一部分主要讲解公司完成合同的成本、竞价者数目及报价范围对赢得招标的概率的影响。

在第二部分要模拟不同竞争场景下各种竞价战略的效果。由于这是一次公开竞价，索要标书的公司大家都知道。但索要标书的公司不一定都参与投标，所以知道的只是参与竞标公司的最大数目，而不是准确数字。

最佳的竞价策略应该是在（因报价太高）丧失利润丰厚的业务所导致的机会成本与报价太低而带来的利润损失之间取得平衡（"胜者的烦恼"意思是：在无法确切知道成本却又不得不做出估计时，最可能中标者就是最低估成本者）。注意，即使在类似项目中已经有了很丰富的经验，工程期间的天气、工人数量及劳动率、原材料成本等的波动也使公司很难确切地估计出实际成本来。

在这类市场中，在设定了成本或竞争者报价的范围后，实际成本和各方报价将在这一区间内均匀分布。

培训练习

用练习的第一部分准备竞标。

1. 设置"Bid Profit/Win Probability Analysis"（竞价利润/中标可能性分析），这样就可以了解在以下情况下的中标概率：（1）你的成本为 25 000 美元；（2）报价范围为 25 000 美元～50 000 美元之间，预计有 1 个、3 个或 6 个竞争对手。竞争对手数目如何影响你的中标概率、最佳报价和预期利润呢？

2. 假设你知道有三个竞争者，但报价上限为 40 000 美元而不再是 50 000 美元，这会对你在问题 1 中的报价有何影响？如果报价上限还是 50 000 美元，有三名竞争者，你的成本降为 20 000 美元，此时你的最佳报价又是多少？

竞价模拟

竞价模拟软件可以在竞争对手实际数目未知（尽管知道最大值）和自己成本已知的条件下研究对竞价结果的影响。政府将对 34 个路段同时公开竞价（即不存在先后顺序问题）。

你从州政府获悉，除你之外有四家公司索要标书。此外，你还得知政府已确定每段路的"底线"（最低可接受价格）为 20 000 美元，最高价为 50 000 美元（超出这一范围的报价将视为无效报价；没有有效报价的路段将重新竞价）。

根据过去的经验，你估计成本将在 12 000 美元～25 000 美元之间。你没有同时履行十个以上这类合同的能力（假设，如果将超出能力之外的合同转包出去，每个合同会使你损失 2 000 美元的转包成本）。

Conglomerate 公司的决策需要了解：

1. 我们对这些合同的报价应该是多少？是应该投标所有合同还是只争夺一部分？

2. 我们聘请的安盛（Arthur Anderson）会计师事务所声称可以更精确地估计项目的成本范围，它能够确定成本超出限度的原因并将成本上限从 25 000 美元降到 21 000 美元。为此，安盛会计师事务所开价 10 000 美元。我们是否应该付费向它咨询？

3. 政府考虑将此次竞标划分为两组，每组 17 份合同。假如你在第一轮里赢得了 3 个、6 个或 8 个路段，那么对第二轮的 17 个路段该如何报价？

饭店收益管理指导

收益管理模型（YIELD）的作用是在考虑顾客需求变化和生产能力约束

的同时，优化饭店客房、航班机票和其他"易腐"商品的定价。我们的饭店收益管理系统要在 Excel 软件中运行，任务是为饭店客房定价并确定不同等级客房的数量。

在"Model"（模型）菜单中选择"Yield Management for Hotels"（饭店收益管理），点击"Generalized Yield Model"（通用收益模型）即可看到图 10—26 的"Introduction"（介绍）屏幕：

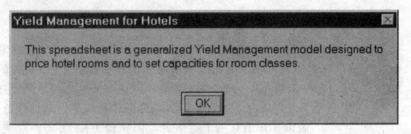

图 10—26

点击"OK"（确定）继续。

第一阶段：饭店设计

在第一阶段先简要说明饭店的主要特征。下面以一个仅有两种档次客房的饭店为例。输入如下三个字段所要求的信息，如图 10—27，点击"Next"（下一步）进入第二步。

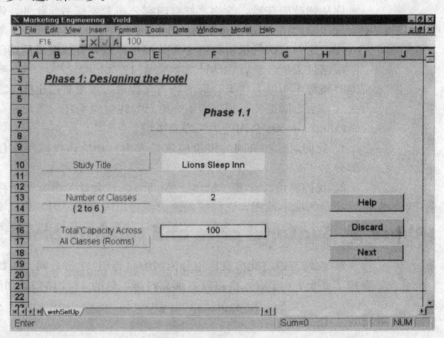

图 10—27

下一步是给客房档次命名（最多 15 个字符），提供价格及在此价格水平下的预期需求量等信息，最后提供各档次客房的需求弹性估计值（弹性是指价格每上涨 1‰引起的需求下降的百分比）。模型假定各档次客房的弹性系数均为常数。点击"Finish"（完成）继续，如图 10—28 所示。

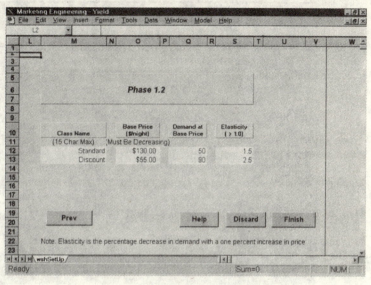

图 10—28

现在已经设定了该模型的所有基本属性，系统将创建一个保存以上信息的 Excel 文件。

现在最好把新设定的模型保存下来。如果要保存，不要使用 Yield 或 Forteyld 作文件名，如图 10—29 所示。

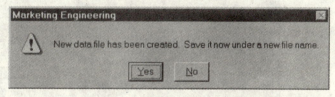

图 10—29

第二阶段：季节定价和客房数规划

现在填写用蓝色标出字段要求的数据，即目标日期、边际成本、需求信息和季节性系数等。参阅电子报表里对表中每列的解释，如图 10—30 所示。

目标季节（如夏季）是需求函数的参照。在第三列和第四列规定各档次客房的需求量随时间变化的方式，如本例中的"标准间"在目标季节前 15 日（目标日期）时的预订率为 50％，目标日期前 5 天预订率为 75％。假设各档次客房的差异十分明确，这样就保证在优化过程中价格差异发生变化时不会有人想换客房档次。

不必针对不同的目标季节设定不同的需求函数，你可以为各档次客房设定一个"平均"时间—需求关系，并进行一些季节性调整：季节系数是该季节需求量偏离正常需求的百分比。

557

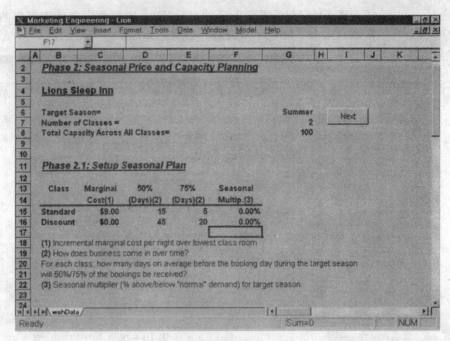

图 10—30

点击"Next"（下一步）进入下一屏，如图 10—31 所示：

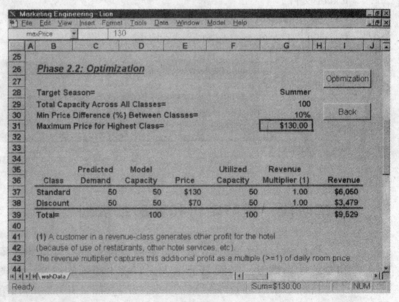

图 10—31

点击"Optimization"（优化），模型就会计算出各档次客房的最佳客房数及最优价格。例如，优化结果表明，使利润最大化的定价策略应是标准间 130 美元，经济间每间 55 美元。

注意： Excel 的规划求解有时需多次重复运行才能算出使收益最大化的解。

在"Model"（模型）菜单下选择"Main Menu"（主菜单），进入以前见过

558

的参数设置屏修改此前输入的参数估计值，或进入通用收益模型的其他功能，如"View Demand Curves"（查看需求曲线）或"Set Daily Capacity"（确定日客房数），如图 10—32 所示。

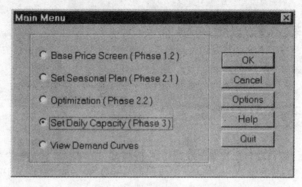

图 10—32

第三阶段：确定日客房数

如果选择了"Set Daily Capacity"（确定日客房数），就可以根据第二阶段确定的价格确定该给每个客房档次分配多少客房。为此，输入蓝色标出的字段要求的数据，即提供目标日期、距离目标日期的天数及迄今为止已预订的客房数，如图 10—33 所示。

	Marketing Engineering - Lion										
	Phase 3: Set Daily Capacity										
53											
54	Target Season=						Summer				
55	Target Date=						7-Jun-96				
56	Total Capacity Across All Classes=						100				
57	Min Price Difference (%) Between Classes=						10%				
58	Number of Days Before Target Date=						20				
59											
60		Booked	Add'l	Optimal			Expected Inc.				
61	Classes	to Date	Demand	Allotment		Price	Revenue (1)				
62	Standard	20	33	62		$130	$3,993				
63	Discount	1	17	46		$70	$1,183				
64	Total	21					$5,176				

图 10—33

给定"最优"定价方案及迄今为止（即 5 月 18 日）已预定的客房数，模型就可以计算出在目标日期之前还会增加多少需求，并确定每一档次的最佳客房数。"Optimal Capacity"（最优客房数）栏所示为未预订的客房该如何分配到各客房档次中才能获得最大利润。在该例中，距离目标日期还有 20 天。

注：收益管理模型只考虑预定客房当日的情况，没有考虑其延续效果。

软件教学版的限制

最大客房档次数：6。

本练习的参考文献

Smith，Barry C. 1992. "Yield management at American Airlines," *Interfaces*，Vol. 22，No. 1（January—February），pp. 8—31

福特饭店收益管理练习

注意：福特饭店收益管理练习是通用收益管理模型的一个版本，内有该练习所需的数据。

查尔斯·朗（Charles Long）是福特饭店的董事长，他最近聘请了 L&R 规划公司用联合分析帮助设计新的连锁饭店，还请他们用收益管理的概念来确定这些新饭店的定价和客房分配方案。

新福特饭店的设计有一个独特的特点，就是三种客房（高档客房、中档客房和标准客房）在建筑设计上是完全相同的，主要区别表现在楼层、楼层内设施和室内设施。标准间在楼房的低层，它具备联合分析得出的标准间的特点。

中档客房增加了浴衣、熨斗及烫衣板、免费室内健身车并提供擦皮鞋服务及每日二次的客房清洁服务（如果需要还可提供新毛巾）。

高档客房全部在饭店的高层，配有中档客房的全部室内设施。此外，高档客房还提供楼层门房管理服务，客人可以到顶层的高档套房大厅休息，那里有大陆式早餐，每天下午 5 点至 7 点还提供免费鸡尾酒和正餐前的开胃食品。

这些不同档次的客房吸引着不同类型的顾客：

高档客房的顾客一般是高层次的商务旅行者，他们不太计较价格，希望得到饭店能提供的最好服务。他们乐于充分享用客房提供的服务，经常在饭店的商店里购买一些个人用品及馈赠亲友的礼品，还常常预订会议室并在饭店里就餐。

中档客房的顾客既有高收入的休闲旅游者，也有受预算约束的商务人员。这类顾客要比高档客房的顾客提前进行计划。

标准客房的顾客成分比较复杂，既有对预算很重视的商务人员也有度假的家庭。后者尤其重视各种优惠政策，往往提前很长时间进行计划。

作为试验，朗先生要求 L&R 公司先为第一家连锁饭店（在弗吉尼亚州阿林顿镇）开发一个原型系统。这家小饭店（体现了福特饭店的亲切感战略）仅有 100 间客房，是 1996 年 1 月开业的。经过一年的营业后，朗先生认为经理们已经充分了解这一年中客房需求的波动以及对价格变动的反应。福特饭店的策略是按季节调整价格和客房数，一年调整四次。他给 L&R 公司的第一个任务就是为这三类客房提出 1997 年夏季的价格建议和客房数建议。

L&R 公司建立的模型需要以下信息：

● 每种档次客房的价格弹性分别是多少（价格弹性是指价格每上涨 1% 时需求下降的百分比）？

● 每类客房在某个基本价格上的预期需求水平是多少？

由于希望经常能使用这个模型，因而该模型还要提出以下问题：

● 这一需求与年均需求量相差多少（如福德饭店预计夏季的观光旅游者要比冬季多，但高层商务旅行者会比冬季少）？

● 在一定时期内客房预订情况如何？模型要询问：对每种档次客房来说，在目标日期前多少天 50%（或 75%）的客房会预订出去？

因而，福特饭店的经理们必须就以上两方面问题提供对各类客房估计值。需要经理们输入的其他信息包括：

● 每种档次客房成本的增加量估计：同最低价位的客房相比，其他客房在设施和服务方面的成本分别增加多少；

● 收益增量的估计值（系数）：普通顾客能为饭店带来多少房价之外的收入（作为客房价格的一个系数）；

● 最高房价及相邻两个价格档次之间的最低价差是多少。

L&R 公司的第一项任务就是为朗先生提供 1997 年夏季三类客房的起价和客房数。它开发的工具（名为通用收益模型）可以用于支持这项决策（此模型的一个版本在文件 Forteyld. xls 里，内有这项应用的数据）。

通用收益模型的原理

这个软件的基本思想是：可以用下面这种总需求函数表示对各个档次服务的需求：

$$D(p) = kp^{-e}$$

其中，D = 需求量；p = 价格；e = 价格弹性；k = 常数。

且 k 和 e 的数值由用户在该程序的第一阶段里输入。

此外，客房的预订是在一段时间内逐渐发生的。我们假设可以用客房预订的对数正态分布逼近这个过程。该分布有两个参数，在第二阶段里曾询问在目标日期前多少天能有 50% 的客房预订出去（单元格 D14 表示第一档客房）、能有 75% 的客房预订出去（单元格 E15 表示第一档客房）。要得到该对数正态分布的两个参数，我们令 $\ln(D15)$ 为平均值，令 $\ln[(D15-E15)/3.92]$ 为标准差。

单元格 S13 为订房日期。依据这三项输入数据，如果订房日期比入住日期提早 20 天，那么客房就比目标日期提前 15 天订出 50%，已订出 75% 时离目标日期还有 5 天（即 D14＝15，E15＝5），这样对数正态分布（20，2.7，2.4）＝ 62％，也就是说还有该日总需求的 38％有待实现。我们必须把这一点考虑进初期需求估计（单元格 C38），以体现出迄今为止观察到的需求。如果到目前为止已有 20 个人预订了此档客房，那么就可以预计 20／（1－0.62）＝ 53 就是预期总需求，而且还可以期望到期之前还会有 33 个顾客预订客房。

［如果需求不稳定（比如某日一个团体预订了大量客房），收益管理系统的使用者应减去该需求以及相应的客房数，再在不考虑这个突然出现的需求高峰的情况下重新运行分析系统。］

在距离入住期越来越近的时候，要用收益最大化原则来安排未预订的空房：空房首先分配给档次最高的客房（利润最高），其最高限度是剩余的预期需求量。如果还有空房剩余，就将其分配给次等客房，以此类推。因此，取决于需求到来的情况，低档客房也许在入住前 30 天就已经订满，但由于对比较高档客房的预期需求还没有实现，收益管理模型也许会在入住期逼近时放出一部分空房作为较低档客房。

练习

1. 使用模型的福特饭店版为 1997 年 6 月 1 日至 8 月 31 日的夏季确定客房数及客房价格。

2. 如果福特饭店的经理将最高房价设定为 180 美元，你将如何改变你的建议？

3. 如果不同档次的客房之间价差至少为 15％，你会提出什么样的建议？

4. 这些建议合理吗？从福德饭店经理的角度来考虑，这些分析有哪些局限性和不足？

该模型的下一个应用是确定日预订量。饭店的经理必须决定每天要订出各档次客房的数量［预订了低档客房但得到饭店提供的“免费升级”而住进高档客房的顾客往往非常高兴；因此提高所订客房的档次是可以接受的。但降低顾客所订客房的档次（给要求高档客房的人安排标准客房）会令人不快］。

现在是 5 月 23 日，饭店收到了下面两个预订请求。你是接受其中之一还是全部接受呢？

5. 收到 6 月 7 日宾夕法尼亚州一家旅行社“旅游中心（Centre For Travel）”的客房订单，它是福特饭店的老顾客，这次要为一个参观华盛顿博物馆旅游团预订 12 间标准间。当日已订出客房记录为：高档客房：6 间；中档客房：11 间；标准客房：59 间。

6. 5 月 28 日，访问美国商务部的一个外国代表团要求预订 20 间标准客房；当日已订出客房记录为：高档客房：9 间；中档客房：25 间；标准客房：44 间。

作为朗先生的一名顾问，你需要帮他评估 L&R 公司的工作。你要对这些原型模型是否适用做出评价，尤其是：

7. 应该按这些建议实施吗？若不应该，你认为必须做哪些改动？

8. 对于每天的客房预订要求，应给予饭店经理多大接受预订的自主权？给预订接待员多大自主权？为什么？

促销费用分析指导

　　零售商可用促销费用分析软件来寻求最优的促销策略，通过推销一个产品大类中的某些品牌最大程度提高总利润。零售店经常采取的促销手段不外乎提供样品、厂商折扣、优惠券和店内陈列等几种方式。有时对一两种品牌的商品大幅度打折可能要比给所有品牌小幅打折所获利润丰厚得多。促销费用分析软件能帮助零售商评价这些促销方法，制定能使零售店销售利润最大化的品牌促销计划。

　　本练习是为一家大型量贩店 MassMart 实现这个模型。你的任务是分析并改进公司在宾夕法尼亚州立大学一家分店的促销活动。软件包括对该店促销活动进行分析的三个模型：选择模型、数量模型及促销模型。

　　注意：促销费用分析 Excel 程序要用 "Analysis Toolpak"（分析工具库）宏来运行回归分析。如果这个宏尚未安装，则应手工加载。在 Excel 的 "Tools"（工具）菜单下选择 "Add-Ins"（加载宏），再选择 "Analysis Toolpak"（分析工具库）选项。如果没有发现这个选项，就得用 Excel 的安装程序来安装。

　　在 "Model"（模型）菜单下选择 "Promotional Spending Analysis"（促销费用分析），即可看到图 10—34 的 "Introduction"（介绍）屏幕：

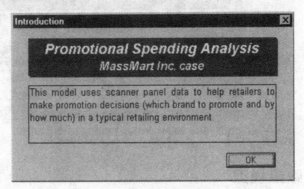

图 10—34

　　在 "Model"（模型）菜单下选择 "Main Menu"（主菜单），就会出现如图 10—35 所示的对话框：

选择模型

　　在 "Main Menu"（主菜单）对话框中选择 "Execute Choice Model"（执行选择模型）并点击 "OK"（确定）。选择模型要用购买数量信息及购买时零售商促销活动信息（如打折、突出展示广告和陈列等）。MassMart 店是从 POS 机数据中获取此类信息。模型会测算出消费者面对所有品牌的促销时购

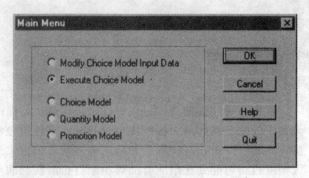

图 10—35

买其中某一品牌的概率。模型运行完后会显示出一个电子报表,其中有每个变量的系数和相关的 t 统计值。每个变量的系数都表明该变量对顾客选择某一品牌概率的影响程度,而 t 统计值则显示了该系数的统计显著性。

选择模型的输出屏幕如图 10—36 所示:

PROMOTIONAL SPENDING ANALYSIS
Which and How Much?

Case Name: MassMart

| | | | | | Coefficients | 6.0 | -3.1 | 8.9 | 1.4 | 1.4 | 0.0 | 0.0 | -0.4 |
| | | | | | T stats | 3.9 | -2.3 | 3.7 | 2.6 | 2.3 | 0.1 | 0.0 | -0.5 |

Customer	Month	Brands	Quantity	Choice	Loyalty	List Price	Discount	Display	Feature	Wisk	All	Tide
1	1	Wisk	0	0	0.07	3.25	0.63	0	0	1	0	0
		All	0	0	0.07	3.10	0.71	0	0	0	1	0
		Tide	1	1	0.80	3.30	0.82	1	1	0	0	0
		Yes	0	0	0.07	2.95	0.86	0	0	0	0	0
	2	Wisk	0	0	0.05	3.25	0.63	0	0	1	0	0
		All	0	0	0.05	3.10	0.71	0	0	0	1	0
		Tide	0	0	0.64	3.67	0.82	0	0	0	0	1
		Yes	1	1	0.25	2.95	0.80	0	1	0	0	0
	3	Wisk	0	0	0.04	3.32	0.12	0	0	1	0	0
		All	0	0	0.04	3.05	0.33	0	0	0	1	0
		Tide	0	0	0.51	3.55	0.12	0	0	0	0	1

图 10—36

数量模型

在"Model"(模型)菜单下选择"Main Menu"(主菜单)即进入"Main Menu"(主菜单)对话框,这时选择"Quantity Model"(数量模型)并点击"OK"(确定),可看到数量模型的输出结果。

> **注意**:有时从"Main Menu"(主菜单)对话框中选择数量模型时,Excel 会显示一个错误信息,或是缺少"Analysis Toolpak Absent"(缺少分析工具库),或是"Add-in Absent"(缺少宏)。在这种情况下,你必须安装"分析工具库":在"Tools"(工具)菜单下选择"Add-Ins"(加载宏),Excel 会显示"Add-Ins"(加载宏)对话框,在"Analysis Toolpak"(分析工具库)选项前的方框里打勾,此时程序将可以运行"Quantity Model"(数量模型)。

数量模型用选择模型的输出结果作为自己的输入，它的输入是每位消费者所消费的产品数量和零售商的促销活动。数量模型把每位消费者的消费量作为几个变量（如标价和消费者家里的存货）的函数来计算。

数量模型的输出结果如图 10—37 所示：

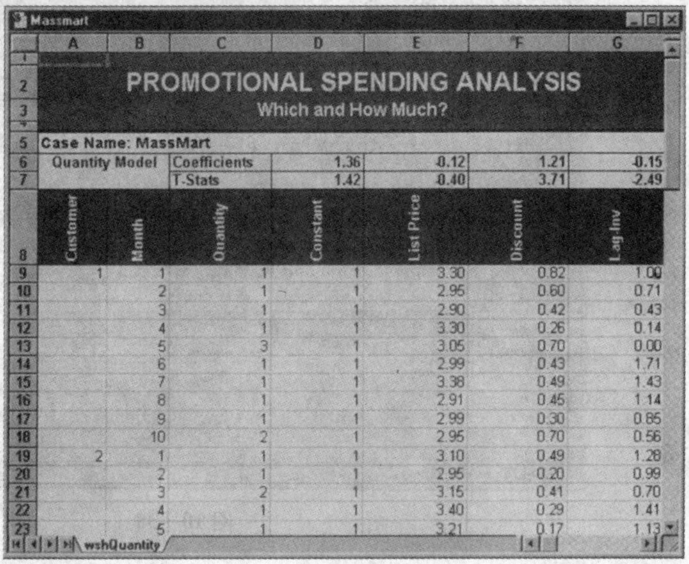

Quantity Model		Coefficients	1.36	-0.12	1.21	-0.15
		T-Stats	1.42	-0.40	3.71	-2.49
Customer	Month	Quantity	Constant	List Price	Discount	Lag-Inv
1	1	1	1	3.30	0.82	1.00
	2	1	1	2.95	0.60	0.71
	3	1	1	2.90	0.42	0.43
	4	1	1	3.30	0.26	0.14
	5	3	1	3.05	0.70	0.00
	6	1	1	2.99	0.43	1.71
	7	1	1	3.38	0.49	1.43
	8	1	1	2.91	0.45	1.14
	9	1	1	2.99	0.30	0.85
	10	2	1	2.95	0.70	0.56
2	1	1	1	3.10	0.49	1.28
	2	1	1	2.95	0.20	0.99
	3	2	1	3.15	0.41	0.70
	4	1	1	3.40	0.29	1.41
	5	1	1	3.21	0.17	1.13

图 10—37

促销模型

利用促销模型，你就可以为零售商的促销活动提出建议。促销模型可以：

- 选择那些对其开展促销就能带来丰厚利润的品牌；
- 选择每个品牌的理想促销载体（折扣、陈列或突出展示）。

在“Model”（模型）菜单中选择“Main Menu”（主菜单）即进入“Main Menu”（主菜单）对话框，这时选择“Promotion Model”（促销模型）并点击“OK”（确定），即可显示出促销模型的分析区，如图 10—38 所示：

你可用 Excel 的规划求解工具选择一组能使总收益最大化的促销活动。

1. 从 Excel 的“Tools”（工具）菜单中选择“Solver”（规划求解），进入“Solver Parameters”（规划求解参数）对话框（如图 10—39 所示）：

2. 在“Set Target Cell”（设置目标单元格）里输入总利润数的单元格标识（如＄B＄9）。

3. 在“By Changing Cells”（可变单元格）里输入折扣、陈列和突出展示等变量的单元格范围（如＄C＄6：＄F＄8）。

4. 在“Subject to Constraints”（约束）里输入约束条件以保证：

(a) 陈列和突出展示变量等于 1 或 0；

(b) 折扣率大于等于 0。

下面的等式仅是实现以上约束条件的方式之一：

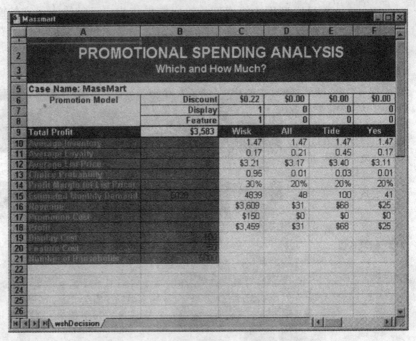

图 10—38

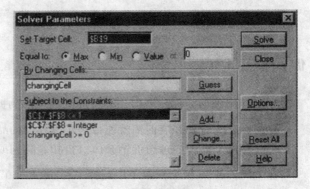

图 10—39

C7：F8≤1；

C7：F8 ＝ 整数；

C6：F8≥0。

5. 点击 "Solve"（求解），促销模型将显示使零售商总利润最大化的最优促销活动。

6. 以类似方式使用规划求解回答 MassMart 案例后面的问题。

本练习的参考文献

Tellis, J. Gerard and Zufryden, Fred S. 1995, "Tackling the retailer decision maze: Which brands to discount, how much, when and why?", *Marketing Science*, Vol. 14, No. 3, pp. 271—299.

MassMart 公司案例[1]

　　1997 年 2 月 23 日星期五，MassMart 公司宾夕法尼亚州中部地区营销经理唐娜·沙利文（Donna Sullivan）正在办公室给上司营销副总裁杰克·陈（Jack Chen）写一份报告。1 月份的时候，杰克曾要她就公司在宾夕法尼亚州立大学一家分店的促销计划进行一个初步战略性回顾。MassMart 是一家大型量贩店，在宾夕法尼亚州、俄亥俄州和马里兰州有 80 多家分店。公司已经在宾夕法尼亚州中部地区经营 25 年。近五年，州立大学地区新开了两家沃尔玛店和一家山姆会员店（Sam's Club），该地区的竞争渐趋激烈。

　　在准备这份报告的过程中，唐娜在当地大学的图书馆呆了一个上午，查阅有关店铺促销方面的文章。一篇文章［《营销科学》（*Marketing Science*）上 Gerard Tellis 和 Fred Zufryden 的论文］引起了她的极大兴趣。论文作者描述了如何用 POS 机记录的顾客数据（在 POS 机处由条码扫描仪收集的顾客购买数据）规划零售店内的促销活动。分析人员利用这些数据可以追踪记录所选定的样本顾客的购买行为。她知道，州立大学的 MassMart 分店也收集了这类数据，并用它们来发现市场趋势并进行存货规划。

　　这篇文章的思想给她留下了深刻印象，因为它提供了一种完全不同于她以前工作方式的新方法。她对当前的促销战略越来越怀疑，同时为创立一种全新促销战略的光明前景而兴奋不已。

背景

　　MassMart 公司 1975 年在州立大学地区的中心设立了一家店铺，这也是州立大学地区第一家量贩店。州立大学地区是一个大学城，是宾夕法尼亚州立大学的所在地。MassMart 公司与东海岸的几家批发商和经销商建立了业务关系，从他们那里购进商品再转售给本地的居民和学生。1984 年到 1994 年间，由于州立大学地区不断膨胀，MassMart 分店的销售额增加了近 5 倍。这 10 年来主要竞争对手是一家西尔斯（Sears）店和一家 J. C. Penney 店，都坐落在几英里外的一个购物中心里。但近两年来自两家沃尔玛店和一家山姆会员店的竞争压力不断增加，这三家商店也坐落于几英里外的地方。

　　唐娜认为，过去 MassMart 公司州立大学分店销售的增长很大程度上是靠公司的促销策略，即将批发商的贸易折扣让渡给消费者。这种政策背后的逻辑再简单不过：这些折扣不会增加 MassMart 的成本，却有利于从附近社区吸引新的消费者，其中有些消费者还会回来购买其他商品，从而带动了销售和利润的增长。

　　在 1 月份时，唐娜去见杰克并回顾 1996 年的促销活动时，两人都认为需要更新观念，采用一种更加明智的促销策略来促进销售。日益严峻的竞争形势已使利润越来越薄，任何有助于提高商店赢利能力的举措无疑都会使公司在竞争中处于有利地位。

POS 机记录的重点顾客数据

MassMart 公司在 1988 年就为州立大学的分店安装了一套 POS 机和条码扫描系统，最初主要是想改进收款业务、会计和库存系统。事实证明这项投资带来了良好的效益：它改善了库存管理，价格调整工作也更容易了，收款时间也比以前平均缩短了 40%。为了及时把握顾客的需求和偏好，MassMart 公司建立了自己的"重点顾客群"，主要是由商圈里有代表性的消费者组成。重点顾客群中的顾客在柜台结账时出示会员卡就会得到 5% 的折扣，他们的购买记录则进入公司的数据库中。此外，MassMart 公司还保存着各分店的价格、店内促销、商品陈列和报刊广告等记录。完整的 POS 机记录的重点顾客群数据库可提供以下信息：

- 所有品牌的标价；
- 重点顾客的身份识别号（为保护隐私，公司数据 库不直接存储顾客姓名）；
- 每位重点顾客购买的数据；
- 所购买的商品类别和品牌；
- 所购买的每种商品的数量；
- 在购买时某类商品所有品牌的暂时减价（如果有的话）；
- 所购买的商品是否属于店内突出陈列的商品；
- 所购买的商品是否属于在报刊上登广告的特价商品。

（表 10—7 表示的是洗涤液的重点顾客群数据。）

表 10—7   **洗涤液的重点顾客群数据节选**

顾客 ID	日期	购买品牌	数量(盎司)	标价(美元)	折扣额(美元)	突出陈列	特价广告
1001	03/01/95	Tide	50	3.55	0.43	无	无
1001	03/29/95	Tide	64	3.99	0.54	有	有
1001	04/25/95	Tide	50	3.55	0.45	无	无
1001	05/28/95	All	50	2.99	0.50	有	无
1001	06/27/95	Tide	50	3.60	0.45	无	无
1001	07/22/95	Tide	50	3.60	0.20	无	无
1001	08/29/95	All	64	3.15	0.60	有	有
1001	09/24/95	Tide	50	3.65	0.42	无	无
1001	10/28/95	All	100	4.99	1.00	有	有
1001	11/25/95	Tide	50	3.99	0.50	无	无

一个顾客 10 次购买的品牌及购买时的环境信息（如正常价格、商品陈列）。

唐娜向杰克·陈汇报了她对使用重点顾客数据制定促销计划的想法：

"杰克，我想我们应该修改促销计划。我越想当前的促销策略，就越觉得有必要另起炉灶。你知道，我们仅仅是把贸易折扣让给顾客，但从未考虑过这是否是一种好策略。这些折扣优惠是由批发商和包装商品厂商设计的。我不敢肯定在州立大学分店这些打折的做法是不是还能符合公司的利益。我们的确并不清楚什么样的打折最能提高我们的销售额和利润率。"

"唐娜，我想你是对的，请继续讲下去。"

"我们通常同时给几种品牌打折，仅仅是因为我们在这些商品上已得到了贸易折扣。所有打折品牌的销售额是在增加，但我对这种做法的合理性表示怀疑。有时把我们得到的贸易折扣统统让给消费者也许有好处，因为我们可以比沃尔玛店正在促销的商品提供更大的折扣。但是不打折品牌的忠诚消费者仍然会购买这个品牌。"

"唐娜，如果我们仅对沃尔玛店正打折的商品打折的话，会不会降低我们的利润呢？"

"不一定！根据我读过的一篇文章说的，两种商品打折时转换品牌的购买者要比只有一种打折时少。如果同时给两种品牌打折，就会提高我们的机会成本。即使不打折，这两种品牌的忠诚顾客也会购买，这时折扣对他们就是一种补贴。当然，机会成本的大小取决于每种商品的忠诚顾客数。但我认为，同时给两种品牌打折会比仅给一种品牌打折的利润率低得多。"

"唐娜，我想或许你说的有道理。但是我们经常能从批发商那里得到若干种品牌的贸易折扣，我们怎么才能知道该给哪种商品打折以及打多少折呢？"

"要回答这个问题，我想我们需要从消费者的角度来看一下我们的促销。我读过的那篇文章中谈到，关键在于要了解顾客对减价、突出陈列和特价广告等可能会产生什么反应。对于不同品牌和不同商品，这种反应自然会有所不同。我想研究一下我们的重点顾客数据或许可以得到某种启示。"

"唐娜，如果最佳的打折策略应视不同品牌和商品而定，我们岂不是要随时监控我们自己的促销以及其他商店的促销的效果，还得及时改变我们的打折策略以适应千变万化的竞争形势？如果这样的话，我们岂不是要不断使用这个数据库吗？所有这些比起我们今天的简单策略看起来要复杂得多。"

"的确如此！但是我们已经有这些数据了啊。信息系统部门告诉我说，集成一个数据库并不困难，至少对一两类商品做个试验并不难。事实上，上周他们给了我洗涤液的数据，我也从州立大学商学院一位教授那里要到一些软件，因而我们可以建立一个计算机模型来评价促销活动的效果。让我用洗涤液的数据给你演示一下，或许我们就可以从中有所收获。"

"好主意，唐娜！让我看一下你的成果。在没有经过认真测试之前，我不会尝试任何新做法。我现在也很关心我们其他 79 家分店的经理们是否会采用你的方法，他们可不是计算机发烧友。我们现在的做法他们学起来很容易。"

"我知道，但是容易不一定就更好。"

促销模型

唐娜从她的教授朋友那里要的软件可以用重点顾客群数据建立一个消费者选择模型，还可在这个选择模型的基础上建立一个利润模型。这两个模型共有三个部分：

消费者品牌选择：用于测算消费者在零售促销活动（如价格折扣、店内陈列和报刊广告）推动下选择某种品牌的概率（P）。该模型根据重点顾客群过去购买各品牌的历史推导出忠诚度指数，以此来确定消费者对某些品牌的忠诚度。

购买数量：用于测算在消费者决定购买某品牌后一次可能购买的数量。购买数量（Q）取决于减价幅度、该产品消费者目前的存量及消耗速度等。该模型通过对重点顾客过去的购买记录来估算家中的存量及消耗速度。

零售商促销：根据打折品牌和折扣程度来计算零售商利润。零售商利润函数如下：

$$利润 = \sum 利润 \times P \times Q$$

其中，P、Q共同决定了某一时期对某种品牌的需求估计值，其总和就等于该类商品中所有品牌需求的总和。模型假定零售商寻求的是能使规划期内利润最大的促销方案。

MassMart 公司经销 11 种品牌的洗涤液，最畅销的 4 个品牌是 Tide、Wisk、All 和 Yes，占整个洗涤液销量的 80% 以上。唐娜决定采用这四种商品进行实验。

完成这些前期准备工作后，唐娜安装了这套新软件，开始她的分析工作。

练习

> **注意**：该练习为方便在 Excel 中进行分析只使用了很小一组数据，包括 8 名消费者的 10 次购买数据，每次购买都要在四种品牌中选择（共提供总共 320 个数据点）。

1. 总结影响顾客选择洗涤液品牌的重要因素。如果顾客选择了某一品牌，哪些因素还会对消费者的购买量产生影响？

2. 根据样本输入数据，指出哪种促销策略是最优的？为什么？对你所建议的促销策略来讲，销售额的构成是怎样的？销售量中多大比重来自品牌转换者，多大比重来自消费者过度存货（如提前购买）？

3. 同时促销两种商品合理吗？解释原因。

4. 贸易折扣如何影响零售商的促销决策（哪种品牌打折及折扣幅度）？这些贸易折扣是否总应让给消费者？为什么？

5. 杰克·陈应该把这种办法推荐给 MassMart 的所有分店吗？为什么？

【注释】

[1] 本案例是吴嘉楠在阿温德·朗格斯瓦米教授的指导下完成，案例描述的是一个虚构情景。

第 **IV** 篇

结论

第 11 章　营销工程的回顾与展望

第**11**章

营销工程的回顾与展望

在本章中我们将：

- 总结我们在教授营销工程时的主要经验以及我们希望读者学习到的知识；
- 提供一些忠告帮助读者在一个组织内成功地推行营销工程；
- 我们认为的在未来 20 年营销工程的发展趋势。

营销工程的回顾

自从 1971 年科特勒在其探索性的著作里总结了当时对营销模型及其在决策中作用的了解，营销模型的用途已经大大扩展了。过去 10 年里，建模技术和计算机技术的发展给我们提供了建立和使用决策模型的知识和能力。本书把很多新概念、新工具和新见解归结在营销工程的名义下。我们希望读者觉得营销工程是一种实用方法，而不是一个神秘的理论。

在改进和教授这些内容时，我们得到一些有趣的发现：

营销工程实质是营销

开始时，我们打算用一种简单的方式讲解营销模型和建模方法，而在实际讲解建模方法时（特别是在早期），我们发现我们实际上是在用一种新的方法在讲授市场营销。学生们开始时不习惯这种新方法，但不久就掌握了营销模型这种工具，并且有了信心，他们能提出比过去更准确、更广义的营销问题。这种方法及其工具能帮助学生开拓思考营销问题的思路。

营销工程只是实现目标的手段

营销工程允许营销人员利用数据、信息和计算机模型制定重要的市场营销

573

决策。但是营销工程并不仅仅是对数据和信息的分析，它能够以系统的过程来帮助人们改善决策，这一过程的输出就是最好的决策。你的经验加上本书讲的营销模型能够帮助你明确阐述为什么以及如何制定决策，并鼓励你在进行决策时使用这些模型。

模型要求主观判断

本书讲述了业务决策和战略决策相关的模型，但模型只是现实的简化。支持战略决策（如定位）的模型可以提供有关行动方向的深刻见解，但并不提供具体的指示；支持业务决策的模型则可以提供具体的建议（如下个季度销售人员应该访问某个客户多少次）。在使用这两种模型时，经理必须通过自己的判断修正模型的结果。对战略决策，经理必须做出判断，将宽泛的指导原则转化成具体的行动。对业务决策，经理必须做出判断，选出一个最优的决策去配合公司的整个战略。决策模型非常有用，但过于简单。

整体大于部分之和

当你需要探索某个业务问题时，有整套营销工程工具来支持你。举个例子，你的营销工具可将市场细分、选择一个细分市场、定制一个产品来满足该细分市场、确定产品目标、将产品定位，设计促销计划和广告文案。这些概念和相关软件的价值会随企业问题的扩展而成倍提高。整套营销工程工具对读者要解决的市场营销问题的支持远远超出单个模型的能力范围。在理想的情况下，每种工具都应该提出超出自身范围的问题，并且发掘出整个营销系统中未探索过的新领域。

更多的信息起不到启发的作用，只能使人更加迷惑

企业仅仅凭借了解市场信息就能在竞争中获胜的时代就要过去了。今天，大公司获得的市场信息和顾客信息远远多过它们能用的数量。为了充分发挥信息的价值，很多公司都开始尝试新的方法：（1）使用计算机和通信技术，使公司所有人员都能及时获得相关信息；（2）正在开发新方法，帮助员工利用专门知识（如营销决策模型）将信息转变为更有效的决策和行动。例如，如果公司有一个非常好的新产品开发流程，就应该确保市场信息能送到此流程中，这样就能开发出更适合顾客需求的新产品，并且比竞争对手更快导入市场。营销工程方法可以根据企业不同进行定制（如定制联合分析模型），这样就能帮助企业将市场信息变为顶级产品。信息的这种利用方式是竞争对手看不到的，竞争对手也不可能复制这些用法，这样企业就能赢得竞争优势。只有利用信息推动决策和行动时，信息才有价值。正如巴拉芭和扎尔特曼（Barabba & Zaltman，1991，p. 3）指出的，"竞争优势越来越取决于如何使用信息而不是谁拥有信息"。

营销工程软件提供了快速原型法

市场变化如此之快，以至决策必须能够迅速调整，而不是小心翼翼地优化。这就是说，决策辅助工具要想有用，就必须支持快速原型方法。本书所附的软件使你能够在决定使用传统方法还是开发定制模型之前，迅速探索在某一特定决策背景下模型的潜在价值。即使在完全成熟的营销工程模型不能解决问题时，在一个范围较小的相关问题上尝试一个模型也能为你提供有用的深刻认识，还能使你清楚地认识到不进行全面研究的潜在机会成本。

营销工程软件提高了经理的决策能力

在过去几年里，我们已经给经理讲过许多本书中介绍的概念和案例，但并没有使用这些软件。当经理评估软件支持的案例时，经常能从另一个角度看待事物。一个有趣的例子是 Syntex 案例（参阅本书第 9 章）。在传统的案例讨论中，大多数经理提出的销售资源分配方案非常接近于 Syntex 制药公司以前曾经考虑过的方法（如扩大销售队伍，将更多资源分配给萘普生等药品）；但是使用营销工程软件的经理往往会提出非传统的建议（如缩减销售队伍，将所有销售努力都集中到萘普生这类的成功产品，雇用外部销售人员销售其他产品）。使用营销工程软件的经理很可能认为，扩大销售队伍带来的利润潜力并不大，缩减销售队伍同时重新分配销售努力却能使 Syntex 制药公司恢复到当前的利润水平。营销工程软件能使经理迅速尝试各种方案。范布鲁盖、斯米茨和威尔雷格（Van Bruggen，Smidts & Wierenga，1997）的一项试验比较了在模拟环境里使用决策支持系统制定决策的经理和不使用这种系统的经理所制定决策的相对业绩。他们在报告里说，使用决策支持系统的经理在制定现在的决策时不容易受到以往决策的束缚（在难以预测的环境中，束缚通常会导致更差的业绩）；而且，经理在不了解市场行为的驱动因素时，通过多阶段模拟后，更容易出现优异的业绩。

营销工程软件不利的一面

营销工程软件的简易性具有一定欺骗性，人们想当然地认为这种模型具有科学可信性，从而产生了一种错误的"安全感"。我们观察到两个有趣的情况：有很强定量分析背景的学生经常关注模型结果的技术性一面，看不到全局；定量分析技能较弱的学生或者忽略模型的结果，按直觉得出结论，或者不带批判地全盘接受结果。例如，我们发现了一组学生无意间弄错了某些重要数据的衡量尺度，也接受了模型的结果。我们发现最好结果来自由具有不同分析能力的学生组成的小组，他们能在相互质疑和相互提供证据的过程中发挥集体的力量。这些小组在决策时考虑模型的结果，也采用常识和课堂学到的知识。

活到老，学到老

没有哪本书或哪门课能讲全营销的所有问题，也不能说尽营销工程的所有机会和挑战。厨师熟练的刀法让你惊叹不已，你要达到同样的水平，没有几个月的苦练是不行的。同样，学习营销工程并成功地应用需要模型知识、常识、训练有素的判断能力、良好的沟通技巧、耐心、实践，但最重要的是在实践中学习。

教师与其说是教师，倒不如说是教练

教学的重点是让学生自己学习，而不是依赖教师的指导。光听课是学不会骑自行车的，但有教练的指导可以学得更快。营销工程也一样，教师表现得越像教练，学生就会学得越多，也会越喜欢这门课。现在回头来看，这一点很显然，但开始时我们并不清楚这一点。莱德纳和贾文帕（Leidner & Jarvenpaa, 1995）认为，教师中心的模式（如填鸭式讲课）对传授事实性或方法性知识非常有效；学生中心的模式（如在教师的指导下和同学一起完成案例和练习）更适合帮助学生形成自己解决问题的能力。营销工程软件功能强大，也易学易用，学生的能力会得到迅速提高。

营销工程应该在学术界和实践者之间架起桥梁

在营销方面，没有理论的实践收获甚微，而没有实践的理论意义更小。决策者必须了解复杂的市场并在这样的市场上进行经营，他们就要依靠营销工程的概念和工具。例如，我们教过的经理无一例外地用自己的数据尝试我们的软件，之后便立即明白采用营销工程方法的重要性和益处。学术界需要让自己的研究体现出更大的价值，这也提高了研究人员对营销工程的兴趣。这两种压力使双方结合起来，为实践者提供了更好的工具，为学术研究提供了更多有趣的问题。就像所有成功的合作者，都能获利。

在企业内部使用营销工程

营销工程之所以成功的原因是由于管理者的精明，而不是因为模型的先进。这些管理者认识到，决策会影响到许多利益相关方，而且人们不喜欢变化，也不愿接受自己不理解的决策过程，更不愿接受不合自己利益的决策。因此制定良好的决策只是困难的一半。让决策能为企业内部利益相关的各方接受也是同样重要的工作。模型能帮助人们理解和接受决策：它促进了各个利益方之间的沟通。经理可以清楚地阐述模型的假设并理解模型的结果，从而用原则取代权威。他们不再说："让我们去做某件事"，而是说，"我认为我们的目标应是 A，基于这个模型，X 是达到这一目标的良好途径"。另外，模型也提供了一个明确的机制，让利益相关各方参与到决策过程中来。例如，在 Syntex 制药公司，利益相关各方就通过为模型提供输入数据和帮助实施模型结果而参与到决策过程中。如果经理知道他们的输入和判断是决策过程的一部分，那么他们就很可能接受得自模型的结论。

下面的几点建议会帮助你成功地应用营销工程：

做个机会主义者

选择易于成功并且所取得的成功易于表现的问题。赞成某个消极决策（如不引入新产品）的模型可能不如支持某个积极决策（如引入新产品）的模型产生的影响大。当企业的管理者认为某个特定领域需要大幅度改进时，你就有机会证明营销工程的价值了。管理者在这种情况下很容易接受新方法，从而得到显著的改进。

简单开始，并且保持简单

开始时最好选择一些企业各利益方易于理解的熟悉问题。例如，如果企业有一个很大的顾客数据库，并试图算出如何识别出目标顾客并且如何将努力集中在获利性最高的客户身上，细分市场选择软件就能迅速提供解答，而且这个解答也很容易理解："根据目标顾客以前的购买行为，他们最有可能对这些销售努力做出反应。"这个软件可以识别出最有价值的客户，并定期更新预测结果。企业里皆大欢喜：销售部可以提高每个销售人员的销售额，销售人员的佣金收入也提高了，管理者很高兴地看到企业资源得到了更有效的利用。反应不敏感的客户可以转交给新建的电话营销人员，从而创造新的收入来源。

即使模型只提供了一个新方案也算成功了。即使我们不能利用模型制定决策，营销工程也应该有助于我们充分利用想像力并扩展我们的决策选择范围。

逆向工作——开始时就想到结局

开始就要理解建模的目标：是为某个行动方案提供正当理由？是要解决某个单凭主观判断无法解决的问题？是要为群体决策提供便利？是要预测（什么将要发生）还是要解释（为什么会发生）？在开会时采用营销工程方法也很有用。这就要求在建模时严格以目标为导向，并且在开会时为讨论模型结论提供机会。

注重低成本高利益的领域

寻求低成本高获益的模型。例如，销售队伍分配模型所需要的成本不高，有合理的主观判断数据就能应用得很成功；通过调整销售努力的分配能使销售收入增长 5%～10%。

开发一个计划，而不仅仅是一个项目

我们介绍了 Syntex 制药公司和 ABB 电气公司等两个成功应用营销工程的典范。这两个应用之间存在重大的差异：Syntex 制药公司应用只是一个项目，项目小组的人事变动使项目没有发挥应有的效果。Syntex 制药公司认为，如果适当地监控和修改对模型建议的实施，本可以通过这个项目将利润提高10%以上（没有额外的成本）。

ABB 电气公司则恰恰相反，二十年多来该公司根本离不开营销工程，它影响着销售和促销努力的分配、新产品开发、广告文案、产品定位和制造决策。营销工程挽救了 ABB 电气公司，帮助它起死回生。ABB 电气公司总裁丹尼尔·埃尔温（Daniel Elwing）指出："营销工程必须是一个长期计划，不能只作为一个短期项目。"

营销工程的展望

为了改善公司的业绩和未来前景，很多公司都将大笔资金投在信息技术的基础设施上。由于这些技术的作用，营销这个职能部门同样经历着根本性的转型：邮购公司的营销业务开始采用免费电话系统，销售人员开始通过笔记本计算机与客户和总部保持联系，没有联机价格查询系统的大零售商简直无法生存。今天，公司到处安装计算机和软件，不只是在后台部门。然而许多营销经理仍然用传统的方式决策，不愿采用随处可用的信息和决策支持技术。

一些公司已经认识到，信息是公司最重要的资产之一，决策者可及时发现这些信息对业务的意义。为了充分利用可获得的信息，公司正努力把决策支持技术融入到日常业务和决策中去。看一下这些例子：

- 美国运通公司是信息技术的先驱使用者，它开发出了有 1 000 多条规则的专家系统——Authorizer's Assistant 系统，可以根据信用卡持卡人过去的支付行为模型实现信用卡授权过程的自动化（美国运通卡没有规定信用额度，因此这一点非常重要）。美国运通公司还采用了一个复杂的神经网络，用来分析数据库里数亿条记录，包括持卡人消费模式。这种分析能识别出各种消费模式，这样，公司就可以随账单向顾客提供专门定制的优惠促销活动。

  美国运通公司还成功地利用顾客记录找出了那些不接受它的信用卡且附近住有很多持卡人的商店。根据分析结果，公司为这些商店提供最低销售额保证，这种作法甚至说服了沃尔玛接受美国运通卡。美国运通公司的信息系统能支持对顾客记录的分析，概括出了在某个地点的消费及持卡会员的特点。例如，这种分析可确定费城市中心的万豪饭店是否比城郊的四季饭店（Four Seasons）能吸引来更多女顾客；

- 快餐食品的顶尖制造商 Frito-Lay 公司成功地引入了许多的信息系

统来加强它的营销工作。比如，它的 Zone Workbench 系统能及时为一线经理提供信息。1990 年公司实行分权，减少了公司管理人员数，拓宽了员工的职责，Zone Workbench 系统就是在这个背景下开发的。此后，公司总部开始采用这个新系统来管理 1 万多名销售人员，此系统能为管辖 100 多名销售人员的区级经理提供日常管理重要客户、监督促销陈列、规划销售路线和管理推销费用所需的信息。1991 年，公司因利用信息技术为社会做出的积极贡献而获得了《计算机世界》（*Computer World*）杂志颁发的著名的史密森（Smithsonian）大奖；

- 先讯美资公司（Sensormatic）是一个专门向企业销售监视与防盗设备的大型电子安全公司。它应用了一个信息系统，为各个细分市场开发不同的战略计划，而不是将所有顾客作为一个同质的群体来对待。公司开发出了一个巨大的数据库，其中包含有详细的顾客信息和市场信息，有些信息是以前的营销经理难以获得的。这些信息促使公司改进了在细分市场层次的预测。先讯美资公司的一个经理说，他们过去把顾客看作是同质的，但现在他们能利用信息技术预测顾客不断变化的需求，了解顾客之间的差别，并根据这些差别提供不同的产品，从而实现企业的成长；

- 弗兰克林·明特公司（Franklin Mint）是一家专营高档收藏品、奢侈品和家庭装饰用品的直销企业。它开发出一个名为 AMOS（自动建模）的系统，这是数据库营销领域的高级软件。正如扎霍（Zahavi, 1995）所说："这个系统最富挑战性的部分是模型设定问题，即从众多预测性变量中找出在统计上最能解释顾客选择决策的变量的过程。"对该公司而言，这就意味着要从 800 多个预测性变量中做出选择。它的选择模型综合考虑了购买历史、人口统计变量（通常是从外部数据源购买来再添加到自己数据库中的数据）和产品属性（如材料等）。

这个选择模型推动了弗兰克林·明特公司的整个规划过程和决策过程，包括以下问题：

- 为促销选择正确的受众；
- 确定向每个顾客寄送多少邮件；
- 预测促销能带来多少订单；
- 决定生产或采购多少件促销商品。

AMOS 使公司的利润率比用以前的方法（包括判断法和聚类分析与判别分析等正规市场细分方法）增长了近 10%。现在这套系统不仅用在北美市场，也用在了欧洲和亚洲市场。

我们希望在未来 10 年里，营销决策支持技术的发展能更适合帮助管理者处理他们的信息：从不相关的信息中筛选出有用的信息，并从信息中得到深刻的见解。许多大公司正在合作开发营销信息系统（MKIS），目的是用营销信息支持和加强企业的业绩。虽然营销信息系统的概念已出现多年了（参见 Kotler, 1996），但今天的营销信息系统范围与潜在价值已远远超过人们以前的想像。

营销信息系统用在营销部门内，负责处理营销信息并发布信息，为信息在公司内部的应用提供便利。即使营销职能的作用在下降，营销概念本身也为公司广泛接受（Doyle，1995）。市场营销正变成全企业的活动而不是某个部门的独占领域。许多公司将营销信息系统看作是利用营销信息的好方法，因为它能让公司的每个人都认识到必须对顾客需求和竞争环境做出敏捷的反应。

以前信息系统的主要功能是提供对信息的快速访问。营销信息系统现在能将最终用户决策模型与传统信息系统集成起来，增强公司使用营销工程的能力。目前至少有六个趋势有利于这种信息集成：

1. 公司投资了必要的基础设施，以开发和维护庞大的企业数据库（也称为数据仓库）；

2. 公司利用联机分析处理（OLAP）将建模能力与数据库整合起来；

3. 公司配备了营销智能系统，将某些建模任务自动化；

4. 公司开发出用于决策培训和探索多个备选方案的计算机模拟程序；

5. 公司安装了 Lotus Notes 系统来支持群体决策；

6. 公司改进了各种系统的用户界面，使在大范围内提供复杂模型更为容易。

我们接下来要详细介绍这些趋势：

数据仓库

由信息系统部门维护的业务数据库存放的只是有关订单处理和存货控制的信息。数据仓库存储的则是专为支持决策而收集和组织起来的信息。业务数据库支持的业务性任务包括寻找产品价格或距离最近的经销商位置等；数据仓库对管理很有用，它能回答"费城顾客对我们促销的反应同纽约相比有何不同"之类的问题。数据仓库能在许多方面支持决策（如收益管理和促销管理），目的在于充分利用目前企业已在应用的各种业务数据库。用于顾客支持的数据仓库可以在多个数据库的基础上来构建：

- 美洲银行的数据仓库的数据规模达 120 万 GB，它由 30 个数据库组成，包含了 3 500 万条复核、储蓄和其他业务记录［《商业周刊（*Business Week*）》1995 年 7 月 31 日；《华尔街日报》1996 年 11 月 18 日］。这个数据仓库的用途之一是支持公司的呼叫中心业务人员，他们每天要回答 10 万个顾客查询信用卡余额、贷款利率等问题的电话；他们用数据仓库提供满足顾客特定需求的产品和服务，将顾客的电话转变成商业机会。例如，如果某个顾客 20% 以上的积蓄都存在银行，模型就会发现这位顾客很可能需要高利率产品。数据仓库的另一个应用是支持特殊规划。比如银行发现，顾客因费用太高而对银行不满，导致存款账户的减少；银行可以用数据库并建立模型，开发出低成本的结账方式，有针对性地提供给这些顾客，借以挽回颓势；

- 美国西部公司（US West）是一家大型电信公司，它的数据仓库意在通过衡量顾客交互质量来改善顾客服务。这个名为"业绩分析系统"的数据仓库能自动汇总顾客交互的所有数据，在 24 小时之内就能为经理提供决策辅助信息，然后用一个集成的高端统计软件包过滤和解释这些信息，并以图形显示结果。

企业还可以用不同数据仓库支持一些其他决策，哪怕这些数据仓库都是基于同样的业务数据库而建立的。要想最大程度利用数据仓库，企业需要大量的营销模型（Blattberg, Kim & Ye, 1994），这种需要推动了联机分析处理（OLAP）的发展。

联机分析处理

企业应用最广泛的分析工具是电子报表。一般的电子报表只能分析小型数据库，提供的主要是二维的数据视图。决策者经常希望从不同的维度观察数据：如按时间（今年的业务与去年相比如何）、按产品和地区（农村地区的医生常在处方里开哪些药品）。Oracle 和 Sybase 等数据库公司开发了多维分析工具，可以和数据库管理系统一起使用。这些工具为管理者提供了在线决策支持，但不要求用户必须学会复杂的数据库查询语言。例如，沃尔玛采用了先进的决策支持系统，帮助店铺经理找出每家店每天最畅销的前 10～20 种产品；这样就可以改变货架陈列和收款台附近的商品陈列，这样就可以充分利用每天不同的畅销商品组合，为公司带来最大利润。如果科罗拉多州麦岭市的沃尔玛店铺经理发现星期四尿布卖得很好，那么以后每个星期四就会特别陈列尿布。

现在的联机分析处理工具更擅长在线数据检索，不擅长分析。随着企业在联机分析处理中集成的营销工程模型越来越多，这些工具终将具备支持复杂的决策能力。比如，公司可在企业数据仓库集成一个模型库，经理就可以获得联机支持来帮助回答"为什么纽约的促销比费城的促销利润大"之类的问题，帮助他们决定是否削减在费城的促销。在某些决策领域，数据仓库需要集成企业级而不只是最终用户级的模型，例如收益管理要求对大型动态数据库执行复杂的优化计算。最终用户级模型对许多小型局部应用很有用。

营销智能系统

现在的经理都是在发现了决策问题之后才被动地使用营销工程，这就限制了营销工程的应用。西蒙（Simon, 1977）建议说，解决问题要经历三个阶段：智能、设计和决策。在智能阶段决策者要认清需要决策的问题和环境条件；在设计阶段决策者要提出多个可能的解决方案；在选择阶段决策者就要选择某个特定的解决方案。以前的决策模型一直强调设计阶段和选择阶段，但是信息密集的环境需要能用于智能阶段的决策支持系统。

许多企业一天便可产生上百万条数据。例如，企业将 20 种产品分销给 300 个市场，每个市场有 10 个客户，企业聘用了 300 个销售员。企业解释和利用如此海量数据的惟一方法就是开发能自动执行数据解释的智能系统。有几家公司正在试验数据采掘技术，即通过自动分析代理程序筛选数据来寻找有用的见解。神经网络和其他新建模方法都可用于数据采掘。数据采掘技术适于识别数据中隐含了问题、应引起管理人员注意和决策的模式。

另一种处理海量数据的方法是采用将模型和数据库同顾客沟通连接起来的智能系统。这种系统帮助经理自动完成建模过程和自动实施模型的结果。例如，市场细分和目标市场选择自动系统能识别出有吸引力的细分市场，然后把电子邮件发给细分市场或安排销售访问。

专家系统（也称基于知识的系统）是第三种自动过滤海量数据并建模的方法。这类系统特别适合输入值高度不确定且重复性的决策问题（如信用评估、自动分析和报告撰写）。在这种情况下，我们可以很早就明确问题的结构和输入值的范围，但无法预测在可能遇到的每种输入条件组合下该怎么做。例如，费尔兹夫人饼干公司（Mrs. Fields）开发了一个专家系统，减少店铺租赁时的错误。这家有 800 个店铺的公司希望在合同中不仅考虑了一般性的条件，还要充分考虑到店铺的当地条件。费尔兹公司说，"专家系统能审查每个租约"（Light，1992）。

专家系统的另一个重要应用是基于对频繁收集的营销数据进行统计分析来自动生成管理报告。两种分析 POS 机数据的系统是 CoverStory（Schmitz，Armstrong & Little，1990）和 INFER（Rangaswamy，Harlam & Lodish，1991）。图 11—1 所示为 CoverStory 分析了大量数据后自动生成的报告。另一个系统 Salespartner 还根据包装消费品销售代表的需要而不是经理的需要调整报告，报告提供了顾客特定的计划和事件，销售人员在访问顾客时就可以谈论这些内容（Schmitz，1994）。

许多公司中的顾客服务人员都有一些帮助解决顾客问题的诊断工具。这些工具和整个服务过程都是专家系统很有前途的应用领域。企业可用这些系统改进顾客服务，帮助顾客使用产品和解决问题，从而提高企业的利润。例如，总服务台的顾客服务代表有了专家系统的支持后，就可以知道顾客是否有资格参加其他优惠活动、可以更新顾客新需求的信息（产品设计反馈），并提供重大问题的早期预警。

专家系统对具有如下功能的模型最有用：（1）解释模型的行为或建议（如为什么模型会在报告中得出某个结论）；（2）在明确的决策领域中模拟专家的建议。许多早期专家系统的失败是因为开发和维护都成本太高，而且需要在专用的硬件平台上运行，无法与公司其他系统相连。新一代"嵌入式专家系统"能与企业现在的业务系统集成起来，因而获得了广泛的应用，地位十分稳固（Hayes-Roth & Jacobstein，1994）。在未来十年里，我们期望看到更多支持营销经理决策的嵌入式专家系统，这是营销工程无可置疑的发展趋势。

模拟

经理常用市场模拟来学习市场营销概念（MarkStrat 和 InduStrat 等商业性的模拟程序在 MBA 和经理培训计划中经常使用）并了解可能的决策方案的结果。

收件人：Sizzle 品牌经理
发件人：CoverStory
日　期：1989 年 7 月 5 日
主　题：截止到 1989 年 5 月 21 日的 12 周里 Sizzle 品牌概述

　　截止到 1989 年 5 月 21 日的 12 周里，Sizzle 在全美果汁饮料类产品中的市场份额为 8.3%，比去年提高了 0.2 个百分点，但比上期下降了 0.3 个百分点。销售量为 820 万加仑。与去年相比，整个产品大类的销售量下降了 1.3%（目前为 9 990 万加仑）。

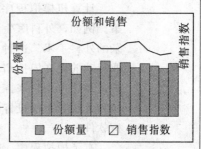

Sizzle 的份额为 8.3%
——比去年增长了 0.2%

　　去年陈列活动和降价活动增加了，降价活动从 38 点提高到 46 点。突出陈列和价格同去年大体保持同等水平。

Sizzle 的市场份额组成	**Sizzle 的竞争者概述**
市场份额增加的 Sizzle 产品为： 64 盎司装 Sizzle：比去年增长 0.5 个百分点，为 3.7%。	Sizzle 的主要竞争者中市场份额增加的有： Shakey：增长 2.5 个百分点，为 32.6%； 中间商品牌：增长 0.5 个百分点，为 19.9%（但比上期下降 0.3 个百分点）。
市场份额减少的 Sizzle 产品为： 48 盎司装 Sizzle：下降 0.2 个百分点，为 1.9%； 32 盎司装 Sizzle：下降 0.1 个百分点，为 0.7%。	Sizzle 的主要竞争者中市场份额减少的有： Generic Seltzer：下降 0.7 个百分点，为 3.5%。
64 盎司装 Sizzle 的份额增长的部分原因是由于突出陈列开支比去年增加了 113 个百分点。	Shakey 份额增长的部分原因是由于……

图 11—1 CoverStory 备忘录的第一页：专家系统在没有人工干预的情况下如何生成管理报告

资料来源：Schmitz, Armstrong & Little 1990, p. 38.

举例

　　本案例选自惠特克的成果（Whitaker，1995）。德国汉莎（Lufthansa）航空公司的咨询小组开发出八阶段（每阶段为半年）模拟法，来培训公司经理为欧洲民航业解除管制后的经营管理作准备。在这个模拟程序中，最初三家航空公司有完全相同的资源和市场地位，航空业解除管制后这三家公司可以完全自主地决定航班频率、机票价格、营销政策和飞机的采购。模拟程序涵盖了航空公司大多数日常经营业务，包含了能反映真实市场数据的关系；但也忽略了一些复杂的问题，如横穿空港中心的乘客运送、与其他航空公司的代码共享联盟及同工会组织的谈判等。

参加这些模拟的经理在不断失误的过程中进行学习，而这些失误正是汉莎公司希望这些经理能够在实际工作中避免的。例如，这些经理可能会高估了客运量，做出订购飞机的错误决定。这个错误能教会他们在订购飞机前的不确定环境下如何用模型方法更谨慎地考虑成本（如负债率的提高和贷款利息等）和利益（如提高准时性、降低油料和维修费）。同样，当竞争更激烈时，经理也许会将大笔资金投入在营销活动中，却可能得不到足够的回报。这个错误能教会他们如何在投资前用模型更谨慎地评价提高营销预算的方向、方式及原因。

计算机模拟程序除了在培训中的应用外，也越来越广泛地用于实际的决策。例如，外科医生可在实际手术前，先在计算机模拟的病人身上操作一次复杂的外科手术。这种过程称为"预想学习"。营销经理也可以这样：在实际采取行动前先在模拟市场上做出决策。例如，联合分析软件有一个市场模拟系统，经理可用它来探索在联合分析中没有考虑到的备选方案。企业在石油开采权和无线频率权投标的激烈竞争中也常常使用模拟程序（如本书所附的投标分析软件）。

有了模拟程序，营销经理就可以在模拟市场上进行试验，看看他们的行动会带来什么样的结果。这样的模拟比任何实际市场试验的成本更低，速度也更快。企业还可以有效地利用模拟技术，把经验知识和新思想传播给全体员工（Senge & Lannon，1990）。

决策支持群件

群件是指提高群体决策的效率和效果的各种计算机和通信系统。采用群件的项目小组能共享信息（如报表和幻灯片），也能制定和记录决策（如联机投票）。这样的系统能克服时间、地理和组织障碍，为合作工作提供支持：

- 普华永道（Price-Waterhouse）是首屈一指的会计公司，有世界上最大的 Lotus Notes 数据库，目的是支持协同决策。它的员工（顾问）大约有 40 000 人，每人都有一个 Lotus Notes 软件，可以访问公司的 Lotus Notes 数据库和特定的项目数据库。有了这个系统，普华公司能够让全公司随时随地访问到专门信息，还能迅速组成和支持临时项目小组，使他们能制定出合理的决策，充分利用新出现的市场机会；
- 计算语言研究公司（CLR）是税务软件行业的领先公司，它开发并销售几百种不同的软件包，为银行、会计师事务所和企业税务部门等客户管理审计和税务业务。因为税收法律经常变化，所以公司必须能迅速修改和改进现有产品，并为其他行业的新客户开发新产品。公司用 Lotus Notes 软件来提高新产品开发速度和产品质量。例如，项目小组成员可以联机制定很多决策，不必安排面对面的会议，这样有助于压缩产品开发时间。项目小组还能方便地访问企业的各种信息，能够更好地协调处理在新产品上市前发现和改正产品缺陷等问题。这两个因素都提高了产品质量。

我们希望企业能使用营销工程来增强群件的应用，将更好的决策辅助工具加进去。比如，Ventana 公司开发出名为 GroupSystems 的软件包，在参与者参与下，公司可以利用它建立一个电子化头脑风暴，它可以制定议程（如亟待解决的问题），记录参与者匿名提出的建议、对各种行动方案投票表决、撰写总结报告并维护这些记录供日后使用。参与者既可以聚集在同一间办公室里，也可同时从不同地点登录进来。这种系统还可用来收集很多营销工程模型都需要的主观判断性输入。

改善用户界面

随着企业内最终用户计算的增加，让用户界面的操作更合乎人的直觉的需求变得迫切。决策模型要想取得成功就必须满足计算机技能很差用户的要求。许多决策模型没能吸引用户的主要原因就是因为系统太难使用了。比如，好多销售自动化系统都没能达目标，就是因为它们要求销售人员去适应别扭的软件设计。软件开发人员应该基于目前的销售过程来设计软件，而不是凭着自己对销售人员工作过程的想像来进行设计。

人们逐渐对设计得很好的软件包习以为常，希望他们遇到的所有软件包都易于使用。好的软件隐去了新手所不需要的东西，突出了此时对此用户最重要的输入输出。为确保更多的人使用自己的产品，软件公司必须提供用户界面友好的软件包。我们已尽可能使我们的软件包易于使用。

其他趋势

格莱泽（Glazer，1991）预测到，随着信息量的增加和处理信息成本的下降，未来将呈现以下趋势：

- 产品生命周期更短，也更难以预测；
- 权力从卖方转移到买方；
- 对产品利润的关注将超过对市场份额的关注；
- 战略联盟越来越多，形式各种各样；
- 对合作的关注将超过对竞争的关注；
- 越来越倚赖所有成员同时处理共享信息的决策小组进行决策。

所有这些变化都要求在营销工程方法的支持下更快、更合理地制定营销决策。产品生命周期的缩短意味着分析必须既快又周全。买方力量的增长意味着企业必须更好地理解买方的价值观才能在市场上成功。对利润的强调意味着营销人员必须重视目标。联盟与合作意味着需要新模型来支持多决策者的决策。团队决策的增加则意味着群件将越来越重要。

图 11—2 从三个维度总结了营销工程的发展远景：（1）模型用户的类型；（2）模型所支持决策任务的类型；（3）增强营销工程的模型技术。20世纪 80 年代中期以前，营销工程主要靠分析人员使用，然后将分析报告交给经理。这些分析人员所用的是在大型计算机上的通用分析程序（如SPSS 统计软件包和线性规划软件包）来生成预测结果，并得出最优分配

资源的计划。PC 机的增长让经理有了直接控制权（如用电子报表），允许经理与模型之间频繁的互动（如基于假设分析的模拟程序）。未来的营销工程将能支持更多类型的用户（如客户服务代表）、使用更多的技术（如联机分析处理、智能系统和群件系统），采用更多方法（如用模拟程序来解释市场事件）加强决策。

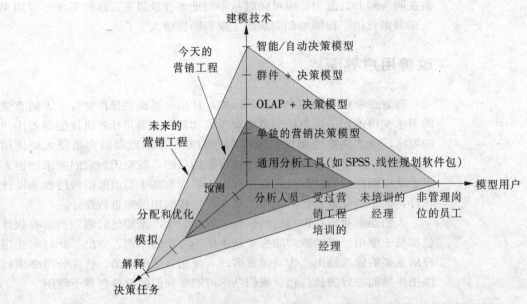

图 11—2 营销工程发展过程：利用新技术支持更多类型用户的各种决策任务

虽然企业营销职能部门的重要性未来会降低，但营销本身只会越来越重要。几年前，彼得·德鲁克（Peter Drucker）指出："营销太重要了，不能只让营销人员承担。"今天这句话更有现实意义。营销工程是架在概念性营销与系统化的营销实践之间的桥梁；对 21 世纪的企业来说，营销工程必将成为众多最重要管理工具中的一种。

后记

本书的写作是我们所承担的最有回报的工作。我们希望对抽象的学术概念讲解得比较生动，使读者了解如何在企业里应用这些思想和概念。再没有比看到先进的思想能得到应用更有回报的事了。我们希望你已经了解到一些好的营销工程思想，并已经掌握了。好好地使用营销工程吧。

最后我们要提出一个要求。我们想听到您成功（或未成功）地应用这些决策模型的亲身体验。让我们听到你的答复。

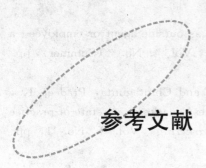

参考文献

1. Aaker, David A., and Carman, James M., 1982, "Are you overadvertising?" *Journal of Advertising Research*, Vol. 22, No. 4 (August-September), pp. 57—70.

2. Aaker, David A., and Day, George S., 1990, *Marketing Research*. fourth edition, John Wiley and Sons, New York, p. 574.

3. Aaker, David A., and Myers, John G., 1987, *Advertising Management*, third edition, Prentice Hall, Englewood Cliffs, New Jersey.

4. Abell, Derek F., and Hammond, J.S., 1979, *Strategic Marketing Planning*, Prentice Hall, Englewood Cliffs, New Jersey.

5. Abraham, Magid M., and Lodish, Leonard M., 1987, "PROMOTER: An automated promotion evaluation system," *Marketing Science*, Vol. 6, No. 2 (Spring), pp. 101—123.

6. Abraham, Magid M., and Lodish, Leonard M., 1989, "PROMOTIONSCAN: A system for improving promotion productivity for retailers and manufacturers using scanner store and household panel data," working paper ♯89—007 (February), Marketing Department, The Wharton School of the University of Pennsylvania.

7. Agostini, Jean-Michel, 1961, "How to estimate unduplicated audiences," *Journal of Advertising Research*, Vol. 1, No. 3 (March), pp. 11—14.

8. Alberts, William W., 1989, "The experience curve doctrine reconsidered," *Journal of Marketing*, Vol. 53, No. 3 (July), pp. 36—49.

9. Albion, Mark S., 1984a, "Suave (C)," HBS *Case* 9-585-019, Harvard Business School, Boston.

10. Albion, Mark S., 1984b, "Suave (D)," HBS *Case* 9-585-020, Harvard Business School, Boston.

11. *American Salesman*, 1995, "It takes 3.9 calls to close a sale," Vol.

40, No. 8 (August), pp. 8—9.

12. Anderson, Erin, 1985, "Salesperson as outside agent or employee—a transaction cost analysis," *Marketing Science*, Vol. 4. No. 3 (Summer), pp. 234—254.

13. Anderson, James; Jain, Dipak C.; and Chintagunta, Pradeep K., 1993, "Customer value assessment in business markets: A state-of-practice study," *Journal of Business-to-Business Marketing*, Vol. 1, No. 1, pp. 3—29.

14. Anderson, Paul F., 1979, "The marketing management/ finance interface," in 1979 *Educator Conference Proceedings*, eds. N. Beckwith, M. Houston, R. Mittelstaedt, K. B. Monroe, and S. Ward, American Marketing Association, Chicago, pp. 325—329.

15. Anderson, Paul F., 1981, "Marketing investment analysis," in *Research in Marketing*, Vol. 4, ed. J. N. Sheth, JAI Press, Greenwich, Connecticut, pp. 1—38.

16. Anterasian, Cathy; Grahame, John L.; and Money, R. Bruce, 1996, "Are U. S. managers superstitious about market share?" *Sloan Management Review*, Vol. 37, No. 4, p. 67.

17. Appel, Valentine, 1971, "On advertising wear-out," *Journal of Advertising Research*, Vol. 11 (February), pp. 11—14.

18. Armstrong, J. Scott, 1985, "The ombudsman: Research on forecasting: A quarter century review, 1960—1984," *Interfaces*, Vol. 16, No. 1 (January-February), pp. 89—109.

19. Assael, Henry, and Day, George S., 1968, "Attitudes and awareness as predictors of market share," *Journal of Advertising Research*, Vol. 8, No. 4 (December), pp. 3—10.

20. Assael, Henry, and Roscoe, A. Marvin, Jr, 1976, "Approaches to market segmentation analysis," *Journal of Marketing*, Vol. 40, No. 4 (October), pp. 67—76.

21. Aumann, R., 1987, "What is game theory trying to accomplish?" in *Frontiers of Economics*, eds. K. J. Arrow and S. Honkapohja, Blackwell, Oxford, England.

22. Axelrod, Joel N., 1968, "Attitude measures that predict purchase," *Journal of Advertising Research*, Vol. 8, No. 1 (March), pp. 3—17.

23. Barabba, Vincent P., and Zaltman, Gerald, 1991, *Hearing the Voice of the Market: Competitive Advantage Through Creative Use of Market Information*, Harvard Business School Press, Boston.

24. Bass, Frank M., 1969, "A new product growth model for consumer durables," *Management Science*, Vol. 15, No. 4 (January), pp. 216—227.

25. Bass, Frank M.; Krishnan, Trichy V.; and Jain, Dipak C., 1994, "Why the Bass model fits without decision variables," *Marketing Science*, Vol. 13, No. 3 (Summer), pp. 204—223.

26. Baumol, William J. , 1972, *Economic Theory and Operations Analysis*, Prentice Hall, Englewood Cliffs, New Jersey.

27. Bensoussan, Alain; Bultez, Alain; and Naert, Philippe, 1978, "Leader's dynamic marketing behavior in oligopoly," *TIMS Studies in the Management Sciences*, Vol. 9, pp. 123—145.

28. Bettman, James R. , 1971, "The structure of consumer choice processes," *Journal of Marketing Research*, Vol. 8 (November), pp. 465—471.

29. Bettman, James R. , 1979, "Memory factors in consumer choice: A review," *Journal of Marketing*, Vol. 43, No. 2 (Spring), pp. 37—53.

30. Blasko, Vincent J. , and Patti, Charles H. , 1984, "The advertising budgeting practices of industrial marketers," *Journal of Marketing*, Vol. 48, No. 4 (Fall), pp. 104—110.

31. Blattberg, Robert C. ; Briesch, Richard; and Fox, Edward J. , 1995, "How promotions work," *Marketing Science*, Vol. 14, No. 3, Part 2, pp. G122—G125.

32. Blattberg, Robert C. , and Hoch, Stephen J. , 1990, "Database models and managerial intuition: 50 percent model and 50 percent manager," *Management Science*, Vol. 36, No. 8 (August), pp. 887—899.

33. Blattberg, Robert C. ; Kim, Bong-Do; and Ye, Jianming, 1994, "Large scale data bases: The new marketing challenge," in *The Marketing Information Revolution*, eds. , Robert C. Blattberg, Rashi Glazer, and John D. C. Little, Harvard Business School Press, Boston, pp. 173—203.

34. Blattberg, Robert C. , and Levin, Alan, 1987, "Modelling the effectiveness and profitability of trade promotions," *Marketing Science*, Vol. 6, No. 2 (Spring), pp. 124—146.

35. Blattberg, Robert C. , and Neslin, Scott A. , 1990, *Sales Promotion: Concepts, Methods, and Strategies*, Prentice Hall, Englewood Cliffs, New Jersey.

36. Boeing Commercial Airplane Group 1988, "B727 rejuvenation," *World Jet Airplane Inventory*, The Boeing Company, p. 7.

37. Boston Consulting Group 1970, *Perspectives on Experience*, Boston.

38. Bower John, 1963, "Net audiences of US and Canadian magazines: Seven tests of Agostini's formula," *Journal of Advertising Research*, Vol. 3 (March), pp. 13—21.

39. Boyd, Harper W. , Jr. , and Ray, Michael L. , 1971, "What big agency men in Europe think of copy testing methods," *Journal of Marketing Research*, Vol. 8, No. 2 (May), pp. 219—223.

40. Brock, Timothy C. , 1965, "Communicator-recipient similarity and decision change," *Journal of Personality and Social Psychology*, Vol. 1, No. 10, pp. 650—654.

41. Brown, Rex V. ; Lilien, Gary L. ; and Ulvila, Jacob W. , 1993, "New methods for estimating business markets," *Journal of Business-to-Business*

Marketing, Vol. 1, No. 2, pp. 33—65.

42. *Business Week*, July 31, 1995.

43. Buzzell, Robert D. , 1966, "Competitive behavior and product life cycles," in *New Ideas for Successful Marketing*, eds. J. S. Wright and J. L. Goldstucker, American Marketing Association, Chicago.

44. Buzzell, Robert D. , and Gale, Bradley T. , 1987, *The PIMS Principles, Linking Strategy to Performance*, The Free Press, New York.

45. Camerer, Colin, 1981, "General conditios for the success of bootstrapping models," *Organizational Behavior and Human Performance*, Vol. 27, No. 3, pp. 411—422.

46. Camparelli, Melissa, 1994, "Reshuffling the deck: Sales territory realignment," *Sales and Marketing Management*, Vol. 146, No. 6, Part 1, pp. 83—90.

47. Cannon, Hugh, 1987, "A theory-based approach to optimal frequency," *Journal of Media Planning*, Vol. 2, No. 2 (Fall), pp. 33—44.

48. Cannon, Hugh, and Goldring, Norman, 1986, "Another look at effective frequency," *Journal of Media Planning*, Vol. 1, No. 2 (Fall), pp. 29—36.

49. Cardozo, Richard, and Wind, Yoram, 1980, "Portfolio analysis for strategic product market planning," working paper, Wharton School, University of Pennsylvania, Philadelphia.

50. Carpenter, Gregory S. ; Cooper, Lee G. ; Hanssens, Dominique M. ; and Midgley, David F. , 1988, "Modeling asymmetric competition," *Marketing Science*, Vol. 7, No. 4 (Fall), pp. 393—412.

51. Carroll, J. Douglas, 1972, "Individual differences and multidimensional scaling," in *Multidimensional Scaling: Theory and Applications in the Behavioral Sciences*, Vol. 2, Applications, eds. A. K. Romney, R. N. Shepard, and S. B. Nerlove, Seminar Press, New York.

52. Carroll, Vincent P. ; Rao, Ambar G. ; Lee, H. L. , Shapin, A. ; and Bayus, Barry L. , 1985, "The Navy enlistment marketing experiment," *Marketing Science*, Vol. 4, No. 4 (Fall), pp. 352—374.

53. Choffray, Jean-Marie, and Lilien, Gary L. , 1978, "Assessing response to industrial marketing strategy," *Journal of Marketing*, Vol. 42, No. 2 (April), pp. 20—31.

54. Choffray, Jean-Marie, and Lilien, Gary L. , 1980, *Market Planning for New Industrial Products*, John Wiley and Sons, New York.

55. Clarke, Darral G. , 1976, "Econometric measurement of the duration of advertising effects on sales, " *Journal of Marketing Research*, Vol. 13, No. 4, pp. 345—357.

56. Claycamp, Henry J. , and McClelland, Charles W. , 1968, "Estimating reach and the magic of K," *Journal of Advertising Research*, Vol. 8 (June), pp. 44—51.

57. Cocks, Douglas L. , and Virts, John R. , 1975, "Market diffusion and concentration in the ethical pharmaceutical industry," internal memorandum, Eli Lilly and Company, Indianapolis, Indiana.

58. le, Bradley, and Swire, Donald, 1980, "The limited information report," in *Marketing Strategy*, ed. D. Sudharshan, Prentice Hall, Englewood Cliffs, New Jersey p. 292.

59. Colley, Russel H. , 1961, *Defining Advertising Goals for Measured Advertising Results*, Association of National Advertisers, New York.

60. Cooper, Lee G. , 1983, "A review of multidimensional scaling in marketing research," *Applied Psychological Measurement*, Vol. 7, No. 4 (Fall), pp. 427—450.

61. Cooper, Lee G. , 1993, "Market share models," in *Handbooks in Operations Research and Management Science*, Vol. 5, Marketing, eds. Jehoshua Eliashberg and Gary L. Lilien, Elsevier Science Publishers B. V. , North Holland, New York, pp. 259—314.

62. Cooper, Lee G. , and Nakanishi, Masao, 1988, *Market-Share Analysis*, Kluwer, Norwell, Massachusetts.

63. Cooper, Robert G. , 1986, "An investigation into the new product Process: Steps, deficiencies, and impact," *Journal of Product Innovation Management*, Vol. 3, No. 2 (June), pp. 71—85.

64. Cooper, Robert G. , 1992, "The newprod system: Industry experience," *Journal of Product* Innovation Management, Vol. 9, No. 2 (June), pp. 113—127.

65. Cort, Stanton G. ; Lambert, David R. ; and Garret, Paula L. , 1982, "Frequency in business-to-business advertising: A state-of-the-art review," *4th Annual Business Advertising Research Conference Proceedings*, Advertising Research Foundation, New York.

66. Cox, William, Jr. , 1967, "Product life cycles as marketing models," *Journal of Business*, Vol. 40, No. 4 (October), pp. 375—384.

67. Cravens, David W. , 1995, "The changing role of the sales force," *Marketing Management*, Vol. 4, No. 2 (Fall), pp. 49—57.

68. Daganzo, Carlos, 1979, *Multinomial Probit*, Academic Press, New York.

69. Danaher, Peter, 1989, "A log linear model for predicting magazine audiences," *Journal of Marketing Research*, Vol. 26, No. 4, pp. 473—479.

70. Day, George S. , 1981, "The product life cycle: Analysis and applications issues," *Journal of Marketing*, Vol. 45, No. 4 (Fall), pp. 60—67.

71. Day, George S. , 1986, *Analysis for Strategic Market Decisions*, West Publishing, St. Paul, Minnesota.

72. Day, George S. , and Montgomery, D. B. , 1983, "Diagnosing the experience curve," *Journal of Marketing*, Vol. 47, No. 2 (Spring), pp. 44—58.

73. Day, George S. , Shocker, Allan D. , and Srivastava, Rajendra K. , 1979, "Consumer-oriented approaches to identifying product markets," *Journal of Marketing*, Vol. 43, No. 4 (Fall), pp. 8—19.

74. Deming, W. Edwards, 1987, in Hogarth, Robin Miles, *Judgment and Choice*, second edition, John Wiley and Sons, New York, p. 199.

75. DeVincentis, John R. , and Kotcher, Lauri Kien, 1995, "Packaged goods sales force—beyond efficiency," *McKinsey Quarterly*, No. 1 pp. 72—85.

76. Diamond, Daniel S. , 1968, "A quantitative approach to magazine advertisement format selection," *Journal of Marketing Research*, Vol. 5, No. 4 (November), pp. 376—386.

77. Dillon, William R. , and Goldstein, Matthew, 1984, *Multivariate Analysis: Methods and Applications*, John Wiley and Sons, New York, pp. 173—174.

78. Dolan, Robert J. , 1981, "Models of competition: A review of theory and empirical evidence," in *Review of Marketing*, eds. B. Enis and K. Roering, American Marketing Association, Chicago, pp. 224—234.

79. Dolan, Robert J. , 1993, *Managing the New Product Development Process*, Addison-Wesley Publishing Company, Reading, Massachusetts.

80. Dowling, Grahame R. , and Midgley, David F. , 1988, "Identifying the coarse and fine structures of market segments," *Decision Sciences*, Vol. 19, No. 4 (Fall), pp. 830—847.

81. Doyle, Peter, 1995, "Marketing in the new millennium," *European Journal of Marketing*, Vol. 29, No. 13, p. 23—41.

82. Eastlack, Joseph O. , and Rao, Ambar G. , 1986, "Modelling response to advertising and price changes for 'V-8' cocktail vegetable juice," *Marketing Science*, Vol. 5, No. 3 (Summer), pp. 245—259.

83. Eastlack, Joseph O. , and Rao, Ambar G. , 1989, "Advertising experiment at the Campbell Soup Company," *Marketing Science*, Vol. 8, No. 1 (Winter), pp. 57—71.

84. Eliashberg, Jehoshua; LaTour, Stephen A. ; Rangaswamy, Arvind; and Stern, Louis W. , 1986, *Journal of Marketing Research*, Vol. 23, No. 2 (May), pp. 101—110.

85. Eskin, Gerald J. , 1985, "Tracking advertising and promotion performance with single source data," *Journal of Advertising Research*, Vol. 25, No. 1, pp. 31—39.

86. Frey, Albert Wesley, 1955, *How Many Dollars for Advertising?* Ronald Press, New York.

87. Fudge, William K. , and Lodish, Leonard M. , 1977, "Evaluation of the effectiveness of a model based salesman's planning system by field experimentation," *Interfaces*, Vol. 8, No. 1, Part 2 (November), pp. 97—106.

88. Fulgoni, Gian M. , 1987, "The role of advertising: Is there one?"

33rd Annual Conference Proceedings, Advertising Research Foundation, New York, pp. 153—163.

89. Funk, Thomas F., and Phillips, Willard, 1990, "Segmentation of the Market for Table Eggs in Ontario," *Agribusiness*, Vol. 6, No. 4 (July), pp. 309—327.

90. Gardner, Yehudi A., and Cohen, Burleigh B., 1966, "ROP color and its effect on newspaper advertising," *Journal of Marketing Research*, Vol. 3, No. 4 (November), pp. 365—371.

91. Garry, Michael, 1996, "GIS: Finding opportunity in data," *Progressive Grocer*, Vol. 75, No. 6 (June), pp. 61—69.

92. Garvin, David A., 1987, "Competing on the eight dimensions of quality," *Harvard Business Review*, Vol. 65, No. 6 (November—December), pp. 101—109.

93. Gensch, Dennis H.; Aversa, Nicola; and Moore, Steven P., 1990, "A choice-modeling market information system that enabled ABB Electric to expand its market share," *Interfaces*, Vol. 20, No. 1 (January—February), pp. 6—25.

94. Glazer, Rashi, 1991, "Marketing in an information intensive environment: Strategic implications of knowledge as an asset," *Journal of Marketing*, Vol. 55 (October), pp. 1—19.

95. Goldberg, Lewis R., 1970, "Man versus model of man: A rationale, plus some evidence for a method of improving on clinical inferences," *Psychological Bulletin*, Vol. 73, No. 6, pp. 422—432.

96. Goodwin, Stephen, and Etgar, Michael, 1980, "An experimental investigation of comparative advertising: Impact of message appeal, information load and utility of product class," *Journal of Marketing Research*, Vol. 17, No. 2 (May), pp. 187—202.

97. Grapentine, Terry H., 1995, "Dimensions of an attribute; summated scales measure the relationship between product attributes and their perceptual dimensions," *Marketing Research*, Vol. 7, No. 3 (Summer), pp. 18—27.

98. Grass, Robert C., 1968, "Satiation effects of advertising," *14th Annual Conference Proceedings*, Advertising Research Foundation, New York.

99. Green, Paul E., 1974, "On the design of choice experiments involving multifactor alternatives," *Journal of Consumer Research*, Vol. 1, No. 2 (September), pp. 61—68.

100. Green, Paul E., 1975, "Marketing applications of MDS: Assessment and outlook," *Journal of Marketing*, Vol. 39, No. 1 (January), pp. 24—31.

101. Green, Paul E., 1984, "Hybrid conjoint analysis: An expository review," *Journal of Marketing Research*, Vol. 21, No. 2 (May), pp. 155—169.

102. Green, Paul E.; Carmone, Frank J., Jr; and Smith, Scott M.,

1989, *Multidimensional Scaling: Concepts and Application*, Allyn and Bacon, Boston.

103. Green, Paul E., and Kim, Jonathan S., 1991, "Beyond the quadrant chart: Designing effective benefit bundle strategies," *Journal of Advertising Research*, Vol. 31, No. 6 (December), pp. 56—63.

104. Green, Paul E., and Krieger, Abba M., 1991, "Modeling competitive pricing and market share: Anatomy of a decision support system," *Journal of the European Operational Research Society*, Vol. 60, NO. 1 (July), pp. 31—44.

105. Green, Paul E., and Srinivasan, V., 1978, "Conjoint analysis in consumer research: Issues and outlook," *Journal of Consumer Research*, Vol. 5, No. 2 (September), pp. 103—123.

106. Green, Paul E., and Srinivasan, V., 1990, "Conjoint analysis in marketing: New developments with implications for research and practice," *Journal of Marketing*, Vol. 54, No. 4 (October), pp. 3—19.

107. Green, Paul E., and Wind, Yoram J., 1973, *Multiattribute Decisions in Marketing*, The Dryden Press, Hinsdale, Illinois.

108. Griffin, Abbie, 1993, "Metrics for measuring product development cycle time," *Journal of Product Innovation Management*, Vol. 10, No. 2 (March), pp. 112—125.

109. Gross, Irwin, 1972, "The creative aspects of advertising," Sloan Management Review, Vol. 14 (Fall), pp. 83—109.

110. Guadagni, Peter M., and Little, John D. C., 1983, "A logit model of brand choice calibrated on scanner data," *Marketing Science*, Vol. 2, No. 3 (Summer), pp. 203—238.

111. Gupta, Sunil, 1990, "Testing the emergence and effect of the reference outcome in an integrative bargaining situation," *Marketing Letters*, Vol. 1, No. 2, pp. 103—112.

112. Gupta, Sunil, and Livne, Z. A., 1988, "Resolving conflict situations with a reference outcome: An axiomatic model," *Management Science*, Vol. 34, No. 11, pp. 1303—1314.

113. Haley Russell L., and Case, Peter B., 1979, "Testing thirteen attitude scales for agreement and brand discrimination," *Journal of Marketing*, Vol. 43, No. 4 (Fall), pp. 20—32.

114. Hanssens, Dominique M., 1980, "Marketing response, competitive behavior, and time series analysis," *Journal of Marketing Research*, Vol. 17, No. 4 (November), pp. 470—485.

115. Hanssens, Dominique M.; Parsons, Leonard J.; and Schultz, Randall L., 1990, *Market Response Models: Econometric and Time Series Analysis*, Kluwer Academic Publishers, Boston.

116. Hanssens, Dominique M., and Weitz, Barton A., 1980, "The effectiveness of industrial print advertisements across product categories," *Journal*

of Marketing Research, Vol. 17, No. 3 (August), pp. 294—306.

117. Harrell, Stephen G. , and Taylor, Elrner D. , 1981, "Modeling the product life cycle for consumer durables," *Journal of Marketing*, Vol. 45, No. 4 (Fall), pp. 68—75.

118. Hauser, John R. , and Koppelman, Frank S. , 1979, "Alternative perceptual mapping techniques: Relative accuracy and usefulness," *Journal of Marketing Research*, Vol. 16, No. 3 (November), pp. 495—506.

119. Hauser John R. , and Shugan, Steven M. , 1980, "Intensity measures of consumer preference," *Operations Research*, Vol. 28, No. 2 (March-April), pp. 278—320.

120. Hax, Arnoldo C. , and Majluf, Nicolas S. , 1982, "Competitive cost dynamics: The experience curve," *Interfaces*, Vol. 12, No. 5 (October), pp. 50—61.

121. Hayes-Roth, Frederick, and Jacobstein, Neil, 1994, "The state of knowledge-based systems," *Communications of the ACM*, Vol. 37, No. 3 (March), pp. 27—39.

122. Hendon, Donald W. , 1973, "How mechanical factors affect ad perception," *Journal of Advertising Research*, Vol. 13, No. 4, pp. 39—46.

123. Hess, Sidney W. , and Samuels, Stuart A. , 1971, "Experiences with a sales districting model: Criteria and implementation," *Management Science*, Vol. 18, No. 4, Part II (December), pp. 41—54.

124. Hill, Tim; O' Connor, Marcus; and Remus, William, 1996, "Neural network models for time series forecasts," *Management Science*, Vol. 42, No. 7 (July), pp. 1082—1092.

125. Hise, Richard T. ; O'Neil, Larry; McNeal, James U. ; and Parasuraman, A. , 1989, "The effect of product design activities on commercial success levels of new industrial products," *Journal of Product Innovation Management*, Vol. 6, No. 1 (March), pp. 43—50.

126. Hise, Richard T. , and Reid, Edward L. , 1994, "Improving the performance of the industrial sales force in the 1990's," *Industrial Marketing Management*, Vol. 23, No. 4, pp. 273—279.

127. Hoch, Stephen J. , and Schkade, David A. , 1996, "A psychological approach to decision support systems," *Management Science*, Vol. 42, NO. 1 (January), pp. 51—64.

128. Hofmans, Pierre, 1966, "Measuring the cumulative net coverage of any combination of media," *Journal of Marketing Research*, Vol. 3, No. 3 (August), pp. 269—278.

129. Hogarth, Robin Miles, 1987, *Judgment and Choice*, second edition, John Wiley and Sons, New York.

130. Holbrook, Morris B. , and Lehmann, Donald R. , 1980, "Form versus content in predicting Starch scores," *Journal of Advertising Research*, Vol. 20, No. 4 (August), pp. 53—62.

131. Huber, Joel, 1993, *CBC Manual*, Sawtooth Software, 502 South Still Road, Sequim, Washington 98382.

132. Huff David L. , 1964, "Defining and estimating a trading area," *Journal of Marketing*, Vol. 28, No. 3 (July), pp. 34—38.

133. Hunt, Morton, 1982, *The Universe Within: A New Science Explores the Human Mind*, The Harvester Press Limited, Brighton, Sussex, England, p. 72.

134. Jedidi, Kamel; Kohli, Rajeev; and DeSarbo, Wayne S. , 1996, "Consideration sets in conjoint analysis," *Journal of Marketing Research*, Vol. 33, No. 3 (August), pp. 364—372.

135. Johnson, Richard M. , 1987, "Adaptive conjoint analysis," *Sawtooth Software Conference on Perceptual Mapping, Conjoint Analysis, and Computer Interviewing*, Sawtooth Software, Ketchum, Idaho.

136. Johnson, Walter E. , 1994, "Special report on forecasting consumer attitudes," *National Retail Hardware Association, Do-It-Yourself Retailing*, Vol. 167, No. 1 (July), pp. 57—66.

137. Jolson, Marvin A. , and Rossow, Gerald L. , 1971, "The Delphi process in marketing decision making," *Journal of Marketing Research*, Vol. 8, No. 4 (November), pp. 443—448.

138. Jones, J. Philip, 1986, *What's in a Name*, Lexington Books, Lexington, Massachusetts, p. 268.

139. Kalish, Shlomo, and Lilien, Gary L. , 1986, "A market entry timing model for new technologies," *Management Science*, Vol. 32, No. 2 (February), pp. 194—205.

140. Kalyanaram, G. ; Robinson, W. T. ; and Urban, Glen L. , 1995, "Order of market entry: Established empirical generalizations, emerging empirical generalizations, and future research," *Marketing Science*, Vol. 14, No. 3, Part 2, pp. G212—G221.

141. Kamin, Howard, 1988, "Why not use single source measurements now?" *Journal of Media Planning*, Vol. 3, No. 1 (Spring), pp. 27—31.

142. Kaul, Anil, and Wittink, Dick R. , 1995, "Empirical generalizations about the impact of advertising on price sensitivity and price," *Marketing Science*, Vol. 14, No. 2, Part 2, pp. G151—G160.

143. Keeney, Ralph L. , and Raiffa, Howard, 1976, *Decisions with Multiple Objectives: Preferences and Value Tradeoffs*, John Wiley and Sons, New York.

144. Kotler, Philip, 1966, "A design for the firm's marketing nerve center," *Business Horizons*, Vol. 9, No. 3 (Fall), pp. 63—74.

145. Kotler, Philip, 1971, *Marketing Decision Making: A Model Building Approach*, Rinehart and Winston, New York.

146. Kotler, Philip, 1991, *Marketing Management: Analysis' Planning' Implementation, and Control*, seventh edition, Prentice Hall, Englewood

Cliffs, New Jersey.

147. Kotler, Philip, 1994, *Marketing Management: Analysis' Planning' Implementation, and Control*, eighth edition, Prentice Hall, Englewood Cliffs, New Jersey, p. 424.

148. Kotler, Philip, 1997, *Marketing Management: Analysis, Planning' Implementation, and Control*, ninth edition, Prentice Hall, Englewood Cliffs, New Jersey, p. 284.

149. Krugman, Herbert E., 1972, "Why three exposures may be enough," *Journal of Advertising Research*, Vol. 12 (December), pp. 11—14.

150. Kuritsky, A. P.; Little, J. D. C.; Silk, A. J.; and Bassman, E. S., 1982, "The development, testing and execution of a new marketing strategy at AT&T long lines," *Interfaces*, Vol. 12, No. 6 (December), pp. 22—37.

151. Lambin, Jean-Jacques, 1976, *Advertising, Competition and Market Conduct in Oligopoly Over Time*, North Holland, Amsterdam.

152. Lambin, Jean-Jacques; Naert, Philippe; and Bultez, Alain, 1975, "Optimal marketing behavior in oligopoly," *European Economic Review*, Vol. 6, No. 2, pp. 105—128.

153. Lambkin, Mary V., and Day, George S., 1989, "Evolutionary processes in competitive markets: Beyond the product life cycle," *Journal of Marketing*, Vol. 53, No. 3 (July), pp. 4—20.

154. Lancaster, Kent M., and Martin, Thomas C., 1988, "Estimating audience duplication among consumer magazines," *Journal of Media Planning*, Vol. 3, No. 2 (Fall), pp. 22—28.

155. Larréché, Jean-Claude, and Montgomery, David B., 1977, "A framework for the comparison of marketing models: A Delphi study," *Journal of Marketing Research*, Vol. 14, No. 4 (November), pp. 487—498.

156. Lavidge, Robert J., and Steiner, Gary A., 1961, "A model for predictive measurement of advertising effectiveness," *Journal of Marketing*, Vol. 25, No. 6 (October), pp. 59—67.

157. Leavitt, Clark, 1962, "The application of perception psychology to marketing," in *Marketing Precision and Executive Action*, ed. Charles H. Hindersman, American Marketing Association, Chicago, pp. 430—437.

158. Leckenby, John D., and Ju, K-H., 1989, "Advances in media decision models," in *Current Issues and Research in Advertising*, Issue 2, eds. J. Leigh and C. Martin, University of Michigan, Division of Research, Ann Arbor, Michigan.

159. Lee, Donald D., 1978, *Industrial Marketing Research*, The Chemical Marketing Research Association, Technomic Publishing Co., Westport, Connecticut.

160. Leidner, Dorothy E., and Jarvenpaa, Sirkka L., 1995, "The use of information technology to enhance management school education: A theoretical

view," *MIS Quarterly*, Vol. 19, No. 3, pp. 265—291.

161. Leone, Robert P., 1995, "Generalizing what is known about temporal aggregation and advertising carryover," *Marketing Science*, Vol. 14, No. 2, Part 2, pp. G141—G150.

162. Levitt, Theodore, 1960, "Marketing myopia," *Harvard Business Review*, Vol. 38, No. 4 (July-August), pp. 45—56.

163. Lieberman, Marvin B., and Montgomery, David B., 1980, "First mover advantages," *Strategic Management Journal*, Vol. 9, pp. 41—48.

164. Light, Larry, 1992, "Software even a CFO could love," *Business Week*, November 22, p. 132.

165. Lilien, Gary L., 1979, "ADVISOR 2: Modeling the marketing mix decision for industrial products," *Management Science*, Vol. 25, No. 2 (February), pp. 191—204.

166. Lilien, Gary L., 1993, *Marketing Management; Analytic Exercises for Spreadsheets*, Boyd and Fraser Publishing Company, Danvers, Massachusetts.

167. Lilien, Gary L., and Kotler, Philip, 1983, *Marketing Decision Making: A Model-Building Approach*, Harper and Row, New York.

168. Lilien, Gary L.; Kotler, Philip; and Moorthy' K. Sridhar, 1992, *Marketing Models*, Prentice Hall, Englewood Cliffs, New Jersey.

169. Lilien, Gary L., and Weinstein, David, 1984, "An international comparison of the determinants of industrial marketing expenditures," *Journal of Marketing*, Vol. 48 (Winter), pp. 46—53.

170. Lilien, Gary L., and Yoon, Eunsang, 1990, "The timing of competitive market entry: An exploratory study of new industrial products," *Management Science*, Vol. 36, No. 5 (May), pp. 568—585.

171. Little, John D. C., 1970, "Models and managers: The concept of a decision calculus," *Management Science*, Vol. 16, No. 8 (April), pp. B466—B485.

172. Little, John D. C., 1979, "Aggregate advertising models: The state of the art," *Operations Research*, Vol. 27, No. 4 (July- August), pp. 629—667.

173. Little, John D. C., and Lodish, Leonard M., 1966, "A media selection model and its optimization by dynamic programming," *Industrial Management Review*, Vol. 8 (Fall), pp. 15—23.

174. Lodish, Leonard M., 1971, "CALLPLAN: An interactive salesman's call planning system," *Management Science*, Vol. 18, No. 4, Part 2 (December), pp. 25—40.

175. Lodish, Leonard M., 1974, "'Vaguely right' approach to sales force allocations," *Harvard Business Review*, Vol. 52, No. 1 (January-February), pp. 119—124.

176. Lodish, Leonard M., 1986, The *Advertising and Promotion Chal-*

lenge, Oxford University Press, New York, p. 73.

177. Lodish, Leonard M. ; Abraham, Magid; Kamenson, Stuard; Livelsberger, Jeanne; Lubetkin, Beth; Richardson, Bruce; and Stevens, Mary Ellen, 1995a, "How TV advertising works: A meta analysis of 389 real world split cable TV advertising experiments," *Journal of Marketing Research*, Vol. 32 (May), pp. 125—139.

178. Lodish, Leonard M. ; Abraham, Magid; Livelsberger' Jeanne; Lubetkin, Beth; Richardson, Bruce; and Stevens, Mary Ellen, 1995b, "A summary of fifty five in-market estimates of the long term effect of advertising," *Marketing Science*, Vol. 14, No. 2, Part 2, pp. G133—G140.

179. Lodish, Leonard M. ; Curtis, Ellen; Ness, Michael; and Simpson, M. Kerry, 1988, "Sales force sizing and deployment using a decision calculus model at Syntex Laboratories," *Interfaces*, Vol. 18, No. 1 (January-February), pp. 5—20.

180. Longman, Kenneth A. , 1968, "Remarks on Gross' paper," 13*th Annual Conference Proceedings*, Advertising Research Foundation, New York.

181. Luce, R. Duncan, 1959, *Individual Choice Behavior*, John Wiley and Sons, New York.

182. MacKay, David B. , and Zinnes, Joseph L. , 1996, "A probabilistic model for the multidimensional scaling of proximity and preference data," *Marketing Science*, Vol. 5, No. 4 (Fall), pp. 325—344.

183. Mahajan, Vijay; Muller, Eitan; and Bass, Frank M. , 1993, "New-product diffusion models," in *Handbooks in Operations Research and Management Science*, *Vol.* 5, *Marketing*, eds. Jehoshua Eliashberg and Gary L. Lilien, Elsevier Science Publishers B. V. , North Holland, New York, pp. 349—408.

184. Malhotra, Naresh K. , 1993, *Marketing Research: An Applied Orientation*, Prentice Hall, Englewood Cliffs, New Jersey.

185. Maloney, John C. , 1962, "Curiosity versus disbelief in advertising," *Journal of Advertising Research*, Vol. 23 (January), pp. 51—59.

186. Maloney, John C. , 1963, "Copy testing: What course is it taking?" 9*th Annual Conference Proceedings*, Advertising Research Foundation, New York.

187. Mansfield, Edwin, 1979, Microeconomics: *Theory and Applications*, Norton, New York.

188. Mantrala, Murali; Sinha, Prabhakant; and Zoltners, Andris, 1994, "Structuring a multiproduct sales quota-bonus plan," *Marketing Science*, Vol. 13, No. 2 (Spring), pp. 121—144.

189. Martino, Joseph P. , 1983, *Technological Forecasting for Decision Making*, Elsevier, New York.

190. McCann, John M. , 1974, "Market segment response to the marketing decision variables," *Journal of Marketing Research*, Vol. 11, No. 4 (No-

vember), pp. 399—412.

191. McCann, John M., and Gallagher, John P., 1990, *Expert Systems for Scanner Data Environments*, Elsevier Science Publishers B. V., North Holland, New York, p. 168.

192. McDonald, Colin, 1971, "What is the short term effect of advertising?" Special Report No. 71— 142 (February), Marketing Science Institute, Cambridge, Massachusetts.

193. Mehrabian, Albert, 1982, *General Dimensions for a General Psychological Theory*, Oelgeschlager, Gunn and Hain, Cambridge, Massachusetts.

194. Meulman, J.; Heiser, Wilhelm; and Carroll, J. Douglas, 1986, *PREFMAP*-3 *User's Guide*, Bell Laboratories, Murray Hill, New Jersey 07974.

195. Milligan, Glenn W., and Cooper, Martha C., 1987, "Methodology review's clustering methods," *Applied Psychological Measurement*, Vol. 11, No. 4 (December), pp. 329—354.

196. Monroe, Kent B., 1990, Pricing, *Making Profitable Decisions*, second edition, McGraw-Hill, New York, p. 464.

197. Moore, William L., and Pessemier, Edgar A., 1993, *Product Planning and Management*, McGraw Hill, New York.

198. Morrison, Donald G., 1979, "Purchase intentions and purchase behavior," *Journal of Marketing*, Vol. 43, No. 2 (Spring), pp. 65—74.

199. Naples, M. J., 1979, *Effective Frequency*, Association of National Advertisers, New York.

200. Nash, John F., 1950, "The bargaining problem," *Econometrica*, Vol. 18 (April), pp. 155—162.

201. Nemhauser G. L.; Kan, A. G. Rinooy; and Todd, M. J., eds., 1989, *Optimization*, North Holland, New York.

202. Neslin, Scott A., and Greenhalgh, Leonard, 1983, "Nash's theory of cooperative games as a predictor of the outcomes of buyer-seller negotiations: An experiment in media purchasing," *Journal of Marketing Research*, Vol. 30 (November), pp. 368—379.

203. Neslin, Scott A., and Greenhalgh, Leonard, 1986, "The ability of Nash's theory of cooperative games to predict the outcomes of buyer-seller negotiations: A dyad-level test," *Management Science*, Vol. 32, No. 4 (April), pp. 480—498.

204. Neslin, Scott A., and Stone, Linda G., 1996, "Consumer inventory sensitivity and the post promotion dip," *Marketing Letters*, Vol. 7, No. 1 (January), pp. 77—94.

205. Ogilvy and Mather Research Department 1965, "An experimental study of the relative effectiveness of three television day parts," Authors, New York.

206. Parry, Mark E., and Bass, Frank M., 1990, "When to lead or to

follow? It depends," *Marketing Letters*, Vol. 1, No. 3 (November), pp. 187—198.

207. Patti, Charles H., and Blasko, Vincent J., 1981, "Budgeting practices of big advertisers," *Journal of Advertising Research*, Vol. 21 (December), pp. 23—29.

208. Peppers, Don, and Rogers, Martha, 1993, *The One to One Future, Building Relationships One Customer at a Time*, *Currency* Doubleday, New York.

209. Petty, Richard E.; Cacioppo, John T.; and Schumann, David, 1983, "Central and peripheral routes to persuasion: The moderating role of involvement," *Journal of Consumer Research*, Vol. 10, No. 2, pp. 135—146.

210. Porter, Michael E., 1980, *Competitive Strategy: Techniques for Analyzing Industries and Competitors*, Macmillan, New York.

211. Powell, Stephen G., 1996, "From intelligent consumer to active modeler: Two MBA success stories," working paper, Amos Tuck School of Business Administration, Dartmouth College, Hanover, Vermont.

212. Ragsdale, Cliff T., 1995, *Spreadsheet Modeling and Decision Analysis*, Course Technology, New York.

213. Raiffa, Howard, 1968, *Decision Analysis Introductory Lectures on Choices Under Uncertainty*, Addison-Wesley, Reading, Massachusetts.

214. Ramond, Charles, 1976, *Advertising Research: The State of the Art*, Association of National Advertisers, New York.

215. Rangaswamy, Arvind, 1993, "Marketing decision models: From linear programs to knowledge-based systems," *Handbooks in Operations Research and Management Science*, Vol. 5, Marketing, eds. Jehoshua Eliashberg and Gary L. Lilien, Elsevier Science Publishers B. V., North Holland, New York, pp. 733—771.

216. Rangaswamy, Arvind; Harlam, Bari A.; and Lodish, Leonard M., 1991, "INFER: An expert system for automatic analysis of scanner data," *International Journal of Research in Marketing*, Vol. 8, No. 1 (April), pp. 29—40.

217. Rangaswamy, Arvind, and Lilien, Gary L., 1997, "Software tools for new product development," *Journal of Marketing Research*, Vol. 34, No. 1 (February), pp. 177—184.

218. Rangaswamy, Arvind; Sinha, Prabhakant; and Zoltners, Andris, 1990, "An integrated model based approach for sales force restructuring," *Marketing Science*, Vol. 9, No. 4 (Fall), pp. 279—298.

219. Rao, Ambar G., 1978, "Productivity of the marketing mix: Measuring the impact of advertising and consumer and trade promotions on sales," paper presented at ANA Advertising Research Workshop, New York.

220. Rao, Ambar G., and Miller, P. B., 1975, "Advertising/sales response functions," *Journal of Advertising Research*, Vol. 15, No. 2 (April),

pp. 7—15.

221. Rapoport, Anatol, 1966, *Two-Person Game Theory*, University of Michigan Press, Ann Arbor, Michigan.

222. Reibstein, David J., and Gatignon, Hubert, 1984, "Optimal product line pricing: the influence of elasticities and cross elasticities," *Journal of Marketing Research*, Vol. 21, No. 3 (August), pp. 259—267.

223. Reibstein, David J., and Traver, Phillis A., 1982, "Factors affecting coupon redemption rates," *Journal of Marketing*, Vol. 46 (Fall), pp. 102—113.

224. Reis, Al, and Trout, Jack, 1981, *Positioning: The Battle for Your Mind*, McGraw Hill, New York.

225. Rice, Marshall D., 1988, "Estimating the reach and frequency of mixed media advertising schedules," *Journal of the Market Research Society*, Vol. 30, No. 4 (October), pp. 439—451.

226. Rink, David R., and Swan, John E., 1979, "Product life cycle research: A literature review," *Journal of Business Research*, Vol. 7, No. 3 (September), pp. 219—242.

227. Roberts, John H., and Lilien, Gary L., 1993, "Explanatory and predictive models of consumer behavior," in *Handbooks in Operations Research and Management Science*, *Vol. 5*, *Marketing*, eds. Jehoshua Eliashberg and Gary L. Lilien, Elsevier Science Publishers B. V., North Holland, New York, pp. 27—82.

228. Robertson, Tom S., and Barich, Howard, 1992, "A successful approach to segmenting industrial markets," *Planning Review*, Vol. 20, No. 6 (November-December), pp. 4—11, 48.

229. Robinson, William T., and Fornell, Claes, 1985, "The sources of market pioneer advantages in consumer goods industries," *Journal of Marketing Research*, Vol. 22, No. 3 (August), pp. 305—317.

230. Rossiter, John R., 1982, "Visual imagery: Applications to advertising," in *Advances in Consumer Research*, Vol. 9, ed. Andrew A. Mitchell, Association for Consumer Research, Provo, Utah, pp. 101—106.

231. Rossiter, John R., and Percy, Larry, 1987, *Advertising and Promotion Management*, McGraw-Hill, New York.

232. Roth, Alvin E., 1979, "Axiomatic models of bargaining," *Lecture Notes in Economics and Mathematical Systems*, 170, Springer-Verlag, New York.

233. Rubinstein, Ariel, 1991, "Comments on the interpretation of game theory," *Econometrica*, Vol. 59, No. 4 (July), pp. 909—924.

234. Runyon, Kenneth E., 1984, *Advertising*, second edition, Charles E. Merrill Publishing, Columbus, Ohio.

235. Russo, J. Edward, and Schoemaker, Paul J. H., 1989, *Decision Traps*, Doubleday and Company, New York.

236. Rust, Roland T. , 1986, *Advertising Media Models: A Practical Guide*, Lexington Books, Lexington, Massachusetts.

237. Rust, Roland T. ; Zimmer, Mary R. ; and Leone, Robert P. , 1986, "Estimating the duplicated audiences of media vehicles in national advertising schedules," *Journal of Advertising*, Vol. 15, No. 3, pp. 30—37.

238. Saaty, Thomas L. , and Vargas, Luis G. , 1994, *Decision Making in Economic, Political, Social and Technological Environments with the Analytical Hierarchy Process*, RWS Publications, Pittsburgh, Pennsylvania.

239. Saunders, John, 1987, "The specification of aggregate market models," *European Journal of Marketing*, Vol. 21, No. 2, pp. 1—47.

240. Scherer, Frederic M. , 1980, *Industrial Market Structure and Economic Performance*, second edition, Rand McNally, Skokie, Illinois.

241. Schmitz, John, 1994, "Expert systems for scanner data in practice," in *The Marketing Information Revolution*, eds. Robert C. Blattberg, Rashi Glazer, and John D. C. Little, Harvard Business School Press, Boston, pp. 102—119.

242. Schmitz, John D. ; Armstrong, Gordon D. ; and Little, John D. C. , 1990, "CoverStory: Automated news finding in marketing, "in *DSS Transactions*, ed. Linda Bolino, TIMS College on Information Systems, Providence, Rhode Island, pp. 46—54.

243. Seligman, Daniel, 1956, "How much for advertising?" *Fortune* (December), pp. 120—126.

244. Senge, Peter M. , and Lannon, Colleen, 1990, "Managerial microworlds: computer simulation to facilitate decision making," *Massachusetts Institute of Technology Alumni Association Technology Review*, Vol. 93, No. 5 (July), pp. 62—68.

245. Sewall, Murphy A. , and Sarel, Dan, 1986, "Characteristics of radio commercials and their recall effectiveness," *Journal of Marketing*, Vol. 50, No. 1 (January), pp. 52—60.

246. Shapiro, Arthur, 1976, "Promotional effectiveness at H. J. Heinz," *Interfaces*, Vol. 6, No. 2 (February 1976), pp. 84—86.

247. Shocker, Allan D. , and Hall, William G. , 1986, "Pretest marketmodels: A critical evaluation," *Journal of Product Innovation*, Vol. 3, No. 2 (June), pp. 86—107.

248. Siemer, R. H. , 1989, "Using perceptual mapping for market-entry decisions," *3rd Proceedings of the Sawtooth Software Conference on Gaining a Competitive Advantage Through PC-Based Interviewing and Analysis*, Sawtooth Software, Sun Valley, Idaho, pp. 107—114.

249. Silk, Alvin J. , and Urban, Glen L. , 1978, "Pre-test market evaluation of new packaged goods: A model and measurement methodology," *Journal of Marketing Research*, Vol. 15, No. 2 (May), pp. 171—191.

250. Simon, Herbert A. , 1977, *The New Science of Management Deci-*

sion, Prentice Hall, Englewood Cliff, New Jersey.

251. Simon, Hermann, 1989, *Price Management*, North Holland, New York.

252. Simon, Hermann, and Thiel, Michael H. , 1980, "Hits and flops among German media models," *Journal of Advertising Research*, Vol. 20, No. 6, pp. 25—29.

253. Singer, Eugene M. , 1968, *Antitrust Economics: Selected Legal Cases and Economic Models*, Prentice Hall, Englewood Cliffs, New Jersey.

254. Smith, Barry C. ; Leimkuhler, John F; and Darrow Ross M. , 1992, "Yield management at American Airlines," *Interfaces*, Vol. 22, No. 1 (January-February), pp. 8—31.

255. Starch, Daniel, 1966, *Measuring Advertising Readership and Results*, McGraw-Hill, New York.

256. Stern, Louis; El-Ansary, Adel; and Coughlan, Anne, 1996, *Marketing Channels*, fourth edition, Prentice Hall, Englewood Cliffs, New Jersey.

257. Stewart, David W. , and Furse, David H. , 1986, *Effective Television Advertising: A Study of 1000 Commercials*, Lexington Books, Lexington, Massachusetts.

258. Stewart, M. , 1990, "Was STAT scan really an advance on AMTES?" *ADMAP*, Vol. 26 (April), pp. 32—35.

259. Sudharshan, Devanathan, 1995, *Marketing Strategy: Relationships, Offerings, Timing and Resource Allocation*, Prentice Hall, Englewood Cliffs, New Jersey.

260. Sultan, Fareena; Farley, John U. ; and Lehmann, Donald R. , 1990, "A meta-analysis of applications of diffusion models," *Journal of Marketing Research*, Vol. 27, No. 1 (February), pp. 70—77.

261. Tayman, Jeff, and Pol, Louis, 1995, "Retail site selection and geographic information systems," *Journal of Applied Business Research*, Vol. 11, No. 2 (Spring), pp. 46—54.

262. Tellis, Gerard J. , and Zufryden, Fred S. , 1995, "Tackling the retailer decision maze: Which brands to discount, how much, when and why?" *Marketing Science*, Vol. 14, No. 3, Part 1, pp. 271—299.

263. Thietart, R. A. , and Vivas, R. , 1984, "An empirical investigation of success strategies for businesses along the product life cycle," *Management Science*, Vol. 32, No. 6 (June), pp. 645—659.

264. Thomas, Charles M. , and Keebler, Jack, 1994, "Focus shifts from electric to hybrid," *Automotive News* (January 17), pp. 3, 41.

265. Thomas, Robert J. , 1985, "Estimating market growth for new products: An analogical diffusion model approach," *Journal of Product Innovation Management*, Vol. 2, No. 1 (March), pp. 45—55.

266. Thorelli, Hand, and Burnett, Stephen C. , 1981, "The nature of

product life cycles for industrial goods businesses," *Journal of Marketing*, Vol. 45, No. 4 (Fall), pp. 97—108.

267. Trodahl, Verling C., and Jones, Robert L., 1965, "Prediction of newspaper advertisement readership," *Journal of Advertising Research*, Vol. 5 (March), pp. 23—27.

268. Twedt, Dik W., 1952, "A multiple factor analysis of advertising readership," *Journal of Applied Psychology*, Vol. 36, No. 3 (June), pp. 207—215.

269. Uivila, Jacob W., and Brown, Rex V., 1982, "Decision analysis comes of age," *Harvard Business Review* Vol. 60 (September-October), pp. 130—141.

270. Urban, Glen L., 1993, "Pretest market forecasting," in *Handbooks in Operations Research and Management Science*, Vol. 5, Marketing, eds. Jehoshua Eliashberg and Gary L. Lilien, Elsevier Science Publishers B. V., North Holland, New York, pp. 315—348.

271. Urban, Glen L.; Carter, Theresa; Gaskin, Steve; and Mucha, Zofia, 1986, "Market share rewards to pioneering brands: An empirical analysis and strategic implications," *Management Science*, Vol. 32, No. 6, pp. 645—659.

272. Urban, Glen L., and Hauser, John R., 1980, *Design and Marketing of New Products*, Prentice Hall, Englewood Cliffs, New Jersey.

273. Urban, Glen L., and Hauser, John R., 1993, *Design and Marketing of New Products*, second edition, Prentice Hall, Englewood Cliffs, New Jersey.

274. Urban, Glen L., and Katz, Gerald M., 1983, "Pre-test market models: Validation and managerial implications," *Journal of Marketing Research*, Vol. 20, No. 3 (August), pp. 221—234.

275. Urban, Glen L., and Star, Steven H., 1991, *Advanced Marketing Strategy: Phenomena, Analysis, and Decisions*, Prentice Hall, Englewood Cliffs, New Jersey.

276. van Bruggen, Gerrit H.; Smidts, Ale; and Wierenga, Berend, 1997, "Improving decision making by means of a marketing decision support system," working paper, Erasmus University, Rotterdam, The Netherlands. (Forthcoming: *Management Science*.)

277. Vandenbosch, Mark B., and Weinberg, Charles B., 1993, "Salesforce operations," in *Handbooks in Operations Research and Management Science*, *Vol.5*, *Marketing*, eds. Jehoshua Eliashberg and Gary Lilien, Elsevier Science Publishers B. V., North Holland, New York, pp. 653—694.

278. Vidale, H. L., and Wolfe, H. B., 1957, "An operations research study of sales response to advertising," *Operational Research Quarterly*, Vol. 5, pp. 370—381.

279. *Wall Street Journal*, April 1, 1996, p. 1.

280. *Wall Street Journal*, November 18, 1996.

281. Ward, J., 1963, "Hierarchical grouping to optimize an objective function," *Journal of the American Statistical Association*, Vol. 58, pp. 236—244.

282. Wells, William D., 1981, "How advertising works," working paper, Needham, Harper and Steers Advertising, Chicago.

283. Wells, William D.; Leavitt, Clark; and McConnell, Maureen, 1971, "A reaction profile for TV commercials," *Journal of Advertising Research*, Vol. 11, No. 2 (December), pp. 11—17.

284. Wenzel, Wilfred, and Speetzen, Rolf, 1987, "How much frequency is enough?" *Journal of Media Planning*, Vol. 2, No. 1, pp. 5—16.

285. Whitaker, Richard, 1995, "Make believe airline," *Airline Business*, Vol. 11, No. 4 (April), pp. 46—49.

286. Wierenga, Berend, and van Bruggen, Gerrit H., 1997, "Integration of marketing problem-solving models and marketing management support systems," *Journal of Marketing*, Vol. 6, No. 3 (July).

287. Wilson, Elizabeth. J.; Lilien, Gary L.; and Wilson, David T., 1991, "Developing and testing a contingency paradigm of group choice in organizational buying," *Journal of Marketing Research*, Vol. 28, No. 4 (November), pp. 39—48.

288. Wind, Jerry; Green, Paul E.; Shifflet, Douglas; and Scarbrough, Marsha, 1989, "Courtyard by Marriott: Designing a hotel facility with consumer-based marketing models," *Interfaces*, Vol. 19, No. 1 (January-February), pp. 25—47.

289. Wind, Yoram J., 1978, "Issues and advances in segmentation research," *Journal of Marketing Research*, Vol. 15, No. 3 (August), pp. 317—337.

290. Wind, Yoram J., 1981, "Marketing-oriented strategic planning models," in *Marketing Decision Models*, eds. R. Schultz and A. Zoltners, North Holland, New York, pp. 207—250.

291. Wind, Yoram J., 1982, *Product Policy: Concepts, Methods, and Strategy*, Addison-Wesley Publishing Company, Reading, Massachusetts.

292. Wind, Yoram J., and Claycamp, Henry, 1976, "Planning product line strategy: A matrix approach," *Journal of Marketing*, Vol. 40, No. 1 (January), pp. 2—9.

293. Wind, Yoram J., and Lilien, Gary L., 1993, "Interaction, strategy and synergy", in *Handbooks in Operations Research and Management Science*, *Vol.* 5, *Marketing*, eds. Jehoshua Eliashberg and Gary L. Lilien, Elsevier Science Publishers B. V., North Holland, New York, pp. 773—820.

294. Wind, Yoram J., and Robertson, Thomas S., 1983, "Marketing strategy: New directions for theory and research," *Journal of Marketing*, Vol. 47, No. 2 (Spring), pp. 12—25.

295. Wittink, Dick R., and Cattin, Philippe, 1989, "Commercial use of conjoint analysis: An update," *Journal of Marketing*, Vol. 53, No. 3 (July), pp. 91—106.

296. Wittink, Dick R.; Krishnamurthi, Lakshman; and Nutter, Julia B., 1982, "Comparing derived importance weights across attributes," *Journal of Consumer Research*, Vol. 8, No. 4 (March), pp. 471—474.

297. Wolfe, H. B.; Brown, Joel. R.; and Thompson, G. C., 1962, "Measuring advertising results, studies in business policy," The Conference Board, New York, No. 102, pp. 62—68.

298. Wyner, Gordon A., and Owen, Hilary, 1994, "What's your position?" *Marketing Research*, Vol. 6, No. 1 (Winter), pp. 54—56.

299. Yamanaka, Jiro, 1962, "The prediction of ad readership scores," *Journal of Advertising Research*, Vol. 2, No. 1 (March), pp. 18—23.

300. Yelle, Louis E., 1979, "The learning curve: Historic review and comprehensive survey," *Decision Sciences*, Vol. 10, No. 2 (April), pp. 302—327.

301. Yoon, Eunsang, and Lilien, Gary L., 1985, "New industrial product performance: The impact of market characteristics and strategy," *Product Innovation Management*, Vol. 2 (September), pp. 134—144.

302. Young, Jeffrey, 1995, "Can computers really boost sales?" *Forbes* (August 28), pp. 84—98.

303. Young and Rubicam 1988, *Non Verbal Communication in Advertising*, eds. Sidney Hecker and David W. Stewart, Lexington Books, Lexington, Massachusetts.

304. Yurkiewicz, Jack, 1996, "Forecasting software survey," *OR/MS Today* (December), pp. 70—75.

305. Zahavi, Jacob, 1995, "Franklin Mint's famous AMOS," *OR/MS Today*, Vol. 22, No. 5 (October), pp. 18—23.

306. Zangwill, Willard L., 1993, *Lightning Strategies for Innovation*, Lexington Books, New York.

307. Zielski, Hubert A., 1959, "The remembering and forgetting of advertising," *Journal of Marketing*, Vol. 23, No. 3 (January), pp. 239—243.

308. Zoltners, Andris A., and Sinha, Prabhakant, 1983, "Sales territory alignment: A review and model," *Management Science*, Vol. 29, No. 11 (November), pp. 1237—1256.

附 录

采用本书作为营销专业教材的院校有：

1. 哈佛大学商学院
2. 宾夕法尼亚大学沃顿商学院
3. 麻省理工学院斯隆管理学院
4. 法国欧洲工商管理学院（INSEAD）
5. 西北大学凯洛格管理学院
6. 纽约大学斯特恩商学院
7. 加州大学洛杉矶分校安德森商学院
8. 加州大学伯克利分校哈斯商学院（Haas）
9. 密歇根大学商学院
10. 杜克大学富卡商学院（Fuqua）
11. 马里兰大学史密斯商学院
12. 西班牙纳瓦罗公立大学 IESE 国际管理学院
13. 得克萨斯大学奥斯汀分校迈克库姆斯商学院（McCombs）
14. 荷兰伊拉斯谟大学（Erasmus）鹿特丹管理学院
15. 艾默瑞大学（Emory）Goizueta 商学院
16. 乔治敦大学麦克多诺商学院（McDonough）
17. 加拿大麦吉尔大学管理学院
18. 印第安纳大学凯利商学院
19. 澳大利亚管理研究院
20. 加拿大多伦多大学罗特曼管理学院（Rotman）
21. 伊利诺伊大学厄巴纳—香槟分校工商管理学院
22. 亚利桑那州立大学 Tempe 商学院
23. 法国巴黎高等商业学校（HEC）管理学院
24. 巴布森学院（Babson）Olin 商学院
25. 艾奥瓦大学 Tippie 商学院

608

26. 图兰大学（Tulane）Freeman 商学院

27. 荷兰巴金罗德大学（Nijenrode）

28. 圣母大学（Notre Dame）Mendoza 商学院

29. 宾州州立大学斯梅尔（Smeal）管理学院

30. 密歇根州立大学 Broad 商学院

31. 亚利桑那大学 Eller 管理学院

32. 加拿大麦克马斯德大学（McMaster）DeGroote 商学院

33. 新西兰奥塔戈大学（Otago）商学院

34. 俄亥俄州立大学菲舍尔商学院

35. 波士顿大学凯伦管理学院

36. 佐治亚理工学院杜普雷商学院

37. 雪城大学（Syracuse）管理学院

38. 纽约福坦莫大学（Fordham）

39. 圣克拉拉大学利维商学院（Leavey）

40. 得克萨斯大学达拉斯分校商学院

41. 纽约州立大学宾厄姆顿分校（Binghamton）管理学院

42. 北得克萨斯大学商学院

43. 科罗拉多州立大学商学院

44. 加州大学溪口（Chico）分校商学院

45. 里海大学（Lehigh）经管学院

46. 克里夫兰州立大学 Nance 商学院

47. 加拿大舍布鲁克大学（Sherbrooke）商学院

48. 加拿大卡伦顿大学（Carleton）商学院

49. 加拿大拉瓦勒大学（Laval）经济学院

50. 德国瓦伦达尔经济学院（WHU）奥托贝森管理研究院

51. 奥地利维也纳大学经管学院

52. 西班牙巴塞罗那独立大学经管学院

53. 荷兰马斯特里赫特大学（Maastricht）经管学院

54. 爱尔兰都柏林理工学院商学院

55. 德国凯泽斯劳腾大学（Kaiserslautern）经管学院

56. 奥地利开普勒大学（LKU）经管学院

57. 葡萄牙阿尔加维大学（Algarve）旅游饭店管理学院

58. 比利时根特大学（Ghent）经管学院

59. 比利时纳慕尔大学经济学院

60. 比利时布拉班特省天主教会大学

61. 保加利亚采诺沃经济科学院（Tsenov）营销学院

62. 希腊雅典工商管理学院（ALBA）

63. 土耳其寇克大学（Koc）商学院

64. 澳大利亚昆士兰大学（Queensland）管理学院

65. 澳大利亚悉尼大学管理学院

66. 澳大利亚新南威尔士大学管理学院

67. 新西兰惠灵顿维多利亚大学（Victoria）工商与行政管理学院

68. 中国香港中文大学工商管理学院
69. 中国人民大学商学院
70. 中国上海交通大学安泰管理学院
71. 印度管理学院
72. 印度理工学院 Vinod Gupta 管理学院
73. 印度尼西亚 LPPM 大学管理学院
74. 巴基斯坦管理科学大学
75. 巴西高等技术与营销管理大学 （ESTM）
76. 哥伦比亚 EAFIT 大学

采用本书所附软件的著名公司有：

施乐公司、IBM 公司、柯达公司、3M 公司、英国石油公司 （BP）、联合利华公司、Exelon 能源公司、宾夕法尼亚电力公司等。

教学支持说明

Pearson Education 旗下的国际知名教育图书出版公司 Addison Wesley Longman 以其高品质的经济类出版物，成为全美及全球高校采用率最高的教材，享誉全球教育界、工商界、技术界。

为秉承 Addison Wesley Longman 出版公司对于其教材类产品的一贯教学支持，Pearson Education 将向采纳本书作为教材的老师免费提供【网上教学支持课件】。任何一位注册的老师都可直接下载所有在线的【教学辅助资料】包括教师指导手册、PowerPoint 教学讲义、习题解答、习题库等。

为确保此资源仅为老师教学所使用，烦请填写如下情况调查表。所示如下：

--✂--

证明

兹证明_____大学_____系/ 院_____学年（学期）开设的课程，采用_____出版社出版的_____（作者 / 书名）作为主要教材。任课教师为_____，学生_____个班共_____人。

电话：_____

传真：_____

E-mail：_____

联系地址：_____

邮编：_____

系 / 院主任：_____（签字）

（系 / 院办公室章）

_____年_____月_____日

--✂--

同时本书还配有其他教学辅导资料，相关事宜敬请访问 Prentice Hall / Addison Wesley Longman 的相关网站：www. prenhall. com/myphlip / www. prenhall. com / www. aw. com

联络
我们

 中国人民大学出版社
北京博闻一方教育文化发展有限责任公司

Tel：8610-62513580-601

Fax：8610-62513583

E-mail：sales@brivision.com

PEARSON Education Pearson Education Beijing Office
培生教育出版集团北京办事处
北京市西三环北路 19 号外研社大厦 2202 室 100089
Tel：8610-8881 7488/8881 6659/8881 6661

Fax：8610-88817499

E-mail：service@pearsoned.com.cn

图书在版编目（CIP）数据

营销工程与应用/（美）利连等著；魏立原，成栋译；成栋审校．

北京：中国人民大学出版社，2004

（工商管理经典译丛·市场营销系列）

ISBN 7-300-06392-6

Ⅰ．营…

Ⅱ．①利… ②魏… ③成…

Ⅲ．市场营销学

Ⅳ．F713.50

中国版本图书馆 CIP 数据核字（2004）第 111734 号

工商管理经典译丛·市场营销系列

营销工程与应用

[美] 加里·L·利连　阿温德·朗格斯瓦米　著

魏立原　成　栋　译

成　栋　审校

出版发行	中国人民大学出版社			
社　　址	北京中关村大街 31 号		**邮政编码**	100080
电　　话	010－62511242（总编室）		010－62511239（出版部）	
	010－82501766（邮购部）		010－62514148（门市部）	
	010－62515195（发行公司）		010－62515275（盗版举报）	
网　　址	http://www.crup.com.cn			
	http://www.ttrnet.com（人大教研网）			
经　　销	新华书店			
印　　刷	河北涿州星河印刷有限公司			
开　　本	787×1092 毫米 1/16		**版　　次**	2005 年 5 月第 1 版
印　　张	39.75 插页 3		**印　　次**	2005 年 5 月第 1 次印刷
字　　数	893 000		**定　　价**	78.00 元

版权所有　侵权必究　印装差错　负责调换